D1196853

Reinhard Spitzy
So haben wir
das Reich verspielt

Reinhard Spitzy

So haben wir das Reich verspielt

Bekenntnisse eines Illegalen

Langen Müller

Schutzumschlagfoto (*aus dem Besitz des Autors*):
v.l.n.r. Hitler, Spitzy, Chamberlain, Attolico,
Mussolini, Leger, Anfuso, Schmidt, François-Poncet, Stelin,
Daladier, Ribbentrop, Göring, Weizsäcker
in der Konferenz von München am 29.9.1938

1. Auflage 1986
2. Auflage 1987
3. Auflage 1988
© 1986 by Albert Langen · Georg Müller Verlag GmbH
München · Wien
Alle Rechte vorbehalten
Umschlag: Christel Aumann, München
Satz: FotoSatz Pfeifer, Germering
Gesetzt aus der 9½/11p Times
Druck und Binden: May + Co, Darmstadt
Printed in Germany 1988
ISBN: 3-7844-2132-6

Inhalt

Vorwort

Lange Zeit hatte ich mir die Frage gestellt, ob ich diese während der vergangenen vier Jahrzehnte auf Grund eigener Aufzeichnungen verfaßten und nun etwas gerafften Memoiren noch zu Lebzeiten veröffentlichen sollte, um auch Rede und Antwort stehen zu können, denn sie würden »Umerzogene« von heute als auch »ewig Gestrige« wegen ihrer unkonventionellen, erlebnisfrischen Aussagen vergrämen.
Doch während ich noch immer zauderte, vertrieben im Jahr 1985 die Hefte Nr. 4 und Nr. 15 des liberalen Magazins »Der Spiegel« überraschend meine letzten Bedenken, und ich kam zur Überzeugung, daß endlich die Zeit reif sei, um frei zu berichten. So bekannte im Heft vom Februar der Herausgeber Rudolf Augstein persönlich unter anderem folgendes:
»Sehr viele dieser Leute mögen Nazis gewesen sein. Aber Kriegsverbrecher waren nur sehr wenige.
Das Gespenstische an der Potsdamer Konferenz lag darin, daß hier ein Kriegsverbrechergericht von Siegern beschlossen wurde, die nach den Maßstäben des späteren Nürnberger Prozesses allesamt hätten hängen müssen. Stalin zumindest für Katyn, wenn nicht überhaupt, Truman für die überflüssige Bombardierung von Nagasaki, wenn nicht schon von Hiroschima, und Churchill zumindest als Ober-Bomber von Dresden, zu einem Zeitpunkt, als Deutschland schon erledigt war.
Alle drei hatten »Bevölkerungsumsiedlungen« verrückten Ausmaßes beschlossen, alle drei wußten, wie verbrecherisch diese vor sich gingen. Gemessen am Generalbevollmächtigten für den Arbeitseinsatz Saukkel, der Hitler die Arbeitskräfte zutreiben mußte, hätten sie alle drei hängen müssen. Denn sie haben sowohl angeordnet wie gewußt, was man von dem Tölpel Sauckel nicht unbedingt sagen kann. Auch gemessen an Generaloberst Jodl wäre ihr Schicksal der Strick gewesen.«
Und im Heft Nr. 15 verlangt ein Rabbiner sogar mehr Mut:
»Obwohl ich bereits lange in der BRD wohne, hatte ich niemals Komplexe, da ich meinen nichtjüdischen Nachbarn stets sagte, daß ich Jude bin. Ich habe aber nie einen Deutschen getroffen, der so konsequent war zuzugeben, daß er Nazi war. Was seid Ihr Deutsche doch für ein feiges Volk!« (Leserbrief des Rabbiners Jonathan J. Klieger, Vohenstrauss (Bayern) aus: DER SPIEGEL Nr. 15/85)
Solch neue Zeichen rufen auf zu freimütiger Beschreibung meiner Zeit,

7

so wie ich sie im Angesicht der drohenden Katastrophe erlebte und verstand. »Volkspädagogische Bedenken«, wie sie den berühmten Berner Zeitgeschichtler Prof. W. Hofer gelegentlich drücken, tragen nicht zu wirklich freier, demokratischer Geschichtsschreibung und zur historischen Wahrheitsfindung bei.

Leider ließ es sich bei meinem Bericht nicht vermeiden, Personen beim Namen zu nennen, die die Jahre des Dritten Reiches gern aus ihrer Biographie streichen würden. Wer jedoch die Geschichte seiner Zeit mitgestaltet hat, und sei es nur am Rande, der muß es sich um der historischen Wahrheit willen gefallen lassen, auch in der Geschichtsschreibung zu erscheinen. Im übrigen bin ich der Meinung, daß ein Mensch zu der Rolle stehen sollte, die er in seinem Leben gespielt hat.

Es bedarf keiner großen Intelligenz oder Geschichtskenntnis, um festzustellen, daß die Fehlentwicklung dieses Jahrhunderts entscheidend mit den Diktaten von Saint-Germain und Versailles und nicht mit dem Dritten Reich begonnen hatte, als unter der innenpolitisch begründeten Absenz des eigentlichen Siegers, nämlich der USA, die Fabrikanten des Pariser Pfusches das maßvolle österreichische Commonwealth, Europas Kernstück, unter Mißachtung aller ethnischen, historischen, und auch wirtschaftlichen Gegebenheiten bis auf eine kleine Alpenrepublik auseinanderhackten, was »le tigre« Clemenceau als wahrhaftiger Vater Hitlers mit den Worten abtat: »L'Autriche sera ce qu'il en reste« (Österreich wird das sein, was dann übrig bleibt). Zwangsläufig mußte sich dieser brutale Eingriff in die seit einem halben Jahrtausend organisch gewachsene politische Ökologie Europas früher oder später furchtbar rächen, und eine bittere Reaktion auf diese fatalen Irrtümer bewegte bald eine gewaltige Zahl von durchaus vernünftigen Leuten. Der jungen »Republik Deutsch-Österreich« hatte man noch zu allem Überfluß diesen einstimmig selbstgewählten Namen verboten und den Status eines normalen Nachfolgestaates vorenthalten. Ja, die Sieger bürdeten ihm sogar Reparationen auch an andere Nachfolgestaaten auf, was wirtschaftlich und moralisch sinnlos war, und zwangen Österreich wahrheitswidrig, gemeinsam mit Deutschland und Ungarn die Alleinschuld am Ersten Weltkrieg zu akzeptieren. Zu guter Letzt wurde Österreich das durch Präsident Wilson feierlich versprochene Selbstbestimmungsrecht der Völker verweigert, das »Heilige Land Tirol« entzweigeschnitten und Südtirol, die Heimat Andreas Hofers, Italien zugeteilt. Und ganze dreieinhalb Millionen Sudetendeutsche lieferte man der Willkür der Tschechen aus, die sofort alle Protestkundgebungen durch das Militär blutig unterdrücken ließen. So wurden z. B. am 4. März 1919 vierundfünfzig Demonstranten erschossen, was unser Bundespräsident Dr. Kirchschläger in einer Rede vor Sudetendeutschen unlängst mutig in Erinnerung rief. Auch Rußland wurde vergewaltigt. Ein beleidigender»Cordon Sanitaire« trennte die Sowjetunion gegen Westen von Europa ab und lief von Finnland über die baltischen Staaten zu dem mit Deutschen und Ukrainern angereicherten Polen, von dort dann weiter zu den neuen»Vielvölkerkerkern« (so hatte man das gefallene Habsburgerreich einst beschimpft) Tschechoslowakei, Großrumänien und Jugoslawien.

Dieser Affront dem russischen und auch dem deutschen Volk gegenüber führte schließlich logisch über Rapallo zum Offensivpakt zwischen Stalin und Hitler, und das ganze Stückwerk der Pariser Vorortverträge brach endgültig zusammen.

Wohl hat Hitler die Bombe gezündet, aber konstruiert, ja gelegt hatten sie die»Staatsmänner« der alliierten und assoziierten Siegermächte des Ersten Weltkrieges.

Heute wird uns Österreichern gerne vorgeworfen, anfangs ganz besonders für das Dritte Reich begeistert gewesen zu sein. Das stimmt und war auch ganz natürlich, denn unser Land war trotz des milden Regimes der Habsburger Kaiser von den Friedensdiktatoren am härtesten, schäbigsten und auch am dümmsten behandelt worden. Schließlich hatten wir am meisten verloren und bitterste Not gelitten. Die Reaktion war dann entsprechend, und wen darf es wundern, daß der Rächer gerade aus diesem Lande wuchs?

In den Köpfen und Herzen von uns jungen Leuten brannte bald die Sehnsucht nach einem wiedergewonnenen Reich, und mir, dem Benediktiner-Schüler, war die Auferstehung des»Heiligen Römischen Reiches Deutscher Nation« Auftrag und Triebfeder all meines Tuns und Denkens. Aus dem damaligen Zeitgeist heraus mögen sich unsere aufrichtigen Beweggründe besser begreifen lassen, und ich will versuchen, meine Zeit so zu beschreiben, wie ich sie einst sah. Es soll mein Bestreben sein, den Leser durch die Landschaft jener Kultur- und Geisteswelt zu führen und ihn Höhen und Tiefen meines ungewöhnlichen und so unverdient beschützten Weges miterleben zu lassen. Die meisten von uns jungen Leuten damals waren weder Schurken noch Idioten, sondern Idealisten. Wir standen vor einem historischen und auch wirtschaftlichen Trümmerhaufen, und die Diktate der Westmächte hatten tragende Säulen des abendländischen Domes gebrochen und unvorsichtig durch ein Sammelsurium künstlicher Konstruktionen ersetzt. Die drei vernichteten, noblen Kaiserreiche wurden dann in der Zwischenkriegszeit – wohl aus schlechtem Gewissen heraus – genauso verteufelt wie das brutale Dritte Reich nach seinem Ende.

Nun ist es eine alte Erfahrung, daß der Sieger dem Besiegten nicht nur seinen politischen Willen, sondern auch sein Geschichtsbild aufzwingt, und während auf der einen Seite echte oder angenommene Verfehlun-

9

gen bestenfalls mit aller Schärfe des Gesetzes geahndet, schlimmstenfalls willkürlich gerächt werden, verschwinden sie auf der anderen unter dem Mantel bequemer Befreiungsamnestien. Gerechtigkeit darf aber niemals einseitig sein, und über vierzig Jahre nach Kriegsende sollte man es verkraften können, Fehler und Verbrechen beider Seiten objektiv zu sehen und dabei auch manche »volkspädagogisch« motivierte Geschichtsklitterung aufzugeben. Tatsächlich sind etwa Hermann Rauschnings »Gespräche mit Hitler« – lange Jahre eine Art Kultbuch für jene, die das böse Ende des Nationalsozialismus schon in dessen Entwicklung erkannt haben wollen – inzwischen als schlichte Erfindung entlarvt worden, und auch die Fabel von der Reichstagsbrandstiftung durch die Nazis hat kaum mehr ernsthafte Befürworter. Vielfach vertreten wird dagegen noch die These von einem »Urwunsch« Hitlers nach dem großen Krieg und der Welthegemonie. Dabei war ihm der Ausbruch eines zweiten W e l t -krieges eher »passiert« – was ihn natürlich in keiner Weise entschuldigt.

Damals, an jenem fatalen 3. September 1939, hatte der Gesandte Dr. Paul Schmidt dem überraschten Hitler das britische Ultimatum mit der angedrohten Kriegserklärung überbracht. Wie versteinert hatte dieser dem Vortragenden gelauscht, sich dann mit dem mehrfach belegtem ratlosen »Was nun?« an seinen Außenminister gewandt »mit einem wütenden Blick in den Augen, als wolle er zum Ausdruck bringen, daß ihn Ribbentrop über die Reaktion der Engländer falsch informiert habe«, wie Dr. Paul Schmidt in seinem Buch »Statist auf diplomatischer Bühne« berichtet.

Sogar Thomas Mann hatte nicht geglaubt, daß Hitler den Krieg wirklich wollte, denn er schrieb unter dem 22. August 1939 – also wenige Tage vor Kriegsausbruch – in sein Tagebuch: »Ich bezweifle, daß Hitler kämpfen will, doch wird er vielleicht dazu gezwungen werden.«

Heute ist es immer noch Mode, die Verantwortung für den Aufstieg Hitlers allein dem kleinbürgerlichen Wählerpotential und dem Mann aus dem Volk zuzuschieben, während gehobenere Schichten und insbesondere der Adel bis auf wenige Ausnahmen, die den Nazis nur als Staffage gedient hätten, immun geblieben seien. Doch nichts ist falscher. Sowohl große Teile der Intelligenz, der Hochschulprofessoren als auch der Künstler, der Aristokratie, des Großbürgertums und des kleinen Adels, der Bankiers, schließlich der Industrieführer und der Medien machten mit und naschten mit, obwohl sie es auf Grund ihrer Bildung und Auslandsbeziehungen besser hätten wissen können als der sogenannte »kleine Mann«, der ausweglos der genialen Propagandamaschine eines Dr. Goebbels ausgeliefert war. Dazu kam, daß hochgebildete Staatsmänner und andere wichtige Persönlichkeiten der Demokratien immer wieder zu Hitler auf den Obersalzberg pilgerten und diesen nicht selten mit Begeisterungstönen verließen, wie z. B. Lloyd George oder der Herzog von Windsor und der britische Gewerkschaftsführer Arthur Henderson. Wie sollte da ein kleiner Beamter, Bauer, Arbeiter, Kaufmann oder Förster es besser gewußt haben?

Allerdings war der Adel dann am Widerstand und am Putschversuch gegen Hitler 1944 hervorragend beteiligt – aber da war es schon zu spät. Doch selbst ein Stauffenberg war lange Zeit dem Nationalsozialismus gewogen gewesen. Das Phänomen des Dritten Reiches ist also ein gesamtdeutsches Problem, betrifft alle Schichten und Stände und muß aus der Zeit heraus verstanden werden.

Im NS-Staat gab es eine unglaubliche Vielfalt von Meinungen, und die Paladine und Satrapen lagen sich gemeinsam mit ihren Dienststellen dauernd gegenseitig in den Haaren. Das ganze Staatsgefüge schien nur nach außen monolithisch, und in nichtdogmatischen Fragen war man einigermaßen großzügig – zumindest während der ersten Phasen des Dritten Reiches. Bei der Französischen Revolution setzte ja ebenfalls erst in der zweiten Hälfte die Schreckensherrschaft ein, und es würde heute niemandem einfallen, gröblichst vereinfachend das ganze bedeutende Geschehen pauschal zu verdammen. Bei der anfänglich eher linken nationalsozialistischen Revolution war der Ablauf nicht viel anders, und das große Morden kam ebenfalls erst in der Schlußphase, als mit dem Zweifrontenkrieg nach 1941 der Gang der Ereignisse verhängnisvoll wurde und der zuvor vielfach gar nicht sonderlich ernstgenommene Rassenwahn in einem Holocaust mündete, der den Klassenhaß und die Blutbäder aller Linksrevolutionen mit deutscher Perfektion noch übertraf.

Wir tun unserem Anliegen der Vergangenheitsbewältigung nichts Gutes, wenn wir alle Taten und Untaten des Dritten Reiches über einen Kamm scheren. Die Gefahr der Darstellung des Nur-Negativen ist überhaupt eine Fehlentwicklung, ja eine Krankheit unserer Zeit. Wir sollten uns vielmehr bemühen, auch die schlimmsten Epochen unserer neueren Geschichte mit Maß und Einsicht, ohne Emotionen zu beurteilen. Und auch das Dritte Reich hat Anspruch auf einen fairen Prozeß. Niemand aus dem deutschen Volk konnte in der ersten Periode des NS-Staates die Greuel eines Auschwitz vorausahnen, wenn Hitler selbst damals noch an eine Umsiedlung der Juden nach dem Osten oder gar nach Madagaskar dachte. Sogar der große Theodor Herzl hatte ja einst Uganda als künftige Heimstätte seines Volkes ernsthaft in Betracht gezogen. Als dann im Krieg ab 1942 Judentransporte Richtung Polen zunehmend bekannt wurden, glaubte man zunächst an eine Bevölkerungstransplantation oder an eine Konfinierung, wie sie auch die demokratischen Westmächte seit dem Bevölkerungsaustausch zwischen Griechenland und der Türkei de facto akzeptiert hatten. Ja, Roosevelt ließ sofort nach Pearl Harbour in den USA sogar die eigenen Staatsbürger japanischer Abkunft ungeniert verhaften, abtransportieren und konfinieren, weil er deren mögliche Loyalität gegenüber ihrem Herkunftsland fürchtete. Ähnliche Vermutungen deutschen Juden gegenüber, so dachten damals viele, mochte angesichts des beträchtlichen Einflusses der amerikanischen Juden auf Roosevelt auch Hitler hegen. Der Abtransport nach dem Osten war somit in keiner Weise zwingend als Weg in – noch völlig unbekannte – Vernichtungslager zu erkennen. Auch Volksdeutsche wurden damals schließlich eiligst umgesiedelt, etwa in Südtirol, im Baltikum oder in der Bukowina. Die NS-Reichsregierung plante nicht ab ovo Holocaust-Maßnahmen, und in der ersten Phase des »Tausendjährigen Reiches«, ja bis in den Krieg hinein, gab man sich noch durchaus weltoffen. Ich zitiere wieder den SPIEGEL, diesmal Nr. 48/1961 : »Hier das Hakenkreuz, da Hollywoodfilme und Coca-Cola: Das Dritte Reich war gar nicht so totalitär, seine Kultur und Lebenswirklichkeit waren vielmehr zwiespältig ...«

In der Tat: Nobelrestaurants wurden von »oben« häufig frequentiert, Schönheitssalons dienten den Damen von Partei und Staat, wie das so schön hieß, und die meisten Künstler ließen sich sehr gern fördern. Überall in den Bars und Cafés spielten Jazzbands, die »deutsche Frau« – sogar Eva Braun – begann, sich wieder zu schminken, und bis weit in den Krieg hinein konnte man auf den staatlichen Bühnen und in den Opernhäusern bzw. Konzertsälen Shakespeare oder gar Tschaikowsky und Gogol genießen. Umgekehrt waren da die liberalen Demokratien etwas zugeknöpfter. Auslandsreisen waren durchaus möglich, die Wirtschaft florierte, und durch die gewaltigen Bau- und Rüstungsanstrengungen war die schreckliche Arbeitslosigkeit der Weimarer Republik wie weggeblasen. Zusehends begann sich auch für die unteren Schichten etwas Wohlstand zu bilden. Und das Ausland fing an, sich positiv zu interessieren und nahm bis Ende 1938 alle Kraftakte der Diktatoren in Spanien, Abessinien, Österreich und Böhmen mit nur leisem Zähneknirschen hin.

Erst als Hitler das Münchener Abkommen mit dem Einmarsch in die Resttschechei unnötig und wahnwitzig brach, begann sich die schon von Bismarck so gefürchtete Große Koalition gegen den Vabanquespieler des »Tausendjährigen Reiches« zu formieren. Nun erst entschloß man sich in den westlichen Demokratien, notfalls auch durch einen Weltkrieg Europa vor dem Diktator zu schützen.

Vergebens haben sich drei Männer, die ich gut kannte, Hitlers Politik des »Alles oder Nichts« vehement und nachdrücklich entgegengestemmt, um den Frieden zu retten und vor allem ihre eigenen Reiche vor Schaden zu bewahren. Sie sind schließlich alle drei seelisch und körperlich an ihrem Mißerfolg zerbrochen und zu Grunde gegangen. Es waren dies – unter anderen – der Staatssekretär Ernst Freiherr von Weizsäcker, der Botschafter im Stabe des Führers Walther Hewel und, last but not least, der aufrichtige Freund Deutschlands und vor allem prophetisch besorgte Verteidiger des Britischen Empires, Botschafter Sir Nevile Henderson. Ihnen sei dieses Buch in Verehrung gewidmet.

Vom Werden eines nationalen Sozialisten

Am 11. Februar 1912 wurde ich als Sohn des Universitätsprofessors Dr. Hans Spitzy und seiner Frau Luise, geb. Martinz, zu Graz in der Harrachgasse 1 geboren und in der Pfarrkirche zu St. Leonhard auf den Namen Reinhard Nikolaus Karl getauft. Die Familie meines Vaters stammte aus Venetien, bzw. Dalmatien:
Die Brüder Spizzi waren aus ungeklärten, vielleicht politischen Gründen nach der Untersteiermark gezogen und hatten sich dort zu Ende des 18. Jhdt. angesiedelt. Sie waren gebildete Menschen, heirateten Töchter aus begüterten Bauernfamilien und kamen zu bescheidenem Wohlstand. Unser direkter Vorfahre aus dieser Zeit hieß Andrea Nicoló.
Väterlicherseits habe ich durch meinen Ur-Urgroßvater das veneter Blut und durch meine untersteirischen Vorfahren sicher ein gerütteltes Maß an slawischem Blut. Es empfanden sich aber meine Vorfahren mit aller Selbstverständlichkeit den Deutschen zugehörig. Meine Mutter stammt aus Kärnten, aus einer alten Wolfsberger Hammerherrenfamilie, deren Vorfahren sich teilweise mehr als fünfhundert Jahre zurückverfolgen lassen. Sie waren Kärntner mit geringfügigen Einschlägen aus der Steiermark, Oberösterreich und Wien. So bin ich ein typisches Produkt der österreichischen Alpenländer.
Das Schicksal meiner Heimat hat mich mein Leben lang stark bewegt. Ich habe mich für sie von früher Jugend an mit Idealismus eingesetzt. Dabei mag es Irrtümer und Irrungen gegeben haben. Für ungezählte Dinge war ich Feuer und Flamme, und man konnte mich bisweilen auch für einen verrückten Idealisten halten. Selten jedoch war Egoismus die Triebfeder meines Handelns. Ich wollte im Glück meiner Heimat glücklich werden. Allerdings, und das gebe ich zu, war ich oft der Ansicht, daß der Zweck die Mittel zu heiligen habe, und um das mir so schrecklich scheinende Erbe der Friedensschlüsse von Westfalen, Versailles und St.-Germain zu bekämpfen, wären mir in meinem jugendlichen Eifer auch Gift und Dolch als durchaus legitime Mittel erschienen.
Die Jugendjahre verbrachte ich in Wien im Schoße der Familie, die im Wohlstand lebte, obwohl das beträchtliche Vermögen meiner Mutter durch die Inflation vernichtet worden war. Doch mein Vater – Universitätsprofessor der Medizin in Wien – gewann an Ruf, Ansehen und Vermögen. Bald galt er als einer der bekanntesten Ärzte der »Wiener Schu-

le«. In den letzten Jahren des Weltkrieges wurde er Arzt der kaiserlichen Familie und hatte sich mit der körperlichen Erziehung junger Erzherzöge zu befassen. Er genoß das Vertrauen der Kaiserin Zita, und auch Kaiser Franz-Josef hatte ihn geschätzt und einige Male zur Audienz befohlen, vor allem als Vaters Buch »Die körperliche Erziehung des Kindes« bekannt wurde. Anläßlich einer solchen Audienz brachte mein Vater auch einmal den Kaiser gegen das Zeremoniell zum Lachen, worauf ihm der Hofmarschall empörte Vorwürfe machte. Der alte Monarch hatte ihn nämlich gefragt, was er denn mit seinem Buch bezwekke, und als mein Vater antwortete: »Majestät, nur fesche Buben und hübsche Mädeln!« – da hat der Kaiser sehr gelacht und gesagt: »Da haben Sie aber recht, lieber Professor!« Die Hofschranzen hinter der Tür hatten zugehört und es weitergemeldet.

Als der Kaiser eines Tages von einem neureichen Fabrikanten eine Millionensumme geschenkt bekam – er wollte sich damit einen Titel beschaffen – wurde diese Summe meinem Vater zur Verfügung gestellt, damit er nach seinen damals so modernen Ideen ein großes Spital errichten lassen könne. Dieses Spital mit den angeschlossenen Schulen und Prothesen-Werkstätten wurde dann der Grundstock für die »Wiener Orthopädische Schule« und erlangte im Ersten Weltkrieg große Bedeutung für die Heilung, Umschulung und Rehabilitation von Invaliden.

Die Erziehung von uns fünf Kindern (drei Buben und zwei Mädchen) war streng, einfach, umfassend, monarchistisch und zudem sehr katholisch. Es war nicht leicht, uns zu erziehen, denn wir Geschwister hatten – und haben wohl noch – alpenländische Dickschädel. Dauernd gab es Kämpfe zwischen Eltern, Erziehern und uns Kindern.

Die Gouvernanten wechselten wie die Jahreszeiten: Keine hielt es lange bei uns aus. Nur zwei von ihnen hatten großen Einfluß auf mich und blieben längere Zeit im Hause. Eine war Anni Broich oder »Famem«, eine Schweizerin aus Zürich. Sie bedeutete mir damals mehr als meine Mutter, die ich verhältnismäßig selten sah. Mama liebte uns wohl sehr, war aber herrisch und wollte uns streng erziehen. Daher flüchtete ich mich mit meinem kindlichen Liebesbedürfnis zu den Erzieherinnen. »Famem« liebte ich mit allen Fasern meiner kleinen Seele, und sie blieb mir unvergessen. Später kam Fräulein von Kuhn zu uns, eine gestrenge Dame, die ich verehrte, respektierte, und der das Kunststück gelang, mich einigermaßen zu zähmen. Mit ihr mußte ich fleißig musizieren, nämlich Geige spielen, während sie mich auf dem Klavier begleitete. Zehn Jahre lang wurden wir musikalisch gedrillt, zuerst durch den alten Hofkapellmeister Eder, dann durch den Konzertmeister Rosner, und zwischen den Unterrichtsstunden wurde mit den Erzieherinnen stundenlang geübt. Das war für einen Buben meiner Art kein Vergnügen, und ich betete:»Lieber Gott, laß doch den Violinlehrer krank werden, aber nur soviel, daß er nicht kommen kann.« Ich habe die letzten Jahre der k. u. k. Monarchie nie vergessen. Da waren die Wiener Hofburg mit ihrer Burgmusik, die mittags aufmarschierte, Kaiser Karl, der am Fenster erschien und winkte, die Arcieren-Leibgarde mit ihren weißen, purpurseiden gefütterten Pelerinen und silberglänzenden Helmen mit weißen Roßschweifen, auch die kaiserlichen Ausfahrten durch das Äußere Burgtor und die Uniformen meines Vaters habe ich noch in Erinnerung. Vor allem wenn er gerade aus Schönbrunn oder aus Laxenburg kam, und es dann hieß, Papa sei heute beim Kaiser oder bei der Kaiserin gewesen, dann stieg die Ehrfurcht von uns Kindern ins Unermeßliche. Meine Nase reichte damals gerade bis zum oberen Teil von Papas Uniformhose. Waffenrock, Schnurrbart und Helm verloren sich in himmlischen Regionen.

Papa war gütig, doch streng. Er hatte nicht viel Zeit für uns. Entweder war er im Spital oder auf der Universität. Meistens roch er nach Äther. Alles drehte sich in ehrfürchtiger Liebe um ihn. Universität und Spital machten uns Kindern keinen besonderen Eindruck, wohl aber, daß Papa so oft vom Kaiser und noch öfter von der Kaiserin und den jungen Erzherzögen erzählen konnte; das war für uns einfach überwältigend! Das Dreigestirn Gott – Papst – Kaiser strahlte auf unserem Kinderhimmel. Nur ein Ausbund an Verruchtheit konnte daran rühren! Darum traf uns dann die Revolution mit ihren Wirren wie ein Donnerschlag!

Doch wollen wir noch etwas in der kaiserlichen Zeit verweilen. Denn sie erschien uns später wie eine Zauberwelt. Der Krieg störte kaum den Glanz dieser Epoche, er verlieh ihr in den Augen von uns Kindern eigentlich noch mehr Größe. Häufig zogen Regimenter durch die Straßen mit Kanonen und Maschinengewehren, oder mit einem Spielmannszug: Uns Buben imponierte das ganz besonders. Einmal wurde auch ein kaiserlicher Feldmarschall zu Grabe getragen. Diese»schöne Leich'«, wie man das in Wien nennt, blieb mir klar in Erinnerung: Ein ganzes Regiment war ausgerückt; hinter dem Sarg trugen Edelknaben auf Samtpolstern die Dekorationen und Orden des Verstorbenen. Sein Pferd im Harnisch wurde hinter dem Sarg am Zügel geführt. Ich war sicher: dieser Mann mußte ein toter Recke, ein Held aus den Sagen sein. Ich beneidete ihn fast in seiner»hehren« Pracht.

Überhaupt war damals alles»nobel und hehr«, der liebe Gott, der Kaiser, der Papst, die Feldmarschälle und ihre Generale, die Bischöfe und Patres. Unsern Lehrern und Erziehern und schließlich den Eltern gebührte ebenso Verehrung, Gehorsam und Dankbarkeit. In dieser Gesinnung wurde um uns herum eine Art Märchenwelt aufgebaut, und die

Sagen, die wir brennend gerne und immer wieder hören wollten, bewiesen, daß stets das Gute und die vornehme Gesinnung siegen und das Böse fürchterliche Rache treffen muß.

Unvergeßlich sind mir aus jener Zeit die hohen »Knöpfelschuhe« der Damen. Mit einem besonderen Haken mußten diese Stiefelchen von unseren geplagten Stubenmädchen zugeknöpft werden, deren Aufgabe es dann auch war, das Mieder meiner Mutter mit Kraft zusammenzuschnüren. Dann gab es noch die Hutnadeln an den gewaltigen Hüten und die ewig zu wechselnden Lockenbrennscheren, deren Hitze an rauchendem Zeitungspapier gemildert wurde. Im ganzen Haus roch man es, wenn Mama zu einer Einladung ging.

Aber ebenso unvergeßlich ist mir auch das allgemeine Absinken der Stimmung. Wie oft fragten wir Kinder unseren Vater: »Papa, werden wir bald den Krieg gewinnen?«

»Ja, das weiß nur der liebe Gott!«

Immer öfter fuhr der Sammelwagen trompetend durch die Straßen, um Kautschuk, Messing und Blei zu sammeln. Überall in der Wohnung wurde dann gekramt, um entbehrliche Gegenstände aus diesen kriegswichtigen Materialien zu finden. Dann wurde auch das Essen immer karger. Papa machte in der Küche einmal den Versuch, aus Rüben Sirup zu kochen, aber niemand wollte das Endprodukt zu sich nehmen – es schmeckte einfach scheußlich. Das Brot zerfiel, und bald gab es nur noch Rüben. Wir Kinder suchten mit unseren diversen Kinderfräulein Essbares im Wald und auf den Wiesen. Da gab es Dotterblumen, Brennesseln, wilden Knoblauch, Kresse und Eicheln – aus diesen brannte man Kaffee-Ersatz. Gut schmeckte das alles gewiß nicht, aber Selbstgesuchtes war immerhin etwas Besonderes.

Oft erzählte Papa verzweifelt, daß manchmal dieselben Verwundeten, die er schon einmal mühselig und unter großen Schmerzen für die Ärmsten zusammengeflickt hatte, zerschossen wieder ins Spital eingeliefert wurden, und sie sollten nun bald wieder zu Krüppeln geschossen werden! Alles erscheine ihm so sinnlos, und die Kaiserin habe ganz recht, man müsse so schnell wie möglich mit dem Krieg Schluß machen! Wahrscheinlich meinten unsere Eltern, wir Kinder würden solche Reden nicht verstehen oder nicht richtig zuhören, doch weit gefehlt! Diese Gespräche machten großen Eindruck auf uns.

Papa hatte in Hütteldorf, in der Nähe von Schönbrunn, einen Besitz gepachtet, der früher einmal dem Fürsten Liechtenstein gehört hatte. Er hieß später »der Dehnepark«. Dieser waldreiche Besitz mit zwei Rokoko-Villen, einem künstlichen Teich mit Wasserfall und einer kilometerlangen eigenen Fahrstraße, hatte eine Ausdehnung von ungefähr zehn Hektar. Später gehörte er dem Filmschauspieler Willi Forst.

Das Anwesen lag zwischen einem Besitz des Erzherzogs Johann-Salvator und dem Steinhof, der Irrenanstalt. Für uns Kinder war das hochinteressant: Manchmal konnte man einen richtigen Erzherzog zwischen den Zaunlatten bewundern, manchmal liefen wir auf die andere Seite des Besitzes und sahen uns ebenso begeistert die wild herumlaufenden, gestikulierenden Geisteskranken an. Beides war uns natürlich streng verboten.

Papa hatte diesen Besitz gewählt, um im Sommerhalbjahr näher bei der kaiserlichen Familie in Schönbrunn und rasch verfügbar zu sein, wenn er gerufen wurde. Untrennbar verbunden mit diesem Ansitz war für mich der Herr Pohl, ein schnurrbärtiges, typisches Altwiener Original, im Nebenberuf kein sehr fleißiger Gärtner, aber sonst ein Schatz. Niemand nahm ihm übel, daß er nicht viel tat, außer daß er philosophierte, Virginias rauchte und gelegentlich einige Blumen oder Salate ablieferte. Ich liebte diesen Mann. Er schnitzte mir Flöten, er machte Pfeil und Bogen, er wusch meine Hosen aus, wenn mir ein Malheur passierte, kurz er half mir immer und aus jeder Verlegenheit. Ja, er fing sogar Vögel mit der Hand – ich weiß heute noch nicht, wie er das machte – er war imponierend, sein Wienerisch überwältigend und seine Sprüche unbezahlbar. Leider war er Sozialdemokrat, also ein richtiger Sozi! Das war schon eine fürchterliche Sache, wie uns schien, aber ihm verziehen wir einfach alles. Wir durften natürlich nicht zu oft bei ihm sein, doch zu jeder Minute, in der ich in Ruhe gelassen wurde, zog es mich zu ihm hin.

Herr Pohl und ich waren auch durch ein geheimes Abenteuer miteinander verbunden. Ich »mußte« nämlich für ihn aus unserem Salon Zigaretten stibitzen. Diese Zigaretten rauchten wir dann gemeinsam, was für einen Buben von damals nur fünf Jahren eine beachtliche Leistung war. Auch sog ich gerne an Pohls Pfeife und hörte später mit Erstaunen, daß dieser schwer tuberkulös gewesen sei. Es hat mir jedenfalls nichts ausgemacht.

Pohls guter Freund war Herr Danda, der Spenglermeister. Ihn begrüßte er in einem Atemzug mit seinem speziellsten Gruß: »Oh, habe die Ehre gschamster Diener, Herr Danda.« Der also Angesprochene war als der ranghöhere Meister etwas kürzer angebunden: »Servas!« sagte er und tippte an seinen Hut.

Als Österreich Republik wurde, meinte er zu meinem Vater auf die Frage, ob es jetzt besser werden würde: »Jo, wissen's, Herr Prafessa, do wird se gor nix ändern, de, de obn san, de ramen.« Papa freute sich natürlich sehr über diese geringe Einschätzung der politischen Moral. Herr Pohl war einfach ein echtes Original und hatte für alles des neuen Regimes eine patente Erklärung; er war der gute Geist in jenem kleinen Paradies mit Eichenwald und Zyklamen, einer künstlichen Ruine, dem

Teich und der Insel, den Booten, Bächen, Wiesen, dem immer unreifen Bauchweh-Obst, dem Springbrunnen und den »Bergen«, die freilich nur unbedeutende Hügel waren. Es war eine Welt für sich und für uns ein idealer Platz zum Austoben.

Eine wichtige Persönlichkeit für mich war noch die Sekretärin und Ordinationsschwester meines Vaters. Sie hieß Margit Frankau, muß damals ungefähr 25 Jahre alt gewesen sein und war meinem Vater kurz vor dem Ersten Weltkrieg in Graz, im Spital, durch Tüchtigkeit und Pflichterfüllung aufgefallen. Sie vergötterte meinen Vater als Arzt, Wissenschaftler und Persönlichkeit. Hart gegen sich und gegen andere, war sie ein Beispiel für Moral und Korrektheit. Ihre besondere Verehrung galt dem deutschen Kaiserreich und der deutschen Armee. Der Generalstab und die deutsche Aristokratie seien Beispiele für jeden Patrioten. Ihr Bruder, ein Arzt, wirkte und kämpfte während des Ersten Weltkrieges in Palästina. Dort bekam er wegen seiner hervorragenden Tapferkeit bei der Verteidigung eines Lazaretts gegen arabische Beduinentruppen sogar den bayerischen Max-Leopold-Orden.

Margit las mir gern deutsche Heldensagen vor und erzählte von den Jagdfliegern Richthofen und Boelcke, von preußischer Pflichterfüllung und dem perfiden Albion, der nur aus Handelsneid Deutschland keine Zukunft und keinen Platz an der Sonne gönnen wollte.

Mit Wohlwollen sah sie später, wie ich, bzw. mein Bruder, in das nationale Fahrwasser kamen. Jüdische Patienten, die Papas Ordination aufsuchten, behandelte sie mit kalter Sachlichkeit. Ihr Haß gegen Juden, Sozialisten und Börsenspekulanten war geradezu alttestamentarisch. Erst viel später, als wir schon Maturanten waren, erfuhren wir durch Papa die Hintergründe ihres Verhaltens und von der Tragödie ihres Lebens: *Schwester Margit war Jüdin* – ihr Vater hatte früher Rosenthal geheißen und entstammte einer alteingesessenen, reichen Frankfurter Familie. Schwester Margits Eltern aber wollten nur Deutsche sein und sich gänzlich vom Judentum lösen. So änderten sie Ende des vorigen Jahrhunderts ihren Namen von Rosenthal in Frankau und übersiedelten, Spuren verwischend, von Frankfurt nach Graz, wo sie sich niederließen und der Vater eine bedeutende Beteiligung an der Grazer Trambahn-Gesellschaft erwarb. Niemand in Graz wußte von der jüdischen Abkunft der Familie. Vater Frankau wurde einer der Chefs der besonders national gesinnten protestantischen Gemeinde von Graz. Den Kindern wurde ihre Herkunft verheimlicht.

Die Frankaus führten bald ein großes Haus. Eines Tages verliebte sich Margit in Graz in einen Burschenschaftler und wollte ihn heiraten. Kurz nach der Verlobung aber, als man die Papiere für das Standesamt sammelte, trat die jüdische Abstammung zutage und Margits Verlobter wollte von einer Heirat nichts mehr wissen. Alle Geschwister waren wie erschlagen. Antisemitisch und national erzogen, standen sie plötzlich wie Parias vor sich selbst wie vor den anderen da. Der junge Frankau schwor, sich nie zu verheiraten. Er verließ Österreich, zog als Arzt nach München und trat bei Beginn des Ersten Weltkrieges in das bayerische Heer ein. Später unterstützte er die nationalen Bewegungen, so gut er konnte, und erschoß sich im Jahr 1933 gleich nach der Machtergreifung, um für das neue Deutschland kein Problem zu bilden.

Margit, seine Schwester, trat in den protestantischen Diakonissen-Orden ein und schwor sich ebenfalls, nie zu heiraten. Ihre jüngere Schwester aber heiratete einen jungen Grazer Rechtsanwalt aus nationalen Kreisen, der deshalb aus der Burschenschaft austreten mußte. Ein Sohn aus dieser Ehe wurde später unter Dollfuß illegaler SA-Mann, wurde verfolgt und eingesperrt. Nach der Machtergreifung konnte er keinen Ariernachweis erbringen, hatte Schwierigkeiten, und ich konnte ihm dabei helfen, mit großzügigen Devisenbewilligungen nach Südamerika auszuwandern. Während der Dollfuß/Schuschnigg Zeit entließ mein Vater, der ja vaterländisch, das heißt für Dollfuß, Schuschnigg und die Monarchie eingestellt war, Schwester Margit, da ihm ihr nationaler Radikalismus nicht mehr erträglich schien! Schwester Margit ging daraufhin wieder in ihr Diakonissenheim nach Graz zurück. Wenn ich heute an die jüdischen Idealisten in den Kibbuzim denke, die stolz, radikal, national und kriegerisch, kompromißlos ihre Ansichten vertreten und nach diesen noch leben, so ist vielleicht der Gedanke nicht ganz abwegig, que les extrèmes se touchent, und daß Juden und Deutsche in ihrem ausgeprägt elitären Selbstverständnis – der alttestamentarischen Vorstellung vom auserwählten Volk Gottes einerseits, dem damaligen Wahn einer nordisch-germanischen Herrenrasse andererseits – gar nicht so sehr weit auseinanderlägen. Vielleicht war es ein kapitaler Fehler, daß man auf beiden Seiten die Assimilation so lange bekämpft hatte. Das deutsche Volk, das als Mischvolk aus Germanen, Kelten, Slawen und Romanen Minderheiten stets schnell assimiliert hatte, versagte am jüdischen Elite- und Sendungsbewußtsein, um hier einmal mit de Gaulle zu sprechen, der am 27.11.1967 in einer Pressekonferenz vom »le peuple juif, sur de lui même et dominateur« sprach.

Doch nun zurück zum Jahr 1918.

Als wir damals in Wolfsberg in Kärnten bei den Verwandten meiner Mutter waren, hörten wir noch aus der Ferne das Schießen der 30,5 cm-Mörser an der Isonzo-Front. Solch unauslöschlicher Eindruck bestärkte wieder unseren Glauben an die ungebrochene Macht der Donaumonarchie und an den Sieg. Doch die Not wuchs; bald gab es nur noch Ersatzwaren.

Die Sorgen meines Vaters über den bevorstehenden unglücklichen Kriegsausgang wurden immer ausgeprägter. Schließlich kam der Zusammenbruch mit wilden Demonstrationen und Schießereien in Wien. Hetzplakate in schreienden Farben klebten an den Hauswänden; die Soldaten steckten in abgerissenen Uniformen. Überall gab es Hunger und Not. Immer wieder brachen Menschen auf der Straße zusammen. Da suchten bleiche Offiziere in Mülleimern nach Speiseresten. Da gab es Krüppel und Blinde, und es gab auch die bekannte Erscheinung der präpotent Reichen, zumeist jüdische Schieber aus Galizien in ehemaligen Herrschaftsautos.

Damals ging ich schon in die Volksschule. Mein Lehrer, Herr Ronge, war ein aufrechter, begeisterter Sozialist. Wir hatten ihn eigentlich gern, obwohl er gefürchtet war und schrecklich brüllen konnte. Schon uns Kinder versuchte er zu Sozialisten zu erziehen. Neben dem Einmaleins-Unterricht hielt er lange politische Vorträge, verdammte jeden Krieg und alle Habsburger. Prinz Eugen erklärte er kühl zum Mörder, und alle Berufsoffiziere seien praktisch besoldete Schlächter. Bald gab es in regelmäßigen Abständen Streit zwischen ihm und meiner Mutter. Mein Vater lachte und tendierte mehr zur Ruhe. Meine Mutter aber, ein typischer Sacré-Cœur-Zögling, liebte den Kampf für ihre Überzeugung, und die war natürlich katholisch-monarchistisch. Ronge hingegen war überzeugter Atheist. Der Streit endete mit meinem Übertritt in die katholische Volksschule in der Breunerstraße – im vierten Volksschuljahr. Vorher aber hatte mich meine Mutter einmal, nachdem Ronge wieder von barfüßigen Armen gesprochen hatte, eiskalt über die Wiener Asphaltstraßen ebenfalls barfüßig, doch im Matrosenanzug, zum großen Gaudium und Neid der Schulkollegen, durch die Stadt in die Schule laufen lassen. Das Aufsehen war gewaltig, und diesmal gab sich der rote Ronge geschlagen.

1923 kam ich ins Schottengymnasium, in die berühmte, hervorragende, uralte Benediktiner-Schule in Wien. Die wirtschaftliche Lage hatte sich inzwischen wesentlich gebessert. Wir mußten nun nicht mehr nach Hütteldorf fahren, zum Kloster der Barmherzigen Brüder um Milch zu holen – dort hatten wir zwei Milchziegen eingestellt – und mußten auch nicht mehr im Walde nach eßbaren Pflanzen für unsere Küche suchen. Die Schule nahm mich voll in Anspruch. Ich war ein fauler Schüler und emsiger Lausbub, bei den Professoren und in der Klasse aber eher populär. Das half, und trotz großer Schwierigkeiten rückte ich in die nächste Klasse vor. Jahr für Jahr: in Mathematik keine Leuchte, in den Sprachen passabel, im Turnen, Singen und Religion gut, in Geschichte und Geographie aber hervorragend! Kulturgeschichte wurde mein Lieblingsfach! Ich las Unmengen von Büchern. Mich begeisterte Plutarch und später das Mittelalter mit der Idee des »Heiligen Römischen Reiches Deutscher Nation«, wie sie uns damals von den Lehrern vermittelt wurde. Die Heldensagen, die Bauernkriege, vor allem aber die Romzüge der Kaiser erregten meine Phantasie. Auf die Italiener war ich stets schlecht zu sprechen, nicht zuletzt wegen des »Raubes und der Vergewaltigung von Südtirol«. Beharrlich und konstant weigerte ich mich, italienischen Wein zu trinken oder Orangen zu essen, obwohl sie mir immer wieder verlockend angeboten wurden. Meine Eltern lachten mich aus und kritisierten meine Haltung – im Grunde aber imponierte es ihnen.

Großdeutscher Nationalismus preußischer, bereits friderizianischer Prägung, war mir allerdings unsympathisch. Dafür hatte Maria Theresia meine ganze Sympathie. Mit jeder Faser meines Herzens sehnte ich mich nach der Auferstehung des »Heiligen Römischen Reiches Deutscher Nation«, wie sie Ulrich von Hutten ersehnte. Italien war und blieb, so schien es mir damals, stets unser Unglück! Die Römerzüge der Kaiser, der Kampf mit dem Papsttum, die frühe und späte Italienpolitik der Habsburger hatten meiner Ansicht nach nur Unheil über uns Deutsche gebracht. Jetzt war Italien als diplomatischer Gegner gefährlich, als Freund schien es mir unverläßlich, als Feind womöglich verhängnisvoll, denn es verstand sich auf die Kunst, stets die richtigen Alliierten für sich zu finden. Daher schien es mir notwendig, daß sich Österreich oder das Deutsche Reich an den Alpen abkapsle, um – unter Rückbehaltung höchstens von Triest – aktive Ostpolitik in Richtung donauabwärts zu betreiben. Mit Italien also nur wachsame Nachbarschaft! Andererseits sah ich ein, daß die Beherrschung Venedigs durch die Habsburger ein empörendes Unrecht gewesen war, und daß die Italiener mit Recht auf die Österreicher schlecht zu sprechen waren.

Der Norddeutsche Nationalismus sagte mir nichts, vor allem konnte ich mir unter der »Polenfrage« wenig vorstellen. Ja, hier war Ende des 18. Jahrhunderts schreiendes Unrecht geschehen, und wir hatten meiner Ansicht nach dort nichts zu suchen. Aber die balkanischen Völker verdankten ihre Freiheit von der Türkenherrschaft dem österreichischen Heer und Prinz Eugen! Daher erschien mir eine föderative Politik der Ausdehnung in diese Richtung durchaus legitim und realisierbar. Als Verbündeter kam natürlich nur das Deutsche Reich in Frage. Österreich, durch solche Erfolge gestärkt, könnte dann wieder die erste Geige in diesem Konzert spielen. Preußen käme somit auf den ihm gebührenden norddeutschen zweiten Platz. Ein kleines, pseudounabhängiges Österreich, das zwischen Nachbarn wie der kleinen und der großen Entente, verarmt und politisch willenlos dahinvegetierte, schien mir im Hinblick auf unsere große Vergangenheit gänzlich unwürdig.

Meine Idealgestalten waren die Salier und die Staufer, Rudolf von Habsburg, Kaiser Maximilian; auch Ferdinand II., der kraftvoll ein im Katholizismus geeintes Reich wiederherstellen wollte; Prinz Eugen, Kaiserin Maria Theresia, Joseph II. und Erzherzog Johann zogen mich an. Die späten Habsburger lehnte ich ab, denn sie hatten sichtlich keine »Fortune« mehr. Die Hohenzollern waren mir wenig sympathisch. Luther schien mir ein hochgebildeter, aber gefährlicher Mittelständler. Wie konnte er sich nur über die Pracht der Renaissance aufregen, einer Reorientalisierung des Christentums das Wort reden, die Bauern erst aufhetzen und sie dann im Stich lassen? Ich liebte an der katholischen Kirche alles Heidnische, Prächtige, besonders das Römische, Griechische, alles Karolingische und Kaiserliche. Ich verehrte den Weltbürger Paulus, die Fischer-Apostel aber sagten mir wenig.

Der Glaubensspaltung und dem Dreißigjährigen Krieg gab ich die Schuld, daß Deutschland erst so spät zu einem Nationalstaat zusammenfand. Von Luther lief über die Aufklärung und die Französische Revolution ein roter Faden zu Stalin, wie später Professor Menghin dozierte. Ich fand es verbitternd, daß Preußen und Frankreich, Österreich, als es sich der Türkei erwehrte, stets in den Rücken fielen, und bedauerte unendlich, daß man nach dem Sturz Napoleons die Gelegenheit nicht wahrgenommen hatte, das alte Reich wieder zu errichten. Man begnügte sich damals mit der Errichtung eines Deutschen Bundes – einer Konstruktion, die Europa dank deutscher Mäßigung die Segnungen eines fünfzigjährigen Friedens schenkte. Diese maßvollen Lösungen des Wiener Kongresses könnten eigentlich den heutigen Staatsmännern zur Nachahmung empfohlen sein – im Sinne einer konstruktiven Mäßigung! Hier war wirklich einmal der berühmte »sens de la mesure« an der Arbeit. Das Dreigestirn Metternich, Castlereagh und Talleyrand hatte Maßarbeit geleistet. Leider brachten das 48er Jahr und der vorzeitige Tod des Fürsten Schwarzenberg dieses Gebäude ins Wanken, und in den sechziger Jahren des vorigen Jahrhunderts erhielten die österreichische Monarchie und die europäische Neuordnung Metternichs den Todesstoß. Erst heute kann man beurteilen, welch entscheidende Wendungen das Jahrzehnt nach 1860 mit sich brachten, und dies nicht nur für Europa, sondern auch für Amerika. Sowohl der europäische als auch der amerikanische Bürgerkrieg endeten mit dem Sieg der Technik, der disziplinierten Masse und des überlegenen Materials: Die Yankees blieben die Sieger, die Kultur verlor, Sparta gewann – nicht Athen! Königgrätz und Appomattox, beides unheilvolle Daten der Weltgeschichte! Siege des Zündnadelgewehrs und der Lincolnschen Gemeinplätze. Wieviel klüger hatte doch Brasilien die Sklavenfrage gelöst. Es machte ganz einfach ein Gesetz, daß von nun an alle Kinder frei geboren seien, womit sich in einer Generation ohne viel Blutvergießen die Sklavenfrage von selber gelöst hatte und die Neger organisch in den Staat hineinwachsen sollten. Der Übergang geschah vernünftig, nicht mit Gewalt. Sowohl Zentraleuropa als auch die USA haben heute noch für die Fehler der damaligen »Staatsmänner« zu bezahlen. Lincoln blieb nicht der letzte Präsident, der die Frage der Rasse und nationalen Einheit hochspielte, um den Präsidentenstuhl zu erlangen und mit schwarzen Stimmen zu behalten, und Preußen hat unter der Fahne der deutschen Einheit meist egoistische Ziele verfolgt. Sein überragender Staatsmann Bismarck hatte größte Mühe, die siegestrunkenen Hohenzollern und ihre Generale zur Mäßigung anzuhalten. Die Zeit für Kavaliere war damals endgültig vorbei, damit auch die Kaiser Franz Josefs und seines Österreichs, des zentraleuropäischen Commonwealth. In der Folge steuerten im Grunde wohlmeinende Feldwebel wie Wilhelm II., der Panslawismus und der anglofranzösische Konkurrenzneid auf die Katastrophe zu.

Zu solchen und ähnlichen Erkenntnissen kamen wir in den letzten Jahren des Gymnasiums. Nun standen wir, die Nachkriegsjugend des Ersten Weltkrieges, vor dem Trümmerhaufen. Daher war es verständlich, daß wir die elterlichen Rezepte ablehnten. Dies tut die Jugend zu allen Zeiten, wir taten es mit besonderer Entschiedenheit.

Nur zwei Lösungen boten sich an: das Wiederentstehen des Reichsgedankens unter Einflechtung moderner, sozialer Ideen unter Führung eines Konsuls oder Diktators, wie es Rom zu Notzeiten praktiziert hatte, oder eine internationale Lösung im Verein mit Rußland und der kommunistischen Idee.

Die Demokratien schienen in der damaligen Form abgewirtschaftet zu haben. Mit ihnen konnte man keinen Hund mehr hinter dem Ofen hervorlocken. Die Tintenfässerschlachten und Pultdeckelkonzerte im Wiener Parlament, die Inflation und die Servilität unserer Regierungen Frankreich, Italien und der Tschechoslowakei gegenüber empörten uns junge Leute. Wohlmeinende »demokratische« Ratschläge von reichen und beutefetten Siegernationen wollte keiner hören. Die Not und das Elend der dreißiger Jahre, entsetzliche Arbeitslosigkeit und die vollkommene Aussichtslosigkeit Arbeitsplätze zu schaffen, trieb die Menschen im Alter von zwanzig bis zu fünfzig Jahren in die Arme des Radikalismus.

Ich jedenfalls hatte genug von der monarchistischen Einstellung zu Hause und dem obligaten Katholizismus! Ich wählte den Nationalismus. Schon als im Jahre 1927 anläßlich eines Aufstandes in Wien der Justizpalast niedergebrannt wurde, erhielt ich die Zustimmung meiner Eltern zum Beitritt in den neugegründeten Heimatschutz, der unter der

Führung von Rauter und Pfrimer stand. Der Heimatschutz war betont national und auf jeden Fall mehr großdeutsch eingestellt als die niederösterreichischen Heimwehrverbände, die in Wien ihre Niederlassungen hatten und sich eher am italienischen Faschismus orientierten. Dieser aber kam für alpenländische Heimwehren und für den steirischen Heimatschutz niemals in Frage! Unser oberster Chef war damals Fürst Ernst-Rüdiger Starhemberg, ein junger Mann mit zunächst großdeutschen, ja nationalsozialistischen Tendenzen. Aber auch er mußte mit der Zeit italienische Silberlinge akzeptieren. Und die Sozialisten verkauften den bürgerlichen Tschechen für Geld ihre Seelen – beide Quellen für Österreicher höchst peinlich!

Ich war glücklich, nunmehr ein klares Ziel vor Augen zu haben und dafür mit Leib und Seele kämpfen zu dürfen. Immer mehr junge Leute der sogenannten Wiener Gesellschaft traten den Heimwehren bei, und es entwickelten sich wirklich gute Kameradschaftsverhältnisse: Bürgerliche, »Intelligenz« und »obere Zehntausend« trafen sich bei Appellen, bei Aufmärschen und Demonstrationen in Reih und Glied und trugen dabei den Steirerhut mit der Hahnenfeder. Heute würde man sagen, es belebte uns ein neues Kraftgefühl, nachdem man sich jahrelang als »Amboß« gefühlt hatte. Jetzt waren wir »Hammer« und glaubten, unser Schicksal selbst in die Hand genommen zu haben. Jetzt wehrte sich auch jener Bevölkerungsteil, dem, zusammen mit der Bauernschaft Tradition, Autorität, Opfermut und die Nation noch etwas bedeutete. Wahrscheinlich waren die republikanischen Schutzbündler, die Truppe der Linkssozialen, genauso begeistert und fühlten ebenfalls den Anbruch einer neuen Zeit.

Die Monarchien unter den Habsburgern und unter den Hohenzollern gehörten für uns endgültig in die »Rumpelkammer der Geschichte«. Wir wollten grundsätzlich etwas ganz Neues und waren durchaus bereit, uns hierfür zu opfern. Leider aber hatten wir in der Arbeiterschaft keine Resonanz.

Es war hauptsächlich die Oberschicht mit dem Bürgertum und den Bauern, die sich unter dem Segen des Klerus in der Heimwehr zusammengeschlossen hatte. Daher verfolgten dort ganz verschiedene Gruppen ihre eigenen Ziele. Da gab es eine starke monarchistische Gruppe, ebenso eine nationalistische und weiters eine klerikale. Andere Gruppen wieder sahen im Faschismus ihr Vorbild und in den korporativen Ideen des damals so berühmten Othmar Spann. Die meisten Mitglieder aber hatten überhaupt keine klaren Ideen, sondern waren ganz einfach unter dem Schlagwort »Antimarxismus« zueinandergekommen, allerdings gewillt, den Putschdrohungen der Austromarxisten hart entgegenzutreten. Man kann sich das heute nur schwer vorstellen, aber da-

mals waren die Heimwehren und der rote republikanische Schutzbund
bis an die Zähne bewaffnet. Am Samstag oder Sonntag fanden stets
Aufmärsche statt. In Tirol und Vorarlberg trug man dabei ganz öffentlich Waffen. Dort gab es nämlich damals noch die berühmte alte Waf-
fenfreiheit. In den anderen Bundesländern waren Waffen zwar offiziell
verboten, aber wir gingen selbstverständlich vielfach mit Totschlägern,
meist aber mit Pistolen. Für einen begeisterten jungen Mann war das
eine durchaus interessante romantisch-heroische Situation. Jedenfalls
kam uns das damals so vor. Mit mir gleichzeitig waren einige Freunde
und Schulkollegen in den Heimatschutz eingetreten, z. B. Viktor Lippe, Constantin Liechtenstein und Franz Seidler. Natürlich hatte uns die
Uniform gefallen, die vielen Appelle und Aufmärsche begeistert. Zwar
gefiel uns nicht alles in den steirischen Heimwehren, aber wir meinten,
daß hier ein guter Ansatzpunkt wäre. Dabei war es schon fast bizarr,
daß wir uns am Abend martialisch bewaffnet und exerzierend zusam-
menfanden, während wir bei Tag brav im Schottengymnasium saßen
oder zu Hause mit den Kinderfräulein unserer jüngeren Geschwister
musizierten. Das Groteske dieser Situation kann man sich heute nicht
mehr richtig vorstellen. Alles in allem aber tat uns diese wehrhafte Disziplin gut. Wir hatten endlich ein Ideal vor unseren Augen, und die Zukunft lockte. Unser kleines Rest-Österreich schien uns nun nicht mehr
einem tragischen, armseligen Dasein geweiht als Spielball zwischen Italien und der Entente, der wehrlos immer wieder von den Siegermächten
kleine Anleihen erbetteln mußte und dabei zum Tummelplatz politischer Intrigen der Nachbarn wurde. Jetzt fanden einerseits die Sozialisten Unterstützung bei den Tschechen und der gesamten kleinen Entente einschließlich Frankreichs; den Rechten hingegen gaben die faschistischen Italiener ihre kräftige Hilfe.
Derweil blühte in Wien schäbiges Schiebertum. Es gab viele reich gewordene Ostjuden. Nun wurde der Antisemitismus lebendig und wuchs
täglich. Während das alteingesessene Judentum in Wien ganz in diese
Weltstadt integriert war, ist es ihm damals nicht gelungen, die gegen
Kriegsende eingewanderten Ostjuden daran zu hindern, für sich bestimmte Berufe zu monopolisieren und sich zugleich auch mit dem
Austro-Marxismus zu indentifizieren. Das mußte zu einer bösen Reaktion führen. Die hetzerische Schreibweise der linken, meist jüdisch re-
digierten Blätter schien uns unerträglich, und wir verabscheuten es, daß
unsere Arbeiterschaft von Eingewanderten, den sogenannten »Zuagra-
sten« geführt wurde.
Ich erinnere mich noch genau, daß die alteingesessenen Juden mit großer Sorge diese Entwicklung mitansahen. Mein Vater, der den Oberrabbiner von Wien gut kannte – er war sein Patient – sprach oft mit die-

sem über solche Probleme. Ehrwürden Chaijes war ein elegant aussehender Sepharde und auf seine östlichen aschkenasischen Brüder nicht gut zu sprechen. Er klagte oft meinem Vater:»Herr Hofrat, Sie werden sehen, jedes Volk verträgt einen gewissen Prozentsatz von uns Juden, wenn dieser aber überschritten ist, dann gibt es eine Explosion, und wir sind dumm genug, dem nicht Einhalt zu gebieten.« So sah er die Entwicklung voraus, ebenso auch Professor Hochsinger und andere seiner jüdischen Kollegen an der Universität.

Die jüdische Intelligenz tendierte in ihrer Politik überwiegend nach links, wohl auch, weil sie von der Rechten stets abgelehnt wurde! Das mag ein Fehler der Rechten gewesen sein. Wie dem auch sei, die Konzentration der Wiener Juden in den Intelligenzberufen, die Tatsache, daß unter den Juristen, Ärzten, Regisseuren, Kinobesitzern und Redakteuren das jüdische Element unverhältnismäßig stark vertreten war, mußte bei der allgemeinen Not und bei der erschreckenden Arbeitslosigkeit zu einer starken Reaktion führen.

Wie demagogisch der Journalismus rechts und links eingestellt war, kann man sich heute kaum mehr vorstellen. Die Kluft zwischen den beiden Richtungen vertiefte sich zusehends. Die von den marxistischen Blättern in übelster Form betriebene Anti-Habsburg-Propaganda verbitterte ganz besonders die alte Beamtenschaft.

Es hatte die Linke weder Bürger noch Bauern unter ihren Anhängern, die Rechte fand dagegen kaum Widerhall in der Arbeiterschaft. So mußte diese Situation, immer wieder angeheizt von gewissen Kreisen im Ausland, eines Tages zu Gewaltausbrüchen führen.

Uns jungen Leuten vom rechten Flügel gefiel am meisten der junge Fürst Starhemberg, der damals ganz von den Ideen des Pangermanismus und des Antisemitismus erfüllt war. Auf dem Heldenplatz rief er einmal sogar aus:»Asiatenköpfe müssen rollen!« Wir besuchten jede seiner Versammlungen und nahmen begeistert an vielen Aufmärschen teil. Wir waren damals sehr jung. Ich war kaum älter als siebzehn.

Da die Heimwehrbewegung die verschiedensten antimarxistischen Richtungen umfaßte, machten sich dort bald zentrifugale Tendenzen bemerkbar. Uns junge Idealisten störte das wenig, und wir, Viktor von der Lippe, Franz von Seidler und ich, blieben begeistert beim steirischen Heimatschutz. In unserer Kompanie gab es damals schon einige Nationalsozialisten. Sie wurden aber im Grunde wegen Hitlers Haltung in der Südtirol-Frage, die uns zu»weich« schien, abgelehnt und hatten keine große Bedeutung. Unser Kamerad Seidler zum Beispiel war zeitweilig ein großer Verehrer des italienischen Faschismus und schmückte seinen Heimwehrhut abwechselnd mit Liktorenbündeln oder Hakenkreuz. Aber bis zur Matura im Schottengymnasium, die wir alle mehr oder weniger gut hinter uns brachten, blieben wir gemeinsam in der gleichen Heimwehrkompanie und hatten von Tagespolitik kaum eine Ahnung.

Glücklich darüber, daß ich endlich die tägliche Lernerei hinter mir hatte, wollte ich nicht wie meine Freunde Jura studieren. Offizier wollte ich werden, das erschien mir für einen aufrechten deutschen Mann das einzig Richtige. Mein Vater, darüber wenig erfreut, war mit meinem Vorhaben nur dann einverstanden, wenn ich nebenbei studieren oder etwas besonderes, z. B. Flieger werden wollte. Das österreichische Bundesheer unterhielt damals eine geheime Pilotenschule in Graz-Thalerhof. Ich entschied mich sofort begeistert für die Fliegerei und wurde dort nach langwierigen, geheimnisvollen Prüfungen sowie eingehenden körperlichen Untersuchungen aufgenommen. Ich rückte im Herbst 1930 in der damals noch streng geheimgehaltenen Militärfliegerschule in Graz-Thalerhof ein. Offiziell war sie nur für die Ausbildung von Verkehrspiloten vorgesehen, da die Friedensverträge es nicht zuließen, daß Soldaten als Flieger ausgebildet würden. Man umging diese unsinnigen Bestimmungen der Pariser Vorortverträge, indem man Zivilisten erst in der Fliegerei ausbildete und sie danach in das Heer aufnahm. Unsere Instrukteure und Offiziere bekamen harmlose Beamtentitel: Der Kommandant z. B. hieß »Herr Oberregierungsrat« und wurde köstlicherweise mit »Herr Oberregierungsrat, ich melde gehorsamst« angesprochen! Die Schule durften wir um der Tarnung willen nur sonntags auf wenige Stunden verlassen. Warum der Sonntag weniger verräterisch sein sollte, blieb ein unergründbares Amtsgeheimnis.

Der Thalerhof liegt vierzehn Kilometer südlich von Graz in wenig reizvoller Landschaft: ein riesiges Flugfeld in der Murebene, Hangars und last but not least ein Gefangenenfriedhof aus dem Ersten Weltkrieg. Ferner gab es ein zweistöckiges Haus, das für das Lehrpersonal und uns vierzehn Flugschüler eilig eingerichtet worden war. Mir gefiel das alles sehr. Die Kameradschaft war ausgezeichnet, der Unterricht interessant und die Fliegerei mit alten Weltkriegsflugzeugen und neueren Sportmaschinen ebenso romantisch wie fesselnd. Großartig, daß wir so den Erbfeinden ein Schnippchen schlagen konnten! Als Ausgehuniform hatten wir blaue Anzüge, Schirmkappen und alte k. u. k. Ulankas mit Pelzbesatz, derentwegen wir sonntags in Graz gebührend bewundert wurden, wo alle Welt von der »geheimen« Fliegerschule flüsterte.

Unser Leben dort war sportlich und interessant; wir waren diszipliniert und hielten auf Kameradschaft. Über uns allen thronte der Kommandant, der »Herr Oberregierungsrat«, in Wirklichkeit Oberstleutnant von Eccher, ein alter Weltkriegsflieger, sympathisch, lustig, streng und gerecht.

Außerdienstlich waren wir natürlich dauernd verliebt, obwohl die meisten von uns – wir waren so um die achtzehn Jahre – noch keine amourösen Abenteuer gehabt hatten. Doch jeder phantasierte gewaltige Dinge von eingebildeten Casanova-Taten. Manchmal aber gingen wir uns gegenseitig durch die ewige Kasernierung derart auf die Nerven, daß wir den »Barackenkoller« bekamen und uns in wilden Schlachten bis aufs Blut prügelten. Später, im Frühling, waren wir wieder normaler, als der Flugdienst intensiver wurde, und wir bei Sport und Fliegerei etwas von unseren Energien abreagieren konnten.

Mein liebster Freund in der Fliegerschule war Hans Kogler, »Koglerbatschi« genannt, und das wurde entscheidend für mich: Er war ein überzeugter Nationalsozialist. Er redete mir meine Bedenken wegen der Südtirol-Frage aus und machte mir klar, daß das Restösterreich nur im Verein mit dem großen deutschen Reich eine Zukunft in Glück und Würde finden könne. Wenn auch einiges am Nationalsozialismus nicht annehmbar wäre, wie zum Beispiel die Haltung in der Südtirol-Frage, oder das »Rabaukentum«, so hätte das wenig zu sagen im Hinblick auf die großen Probleme und Nöte. Es gäbe eben keine Rose ohne Dornen! Hitler sei ein genialer Mann und ein großer »Tribun«, und nur mit einem solchen käme man heute weiter. Die alte sogenannte »Oberschicht« habe abgewirtschaftet, die Zukunft gehöre den arbeitenden Massen. Daher käme nur ein sozialer Staat mit nationaler Größe in Frage, und dieser werde dann kraftvoll und durchaus ernstzunehmen sein.

Kogler war ein hochanständiger Mensch, ein glühender Idealist, er war kameradschaftlich, ein guter Flieger, kurz: ein Vorbild in jeder Hinsicht. Er brachte immer wieder Propagandamaterial mit; ich las damals Hitlers »Mein Kampf« (allerdings nie zu Ende), und hörte mit Staunen von den großen Erfolgen im »Reich«. Wir schrieben die Jahre 1930/31.

Zuerst trat ich noch nicht der Partei bei, war aber bald endgültig für die Bewegung gewonnen und versuchte nun selbst, Proselyten zu werben. Schon früher hatte ich vom Nationalsozialismus durch alte Heimwehrkollegen gehört und auch durch einen Schulkollegen namens Pollatschek.

Früher hatte ich mit ihm gestritten wegen der Südtirol-Frage und war eigentlich ein entschiedener »Antinazi« gewesen, aber langsam überzeugte mich die Argumentation der Hitleranhänger, daß nämlich Politik leider die Kunst des Möglichen sei und wir Österreicher in der Frage Südtirols zum Wohl des ganzen deutschen Volkes nachgeben müßten. Ja, wir berieten sogar, die Südtiroler von dort auszusiedeln, um gemeinsam mit Italien die Ketten der Friedensverträge brechen zu können. Das waren zwar keine angenehmen Pläne, aber es war uns klar, daß wir mit unseren österreichischen »Privatwünschen« bei der Lösung der großen deutschen Sache »leisetreten« müßten. Doch wir hofften insgeheim, daß vielleicht einmal bessere Tage kommen würden.

Im Frühsommer 1931 bestanden fast alle Flugschüler die vorgeschriebenen Prüfungen. Wir mußten Ziellandungen ausführen und einen Höhenflug in 4000 m bestehen. Das kam uns damals gewaltig vor. Man fror entsetzlich in dem offenen Doppeldecker – unsere Flugzeuge waren noch sehr primitiv. Die stärkste Maschine war eine »Hansa-Brandenburg«, ein verspannter Doppeldecker mit einer Höchstgeschwindigkeit von 100 km/h, in dessen Drähten der Wind rauschte, sang oder pfiff, je nach Geschwindigkeit. Der Motor war ein Hiero aus dem Jahr 1912! Die anderen kleineren »Brandenburger« hatten schon Mercedes-Fabrikate aus dem Jahre 1916. Sämtliche Motoren hatten noch Tauchschmierung, mit dem Erfolg, daß dem Flugzeug, sobald es am Standplatz abgebremst wurde (d. h. die Motoren zur Probe liefen), aus den letzten Auspuffrohren das Öl nach hinten rann und dabei ein Teil davon auf unsere Gesichter und die so martialischen Sturzhelme spritzte. Es gab außerdem noch Hopfner-Hochdecker, österreichische Fokker-Nachbauten, durchaus angenehme Maschinen mit Siemens Motoren.

Sie erreichten bereits eine Spitze von 120 km/h! In den »Brandenburgern« lag der Benzintank unter den Sitzen der Piloten, und wir mußten das Benzin mit einer Handpumpe von Zeit zu Zeit unter Druck halten. Als Geschwindigkeitsmesser diente ein elastisches Blatt, das durch eine Feder gehalten war und mit einer Skala zwischen den Doppeltragflächen so in Verbindung stand, daß es je nach Fahrtwind entlang der Skala hin und her bewegt wurde, ein primitives, aber durchaus zuverlässiges System. Die Hopfner-Maschinen waren allerdings etwas moderner. Sie hatten schon eine richtige Instrumententafel, und der Treibstoff kam als Fallbenzin aus dem über dem Kopf gelegenen Tank.

Mit einer solchen Maschine also ging es auf den Prüfungsflug von Graz über den Wechsel nach Wien und von dort über den Hochschwab-Bruck zurück nach Graz. Dieser Flug war aufregend. Ich erinnere mich noch genau, wie ich in der Frühe stolz von Graz abflog, bei einem gewissen Dorf, ich glaube Hartberg, eine Linkskurve ziehen mußte und dann in Wien-Aspern landete. Dort wartete schon unser oberster Kommandant, Major Löhr, der spätere Generaloberst, ein reizender, hochintelligenter Mensch, sowie mein Vater und meine Geschwister. Ich machte keine besonders schöne Landung, es ging leider nicht ohne die verdammten »Bocksprünge« ab. Immerhin war ich stolz, und mein Vater strahlte. Er war ja ein für seine Zeit sehr moderner Mensch. Wo er konnte, benützte er das Verkehrsflugzeug - für damals schon eine mutige Sache! Und er war es gewesen, der mir zur Fliegerei geraten hatte. Nun, von Wien ging es weiter nach Wiener Neustadt, wo wir wieder zwischenlanden mußten, dann von dort über den Semmering und das Murtal zurück nach Graz. Dort großer Empfang, Gratulation und anschließend die üblichen Feierlichkeiten mit fliegerischem Besäufnis bis in den frühen Morgen.

Im September 1931 wurde ich planmäßig ins Regiment »Hoch- und Deutschmeister« eingezogen und anschließend zur Heeresschule nach Enns abkommandiert. Dort vereinnahmte mich der Auswahlkurs des ersten Jahrganges, den Hauptmann Reschut lautstark kommandierte. Wir wurden sofort scharf angepackt. Als erstes kam eine schlimme Aufnahmeprüfung. In Mathematik war sie sogar schwieriger als die Maturaprüfung. Ich schrieb nur irgendwas zusammen, da ich wußte, daß ich als Flieger, der dem österreichischen Bundesheer bereits eine Menge Geld gekostet hatte, auf jeden Fall aufgenommen werden würde.

Aber diese Prüfungen gingen vorbei, und neunzig Auswahlkursteilnehmer, die unter sechshundert Bewerbern ausgesucht worden waren, zogen in die Offiziersschule Enns, die an der Grenze zwischen Niederösterreich und Oberösterreich liegt, »martialisch« ein. Unsere Lehrer und Offiziere hatten die Aufgabe uns schwer heranzunehmen und zu sieben. Pro Jahrgang konnten nach vier Jahren nur dreiundzwanzig Leutnants ausgemustert werden. Mehr Offiziersstellen waren damals nicht frei. Schon im ersten Jahr wollte man uns daher auf vierzig Offiziersschüler reduzieren.

Der Dienst, der augenblicklich begann, war alles eher als angenehm. Wir wohnten in einem riesigen Schlafsaal, Bett am Bett, es wurde miserabel geheizt und kaum gelüftet. Bei schlechtem Wetter mußten wir auf den Gängen stundenlang stupide exerzieren. Der Unterricht war scharf und schwierig. Kameradschaft gab es kaum, da jeder im anderen nur den Konkurrenten sah, und so studierten wir oft noch in der Nacht heimlich mit Taschenlampen unter der Decke oder auf den Toiletten. Es gehörte schon eine große Begeisterung dazu, bei diesem Verein zu bleiben; aber die hatten wir damals auch.

Der Heeresschulkommandant hieß General Kienzl, kein angenehmer Mensch, im Gegenteil, ein Pedant. Seine Lieblingsbeschäftigung war es, selbst sein Auto zu putzen. War das nicht völlig unter der Würde eines Generals? Ich jedenfalls empfand das so. Die Herren vom Offizierskorps waren für uns Anfänger kaum sichtbar, wir wurden vielmehr von ehrgeizigen Unteroffizieren geschliffen und gezwiebelt. Damals hatte der Heeresminister Vaugoin dafür gesorgt, daß alle Vorgesetzten katholisch waren. Unter unseren Kameraden gab es einige, die durch Protektion eines Bischofs oder Pfarrers unverständlicherweise trotz ihrer körperlichen oder geistigen Mängel aufgenommen worden waren. Mein »Zweites Ich« war offen für meinen »guten Kameraden« Kogler,

und wir politisierten, wann immer wir konnten. Dies wurde bedeutungsvoll, als wir nach einem alten, völlig sinnlosen Volkswehrgesetz, Vertrauensmänner wählen sollten. Meine Freunde waren mit mir der Ansicht, daß Soldaten unpolitisch sein sollten und daher keine Vertrauensmänner zu wählen hätten. Die Aufgabe eines Soldaten sei allein der Gehorsam. Da wir aber diesmal gezwungen waren zu wählen, meinte ich, wir sollten den wählen, den wir wollten, und ich ärgerte mich, daß es nur offizielle Kandidaten der »Christlich-sozialen-katholischen Soldatenvereinigung« gab. Daher schlug ich vor, eine deutsch-nationale Soldatengewerkschaft zu gründen. Meine unvorsichtige Kritik galt nicht nur der Wahl an sich, sondern auch deren komödienhafter Durchführung, die eine geheime Stimmabgabe illusorisch machte. Pünktlich wurde meine Kritik dem Kommandanten zugetragen, und es gab einen Riesenkrach. In der Folge begann man, mir das Leben richtig sauer zu machen, um mich ein für alle Mal klein zu kriegen. Bockig erklärte ich nun, ich würde überhaupt nicht wählen; ich mußte es aber schließlich auf Befehl doch tun. Dieser Druck von oben verbitterte mich sehr. Nicht, daß ich damals schon Nationalsozialist gewesen wäre; ich hatte lediglich Sympathie für diese Bewegung. Denn ich war überzeugt, daß die Heimwehr und die liberalen Großdeutschen sich in keiner Weise um die brennenden sozialen Fragen kümmerten und nur die Interessen der Oberschicht vertraten, da sich aus dieser Schicht ihre Wähler rekrutierten. So stand ich bald dem Nationalsozialismus mit wachsender Sympathie gegenüber. Dabei blieb es fürs erste, denn ich wollte eigentlich nur Soldat sein. Mehrfach wurde ich zu verschiedenen Offizieren beordert, die mir meiner politischen Ideen wegen strenge Vorhaltungen machten. Das war aber bei mir der falsche Weg! Als echter steirischer Dickschädel entschloß ich mich, nicht nachzugeben und bat schließlich »aus Gesundheitsgründen« um meinen Abschied. Ein chronischer Darmkatarrh, den ich mir bei den dauernden Geländeübungen geholt hatte, gab den gewünschten Anlaß. Meine Eltern waren mit meinem Entschluß natürlich nicht glücklich, aber auch der Leiter der Heeresschule war bestürzt, denn mit meinem Abgang ging dem Heer einer der wenigen ausgebildeten Flieger verloren. So kam vom Ministerium prompt die Order, man solle mich gehörig unter Druck setzen, beziehungsweise aufmuntern! Ich aber blieb bei meinem Entschluß, und nachdem der mit mir sympathisierende Oberarzt meinen bedenklichen Gesundheitszustand amtlich bestätigt hatte, ließ man mich endlich ziehen. Um mich zu halten, hatte man mir am Schluß sogar weismachen wollen, ich wäre einer der Besten gewesen, ja wäre sogar der drittbeste des Jahrgangs!
So kam ich also wieder ins Elternhaus nach Wien. Es war Anfang November 1931. Schnell inskribierte ich Jura, denn etwas Besseres fiel mir

im Moment nicht ein und ich wollte kein Semester verlieren. Der politische Kampf in der Offiziersschule hatte aber zur Folge, daß ich mich definitiv entschloß, in die NSDAP und in die SA einzutreten! Beide waren damals noch unbedeutende Gruppen von einigen wenigen Idealisten, von denen die meisten genausowenig wie ich wußten, was sie eigentlich wollten. Gemeinsam war uns nur die Hoffnung auf eine große Heimat aller Deutschen unter starker Führung und die Verachtung über das »Geschwätz der Demokraten«. Der Anschlußwunsch war damals kaum aktuell, wurde aber von keiner Seite in Frage gestellt. Alle Parteien, Sozialdemokraten und die Christlich-Sozialen, die Nationalen und Kommunisten waren damals ja für einen Zusammenschluß mit Deutschland. Zwar störte mich bei den Nationalsozialisten deren pöbelhafte Einstellung gegen das Haus Habsburg, das doch in der deutschen Geschichte eine hervorragende Rolle gespielt hatte. Auch gefiel mir die Verehrung für Friedrich II. von Preußen nicht; Radau-Antisemitismus schien mir der Sache ebenfalls nicht förderlich zu sein. Da aber alle revolutionären Bewegungen zunächst an »Kinderkrankheiten« litten, hoffte ich, dergleichen würde sich bald abschleifen. Aber ich vergaß die Lehren der Geschichte, die zeigt, daß radikale Bewegungen immer radikaler werden, bis sie an den Übertreibungen selbst Schiffbruch erleiden.

Solch profunde Gedanken hatte ich mir aber nicht gemacht. Ich war damals ganze neunzehn Jahre alt und war immer mehr verbittert über die willkürliche Zerschlagung des Kaiserreiches. Ich suchte, ich brauchte ein neues Ideal, etwas, das dem Patriotismus, aber auch meinem sozialen Empfinden voll gerecht werden würde. Ähnlich dachten damals die meisten meiner Kollegen. Eine Ahnung davon, wie sich der Nationalsozialismus später entwickeln sollte und wie er schließlich enden würde, hatten wir damals nicht! Das Programm der Partei und ihren Ruf nach »Frieden, Freiheit, Brot« nahmen wir für bare Münze. Wir erhofften also Mäßigung und befürchteten keine Radikalisierung.

Mich, den verwöhnten jungen Mann, zogen Extreme mächtig an, und Fühlungnahme mit dem Proletariat war etwas bestrickend Neues. So verging keine Woche, in der ich nicht in den Wiener Elendsvierteln mit Gesinnungsgenossen oder Ultralinken debattierte. Zum Schrecken meiner Mutter zog ich oft ohne Kragen und Krawatte los und roch, wenn ich dann spät nach Hause kam, nach »Kulis und nach Hinterhaus«, wie sie zu sagen pflegte.

Zu einer Zeit, da das Elend in den Vorstädten unerträglich war, konnte ich nicht viel für den bürgerlich-liberalen Nationalismus der Wagnerianer übrig haben. Lediglich mit alten Schulkollegen hatte ich noch etwas Kontakt, sah sie von Zeit zu Zeit und besuchte mit ihnen Bälle und gesellschaftliche Veranstaltungen – nicht ohne die Anwesenden mit abfälligen Bemerkungen über die »verfaulte Bourgeoisie« gehörig zu erschrecken. Trotz allem muß man mich in der Wiener Gesellschaft einigermaßen amüsant gefunden haben, und ich ging dort ein und aus. Für die Mädchen der Jeunesse d'orée war ich bestimmt interessant mit meiner Begeisterung für eine kaum salonfähige Sache, denn die Jugend liebt ja den Widerspruch. Ich erzählte gerne von Erlebnissen, Abenteuern, Straßenschlachten und Prügeleien in den romantischen Vorstädten von Wien. So war ich einmal tatsächlich arg verprügelt worden, als ich in einem Gemeindehaus in Floridsdorf Zettel verteilte und mit der Verteilung dieser Pamphlete im unteren Stockwerk begann, statt erst in das oberste hinaufzugehen, um dann absteigend an den Wohnungstüren zu läuten, um gegebenenfalls die Flucht ergreifen zu können. Mit zerrissenen Kleidern, mit Kalk und Dreck übergossen kam ich nach Hause. Solche Erlebnisse machten mich in meinem Alter aber nur noch fanatischer. Mein Herz schlug für die Arbeiter und Bauern, ich ersehnte ihre Vereinigung im nationalen Sozialismus. Aber ich besuchte weiter die Wiener Salons, deren kultivierte Atmosphäre mich gefangen hielt.

Die Winter 1931 und 1932 vergingen mit eifriger Partei- und SA-Arbeit, unterbrochen von Einladungen, Ballbesuchen und Wochenenden auf dem Lande. Meine alten Schulkollegen Lippe, Seidler und Liechtenstein waren damals meine Freunde, und wir blieben noch lange unzertrennlich. Ich aber war der Einzige, der bereits der NSDAP und der SA angehörte. Die anderen waren bei der Heimwehr geblieben. Doch das störte nicht, denn in Österreich betrachtete man in »besseren Kreisen« die Politik als reine Privatangelegenheit. Solange man ein Herr blieb, konnte jeder tun, lassen, glauben und reden, was er wollte. So war es jedenfalls damals.

Im Frühjahr sattelte ich an der Universität auf Philosophie um und verlegte mich auf Flugmeteorologie, denn die Fliegerei wollte mich nicht loslassen! Mein Vater zeigte sich mit Recht besorgt, weil es nun bereits der dritte Beruf war, den ich anvisierte. Eigentlich wußte ich noch immer nicht recht, was ich werden wollte, doch schlug mich die Politik täglich mehr in ihren Bann.

Eines Tages, es war im Winter 1931, erschien bei einem SA-Appell in einem düsteren Kellerloch in der Josefstadt ein Mann aus Berlin, namens SS-Oberführer Gräschke. Dieser ließ uns der Größe nach antreten und erklärte, die Größten und Kräftigsten kämen ab sofort zur Schutz-Staffel, also zur Elitetruppe der SS, von der wir schon oft wahre Wunderdinge gehört hatten. In ihr solle sich das beste nordisch-germanische Menschenmaterial versammeln. Aus diesen würde die neue Elite des deutschen Volkes erwachsen. Ich selber war der zweitgrößte, und wir Auserwählten – ich glaube, wir waren zehn – fühlten uns hochgeehrt! Bald mußte ich nun eine schwarze Reithose tragen, und da ich bereits ein Motorrad besaß, kam ich zum ersten Wiener SS-Motorsturm der Standarte 89. Wir waren dort alles in allem zwölf Mann.

Unsere Hauptaufgabe war der Versammlungsschutz und der Schutz unserer Redner vor kommunistischen oder sozialistischen Überfällen. Allerdings war damals in dieser Hinsicht noch nicht »viel los« im nach wie vor gemütlichen Wien. Nicht selten vereinigten sich Rote und Nazis nach anstrengendem Dienst und wüsten Rededuellen anschließend ganz gemütlich bei einem Krügel Bier am gleichen Tisch!

Während der Versammlungen in Lokalen wie dem »Auge Gottes«, »Beim Engelmann« usw., konnte man sich national und sozial begeistern und gleichzeitig ein Gulasch verzehren. Würstl gab es immer, und einmal sogar Brezen in Hakenkreuzform. Die Musikkapellen waren, wie immer in Wien, erstklassig. Zackige, preußische Märsche wurden von altösterreichischer Musik umrahmt und gemildert.

Bei der SS war es meine Hauptaufgabe, das Geld meines Sturms zu verwalten. Mit Recht nahm man an, daß ich nicht klauen würde. Mit anderen hatte man da schlimme Erfahrungen gemacht, da manche aus Not und Hunger in die Parteikasse gegriffen hatten. Ich kannte diese Problematik vom Heimatschutz her. Man konnte es einem Familienvater, der arbeitslos und »ausgesteuert« war, kaum übelnehmen, wenn er sich aus dem von ihm verwalteten Geld »einen Vorschuß« genehmigte und ihn später nicht zurückzahlen konnte – milde ausgedrückt.

Im Frühsommer 1932 unternahm ich mit einem protestantischen Theologiestudenten aus Kiel, der Mitglied der Wiener SS war, eine Deutschlandreise und fuhr mit meinem Beiwagenmotorrad über München, Bamberg und Dresden nach Berlin. Auf dieser Tour erlebte ich zum ersten Mal die nationalsozialistische Bewegung in ihrem vollen, stürmischen und revolutionären Schwung. Ihr Kampf richtete sich, unter Mitwirkung beträchtlicher Teile der Arbeiterschaft, gegen die mächtige kommunistische Partei. Solches war mir neu, denn in Österreich hatte die nationalsozialistische Bewegung unter den Arbeitern noch kaum Anhänger gewonnen.

Der gewaltige Aufstieg des Nationalsozialismus in Deutschland überzeugte mich endgültig davon, daß es nur zwei Lösungen gäbe: entweder Nationalsozialismus oder Kommunismus. Das waren die einzigen Parteien, die Idealismus, Opfermut und Schwung nicht nur in Worten, sondern auch in ihrem Tun zeigten. Damals wurde in Deutschland das Kabinett v. Papen gebildet, die Sozialdemokratie hatte kläglich abgedankt.

Mein protestantischer Theologe und ich übernachteten also auf unserer

Reise nach Berlin mit Hilfe der SS und SA in Spelunken und Arbeitslosenheimen. Dort lernten wir die »Massen« von unten her kennen. Für mich war das ein neuer, gewaltiger Eindruck! Die Rückreise machte ich dann alleine über Hamburg, Bremen, das Rheinland, Hessen und Bayern. Wieder in Wien, verstand ich das friedliche Nebeneinander hier nicht mehr und war nun der Ansicht, daß auch in Österreich endlich eine Radikalisierung eintreten müßte, damit eine schleichende Machtübernahme durch den Kommunismus wirksam verhindert werde. Die bürgerlichen und demokratischen Parteien nahm ich nicht mehr ernst.

Im Wintersemester belegte ich wieder Meteorologie, Geographie, Erdbebenkunde und Physik, doch habe ich mich überhaupt nicht angestrengt, bestand aber einige Kolloquien und Seminare mit guten Noten. Mitunter flog ich noch, mit Freunden oder ich führte irgendein nettes Mädchen in den Wolken spazieren. Für die Partei aber und die SS war ich unermüdlich tätig. Ich opferte mein ganzes Taschengeld, soweit ich es nicht dringend selbst benötigte, der Partei. Unser Diener zu Hause war auch Parteimitglied, allerdings wußte außer mir niemand von der Familie davon. Er hatte in der SA sogar einen höheren Rang als ich in der SS. Das Höchste für mich war es, Proselyten zu machen. Ich war glücklich, wenn ich irgend jemanden mühsam überzeugen konnte.

Auf der Universität gab es immer wieder Kontroversen mit den links eingestellten Studenten, bei denen Angehörige des Judentums stark in der Mehrzahl waren. Die Exterritorialität der Universität wurde damals noch respektiert, und die Polizei durfte bei den zahlreichen Prügeleien nicht eingreifen.

Im Jänner 1933 kam in Deutschland Hitler an die Macht. Die Begeisterung unter uns war ungeheuer. Mit Heißhunger verschlang ich alle Nachrichten. Meine Kameraden und ich lebten im siebten Himmel. Nun konnte es auch in Österreich nicht mehr lange dauern, bis daß der Nationalsozialismus die Macht ergriff. Die Wirtschaftskrise war bei uns inzwischen immer schlimmer geworden, die Not schien unerträglich, und die Arbeitslosigkeit stieg immer mehr an. Im Frühjahr 1933 hatte Dollfuß eine Regierung gebildet, die mit nur einer Stimme Mehrheit autoritär regierte und bald ein Uniformverbot für die SA erließ. Darauf demonstrierte sie in Wien in Bratenrock und Zylinder!

Ich war damals gerade in Ebreichsdorf bei der Familie Drasche zu Gast, als die SA über das Wochenende jene Aktion durchführte. Da ich mich nicht von dieser ausschließen wollte, holte ich meine Demonstration tags darauf im Alleingang nach. Dabei begleitete mich sogar der Sohn des Polizeipräsidenten, Otto Brandl, mein alter Freund und Schulkollege, der damals noch Jus studierte. Ich nahm ihn sozusagen als »Rechtsberater« mit. So zog ich mir also einen Gehrock meines Vaters an, setzte einen Zylinder auf und steckte eine riesige Papierblume an mein Revers. An meinen Allerwertesten heftete ich ein auf einen Karton groß gepinseltes Gedicht, welches ich selbst fabriziert hatte. Es lautete:

»Staatsgefährlich, ganz abnorm
ist so eine Uniform,
drum hochgelobt sei der Erfinder
der ungefährlichen Zylinder.«

So ausstaffiert, promenierte ich vom Stephansplatz über die Kärtner-Straße und traf dabei viele Bekannte. Der Zug, der mir nun folgte, wurde immer größer. Bei der Mariahilfer-Straße wurde ich schließlich von einem Wachmann festgenommen. Unter großem Hallo begleitete mich die Menge zur Wachstube. Dort wurde das Schild für beschlagnahmt erklärt und die Chrysantheme aus Papier »eingezogen«, der Zylinder wurde »sequestriert« und ich selbst bis in die Nacht hinein festgehalten. Später bekam ich einen Strafbefehl auf 48 Stunden strengen Arrests zugeschickt, es sei denn, ich zahlte 50 Schilling. Ich wäre gern »Märtyrer« geworden, aber meine Eltern bestanden auf der Fünfzig-Schilling-Lösung. So ging es damals noch ziemlich harmlos zu, doch dabei ist es nicht geblieben, und eine gegenseitige Eskalation folgte unverzüglich. Während wir anfangs noch mit verbotenen Flugzettelaktionen arbeiteten, kam es bald zur Sprengung von Telefonzellen, zu Rauchbomben und zu schärferen Aktionen.

Schließlich wurde der Landesleiter der österreichischen NSDAP, der Deutsche Theo Habicht, ausgewiesen. Ich selbst wurde noch einmal anläßlich einer verbotenen Zusammenkunft verhaftet und 24 Stunden mit »Verbrechern« eingesperrt. Das war eher amüsant. Dauernd wurden uns Damen der Halbwelt, Betrunkene und Taschendiebe nachgeliefert. Wir schnappten, in ein Arrestlokal gepfercht, nach Luft, nachdem uns vorher Krawatten, Schuhbänder, Hosenträger und Gürtel vorschriftsmäßig abgenommen worden waren, damit ja keiner von uns am Ende Selbstmord begehe. Natürlich hatten wir nicht die geringste Absicht, diesem Staat einen solchen Gefallen zu tun.

Trotz scharfer Maßnahmen durch die österreichische Regierung bekam die NSDAP bei uns eigentlich sehr zu unserem Erstaunen immer mehr Zulauf. Sogar der Wiener Polizeipräsident, Hofrat Dr. Franz Brandl, trat feierlich und öffentlich in die NSDAP ein. Vorher war es mir gelungen, ein Treffen zwischen ihm und dem Gauleiter zu vermitteln. Der Rektor der Universität Wien, Graf Gleisspach, der frühere Rektor Übersberger und der weltberühmte Historiker Professor von Srbik sowie eine Anzahl anderer hochangesehener Persönlichkeiten erklärten sich der Reihe nach für Hitler, als dem Garanten zukünftiger deutscher Einheit. Sie waren alle Persönlichkeiten, die – katholisch wie ich – weder »Radau-Antisemiten«, noch »Preußenverehrer« oder »Kapitalisten« und dem Hause Habsburg keinesfalls feindlich gesinnt waren. Man sah aber in der dynamischen, jungen nationalsozialistischen Partei eine Bewegung, die dem Ziel der Vereinigung Österreichs mit einem deutschen Reich universaler Prägung näherkommen könnte. Von der NSDAP erwartete man, daß sie die Lösung der sozialen Probleme in Angriff nehmen würde und das könnte ihr gelingen, so hoffte man, denn sie schien die Arbeiter für sich und den nationalen Gedanken gewinnen zu können. Die Bewältigung der sozialen Aufgabe war weder dem Heimatschutz noch der christlich-sozialen Partei oder den übrigen rechtsstehenden Parteien auch nur ansatzweise gelungen. Deshalb erschien vielen der Nationalsozialismus wie eine letzte Möglichkeit, um der sozialen Spaltung zu begegnen. Dollfuß war zunächst ein Freund der Deutschen gewesen und mit einer Preußin, Alwine Gliemke aus Popow verheiratet. Die Parteileitung der österreichischen NSDAP aber hatte ihn ungeschickt und völlig unnötig angegriffen. So setzte sich der kleine Kanzler energisch zur Wehr.

Er suchte dabei Bundesgenossen und fand sie in anschlußfeindlichen Kreisen, fand sie auch im faschistischen Italien. Unvermittelt verkündete er seine These von der »Österreichischen Unabhängigkeit«! Wir glaubten zu träumen, denn keine Partei oder Bewegung hatte es bisher gewagt, den Anschlußgedanken, der ja auch in der Verfassung in ihrem ersten Satz verankert war, aus ihrem Parteiprogramm zu streichen. Der Gedanke an ein Miteinander in einem Reich aller Deutschen galt in allen Parteien Österreichs als politische Maxime. Zu unserem Erstaunen erfolgte aber auf die Ankündigung des »Unabhängigen Österreichs« so gut wie nichts. Christlich-Soziale und Sozialdemokraten waren, vom Nationalsozialismus bedrängt, mit einem Schlag eifrige Anschlußfeinde geworden und hatten sich plötzlich in »Neuösterreicher« verwandelt. Dieses Phänomen brachte Hitler durch seine Verfolgung der bürgerlichen und sozialistischen Parteien im Reich zustande. Dollfuß ging nun mit seinen Christlich-Sozialen, auf sein Programm vom Ständestaat gestützt, mit sozialistischer Billigung und mit faschistischer Hilfe aus Italien gegen die NSDAP vor. Diese aber setzte sich dagegen energisch zur Wehr und wurde radikaler. Die jüdische Lobby im In- und Ausland stützte mit Geld und Presse den Dollfuß-Kurs. Und wer konnte ihr das übelnehmen? Ihr Exponent aber, Sektionschef Hecht, war damals sicherlich ein genialer Berater der Regierung.

Meinen Eltern gingen meine Aktivitäten bald auf die Nerven, und so stimmten sie sehr erfreut meinem Wunsch nach einer Italienreise zu. Ich war schon immer für Geschichte begeistert, und oft hatte ich mich danach gesehnt, einmal allein, nämlich ohne Eltern, Italien zu erleben!

Damals besaß ich eine Zweizylinder-Beiwagenmaschine der Marke »Matchless« und überredete meinen Freund Otto Brandl, mit mir zu fahren. Wir waren beide im Schottengymnasium in Geschichte unter den Besten gewesen und dazu ungemein kunstbegeistert. Eine Italienreise brauchten wir so notwendig, wie Goethe sie gebraucht hatte, meinten wir. Außerdem wollten wir uns den Faschismus aus der Nähe ansehen und hofften, daß er sich, nach den ersten Schwierigkeiten wegen Österreichs Unabhängigkeit, später mit dem Nationalsozialismus verbrüdern würde. So fuhren wir also Ende Februar glücklich in den Süden. Otto saß im Beiwagen, Geschichtsbücher deklamierend. Vor allem Gregorovius begleitete uns. Ich steuerte das Motorrad.

Die erste Station machten wir in Wolfsberg, in Kärnten, bei meinen Verwandten. Dann ging es über den Wörthersee, Villach, Pontafel, Pontebba und das herrliche Tagliamento-Tal hinab nach Udine. Bald ließen wir den Schnee hinter uns und kamen in den ersten Frühling. Begeistert durchwanderten wir Venedig und versenkten uns in die glanzvolle Zeit der Dogen. Am dritten Tag rollten wir in Padua ein. Da wir sehr sparsam waren, nur selten in Restaurants gingen und meist in Geschäften unseren Reiseproviant kauften, versuchte man, uns falsche Münzen anzuhängen. Italien war damals überschwemmt von »hausgemachten« Fünf- und Zehnlire-Münzen, die man nur durch Aufschlagen auf einer Steinplatte von echten Lirestücken unterscheiden konnte; so hatten wir bald falsche Münzen in unserem Besitz und mußten zusehen, wie wir diese »Blüten« wieder loswerden konnten. Dabei bemerkten wir zu spät, daß uns zwei Uniformierte folgten, die uns schließlich festnahmen und sofort auf die Präfektur brachten. Dort versuchten wir uns mit Latein zu verständigen, doch das nützte nicht viel. Es wurde uns der »prigione« angedroht. Otto und ich lachten darüber und verbitterten damit unsere Polizisten erst recht, die ja nicht wußten, daß wir mit großartigen Empfehlungsschreiben ausgerüstet waren. Mein Vater hatte mir eines für den Vatikan besorgt, ich selber ein anderes über die NSDAP für den GUF, den »Grupo Universitario Faschista«. Ein drittes Schreiben stammte vom Abt des Schottengymnasiums. Das beste Empfehlungsschreiben aber besaß mein Freund Otto Brandl, denn sein Vater war Präsident des Internationalen Polizeikongresses in Rom.

Derartig ausgerüstet verlangten wir, zum Präfekten gebracht zu werden. Das mißlang zwar zunächst, aber wir kamen wenigstens zum Subpräfekten; nachdem dieser uns ein großes Theater vorgedonnert hatte, zeigten wir das Schreiben der Internationalen Polizeivereinigung vor. Der Subpräfekt war starr vor Staunen! Jetzt glaubte er uns plötzlich alles, konnte auf einmal Deutsch, gab uns seinerseits wärmste Empfehlungen, ja, er erklärte die meisten Münzen für echt und begleitete uns bis zum Tor, wo die vorher so finsteren Agenten uns mit Staunen in die Freiheit enteilen sahen.

Von Padua fuhren wir nach Rimini weiter, nicht ohne vorher mit Ergriffenheit das Grab des großen Theoderich bei Ravenna besucht zu haben. Die wunderschönen byzantinischen Mosaiken von San Vitale lehnten wir als »Germanen« ab, waren wir doch darüber verbittert, daß Byzanz die letzten Goten am Vesuv vernichtet hatte.

Durch Umbrien, wo wir von Cesare Borgia und von mittelalterlichen Falkenjagden träumten, eilten wir zu unserem ersten großen Etappenziel: Perugia. Die Faschistengruppe der dortigen Universität nahm uns sofort herzlich wie alte Kameraden auf und brachte uns noch am selben Abend in eine Theatervorführung der Studenten. Uns imponierten die lustigen Studentenhüte mit ihrem Schnabelspitz und den kleinen Glöckchen, die bestandene Examina anzeigten. Mit diesen Kollegen hatten wir bald großen Spaß. Sie waren geradezu rührend und luden uns überall hin ein. Dafür machten wir mit ihnen einen Ausflug an den Trasimenischen See, wobei auf unserem Motorrad und Beiwagen fünf Personen saßen. Nach herrlichem Weingenuß kamen wir spät zurück und wurden von den Studenten aufgefordert, am folgenden Samstag mit ihnen in die »Biblioteca« zu gehen.

Natürlich stimmten wir begeistert zu, das hohe Kulturniveau der italienischen Studenten aufrichtig bewundernd. Doch kam es diesmal zu einer herben Enttäuschung. Als wir alle am Samstagnachmittag in die Richtung der vermeintlichen Bibliothek fuhren, gefiel uns die Gegend gar nicht mehr. Vorbei an kleinen Häusern und verschwiegenen Gassen gelangten wir schließlich zu einem Haus mit heruntergelassenen Rollläden, vor dessen Eingang ein Finanzbeamter in Uniform Wache stand. Als wir innen entdecken mußten, was für eine Bewandtnis es mit dieser »historischen Bibliothek« hatte, waren wir zutiefst entrüstet. Auf diesem Gebiet hatten wir absolut noch keine Erfahrung, genierten uns jedoch dies einzugestehen und versprachen gequält lustig mitzumachen, um ja nicht ausgelacht zu werden. Es gelang uns aber schließlich doch noch zu entwischen. Irgendwie aber hatten wir das Gesicht verloren, und so verließen wir Perugia eilig. Nach einem kurzen Besuch im ergreifend-schönen Assisi trafen wir erwartungsvoll in Rom ein.

Rom war natürlich »umwerfend«! Wir wohnten in einem katholischen Jugendheim, und schon zeitig in der Frühe zogen wir zu den Stätten unserer historischen »Lieblinge« und waren, ich muß es sagen, restlos glücklich. Wir führten Gespräche über Julius Caesar, Sulla und Marius, entpuppten uns als überzeugte Heiden, um dann, bald wieder ins Mittelalter gelangend, unser Herz der christlichen Einheit von Papst und Kaiser zu schenken. Wir müssen ein sonderbares Paar gewesen sein.

Unsere nächsten großen Etappen waren nach Pompeij und Neapel, Capri und Paestum. Und dann der schönste Teil der Reise: die Fahrt an der Küste entlang durch Kalabrien bis nach Messina. Sizilien war für mich nicht neu. Mit den Eltern hatten wir öfters Taormina besucht. Nun sah ich allerdings bei unseren begrenzten Geldmitteln diese Welt »von unten«. Wir aßen in einfachen Kaschemmen und Arbeiterspeiselokalen und schlossen dabei Freundschaft mit einem jungen italienischen Arbeiter, der uns drei Tage lang auf unserem Motorrad begleitete und viel Wissenswertes zeigte. Er wollte von uns Deutschen unbedingt lernen und konnte sogar einen Teil der »Braut von Messina« Schillers schlecht und recht rezitieren. Zum Abschied wünschte er uns viel Glück und gestand dabei, daß er als Zeichen seiner Freundschaft in verschiedenen Lokalen, wo wir mit ihm gegessen hatten, dem Kellner nur die Hälfte der verzehrten Speisen angegeben hatte, damit unser Budget nicht zu stark belastet wäre. Wir waren darüber außer uns, aber er erklärte immer wieder: »Fa niente, diese Leute schwindeln auch und haben mehr als genug« – und verabschiedete sich mit Umarmungen. Otto und ich wollten unbedingt das Geld zurückgeben, aber da wir nicht mehr wußten, wo diese Lokale waren und diesen Jüngling auch nicht in Verlegenheit bringen wollten, schenkten wir ein Äquivalent des Betrages ein paar Bettlern und hatten somit wieder ein besseres Gewissen.

Von Messina fuhren wir über Syracus, wo wir im »Ohr des Dionysos« standen und außerdem die einzigen europäischen Papyrusstauden bestaunten, nach Catania. Dort machten wir der Erdbebenwarte einen kurzen Besuch. Der leitende Beamte zeigte uns aufgrund eines Empfehlungsschreibens aus Wien die ganze Einrichtung.

Dann erstürmten wir den Ätna! Wir knatterten die neuerbaute Straße hinauf und erklommen dann, nach einer Übernachtung im Schutzhaus, noch bei Sternenschimmer den Gipfel. Die letzten hundert Meter waren kaum erträglich, unser Schuhwerk wurde in der Lava zerrissen, die Luft war ungewohnt dünn und voll von Salpeter- und Schwefeldämpfen, aber wir wurden vom Kraterrand aus reichlich durch den phantastischen Anblick des Sonnenaufgangs entschädigt. Im Westen funkelten noch die Sterne, dort herrschte die Nacht, während im Osten am Horizont von Kalabrien langsam die Sonne aufging und die Schatten des Ätna über das Meer huschten. Ich weiß heute nicht zu sagen: War das Erlebnis wirklich so großartig oder waren unsere jungen, idealistischen Seelen für solche Eindrücke besonders empfänglich?

Nach einem kurzen Eselsritt bergab, der sich jedoch als überaus unangenehm herausstellte und deshalb so billig angeboten wurde, weil kaum jemand bergab reiten wollte, bestiegen wir wieder unsere »Knatterkiste« und fuhren nach Caltanisetta.

Wir erreichten den Ort gerade am Anfang der Karwoche und erlebten einen gar eigenartigen Umzug von erstaunlich grell bemalten Heiligen- und Büßerfiguren, die aus Holz und Papiermaché gefertigt waren. Un- rasierte, finstere Menschengestalten spielten dabei auf kärglichen In- strumenten traurige Weisen, dabei wurden sie von einem in der Menge versteckten Kapellmeister dirigiert. Er tat dies ganz im geheimen und nur mittels eines Fingers. Wir erkundigten uns und bekamen zu hören, daß sich eine so kleine Musikkapelle mit einem Dirigenten lächerlich machen würde, andererseits aber könnte man nicht gut ohne Dirigenten spielen, und so hätte man diesen Patentausweg gefunden!

Bald durchkreuzten wir auch das Innere von Sizilien und übernachteten in noch mittelalterlichen Orten, meist in finsteren Kaschemmen. Da- mals wie heute herrschte in dieser Gegend die Mafia. Doch ging für uns alles gut. Wir sahen wohl so verstaubt und unansehnlich aus, daß wir nicht interessant genug für Mafiosi waren. Der Tempel von Agrigentum versetzte uns wieder in klassische, heidnische Begeisterung, und in Pa- lermo erlebten wir das Osterhochamt im Dom, das von einem Kardinal zelebriert wurde. Diesmal christlich ergriffen lauschten wir dem pracht- vollen Chorgesang und bewunderten im Dom und in der Capella Palati- na die herrlichen Mosaike. Unsere Begeisterung für die erhabenen Ze- remonien im Dom wurde allerdings jäh gedämpft, als der Kardinal mit- ten in der Messe ein gebrauchtes, rotes Riesentaschentuch hervorzog und vor Gebrauch erst tüchtig ausbeutelte.

Nach Monreale verließen wir das »Land Friedrichs II.«, wie wir es nannten, und ließen unser Motorrad recht wackelig per Kran auf das Fährschiff verladen, um Neapel schneller zu erreichen.

Anfang April waren wir wieder in Wien. Dort erfuhren wir, daß Ottos Vater als Polizeipräsident abgesetzt worden war, weil er sich öffentlich der NSDAP angeschlossen hatte. Mit voller Wucht nahm uns nach dem italienischen Traum wieder die Politik gefangen.

Meine Eltern wollten aber jetzt von neuem Ärger nichts mehr wissen. Mama war immer päpstlicher als der Papst, Papa hingegen kaiserlicher als der Kaiser. Er fuhr öfters nach Steenockerzeel wie vorher auch nach Lequeitio, wo die kaiserliche Familie ihre Verbannung verlebte. Mein Vater empfand mich als besonders undankbar, weil ich nicht bereit zu sein schien, dem Hause Habsburg die Treue zu halten, obgleich doch die Kaiserin an Papa ein Schreiben gerichtet hatte, worin sie auch mir zu meiner Pilotenprüfung gratulieren ließ. Es kam zu erregten Auseinan- dersetzungen zu Hause, denn ich hielt es für meine »deutsche Pflicht«, nicht nachzugeben und sogar, wie ich ehrlich meinte, meine Eltern auf den rechten Weg zu führen. Schließlich, als ich wieder einmal Schwie- rigkeiten mit der Polizei hatte, und Papa einen Wink von der Regierung bekam, stellte er mir ein Ultimatum, das ungefähr so lautete: »Entweder du hörst mit der Politik auf und gibst mir diesbezüglich dein Ehrenwort oder du gehst ins Ausland studieren!«

Erhobenen Hauptes lehnte ich ein Ehrenwort ab, fuhr nach Berlin und inskribierte dort an der Universität Philosophie, das hieß praktisch: Meteorologie, Erdbebenkunde, Geographie und Klimatologie. Für die Sommerferien hatte mein Vater durch befreundete Universitätsprofessoren ein Praktikum an der aeronautischen Anstalt bei Berlin in Lindenberg, unweit von Beeskow und Starkow, für mich organisiert.

Er gedachte mich so, was die Politik betraf, »aus dem Verkehr zu ziehen« und mich auf das meteorologische Studium festzunageln. Das gelang nur zu Anfang. Die Professoren an jener Anstalt waren interessante Leute. Einer von ihnen, ein bekannter Grönlandforscher, der mit Wegener bereits in Grönland überwintert hatte, versprach mir, mich auf die nächste Reise als Verbindungsflieger mitzunehmen; ein anderer Professor organisierte Drachenaufstiege mit Kastendrachen, die von einem drehbaren Pavillon aus durch eine motorbetriebene Seilwinde hochgezogen wurden. So ein Drachen hatte die Größe eines Gartenhäuschens und hob Meßgeräte sowie das Stahlseil bis in Höhen von 5000 Metern empor. Selbst bei schönem Wetter zuckten Funken aus dem Seil in die Erdung. Bei Gewittern konnte es vorkommen, daß der Draht einfach verdampfte und der Drachen sich selbständig machte, einmal sogar bis Dänemark.

Nach anfänglichem Interesse am Fach kam bei mir aber bald wieder die Politik zum Durchbruch. Es begann damit, daß in Beeskow-Storkow der lokale deutsche Luftsportverein, eine Ursprungszelle der späteren deutschen Luftwaffe, gegründet wurde. Mich traf das Los des Ortsgruppenchefs. So hatte ich alle Hände voll zu tun und 120 Mann unter meinem Kommando. Wir bauten eifrig Segelflugzeuge. Nachdem die einheimischen Preußen mich zunächst für einen schlappen Österreicher, für Kamerad »Schnürschuh« gehalten hatten, »schliff« ich sie in finsterer Nacht hart, und wir rückten »mit Gesang« nach Mitternacht wieder in das Städtchen ein. Dies erregte echte Verwunderung, und von da ab grüßten mich Neuling sogar alte Veteranen recht freundlich.

Manchmal hielt ich Vorträge über die Lage der Nationalsozialisten in Österreich oder auch über die der Deutschen in Südtirol. Letzteres war nicht ungefährlich, denn Südtirol galt außenpolitisch als heißes Eisen. Natürlich fuhr ich öfters nach Berlin. Dort traf ich zu meiner Freude einen alten Bekannten aus Wien, den SS-Oberführer Dr. Gräschke. Er nahm mich besonders liebenswürdig auf. Ich erzählte ihm, daß ich auf der Reise nach Berlin in München den Vertreter der dortigen österreichischen Legion besucht hatte, der mich unbedingt für die Wachmannschaften im Konzentrationslager Dachau anwerben wollte; ich könnte dort sofort den Rang eines SS-Hauptsturmführers erhalten, Hauptmannsgehalt beziehen und nebenbei weiterstudieren. Ich hatte aber für Polizei nie viel übrig, und es ärgerte mich, daß die SS das alte Ordensritterideal mit Polizistenmoral vermengen wollte. So lehnte ich höflich, aber kühl ab.

Gräschke gab mir sofort recht; er verriet mir nach einigen Besuchen, daß er jetzt hauptamtlich Abteilungschef in Görings Forschungsamt, d. h. in Görings Spionageorganisation sei und es richtig für mich halte, wenn ich das Studium der Meteorologie, das ja doch zu nichts Vernünftigem führen könne, an den Nagel hängte. Ich sei und bleibe doch ein der Politik verschriebener Zeitgenosse, der besser »mal unter seiner Leitung« im Nachrichtendienst und auf dem Gebiet der Spionage seine ersten Sporen verdienen sollte. Das wäre ein gefahrenreicher und interessanter Beruf. Dabei könnte ich meine Beziehungen und Sprachkenntnisse verwenden, ja, »mal richtig zu Ruhm und Erfolg« gelangen. Meine Studien in Meteorologie könne ich nebenbei für meine Eltern weiterführen, in Wirklichkeit aber sollte ich besser Jura oder Staatswissenschaften studieren. Die Arbeit für den Nachrichtendienst und solch ein Studium schlössen sich gegenseitig absolut nicht aus, im Gegenteil, ein Studium wäre eine erstklassige Tarnung. Nach mehreren Vorbesprechungen im Café »Mocca-Efti« in Berlin, wo Oberführer Gräschke mich in balkanesische Agentenkreise einführte, durfte ich endlich einmal in sein Büro, das sich unweit des späteren Luftfahrtministeriums befand. Dort weihte man mich schnell in die Grundbegriffe des Nachrichtendienstes ein. Ich lernte bald die kleinen Tricks, wie man ein Visum mit einem harten Ei von einem Paß in den anderen übertragen könne, Verfolger abhänge, wie man »verlorene Briefkästen« bediene, Briefe vor dem Öffnen durch Dampf schütze, Geheimtinten verwende, vorsichtig Kurztelephongespräche führe etc. Dergleichen »Ezzes« fanden meine uneingeschränkte Bewunderung. Andererseits hörte ich leidenschaftlich vom schweren illegalen Kampf in Österreich. Mich schmerzte es, nicht dabei sein zu können. Auch machte mich Lindenberg mit der Zeit ganz trübsinnig, obwohl ich zweimal in der Woche nach Berlin auf die Universität fahren mußte, mich aber dort mehr für die nachrichtendienstliche Verwendung vorbereitete. Bald bat ich Dr. Gräschke, mich einzusetzen und erzählte ihm, daß meine Freunde Lippe und Seidler zu dieser Zeit in Rom studierten, und es gar nicht auffallen würde, wenn ich auch dort einträfe. Andererseits könne ich einigermaßen Italienisch sprechen. Ich wollte Fäden zu wichtigen Leuten, sei es durch meine Familie, sei es durch Freunde, spinnen. Jetzt sei also der Moment! Gräschke ließ sich überzeugen! Er verschaffte mir die Vertretung der Gewerkschaftszeitung »Der Deutsche«, wodurch ich zusätzlich Geld und Eingang in die Journalistenkreise gewinnen könnte und so mein Interesse für politische Nachrichten einigermaßen normal erscheinen würde. Man sicherte mir auch eine monatliche sehr gute Bezahlung zu.

Weiters winkten noch Sonderzahlungen für eventuelle Artikel oder für besonders gute Nachrichten. Somit war ich finanziell mehr als abgesichert und schrieb nach Hause, daß ich zwecks Vorbereitung einer Doktorarbeit über »Aufwinde im Ätnagebiet und deren Ausnützung beim Segelflug« nach Italien fahren müßte. Ich überzeugte meine Professoren in Lindenberg, daß solches der wahre Grund meiner Reise sei. Es war dies durchaus glaubhaft, denn im Ätnagebiet gibt es stets dynamische und vor allem sehr starke thermische Aufwinde, die durch die Sonne über der schwarzen, oft noch sehr heißen Lava hochgebrodelt werden.

Nachdem ich meine Habseligkeiten, darunter vor allem mein Motorrad verkauft hatte, fuhr ich glänzend ausstaffiert, unter rührenden Segenswünschen vom alten Gräschke, begeistert, aber mit einem fürchterlich schmerzenden Weisheitszahn nach Rom. Dort wurde ich von Viktor von der Lippe und Paquito Seidler mit Hallo begrüßt. Sie wohnten damals beide in der »Pensione Internationale«, unweit der Piazza di Spagna. Endlich hatte ich die muffige Welt von Beeskow-Storkow, Lindenberg und Berlin abgeschüttelt. Ich verdiente mehr als ich brauchte und war somit ein freier Mann auf der Fahrt ins große Abenteuer. Außerdem konnte ich durch meine Tätigkeit den Kameraden in Österreich auf politischer Ebene helfen, wenn es gelang, die »kleriko-faschistische« Zusammenarbeit, die sich zwischen Österreich und Italien entwickelt hatte, zu überwachen oder gar zu sabotieren. Von diesen Absichten erzählte ich Seidler und Lippe natürlich nichts, wußte ich doch unter anderem, daß Seidlers Begeisterung für den Nationalsozialismus bereits gedämpft war.

Langsam lernte ich einen Teil der römischen Gesellschaft kennen und fand sie amüsant. Da ich meine aufregende »Nebenarbeit« hatte, lief ich mit gespitzten Ohren umher und suchte vor allem Kontakt zu Journalisten. Die beste Quelle war ein alter österreichischer Journalist, Vertreter der »Grazer Tagespost«, der sich »Cavaliere Ufficiale Ugo Webinger« nannte und ein Sonderling war. Er half mir, meine ersten Berichte an die Zeitung »Der Deutsche« zu redigieren, dennoch sind sie aber – glücklicherweise – nie erschienen. Sie waren wohl eher unbeholfen im Ausdruck. Auf Wunsch meines Vaters mußte ich dem österreichischen Gesandten einen Besuch abstatten. Es war dies der ehemalige Landeshauptmann der Steiermark, Universitätsprofessor Dr. Anton Rintelen, ein christlich-sozialer Politiker. Später wurde ich auch dem deutschen

Botschafter von Hassel vorgestellt und bald darauf von Almuth, dessen Tochter, zu einem Maskenfest eingeladen. Die Botschafterin, eine Tochter des Großadmirals von Tirpitz, war elegant und preußisch liebenswürdig. Es bestand bei dem Fest kein Kostümzwang. Ich ging im Frack dorthin und trug nur eine schwarze Maske vor den Augen. Man war sehr freundlich zu mir, vor allem die Mädchen erwiesen sich als rücksichtsvoll, was ich zuerst nicht verstehen konnte, bis ich erfuhr, daß man munkelte, ich hätte ein Bein verloren und wäre Prothesenträger. Vielleicht lag es an meinen hölzernen Bewegungen beim Tanz, denn ich tanzte ungern und habe es auf diesem Gebiet auch nie zu großer Meisterschaft gebracht. Ich verkehrte viel auf der österreichischen Gesandtschaft und gewann bald das Wohlwollen Dr. Rintelens und eines Tages forderte er mich auf, ihn bei seinen nächtlichen Spaziergängen, die ihm der Arzt verschrieben hatte, zu begleiten.

Denn sowohl der Gesandte als auch seine Tochter hielten solche einsamen »passegiate di notte«, in Rom für zu gefährlich. Ich nahm meine Beziehung zum Gesandten und zu seiner Familie sehr ernst – aus beruflichen Gründen zunächst – denn so etwas konnte für mich und meine Arbeit von unschätzbarem Wert sein, vor allem im Hinblick auf Aufgaben, die ich mit österreichischen Problemen verflochten sah.

Ende Januar 1934 besuchte der italienische Staatssekretär Dr. Fulvio Suvich Wien. Italien suchte damals engere wirtschaftliche Zusammenarbeit mit Österreich und Ungarn. Am 8. Februar besuchte Dollfuß aus einem ähnlichen Grunde Budapest. Diese verstärkte österreichisch-ungarisch-italienische Aktivität stellte mich vor erweiterte Aufgaben, gab es doch jetzt viel zu berichten. Meine beste Informationsquelle wurde Rintelen selbst. Es war verständlich, daß wir auf unseren nächtlichen Rundgängen auf dem Monte Mario oder auf dem Monte Pincio über manche Probleme sprachen; Rintelen machte dabei aus seinem Herzen keine »Mördergrube«. Er liebte Italien und plädierte für enge österreichisch-italienisch-deutsche Zusammenarbeit. Er vergötterte Mussolini und haßte Dollfuß, diesen »trick- und listenreichen Unglückszwerg«, wie er ihn nannte. Auch war er der Ansicht, daß man nicht lange auf den Bajonetten sitzen und mit nur einer Stimme Mehrheit diktatorisch regieren könne, wie es Dollfuß praktizierte.

Das Vertrauen Rintelens zu mir wuchs jedoch nur langsam. Ich kam aber bald täglich in die Gesandtschaft, sei es, um mit den Mädchen den Tee einzunehmen, sei es, um den Gesandten zum Spaziergang abzuholen. Von Anfang an hatte ich nicht verschwiegen, daß ich national eingestellt sei, und meine Offenheit und mein Idealismus beeindruckten den alten Rintelen immer mehr, so daß allmählich eine Vertrauensbasis entstand.

Diese Beziehung zum Gesandten blieb den Gesandtschaftsmitarbeitern nicht verborgen. Es gab da unter anderen die Sekretäre Rotter und Prinz »Mi« Schwarzenberg. Beide Herren betrachteten mich mit wachsendem Mißtrauen und versuchten, mich auszuhorchen und in Gespräche zu verwickeln. Ich jedoch, durch Rintelen mehrfach gewarnt, sprach nur über allgemeine Dinge.

Seidler hatte eigentlich keinen Kontakt zu Rintelen. Lippe hingegen war dort gerne gesehen. Natürlich erfuhren auch italienische Journalisten von meinen guten Verbindungen zur österreichischen Gesandtschaft, und so war ich trotz meiner Jugend im Club der Stampe Estera bald ein gern gesehener Gast.

Es war unter diesen Umständen selbstverständlich, daß mir der italienische Geheimdienst auf Schritt und Tritt folgte, er hörte auch pünktlich meine Telefonate ab. Aber das kannte, ja erwartete ich. Aus meiner »Kampfzeit« in Österreich war ich an manches gewöhnt und dazu auch ein Meister im »Beschatter-Abhängen«. Ich sprang z. B. plötzlich von einem Omnibus ab, nahm ein Taxi, um bei einer Hauspassage auszusteigen, oder wechselte Taxis und Trambahnen in schneller Reihenfolge und Gegenrichtung. Mit solchen durchaus nicht neuen Methoden konnte man sogar italienischen Agenten das Leben sauer machen.

Eines Tages sollte eine »Ballila-Abteilung«, also eine faschistische Jugendgruppe mit Motorrädern nach Wien fahren, um den jungen Dollfußanhängern einen Freundschaftsbesuch abzustatten. Ich konnte heimlich die illegalen Kampfgruppen in der Heimat informieren, so daß ein »heißer« Empfang mit Hufnägeln und Schmierseife bereits in Kärnten vorbereitet war. Es war dafür gesorgt, daß diese faschistische Propagandatruppe auf dem ganzen Weg durch Kärnten von Pannen und Stürzen heimgesucht wurde. Es war der Zweck unserer Aktion, Mussolinis Regierung zu zeigen, daß der »Milli-Metternich«-Dollfuß beim Volk nicht beliebt war und auf einem Vulkan saß.

Am 12. Februar kam es in Wien und Linz zu einem ersten Zusammenstoß, als die Sozialisten versuchten, einen Aufstand durchzuführen. Dieser wurde jedoch innerhalb von vier Tagen militärisch niedergeschlagen, wobei sogar Kanonen zum Einsatz kamen. Galgen, Kerker und Konzentrationslager folgten. Sechs Sozialisten wurden gehenkt. Es war also nicht Hitler, der solche Methoden in Österreich einführte.

Am 17. Februar erklärten England, Frankreich und Italien, die österreichische Unabhängigkeit schützen zu wollen, und am 17. März wurden die »Römischen Protokolle« abgeschlossen. In diesem Abkommen wurde die politische und wirtschaftliche Zusammenarbeit zwischen Österreich, Ungarn und Italien verbindlich geplant. Ich saß demnach am Brennpunkt der Ereignisse. Vergebens versuchte Rintelen, in vorsichtiger Weise Italien gegen Dollfuß zu beeinflussen. Er hatte sogar die Absicht, bei Mussolini zu erreichen, daß ihn dieser bei einer eventuellen Übernahme der Kanzlerschaft in Wien unterstütze. Dollfuß aber blieb es nicht lange verborgen, daß Rintelen, den er selbst nach Rom geschickt hatte, um ihn los zu sein, nun von dort aus konspirierte, um selbst ans Ruder zu kommen. Einstweilen aber schien es Dollfuß zu genügen, daß es ihm gelungen war, »König Anton« von seiner steirischen Hausmacht zu entfernen und ihn unter die Aufsicht des befreundeten Duce zu stellen. Rintelen seinerseits wiederum tat alles, um mit Mussolini gute Beziehungen zu pflegen. Eines Tages erzählte er mir stolz, daß der Duce soeben zu ihm gesagt habe: »Rintelen, io sono suo grande amico!« Indem er mir von diesem Ausspruch erzählte, wollte der Gesandte mich wohl beeindrucken und vielleicht auch vor eventuellen Illoyalitäten, die ich ihm gegenüber begehen könnte, warnen.

Nach der Niederwerfung der roten Februarrevolte wurde Rintelen immer besorgter und meinte wiederholt, Dollfuß sei schlecht beraten und steuere auf ein neues Blutbad in einem Kampf gegen die aufgeregten Nazis zu. Dollfuß sei in eine Sackgasse geraten und wolle niemandes Rat annehmen; er sei jetzt »gottähnlich«; auch seine, Rintelens, Warnungen hätten bei ihm keine Wirkung mehr; leider seien die Nazis in »Rowdymanieren« verfallen; er höre aus der Steiermark täglich Schlimmes über Lage und Stimmung der Bevölkerung!

Der Gesandte hatte jetzt sehr oft Besuch von treuen Parteifreunden aus der Steiermark. Dort war er unbestritten der Chef der christlich-sozialen Bewegung. Als sein größtes Verdienst betrachtete man es, daß er die Steiermark gleich nach dem Ersten Weltkrieg mit Waffengewalt vor dem Eindringen von Banden des ungarischen Kommunistenführers Bela Kun bewahrt hatte. »König Anton« war nicht nur überzeugter, energischer Antikommunist, sondern auch bekannt für autoritäre Neigungen. Daher klang seine diesbezügliche Kritik an Dollfuß nicht besonders überzeugend.

Zu jener Zeit hatte ich in Rom eine ausgezeichnete Position. Ich war ohne finanzielle Sorgen und verfügte über interessante Verbindungen in der italienischen Hauptstadt wie auch zum Reich. Man dichtete mir nun einen Flirt mit der »mysteriösen« Nichte Rintelens, Marlene Niggemeier an, und wir fingierten damals auch etwas dergleichen – im Auftrag Rintelens, um meine häufigen Besuche in der Gesandtschaft zu verharmlosen. Daneben gab es für mich noch einen kleinen Flirt mit der 1,80 m großen, blonden, eher walkürenartigen Maria Badoglio, der Tochter des Marschalls und späteren Eroberers von Abessinien. Ich war für sie der ideale Tänzer, denn ihre Landsleute reichten ihr in der Regel nur bis zum Kinn.

In Wahrheit aber liebte ich damals Marie Rose Rességuier. Sie wohnte im Sacré-Cœur, studierte Kunstgeschichte und perfektionierte ihre italienischen Sprachkenntnisse. Rosi war eine Klasse für sich und mit den übrigen »Blüten« in Rom einfach nicht zu vergleichen. Sie war hochgewachsen und gebildet, wirkte dabei zwar belehrend, aber doch geistig äußerst anziehend. Ihr Vater war Chef der katholischen Verbände, der sogenannte »heilige Rességuier«, Nachkomme einer aus der Provence stammenden Emigrantenfamilie, ihre Mutter eine Tochter des großen Liebig. Rosi hörte sich durchaus interessiert meine historisch-politischen Tiraden an und brannte ihrerseits manch literarisches Feuerwerk ab. Über Kunst und Malerei, über Literatur und da besonders über Rainer Maria Rilke erhielt ich unvergeßliche »Vorlesungen«. Ja, sie war für ihre neunzehn Jahre ein reifes Wesen!

Rosi hatte später als deutsche Botschafterin in Spanien und Rom glanzvolle Positionen inne. 1981 ging sie freiwillig in den Tod.

In Rom hatten Viktor Lippe und ich einen besonderen Freund; Francesco Lancelotti-Massimo. Er besuchte uns gerne, war begeisterter Faschist, ja Mitglied der freiwilligen dalmatinischen Rückeroberungslegion, auf deren Halstuch die drei dalmatinischen Löwenköpfe prangten. Francesco war ein typisches Produkt der sogenannten »schwarzen«, der papsttreuen, großen Familien Roms. Sein Geschlecht soll bis auf Fabius Maximus Cunctator zurückzuverfolgen sein – jedenfalls behauptet man solches seit mehr als zweitausend Jahren, meinen die Massimos heute ganz bescheiden. Mitten in Rom, an der Piazza Navona, liegt einer ihrer Paläste, voll von verstaubten Kunstschätzen – ein häufiges Merkmal römischer Palazzi – mit zahlreicher, aber »bequemer« Dienerschaft.

Eines Tages fragte ich Francesco, was er tun würde, wenn der Duce Schwierigkeiten mit dem König bekäme, und es bräche ein Bürgerkrieg aus. Ohne zu zögern antwortete mir Francesco: »Selbstverständlich würde ich auf der Seite des Königs kämpfen!« Das wäre dann seine Pflicht, aber dazu werde es nicht kommen. Auf weitere Fragen, was er tun würde, wenn der König in der Folge Schwierigkeiten mit dem Papst bekäme, ob er da auf der Seite des Königs oder des Papstes stehen würde, kam auch hier die schnelle Antwort: »Dann wird selbstverständlich mein Platz auf seiten des Heiligen Vaters sein!« Hierauf ich: »Na, du bist mir ja ein feiner Faschist!«

Francescos Urgroßvater war im übrigen Kommandant der päpstlichen Artillerie gegen Garibaldi gewesen! Nun, 1934, war Pius XI. Papst, ein sehr energischer Mann, Bergsteiger, Jäger, Universitätsprofessor. Mit ihm hatte es Mussolini nicht leicht, denn damals war das Papsttum noch ein »rocher de bronze«! Auch war die Spannung zwischen dem Haus Savoyen und dem Vatikan noch nicht restlos beseitigt, und der »weiße« bzw. königliche Adel wurde vom »schwarzen« päpstlichen Adel mit Mißtrauen und Herablassung beobachtet. So gab es kräftige Spannungsfelder: Die Kirche gab sich barock, der Faschismus huldigte der Renaissance, während das Königshaus der Freigeisterei zuneigte.

Roms Straßen boten ein lautes, fröhliches Bild: Verkäufer, Hausierer, Zeitungsjungen, Abbés, Militärs, kinderreiche Mütter, gestikulierende Advokaten, pinkelnde Katzen und Hunde, schreiende Fisch- und Obstverkäufer, Ammen und Kinderwagen, all dies lässig geregelt von den »Napoleon-Zwillingen«, den würdigen Carabinieri. Dazu der Duft, eine merkwürdige Mischung von Fisch, alten Nüssen, Blüten, Parfüms und Emanationen der Cloaca Maxima! Es war aber nicht störend, eher passend zur antiken, modernen Weltstadt!

Durch dieses Rom der alten Plätze und verschwiegenen Gassen zogen Francesco und ich eines Tages und überlegten, was wir eigentlich tun sollten. Francesco meinte, wir könnten ja auch einmal beichten gehen, er hätte einen neuen, sehr guten Jesuiten aufgetan. Also begaben wir uns zu ihm. Dieser Beichtvater war gut und befriedigend, fand meine Ausführungen durchaus logisch und meinte, meine Zweifel würden sich wohl mit der Zeit geben. Hauptsache sei, man bete und suche den Glauben. Ein kluger Mann.

Als Viktor Lippe nach Wien zurückkehrte, suchte ich mir ein neues Domizil. Meine neue Bleibe lag sehr schön im dritten Stock eines eleganten Mietshauses zwischen dem Justizpalast und der Engelsburg. Ich war dort gut untergebracht und weniger kontrolliert als in der »Pensione Internationale«, wo der Portier mich sicherlich im Auftrag der Polizei bespitzelt hatte.

Natürlich besuchte ich weiterhin regelmäßig das Haus unseres Gesandten und begleitete ihn auf seinen nächtlichen Spaziergängen. Auch Viktor Lippe hatte vor seinem Abgang einige Male die Ehre seiner Exzellenz dabei Gesellschaft leisten zu dürfen. Rintelen wurde zusehends unruhiger. Endlich, als Dollfuß sich anschickte, den parlamentarischen Parteienstaat abzuschaffen, und Fürst Starhemberg an Stelle von Major Fey Vizekanzler wurde, rang er sich zu einer grundsätzlichen Entscheidung durch. Kurzentschlossen beauftragte er mich, nach Deutschland zu fliegen, um dort mit der NS-Regierung Kontakt aufzunehmen und in seinem Namen zu erklären, daß er mit dem Dollfuß-Regime in keiner Weise einverstanden und bereit sei, mit den Nationalsozialisten eine Übergangsregierung zu bilden, um der Unruhe in Österreich Herr zu werden und Neuwahlen für eine legale Regierung vorzubereiten. Ich war begeistert, bestieg das nächste Flugzeug und fühlte mich als »wichtiges Rad« in der Geschichte meiner Heimat.

51

Zuerst ging ich in München zur Landesleitung der NSDAP Österreichs und wurde dort vom Adjudanten des Landesleiters Habicht, Graf Bossi Fedrigotti, empfangen. Dieser brachte mich zu Habicht, der sich sofort interessiert zeigte und unverzüglich Verbindung mit Rudolf Hess in Berlin aufnahm, dem er ja direkt unterstand. Kurz darauf bekam ich die Weisung Rintelen mitzuteilen, man könne erst dann mit ihm zusammenarbeiten, wenn er, Rintelen, Adolf Hitler als Führer aller Deutschen über die Staatsgrenzen hinweg anerkenne.

Es war, wieder in Rom, nicht einfach, Rintelen zu dieser Erklärung zu bewegen. Immer wieder meinte der Gesandte, er sei doch kein Nationalsozialist, sondern ein christkatholischer und nationalkonservativer Politiker, der zwar Dollfuß für ein Unglück halte, sich aber andererseits für die NSDAP nicht erwärmen könne. Nach tagelangem Zögern erteilte er mir dann den Auftrag, nochmals nach Deutschland zu fliegen, um dort bei der Regierung – wohlgemerkt nicht bei der Partei – in seinem Namen die gewünschte Erklärung abzugeben.

Ich war nun im siebenten Himmel! In Berlin angekommen, rief ich Habicht in München an und bat ihn, mich bei Rudolf Hess anzumelden. Hess empfing mich. Das war d e r große Moment für mich, und so überbrachte ich Rintelens Erklärung der »Anerkennung Hitlers als Führer aller Deutschen«.

Dr. Gräschke, dem ich jedesmal bei meinen Aufenthalten in Deutschland für Görings Forschungsamt berichten mußte, hatte mir alle Wege geebnet und war natürlich besonders stolz auf mich. Es ergab sich aber bald, daß nicht ich es sein konnte, der den Faden weiterspinnen durfte, und Hess gab Habicht, der inzwischen nach Berlin geeilt war, den Auftrag, direkt Fühlung mit Rintelen aufzunehmen.

Zunächst sandte Habicht Ende Februar seinen Vertrauensmann und Stabsleiter Rudolf Weydenhammer unter dem Pseudonym Williams mit falschem Paß nach Rom. Weydenhammer war ein nach Österreich ausgerichteter, bedeutender bayerischer Wirtschaftler, ein kultivierter Herr von etwa vierzig Jahren. Ihn brachte ich an einem späten Abend in Rom auf die österreichische Gesandtschaft zu Rintelen und sicherte, während die Herren sich miteinander besprachen, Gänge und Nebenzimmer. Nach dieser langen Aussprache fuhr Weydenhammer hochzufrieden zurück und hinterließ mir eine Telefonnummer. Es war die der Gouvernante seiner Kinder, eines Fräulein Anni Post. Sie wohnte mit Weydenhammers am Starnberger See. Gleichzeitig erhielt ich von der deutschen Botschaft die Berechtigung, verschlossenen Briefe durch einen Kurier zu senden.

Inzwischen aber hatte der deutsche Botschafter von Hassel durch seinen jungen Mitarbeiter, einen Herrn von Neurath, Sohn des Reichsaußenministers, Kunde von Rintelens Kontakten bekommen und machte Rintelen deswegen Vorwürfe. Hassel wollte es nicht dulden, daß solche Fäden nicht über ihn, den deutschen Botschafter, gesponnen wurden. Rintelen wiederum leugnete alles wütend ab und war empört! Er drohte, das Projekt nicht weiter verfolgen zu wollen, wenn in Berlin die obersten Herren der Reichsregierung ihre feierlichen Zusicherungen die Geheimhaltung betreffend so wenig einhielten, der Außenminister an seinen Sohn im Ausland solche Geheimnisse weitergebe und dieser sie dann sofort seinem Chef, dem Botschafter, mitteile. Unter solch untragbaren Umständen sei seine, Rintelens, Arbeit sinnlos und vergeblich.

Nur mit großer Mühe gelang es mir und vor allem Weydenhammer, den ich schnell herbeigerufen hatte, unseren Gesandten und »Mitverschwörer« zu beruhigen. Hassel aber schwieg in Zukunft. Er hatte aus Berlin Weisungen bekommen und blieb mir gegenüber von da an sehr reserviert und kühl. Einladungen der deutschen Botschaft fielen von nun an für mich aus. Dies störte mich freilich wenig, dafür war meine Stellung in der römischen Gesellschaft nicht schlecht, und auch zu Diplomaten anderer Länder hatte ich Kontakte. Es waren alles fröhliche Menschen, die das Sagen hatten und das Leben genossen.

Sehr beliebt waren damals »treasure hunts«, die mit Phantasie, Eifer und Gaudium organisiert wurden. Anschließend gab es Feste in Gärten und Palazzi. Hinreißend die Frauen, oft Töchter römischer Familien mit scharfgeschnittenen Gesichtern. Die Figuren dazu ließen aber oft auf das Erbgut amerikanischer Mütter schließen, die viel Schönheit in die römische Oberschicht gebracht hatten und natürlich bessere Finanzen dazu. So traf sich allnächtlich auch alles gegen Mitternacht im »Quirinale«, einer Bar in der Nähe des Quirinals, wo eine Zeder in einem Ring von herrlich eingelegtem Marmorfußboden eifrig umtanzt wurde.

Doch eigentlich schien mir dies alles eher nebensächlich. Ich wollte ja meine Kräfte dem Reich aller Deutschen widmen. Es sollte als großdeutsches wiedererstehen, dieser Traum aller Ghibellinen. Darüber verschlang ich Bücher über Bücher, und die Museen und Stätten der Vergangenheit bedeuteten mir unendlich viel in diesem herrlichen Rom. Natürlich faszinierte mich jene Welt und ihre Genüsse. Wenn ich mir auch wenig aus Alkohol machte, so genoß ich um so mehr die Freuden der französischen oder der römischen Küche. Ich liebte die elegant gedeckten Diners mit noblen Frauen, die damals noch Konversation machen konnten und deren Aura mich gefangen hatte. Das alle Sinne erfassende Flair dieser unheiligen, renaissanceähnlichen Zeit weht noch lockend um mich und ruft manche Bilder der Vergangenheit ins Gedächtnis zurück.

Aber die Zeit blieb nicht stehen! Nach einigen Reisen Weydenhammers zu Rintelen ließ mich Habicht, der illegale österreichische Landesleiter in München, zu sich kommen und erklärte mir, er wäre nun bereit, dem Wunsch Rintelens zu entsprechen und ihn selbst zu besuchen. Ich sollte es sein, der die Reise zu organisieren hätte. Den Italienern dürfe ja nichts auffallen! – Was für eine Aufgabe, denn im italienischen Geheimdienst waren erfahrene Leute tätig! Was für ein Skandal, wenn faschistische Sbirren die Reise eines Habicht bemerkt hätten!

So legte ich mir nach einigem Überdenken einen »Tarnfahrplan« zurecht. Ich tauschte die Ortsnamen aus. Für die Uhrzeiten suchte ich einen speziellen Code und verschlüsselte Mitteilungen mit einem englischen Berlitz-School-Buch. Rintelen aber sollte am Sonntag in der Peterskirche die Messe hören und sein Botschaftsauto mit Chauffeur in der Umgebung von Rom an einem bestimmten Punkt warten lassen. Es sollte so aussehen, als ob der Fahrer an einem freien Tag das Botschaftsauto zum Besuch einer »Flamme« privat benützt hätte. Der steirische Chauffeur war dem Gesandten sehr ergeben, er wußte auch nicht, worum es sich handelte, aber als guter Österreicher war er mit Vergnügen bereit, den Italienern ein Schnippchen zu schlagen.

Es kam wie geplant: An einem Sonntag verließ Rintelen die Messe im Petersdom über das Vatikanische Museum. Dort wartete ich auf ihn. Wir stiegen in ein Taxi und wechselten es später. Ich achtete darauf, daß wir keine Verfolger hatten, und setzte schließlich Rintelen auf dem Lande alleine in sein eigenes Auto. Mit diesem hatte er langsam nach Norden zum Lago di Bolsena zu fahren. Dort sollte er an einer bestimmten Straßenkreuzung unauffällig auf Habicht und mich warten. Inzwischen fuhr ich eiligst mit einem Taxi zur Bahnstation Roma Termini und erreichte den geplanten Zug nach Norden. Um meine Spur zu verfälschen, nahm ich ein Billet bis Bologna. In einer viel südlicher gelegenen Station, Montefiascone, stieg ich in letzter Minute aus und erwartete den Gegenzug, mit welchem Habicht kommen sollte. Pünktlich erschien er dann auch, als »Herr Hagen« (mit falschem Paß), in kurzen Knickerbockern mit Stutzen. Er sah bescheiden aus, hatte eine durch Rosacea gerötete Nase und trug eine Nickelbrille mit dicken Gläsern. Er begrüßte mich nervös, doch freundlich. Ich war beeindruckt von so viel Huld des unscheinbaren Chefs, der doch den Führer für uns Illegale direkt vertrat.

Wir nahmen eines der zahlreichen Taxis und fuhren zur verabredeten Straßenkreuzung. Dort wartete ebenso nervös Rintelen, der seinen Wagen mit dem Fahrer weggeschickt hatte. Sobald auch unser Taxi verschwunden war, kam es endlich zu einer herzlichen Begrüßung. Beide Herren liefen dann am Straßenrand auf und ab und sprachen heftig aufeinander ein, während ich lediglich »sicherte«. Damals gab es dort noch kaum Straßenverkehr, und die wenigen Esel und einige ehrerbietig grüßende Landbewohner störten nicht.

Dann kehrte unser Gesandtschaftschauffeur zurück. Er hatte inzwischen im Ort Capo di Monte die sympathische Trattoria gefunden, die ich schon einige Tage zuvor ausgesucht und ihm geschildert hatte. Dort kümmerte ich mich um die Bewirtung und die Absicherung, nahm aber nicht an der Unterhaltung teil. Ich konnte allerdings heraushören, daß Rintelen viel radikaler und ungeduldiger war als Habicht. Rintelen drängte zum Putsch, während Habicht ungezählte Einwände erhob und fast freundlich von Dollfuß sprach. Starhemberg war beiden nicht sympathisch. Habicht wiederholte immer wieder, der Führer wolle keine gewaltsamen Lösungen. Gut Ding brauche eben Weile. Rintelen jedoch insistierte! Er erklärte, er wisse nicht, wie lange er noch in Rom bleiben könne, weil Dollfuß alles daran setze, ihn bei Mussolini zu desavouieren. Auch wäre es fraglich, wie lange er seine steirischen Anhänger noch zur Verfügung hätte. Jetzt sei eine revolutionäre Situation gegeben, die man entschlossen ausnützen müsse. Diese Chance ließe sich nicht dauernd erhalten!

Für mich war es ungemein spannend, diese beiden so bürgerlich aussehenden Herren zu beobachten und ihnen zuzuhören. Sie hätten gut höhere Beamte des Finanzministeriums sein können. Auch ich war für eine gewaltsame Lösung und erhoffte anschließend leicht und sicher zu gewinnende Neuwahlen. Das alles schien mir so einfach und entsprach meinem jugendlichen Ungestüm. Doch es kam diesmal noch zu keinem Entschluß. Habicht nahm mit Freude zur Kenntnis, daß Rintelen zu allem entschlossen war, und versprach, dies dem Führer zu berichten. Die Rückreise verlief wieder »hakenschlagend« und programmgemäß. Habicht hinterließ mir einen größeren Betrag in Dollar und Lire, damit ich auch in Zukunft wieder Aktionen und Treffen vorbereiten konnte.

Beglückt sah ich nun das Ziel meiner Wünsche näherrücken: der Umsturz in Österreich und die Wiedervereinigung mit dem Reich! Es war mir bewußt geworden, daß jetzt für mich doppelte Vorsicht geboten war; ein Ausfall meiner Person hätte die komplizierte Aktion sehr beeinträchtigt, war ich doch in der Tat zu einem nicht unwichtigen Glied in der österreichisch-deutsch-italienischen Geschichte jener Tage geworden, wenigstens in technischer Hinsicht.

Noch einmal besuchte uns Weydenhammer. Er war der Meinung Rintelens, daß eine echte revolutionäre Situation gegeben sei. Man sollte in Österreich alle Bundesheerangehörigen und Offiziere, die wegen ihres Bekenntnisses zum Nationalsozialismus entlassen worden waren, zusammenfassen und die geheime nationalsozialistische Frauenschaft beauftragen, falsche Uniformen des Bundesheeres zu schneidern. Er versprach Rintelen, dies unverzüglich in die Wege zu leiten.

Zu Ostern kam mein Vater zu einem überraschenden Besuch. Natürlich gefiel mir seine Anwesenheit in Rom nicht, denn ich wollte auf keinen Fall, daß er irgendwie in Gefahr käme bzw. in meine riskanten politischen Aktivitäten verwickelt würde. Es ließ sich arrangieren, daß wir gleich nach seinem geliebten Capri fuhren. Dort genossen wir mit Gregorovius und Mommsen in der Hand die Geschichte der Campania, Neapels und der Insel. Wir besuchten auch Ana-Capri und die »Rocca di Timberio«.

Doch bald drängte ich Papa so schonend als möglich zur Rückreise, denn Neapel, weitab vom Schutz unseres Gesandten, war mir für ihn nicht sicher genug.

In Österreich spitzte sich die Lage zu. Während es zunächst nur zu kleinen Attentaten der Nationalsozialisten gegen Poststationen oder Telephonhäuschen gekommen war, wurden nunmehr bereits Eisenbahnschienen und Brücken gesprengt. Die Eskalation mit dem Ziel einer Revolution kam langsam in Gang. Auch in Rom wurde man aufmerksamer, und die italienische Presse schrieb sehr heftig gegen die Nationalsozialisten. Man konnte sich als österreichischer Illegaler in Italien nicht mehr sicher fühlen, und nur die offenkundige Protektion des Gesandten hielt die italienische Polizei davon ab, mich scharf zu befragen. Der Gesandte erzählte mir, daß sogar seine Legationsräte Rotter und Schwarzenberg ihn eifrig bespitzelten, und daß sein Kammerdiener Ripoldi, der früher beim italo-jüdischen Bankier Castiglione gedient hatte, jetzt im Dienst der italienischen Geheimpolizei und der Wiener Regierung stehe. Ich sollte um Gottes willen sehr, sehr achtgeben! Einmal entdeckte ich sogar, wie ein höherer Herr der Gesandtschaft an der Tür lauschte, denn ich konnte ihn durch plötzliches Aufreißen derselben überrumpeln. Die Situation wurde also langsam ungut. Es schien ratsam, daß ich mich zur persönlichen Absicherung um die andere österreichische Gesandtschaft kümmerte, nämlich um jene beim Vatikan. Ihr Missionschef war damals Herr Kohlruss, dessen Familie aus einer sympathischen Gattin, einer netten Tochter und einem circa neunzehnjährigen Sohn Rudi bestand. Es fiel mir nicht schwer, mich mit Rudi anzufreunden.

So kam es, daß ich eines Tages vom Gesandten Kohlruss angerufen wurde, und er mich fragte, ob ich einspringen könnte, es hätte ihnen soeben ein Gast, ein Jüngling aus erster römischer Gesellschaft, für ein Dinner absagen müssen. Zu diesem Essen waren »bessere« Leute geladen, so die Familie Colonna, eine Erzherzogin, Generale, der englische Botschafter usw. Ob ich gekränkt wäre, wenn ich in letzter Minute gebeten würde? Ich sagte natürlich mit Freuden zu, und am Tag der Einladung, es war der 24. Juni, hatte ich mich bereits am Nachmittag in den Frack geworfen und war um fünf Uhr schon für das Dinner fix und fertig. Gegen sieben Uhr abends aber, als ich mich – noch immer sehr zeitig – in Bewegung setzte und auf die Straße trat, entdeckte ich zu meinem Entsetzen, daß alle Straßen von einer ungeheuren Menschenmenge verstopft waren, die San Giovanni, die Johannisnacht, feierten. Auf der Circolare Destra, der Trambahn, die Rom rechts umfuhr, saßen auf den Plattformen, den Trittbrettern und Puffern ganze Trauben von italienischen Zeitgenossen. Autos fuhren überhaupt nicht mehr, von Taxis ganz zu schweigen.

Ich hatte für die Fahrt zur österreichischen Gesandtschaft mit einer Anfahrtszeit von einer halben Stunde gerechnet plus einer Viertelstunde Reserve. Doch all dies erwies sich als viel zu wenig. Immer mehr aufgelöst und im Frack, stieß ich mich verzweifelt durch die Menge, fuhr auf Trittbrettern der Circolare mit und kam nach einer Stunde, um rund zwanzig Minuten zu spät Richtung Gesandtschaft angerannt. Dort hielten bereits auf der Straße Diener Ausschau nach mir. Eher unwirsch empfing mich der Gesandte schon im Vorzimmer, gab mir schnell meine Tischkarte und brummte: »Erzählen Sie nichts, das können Sie mir alles morgen erklären oder später einmal!« und stieß mich in den Salon hinein. Dort saßen schon alle die illustren Gäste in großer Garderobe mit Orden oder Schmuck. Ich aber wäre am liebsten im Boden versunken! Lorgnons erhoben sich und die Blicke meiner bereits hungrigen Opfer musterten mich streng. Sofort ging es zu Tisch, um das sicherlich schon angebrutzelte Essen noch einigermaßen zu retten. Während des Essens versuchte ich krampfhaft, der jungen Colonna, meiner Nachbarin, mein Malheur und die Gründe zu erklären, stieß nur an kalt geheucheltes, hochnäsiges Interesse. Dieses gräßliche Erlebnis blieb mir zeitlebens im Gedächtnis und ist vielleicht der Grund, daß ich zu einem penetranten Pünktlichkeitsfanatiker geworden bin.

Einige Zeit schon hatte ich bemerkt, daß sich die römische Gesellschaft zusehends von mir zurückzog. Natürlich fand ich das nicht tragisch, denn ich bildete mir ein, daß ich damals für das Wiedererstehen des Reiches wichtiger war als die Weggenossen jener Tage. Inzwischen hatte ich mich auch mit einem katholischen »Nobelgeistlichen« Dietrich von Hülsen, angefreundet. Er war hochgebildet und Freund des Kardinalstaatssekretärs Pacelli, des späteren Papstes Pius XII. und sah es gerne, wenn ich (er wohnte in der Anima, dem Seminar der deutschen Kleriker) ihn öfter besuchte. Früher hatten wir dies manchmal zu dritt getan, später aber, als es einsam um mich wurde, ging ich gern allein zu ihm. Eines Tages schüttete ich ihm mein Herz aus und klagte, früher wäre

Rom amüsanter gewesen. Selbst ältere Freunde wie Francesco Lancelotti und andere wären für mich kaum mehr zu sprechen. Da sah er mich lange und forschend an und sagte:»Na hören Sie, mein Lieber, wundert Sie denn das?«

Ich guckte dumm und fragte:»Wieso soll mich das wundern? Ich wüßte nicht, welche Veranlassung die Leute hätten.«

Ernst antwortete Hülsen:»Mein Lieber, setzen Sie sich einmal hierher und sehen Sie mich an. Ich habe das Gefühl, bei der ganzen Geschichte ist irgend etwas faul. Wenn Sie mich aber anlügen, dann ist es zwischen uns beiden aus. Einverstanden? So, und jetzt«, fuhr er fort,»nachdem Sie mir das versprochen haben, sagen Sie mir klipp und klar, was ist das für eine Sache mit Ihrer Geheimtinte?«

Im ersten Moment der Überraschung sagte ich ganz automatisch wie ein ertappter Schüler:»Was für eine Geheimtinte?« Doch dann fiel mir plötzlich die Auseinandersetzung, welche ich unlängst mit einem neuen Freund gehabt hatte, blitzartig ein und ich erzählte kurzentschlossen meinem inquisitorischen Gegenüber ehrlich die ganze Geschichte.

An dieser Stelle muß ich nachholen, daß einige Zeit zuvor ein weiterer Mieter in die schöne Wohnung an der Engelsburg eingezogen war, ein junger, recht sympathischer Mann. Gian-Paolo Cr., der Adoptivsohn einer nicht unvermögenden Familie aus Oberitalien. Er war seit geraumer Zeit in der römischen Gesellschaft zu Hause und gehörte schon deshalb zur Schickeria, weil ihn nicht nur sein Name, sondern auch seine unterhaltenden Talente fast unentbehrlich machten. Wir führten miteinander auch Gespräche leicht politischer Natur, so daß ich mir von seiner Position ein gewisses Bild machen konnte – und ich bin sicher, daß er sich von meiner Einstellung auch seine Meinung gebildet hatte.

Eines Abends nun, so berichtete ich Hülsen, machte ich in meinem Zimmer mit einer Geheimtinte aus Glaubersalz auf schon beschriebenen Ansichtskarten Versuche. Meine österreichischen Kameraden sollten später diese eingefügten Texte sichtbar machen und entziffern. Ich hatte mir bei meiner letzten Berliner Reise Glaubersalz besorgt und mir vorgenommen, so bald als möglich eine Probe damit zu machen. Eines Tages nun sagte mir Gian-Paolo, er wäre bei den Lancelottis zum Dinner eingeladen, und es kämen furchtbar wichtige Leute hin, er müsse den Frack anziehen, und ob ich ihm eine frische Frackweste leihen könnte. Dann machte er sich fertig und verließ die Wohnung. Weil ich meinte, ich bliebe ungestört, zog ich meine Glaubersalzkristalle hervor und rührte sie mit Wasser an. Plötzlich ging die Türe auf, Gian-Paolo stürzte herein, weil er seine Brieftasche vergessen hatte. Er sah meine Flaschen mit Flüssigkeiten und die Kristalle auf dem Tisch vor mir. Von Neugier erfüllt, sah er sich alles an und fragte stutzend:»Ja, was soll denn das?«

Im Augenblick wußte ich nicht so recht, was ich sagen sollte. Leugnen wäre nicht sinnvoll gewesen, Gian-Paolo schien dergleichen nicht unbekannt, und da lagen ja die Papiere und genug Hinweise für meine Versuche mit der sich auslöschenden Tinte. So sagte ich beruhigend: »Hör mal, mein Lieber, diese Spielerei hat nichts zu bedeuten, das sind nur interne Nachrichten für meine österreichischen Kameraden!«

»Nein, nein«, rief er jetzt, ganz aufgeregt, »du bist ein Wahnsinniger, das geht gegen Italien! Du kannst doch österreichische Angelegenheiten nicht von italienischen Interessen trennen. Du wirst dich ins Unglück stürzen! Die Faschisten werden dich schnappen und, das weiß ich, die verstehen keinen Spaß. Sie werden dich nach Lipari in die Schwefelbergwerke stecken. Gib mir sofort die Kristalle her!«

Mit diesen Worten riß er das Papier und die Kristalle an sich und steckte sie sich in die Tasche. Nun wäre mir nur noch geblieben, ihm die Kristalle wieder mit Gewalt abzunehmen. Da es sich aber nur um eine verhältnismäßig primitive Sache, um ordinäres Glaubersalz handelte, und ich andererseits nicht mehr viel retten konnte, verlegte ich mich auf die weiche Tour der captatio benevolentiae und sagte: »Hör zu, Gian-Paolo, du hast vollkommen recht, das sind eigentlich blöde Sachen. Ich werde dergleichen lassen; komm, gib mir das Glaubersalz, und ich werde es wegwerfen.«

»Ja, das sagst du nur so«, entgegnete er, »wer weiß, ob du nicht gerne mit der Gefahr spielst! Ich bin ja auf dem Wege zur Piazza Navona zum Familiendinner der Lancelottis und muß über die Tiberbrücke. Ich verspreche dir, ich werde dieses blöde Paket in einem Bogen sofort in den Tiber schmeißen.«

Ich darauf: »Na gut, Gian-Paolo, aber bitte, gib mir dein Ehrenwort.«

»Ja, das geb ich dir«, rief er, zeigte große Eile und verschwand.

Ich war naiv genug zu glauben, daß das Paket pünktlich im Wasser geendet hatte. Diese Meinung vertrat ich nun auch Hülsen gegenüber, denn Gian-Paolo hatte mir am nächsten Tag genau beschrieben, wie er das Paket in den Tiber geworfen habe.

Ich beendete meinen Bericht. Hülsen sah mich lange durchbohrend an, dann rief er laut: »Mein Lieber, das ist doch die Höhe! Na, i c h glaube Ihnen also! Aber jetzt will ich erzählen, was Ihr lieber Freund wirklich getan hat. Er warf überhaupt nichts in den Tiber, sondern ging mit dem ominösen Paket in der Tasche zu den Lancelottis, wo Fürst Lancelotti dem Dinner präsidierte. Als das Essen vorbei war und man gemütlich bei Cognac, Kaffee und Zigarren konversierte, konnte der junge Mann seine Sensationslust nicht zurückhalten, wohl um sich wichtig zu machen. Kurz, es ritt ihn der Teufel! Jedenfalls zog er das Paket hervor und warf es mit ungefähr solchen Worten auf den Tisch: ›Dieses Paket habe ich Reinhard Spitzy abgenommen! Darin sind Kristalle für eine Geheimtinte, mit der er Berichte schreibt. Auf diese Weise durchkreuzt er die italienische Österreich-Politik und mißbraucht die Gastfreundschaft dieses Landes! Daß ich dergleichen aufdecke, dazu zwingt mich meine große Liebe zu Italien!‹

Nun stellen Sie sich vor, wie die guten Lancelottis reagierten! Man wollte dergleichen von einem beliebten Mann wie Ihnen anfangs überhaupt nicht glauben. Schließlich aber schlug die Schauernachricht doch ein. Es kam keine richtige Stimmung mehr auf, man wollte dann das Paket Gian-Paolo zurückgeben, er aber erklärte, er gäbe es Vater Lancelotti zu treuen Händen und verließ zufrieden die Gesellschaft. Nach einigen aufgeregten Überlegungen taten nun diese Leute, was typisch war für die Principes im päpstlichen Rom. Sie riefen nach ihrem Vertrauenspater, und der war, Gott sei Dank, ich! Nach der ersten Verblüffung sagte ich den Lancelottis, ich glaubte einfach nicht, daß da etwas Ernstes dahinter stecke! Unreife, dumme Abenteuerlust, jugendliche Romantik, Studentenstreiche vielleicht! Es könne auch für die Lancelottis nicht von Vorteil sein, sich mit dieser Sache beim jetzigen faschistischen Regime einzufinden. Das Beste sei wohl, dieses unerbetene Paket zu vernichten oder es dem Überbringer zurückzugeben. Jedenfalls wäre man doch nicht von der Polizei, und es sei eine ziemliche Rücksichtslosigkeit von Gian-Paolo Cr., die ganze Familie Lancelotti in diese Sache zu verwickeln. Was die Lancelottis wirklich mit dem Paket gemacht haben, weiß ich nicht. Aber eines steht fest«, schloß Hülsen, »sie haben es nicht der Polizei gegeben. Ich glaube, sie haben es weggeworfen und zwar an einen verschwiegenen Ort, wo so ein Mist eigentlich hingehört!«

Da saß ich nun wie vom Donner gerührt und hatte sprachlos zugehört. Dann aber packte mich der wilde Groll gegen meinen Wohnungsnachbarn. Hülsen aber lachte nur vor sich hin und sagte: »Das Vorgehen Ihres Freundes ist schon übel, da haben Sie recht. Aber auch Sie sind kein heuriger Hase – dabei, leider Gottes, nicht unsympathisch, und ich halte Sie für einen aufrichtigen Idealisten. Deshalb werde ich Ihnen jetzt helfen, denn es klingt glaubhaft, was Sie mir gerade erzählt haben und im übrigen sollten wir uns nach alter k. u. k.-Sitte von jetzt an Du sagen!«

Freudig ging ich auf das Angebot dieses austrophilen Preußen ein und versprach, mich an seine Instruktionen zu halten. Hülsen freute sich und verbot mir fürs erste weitere politische Extratouren. Die ganze Geschichte würde bei der Geschwätzigkeit der römischen »Aristos« bald überall bekannt sein und nur mit der Zeit vergessen werden. »Du ziehst dich jetzt selbst aus dem Verkehr und überläßt mir die Aufgabe, die Leute zu beruhigen.« Nach diesem freundschaftlichen Angebot, das mich nur rührte und zutiefst beschämte (denn ich konnte ja nicht verraten, daß ich an einem Putsch mitkochte), blieb mir nichts anderes übrig, als meine Persönlichkeit in Dr. Jekyll und Mr. Hyde zu spalten.

Dann aber hatte Pater Hülsen einen überaus verlockenden Vorschlag für mich: »Inzwischen könntest du, auch zur Pönitenz, was Gutes tun! Meine Mutter ist zur Zeit in Rom, langweilt sich etwas, da ich wenig Zeit habe, und sie könnte bei ihren Ausfahrten, Kirchen- und Museumsbesuchen gut einen Begleitkavalier brauchen. Willst du das machen? Ich kann dir nur dazu raten, denn Mama ist witzig und interessant, hat viel zu erzählen und kann etwas für deine weitere Erziehung tun. Morgen könnt ihr gleich anfangen. Nach meiner Neun-Uhr-Messe, zu der sie jeden Tag kommt, werde ich sie mit dir konfrontieren und hoffe gewiß, ihr werdet euch vertragen.«

Und so kam es. Wir mochten uns gegenseitig sehr, sie mit Güte und ich mit viel Respekt und ich wurde ihr treuer Begleiter auf zahlreichen Fahrten in und um Rom.

Bald aber fuhr die alte Gräfin wieder nach Berlin, mein Vater war auch abgereist, die Freunde Lippe und Seidler waren definitiv von Rom fortgezogen und Rosi beglückte wieder die Wiener Salons. Das alles half mir, mich nun voll meiner konspirativen Arbeit zu widmen, ohne Freunde in Gefahr zu bringen oder selbst bei ihnen aufzufallen.

Nach der Tintenaffäre hatte Dietrich Hülsen veranlaßt, daß ich sofort an Prinzessin Lancelotti einen erklärenden Brief sandte, der seinen Eindruck nicht verfehlte. Die Lancelottis ließen mich grüßen und wissen, wie sehr sie sich über die Klärung dieser dummen Geschichte freuten. Doch blieb ich weiterhin von der Teilnahme an der römischen »Dolce Vita« ausgeschlossen, denn ich galt sozusagen als »geheimnisvoller« Mensch, vielleicht gar als Spion. So blieb man freundlich distanziert. Lediglich die alte Marchesa Badoglio und ihre lange Tochter luden mich ins Theater ein. Als ich aber dem Sohn aus Versehen mit einem Punchingball das Nasenbein brach, litt meine Popularität auch in dieser Familie. Also rundum Splendid isolation! Gar nicht ungünstig für mich, denn bald hatte ich zu tun!

Weydenhammer war wieder erschienen, und Habicht selbst kam noch einmal nach Rom, um Rintelen persönlich zu besuchen. Das Treffen gelang auch diesmal; die Herren trafen einander in einem Wald am Lago di Bracciano. Man sprach bereits detailliert über die Durchführung des Putsches. Bundesheerangehörige, die wegen ihrer Zugehörigkeit zum Nationalsozialismus entlassen worden waren, sollten in Uniformen gesteckt werden und, von ehemaligen Offizieren geführt, nach vorherigem Einvernehmen mit Spitzen der Polizei und einigen Führern des steirischen Heimatschutzes schlagartig das Bundeskanzleramt, das Präsidentenpalais und die RAVAG, d. i. die Radiostation, besetzen. Der bedächtige Habicht war jetzt optimistischer, und Rintelen war ganz radikal geworden, weil es gegen seinen Feind Dollfuß ging! Er versicherte Habicht, daß Italien zufrieden sein würde, wenn er, Rintelen, als Chef die Übergangsregierung bilden würde. Wann und ob die NSDAP an die Regierung käme, das müßten spätere Wahlen zeigen. Bis dahin werde aber noch viel Wasser den Tiber hinunterfließen, meinte er; er könne noch keine Versprechungen machen, er wolle lediglich den von Dollfuß begangenen Verfassungsbruch beenden und den legalen Zustand wiederherstellen. Die Neuwahlen würden dann ja klären, was das Volk wirklich wünsche. Das wäre doch Demokratie im wahrsten Sinne des Wortes!

Ich schwieg, überzeugt, daß sich Rintelen Illusionen machte, sowohl im Hinblick auf die Wichtigkeit seiner Person als auch auf die Treue seiner Anhänger. Viele der Herren, die zahlreich aus der Steiermark kamen, versicherten zwar Rintelen noch ihrer Loyalität, mir aber gestanden sie meist, daß sie bereits illegale Mitglieder der NS-Partei wären. Ich persönlich hätte auch eine baldige Aktion bevorzugt, hatte aber wegen meiner Jugend keinerlei Einfluß. Allmählich brannte mir der römische Boden unter den Füßen, und ich hatte das Gefühl, daß es lediglich meiner überall bekannten Freundschaft mit unserem Gesandten zu verdanken war, daß man mich in Italien noch nicht »hochgehen« ließ, und genau das gab man mir drei Jahre später lachend zu verstehen.

Ende Juni kam plötzlich ein Rückschlag. Das war der sogenannte Röhm-Putsch und dessen brutale Niederschlagung durch Hitler persönlich! Rintelen explodierte, war verzweifelt und außer sich. Er machte mir schwerste Vorwürfe. »Da haben Sie mich mit diesen Leuten ja in eine feine Sache hineingejagt, mein Lieber. Das sind ja keine Idealisten, das sind ja Banditen und Mörder! Wie kann denn in einem autoritären Staat eine solche Disziplinlosigkeit passieren?! In Italien wäre so etwas völlig unmöglich! Dieser Hitler ist ja doch kein großer Mann, so scheint es. Nein, mit solchen Leuten kann man keine Putsche machen. Wir müssen alles, alles sofort abblasen!«

Unverzüglich berichtete ich verzweifelt nach München und bat dringend um erneute Entsendung Weydenhammers als Beschwichtigungshofrat, der dann auch pünktlich erschien. Nach langem Zureden gelang es ihm, Rintelen zu beruhigen und ihn dazu zu bewegen, bei seinem Vorhaben zu bleiben.

Mit der Zeit kamen immer mehr Boten zu Rintelen, denn die Planung des Putsches wurde immer intensiver. Der Sicherheit halber wurde ich nur generell informiert. Als endlich die Iden des Juli kamen, mußte Rintelen nach Wien, denn er war dort für die Durchführung unserer Revolution ausschlaggebend. Seine Aufgabe bestand darin, die Regierung festzunehmen und Dollfuß zu einer Rücktrittserklärung über den gleichzeitig zu besetzenden Wiener Rundfunksender zu zwingen. Es war nicht vorgesehen, Dollfuß umzubringen oder irgend jemandem auch nur ein Haar zu krümmen. Der neutrale und »schwarze« Rintelen sollte quasi als Sachwalter die Regierung übernehmen, die österreichische Verfassung wieder in Kraft setzen, den diplomatischen Vertretungen die alten Verträge garantieren, und durch sofortige Ausschreibung von demokratischen Neuwahlen das Vertrauen des Auslandes wiedergewinnen. Als neuer Bundeskanzler wollte Rintelen dann unverzüglich eine persönliche Botschaft an Mussolini, »seinen alten Freund«, wie er fälschlich meinte, senden und die österreichische Unabhängigkeit fürs erste einmal garantieren. Von den Tschechen und Ungarn war wenig Widerstand zu erwarten. Die Jugoslawen waren damals – aus Haß gegen Italien – der deutschen Sache gut gesinnt, und deutscher Druck auf Italien war ihnen nur recht.

Ich, Reinhard Spitzy, sollte – so dachte sich das Rintelen – in Rom bleiben und nach der ersten Nachricht von einem gelungenen Putsch in Wien sofort in die österreichische Gesandtschaft eilen, um Rotter und Schwarzenberg energisch »auf Vordermann zu bringen«. Auch sollte ich von ihnen unverzüglich Loyalitätserklärungen unserer neuen Regierung gegenüber verlangen und durchsetzen, daß sie derartige Erklärungen auch den Italienern und der Presse gegenüber überzeugend und glaubhaft abgäben. Sodann sollte ich als eine Art graue oder besser gesagt – schwarze SS-Eminenz in der Gesandtschaft wirken und mit Versprechungen, notfalls sogar mit Drohungen Eigenmächtigkeiten verhindern, bis von Wien ein neuer Mann eintreffe. Diese Aufgabe fand ich damals natürlich großartig. Auch erfüllte es mich mit Stolz, daß »meine« SS-Standarte 89 die ganze Aktion durchführen sollte. Ich konnte den großen Tag kaum erwarten. Und er rückte bald näher – aber nicht so, wie ich gedacht hatte.

Am 23. Juli traf Rintelen in Wien ein. Mein Abschied vom Gesandten war bewegend. Ich mußte ihm wiederholt versprechen, bei Mißerfolg unserer Aktion alles zu leugnen. Ja, wir hatten beide solches Leugnen sogar schon oft geübt. Der Strafrechtler Rintelen war ja Fachmann! Am 24. Juli erfolgte aber nichts! Wie ich später erfuhr, war die für den Nachmittag des 24. Juli vorgesehene Ministerratssitzung verschoben worden und damit auch unser Putsch. Davon konnte aber die Aktion gegen Miklas in Kärnten nicht mehr rechtzeitig verständigt werden und scheiterte prompt. Für den 25. Juli wurde dann der Ministerrat neu einberufen, aber es kamen nicht alle Minister hin. Durch Indiskretionen gewarnt, hatte sich ein Teil des Ministerrats mit Schuschnigg im Heeresministerium versammelt. Ich wurde unruhig und befürchtete eine für die Geheimhaltung fatale Verschiebung, wenn man den großen, mit der Aktion befaßten Personenkreis bedachte. Vorsichtig bereitete ich alles für meine Abreise, bzw. Flucht vor. Wer konnte schon wissen, wie eine Revolution ausgehen würde?

Da ich also fürs erste völlig ohne Nachricht blieb, aus dem Radio und aus den Zeitungen nichts erfuhr, dachte ich mir, daß es das beste wäre, den Sohn des österreichischen Gesandten am Vatikan, Rudolf Kohlruss, in meine Wohnung zum Abendessen einzuladen.

Rudi war ein netter Kerl; er kam gerne, denn das Essen bei meiner Pensionswirtin war umwerfend gut. Ich sorgte dafür, daß man bei der Familie Kohlruss allseits wuße, daß Rudi bei mir dinieren würde und kalkulierte, daß sein Vater ihn sofort anrufen würde, wenn aus Wien Nachrichten über eine Revolution kämen. Und in der Tat, es funktionierte, denn während wir gegen Abend gebratene Täubchen aßen, rief der Gesandte aufgeregt an und sprach lange mit seinem Sohn. Endlich kam Rudi zum Tisch zurück und sagte: »Du hör mal, da sind ja in Wien ganz fürchterliche Dinge geschehen! Die Nazis haben das Bundeskanzleramt gestürmt, anscheinend ist dem Dollfuß was passiert, Rintelen ist irgendwie in die Sache verwickelt. Ich muß sofort nach Hause!«

Auf mein stürmisches Fragen, wie denn die Lage in Wien im Moment sei, sagte er nur: »Anscheinend hat das Militär alles sicher im Griff, und ich glaube, die Schuldigen sind schon geschnappt.« Dann verabschiedete er sich eilig.

Mir wurde ganz übel. Ich rauchte eine Zigarette nach der anderen und packte meine Koffer. Meine Abreise wäre nicht sonderlich aufgefallen, da ich vorsichtigerweise schon seit Wochen verbreitet hatte, daß ich an der Universität Grenoble einen Sommerkurs in Französisch belegt hätte. Es war mir auch ratsam erschienen, eine eventuell überstürzte Abreise gesellschaftlich rechtzeitig vorzubereiten. Eine Liste von Abschiedsvisitenkarten, die der Portier dann abgeben sollte, mit eingebogenem Eck und ppc., lag schon seit einer Woche bereit. Kurz, ich hatte den Rückzug gesichert. Seit dem Röhm-Putsch war nämlich auch ich in meinem Glauben erschüttert, ich traute unseren deutschen Brüdern nicht mehr ganz.

Am frühen Morgen des 26. Juli um fünf Uhr früh stand ich bereits vor der Druckerei des »Giornale d'Italia«, um die ersten Ausgaben zu lesen. Diese trafen mich dann wie ein Donnerschlag mit ihren Überschriften in Balkenlettern und dem Trauerrand: »Dollfuß ucciso, Rintelen con Nazis arrestato etc.«

Ich nahm mir sofort ein Taxi, ging gar nicht mehr in die Wohnung, die Koffer hatte ich schon beim Portier, dem ich bereits Tage vorher erzählt hatte, daß ich bald abreisen müßte. Ein fürstliches Trinkgeld für geleistete Dienste und die noch zu verteilenden Visitenkarten hatten ihn mir bereits am Vortag gewogen gemacht. Unverzüglich nahm ich den nächsten »Rapido« nach der Schweiz. Auf der Fahrt versuchte ich in jeder größeren Station, neue Zeitungen zu kapern. Jedesmal, wenn die faschistische Zugwache in mein Abteil blickte, packte mich Schrecken. Ich muß damals an die fünfzig Zigaretten geraucht haben! Als wir durch Mailand kamen, schrieben die Zeitungen schon von der Mobilisierung der italienischen Armee und vom »Cancilliere Martire«. Man kann sich mein Aufatmen vorstellen, als ich endlich die Schweizer Grenze passiert hatte.

Die Schweizer Zeitungen schrieben viel mehr. Der arme Dollfuß war angeschossen worden und verblutet. Man schrieb international schlimmer von einem geplanten Mord. Weiter hieß es, daß in der Steiermark und in Kärnten Aufstände ausgebrochen seien, die in heftigen Kämpfen langsam niedergeworfen würden. Nur in Kärnten sei der Widerstand noch erheblich. Italienische Truppenkonzentrationen an der Tiroler Grenze ließen auf den Ernst der internationalen Lage schließen.

Am 27. Juli traf ich endlich, erschöpft und nikotinvergiftet, in München ein und eilte am nächsten Morgen zur österreichischen Landesleitung. Diese war abgeschlossen und versiegelt, ja durch Polizei und SS abgesperrt. Von den Zimmern des ersten Stockes warfen SS-Männer ganze Bündel von Akten auf Lastwagen hinunter. Österreicher waren sichtlich nicht mehr gefragt. Endlich fand ich den steirischen SS-Oberführer Rauter, einen Mitarbeiter von Habicht, in seiner Privatwohnung, erschüttert und niedergeschlagen. Ihm erzählte ich ausführlich über die Vorbereitung zum Putsch und über die Absichten, die man gehabt hatte. Rintelen sei gar nicht der weiche schwarze Politicus, sondern wäre der energischste von allen gewesen. Habicht und seine Mitarbeiter waren inzwischen isoliert und abgesetzt worden. Das deutsche Reich wollte offiziell nichts von der ganzen Sache wissen. Von Rintelen sprach man auf höhere Veranlassung wie von einem christlich-sozialen Politikaster, der eigene Ziele verfolgt hätte. Dies fand ich nicht gerecht. Rauter gab mir recht und riet mir, eine längere Aufzeichnung für Rudolf Hess zu machen. Schreibmaschine und Sekretärin stellte er mir sofort für einige Tage zur Verfügung.

Innerhalb einer Woche verfertigte ich nun eine ausführliche Aufzeichnung über die Vorgeschichte und den Ablauf von Rintelens Arbeit und aktiver Hilfe bei der Planung der Aktion. Rauter fand die Aufzeichnung gut, und es gefiel ihm, daß daraus hervorging, in welchem Maße Reichsstellen in den Putschversuch verwickelt gewesen waren, und wie energisch sich die österreichischen Parteigenossen und Rintelen dafür eingesetzt hätten. Er erklärte mir aber, daß er nicht in der Lage sei, diesen Bericht auf dem normalen Dienstweg nach oben gelangen zu lassen, denn es wäre ihm bis auf weiteres verboten worden, sich in irgendeiner Form politisch zu betätigen. So riet er mir, selbst nach Berchtesgaden zu fahren, um dort in einem bestimmten Gasthaus am Obersalzberg abzuwarten bis Rudolf Hess, wie gewöhnlich, zum Mittagessen erscheine. Ich sollte mich an einem Nebentisch »auf die Lauer legen« und sobald Hess mit seinem Adjutanten Leitgen, den ich inzwischen kennengelernt hatte, käme, sollte ich überraschend das Schriftstück überreichen. Gesagt, getan! Und als ein paar Tage später der sympathische Hess gerade seine Leberknödelsuppe aß, schoß ich durch die erstaunten, herumstehenden Wachmannschaften und drückte ihm das Schriftstück in die Hand. Erst war Hess sehr unwillig und erkannte mich nicht. Ich sagte ihm nur, ich wäre österreichischer Emigrant und wolle ihm eine Aufzeichnung über die Aktion Rintelen überreichen. Hess gab das Papier an Leitgen weiter. Auch dieser schien verärgert. Nur mit Mühe entging ich einer Verhaftung und wurde ziemlich energisch von den Wachmannschaften an die Luft gesetzt. Das war mir aber höchst gleichgültig. Hauptsache, ich konnte für meinen alten, väterlichen Freund und Kampfgefährten Rintelen ein gutes Wort einlegen.

Studienjahre in Paris

Bis auf weiteres hatte ich nun von der Politik genug. Was tun? Eigentlich hatte ich ein Faible für Frankreich. Ein französischer Freund in Rom hatte mir oft geraten, mein Französisch zu verbessern. Aus der Parteikasse bekam ich durch SS-Oberführer Rauter Geld, hatte selber etwas gespart, und man empfahl mich einem Vertreter der deutschen Studentenschaft, der Stipendien der Langemarkstiftung verwaltete. Es war dies der spätere Botschafter Sonnenhohl, später einer der engsten Mitarbeiter des deutschen Bundespräsidenten Walter Scheel. Anstandslos bekam ich ein zweijähriges Stipendium für Frankreich. Auch SS-Oberführer Gräschke vom Göringschen Forschungsamt gab mir Geld, entließ mich aus allen Verpflichtungen und riet mir, mich für die nächsten Jahre auf ein ernstes Studium in Frankreich einzustellen. Niemand wollte sich mit einem erfolglosen Austro-Putschisten die Finger verbrennen.

So fuhr ich nach Paris und verlängerte dort am österreichischen Generalkonsulat meinen österreichischen Paß, obwohl ich heimlich auch einen deutschen in Reserve hatte. Aber in Frankreich lebt man als Österreicher besser. Dann fuhr ich weiter nach Grenoble und konnte dort gerade noch einen Sommerkurs der Universität für Französisch inskribieren. Unverzüglich begann ich, diesmal ernst und schwer zu arbeiten. Ich konnte mir an allen fünf Fingern abzählen, daß es nicht lange dauern würde, bis die österreichische Regierung und meine Eltern von meiner konspirativen Aktion erfahren würden. Dann aber konnte eine scharfe Reaktion nicht ausbleiben. Also blieb mir inzwischen nichts übrig als zu studieren. Freiwillig schrieb ich Vokabeln wie in der Gymnasialzeit. Emsig besuchte ich alle möglichen französischen Sprachkurse und kam so gut voran. Als ich in Rom offiziell Scienze Politiche studierte, hatte ich dort bereits von der berühmten Ecole Libre des Sciences Politiques in Paris gehört und meldete mich nun unverzüglich zur Sprachenaufnahmsprüfung für den ersten Jahrgang der Section Diplomatique. Gleichzeitig suchte ich in der Cité Universitaire um Aufnahme in die Maison Canadienne an, denn eine Maison Autrichienne gab es nicht.

In Grenoble hatte ich einige Ungarn kennengelernt, die ebenfalls vorhatten, auf die französische »Sciences Po« zu gehen, um dort wie ich die

Section Diplomatique zu wählen. So trafen wir Ende September gemeinsam in Paris ein, und schon genoß ich das Leben dieser herrlichen Stadt, die mich sofort in ihren Bann schlug. Wir gingen in alle Bistros vom Montmartre bis Montparnasse, in die Boutiquen vom Boulevard Saint Michel, ich sah mir Revuen an, besuchte Museen, und am Abend saß ich regelmäßig in arabischen Spelunken oder hörte gerne in Kaschemmen am linken Ufer der Seine mittelalterliche Lieder. Ich wollte so manches vergessen. Von Deutschland war ich damals sehr enttäuscht, und für Italien hatte ich schon wegen Südtirol wenig übrig. Frankreich dagegen gefiel mir. Die Aufnahme in Paris war großzügig und amüsant. Jeder durfte behaupten, propagieren und verteidigen, was immer er wollte. Meine Nazi-Ideen wurden mit großem Hallo angehört, ja ich muß sagen, die Kollegen fanden sie wirklich interessant, geradezu erregend und »endlich mal was Neues«. Oft versicherte man mir nach Anhören meiner Tiraden, daß, wäre man Österreicher, man nach der kriminellen Zerstückelung unseres Reiches wahrscheinlich genauso denken würde wie ich. Im übrigen sei Frankreich das Land der Freiheit, und ich möge mich ganz wie zu Hause fühlen. Hier hätte man schon komischere Käuze und gefährlichere Leute als mich gehabt.

Im Spätherbst ging ich zur Aufnahmeprüfung. Erst wurden wir mündlich geprüft, dann kam ein schriftlicher Aufsatz. Diesmal über »Le crépuscule«, also die Dämmerung. Ein lustiger Pole, der recht gut Französisch sprach, schrieb einen sehr ordentlichen Aufsatz, aber leider nicht über »crépuscule«, sondern inhaltlich über »le crocodile«, denn er dachte, crépuscule bedeute Krokodil. Er wurde trotzdem aufgenommen, weil er ja nur dieses eine Wort nicht wußte und ansonsten sein Aufsatz über das Krokodil amüsant war, da er meinte, daß die »Dämmerung« im Nil lebe und Kadaver fräße.

Mit Feuereifer stürzte ich mich nun in die Vorlesungen. Die Professoren waren hochintelligent, zum Teil vornehme Erscheinungen – besonders imponierend Schefer, der Histoire Diplomatique vortrug, und André Siegfried, der berühmte Wirtschaftsgelehrte. Die Schüler kamen aus aller Herren Länder, darunter auch französische Afrikaner aus dem Senegal. Von den wenigen Mädchen, die Kurse belegt hatten, wollten aber nur einige wirklich studieren. Doch gab es unter ihnen auch ein paar intelligente Streberinnen, darunter zwei sehr brillante Kreolinnen aus Réunion. Sonst waren es eher Mädchen der besseren Gesellschaft, die Heiratskandidaten suchten. Ja, es war das erste Mal in meinem Leben, daß ich wirklich gern »in die Schule« ging, und eine Schule war das schließlich hier, wenn auch eine sehr freie und angenehme. Jederzeit konnten wir weggehen, z. B. in ein kleines Bistro ganz der Nähe, das sich »La petite chaise« nannte. Dort spielte man Würfelpoker und Karten; dazu nahm man natürlich einige belebende Schlucke. Es gab in der Nähe auch ein kleines Restaurant, wo man hervorragend »des asperges des pauvres à l'huile«, nämlich Porrée, bekam. Jeden Tag im Winter trösteten wir uns mit ein paar billigen Austern und champagne nature, im Sommer ersetzt durch eine Büchse japanischen Hummers und etwas Mayonnaise. Das alles kostete nur ein paar Franc. Wir fühlten uns wirklich wie Gott in Frankreich. Kein Mensch hatte damals dort die Absicht, länger als bis zum fünfzigsten Lebensjahr zu »schuften«. Die Vermögen wurden nicht nach dem Kapital bewertet, sondern nach der Rente, die Kapital oder Besitz abwarfen.

In der Cité Universitaire herrschte damals ein bewegtes Studentenleben. Es gab Radauumzüge und Wasserschlachten; damit sollten die Direktoren der verschiedenen Studentenhäuser geärgert werden. Höhepunkte solchen Treibens waren die Umzüge vom Boulevard Saint Michel bis zum Faubourg St. Germain. Dabei war es bemerkenswert, daß unter den Studenten alle Parteien von den Kommunisten bis zu den Ultra-Rechten im Jux vereint waren. Politische Meinungsverschiedenheiten nahm man nie persönlich, man suchte nur Spaß und das, was man in Wien eine »Mordshetz« nannte. Unterschwellig spielte aber bei diesen Umzügen unsere kritische Einstellung gegen die damaligen Diktatoren wie Mussolini, Hitler, Dollfuß und Stalin mit. Wir empfanden diese Herren als seltsam lächerlich, betrachteten sie aber als »notwendiges Übel« und hielten sie für besser als die Demokratien mit ihren periodisch wiederkehrenden Finanz- und Bestechungsskandalen. Es war offensichtlich, daß die Franzosen ihre Zivilisation für so überlegen hielten, daß sie ohne weiteres auch Orientalen und Neger assimilieren würden. Daher hatten sie auch nicht das geringste Verständnis für die Probleme ihrer Minderheiten, der Basken, Bretonen, Elsässer oder Italiener.

Auch ich bekam bald den assimilierenden Einfluß Frankreichs zu spüren. Meine im Sacré Cœur französisch erzogene Mutter und vor allem unsere geliebte Erzieherin, Fräulein von Kuhn, von der ich in meiner Pubertätszeit mit Berichten über Frankreich beeinflußt worden war, hatten den Grundstein für eine »gallische Aufpfropfung auf meine halbgermanische Unterlage« geschaffen. Nach zuerst ablehnender Haltung schwand mein Widerstand, und ich stürzte mich in das Studium der französischen Literatur, Sprache und Geschichte. Dabei half mir in Paris besonders ein Freund namens Serge Drouin, dessen Mutter Baltin, dessen Vater Franzose war. Er war hochintelligent, gab mir Nachhilfestunden und verstand, mir zu suggerieren, daß Frankreich gar kein lateinisches oder keltisches Land, sondern als der legitime Rechtsnachfolger des Reichs der Franken betrachtet werden könne; sein Name spräche auch dafür. Als solcher habe es das Recht Elsaß-Lothringen, die Normandie und Burgund zu besitzen. So eröffneten sich mir neue historische Perspektiven und beruhigten meine Bedenken wegen meiner keimenden Liebe zu Frankreich. Ich wollte doch Nationalsozialist bleiben! Dazu ergab sich auch bald Gelegenheit.

Ich wohnte, wie gesagt, damals in der Maison Canadienne. Als Direktor herrschte dort ein hochgebildeter, etwas ältlicher Franzose. Er war Literat von Ansehen, Mitglied der Ehrenlegion, trug Zwicker am Band, rote Rosette im Knopfloch und war stets feierlich schwarz angezogen. Monsieur le Directeur Firmin Roz sprach mich eines Tages an: »Ah, vous êtes Autrichien, très bien, c'est admirable comme vous résistez aux Allemands. Nous sommes enchantés!« Ich verhielt mich still und bescheiden und dachte mir meinen Teil. Bei den Kanadiern begann ich aber Stimmung für die großdeutsche Sache und gegen die Pariser Vorortsverträge zu machen. Als ich aber in der Ecole des Sciences Politiques bei einer der zahlreichen Diskussionen die verschiedenen Standpunkte der französischen, deutschen und englischen Debating-Clubs, darunter auch den deutschen in der Saar-Frage, zu vertreten hatte, und in der Maison Canadienne davon erzählte, kam es zu einem Debakel. Von der Hochschule war mir eine Gegnerin bestimmt. Es war Fräulein Einstein, eine Nichte des berühmten Physikers. Sie vertrat den separatistischen Standpunkt für ein unabhängiges Saarland; ein Franzose focht für den Anschluß an Frankreich. Es kam zu wilden Diskussionen – damals war das Wort auch für den nationalsozialistischen Standpunkt noch frei –, und ich hatte mit meinen von Überzeugung getragenen Ausführungen Erfolg. Jene Debatte über das Saargebiet fand im deutschen Debating-Club statt. Um aber die deutsche These gut vertreten zu können, hatte ich mir über Auftrag des leitenden Professors Gautier, auf der deutschen Botschaft »Material« besorgt und es auf mein Zimmer in der Maison Canadienne mitgenommen, damit ich mich in Ruhe vorbereiten könnte. Meine kanadischen Kollegen waren bald beeindruckt, denn ich zeigte ihnen Propagandamaterial. Dieses vergaß ich eines Abends unabsichtlich in der Halle des Hauses. Am nächsten Tag aber kam es zum Eklat. Ich wurde zum Direktor gerufen. Er setzte mich kurzerhand als »Naziagent« auf die Straße. Darauf ging ich zu Monsieur Seydoux, dem Direktor des Sciences Po, und legte ihm dar, daß ich ja nichts anderes getan hatte, als mich auftragsgemäß für meine Arbeit vorzubereiten.

Seydoux telefonierte daraufhin eine Viertelstunde lang wütend mit Monsieur Firmin Roz, verschaffte mir sofort einen Platz in der Maison Danoise und ernannte mich gleichzeitig zum Vertreter der ausländischen

Studenten an der Schule! So wurde aus einem Malheur für mich ein Erfolg! Mein Umzug von der Fondation Canadienne in das Haus der Dänen wurde ein Riesenspektakel. Um Firmin Roz zu ärgern, begleiteten mich Kollegen, Kanadier wie Franzosen, mit Trommellärm auf Töpfen und Blechen durch die ganze Cité Universitaire.

Nun kam bald die Zeit, da Mussolini in Äthiopien Unruhe zu stiften begann. Als es zum berühmten Zwischenfall Ual-Ual kam, übernahm ich im französischen Debating-Club mit Freude die Vertretung der abessinischen Interessen gegen die Italiener. Man konnte dort junge Leute verschiedener sozialer und nationaler Herkunft erleben, die sich mit Herz und Verstand über internationale Probleme stritten!

Inzwischen hatte mich mein alter Freund Roger aus Rom seiner Mutter empfohlen und sie gebeten, sich um mich zu kümmern. Das war sehr kameradschaftlich von ihm, denn Prinz Schwarzenberg hatte ihn informiert, daß ich mich im Zusammenhang mit dem Juli-Putsch verdächtig gemacht hätte. Madame Auguste war als elegante Sechzigerin eine würdevolle Botschafterswitwe. Sie bewohnte ein elegantes Appartement in der Rue Boissière und erzog ihre beiden fröhlichen Töchter, Madeleine und Geneviève. Die jüngere war ein reizendes »Porzellanfigürchen«. Oft lud man mich zu Tisch ein, mitunter zusammen mit interessanten Personen, so einmal mit einem Richter vom internationalen Gerichtshof im Haag.

Es machte Madame großen Spaß, wenn ich meine Thesen zu einer europäischen Friedensordnung nach Abgeltung der deutschen Ansprüche vortrug. Das Ende der Diskussion war meist die drohende Behauptung der Franzosen, daß deutsche Wiederaufrüstung und Pangermanismus mit Sicherheit zu einem Zweiten Weltkrieg führen müßten. Ich widersprach und erklärte, nur gerechte Grenzen, die dem Selbstbestimmungsrecht aller Völker in Europa entsprächen, könnten einen Krieg verhindern. Auch sei es dringend erforderlich, meinte ich, daß reiche Nationen Ländern wie Deutschland und Italien den Zugang zu den Weltmärkten und Rohstoffen freigäben. Solche Diskussionen führten nicht weit, waren aber für Franzosen aufschlußreich, und ich konnte darlegen, welch explosive Kraft die junge Generation Deutschlands erfüllte. Die Botschafterin war eine bemühte Diskussionsleiterin. Sie erkannte auch bald meine ehrliche Freundschaft zu ihren Töchtern und sah es gerne, wenn ich mit Geneviève eislaufen oder spazierenging. Ich wurde auch in andere französische Familien eingeladen – für einen Ausländer nichts Alltägliches – und war als guter Walzertänzer gesucht. Außerdem war Österreich damals wegen seines »tapferen Kampfes« gegen Hitlerdeutschland sehr »en vogue«! Als Roger wieder einmal nach Paris kam, erbat er von mir das Versprechen, mich meinem Gastland gegenüber loyal zu verhalten, nur dann könne man mich weiterempfehlen. Das sagte ich gerne zu, gab mein Ehrenwort und hielt es auch.

Meine Verehrung für Deutschland war wegen des Verhaltens der deutschen Dienststellen nach dem mißglückten Juli-Putsch in Österreich, mit dem sie – um das »Image« zu wahren – jeden Zusammenhang leugneten, abgekühlt, gleichzeitig aber fühlte ich für Frankreich von jetzt an viel aufgeschlossener und verständnisvoller. So hatte ich mein Weltbild zu revidieren und z. B. zur Kenntnis zu nehmen, daß die Gotik ihre Heimat in Frankreich hatte und etwa das Erbe des alten Lotharingiens auch von Frankreich beansprucht werden konnte. Gleichzeitig erlebte ich aber auch den Niedergang der französischen Demokratie und den Zusammenbruch seines Bündnissystems. Sein letzter Abgott war Barthou gewesen, der gemeinsam mit König Alexander von Serbien in Marseille den Kugeln eines fanatischen kroatischen Patrioten zum Opfer fiel.

Mit Barthou ging ein verbissener Vertreter antideutscher Ententepolitik dahin. Laval übernahm das Außenministerium und plante in einer Kolonialkonferenz Anfang Dezember 1934 ein »größeres Frankreich der hundert Millionen«. Mit Italien strebte er unverzüglich einen Ausgleich über die Kolonien an. Zugleich gewann die Sicherung der österreichischen Unabhängigkeit für Frankreich und Italien an Gewicht. Schon am 7. Januar 1935 wurde ein italienisch-französischer Vertrag unterzeichnet, Ende Februar kamen Schuschnigg und sein Außenminister Berger-Waldenegg nach Prais, und am 16. März kam es zur »Stresafront« gegen das deutsche Wehrgesetz, die Italien, Frankreich und England vereinte. Die österreichische Unabhängigkeit schien somit bis auf weiteres gesichert.

Aus Österreich hörte ich von der Untersuchung gegen Rintelen, war aber nicht sonderlich beunruhigt. Da las ich eines Tages im »Paris Soir« daß ein Hochverratsprozeß gegen Rintelen vorbereitet wurde. Ich las darin auch meinen Namen. Ich sei der geheimnisvolle Bote zwischen Rintelen in Rom und den Nationalsozialisten in Berlin gewesen. – Am Abend bat ich meine französischen Freunde in die Fondation Danoise und sprach über mein Problem. Sie fanden es großartig, einen »Revoluzer« unter sich zu haben. Am nächsten Morgen, ganz zeitig, untersuchten wir gemeinsam alle Zeitungen, die für das Lesezimmer und für den Direktor geliefert wurden, um festzustellen, ob mein Name aufschien. Wir fanden ihn im »Figaro« und auch in anderen Zeitungen. Diese Stellen wurden mit Zigarettenlöchern, Tinten- und Kaffeeklecksen unleserlich gemacht, und ich war mit einem Schlag »populär«. Dabei lehnten die Studenten alles Nationalsozialistische ab! Doch galt es unter ihnen als »schick«, Freunde mit kuriosen Meinungen zu haben. Trotzdem zog ich mich vorläufig zurück. Ich ging in keine Vorlesungen und sagte Einladungen ab.

Da rief Geneviève an. Ich schützte eine Erkältung vor, sie aber wollte Details wissen und sagte:»Mir scheint aber, Ihre Erkältung ist eher ein diplomatischer Schnupfen, denn man hat Ihren Namen in den Zeitungen gelesen ...«

»Ja, das stimmt ...«

»Hören Sie, Reinhard, Mama hat mich beauftragt Ihnen folgendes zu sagen: Wenn Sie Kartoffeln gestohlen hätten, könnte man Sie nicht mehr sehen. Ihre politischen Affairen aber betreffen uns in keiner Weise und wir erwarten Sie heute zum Essen.«

Ich war gerührt. Auch andere Leute waren reizend zu mir.ich hatte keine Schwierigkeiten, als im Laufe der nächsten Tage im Zusammenhang mit dem Wiener Prozeß mein Name oft zu lesen war. Täglich war ich schon um 6 Uhr früh am Gare de l'Est, um Zeitungen zu lesen, die aus Österreich kamen. Teils war es mir unangenehm und teils war ich stolz. Von meinen armen Eltern aber kamen empörte Briefe! Beruhigend war, daß ich keine Auslieferung zu befürchten hatte. Das Asylrecht galt selbst für »böse Nazis« und war in Frankreich Ehrensache.

Der Hochverratsprozeß dauerte nun schon zehn Tage, und ich merkte, daß es um Rintelen schlecht stand. Da hielt ich es für meine Pflicht, der Verteidigung anzubieten in Wien selbst zu seinen Gunsten auszusagen. Deshalb sandte ich meinen Freund und Schulkollegen aus dem Schottengymnasium, »Mobi« Rauscher, nach Wien, damit er dem Advokaten Rintelens mitteilte, daß ich bei Gewährung freien Geleites bereit wäre, in Wien auszusagen. Doch Schuschnigg ließ meinen Vater sofort wissen, er solle mein Kommen um jeden Preis verhindern, das gäbe Komplikationen! Der Staatsanwalt aber rief im Prozeß aus: »Dieser Spitzy gehört nicht auf die Zeugenbank, vielmehr auf die Anklagebank, und ein freies Geleit kommt für ihn niemals in Frage!«

Papa schrieb mir einen wütenden Brief, in dem er mir strengstens verbot, nach Wien zu kommen. Ich hätte genug Unheil angerichtet, und meine Aufgabe wäre es, mit dem Studium endlich weiterzukommen und nicht nochmals den Beruf zu wechseln! Auch aus Deutschland bekam ich einen Wink, mich nicht in die Affäre Rintelen einzuschalten. So blieb mir nichts anderes übrig, als politisch Schildkröte zu spielen. Dafür war das Leben in Paris schön, und gerne fügte ich mich den Weisungen aus so verschiedenen Quellen. Ich oblag also einigermaßen den Studien, ohne daß mein gesellschaftliches Leben darunter gelitten hätte. Den pikanten Ruf eines mysteriös-revolutionären Zeitgenossen konnte ich doch nicht im stillen Kämmerlein auskosten.

Daneben aber lernte ich Gedichte auswendig, altfranzösische, klassische, und »Les fleurs du mal«. Religiös im engeren Sinne war ich nicht, eher heidnisch. Doch immer wieder sagte ich dem Herrgott Dank für alles Schöne, das er mich erleben ließ, und der Christus meiner Sehnsucht war der »Heiland«, gemeißelt von Michelangelo oder vom Schöpfer des Bamberger Reiters. Meine Marienverehrung war größer als aller Glaube an einen Gott. Ich verehrte sie in den Gestalten von Pinturicchio, Botticelli und Fra Angelico. Jakob Burckhardt und Gobineau verschlang ich. Das formte mich mehr als Hitlers »Mein Kampf« und alle Parteiprogramme, die ich eigentlich nie richtig gelesen habe.

Damals gewann ich den besten Freund meiner Jugendjahre, meinen unvergessenen Amaury de Boisgelin. Eines Tages studierte ich das schwarze Brett an der Sciences Po' und stand neben einem Franzosen mit beachtlicher Hakennase in einem klugen, sympathischen Gesicht. Wir kamen ins Gespräch, kritisierten unsere Professoren, hatten politische Sorgen und aßen miteinander poireaux à l'huile. So wurden wir Freunde, und wir blieben es, bis fast ein halbes Jahrhundert später sein Tod uns trennte. In meinem ganzen Leben traf ich keinen besseren Menschen als ihn.

Amaury und ich beschlossen zusammenzuziehen, da damals mein schwedischer Wohnungsgenosse, Arne Berthelius, Paris verließ. Arne und ich hatten das oberste Mansardenstockwerk des bescheidenen Hôtel de l'Intendance in der Rue de l'Université gemietet: drei winzige Zimmer, ein gemeinsames, wackeliges Bad und eine winzige Terrasse hoch über den Dächern und zwischen den Rauchfängen von Paris. Amaury gefiel diese Bleibe, doch wollte er erst seine Mutter fragen, und ich fühlte, daß i c h vorgeführt werden sollte. Gräfin Madeleine de Boisgelin erschien elegant und röntgenisierte mich mit mütterlichem Scharfblick, der sich in freundliches Lächeln verwandelte. Ich hatte eine Freundschaft fürs Leben gewonnen. Amaury und ich wurden unzertrennlich. Er nahm mich mitunter zu Bällen mit, die nur den besten Familien Frankreichs vorbehalten waren. Dort traf sich der alte Adel, auch der hohe bonapartische, die finanzgewaltigen Familien der Hugenotten und eine kleine Selektion des Quai d'Orsay. So lernte ich durch unsere exklusive Schule und die Familie Boisgelin das traditionelle Frankreich kennen. Bewundernd stand ich vor so viel »élégance et allure« gepaart mit der gewinnendsten Natürlichkeit. Wieder wankte mein Weltbild, wieder mußte ich es zurechtrücken.

Bald kam der Frühling, und es blühten für uns weniger die Fliederbüsche als die Schrecken der ersten Examina in der Section Diplomatique. Inzwischen war Dimitri Negroponte, ein lustiger, wohlerzogener Grieche aufgetaucht, und wir wurden ein fröhliches austro-französisch-griechisches Kleeblatt. Wir hatten auch einen Einpauker: Serge Drouin, der sich über unsere eklatanten Wissenslücken entsetzte. Ich meinte damals noch, ich könnte meine Prüfungen »so nebenbei« bestehen, wenn ich nur generelle Linien wüßte und ein Feuerwerk von Ideen abbrennen dürfte. Serge erklärte uns kühl, wir müßten mindestens tausend Jahreszahlen und Produktionsziffern beherrschen. Da packte uns der Schrekken! Wir tapezierten alle Wände mit Jahreszahlen und Produktionsziffern, rasierten uns nicht mehr, ließen uns nicht mehr die Haare schneiden, sagten alle Einladungen ab und lernten wie besessen. Wir hatten Erfolg und bestanden die ersten Jahresexamina gut.

Das Schuljahr 1935/36 brachte ernste Arbeit, denn ich wollte das Diplom der Section Diplomatique schon in zwei, statt in drei Jahren erwerben. Wir machten noch immer das Mansardenstockwerk des Hôtel de l'Intendance »unsicher« und erhielten durch meinen Freund Harald Prinzhorn aus Wien amüsante Verstärkung. Ihn hatten seine Eltern nach Paris gesandt, damit er sich zivilisierte. Er erschien aber in Lederhosen und wollte seine österreichischen Gewohnheiten partout nicht ablegen. Man hielt dies allgemein für einen köstlichen Spleen »Seiner Durchlaucht«, da wir Harald überall als »Le Prince Horn« vorstellten, und so seine Eigenheiten bei entzückten Snobs viel Verständnis fanden. Zu allen möglichen Einladungen nahmen wir ihn mit, und mangelnde Sprachkenntnisse ersetzte er durch leutseliges Auf-die-Schulter-Klopfen und stetige Wiederholung von: »Oui, oui, c'est bien, c'est très joli.«

Wir genossen unsere Pariser Tage in vollen Zügen: Amaury, Harald, Dimitri und ich. Damals war ein gutes Leben etwas ganz Normales in Frankreich. Kein Mensch störte den anderen, und niemand überanstrengte sich. Für den kleinsten Angestellten war der Apéritif um 12 Uhr eine unverzichtbare kultische Handlung, und wenn man ihm mitgeteilt hätte, daß er über das fünfzigste Lebensjahr hinaus werde arbeiten müssen, so hätte dies sein Weltbild ins Wanken gebracht. All das gefiel mir und mein revolutionärer Elan zeigte beträchtliche Auflösungserscheinungen.

So verging der Winter 1935/36 und schnell näherte sich die Zeit der Diplomprüfungen. Amaury, Dimitri und ich lernten gemeinsam unter vollem Einsatz aller Kräfte, dirigiert von Serge Drouin. Die Prüfungen zogen sich über einen Monat hin und brachten mir ein unerwartet gutes Resultat. Obwohl ich nur zwei Jahre anstatt der normalen drei studiert hatte, erhielt ich das Diplom der Section Diplomatique der Ecole Libre des Sciences Politiques mit der Rangnummer 22 unter ca. 120 Kandidaten, von denen nur 93 durchgekommen waren. Das entsprach praktisch einer Auszeichnung. Mein Vater traute seinen Augen nicht, als er das Telegramm erhielt, und schickte mir sofort einen runden Scheck. Er hatte wohl schon jede Hoffnung aufgegeben, daß ich jemals ein akademisches Studium mit Erfolg abschließen würde. Zur Erholung und zum

Abschied von Paris gönnten Dimitri und ich uns anschließend eine Skandinavienreise im roten MG-Sportwagen, nachdem wir uns vorher noch etwas in London umgesehen hatten. Gerade noch rechtzeitig zu den letzten Wettkämpfen der Olympischen Spiele 1936 trafen wir in Berlin ein. Gemeinsam sahen Dimitri und ich uns die großartigen Veranstaltungen an, danach nahmen wir voneinander Abschied. Wir fühlten es: für lange Zeit! Es wurden vierzig Jahre.

Dann saß ich wieder in Berlin und wußte eigentlich nicht so recht, was ich anfangen sollte. Zuerst wohnte ich bei meiner Schwester Hanna, deren Mann damals Lektor an der Universität war. Nach längerem Überlegen aber beschloß ich, mein Jura-Studium wieder aufzunehmen! Das Semester aber begann erst im November. Inzwischen hatte ich mich wieder ordnungsgemäß bei SS-Oberführer Rauter gemeldet, der mich von oben bis unten ansah, meine langen Haare, meine schlaksigen Manieren bemängelte, und sich daher sofort anschickte, wohlwollend, aber hart meine gallischen Degenerationserscheinungen »preußisch herunterzubürsten«. Er kommandierte mich daher, ohne Widerrede zu akzeptieren, in ein Schulungslager nach Ranis in Thüringen zur dortigen Waffen-SS der österreichischen Legion. Ich war davon wenig begeistert, aber es blieb mir nichts übrig, als gute Miene zum bösen Spiel zu machen und mich nach dem herrlichen Paris ins öde Ranis zu begeben. Sofort wurde meine Mähne geschnitten und zwar preußisch: »vorne kurz und hinten praktisch«! Wir erhielten aus außenpolitischen Gründen vorerst keine Waffen, wurden aber bei Geländeübungen, beim Exerzieren und bei Märschen fürchterlich geschliffen. Schulungsvorträge, Seminare und Diskussionen galten bereits als »Freizeitgestaltung«!

Bei einer Inspektion entdeckte mich der Chef der gesamten österreichischen SS, Gruppenführer Rodenbücher, der mich von früher her im Zusammenhang mit der Rintelen-Affaire kannte. Dieser beförderte mich kurzerhand zum Oberscharführer und beantragte für mich dann die Beförderung zum Offizier, also zum SS-Untersturmführer. Das war demnach ein gewaltiger Sprung vom SS-Mann nach oben. Rodenbücher war der Überzeugung, daß die SS Leute wie mich, die in der Welt herumgekommen waren und studiert hatten, gleichzeitig aber auch überzeugte Revolutionäre waren, sehr notwendig brauchte.

Pünktlich zum Novembertermin begann dann mein Studium auf der Universität in Berlin. Typisch deutsch, daß man sofort ein österreichisches Leumundszeugnis von mir verlangte. Typisch österreichisch, daß ich es von Österreich auch bekam, obwohl ich im Fahndungsblatt stand. Meinen österreichischen Paß besaß ich noch, den hatte ich, als der Rintelen-Prozeß anlief, schnell noch am unaufmerksamen Konsulat in Paris verlängern lassen.

In Berlin wohnte ich damals zuerst in einem kleinen Zimmer bei einer Witwe, nahe vom Spreeufer. »In den Zelten« hieß die Gegend. Es war eine wenig sympathische, dafür billige »Bude«! Welch ein tiefer Sturz für mich nach Paris! Bald zog ich aber zu einem österreichischen Freund und Kampfgenossen, zu Dr. Erwin Berger, der eine kleine Wohnung an der Apostelkirche hatte. Auch er war Emigrant. Geld hatten wir beide fast keines, denn mein Stipendium war inzwischen ausgelaufen, und ich bekam wie er nur einhundert Mark Flüchtlingshilfe. Von zu Hause kamen allerdings weitere einhundert Mark an mich. So aßen wir bescheiden, hauptsächlich »Linsen mit Einlage« im »Aschinger« oder zu Hause Heringe. Bei diesen frugalen Mahlzeiten leistete uns oft ein sehr sympathischer Steirer, Architekt Rosenberger, Gesellschaft. Ich erzählte beiden aus meiner Pariser Zeit und von der dortigen Cité Universitaire, der internationalen Studentenstadt, und wir beschlossen, etwas Ähnliches, auf das Dritte Reich Zugeschnittenes, als moderneres Projekt zu entwerfern und der Reichsregierung vorzuschlagen. Mit Feuereifer stürzten wir uns in diese Arbeit. Wir berechneten, sammelten Statistiken, kalkulierten, planten und zeichneten mit dem Erfolg, daß in zwei Monaten Pläne und Planung fix und fertig waren. Rosenberger hatte sehr schöne Studentenhäuser im alpenländischen Stil entworfen. Wir waren von unserer Arbeit begeistert, nur fehlte leider das Geld für ein Modell und für den Druck der Pläne. Erst im Jahre 1937 setzte ich bei Ribbentrop die Bezahlung dieser Arbeit durch, und es wurden der Text und die Pläne gedruckt sowie ein großes, schönes Modell gebaut. Zunächst fand man Gefallen an der Idee, auch an der baulichen Planung, aber dann wurde von »oben« her das ganze Projekt brüsk abgetan, denn »man wolle die deutsche Jugend nicht internationalisieren und sie zu keinem überflüssigen Kontakt mit dem feindlichen Ausland verleiten«. Rosenberger aber machte später eine glänzende Karriere als Architekt und baute den neuen Flughafen Berlin-Tempelhof. Dr. Berger etablierte sich 1938 in Wien als Advokat. Beide Herren sah ich im Jahre 1942 wieder, und aus den damals so begeisterten österreichischen Legionären waren überzeugte Kriegs- und Regime-Gegner geworden.
Anfang November hatte ich dann endlich alle meine notwendigen Papiere beisammen und inskribierte Jura an der Berliner Universität. Gleichzeitig studierte mein Vetter, Ernst Swatek, an der dortigen Technischen Hochschule. Auch er war aus Österreich geflüchtet, nachdem der Juli-Aufstand im Lavanttal, an dem er teilgenommen hatte, fehlgeschlagen war. Wir sahen einander fast täglich und träumten von der strahlenden Zukunft Österreichs im künftigen Reich aller Deutschen.
Im Oktober machte ich zusammen mit SS-Oberführer Rauter eine Fahrt nach Prag. Ich hatte den Plan entwickelt, Rintelen, der seine

lebenslängliche Kerkerstrafe in der Strafanstalt Stein an der Donau absaß, durch einen romantischen Handstreich zu befreien. Rauter war durchaus einverstanden, und auch Habicht, der zwar nichts mehr zu sagen hatte, versprach, Geld für die Aktion zu beschaffen. Der Plan war, Rintelen, der gelähmt war und häufig im Gefängnisgarten saß, durch einen unterirdisch vom naheliegenden Friedhof aus gegrabenen Gang, der in einer Gruft beginnen und im Garten hinter den Fliederbüschen enden sollte, in einer Schnellaktion durch den Gang zu schleppen und in ein Auto zu verstauen. Gleichzeitig sollte hinter uns ein mit Steinen beladenes Lastauto die Straße und damit eventuelle Verfolger blockieren. Für den Weitertransport waren zwei Varianten vorgesehen. Entweder sollte Rintelen zu einer bestimmten Zeit auf einem bestimmten Feld von einem Sportflugzeug aus Bayern abgeholt werden, oder er sollte sich nach mehrmaligem Wagenwechsel bei einem Bauern monatelang verstecken, bis die zu erwartende Großfahndung der Polizei eingeschlafen wäre, und er später auf Schleichwegen die Grenze nach Bayern überschreiten könne. Um Deutschland nicht zu belasten, sollte die ganze Organisation von der Tschechoslowakei aus geleitet werden. Zu solchem Tun fuhren Rauter und ich nach Prag und nahmen im Gasthof Slata Husa, in der Goldenen Gans, Quartier. Als wir gerade im schönsten Organisieren waren, kam ein Befehl, der uns augenblicklich nach Berlin zurückrief.

Dort traf ich an der Universität einige ganz besondere Menschen, darunter den Bruder des Prinzen Bernhard der Niederlande, Prinz Aschwin, der damals Sinologie studierte, dazu SA-Mann und einer der Leiter der Nordischen Gesellschaft war. Er war ein ebenso überzeugter und begeisterter Nationalsozialist wie ich. Allerdings erinnerte er sich Jahre später, als ich ihn mit dem Großkreuz des Oranjeordens geschmückt, auf der Gesandtschaft der Niederlande traf, nur mehr ungern an diese Zeiten.

Gelegentlich sah ich einen Referenten der Dienststelle Ribbentrop, den Österreicher Wehofsich. Ich ließ ihn wissen, daß ich gerne in den Auswärtigen Dienst eintreten würde. Deshalb entschloß ich mich auch, beim SS-Hauptamt bekanntzugeben, was für Prüfungen, Reisen, Erfahrungen und Scheine ich gemacht hatte, woraus meine Kenntnisse bestanden und welche Absichten ich hatte. Ich wagte damals noch nicht, an eine Übernahme ins Auswärtige Amt zu denken, vielmehr erwog ich zunächst eine Beschäftigung im Geheim- und Nachrichtendienst. So schrieb ich in einer langen Mitteilung an das SS-Hauptamt, wie sehr ich eine Verwendung im Auslandsdienst anstrebte, daß ich mehrere Sprachen spräche, Sportabzeichen, Funkerpatent, Flugzeugführerschein, Segelflugschein, Auto-, Motorboot- und Motorraddokumente besäße, und daher für jegliche Aktion im Ausland trainiert und vorbereitet sei.

Nachdem ich dieses »Ei« beim SS-Personalamt gelegt hatte, durchaus nicht in der Annahme, sofort eine Antwort zu erhalten, vielmehr nur, um mich rechtzeitig »einzureihen«, plante ich in den nächsten Jahren in Ruhe mein Jus-Studium zu beenden. So führte ich ein schlichtes Studentenleben, das den fröhlichen Glanz meiner römischen und Pariser Tage entbehrte. Doch das blieb nicht lange so!

Als ich an einem Sonntagabend spät von einer Segelpartie auf dem Wannsee zurückkam (ich war schon zwei Tage nicht zu Hause gewesen), empfing mich meine Zimmerwirtin voll Aufregung und mit Tränen. Seit Samstag habe immer wieder das Telefon geläutet, hochoffizielle Stellen und schließlich sogar die geheime Staatspolizei hätten angerufen – und ich möge, sobald ich nach Hause käme, eine gewisse Nummer bei der Gestapo anrufen. Mir war nicht wohl zumute, andererseits hatte ich damals ein gutes, nämlich braunes Gewissen. Also rief ich unverzüglich an. Der Beamte bat mich, sogleich mit Herrn Oberregierungsrat Böttiger in dessen Privatwohnung zu telefonieren, der meinen Anruf erwarte. Böttiger war der Personalchef der Dienststelle Ribbentrop. Er forderte mich auf, am nächsten Tag pünktlich acht Uhr früh bei ihm im Büro vorzusprechen, es handele sich um meine Bewerbung für »Auslandsdienst« beim SS-Hauptamt – man denke eventuell an eine Verwendung beim Stab des Botschafters von Ribbentrop in London. Ich glaubte nicht recht zu hören, und brüllte ein zackiges »Jawoll« ins Telefon, da es sich am anderen Ende des Drahtes einwandfrei um einen Preußen handelte. Denn ich mußte den Verdacht eines »schlappen österreichischen Kameraden Schnürschuh« schon von vorneherein ausschalten. Schwer atmend saß ich nach dem Gespräch neben dem Telefon. Etwas Unglaubliches war geschehen. Mein Torpedo war ein vorzeitiger Volltreffer. In dieser Nacht konnte ich kaum schlafen: Ich probierte verschiedene Anzüge an und beschloß schließlich, mich in einem blauen Nadelstreifenanzug und sehr dezenter Krawatte vorzustellen. Natürlich vergaß ich nicht, das Partei- und das SS-Abzeichen anzustekken. Pünktlich saß ich dann am nächsten Morgen in der Dienststelle an einem Konferenztisch, mir gegenüber Oberregierungsrat Böttiger, der Personalchef, dazu noch ein paar Herren, die einander ablösten und anscheinend nur zufällig vorbeikamen. Sie alle wollten mich natürlich begutachten. Ich machte anscheinend einen guten Eindruck und erregte mit meinen vielen Bestätigungen und Zeugnissen einiges Staunen. Dazu war ich alter Parteigenosse, gut beschrieben aus den österreichischen Kämpfen, hatte Empfehlungsausschnitte, die sich auf meine Aktion in der Rintelen-Affäre bezogen und dergleichen.

Der Erfolg war durchschlagend. Es schadete auch nicht, daß ich aus einer »einigermaßen guten Familie« stammte und darauf hinzuweisen vermochte, daß man sich über meinen Vater bei den Professoren Sauerbruch oder Bier erkundigen könnte. Den größten Eindruck aber machte mein erstklassiges Diplom der Sciences Politiques aus Paris. Ich bemühte mich auch, bescheidene, weltmännisch-gute Manieren zu zeigen, wußte ich doch genau, daß in der Partei wieder Manieren gefragt, aber noch Mangelware waren. Aus Gesprächen konnte ich entnehmen, daß meine Vorgänger als Sekretäre des Botschafters bis auf den anwesenden Thorner, der mich dauernd durchdringend ansah, Schiffbruch erlitten hatten. Kamen Kandidaten aus »besseren« Kreisen, dann hatten sie oft mit der Partei wenig zu tun, waren sie erprobte Nationalsozialisten, mangelte es meist an Bildung und Benehmen. Etwa gegen elf Uhr sagte Attaché Thorner, der mich immer freundlicher angesehen hatte: »Also, lieber Kamerad Spitzy, ich glaube, das beste ist, Sie gehen nach Hause, packen einen kleinen Koffer, und wir fliegen sofort mit unserer Maschine nach London.«

Wieder glaubte ich, nicht recht zu hören. Da erklärte mir Thorner, daß er seit langem auf der Suche nach einem Vertreter für sich sei. Er wäre extra mit der Sondermaschine, die dem Botschafter und seinen engsten Mitarbeitern zur Verfügung stehe, von London nach Berlin gekommen, weil gemeldet wurde, daß man einen »dicken Fisch«, nämlich mich, aufgespürt habe. Seit Monaten werde bei der SS und in Parteigliederungen nach einem geeigneten jungen Mann für den persönlichen Stab Ribbentrops in der Londoner Botschaft gestöbert. Bisher aber habe es nur traurige Erfahrungen gegeben. London werde für mich nicht leicht sein! Der Chef sei streng, eigenwillig. Ich sollte den Mut nicht verlieren, er würde stets an meiner Seite sein und sei sehr daran interessiert, endlich einen Stellvertreter zu erhalten. Schließlich wolle er auch einmal Urlaub machen und seit zwei Jahren habe ich dazu keine Gelegenheit gefunden. Auf meinen Protest hin, daß ich doch nicht am selben Tag nach London übersiedeln könne, meinte Thorner, ich hätte wohl keine Ahnung, wie rasch alles bei den Größen des Dritten Reiches gehen müsse! Es gäbe da nur Tempo, Arbeit und totalen Einsatz! Ich würde auch nicht mehr so schnell nach Berlin zurückkommen, falls ich bei Herrn von Ribbentrop und dessen Frau, die noch wichtiger wäre, gut zu wirken verstünde. Meine Wohnung könnten dann ein paar Ordonnanzen aufräumen, alles verpacken und versiegeln und mit dem nächsten Flugzeug per Kurierpost nach London schicken. Kurz und gut, hier war nicht mehr viel zu machen. Wir aßen noch schnell zu Mittag, und nachmittags schwebten wir schon durch die Lüfte. Mein einziges Gepäck bestand nur aus einem Koffer mit dem Notwendigsten; Thorner aber hatte mir sofort tausend Mark und fünfzig Pfund zugesteckt. Am späten Nachmittag landeten wir mit der dreimotorigen Junkers »AMY«, dem

Dienstflugzeug Ribbentrops, in Croydon, dem damaligen Londoner Flughafen, und fuhren zum Rubens-Hotel beim Buckingham-Palast. Man ließ mir gerade noch Zeit zu baden: Frau und Herr von Ribbentrop wollten den neuen Kandidaten sofort sehen, ihn ausfragen und während des Abendessens sein Benehmen beobachten, denn da hatte es bisher ja eher betrübliche Erfahrungen gegeben.

Pünktlich um halb neun trafen Heinz Thorner und ich in der damaligen Privatwohnung Ribbentrops am Eaton Square ein. Man wohnte damals noch dort, da die Botschaft gerade umgebaut wurde. Als ich das Haus betrat, bemerkte ich überall hektischen Betrieb. Ebenerdig lagen die Adjutantur, das Sekretariat für Madame und das Telefonzimmer für die Telefonistinnen, die Räume für die Ordonnanz, den Chauffeur und zeitweilig auch für die Hunde. Sogar eine Krankenschwester sah man umhereilen, dazu Sekretärinnen und den Kammerdiener. Es war schon viel los auf relativ kleinem Raum! Endlich erschien Thorner wieder und sagte: »Auf, in den Salon.« Nun erblickte ich den berühmten Ribbentrop zum ersten Mal. Ein gutaussehender, mittelgroßer Mann mit blaßblauem, »treudeutschem« Augenaufschlag und tiefer, bedeutungsvoller Stimme. Er begrüßte mich mit abgewinkeltem Hitlergruß und begann, mich mit halbgeschlossenem Blick, gewissermaßen aus dem Hinterhalt, zu betrachten. Dann kamen Routinefragen über Alter, Herkunft, Parteizugehörigkeit und Studium. Ihn beeindruckte mein Französisch und mein Diplom der Sciences Politiques.

Bald erschien auch Madame Ribbentrop. Sie war keine Schönheit, doch elegant, damenhaft und energisch; eine selbstbewußte Frau, das sah man gleich. Ihr Gesicht verriet Intelligenz, auch etwas Bosheit. Ihre Stirne zeigte Narben von verschiedenen Operationen; sie hatte, so schien es, viel zu leiden. Eine interessante Dame also, von der ich beeindruckt war. Man ging zu Tisch. Von den Kindern waren nur der älteste Sohn Rudi und die ältere Tochter Bettina anwesend, beide recht sympathisch. Bald merkte ich, daß mich Frau von Ribbentrop wohlwollend ansah, sie lächelte mich an, und ich hatte schon vorher gemerkt, daß sich das Ehepaar heimlich zugenickt hatte. Nach Tisch wurde Ribbentrop leutselig, schenkte Portwein ein und brummte: »Na, mein Lieber, dann wollen wir es mal versuchen. Sie können gleich hierbleiben.« Ich bedankte mich mit festem Blick und hielt den seinen aus. Das war wichtig! Kurz darauf feierten Thorner und ich mit den anderen Herren der Botschaft den erfolgreichen Abschluß dieses so bedeutsamen Tages.

Zwischen London und Berlin

Nun war ich also der dritte Privatsekretär des deutschen Botschafters in London. Meine leisen Einwände, daß ich eigentlich mein Jus-Studium fertig machen sollte, wurden in den Wind gelacht: »Ein besseres Studium als die Praxis an der ersten Botschaft der Welt gibt es nicht!« Ich fand solche Ansichten bequem und nicht schlecht, denn mir war natürlich die Praxis und die noble Stellung in London lieber als ein langwieriges, bescheidenes Studium in Berlin. Wer weiß, ob so eine Gelegenheit je wiederkäme. Gleich am nächsten Tag begann das dienstliche Leben in der Botschaft. Zuerst stellte mich Thorner allen Herren des gehobenen diplomatischen Dienstes und den Militärattachés vor, zeigte mir die Abteilung des Kanzlers, die Abteilungen der Kurierabfertigung und die anderen Büros. Man hatte es in Deutschland bei Gebildeten, und das waren Diplomaten meist, als Österreicher leicht. Ich fühlte eine Woge von Sympathie; man hatte anscheinend Schlimmes befürchtet. Nur konnte sich niemand einen »österreichischen Nazi« vorstellen, denn mit dem Österreicher verband man Vorstellung von Gemütlichkeit, Maß und Entgegenkommen; österreichischer Nazismus erschien wie ein Widerspruch in sich. Ich merkte das, aber anfangs sprach man mich auf dieses Problem nicht an. Thorner schob mich energisch umher und ließ mich sofort mitarbeiten. Es gab noch zwei andere Sekretäre, die aber schon auf dem Absterbeétat standen. Ja, erbarmungsloses Tempo gab es bei diesem Betrieb in der Tat! Stets mußte ich neben Thorner »einherlaufen« wie ein junges Fohlen neben einer altersklugen Stute.
Nachmittags waren wir wieder am Eaton Square. Wie ein Paket wurde ich im engen Adjutanturraum abgeladen und befand mich alsbald unter Sekretärinnen, Adjutanten, Dienern, Haushofmeistern, Gouvernanten, Krankenschwestern, Köchen und Hunden, dazu ewig wartenden Schustern, Schneidern und Hemdenmachern. Das Telefon läutete unaufhörlich, die Hunde bellten und brauchten Wasser, man hastete, stöhnte und lief durcheinander. Wenn aber die Klingel des Chefs schnarrte, dann verstummte und erbleichte alles. Das durch die Schnarrzahl bestimmte Opfer begab sich mehr oder weniger fahl nach einem hilfeheischenden Blick zum Chef, der wieder einmal in »besonderer« Stimmung war. Das Opfer kam dann gewöhnlich verstört und verschwitzt zurück, ließ sich in einen Sessel fallen und hob verzweifelt

den Blick zum Himmel. Sandwiches und Sodawasser blieben oft der einzige Trost. Alle betrachteten mich neugierig: die Mädchen wohlwollend, die Männer grinsend. Das also war der neue Unglücksrabe. Gerne erzählten sie mir, daß rund ein Dutzend Stellvertreter von Thorner bereits Schiffbruch erlitten hätten. Aber man wünsche mir herzlich Glück usw. Weiter klapperten die Schreibmaschinen, Telefone klingelten, Ordonnanzen schlichen herum, Gläser klirrten, und dauernd wurde eine Unmenge von Paketen abgeliefert. Madame war einkaufen gewesen. »Das kann ja gut werden«, dachte ich mir. Und es wurde mehr als »gut«. Doch Thorner war großartig. Er beherrschte die Situation, war flink und energisch. Nie ließ er sich aus der Ruhe bringen. Er war das Zentrum, der ruhende Pol. Er allein, schien es, »konnte« mit einem Chef, der manchmal wie ein Stier brüllte. Er beherrschte den richtigen Tonfall und die beruhigenden Formulierungen. Sein »Jawoll, ich werde es in Ihrem Sinne erledigen, Herr Botschafter« oder »Ich werde das natürlich so machen, wie Sie es wünschen, gnädige Frau« glättete die Wogen, und alle spürten grinsend, daß Thorner trotz seiner verbindlichen Antworten nicht daran dachte, die Sache anders zu machen, als er es für einzig vernünftig hielt. Schon nach wenigen Tagen erklärte mir Thorner, daß ich sein zweiter Mann werden müßte. Die anderen zwei müßten weg, da sie nicht annähernd meine Vorbildung und meinen Schliff hätten. Ich sollte mich konzentrieren, genau aufpassen, wie er die Dinge »schaukle« und nicht vergessen, daß Frau von Ribbentrop die entscheidende Persönlichkeit sei! Ich hätte bei allen Dingen immer zu überlegen, ob sie im Sinne von F r a u von Ribbentrop erledigt würden!

Die zwei Sekretärinnen des Botschafters, Fräulein Blank und Fräulein Krüger, waren humorvolle, freundliche und hilfreiche Wesen. Sie gingen in ihrer Arbeit auf, waren jung und tüchtig. Nummer eins, Fräulein Blank, war sehr damenhaft, ein rastloses Arbeitstier, ihre Loyalität zum launenhaften Chef erstaunlich, unbedingt und über jeden Zweifel erhaben. Dies zeigte sich auch später beim Nürnberger Prozeß, als Fräulein Blank versuchte, ihren ehemaligen Chef in jeder Hinsicht, vielleicht auch gegen ihr Wissen, mütterlich zu schützen. Sie war ja seine persönliche Sekretärin. Ich aber fühlte mich grundsätzlich nur dem Reich verpflichtet. Personen zählen doch nicht!

Am nächsten Morgen war ich um acht Uhr am Eaton Square. Alle liefen wie immer kreuz und quer durcheinander. Vor dem Haus standen startbereit drei Autos . Der Hauptwagen war eine Mercedes-Kompressorlimousine mit siebeneinhalb Litern Hubraum. Sie verbrauchte fünfundvierzig Liter Benzin pro hundert Kilometer und war damit ebenso repräsentativ wie unpraktisch. Denn man mußte, da der Tank nur siebzig Liter faßte, sehr oft tanken.

Nun, heute waren wir alle recht früh dran. Der »Chef« wollte schon um neun Uhr auf der Botschaft sein. Jedoch fuhr er wie üblich erst gegen elf Uhr los. Ich durfte schon Post und Akten lesen, mit Berlin telefonieren und per dringendem Staatsgespräch die ersten Hemden bei Jaquet in Berlin bestellen. Dann mußte ich dem Chef im zweiten Auto mit dem Aktenkoffer nachfahren. Ein bedeutender Fortschritt! An der Botschaft, die auf der Carlton House Terrace hoch über der Pall Mall prächtig gelegen war, ging es Gott sei Dank schon ruhiger zu. Hier war noch etwas von Diplomatie, dem Auswärtigen Amt und ziviler Atmosphäre übriggeblieben. Nur das Vorzimmer des Chefs war ein kleines Heerlager. Dort warteten nämlich die Herren der Botschaft auf Zuteilung ihrer Termine, zu denen sie dem Botschafter endlich »mit der Bitte um Entscheidung« würden vortragen können.

Das waren Diplomaten alter Schule, denen Ribbentrops neue Art, seine unerfahrenen Parteigenossen, besserwissende Mitarbeiter und wir Adjutanten mit Recht suspekt waren. Der erste Botschaftsrat war Gesandter Woermann, ein Junggeselle, konservativer Hanseate und gewiegter Diplomat. Er hatte eine beachtliche Nase, listige Augen und einen hünenhaften Körperbau. Im täglichen Umgang war er unberechenbar. In der freundlichsten Unterhaltung brach er das Gespräch unvermittelt ab und ließ einen plötzlich stehen. Kurz, Woermann war ein Original. Soeben kam er ins Vorzimmer, verlangte drohend einen Termin und bestaunte indigniert den Antichambre-Rummel beim großen »Nazi-Botschafter«.

Als ich ein für ihn bestimmtes Telefongespräch nicht einfach durchstellte, sondern erst fragte, ob er für den Anrufer zu sprechen sei, nahm er mich beiseite und sagte, er sei mit mir zufrieden, ich sei doch ein anderes Kaliber als meine Vorgänger, die ihn womöglich sofort verbunden hätten. »Die Österreicher sind schon etwas gewandter, selbst wenn sie ›Nazi‹ sind.« Er befragte mich über meine Studien, und als er von meinem Diplomatiestudium hörte, zeigte er sich befriedigt und bestellte mich in sein Büro. Dort meinte er eindringlich, ich wäre »vom Fach«, solle vernünftig bleiben und mich an die Berufsdiplomaten des Auswärtigen Amtes halten, kurz, Woermann schien mir gewogen und machte mir so unter seinen Kollegen einen guten Ruf.

Anschließend schickte er mich zu Legationsrat Dr. Erich Kordt, damit ich mich auch dort vorstellte. Diese Bekanntschaft wurde entscheidend für mein Leben. Kordt, ein Rheinländer mit rundem, glattem Gesicht und gütigen, intelligenten Augen, empfing mich herzlich und meinte, das Reich brauche dringend österreichischen Einfluß. Er liebe Österreich. Ich nahm dies zur Kenntnis und begann gleich, auf die Dollfuß-Schuschnigg-Regierungen zu schimpfen. Solches gefiel Kordt wenig. Er sagte, ich solle mein Nest nicht beschmutzen, und als ich Hitler lobte, stimmte er nur vorsichtig zu, meinte aber, daß die wichtigsten Erfolge stets nur die Enderfolge seien. Er hoffe das Beste. Ich wurde nun unwirsch und meinte, man wisse, daß im Auswärtigen Amt nur Reaktionäre, Junker und verstaubte alte Knacker säßen! Da müsse mal unser Revolutionswind hineinpusten. Kordt nahm das nicht übel und sagte lachend, er sei weder ein Junker noch ein alter Knacker, Reaktionär sei er schon gar nicht, aber ein normaler Deutscher und im übrigen ein begeisterter Großdeutscher im historischen Sinn. Er begrüße jeden Einfluß Österreichs, und ich möge sicher sein, daß ich ihm durchaus sympathisch bliebe. Die Hörner würde ich mir schon abstoßen. Daraufhin schlug er mir einen Pakt vor: Er wollte mir alles zeigen, was für mich von Bedeutung wäre, und ich sollte erst urteilen, nachdem ich mir ein objektives Bild gemacht hätte. Er würde mir Gelegenheit geben, alles anzuschauen, und ich könne auf seine Hilfe jederzeit rechnen. Schämen sollte ich mich aber, als gebildeter Mensch in einem Atemzug soviel Gescheites und dummes Zeug gleichzeitig durcheinander zu verzapfen! Die Unterredung wurde ruhiger, ich war beeindruckt und gab zum ersten Mal seit Jahren klein bei. Kordt bat mich abschließend, ihm Objektivität zu versprechen. Das tat ich. Er holte eine Flasche hervor, und wir schlossen eine Freundschaft, die über dreißig Jahre bis zu seinem Tod gedauert hat. Hitler, Kordt und später Staatssekretär von Weizsäcker waren eigentlich die einzigen Personen, denen ich mich gerne und bewundernd unterordnete. Eine nicht ganz logische Mischung, wie man bald sehen wird. Wen ich aber mit Ribbentrop vor mir hatte, das war mir leider schon nach vierzehn Tagen klar.

Vom Rubens-Hotel zog ich definitiv in die 40. Lowndes-Street zu einer Mrs. Gardyn. Ich nahm ein Zimmer mit Bad, ein Mansardenzimmer mit einem bescheidenen Gaskamin, der auf Münzeinwurf funktionieren sollte, was er aber nur ungern tat. Im selben Haus wohnte auch Herr von Wussow und der junge Prinz Ludwig von Hessen, beide Mitglieder der Dienststelle Ribbentrop. Bald schlossen wir Freundschaft und halfen uns auch dienstlich, wo wir konnten. Wussow, ein später Dreißiger, hatte lange in Chile gelebt und galt als Mann von Welt. Seine hauptsächliche Aufgabe war es, der Botschafterin beizustehen, aber eigentlich war er Mädchen für alles. Prinz Ludwig von Hessen war der Protokollabteilung unter Herrn von Oswald zugeteilt. Seine besondere Aufgabe: die Verbindung zum englischen Hof. Dies war nicht schwer für ihn als einem Urenkel der Queen Victoria. Wir von der Lowndes-Street, das waren also ein Prinz, ein Baron und ich, ein normaler Zeitgenosse. Merkwürdigerweise wollten wir alle drei bald Engländerinnen heiraten. Was für ein Zufall!

Bei Mrs. Gardyn standen Adelstitel hoch im Kurs. Das wirkte sich zu meinem Nachteil aus. Am Ende des Monats mußte ich ganz pünktlich meine Miete bezahlen. Bei Baron Wussow wartete die Dame länger. Aber His Royal Highness Prinz Ludwig konnte zahlen, wann er wollte. Die nächsten Wochen verbrachte ich wartend im Vorzimmer des Botschafters oder meist in den ungemütlichen Lichthofzimmern des Eaton Square. Bald durfte ich harmlose Akten vorlegen und Unterschriften mit der Löschwiege trocknen. Frau von Ribbentrop traf ich täglich. Sie war eine grundgescheite Person, voller Ehrgeiz und geradezu diabolisch, wenn sie ein Opfer erledigen wollte. Vorsichtig beschloß ich, mich mit ihr gut zu stellen. Mit Eifer, Humor und guten Manieren war sie zu gewinnen. Gab es eine brenzlige Sache, so fragte ich sie um »mütterlichen Rat«. Pünktlich informierte ich sie über alle mir bekannten Neuigkeiten, um ihr die Überzegung zu vermitteln, daß ich ihr Gefolgsmann und dazu da wäre, auch den Interessen ihrer Familie zu dienen. Wenn uns »der Chef« bei Tage umherjagte und wir deshalb verbittert waren, so bügelte sie über Nacht alles wieder aus. »Nick«, ihren Gatten, liebte Frau von Ribbentrop heiß. Nichtsdestoweniger war er ihr Werkzeug, wollte sie doch kraft seiner Position für sich und ihre Familie ihre kühnen und ehrgeizigen Träume durchsetzen. Es war erstaunlich, mit welcher Energie und Zielstrebigkeit diese Frau ihren Mann zu steuern schien. Sie erinnerte mich später oft an Lady Macbeth, wenn auch ihr Joachim nicht das Format vom alten Macbeth zeigte. Nun, ich fühlte jedenfalls, daß ich mit »Madame« gut auskommen mußte, wenn ich meinen Weg machen wollte.

Bald durfte ich Thorner vertreten, allein vortragen, Berichte vorlegen, Briefe entwerfen, »Appointments« festlegen und den Chef in das Foreign Office oder zu Empfängen begleiten. Um meine Meinung wurde ich ganz selten gefragt. Ich war ein Neuling und ganze vierundzwanzig Jahre alt. Einige Male stand ich kurz vor dem Herausschmiß, weil ich etwas verbummelt hatte, nicht diensteifrig genug gewesen war oder auch Befehle sabotiert hatte. Ribbentrop pflegte eine ausgesprochen großzügige Form der Geschäftsführung. Wegen jeder Kleinigkeit wurde nach Berlin telefoniert, mit dringendem Staatsgespräch, versteht sich. Das Dienstflugzeug, die dreimotorige Junkers »AMY« unter Flugkapitän Zivina, war dauernd »unter Dampf« und transportierte Kinder, Möbel, Bekannte, Verwandte, Schulkollegen, politische Freunde, Parteigrößen, Spitzeln, usw. – alles auf Kosten des braven Steuerzahlers. Ich versuchte, dergleichen sinnlose Ausgaben so gut ich konnte zu verhindern, erreichte aber nur Brüllszenen des Chefs. So machte er mir einmal einen Skandal, weil ich zwei Dutzend Hemden für ihn bei Jaquet in Berlin nur brieflich und nicht »dringend staatstelefonisch« bestellt hatte.

Als einmal ein Duftwässerchen nicht in der gewohnten Korbflasche, sondern in einer schlichten Glasflasche ankam, gab es einen Auftritt erster Ordnung, und Ribbentrop erklärte, auch bei diesen kleinen Dingen sähe er erste Anzeichen von Nihilismus, ja von ausgewachsenem Bolschewismus. So gab es also bei ihm Kölnischwasserbolschewismus, Rühreibolschewismus, Bleistiftbolschewismus (wenn die Schreibgeräte etwa schlecht gespitzt waren), bei jedem Versehen hielt Ribbentrop fulminant eine antikommunistische Ansprache. Er war so von sich eingenommen, daß man ihm eine Nachricht über seine Stellung beim Führer, bei Partei oder Staat, die einmal nicht lobend klang, gar nicht anders als schonend gewunden und portionsweise servieren konnte. Überall vermutete er Saboteure – gegen diese und die internationale Presse führte er pathologisch anmutende Kämpfe wie Don Quichotte mit den Windmühlen. Kam eine schlechte Nachricht, ließ er es erst einmal den armen Boten entgelten, beschimpfte ihn als Verräter und verfiel dann in Lethargie, ja manchmal legte er sich bei solchen Gelegenheiten leidend in sein verdunkeltes Schlafzimmer, wo Apathie und Schimpfkanonaden sich bei »Uralt-Lavendel«-Duft abwechselten.

Thorner und ich liefen dauernd auf Glatteis, gewissermaßen zwischen Gläsern und Eiern. Während Ribbentrop raste und alles durcheinanderbrachte, räumten Thorner und ich Schwierigkeiten unaufhörlich aus dem Wege, beruhigten ihn, so gut wir konnten, oder versuchten, mit Kordts Hilfe das jeweilige Malheur wieder zu reparieren. War solches mit Mühen geglückt, ging oft das ganze »Theater« wieder von vorne los. Einmal wollte Ribbentrop der englischen Presse eine vernichtende Lektion erteilen, denn man hatte sich über ihn lustig gemacht! Er plante tagelang Gegenmaßnahmen. Schließlich belästigte er das Foreign Office und dazu Minister Eden mit öden Protesten wegen eines Artikels, den jeder vernünftige Mensch totgeschwiegen hätte. Dann wieder vermutete er, daß »beim Führer« am Obersalzberg eine Verschwörung gegen ihn im Gange sei, die natürlich, wie er meinte, das Reich in seinen Grundfesten bedrohe. Ein anderes Mal wiederum war er überzeugt, daß ihn der Intelligence Service nach dem Leben trachte. Er glaubte, Grund zu der Annahme zu haben, daß seine Feinde bei Partei und Staat, Rosenberg, Goebbels, Neurath, Bohle und Göring, in gewollter oder ungewollter geheimer Zusammenarbeit mit dem Intelligence Service Böses gegen ihn ausbrüteten. Dies alles natürlich nur zum Schaden des Aufbauwerkes unseres geliebten Führers, für dessen besten Mitarbeiter er sich selbst hielt.

Seinen Mitarbeitern gegenüber kannte er keine Rücksicht. Wurden sie aber von seinen Gegnern angegriffen, durften sie seiner Loyalität sicher sein. Von früh bis spät hatten wir ihm zur Verfügung zu stehen. Wenn wir endlich einmal frei hatten, mußten wir trotzdem telefonisch zu erreichen sein. Fiel man schließlich gegen Mitternacht todmüde ins Bett, konnte es passieren, daß gegen vier Uhr früh das Telefon klingelte und man durch den Kammerdiener Bonke mit dem Chef verbunden wurde. Dieser fragte dann sicher nach angeblich eiligen Angelegenheiten. Die Wahrheit aber war, daß er nicht schlafen konnte. Natürlich brauchte dann auch niemand anderer zu schlafen, und Ribbentrop bestellte einen auf die Botschaft zu sich. Als ich einmal so gegen fünf Uhr früh dort eintraf, empfing mich der Kammerdiener mit traurigem Blick und der erfreulichen Mitteilung: »Der Herr Botschafter ist gottlob wieder eingeschlafen.«

Protokoll-, Rang- und Kompetenzfragen in Staat und Partei nahmen gut fünfzig Prozent der Arbeit ein. Überall vermutete Ribbentrop Zurücksetzungen, Fußangeln, Provokationen und Beleidigungen. Eigentlich war es uns rätselhaft, wie und warum wir es in diesem Narrenhaus aushielten, aber Idealismus für die deutsche Sache und nicht zuletzt Ehrgeiz und Freude an der Karriere hielten uns physisch und psychisch aufrecht. Wenn ich »uns« sage, meine ich vor allem Kordt, Thorner, Prinz Ludwig von Hessen, Wussow, Oswald und später auch Baron Dörnberg. Wir bemühten uns, nicht ohne Humor, zu helfen, ja, zu zeigen, daß man mit Ruhe weiter käme, und schrieben Ribbentrops übergroße Nervosität dem Fehlen einer Niere zu, und schließlich hatte er auch manchmal wirklich daran zu leiden.

Viele amüsierten sich über ihn, weil er so prompt und pünktlich »platzte«. Vor allem »Größen« in der Umgebung Hitlers konnten ihn ebensowenig leiden wie Beamte alter Schule. Man betrachtete ihn geradezu als Juxobjekt. Wir hatten freilich auch noch einen anderen Grund, Ribbentrop zu helfen, fürchteten wir doch, daß sein Nachfolger ein reiner Parteimann sein würde. Wie die Zentrale des Auswärtigen Amtes glaubten wir, daß Ribbentrop sich einmal selbst erledigen würde. Waren wir aber wieder einmal fest entschlossen, ihm ein Bein zu stellen, bekam er in der Regel seine sogenannten »lichten Momente«. Da konnte er reizend und charmant sein, und man verzieh ihm dann in wenigen Stunden alles, was man wochenlang ertragen hatte, und glaubte sogar, von nun an würde es besser werden. Doch da hatte man sich in ihm und Frau von Ribbentrop getäuscht.

Außer sich selbst hatte Ribbentrop zwei Klassen echter, unversöhnlicher Feinde. Da waren zunächst die Diplomaten alter Schule: Sie hielten ihn für einen Parvenu und Nonvaleur, nahmen ihn geistig und gesellschaftlich nicht für voll und stichelten über den »Sektvertreter«. Weitere Feinde waren die alten Revolutionäre der Partei – die Idealisten. Für sie war er ein aufgeblasener Geck, ein »eingekaufter Adoptionsadeliger«, Spätparteigenosse und Opportunist, ein typischer Vertreter der arrivierten Bourgeoisie.

Ribbentrop erkannte diese zwei Fronten. Gegen die erste zog er damals nicht zu Felde, vielmehr umgab er sich mit Baronen, Grafen und Prinzen und kultivierte so seinen gesellschaftlichen Ehrgeiz. Dann, ab 1937 wechselte er die Methode. Nun machte er in Parteiradikalismus. Was für ihn früher die Aristokraten gewesen waren, wurden plötzlich die »alten Kämpfer«, und dem einfältigsten Tropf war die Aufnahme in Ribbentrops Dienststelle sicher, wenn er nur ein goldenes Parteiabzeichen vorzuweisen hatte. Der Botschafter hoffte, in Gesellschaft von Kumpanen und alten Revolutionären in Hitlers Umgebung endlich für voll genommen zu werden. Beide Methoden verursachten aber nur Heiterkeit und Spott auf der einen Seite, Enttäuschungen und letzten Endes Wutanfälle auf der anderen.

Ein Vorkommnis nicht unbedenklicher Art sei hier erwähnt, das mir Graf Helldorf, SA-Gruppenführer und Polizeipräsident von Berlin, ein alter Parteigenosse, der später am Putsch gegen Hitler teilnahm und deshalb unter grauenvollen Umständen gehenkt wurde, eines Tages erzählte: Es sei mir doch bekannt, daß seinerzeit leider er es gewesen sei, der Ribbentrop, mit dem er seit Jahren recht befreundet war, zu Hitler gebracht habe. Noch vor Hitlers Machtergreifung kam Ribbentrop auf den Gedanken, er müsse in den höchst vornehmen Union-Club aufgenommen werden. Bei der Ballotage fiel der Anwärter durch. Ein normaler Gentleman hätte nun aufgegeben, aber Ribbentrop erkundigte sich insistent bei ihm, Helldorf, nach dem Grund. Damals hatte Ribbentrop mit den »bösen Nazis« noch überhaupt keinen Kontakt. Er war braver Demokrat, der in reichen, auch in jüdischen Häusern verkehrte und von einer verarmten, sehr entfernt verwandten Tante das »von« gekauft hatte. Also glaubte er geradezu ein Anrecht auf Aufnahme in den Club zu haben.

Helldorf wurde nun vom Club beauftragt, auf milde Weise den ungebetenen Gast »abzuwimmeln«. Er kam auf den Gedanken, Ribbentrop zu sagen, daß man im Union-Club eigentlich nur Mitglieder haben wolle, die auch einen Rennstall oder wenigstens ein paar Pferde besäßen. Ribbentrop bestellt flugs bei Helldorf zwei Pferde. Dieser verkaufte ihm teure, aber, wie er mir gestand, nicht sehr hoffnungsvolle Tiere mit Zubehör und Gewinn, worauf Ribbentrop erneut um die Aufnahme im Union-Club ansuchte. Wieder fiel die schwarze Kugel. Dieses Ergebnis mußte ihm der damalige Sekretär des Union-Clubs, Legationssekretär von Liers und Wilkau mitteilen. Nun war Ribbentrop zu Tode beleidigt. Jahre später ließ er es den Überbringer büßen. Als Ribbentrop im Februar 1938 Außenminister geworden war, wurde von Liers und Wilkau eines seiner ersten Opfer. Liers war zu einem vom Minister angesetzten Appell nicht erschienen, weil er an der Hochzeit eines Freundes teilnehmen wollte. Ribbentrop machte aus diesem vielleicht nicht ganz richtigen Verhalten eine Staatsaffäre und verlangte von Hitler, diesen Mann als Saboteur in ein Konzentrationslager zu stecken. Hier müsse endlich ein Exempel statuiert werden! Doch Hitler fand dies übertrieben und sagte nur: »Wenn Sie den Mann nicht haben wollen, dann entlassen Sie ihn halt!« So blieb Liers zwar das KZ erspart, aber er bekam den Abschied!

Es befanden sich in der Umgebung Ribbentrops einige Herren, die ich »Dekorationsdeppen« nannte. Es handelte sich um alte, verdiente Parteigenossen, die erst mit Enthusiasmus aufgenommen wurden und, sobald sich herausstellte, daß sie nicht zu brauchen waren, mit großen Summen abgefunden wurden, damit man sie ohne Aufsehen wieder los wurde. Die beiden Adjutanten des Führers, der SA-Obergruppenführer Oberleutnant Brückner und Hauptmann Wiedemann, durchschauten solche krampfhafte Bemühungen Ribbentrops und lachten jedesmal, wenn er mit neuen »Uraltparteirabauken« aufkreuzte!

Je eifriger Ribbentrop zwischen den alten Fachbeamten und Militärs einerseits und den Kämpfern der Parteiführerschaft andererseits hin- und herschwankte, um so mehr wurde er gehänselt, um so mehr fühlte er sich verfolgt. In seiner Einbildung kristallisierte sich eine »Front der Feinde des Reiches« heraus; sie bestand aus dem Papst, Göring, Goebbels, Stalin, Juden, Freimaurern, verzopften Beamten, Reaktionären, Pfaffen, Kommunisten, Aristokraten, Maltesern, Hofschranzen, Mitgliedern anderer Ministerien, unbotmäßigen alten Parteigenossen, Zweiflern und Kritikastern, Plutokraten, Kapitalisten, Engländern, Amerikanern, Franzosen und Russen. Dazu als fünfte Kolonne in nächster Nähe: unfolgsame Kammerdiener, Chauffeure, laxe Adjutanten, schlampige Sekretärinnen, liberale Journalisten, schlechte Köche, indolente Schuster, Schneider usw. Sie alle verfolgten, ja, quälten ihn und sabotierten – anscheinend in gezielter Zusammenarbeit – seine Arbeit für Führer und Reich. Diese üblen Zeitgenossen nannten wir in Anlehnung an die Komintern, betriebsintern die »Sabotintern«, deren finsteres Walten allgegenwärtig wirkte. War der »Chef« bei Verfolgung dieser Sabotinternbande besonders erbittert, dann sagten wir: »Heute regiert der Alte wieder einmal.« An solchen Tagen ging dann nichts voran; alles wurde abgelehnt.

War er trübsinnig und voll Weltschmerz, weil ihn der innig geliebte Führer wieder zu wenig beachtet hatte, so nannten wir diesen Stimmungszustand »Tango nocturno« – ein äußerst günstiger Zustand, in dem er fast alles genehmigte und sogar bereit war, Akten normal zu bearbeiten.

Zum besseren Verständnis sei hier der Lebenslauf Ribbentrops bis zu seiner Botschafterzeit in London geschildert: Sein Vater, Oberstleutnant Ribbentrop (noch ohne »von«), war ein anspruchsloser, korrekter Offizier gut preussischer Prägung. Ihm war der Aufwand und die Großmannssucht seines Sohnes nicht recht, wie er mir öfter versicherte, ja, er bat mich immer wieder, dagegen anzukämpfen. Sein Sohn Joachim war ein gutaussehender Jüngling, beliebt, charmant. Er schaffte allerdings das Abitur nicht und mußte schon in der Untersekunda die Mittelschule vorzeitig verlassen. Hierauf ging er nach Grenoble, um Französisch zu lernen, anschließend nach Kanada. Dort schlug er sich auf verschiedenste Weise durch, erst als Holzfäller, dann bei kaufmännischer Arbeit. Manchmal verdiente er sich Geld durch sein schönes Violinspiel, verschmähte dann auch wieder einfachste Handarbeit nicht; so arbeitete er eine zeitlang als Siphonarbeiter in einer Tauscherglocke bei einem Brückenbau. Im Sport galt er als tollkühner Bobfahrer.

Sofort bei Anbruch des Ersten Weltkrieges schmuggelte er sich tapfer, in der Kohlenkammer eines neutralen Schiffes versteckt, in die Heimat zurück und überlistete die strenge britische Blockade. Mit seinem Kavallerieregiment kam er an die russische Front, dort wurde er verwundet. Wiederhergestellt kam die Versetzung zur deutschen Militärmission nach Konstantinopel, wo damals Herr von Papen wirkte. Das eiserne Kreuz erster Klasse erhielt er erst nachträglich auf Ansuchen.

Durch die Niederlage Deutschlands und den Umsturz war auch Ribbentrop, wie so viele andere, gestrandet. Jetzt versuchte er sein Glück zuerst als Kaufmann, später als Vertreter für französische Weine und Liköre. Beim Tennisspiel lernte er die reiche Tochter des Sektfabrikanten Henkell kennen. Sie verliebten und verlobten sich. Die Familie Henkell wollte allerdings zunächst von einem mittellosen Schwiegersohn nichts wissen. Doch da bot sich eine Chance: Der deutsche Vertreter der Whisky-Firma Johnny Walker war gestorben. Ribbentrop erkannte die Lage und beschloß sofort, Sir Alexander Walker in Schottland aufzusuchen. Da erfuhr er, daß zwei fachlich aussichtsreiche, vermögende Mitbewerber bereits per Eisenbahn unterwegs waren. Kurz entschlossen lieh sich Ribbentrop etwas Geld, kaufte ein altes, abgerüstetes Weltkriegsflugzeug, und mit dieser »alten Kiste«, die ein ehemaliger Weltkriegsflieger steuerte, flog er direkt zu Sir Alexander Walker nach Kilmarnock und landete auf dem Rasen vor dem Schloß. Sir Alexander Walker, von so viel Unternehmungsgeist gebührend beeindruckt, sagte schlicht: »You are my man.«

Nach diesem Erfolg war es nicht schwer, auch die Vertretung anderer nobler Getränke zu bekommen, so die Champagner des Hauses Polignac, die Liköre und Weine, die sein späterer Freund Fernand de Brinon betreute. Mit diesen französischen Weinen machte er dem deutschen Weinbau kräftig Konkurrenz, worüber sich später noch manche mokierten. Im Deutschland der »Goldenen Zwanziger« aber verkaufte Ribbentrop seinen Whisky waggonweise und verdiente damals pro Flasche eine Mark netto. Seine Firma hieß »Impegroma«, d. h. »Import und Export großer Marken«. Er baute sie auch später noch geschickt aus und durfte sie laut Führerentscheid auch als Außenminister weiter behalten. Es ist mir unerfindlich, weshalb die sonst so pfiffigen Journalisten das nie entdeckten und ausschlachteten. Bis 1940 stand im Berliner Telefonbuch: »Impegroma, Import und Export großer Marken, Ribbentrop & Co.«.

Auf diese Art kam das junge Ehepaar Ribbentrop-Henkell zu Wohlstand. Es fehlte nichts mehr zu ihrem Glück als ein Adelstitel, wenigstens ein bescheidenes »von«. Da gab es aber eine alte, entfernt verwandte Tante, die »von Ribbentrop« hieß. Sie stammte von dem Generalintendanten Ribbentrop ab, der in der preußischen Heeresverwaltung als Intendant gegen Napoleon III. wirkte und dafür geadelt wurde. Seine Lieferungen müssen aus Waffen, Lebensmitteln und Bekleidung bestanden haben, denn im Wappen sieht man zwei gekreuzte Kanonen und ein Schaf. Diese Tante adoptierte 1925 ihren Verwandten Joachim, der ihr dafür eine lebenslängliche Rente zahlte, die bis 1940 monatlich 450,- Reichsmark betrug. Nun waren sie »von Ribbentrop«. In Berlin-Dahlem wurde ein elegantes, großes Haus eingerichtet und geführt. Dort verkehrte alles, was Rang und Namen hatte; Adel und Finanz, reiche jüdische Bankiers und Industrielle. Der Berliner »arbiter elegantiarum«, der Gesandte Freddy Horstmann, mit seiner reizenden Gattin Lally aus der jüdischen Familie Schwabach, lancierte das junge hoffnungsvolle Ehepaar von Ribbentrop in die beste Gesellschaft. Aber alter Freunde erinnerte sich Ribbentrop nach 1933 nur mehr, wenn sie »arisch« waren. Sonst zog man sie, gleich der Sammlung kubistischer Bilder, »aus dem Verkehr«. Wie oft lagen Briefe solch alter Freunde auf meinem Schreibtisch. Sie enthielten verzweifelte Bitten um Intervention. Ribbentrop beantwortete sie selten und wenn, dann höflich negativ. Es sei meine Aufgabe, diesen Leuten bedauernde Absagebriefe zu schreiben; er könne sich mit ihnen nicht mehr befassen, denn es sei »furchtbar schwer, beim Führer für Nichtarier etwas durchzusetzen«. Er, Ribbentrop, müsse aber seine Nerven für wichtigere Sachen behalten! Als die NSDAP Ende 1932 zum Endsturm auf die Macht ansetzte, gelang es Graf Helldorf, Ribbentrop für den Parteieintritt zu gewinnen. Als vornehmer und frischgebackener Parteigenosse trug er wesentlich zur Vermittlung zwischen von Papen und Hitler, somit zur nationalsozialistischen Machtergreifung bei.

Adolf Hitler gefiel der gutaussehende Mann von Welt, der scheinbar über einflußreiche Auslandskontakte verfügte und nach eigenen Aussagen profunder Englandkenner war. Langsam begann Hitler, Ribbentrop anfangs für kleinere, später für größere Aufträge in den Westen zu senden, und bald konnte man ihn auf der Abrüstungskonferenz in Genf sehen. Im Jahre 1936 sandte ihn Hitler nach England zum Abschluß des Flottenpaktes, der vom tüchtigen Marineattaché Wasner bei der Admiralität längst vorbereitet war.

Die wachsenden Aufgaben veranlaßten Ribbentrop ein eigenes Büro im Rahmen des Stabes Hess einzurichten, das dem Auswärtigen Amt in der Berliner Wilhelmstraße gegenüber lag und sich »Dienststelle Ribbentrop« nannte. Das Büro wurde immer größer, und schließlich bekam Ribbentrop auf Wunsch des Führers und natürlich auch Neuraths einen jungen, tüchtigen Diplomaten als Sachbearbeiter zur Seite, Legationsrat Dr. Erich Kordt. Der fachgerechte Abschluß des deutsch-englischen Flottenpaktes war nicht zuletzt den Berufsdiplomaten Kordt und Woermann zu danken, die Ribbentrop in London berieten. Hitler war zufrieden und ernannte Ribbentrop zum Botschafter. Mutig geworden, wollte der weiter avancieren und Außenminister, wenigstens aber Staatssekretär werden. Jetzt legte sich Neurath, der Außenminister quer. Auch verschiedene Parteigrößen wie Rosenberg und Bohle, die selbst auf das Außenministerium spekulierten, bremsten und intrigierten. Ribbentrop ging nun, gewitzt, vorerst an den Ausbau seiner Position und blähte seine »Dienststelle« auf. Es gelang ihm mit großem Geschick, bei Staat und Partei Gelder aufzutreiben, so zehn Millionen Mark aus der Adolf-Hitler-Spende, und dies zum Teil in Devisen. Diese Spende stammte von der deutschen Großindustrie, der Ribbentrop weisgemacht hatte, daß er für eine deutsch-englische Zusammenarbeit, ja womöglich für eine Allianz kämpfen werde. – Später wurden erhebliche Summen davon zur Unterminierung der deutsch-englischen Beziehungen verwendet.

Um der neuen Dienststelle aber einen klingenden Titel zu geben und um sich selbst aus der Reihe der normalen Botschafter herauszuheben, nannte Ribbentrop sein Büro von nun an »Dienststelle des außerordentlichen und bevollmächtigten Botschafters des Deutschen Reiches, Joachim von Ribbentrop«. Nun hat natürlich jeder Gesandte und jeder Botschafter auf der Welt zu seinem Titel die Adjektive »plenipotentiaire et extraordinaire« amtlich zu führen. Nur gebraucht man diese Adjektive im Alltag nie. Ribbentrop als gewiegter Geschäftsmann und Bluffer aber schmückte sich in aller Öffentlichkeit damit und erweckte so den Eindruck, in der Reihe der Botschafter eine besonders hervorgehobene Stellung einzunehmen. Da es an Geld nicht fehlte und größere

Summen freigebig verteilt wurden, gab es bald günstige Zeitungsartikel in der in- und ausländischen Presse.

Im Vertrauen teilte Ribbentrop jedermann, ganz gleich, ob er es hören wollte oder nicht, mit, er sei der künftige Außenminister. Diese Ankündigung allerdings brachte ihm bald gewaltigen Ärger mit Neurath und sogar mit dem Führer ein. Denn im Herbst 1936 dachte er, »es wäre schon so weit«, und ging gleich nach der Olympiade, nachdem er große Diplomatenempfänge organisiert hatte, zu Hitler, um den Posten eines Staatssekretärs zu verlangen. Aber Hitler hielt zu Neurath. Ribbentrop wurde mit dem Londoner Botschafterposten abgefunden. Das war ein schwerer Schlag für ihn. Mit Recht vermutete er nämlich, daß man von ihm nunmehr Bewährung in einer Routineaufgabe erwartete, also tägliche Amtsarbeit und fachliches Können unter Neurath. Das paßte Ribbentrop überhaupt nicht, und darum weigerte er sich wochenlang, den neuen Posten anzutreten. Da wurde Hitler schließlich deutlich und befahl einfach die Abreise.

Verbitterung über diese Versetzung und die Sorge wegen zu erwartender Berliner Intrigen während seiner Abwesenheit ließen Ribbentrop in London nie zur Ruhe kommen. Immer wieder fand er Anlässe, nach Berlin zu fliegen. Dadurch verägerte er wiederum die Engländer, die von einem Botschafter am Hof von St. James normale Arbeit und Anwesenheit verlangten; man wollte keinen »half-time-ambassador!« So wurde also schon damals der Grundstein zum späteren Mißerfolg gelegt.

Es muß zugegeben werden, daß Ribbentrop nicht zu Unrecht davon überzeugt war, Neurath und gewisse Parteikreise würden sich in Berlin zusammentun, um seine Verbindung zum Führer zu kontrollieren oder ihn gar von diesem zu trennen. Wenn Ribbentrop nicht mit seiner dreimotorigen »AMY« zwischen London und Berlin, ja Rom, unterwegs war, so gab es an der Londoner Botschaft ein unaufhörliches Kommen und Gehen: Informanten, Parteigrößen, Verwandte, Freunde, Wichtigtuer und Intriganten sollten für Ribbentrop um jeden Preis die Verbindung mit der Reichskanzlei und dem Obersalzberg bzw. dem Führer aufrechterhalten und es ihm ermöglichen, unter Umgehung Neuraths seine eigene NS-Außenpolitik zu machen.

Der erste erfolgreiche Schritt in dieser Hinsicht war die Unterzeichnung des Antikominternpaktes in der Dienststelle Ribbentrops am 25. November 1936. Dies war der erste Staatsakt, dem ich staunend und ehrfurchtsvoll beiwohnen durfte. Anschließend sollte der japanische Botschafter, Graf Mushakoji, mit dem Tenno telefonieren und ihm die Vollzugsmeldung machen. Es war meine Aufgabe, das Telefongespräch mit Tokio herzustellen, damals eine brandneue und schwierige

Sache. Nach langen Schaltungen über Moskau und Sibirien wurde ich endlich mit dem Hofmarschallamt des kaiserlichen Palastes verbunden. Schließlich kam der Hofmarschall, Gott sei Dank, selbst an den Apparat und verband mich mit dem Adjutanten des Kaisers. Dies war der erhabene Moment, in dem ich das Telefon dem japanischen Botschafter, Graf Mushakoji, übergeben mußte. Selbstverständlich zog ich mich augenblicklich zurück und schloß die Türe, um das Gespräch des Botschafters mit seinem Kaiser und damals noch Gott, nicht zu stören. Nachdem ich alle Leute aus dem Vorzimmer hinausgebeten hatte, hörte ich aus dem Nebenzimmer ein merkwürdiges Piepsen, Schlürfen und Saugen. Ich guckte durchs Schlüsselloch und sah den wohlbeleibten Bonvivant stöhnend und schwitzend sich bis auf den Boden verbeugen und schlürfend die Luft einziehen. Seine Nase, die Fußspitzen, der Teppich und die Telefonmuschel waren nur mehr Zentimeter voneinander entfernt.

Thorner, herbeigeeilt, sah ebenfalls durchs Schlüsselloch und meinte, es wäre ein Glück, daß unser Chef dies nicht gesehen habe, sonst würde er auch von uns solchen Kotau verlangen. Gott sei Dank hatten wir Humor, wie anders hätten wir es wohl in diesem Narrenhaus ausgehalten!

Es sei einmal ausgesprochen: Wir hielten unseren Chef für hysterisch und – wie man es auch noch ausdrücken könnte – für einen psychisch auffälligen Menschen. Auch Madame Ribbentrop hatte manchmal ihre Sorgen, denn sie machte in dieser Hinsicht ziemlich eindeutige Bemerkungen. Ich hütete mich jedoch, ihr recht zu geben, denn am nächsten Tag hätte sie meine Zustimmung wohl übelgenommen. Das erstaunlichste an Ribbentrop war seine geringe Intelligenz. Über dem einfachsten Schriftstück brütete er oft endlos und las alles mehrmals.

Im Dezember 1936 mußte ich den Botschafter zu einem Familienfest nach Wiesbaden begleiten. Ein Sohn des Hauses Henkell feierte mit einer jungen Fentner van Vlissingen aus der Familie des Shell-Königs Sir Henry Deterding Hochzeit. Nach Ankunft unseres Zuges aus Berlin in Wiesbaden kam mir Ribbentrop, während ich mich um das Gepäck kümmerte, im Gedränge des Bahnhofs abhanden. Als ich ihn wiedergefunden hatte, war er ungemein aufgebracht und verlangte, sofort zu den Mercedes-Karossen, die herbeigeordert waren, geführt zu werden. Ich kannte aber den Bahnhof nicht, und so führte ich meinen Chef einfach geradeaus. Wir kamen aber leider auf den Güterbahnhof, wo gerade Kohl abgeladen wurde. Es sei unerhört, ließ sich Ribbentrop vernehmen, ich hätte zu wissen, wo der Ausgang sei und die Autos sich befänden! Wie ich das mache, wäre ihm egal, es gäbe Telefon, und ich hätte auch einen Mann von der Partei oder vom Staat an den Zug bestellen können, der uns dann den Weg gewiesen hätte! Als wir am Ende dann doch die Wagen gefunden hatten und glücklich in Fahrt waren, fragte Ribbentrop, welche Zimmernummern wir im »Hotel Rose« in Wiesbaden hätten. Ich meinte harmlos, der Portier würde mir das dort mitteilen. Das war zuviel für Ribbentrop! Er schimpfte nicht mehr, nein, er wurde traurig und elegisch und stöhnte, alle Adjutanten mit Ausnahme Thorners wären Nieten, das stünde nun endgültig fest!

Im »Hotel Rose« hatte der Kammerdiener zwischen den Zimmern Ribbentrops und dem meinen Klingelleitungen gelegt. Sofort rief mich Ribbentrop zu sich ins Schlafzimmer, wo er in seinem blauen Bademantel Porridge und Pfefferminztee zu sich nahm. »Spitzy«, sagte er dumpf, »bestellen Sie einen Kranz!«

Ich war wie vom Donner gerührt und dachte, ich hätte nicht recht gehört. Es war doch eine Hochzeit vorgesehen, sollte am Ende ein Unglück passiert sein? Ich sah den Chef groß an und begann zu stottern. Doch finster wiederholte dieser. »Jaja, bestellen Sie einen schönen Kranz!«

Mir war noch immer nicht klar, was ein Kranz auf einer Hochzeit sollte, aber da fing der Chef abermals an zu stöhnen: »Einen Kranz, einen Kranz! Einen T o t e n k r a n z!!! Ich will nämlich das Grab meines verstorbenen Schwiegervaters besuchen. Punkt elf Uhr sind wir dann auf dem Friedhof. Organisieren Sie alles, sofort, verstanden!«

Nun wollte ich wirklich alles ganz tadellos planen! Ein Riesenkranz wurde bestellt und nebst einer Anzahl Ordonnanzen auf den Friedhof befohlen, ich alarmierte die Friedhofsdirektion und selbstredend die Polizei, auf daß ja alles korrekt verlaufe, und wir nicht wieder »beim Gemüse« landeten. Gottlob gelang alles. Die Kranzniederlegung verlief einwandfrei und war erhebend. Es hatten sich viele Leute eingefunden, sie grüßten mit Hitlergruß und zaghaften Heilrufen. Gravitätisch schritt dann Ribbentrop mit erhobener Hand durch die Reihen. Ein ergreifender Hoheitsakt! Anschließend stellte ich die Friedhofsdirektion und die Herren der Polizei »zackig« vor. Diesmal war der Chef befriedigt und sprach mir im Auto »gebremste« Anerkennung aus. Darob war ich, zwischen Lachen und Weinen, beglückt.

Die Familie Henkell war für mich ein großer Trost. Sie war alles andere als nationalsozialistisch gesinnt und bedauerte mich. Meinen beiläufigen Bericht von der Kranzniederlegung und von der Ankunft auf dem Güterbahnhof ergötzte sie so, daß es mir beinahe peinlich war. Auf dem Fest am Abend ließ man mich unter anderem wissen, daß »der Alte« einen »NS-Vogel« habe. Auch Frau von Ribbentrops reizende Mutter, eine Grande Dame, war in keiner Weise von ihrem Schwiegersohn und dessen pompöser Art begeistert. Ja, die gehobene Stimmung und der Henkell-Sekt hatten auch Henkellzungen gelöst, und ich vernahm von Rheinländer zu Österreicher, daß der allzu preußische Joachim so etwas wie ein Fremdkörper in der Familie sei ...

Zurück nach London. Dort nahm man den Antikominternpakt ziemlich übel, schien er doch indirekt gegen das englische Weltreich gerichtet, und man war in London der Ansicht, daß ein Botschafter am Court von St. James nicht gleichzeitig unfreundliche Pakte mit dritten Ländern fabrizieren dürfe. Man ließ sich ungern von Ribbentrop öffentlich darüber belehren, welche Gefahren dem britischen Weltreich drohten. Daher hatte seine antikommunistische Bahnhofsrede, die er bei seiner Ankunft in London gehalten hatte, viele verstimmt! Diese »modernen Methoden«, so ließ man ihn wissen, widersprächen den Bräuchen und Sitten, an die sich ein Botschafter bei Seiner Britischen Majestät zu halten habe; man wisse selbst, was zu tun sei und wovor man sich zu schützen habe! So fielen sogleich einige Wermutstropfen auf die durchaus freundliche Grundstimmung, die Ribbentrop anfangs entgegenschlug. Besonders die Linksblätter ließen sich diese Gelegenheit nicht entgehen, um zu kritisieren und über Ribbentrop zu witzeln. Aber noch war das Establishment durchaus wohlwollend, ja herzlich. In Scharen kamen recht »wichtige Engländer« auf die Botschaft, um sich auszusprechen und von sich aus guten Willen zu demonstrieren. Doch Ribbentrop erwies sich als oberlehrerhaft und zeigte sich wegen schlechter Pressekommentare pausenlos beleidigt. Die gutwilligen und langmütigen Engländer verdoppelten zwar ihre Bemühungen, aber jeder Sensationsartikel in einem Boulevardblatt veranlaßte Ribbentrop zu ernsten Protesten und Demarchen. Immer wieder erklärte man ihm, daß die Presse »hierzulande« absolut frei sei, und ein Ribbentrop wäre schließlich ein interessantes Kapitel für die öffentliche Meinung. Allein Ribbentrop war oft gekränkt. Im Grunde aber stand er zu der Zeit noch auf der Linie einer deutsch-englischen Verständigung, ja wenn möglich Allianz.

Der Dezember 1936 brachte dann die Königskrise. Ribbentrop hatte auf Edward VIII. und auf Mrs. Simpson »gesetzt«. Er glaubte, daß sie sich mit Hilfe des Volkes gegen Baldwin und das »Establishment« durchsetzen würden. Tagelang war auf der Botschaft von nichts anderem die Rede, als von diesem Kampf zwischen Baldwin und dem Establishment einerseits und Edward und Mrs. Simpson andererseits. Taktlos bekundete Ribbentrop öffentlich sein Interesse für diese Affäre. Prinz Ludwig von Hessen sollte auf seinen Wunsch unermüdlich versuchen, bei seiner Großtante, der Queen Mary, Informationen einzuholen. Ich wiederum wurde beauftragt, in Pubs und Kaschemmen die Stimmung des Volkes zu erforschen. Als am 12. Dezember 1936 Edward VIII. in einer eindrucksvollen Abschiedsrede seine Abdankung erklärte, hatte Ribbentrop das Gefühl eines persönlichen Mißerfolges. Viele Engländer ließen ihn fühlen, daß er sich zu offen in britische Angelegenheiten gemischt habe, und dies ärgerte ihn ungemein. Ribbentrop und seine Frau vertraten jetzt ganz ernsthaft die These, die »unerhörte Ausbootung Edwards VIII.« sei vor allem wegen dessen Deutschfreundlichkeit erfolgt, ja das »böse Establishment« freue sich, Hitler und ihm, Ribbentrop, das Konzept verdorben zu haben. Hinter der ganzen Angelegenheit stünden wieder nur Juden, Plutokraten, Freimaurer und mit ihnen verbündete adelige Reaktionäre! Ganz in diesem Sinne wurde auch dem Führer berichtet.

Die Tatsache, daß Edward VIII. als Haupt der anglikanischen Kirche eine zweimal geschiedene Frau nicht heiraten konnte, daß er ferner durch den erzreaktionären Churchill verteidigt wurde und daß er nach der Abdankung zu seinen jüdischen Freunden, den Rothschilds, nach Österreich fuhr, störte das Ehepaar Ribbentrop bei seiner grotesken Theorie in keiner Weise. Sie waren der Ansicht, daß in England eine finstere Clique die Herrschaft innehabe, die zur Erhaltung des europäischen Gleichgewichts Deutschland hasse.

In der englischen Presse erschienen Artikel, die das Ehepaar Ribbentrop erbitterten. Madame empörte es, daß die Presse ihren Lebensstil und ihre teuren Pariser Kleider bewitzelte und daß berichtet wurde, die kopfverletzte Tochter Ribbentrops werde in Holland von einem jüdischen Arzt behandelt. Der Botschafter und seine Gattin hatten offenbar stets und sicher nicht ganz zu unrecht das Gefühl, die Londoner Gesellschaft nehme sie nicht für voll. Und statt darüber hinwegzusehen, wurde Minderwertigkeitskomplexen und Trotzreaktionen freier Lauf gelassen. Die Abneigung des Ehepaares gegen England wuchs, und diese wurde bald zu Haß. Frau von Ribbentrop bearbeitete, wie ich täglich erlebte, ihren Mann von nun an nur mehr im Sinne einer antienglischen Politik. Es gelang zwar Woermann und Kordt noch manchmal, diesen bei der Routinearbeit im Büro, auf eine vernünftige Linie zurückzusteuern, aber das letzte Wort hatte leider seine harte Frau, und sie dachte durchaus folgerichtig: Niemand außer Ribbentrop durfte eine deutsch-britische Verständigung herbeiführen. Da dies aber de facto nicht mehr möglich schien, mußte er sich um seiner Karriere willen zum Haupt einer antienglischen Koalition aufschwingen und Hitler suggerieren, ein Ausgleich mit London sei unmöglich.

Am schlauesten schien es in dieser Lage, den Führer davon zu überzeugen, daß die Engländer bis in ihre Oberschicht hinein jüdisch versippt und degeneriert seien. Die guten, zähen alten Engländer, von denen Hitler so oft schwärmte, gäbe es kaum mehr. Was oben noch herrschte, sei bereits sichere Beute für den Kommunismus. Deutschenhasser und Freimaurer hätten klar die Oberhand! Mit den Leuten, die durch die Abdankung Edwards VIII. ans Ruder gekommen seien, könne man beim besten Willen nichts mehr anfangen.

Von nun an sabotierten die Ribbentrops alle deutsch-englischen Annäherungsversuche. Es wurde gewarnt, verleumdet und protestiert. Jedes Annäherungsgespräch, das über die Londoner Botschaft lief, versandete, und immer weniger Engländer, die uns wohlgesinnt waren, wandten sich noch an die deutsche Botschaft in London.

Als Henderson englischer Botschafter in Berlin wurde, versuchten englische Freunde und vor allem die Herren des Auswärtigen Amtes, von dort aus einen neuen Faden zur Reichskanzlei zu spinnen. Ribbentrop witterte diese Gefahr sofort und verleumdete Henderson bei Hitler, so gut er konnte, um diesen sympathischen Gentleman zu desavouieren. Er erzählte von Hendersons Freundschaft mit den Rothschilds in Wien – die aber vorher Edward VIII. in den Augen der Ribbentrops nicht geschadet hatte –; er erklärte Hitler, daß Henderson nicht korrekt angezogen zu Besprechungen in die Reichskanzlei käme. Er habe einmal zu einem blaugestreiften Anzug einen weinroten Pullover und eine rote Nelke getragen.

Jetzt versuchten Vernünftige, einen Besuch des deutschen Außenministers Neurath in London zustande zu bringen. Ribbentrop gelang es jedoch, auch das zu sabotieren. Als die Engländer schließlich versuchten, Ribbentrop zu umgehen und mit Hitler direkt ins Gespräch zu kommen, verwendete der Botschafter seine gesamte Energie darauf, alle deutsch-englischen »Direktkontakte« aufzuspüren und zu zerstören. Dies konnte ihm kaum mehr schaden, denn seit seinem genialen Auftritt anläßlich der Vorstellung beim König war Ribbentrop in London eigentlich »erledigt« und wurde eine beliebte Neckfigur. Dieses Ereignis verdient in der Tat genauere Betrachtung. Es hatte sowohl für die beiden Ribbentrops als auch für die englische öffentliche Meinung Folgen, die zuerst psychologisch bewertet wurden, dann aber politisch unglaubliche Konsequenzen brachten.

Botschafter werden international als Repräsentanten ihres Staatsoberhauptes vor dem Staatsoberhaupt des Gastlandes gewertet. Als nun Edward VIII. abgedankt hatte, mußten anschließend alle Botschafter bei König George VI., dem neuen Staatsoberhaupt, ihre Beglaubigungsschreiben überreichen.

Der Tag der Vorstellung stand von Anfang an unter einem unglücklichen Stern. Als Ribbentrop, wie üblich, in allerletzter Minute höchst würdevoll in seinen Staatsmercedes eingestiegen war und der Chauffeur abfuhr, bemerkten die Herren der Protokollabteilung, daß sie das Beglaubigungsschreiben nicht mitgenommen hatten. Unter den Augen der gaffenden Menge mußte der Wagen wieder zurückfahren und mit allen Zeichen der Aufregung wurde aus dem Botschaftsgebäude die große Rolle gebracht und dem Botschafter übergeben.

Während der Fahrt zum Buckingham-Palast, früher konnte es nicht gewesen sein, muß Ribbentrop der Einfall gekommen sein, den englischen König mit dem Hitlergruß zu grüßen. Niemand auf der Botschaft, nicht einmal Frau von Ribbentrop, hatte von diesem Vorhaben gewußt.

Ribbentrop, der wieder Ärger mit der Partei in Deutschland gehabt hatte, fühlte, daß er unter den alten Parteigenossen Gegner hatte, die ihn, den Neuling, gerne loswerden wollten. Jetzt wollte er »souverän«, wie er so gerne sagte, einen festen Markstein setzen und dem geliebten Führer, der Partei, ja der Weltöffentlichkeit demonstrieren, wie er sich als unerschütterlicher Paladin des Nationalsozialismus in der Höhle der »finsteren Reaktion« bewährte.

So rollte also der schwarze Staatsmercedes unaufhaltsam auf den Buckingham-Palast zu. Vorne saßen ein braunlivrierter Chauffeur und ein ebenso bekleideter Foot-man. Im Fond ein sinnierender Ribbentrop in Frack, kurzen Seidenhosen, Schnallenschuhen und Seidenstrümpfen – alles reaktionär-britische Utensilien, die er haßte. Er wußte auch ganz genau, daß ihm solche Hoftracht seiner kurzen Beine wegen nicht stand. Niemand konnte die groteske Szene ahnen, die bald über die historische Bühne laufen sollte.

Ich selbst nahm an dem Aufmarsch der Botschaftsmitglieder nicht teil, ich war ja Privatsekretär des Botschafters, dazu als Österreicher noch nicht auf der offiziellen Diplomatenliste. Ich genoß Augenblicke köstlicher Ruhe in meinem Büro und erledigte mit Sekretärinnen sinnvolle Arbeit. Nach etwa eineinhalb Stunden wurden wir jäh gestört. Der Chef war zurück. Sein verbissenes Gesicht verhieß wenig Gutes. Er durcheilte mein Vorzimmer, stürzte in das seine und knipste »Bitte nicht stören« an. Nach ihm polterte die übliche Kavalkade der Begleiter in mein Vorzimmer und verlangte stürmisch nach Cognac. Furchtbares sei passiert! Kordt und Lu Hessen ließen sich in die Fauteuils fallen und stöhnten. Dann stieß Ludwig von Hessen hervor: »Stell dir vor, er hat den König mit dem Hitlergruß begrüßt.«

Ich sank in ein Fauteuil, Prinz Ludwig schlug sich mit der Hand gegen die Stirne, Thorner lachte sauer, Kordt saß mit herunterhängenden Armen und Woermann, der auch bald gekommen war, fluchte finster vor sich hin. Ich erfuhr Details: Ribbentrop hatte den König mit den üblichen dreimaligen Verbeugungen und gleichzeitigen Hitlergrüßen beehrt, indem er den Arm elegant verbindlich erhob. Ein Raunen und Staunen sei erst durch die ganze Hofgesellschaft gegangen, das bald in unverhohlene Indignation übergegangen sei. Der König, überrascht, habe etwas hilflos gelächelt und genickt. Dann sei die deutsche Delegation abgezogen.

Ribbentrop, der anfangs allein in seinem Büro ein paar Minuten über seine Tat gebrütet hatte, war inzwischen wieder munter geworden und bestellte abwechselnd einen Mitarbeiter nach dem anderen zu sich. Er begann mit dem Gesandten Woermann und war anscheinend seiner Sache nicht mehr so ganz sicher. Alle Mitarbeiter gaben der Reihe nach ihre Bedenken kund. Schließlich befahl Ribbentrop auch mich zu sich. Er hoffte, wenigstens von mir frisch-fröhliche Zustimmung eines jungen »Nazis« über diese revolutionäre Tat, die doch ganz im Sinne des Führers sein müsse, zu hören. Auf meine »gewundenen« Bedenken hin wurde auch ich als »Schwächling« ungnädig entlassen und mit Grinsen von den Herren im Vorzimmer begrüßt.

Ribbentrop zog sich nun mit den Sekretärinnen und mit seiner Frau in ein Turmzimmer der Privatwohnung zurück. Ich aber ging zu Kordt und wollte genau hören, wie es gewesen sei und was der König für ein Gesicht gemacht habe. Nun, der König habe verlegen gelächelt, meinte Kordt, aber seine Umgebung sei zu Eis erstarrt. Es würde einen Höllenskandal geben. Ich solle versuchen, schon die Abendpresse zu bekommen. Es bliebe nur zu hoffen, daß sich der »Chef« damit selbst erledigt habe, dann hätte sich solcher Unsinn wenigstens gelohnt.

Nun, der Skandal ließ nicht auf sich warten. Die Abendpresse tat ihr Bestes. So eine Sensation hatte es seit langem nicht mehr gegeben. Vor allem die rosarote Presse jubelte.

Beim Abendessen schien Ribbentrop etwas betreten. Immer wiederholte er, dem König hätte die Sache gar nicht mißfallen – er habe sogar gelächelt. (Wohl wie Ophelia!) Ribbentrop verfaßte noch in der Nacht unzählige Meldungen in immer wieder neuen Wortlauten bis die endgültige Fassung schließlich telegraphisch abgesandt wurde. Der Botschafter war ungemein nervös. Aus aller Welt kamen die Anfragen, auch aus Berlin. Alle deutschen Journalisten Londons wurden auf die Botschaft gebeten, und man riß sich die Abendblätter und Agenturmeldungen aus der Hand. Neurath war verärgert. Auch Hitler, dem Ribbentrop einen vielmals geänderten Bericht geschickt hatte, war ärgerlich und billigte sein Verhalten nicht. Er meinte aber, da es nun einmal geschehen sei, müsse Ribbentrop auch beim »Deutschen Gruß« bleiben, aber nur er persönlich dürfe ihn verwenden – »als Parteimann sozusagen«. Die anderen deutschen Diplomaten sollten davon Abstand nehmen.

Ribbentrop war durch dieses Urteil des »Salomon vom Obersalzberg« gebrochen. Er allein war zum Hitlergruß verurteilt! – Weder die anderen Missionschefs im Ausland noch die Beamten des Auswärtigen Amtes noch die für die Krönung zusammengestelle deutsche Delegation, noch General von Blomberg sollten beim König den Hitlergruß leisten, nur er allein blieb für alle Zukunft dazu verurteilt. Man würde lachen und auf ihn starren! London *mußte* ihm von nun an zur Qual werden! Ribbentrops Feinde jubilierten. Wir hingegen, seine Umgebung, schüttelten den Kopf und lachten, waren aber nicht glücklich über diesen Unsinn im Namen Deutschlands.

Wie zu erwarten, legte sich der Chef für lange Zeit in sein verdunkeltes Schlafzimmer. Grabesstimmung im Hause Ribbentrop! Immer wieder beteuerte man, es sei doch eine hohe Ehre für den König, wie der Führer gegrüßt zu werden. Ja, der König habe gelächelt! Stunden- und tagelang mußten wir uns diese monotonen Ausführungen anhören; gutmütig versuchten wir schließlich zu trösten.

Doch kaum hatte sich der Staub einigermaßen gelegt, als das Problem erneut auftrat. Ein Lever, eine große Morgenaudienz beim König, war angesagt. Der Chef mußte selbstverständlich dort wieder »Hitlergrüße« zeigen. Hofschranzen und alle Diplomaten warteten mit Spannung auf solch köstlichen Moment! Ribbentrop absolvierte diese neuen drei Hitlergrüße konzilianter und etwas verschämt. Ja, abgewinkelt und viel kleiner waren sie, zur Enttäuschung der Neugierigen. Prompt meinte darauf die Presse, »Brickendrop«, wie sie ihn seither nannten, habe diesmal nur »halbe Hitlergrüße« losgelassen. Bestimmt ein erster Weg zur Besserung! Nun blieb unserem Chef nichts anderes übrig, als beim nächsten Treffen mit dem König wieder »zackig« zu grüßen. So folgte eine Tragikomödie der anderen.

Jeder Gang zum König wurde von nun an ein Spießrutenlaufen, und es war begreiflich, daß Ribbentrop in der Folge versuchte, so wenig als möglich beim König zu erscheinen. Das war eine nicht sehr zweckmäßige Haltung für einen Botschafter am Hof von St. James! Das Ehepaar Ribbentrop wurde sich schließlich darüber klar, daß unter dem Aspekt einer Annäherung an England keine Lorbeeren mehr zu ernten waren. Eine antikommunistische Konstellation blieb unter dem Blickwinkel der Karriere die einzig interessante und in ihren Augen originelle Perspektive. Von diesem Zeitpunkt an wurde mit Vehemenz eine englandfeindliche, pro-japanische und pro-italienische Politik verfolgt. Das war für die Ribbentrops persönlich nicht ohne Logik. Den Engländern aber versuchten sie gleichzeitig klarzumachen, daß man ohne die Londoner Botschaft niemals einen Faden zum Obersalzberg spinnen könne; mit Neurath in Berlin oder mit dem Obersalzberg direkt Verbindung aufnehmen zu wollen, sei ohne Ribbentrops Vermittlung vergebliches Bemühen.

Ribbentrop wollte nach Berlin zurück. Das ließ sich aber nicht gleich verwirklichen, und deshalb verreiste er, so oft er konnte. London hatte er abgeschrieben, hier war er auch nicht mehr sehr gefragt. Es war wichtiger, bei Hitler zu antichambrieren und durch dauernd positive Informationen über Japan und Italien zu »richtigen Schlüssen« zu drängen. In dieser Hinsicht gingen die Ribbentrops bewundernswert methodisch vor.

Die lächerlichsten Mitteilungen über Japan, wie z. B. der Erfolg eines militärischen Hundertkilometerläufers, wurden sofort an Hitler geschickt. Wichtigste Meldungen, die für England sprachen, wurden ausgeklammert und abgelegt. Neurath, sowie der englandfreundliche Adjutant Hitlers, Hauptmann Wiedemann, im Ersten Weltkrieg dessen Vorgesetzter, und der Chef der Auslandsorganisation der Partei, Herr Bohle, durchschauten dieses Spiel und versuchten, diesem entgegenzuwirken, doch vergeblich. Ribbentrop war, durch seine Frau gestützt, bald erneut in »voller Fahrt.«

Erst wurde Wiedemann bei Hitler verdächtig gemacht. So wurde ihm vorgeworfen, daß er eine Prinzessin Hohenlohe, die Tochter eines jüdischen Zahnarztes aus Wien, zum Führer gebracht hatte. Neurath dagegen sei ein »Schlappier«, ein bedingungsloser Englandfreund, ein Baron, den die Herrlichkeit des englischen Hofes beeindruckte, ein ehemals kaiserlicher Diplomat und daher kein echter Nationalsozialist.

Die Ribbentrops dozierten unablässig, man müsse sich die Hochachtung dieser Engländer erwerben, indem man ihnen »Kontra« gebe, bis sie die Tatsache zur Kenntnis nähmen, daß »Deutschland eben auch da« sei. Das habe er, Ribbentrop, bitter erfahren müssen, als er »hunderte Male« versuchte, zu einem freundlichen, ergiebigen und konstruktiven Gespräch zu kommen! Mit harter Taktik würde man diese Engländer noch am ehesten zur Einsicht bringen, und eines Tages würden sie dann von selbst zu Kreuze kriechen. Ihnen nachzulaufen wäre jedenfalls gänzlich falsch. Und die historisch einmaligen, großzügigen Angebote des Führers hätten sie nie gewürdigt. Der Führer brauche sich nur die englische Presse anzusehen, wie sie hetze und seine Person in den Schmutz ziehe. Und wenn er, Ribbentrop, angegriffen würde, so doch nur als Mitarbeiter des Führers! Wenn die Engländer und die Feinde des Führers ihn, Ribbentrop, mißachteten und verleumdeten, könne ihm dies gleich sein, ja er wäre geradezu stolz darauf.

Es kränke ihn aber tief, wenn man im eigenen Lande seine harte Politik England gegenüber nicht zu würdigen wüßte. Derartige Tiraden durfte ich in den nächsten Jahren fast täglich über mich ergehen lassen.

Zur Unterstützung einer solchen Politik gegen die englische »Reaktion« war es wichtig, Anschluß an die richtigen NS-Parteiveteranen zu finden, und so wurden die unglaublichsten Gäste in die Botschaft nach London gebeten, zur Stimmungsmache gehörig bearbeitet, bewirtet und großzügig mit Devisen versorgt. Ribbentrop versprach künftige diplomatische Würden und Stellungen, interessante Dienstreisen, zog die beglückten Parteigenossen ins Vertrauen und spielte selbst den »alten Kämpfer«. Dies wurde in erster Linie durch den Parteigenossen Martin Luther, den ehemaligen Dahlemer Gemeinderat und Seifenhändler, sowie späteren Unterstaatssekretär, Ribbentrops »linke« Hand, dann aber dessen Intimfeind und persönliches KZ-Opfer sowie durch Ribbentrops Schulkollegen, Parteispion und »Mädchen für alles«, den Uralt-Parteigenossen Rudolf Likus besorgt.

Der Deutsche Botschafter in London betrachtete es also als seine Hauptaufgabe, deutsch-englische Verständigungsmöglichkeiten herunterzuspielen. Nun, man muß sich fragen, warum Hitler all dies duldete. Hitler hatte keine Kenntnisse vom Ausland und bewunderte den »Weltmann« Ribbentrop. Dieser wiederum unterrichtete ihn mit populären Phrasen bewußt einseitig und machte systematisch alle Berichte des Auswärtigen Amtes lächerlich. Dazu verwies er ohne Unterlaß auf unfreundliche englische Zeitungsartikel und verleitete Hitler, die englische Boulevardpresse in ihrer Bedeutung falsch einzuschätzen. Wer die englische Politik kannte, wußte, daß die »Yorkshire Post« mit einer Auflage von noch nicht 100 000 Exemplaren mehr Einfluß hatte als der »Daily Mail« mit einer Auflagenziffer in Millionenhöhe. Hier trieb Ribbentrop vorsätzlich ein falsches Spiel.

Zeigte sich London freundlicher, dann hieß es: »Sehen Sie, mein Führer, wie richtig unsere scharfe Politik war. Schon kommen diese Leute uns entgegen. Man muß nur so lange hart bleiben, bis sie weich werden.«

Zeigte sich London dagegen enttäuscht oder ablehnender, so meinte Ribbentrop: »Sehen Sie, mein Führer, das angebliche englische Entgegenkommen war wieder einmal nur ein Täuschungsmanöver, man wollte wohl, daß wir auf den Leim kriechen. Jetzt kommt endlich der englische Pferdefuß zum Vorschein!«

Kurzum, was immer Downing Street unternahm, Ribbentrop hatte seine negative Auslegung dafür. Als man dort schließlich versuchte, Ribbentrop über Henderson, Göring und Neurath zu überspielen, kannte die Gehässigkeit des Botschafterpaares keine Grenzen mehr. Bald wollte man in England von ihnen nichts mehr wissen, denn »Brickendrop« sei eben »a pompous, dangerous and tactless charlatan«!

Aber trotzdem gab es noch einige bedeutende Männer in England, wie die Lords Mount Temple, Londonderry und Lothian, Nancy Astor und andere, die geduldig versuchten, Ribbentrop zu besänftigen und zur

Vernunft zu bringen. Es war verlorene Liebesmüh'! Ribbentrop verärgerte weiter das Foreign Office mit Protesten wegen ihm unangenehmer Zeitungsartikel und sagte beleidigt oft wichtige fixe Verabredungen ja sogar Einladungen in letzter Minute ab. Einmal war er bei Lady Wernher zu einem späten Supper eingeladen. In letzter Minute ließ er absagen und mitteilen, daß er krank sei. Er legte sich auch ins Bett, wie wir ihm dringend geraten hatten. Doch so gegen neun Uhr abends wurde ihm das zu langweilig. Da befahl er mir, trotz aller Bedenken, Kinokarten für ein sehr vornehmes Kino zu besorgen. Um unerkannt zu bleiben, setzte er eine schwarze Brille auf, wir nahmen ein Taxi und kamen etwas später. Doch ausgerechnet im Moment unseres Kommens ging das Licht der ersten Pause an, und ich verlor im selben Moment meinen Bowlerhat, der mit Gepolter die Treppen zwischen den Rangsitzen heruntersprang. Jedermann drehte sich um, und Ribbentrop wurde trotz seiner schwarzen Brille sofort von einem bekannten, hochrangigen Engländer mit »hello, Joachim« begrüßt. Zum Supper bei Lady Wernher war die Crème de la Crème eingeladen und Ribbentrop hatte man gar für einen Platz neben der Königin vorgesehen, so daß in letzter Minute umbesetzt werden mußte. Ganz London erfuhr nun natürlich, daß Ribbentrop einen Kinobesuch einem Supper mit der Königin vorgezogen hatte. Diese grobe Geschmacklosigkeit war selbst Madame Ribbentrop zu viel, und es gab großen Ärger zu Hause, denn sie hatte den Abend bei Lady Wernher ohne den Gemahl absolvieren müssen, und damit war ihr Auftritt dort eine Art Spießrutenlauf gewesen unter der leisen Begleitmusik süffisanter Bemerkungen.

Doch das sollte nicht wieder vorkommen, denn die neue Botschaft bekam ihr Haus-Kino. Ja, die neue Botschaft! Das alte, noble Palais Carlton House Terrace wurde großzügigst im Reichskanzleistil umgebaut. Geld spielte keine Rolle. Der Umbau kostete damals etwa fünf Millionen in Devisen und Reichsmark. An die hundert Arbeiter englischer oder deutscher Nationalität wirkten mit und ließen fast keinen Stein auf dem anderen. Profile wurden mehrmals aufgeklebt, um wieder heruntergeschlagen zu werden. Lediglich die äußere Fassade blieb erhalten. Luthers Organisationskünste blühten; unentwegt flitzte Ribbentrops Flugzeug mit neuen Schätzen, Bildern, Fachleuten und Rechnungen zwischen London und Berlin hin und her. Deutsche Museen liehen die Gemälde, Silber kam von Lettré aus Berlin, das Porzellan aus Nymphenburg, die Möbel von den Münchner Werkstätten. Als Architekt wurde Speer persönlich und sein Vertreter Piepenburg bemüht. Dem Führer wurde laufend mitgeteilt, welch gewaltigen Eindruck das neue Kunstwerk auf die Briten machen werde. Alles war darauf eingerichtet, die Macht des Dritten Reiches zu demonstrieren. Gingen mal die Devisen aus, mußten Schacht oder Schwerin-Krosigh neue herbeischaffen. Wer sich kritische Bemerkungen erlaubte, wurde abgekanzelt und kurzerhand als Kommunist oder Saboteur am Aufbauwerk des Führers bezeichnet. Eine Monstertelefonanlage schloß sogar die Mottenkammer des Hauses mit ein. Die Küche baute Siemens mit allem technischen Aufwand. Sie wurde prachtvoll und glich mit ihren zahllosen Schaltern und Knöpfen dem Inneren einer Mondrakete.

Unser Betrieb wurde täglich umfangreicher. Wir zählten bereits mehrere hundert »Botschaftsangehörige«, und unablässig wurden neue Leute engagiert. Gott sei Dank wurde die Hälfte der Neueingestellten bald wieder entlassen. Das waren dann natürlich Nieten oder »typische Saboteure«. Mancher Spezialzweig wurde gleich doppelt besetzt. Dem Fachbeamten des Auswärtigen Amtes stand in Berlin oder in London ein ähnlicher Spezialist der Dienststelle Ribbentrop zur Seite. Zusätzlich umschwirrten uns die schon bekannten Gesellschaftsdamen, Kinderfräulein, Krankenschwestern, Chauffeure, Ordonnanzen, Polizeibeamte, Sekretärinnen, Näherinnen, Köche, Diener, Haushofmeister und vor allem viele Presseleute. Es gab ferner Spezialisten der Dienststelle für Frontkämpferfragen, für Landwirtschaft, für Wirtschaft und Protokoll, wobei sich Ribbentrop letztere gerne aus dem Reservoir des Adels besorgte. Madame standen eine Sekretärin und eine Hausdame zur Seite – und last but not least die armen, geplagten Gattinen der Botschaftsmitglieder. Dazu war Baron Steengracht ihre rechte Hand. Obwohl nur »Schmalspurdiplomat« – also nicht von der Karriere – avancierte er im Laufe des Krieges sogar zum Staatssekretär. Zunächst hatte er sich aber um so bedeutende Aufgaben zu bemühen wie zum Beispiel das Einschmuggeln eines Hundes, der unter Umgehung der allgemein gültigen Quarantänevorschriften diplomatisch durch den Zoll gebracht wurde. Das merkten natürlich die Engländer, und es gab entsprechende Kommentare.

Die grotesk aufgeblähte Organisation wurde eine Quelle von Ärger, von Schwierigkeiten und Intrigen. Unsere Lage komplizierte sich zusätzlich dadurch, daß niemand ahnte, wie lange wir angesichts der Haltung Ribbentrops in London bleiben würden. Stets war man auf dem Sprung, auch zu nur »kleinen Abreisen«. Nie wußte ich am Morgen in London, ob ich nicht am Abend in Berlin einschlafen müßte. Wurde aber einmal eine Abreise fest angesetzt, so fand sie dann gewöhnlich nicht statt oder wurde tagelang verschoben. Der arme Flugkapitän Ziwina saß dann tagelang in Croydon mit seiner Junkers, wartete und fluchte. Wurde schließlich wirklich abgeflogen, dann war die Maschine meist überladen; so mancher mußte am Flugplatz in letzter Minute zurückbleiben, weil es dem Chef oder seiner Frau eingefallen war, einen

Wichtigeren mitzunehmen. Auch gab es Reisen per Schiff und Eisenbahn. Weihnachten 1937 zum Beispiel fuhren wir, sechsundneunzig
Personen, mit dem Schiff und weiter mit dem Nord-Express nach Berlin. Wir führten damals Hunderte von Gepäckstücken mit. Ich war für
alles verantwortlich und sollte auch den Chef betreuen. Der Zug wimmelte von »typischen Neumitgliedern der deutschen Botschaft«, deren
Auftreten dem deutschen Ansehen nicht unbedingt zuträglich war.
Ein andermal wurde eine große Anzahl von »verläßlichen« Volks- und
Parteigenossen aus Deutschland nach London gebracht, die dann betreut werden mußten. Dies oblag Luther und Likus, mitunter leider
auch mir. Das war ein zweifelhaftes Vergnügen, vor allem die späte Mühe, diese Gäste aus Nachtlokalen herauszubringen, wo sie gerne randa-
lierten, nachdem sie hitzige politische Gespräche begonnen hatten.
Manchmal nahm ich einige mit mir nach Hause, wo sie ihre Stimmung
unauffällig abklingen lassen konnten.
Meine Hauptaufgabe aber blieb, stets der »Schatten des Chefs« zu sein.
Von früh bis in die Nacht hinein mußte ich zur Verfügung stehen. Dies
ging an die Nerven und war recht mühsam, aber es hatte auch Vorteile,
da man im Hause Ribbentrop hervorragend aß und trank. Oft hatte ich
meinen Chef ins Foreign Office zu begleiten und daher bekam ich die
Weisung, mich bei Lesley & Roberts, dem ausgezeichneten Schneider,
auf Reichskosten entsprechend nobel einzukleiden. So zogen wir, der
Chef und ich, wie Zwillinge gekleidet, mit Bowlerhats durch die finsteren Gänge zum ambassadors waiting room. Von dort wurde Ribbentrop
dann von Halifax, Henderson, Chamberlain oder Eden abgeholt. Bei
solchen Gelegenheiten wurde ich vorgestellt, und Ribbentrop unterließ
es selten, mich als seinen »private secretary« zu bezeichnen. Dies war
angenehm, denn die Übersetzung von Privatsekretär in private secretary ist nicht ganz richtig und sicher ein »overstatement«. Während es sich
bei uns eher um einen gewöhnlichen Sekretär handelt, ist ein englischer
»private secretary« meist ein Mann in den besten Jahren, der wegen seiner Schlüsselstellung auf eine große Staatskarriere hoffen darf.
Von den britischen Staatsmännern wurde ich immer freundlich begrüßt
und manchmal sogar ein paar kurzer, netter Worte gewürdigt. Wenn
Ribbentrop dort wie ein Pfau durch die Gänge stolzierte, den Kopf in
den Nacken geworfen, die Hände auf dem Rücken, war es ein reines
Wunder, daß er nicht rückwärts kippte. Solch hieratisches Schreiten
war ungemein amüsant, und nicht selten grinsten mir die Beamten des
Foreign Office mitleidig und belustigt zu.
Im Kreis der Sekretäre und Sekretärinnen vergnügten wir uns damals
oft mit dem Spiel, den Chef nachzumachen, und ich glaube, auf diesem
Gebiet galt ich als Könner. Immer wieder wurde ich um eine Sondervor-

stellung gebeten, so daß ich schließlich, um mir diese Mühe zu ersparen, bei einem Londoner Schallplattenautomaten drei Platten bespielte, die berühmte Szenen Ribbentrops persiflierten. Aber ich mußte sie bald vernichten, denn sie waren zu bekannt geworden.

Im Januar 1937 hatten wir alle Missionschefs besucht. Hierauf war es meine Aufgabe, mit den verschiedenen Vertretungen Termine zu vereinbaren, damit die Botschafter und Gesandten ihre Gegenbesuche machen konnten. Ribbentrop gingen solche Pflichten ganz besonders auf die Nerven, denn er wollte in seinem staatsmännischen Wirken nur ungern gestört werden. Den vereinten Kräften der Protokollabteilung und der Herren des Auswärtigen Amtes gelang es aber, ihn von der Notwendigkeit solcher Pflichten zu überzeugen. So gab er mir schließlich brummend den Auftrag, diese Sache schnellstens abzuwickeln und alle Viertelstunde einen Botschafter kommen zu lassen, damit das Ganze bald vorüber sei. Da ich aber wußte, daß beim Chef mit einer pünktlichen Abwicklung eines Minuten-Programmes nicht zu rechnen war, schob ich immer zehn Sicherheitsminuten ein und kam auf gänzlich unmögliche Zeiten. So bestellte ich z. B. den chinesischen Botschafter auf zehn Uhr zehn Minuten. Als der Chef dies merkte, packte ihn gerechter Zorn. Es war ja wirklich unmöglich, einen Diplomaten auf eine so dumme Zeit zu bestellen. Ich bog dann die Sache so hin, daß ich dem chinesischen Sekretär offen gestand, eigentlich wäre natürlich zehn Uhr gemeint gewesen, aber leider klappte es bei uns mit der Pünktlichkeit nicht immer, und seine Exzellenz, der chinesische Botschafter, sollte doch nicht warten. So wäre es besser, wenn Höchstderselbe sich ruhig etwas Zeit ließe und zehn Minuten später käme. Der chinesische Sekretär nahm diese Erklärung mit Verständnis und asiatischer Höflichkeit entgegen, aber noch monatelang wurde ich in der Botschaft gehänselt, und der Chef fragte immer wieder, ob ich nicht irgendwen auf zehn Uhr drei bestellt hätte. Es war ja wirklich zu dumm von mir gewesen!

Im großen und ganzen aber hatte ich keine Schwierigkeiten und kam mit meiner Arbeit voran. Da ich ein abgeschlossenes Fachstudium hinter mir hatte, waren meine Beziehungen zu den Berufsdiplomaten der Botschaft gut, und sie nahmen mich in ihren Kreis auf. Dies aber war eine Entwicklung, die das Ehepaar Ribbentrop nicht gerne sah, denn sie wollten, daß meine Karriere vollständig von ihnen persönlich abhinge. Doch ich fühlte mich nur dem Reich verpflichtet.

Mit der Zeit war es den meisten Mitarbeitern klar geworden, daß die Ribbentrops zum Schaden Deutschlands wirkten, und oft besprach ich mich schon im Jahre 1937 mit Kordt, wie dem auf lange Sicht abzuhelfen wäre. Kordt war skeptisch und meinte, der Führer sei auch nicht viel besser. Damals protestierte ich noch heftig, denn ich glaubte an »meinen Führer« und war überzeugt, daß dieser Ribbentrop sofort zum Teufel jagen würde, wenn er nur die Wahrheit über dessen Unfähigkeit und falsche Berichterstattung erführe. Doch vorläufig blieb uns nichts anderes übrig, als die Ribbentrop-Feuerwehr zu spielen, das heißt Brände zu löschen, wo man konnte, neue zu verhindern, und vor allem den Brandstifter nie aus den Augen zu lassen. Eine ermüdende, aufregende, ja hoffnungslose Arbeit! Was hätten wir auch konkret unternehmen können? Ribbentrop etwa höheren Orts verklagen? Wir wären bei Hitler und bei der Partei sofort hinausgeflogen. Ein Disziplinarverfahren anzustreben, wäre ein aussichtsloses Unterfangen gewesen. So blieb uns nur, eine Mitteilung an Himmler einzubringen. Das versuchte ich später über dessen Adjutanten, SS-Gruppenführer Wolff. Der aber meinte, ich solle die Hände von so heißen Dingen lassen, könne aber ruhig ihm oder seinem Chef, dem Reichsführer, weitere Informationen geben. Diese wurden aber dann, wie man heute weiß, gebündelt, geordnet und abgelegt, um in den Archiven jenen Moment der Momente abzuwarten, der dann bei einem Himmler niemals kam.

Neurath wurde natürlich laufend informiert. Dies besorgten schon Kordt und Woermann. Aber der Außenminister hatte selbst genug Sorgen mit dem Kampf um seine eigene Position, und war außerdem zu bequem, um mit einer wirklich entscheidenden Auseinandersetzung seinen Posten zu riskieren. Bei Göring und Hess wurde ebenfalls gern und freundlichst zugehört, wenn man vorsichtig über Mittelsmänner wissen ließ, daß sich Ribbentrop in London wie der Elefant im Porzellanladen benähme. Es gab immer Zwistigkeiten zwischen den Paladinen. Der Führer aber, dem es nur recht war, wenn seine Getreuen im Streit lagen, glich wieder aus; zu guter Letzt wurden dann die Informanten bestraft, sobald sich die Großen auf Befehl von oben wie böse Buben wieder geeinigt hatten.

Es gab für uns Mitarbeiter im Stabe Ribbentrop nur zwei Lösungen: entweder wir suchten um den Abschied nach oder wir harrten aus und spielten weiter Feuerwehr. Der Rücktritt aber von uns kleinen Leuten hätte keinen Eindruck gemacht, und schlimmere Parteimänner wären an unsere Stelle getreten.

Gewöhnlich kamen wir uns wie in einem Narrenhaus vor. Das Schlimmste war, daß sich das Ganze im Ausland abspielte und noch dazu bei der damals ersten Großmacht der Welt. Um des deutschen Prestiges willen ließen wir daher Ribbentrop buchstäblich keinen Augenblick allein. Ich hatte die schwere Aufgabe, ihn morgens aus dem Bett zu holen und am Abend hineinzubefördern. Untertags bemühten sich die anderen Herren um den »Patienten«. Das Zubettgehen war noch ganz gemütlich, denn wenn der Chef müde war, blieb er friedlich. Sein »Lever« am Morgen aber war meist eine Tragikomödie. Schlecht gelaunt, mit Nieren-schmerzen (eine Niere war entfernt worden), erhob er sich brummend und fragte Dinge, die man unmöglich wissen konnte. Er schimpfte, drohte, hackte mit seinem Rasiermesser in der Luft herum und fuhr sei-nen Kammerdiener wegen jeder Kleinigkeit an. Dabei empfing er schon im Pyjama in seinem großen Badezimmer die Pressebearbeiter. Hier begann bereits das eigentliche »Regieren«. Er bestellte Leute per Flugzeug aus Berlin und ganz Deutschland; sagte zu oder ab, ernannte und entließ, badete und diktierte dabei durch die halboffene Türe einer nervösen Sekretärin. Gerne bestellte er ein schönes Frühstück, aber das meiste ließ er unberührt. Abwesende wurden stundenlang als Saboteu-re und Kommunisten beschimpft, mit einem Wort, jeden Morgen »re-gierte die Diva« oder, wie wir ihn nannten, der »Bo« (Abkürzung von Botschafter).

Da nun dieses »Regieren am Morgen« oft Folgen hatte und je nach sei-ner Intensität bedeutsam war, hatten wir es für gut befunden, zwei ge-heime Morgenbulletins auszugeben. Das erste kam vom Kammerdie-ner Bonke. Meist war es schlecht. Es verlief ungefähr so: »Bonke, wie stehen die Aktien heute?«

»Naja, Herr Spitzy wissen ja.«

»Hm, ich verstehe.«

Dann später, so nach neun, wagte ich mich heran. Erst einmal klopfte ich bescheiden, dann immer kräftiger. Endlich ein tiefer Brummton! Ich trat wacker ein, Geruch von etwas Uralt-Lavendel schlug mir entge-gen. Entschlossen schmetterte ich den vorgeschriebenen Morgengruß.

»Heil Hitler, Herr Botschafter.«

»Heul«, tönte es tief zurück.

Hierauf anhaltende Stille. Dann räusperte ich mich. »Haben Herr Bot-schafter gut geschlafen?«

»Waaas?«

»Ob Herr Botschafter gut geruht haben?«

»Ahso, danke.«

Wieder Stille. »Für zehn Uhr ist Herr oder Mister X bestellt und es ist jetzt schon bald halb zehn. Soll ich den abbestellen? Oder verschie-ben?«

Wieder finstere Stille. Doch dann: »Der Kerl soll warten. Wer hat ihn überhaupt bestellt?«

»Herr Botschafter selber haben ihn gebeten.«

»Hm, so, dann bestellen Sie ihn besser ab, oder verschieben Sie ihn. – Nein, eigentlich soll er warten, bis er schwarz wird, die anderen aber be-stellen Sie am besten alle ab. Ich muß heute dem Führer schreiben.«

Ribbentrop schrieb während meiner Tätigkeit allerdings nur fünf ganze

Briefe fertig. Aber wie oft nahm er sich solche Briefe vor! Er verfaßte dann unzählige Konzepte, die auf dem Boden ausgebreitet wurden. Am Abend aber nahmen sie oft im Kamin das wohlverdiente und nützliche Ende geheimer Staatspapiere.

»Nun«, tönte der Chef schon frischer, »was haben wir denn heute für Termine?«

Ja, jetzt ging der Betrieb los, alles wurde über den Haufen geworfen. Gott sei Dank war dies für mich der Moment, mich mit den Pressebearbeitern zu verdrücken, nachdem die Protokollbearbeiter Oswald, Dörnberg oder Hessen sich mit dem Chef zurückgezogen hatten. War dies gelungen, so mußten wir noch mit den bestellten Handwerkern, Hemdenmachern, Schustern und Schneidern fertig werden. Diese unglücklichen Künstler erster Londoner Firmen waren nun auf den nächsten Tag zu vertrösten. Grollend zogen sie ab, um in anderen »besseren Häusern« über die Ungezogenheiten des deutschen Botschafterehepaares zu berichten. Immer wieder versuchte ich, diese guten Leute davon zu überzeugen, wie leid es dem Chef täte, sie wieder einmal umsonst bemüht zu haben, aber wichtige Staatsgeschäfte ...

Waren so von Sekretariat, Presse und Adjutantur und manchmal auch vom Protokoll die ersten Schritte getan, stieg der Botschafter in sein gewissenhaft vorbereitetes, wohltemperiertes Bad. Wie Neptun regierte er nun in den Wogen, ihm fehlte nur der Dreizack. Er schimpfte weiter über verschiedene Abwesende, und in Reichweite der Spritzer stand der Kammerdiener mit dem weißen Telefon. So mancher Staatsmann wurde da angerufen. Der ahnte wohl nicht, daß er mit einer modernen Susanna im Bade verbunden war. Ja, diese Telefonverbindungen waren meist richtige Staatsaktionen. Nie rief der Chef selbst an. Immer mußte ein anderer die Verbindungen herstellen. Das war nicht sehr leicht, denn es gab verschiedene Klassen von Telefonverbindungen, z. B. solche mit normalen Sterblichen. Diese mußten erst persönlich an den Apparat gelockt werden, sodann etwas warten, um schließlich mit seiner Exzellenz verbunden zu werden. Mitunter gab es dabei Pannen. Ribbentrop war der Ansicht, er sei etwas Besonderes, und nur Staatschefs und Minister stünden im Rang über ihm. Alle anderen hätten dagegen in der Leitung zu warten, auch seine Botschafterkollegen. Diese, manchmal anderer Ansicht, hängten dann einfach wieder auf. Den darauf folgenden Wutanfall bekam ich ab – wegen eklatanter Unfähigkeit usw. Besonders witzige Opfer aber gaben das Gespräch an den eigenen Sekretär zurück, so daß Ribbentrop anstelle des Botschafters erst mal wieder »so einen Sekretär« bekam. Das gab dann neue Aufregung. Eine beliebte Zwischenlösung war bei Gleichgestellten, mit dem anderen Sekretär zu vereinbaren, daß wir gleichzeitig unseren beiden Chefs das Telefon übergeben würden. Solche Gentleman-agreements durchbrach aber Ribbentrop mit großer Vorliebe, indem er mich zwang, manchmal noch schnell ein »just a minute« ins Telefon zu sagen, oder indem er den Herren am anderen Ende der Leitung ein paarmal verzweifelt »hallo« rufen ließ, während er selbst vorher stumm blieb und sich absichtlich nicht meldete. Hierbei hielt er den Hörer mit ausgestrecktem Arm und staatsmännisch bedeutender Miene in die Luft, bis man am anderen Ende etwas demoralisiert war. Solche Brüche geheiligter Abmachungen riefen nicht selten Racheakte meiner Kollegen hervor, und wiederum hatte ich das Nachsehen. Gott sei Dank sprach sich aber bald herum, daß wir einen, milde gesagt, »schwierigen« Chef hätten, und so verzieh man uns mit mitleidiger Zuvorkommenheit.

Doch zurück zum Lever unseres Chefs. Gegen halb elf pflegte er im Büro zu erscheinen. Im Wartezimmmer stauten sich schon ungeduldig Opfer, Freunde, Zwischenträger, Besuche aus Berlin, deutsche Beamte, Diplomaten usw. Waren wichtige Leute darunter, so kamen diese in einen besonderen Salon und wurden dort von Ludwig Hessen oder manchmal auch von mir mit dummen Ausreden getröstet, wie z. B. dem Herrn Botschafter wäre nicht ganz wohl, oder er telefoniere gerade dringend staatlich mit Berlin. Das Gute war noch, daß ich bei solcher Gelegenheit manchen Staatsmann kennenlernte, wie z. B. Lord Halifax, Lord Lothian, den russischen Botschafter Maisky, Graf Grandi und andere. Sehr wohl war mir dabei nie, wie man sich gut vorstellen kann. Der Rest des Vormittags verlief dann fast normal unter Besuchen und Vorträgen der Botschaftsmitglieder, wenn ich nicht den Chef ins Foreign Office oder zu Botschafterkollegen begleiten mußte. Für alle Fälle standen die Autos bereits »unter Dampf«.

Um die jeweiligen Fahrzeiten richtig einzukalkulieren, wurde jeder neue Weg erst einmal abgefahren und die Zeit genau gestoppt. Aber trotz allem gab es lustige Pannen. So zum Beispiel fuhren wir einmal anläßlich einer Einladung zum Mittagessen beinahe statt zum Editor der »Times«, Mr. Geoffrey Dawson, zu Lord Dawson of Penn, dem Leibarzt des Königs, der Deutschland und vor allem die Ribbentrops nicht leiden konnte. Die Protokollabteilung hatte sich geirrt und dem Chauffeur die Adresse des »bösen Lord Dawson of Penn« gegeben. Nichtsahnend begleitete ich den Chef mit Kordt ins Foreign Office. Da ich nicht längere Zeit im Wartezimmer verbringen wollte, ging ich etwas ins Freie und unterhielt mich mit unserem neuen Chauffeur. Ich fragte ihn, ob er auch die Adresse von Mr. Dawson und den Weg kenne. Der Chauffeur, ein neu aus Deutschland importierter SA-Fahrer, meinte stolz, er habe am Tage vorher den Weg zweimal abgefahren und gestoppt. Der Ordnung halber kontrollierte ich nun die Adresse, und zu meinem Schrecken mußte ich feststellen, daß sie falsch war. Unverzüglich lief ich ins Foreign Office zurück, in irgendein Büro, und bat den dort arbeitenden Herrn um die Erlaubnis, mit seinem Telefon die Botschaft anrufen zu dürfen. Dort erschrak »von Pechström« gehörig, gab mir aber sofort die richtige Anschrift. Es war inzwischen spät geworden. Die Einladung zum Lunch war für dreizehn Uhr festgesetzt, und wir hatten nur noch eine Viertelstunde. Kaum saß ich im Auto beim Chauffeur, um mit ihm die neue Adresse im Plan zu orten, da kam schon Ribbentrop mit Kordt eilig herbei und verlangte einen Blitztransport!

Es gelang mir, Kordt heimlich zu informieren, damit er den Chef beschäftige, und ich setzte mich neben den todbleichen Chauffeur. Der arme Mann wußte nicht, was er tun sollte, und ich hauchte energisch: »Sie fahren ganz einfach los, in irgendeine Richtung, nur bleiben Sie, bitte, nicht stehen.«

Ich klemmte mir den Londoner Stadtatlas mit seinen Planquadraten zwischen die Beine und versuchte, die lausige Adresse von diesem Geoffrey Dawson in dem ganz unmöglichen, altmodisch englischen Stadtplan zu finden. Ribbentrop durfte ja nichts merken. Immer wieder klopfte er an das Fenster und trieb uns zur Eile. Durch Einbahnen und Winkelstraßen aber irregeführt, waren wir im Kreis gefahren und glitten in unserer prächtigen Staatslimousine zum zweiten Mal innerhalb von zehn Minuten auf den guten Nelson am Trafalgar Square zu. Ein dumpfer Aufschrei des Chefs verriet, daß er das Malheur entdeckt hatte. Wütend trommelte er auf die Trennscheibe, befahl zu stoppen, sprang aus dem noch fahrenden Wagen in den wilden Mittagsverkehr des Trafalgar Square, befahl mir barsch, ihm sofort zu folgen, und wild gestikulierend riefen wir nach Taxis. Großes Aufsehen! Unsere mit prächtiger Hakenkreuzfahne geschmückte Limousine hatte inzwischen Scharen von Neugierigen elektrisiert. Zwei Bobbies waren ebenfalls erschienen. Endlich ein Taxi! Der Botschaftswagen mußte folgen. Mühsam versuchte ich, den Chef zu beruhigen. Zu Hause gab es dann noch ein leichtes Nachdonnern, abends aber lachten wir bereits über die Geschichte.

Doch laßt uns den Tagesablauf des großen Staatsmannes weiter verfolgen. War der Botschafter n i c h t zum Essen eingeladen, regierte er gerne bis drei, halb vier. Sein Magen knurrte nicht, denn er hatte spät gefrühstückt. Doch so um drei herum wurde das Essen befohlen. Ein kurzer Drink, meist Sherry, und man ging zu Tisch. Dieser, ein Prachtstück, hatte zehntausend Reichsmark, also ein Vermögen gekostet und war von den Münchner Werkstätten eigens angefertigt worden, rund, ausziehbar, eine Sehenswürdigkeit! Aus dem Office strömten nun braunbefrackte Lakaien, damit auch hier die Weltanschauung nicht zu kurz komme. Auf Porzellan und Silber prangte stets der Hoheitsadler mit dem Hakenkreuz. Ein Hofmeister dirigierte im Cutaway. Serviert wurde im Eilzugtempo. Kaum hatte der Chef ein Gericht aufgegessen oder angeknabbert, wurde flott weiterserviert. Da Dörnberg, Ludwig von Hessen und ich meist zu kurz kamen, trafen wir ein Abkommen, daß wir, ganz gleich, ob wir Hunger hätten oder nicht, uns stets nachservieren ließen, damit derjenige unter uns, der wirklich Hunger hatte, ungehetzt und abgeschirmt zu seinem Recht komme. Nahm man das Mittagessen zur normalen Zeit ein, war auch die Familie anwesend; es fehlte dann nie ein Adjutant oder ein Mann vom Protokoll, mitunter war auch eine Sekretärin vom Chef, stets aber eine von Madame anwesend. Besuche gab es fast immer, meist Herren aus Berlin in dienstlicher oder privater Mission. Die Konversation dirigierte natürlich Ribbentrop oder »Mame« wie er seine Frau nannte. Hauptthemen waren der Führer, seine weltumspannenden Pläne und »sein bester Mitarbeiter«, ferner die grandiose deutsche nationalsozialistische Zukunft, die englische Verbohrtheit, Protokollfragen und die Gemeinheit der demokratischen Presse. Man beklagte bitter Querschüsse von Neurath, Göring, Rosenberg und Bohle, man sprach über die Gefährlichkeit des Papstes, von Tschiang-Kai-Tschek und immer wieder von der Tüchtigkeit der Japaner, später auch von der Kraft des faschistischen Italiens.

Weiters sprach man gerne und oft über die Notwendigkeit eines neuen deutschen Adels und über die Lächerlichkeit des alten. Pflichtübungen über Juden, Freimaurer und Bolschewisten würzten die Suppe. Frau von Ribbentrop dozierte zum Nachtisch über die neue, »hundertprozentig deutsche« Kunst, inspiriert natürlich durch sie selbst und ihren epochemachenden Botschaftsumbau ferner über die Lächerlichkeit der verzopften englischen Gesellschaft und die Notwendigkeit, alle deutschen Botschaften im Reichskanzleistil umzubauen, dazu über die Gefährlichkeit der Diplomaten alter Schule, die stets »in ihren Hosen schlotterten« und über die Notwendigkeit, eine neue, deutsche Diplomatengeneration kaserniert und in Schulungslagern heranzuziehen. Dort sollten diese hauptsächlich gehorchen lernen; selbständiges Denken, Geschichts- und Fremdsprachenunterricht seien nicht so wichtig, denn die anderen würden ja bald Deutsch lernen müssen …

Wir, Ludwig Hessen, Dörnberg, Wussow, Kordt, ich und einige andere blickten uns stumm an oder starrten auf unsere Teller. Es hatte ja keinen Sinn zu widersprechen, es war schlimm genug, daß wir schwiegen, wenn der Rest der karrierewitternden Gäste pflichtgemäß im Chor zustimmte.

Nach Tisch versuchten wir uns eilig zu verdrücken und kommentierten unter allgemeiner Heiterkeit in unseren Büros den bei Tisch verzapften

Unsinn. Hatten wir Glück, so hielt der Chef eine kleine Siesta. Sie wurde von uns immer sehr begrüßt, denn nun konnten wir endlich vernünftig aufarbeiten, eilige Akten erledigen und den Geschäftsgang wieder in geordnete Bahnen bringen. Denn solange der Chef herumregierte, war es unmöglich, auch nur einen Bruchteil der normalen Botschaftsarbeit zu erledigen. Erschien dieser so gegen fünf Uhr wieder, wurde wesentlich sanfter bis in den Abend weiterregiert. Ermüdungserscheinungen, die wir »die Abendmilde« nannten, zeigten sich bald, doch dauerte diese leider gerne bis Mitternacht. So hatte ich überhaupt kein Privatleben mehr.

Ging Ribbentrop schließlich zu Bett, mußte ich ihm die Termine für den nächsten Tag vorlesen und versuchen, ihm noch einige unaufschiebbare Unterschriften zu entlocken, denn untertags war er dazu in aller Regel nicht zu gewinnen. Manchmal stand der ganze Botschaftsbetrieb still, weil der Chef einfach nichts unterschreiben wollte, aber den Mitarbeitern andererseits nicht erlaubte, selbst zu entscheiden. Jeden Tag gab es die gleiche Komödie. Im Vorzimmer lagen die Bearbeiter von Protokoll, Sekretariat, politischer Abteilung, Militärattachés usw. auf der Lauer, um mit ihren Mappen vorzustoßen. Die Sachbearbeiter drohten mir dann mit gräßlichen Folgen für die deutsche Außenpolitik und für meine Karriere im besonderen, wenn ich sie nicht sofort zum Chef hineinließe. Ging ich aber hinein, war ich ebenso schnell wieder draußen, weil man sich jede Störung wütend verbat.

War aber nun wirklich einmal durch diese dauernden Verzögerungen und trotz aller Bemühungen Feuerwehr zu spielen eine Panne passiert, dann gab es großen Wirbel. Alle waren wir schuldig, außer ihm, dem einzig Schuldigen.

Thorner hatte durch diesen Tagesablauf, den er nun schon seit Jahren mitmachte, langsam weiße Haare bekommen. Er war bleich, mager, nervös. Auch ich wurde bald ein Nervenbündel. Von richtigem Schlaf war keine Rede mehr, im Traum lief der Trubel weiter, und auf dem Weg ins Büro glaubte ich bereits Telefone läuten zu hören. Merkte nun der Chef, daß man mit der Kraft am Ende war, bot er großzügig seine Ärzte an und finanzielle Zuschüsse. Alles, alles, nur keinen Urlaub. Das Tempo durfte auf keinen Fall leiden!

In drei Dingen freilich bewundere ich Ribbentrop noch heute: zunächst sein Tempo und seine Fähigkeit, Mitarbeiter zu finden, die in ihrem Idealismus allen Strapazen gewachsen waren, sodann sein Instinkt in Geschäftsangelegenheiten: Sein Spirituosenhandel lief glänzend und war dank seiner energischen Führung auch weiterhin sehr einträglich. Endlich bewunderte ich auch sein Familienleben. Er und seine Frau liebten einander hingebungsvoll, Kinder und Familie waren für sie

Lebensinhalt. Es gab natürlich hier und da auch unwesentliche Miß-stimmungen. Da konnte es dann passieren, daß Herr von Ribbentrop mit mir in ein Restaurant ging. Ich verabsäumte es bei derartigen Gele-genheiten aber nie, mir von Madame das »Placet« durch fragende Blik-ke einzuholen. Solche »Protestessen« waren für mich kein Opfer. Es war zwar nicht gerade unterhaltend, mit dem Chef allein zu essen, doch konnte ich mich angesichts seiner Einsilbigkeit dann auf Hummer und Kaviar zu Lasten der deutschen Reichsregierung konzentrieren.

Eines Tages teilte uns der Kammerdiener mit, der Chef wolle einfach nicht aufstehen, er wolle ausschlafen. Wenige Tage vorher aber hatte der ehemalige deutsche Botschafter in Tokio, Herr Voretzsch, dringend einen Termin erbeten und auch erhalten. Voretzsch erschien pünktlich um 9 Uhr und wartete zunächst geduldig. So gegen zehn Uhr wurde er ungnädig. Da es sich um einen Japankenner handelte – und Japan ja da-mals in höchster Gunst stand – wagte ich einen Vorstoß ins Schlafzim-mer. Mit einem »Was ist denn schon wieder los?« wurde ich empfangen.

»Herr Botschafter«, sagte ich, »Botschafter Voretzsch wartet und bittet, empfangen zu werden.«

Schweigen. Dann: »Na und?«

»Herr Botschafter, Herr Voretzsch war deutscher Botschafter in Tokio, das sogar nach der Machtergreifung. Wollen Sie Herrn Voretzsch nicht sprechen? Soll ich ihn umbestellen? Dieser Herr wartet allerdings schon eine Stunde!«

»Dann soll er weiter warten!« war die brummige Antwort.

Ich dachte aber, es wäre klug, nicht nachzugeben, und so blieb ich stumm stehen. »Was wollen Sie denn noch von mir?« grollte es.

Ich nahm all meinen Mut zusammen; »Herr Botschafter! Botschafter Voretzsch hatte schon mehrmals um einen Termin gebeten und seinen Aufenthalt in London verlängert. Er legt natürlich großen Wert auf eine Aussprache mit Ihnen, Herr Botschafter!«

Ungnädig kam es zurück: »Was soll ich eigentlich mit diesem Men-schen? Warum wollen Sie ihn mir aufzwingen?«

»Herr Botschafter«, so ich, »ich dachte mir, er ist als Japankenner für Sie interessant.«

Prompt kam es zurück: »Warum sollte ausgerechnet der Mann für mich interessant sein? Soviel wie der weiß ich schon lange. Es ist mir uner-findlich, warum Sie ihn mir à tout prix aufdrängen wollen. – Sie wollen also, daß ich jetzt in die Hose springe, um diesen Kerl zu empfangen? – Aber sagen Sie mir, warum imponiert Ihnen der Mann so? Sagen Sie mir das! Bitte, sagen Sie mir das!!!«

In die Enge getrieben antwortete ich: »Voretzsch ist doch ein Botschaf-ter.«

Das war nicht klug von mir. »Spitzy, Spitzy«, kam es zurück, »lassen Sie sich nicht beeindrucken, ein Botschafter ist nichts, gar nichts.« Mit einem kräftigen »Jawoll, Herr Botschafter«, verbeugte ich mich und verschwand. Ich glaube, mein Chef hat gar nicht bemerkt, daß er diesmal »zweiter Sieger« wurde.

Ribbentrop gehörte also zweifellos in die Kategorie der »Morgenbrummer«. Am meisten hatte der Kammerdiener darunter zu leiden. Düster brütend saß der »Bo« auf einem Stuhl, während der gute Bonke die Krawatten zur Auswahl vorlegte, und da passierte es einmal, daß er eine undeutliche Weisung nicht verstanden hatte. Bonke: »Verzeihung, Herr Botschafter, ich habe nicht verstanden.« Erneut sagte der Chef dumpf etwas vor sich hin, es hatte geklungen wie »Rosenkäfer«, so schien es mir. Der Kammerdiener sah mich an; ich zuckte die Achseln. Mutig wagte Bonke eine neue Frage. Stärker grollend, aber noch immer undeutlich kam etwas zurück, das wie »Kongoneger« klang. Als Bonke verzweifelt eine dritte Frage wagte, explodierte der Chef: Er sprang auf, trommelte mit beiden Fäusten im Takt auf den Tisch und donnerte: »Hosenträger, Hosenträger, Hosenträger!« Ja, das war es natürlich gewesen. Zu dumm, daß wir das nicht pflichtgemäß sofort erkannt hatten. Unverzeihlich! Eilig brachte Bonke gleich drei Stück. Ich aber meditierte über die Levers von Nero, Caligula und von Ludwig XIV. bis Joachim I. Dergleichen trug natürlich nicht dazu bei, die Freude an meiner Tätigkeit zu heben. Immer wieder aber versöhnte uns der Umstand, daß Ribbentrop Dritten gegenüber seine Leute lobte und verteidigte. Ribbentrop hielt darauf, daß wir, seine Mitarbeiter, den Respekt Außenstehender genossen.

Eines Tages erschien im »Evening Standard« auf der ersten Seite eine Photographie, die Ribbentrop und mich beim Verlassen des Foreign Office zeigte, mit der Unterschrift: »German ambassador von Ribbentrop and his secretary, leaving the Foreign Office.« Ich kaufte einige Exemplare dieser Ausgabe und sandte einen Ausschnitt an meine Eltern in Wien. Dieser Brief schlug zu Hause wie eine Bombe ein. Meine Eltern waren bisher der festen Überzeugung gewesen, daß ich nach mehrmaligem Berufswechsel Anlaß zu größten Besorgnissen gäbe. Jetzt aber war mein Vater doch recht stolz auf mich und ließ mich das auch wissen. Mein Weg schien nun vorgezeichnet, die Odyssee der vergangenen Jahre in einer normalen Diplomatenkarriere zu münden. Sowohl meine Familie als auch ich selbst waren mit meinem Schicksal und der neuen Entwicklung zufrieden. Fest entschlossen, der deutschen Sache durch intensive Arbeit zu dienen, schienen mir nach einiger Überlegung die Narrheiten meines Chefs eigentlich unwichtig. Viel mehr bekümmerte mich ein anderer Umstand: Es kamen mir manchmal kleine Zweifel, ob nicht etwa doch am nationalsozialistischen System das ein oder andere falsch, dumm oder faul war!

Doch ich unterdrückte solche Überlegungen, machte meinen Dienst weiter und versuchte, mit Humor die Niederungen des Daseins eines Sekretärs beim deutschen Botschafter in London zu durchschreiten. Dieser Humor war sehr vonnöten! Und manchmal war es auch leicht, ihn zu haben, denn es passierten immer wieder Pannen oder lustige Begebenheiten, die unsere Heiterkeit erregten. So als der chinesische Botschafter seinen Gegenbesuch bei Ribbentrop abstattete. Da mußte seine Exzellenz leider trotz genauen Termins einige Zeit in unserem Vorzimmer warten.

Es waren damals nur wenige Salons verfügbar, die Botschaft wurde ja gerade umgebaut. Während ich mich um Seine Exzellenz bemühte und zum Platznehmen aufforderte, bemerkte ich Brandgeruch, wie von verbranntem Stoff. Ein Klagelaut der Exzellenz informierte uns, daß diesem Unbill widerfuhr: Dem Sohn des Himmels glomm und glühte die gestreifte Diplomatenhose! Einer der zahlreichen Elektrostrahler, die wir für unser Büro angeschafft hatten, um die englischen Kamine zu unterstützen, war die Ursache gewesen. Mit gekünstelter Anteilnahme und Entschuldigungen machten wir uns an die Löschaktion. Lachen war natürlich unmöglich. Ich selbst brachte den hohen Diplomaten noch besorgt zum Auto. Erst danach konnte ich im Kreise der Kollegen meiner aufgestauten Heiterkeit freien Lauf lassen.

Ein ähnlich gefährliches Erlebnis hatte ein »wichtiger Lord« bei Göring, als er in Karinhall in einem der Salons auf den Gastgeber wartete. Dieser, ein wenig verspätet, wurde unprogrammgemäß durch einen jungen Löwen vertreten, den sich der »Renaissancemensch« Göring als Haustier hielt. Der junge Löwe wollte spielen, der edle Lord fand diese Idee aber nicht gut und soll hinter einem Tisch, nach anderen Versionen auf einem Tisch, Zuflucht genommen haben, bis ihn ein Adjutant aus dieser peinlichen Lage befreite.

Anfang Januar 1937 weilte Lord Rothermere, als Herausgeber der »Daily Mail« ein wichtiger Mann, in Deutschland auf Besuch und wurde vom Führer auf dem Obersalzberg empfangen. Ribbentrop war damals sehr aufgeregt. Er wollte ganz genau informiert sein. Er setzte daher den Stabsleiter der Dienststelle Ribbentrop in Berlin, Wilhelm Rodde, darauf an, den Rothermerebesuch genau zu beobachten und sofort alles zu berichten. Rodde war ein altes Dienststellenmitglied und ein gemütlicher, vernünftiger Mann mit »Uralt-Parteimeriten«. Somit nach allen Seiten hin abgesichert, konnte er sich dem Neuparteigenossen Ribbentrop gegenüber einen fast väterlichen Ton leisten. Mit seiner großen Auslandserfahrung billigte er Ribbentrops Politik in keiner Weise und verflüchtigte sich in Erwartung der kommenden fatalen Entwicklung schon im Sommer 1937 auf den Posten eines Generalkonsuls erster Klasse in Winnipeg. Überhaupt nahm Rodde die Aufträge unseres Chefs selten ernst, ja, er ließ sich dadurch auch nicht in dem sinnvoll-fröhlichen Ablauf seines Lebens stören.

Als nun Ribbentrop tagelang von Rodde und dem Verlauf des Besuchs nichts gehört hatte, befahl er mir eines späten Nachmittags, augenblicklich eine telefonische Verbindung mit Rodde herzustellen. Das war nicht einfach. Es hatten wohl alle Dienststellenmitglieder den Dauerauftrag, über die Telefonzentrale Tag und Nacht erreichbar zu sein, aber Rodde hatte auch diesen Befehl nicht wörtlich genommen. Erst nach stundenlangen sündteuren Staatsgesprächen nach Berlin konnte ich den Gesuchten in der Rio Rita-Bar ermitteln. Trotz leichter Jazzuntermalung, die bis in seine Telefonzelle drang, verband ich Rodde, gut vorgewarnt, mit dem Botschafter und blieb an meiner oft so wichtigen Abhörmuschel. Es entwickelte sich ungefähr folgendes Gespräch:
»Heul, wo sünd Sü?«
»Heil Hitler, ich bin hier in Berlin, hupp.«
»Was macht Ihre Arbeit? Was macht der Mann?«
Rodde: »Welcher Mann?«
»Na, der Mann, den Sie betreuen sollen!«
Auf Roddes Seite etwas Schweigen, untermalt von ferner Musik.
»Na, Rodde, ich meine den Lord, den Presse-Lord, den R., den RR.!!!«
Aber Rodde verstand noch immer nicht. Da wurde Ribbentrop verzweifelt, und mit leiser Stimme, um dem mit Sicherheit lauschenden Intelligence Service ein Schnippchen zu schlagen, hauchte er flüsternd: »Rothermere«. Damit bereitete er dem Intelligence Service zweifellos ebenso eine Stunde ungetrübter Heiterkeit wie uns vor Lachen berstenden Sekretären in London.

Rodde aber wurde für Wochen abgeschrieben und zählte für einige Zeit zu den finsteren Mitgliedern der »Sabotintern«. Doch bald war er wieder oben auf, denn nur ihm gelang es, beim Partei-Reichsschatzmeister Schwarz Gelder locker zu machen. Das waren dann immerhin einige Millionen. Nur Rodde brachte so etwas bei diesem Berufsgeizhals zustande und er verriet sein Geheimnis nicht. Erst später erzählte er mir seinen Trick, ehe er sich nach Winnipeg in Sicherheit brachte. Rodde, ein angenehmer Mitmensch von gutbürgerlichen Umgangsformen, hatte das besondere Talent, ein blendender Zuhörer zu sein und dem Partner den Eindruck zu vermitteln, daß er sich für dessen Probleme und Schmerzen aufrichtig interessiere. Rodde verriet mir also damals, daß es ihm gelungen war, bei dem als geizig und schlau bekannten Reichsschatzmeister eine schwache Stelle auszukundschaften. So wie Goethe, der von seiner Dichtkunst nicht so viel hielt wie von seiner falschen Farbentheorie, so war Reichsschatzmeister Schwarz nicht so sehr von seinem Können im Finanzwesen überzeugt als von seinen Fähigkeiten als Homöopath. Erhielt Rodde einen Termin beim Schatzmeister, so gab er kurz nach den ersten Begrüßungsformalitäten akustische und optische Anzeichen von Schmerzen von sich. Niemals verfehlte dies die gewünschte Wirkung, den in der Seele des Reichsschatzmeisters schlummernden Arzt zu wecken. Es folgte ein langes Gespräch über Medizin, Krankheit und Symptome und unweigerlich holte dann der Reichsschatzmeister einige Tropfen hervor, die Rodde hoch und heilig zu nehmen versprach. Dann folgten noch einige allgemeine Belanglosigkeiten, aber nie kamen beim ersten Besuch dienstliche Details zur Sprache. Nach dem »Tropfen-Gespräch« war es dann keine Schwierigkeit mehr, einen neuen Termin zu bekommen. Pünktlich erschien ein strahlender, wieder gesundeter Rodde, und der sonst so knausrige Reichsschatzmeister spendete dann, stolz auf seinen Heilungserfolg, die gewünschten Millionen. Rodde aber hat, wie er mir gestand, die Tropfen nie genommen, sondern immer weggeworfen.

Ein besonderes Kapitel waren die dienstlichen Weekendfahrten mit dem Botschafter. Es mußte dann alles minutiös vorbereitet und das gewählte Hotel entsprechend instruiert werden. So waren etwa Klingelleitungen, die zum Sekretariat und zum Kammerdiener führten, eine conditio sine qua non. War alles richtig organisiert und eingeteilt, dann wurde meistens abgesagt oder verschoben, aber auch in letzter Minute doch wieder zugesagt. Man stelle sich bitte die begeisterten Hoteliers vor. Ich aber hatte die Aufgabe, die aufgelaufenen Spesen zu zahlen, denn es durfte von solchem Durcheinander kein Wort in die Presse gelangen.

Dergleichen Ausflüge gingen stets, wie fast alle Ausgaben, auf Kosten des Reiches. Da duldete man keinen Protest von »kleinkarierten« Mitgliedern der »Sabotintern«. Es gab ja Fonds, und diese mußten herhalten. Im übrigen hatte man eine gute Begründung für solche Ausgaben zurechtgelegt: Ribbentrop sei schließlich »der wichtigste Mitarbeiter unseres Führers« und somit eine Säule der deutschen Zukunft. Demnach war alles, was der Gesundheit oder der Erholung dieser Stütze deutschen Glücks diente, im Interesse des Reiches. Es war selbstverständlich, daß diese Bedürfnisse auch durch dieses Reich bezahlt werden mußten. Es ging somit fast alles »auf Dienstkosten«, sei es Theater, Kino, Ausflüge, Hotel- und Restaurantrechnungen, auch ein Teil der Garderobe, dazu Bücher, Geschenke, Blumen usw. Als ich einmal wegen eines Verwandtenbesuches und dessen Kosten eine Frage stellte, wurde ich dahingehend belehrt, daß es dem Botschafter durch seine un-

unterbrochene Tätigkeit und seinen urlaubslosen Einsatz nicht vergönnt wäre, Verwandte zu besuchen. Es sei daher nur natürlich, daß der Vetter auf Reichskosten herbeizubefördern sei. Gottlob hatte mich mein Wohnungskollege Wussow rechtzeitig davor gewarnt, mich in die Finanzgebarung des Hauses irgendwie einzuschalten! Ich lehnte daher die vielen Vorstellungen des Botschafters, daß ich die Verwaltung seiner privaten Geldgebarung übernehmen solle, mit der Begründung ab, daß ich als Österreicher schon von Geburt aus schlampig und für diese Tätigkeit, die ja exakt geführt werden müßte, gänzlich ungeeignet sei. So kam es, daß ich lediglich wenige Trinkgelder abzurechnen hatte und Belege über belegbare Ausgaben einfach bei der Geldverwaltung ablegte.

Später, als ich nach Thorners Abgang erster Adjutant wurde, mußte ich unweigerlich den sagenhaften Devisen-Geheimfonds der Adolf-Hitler-Spende, von dem ein Teil Ribbentrop anvertraut war, in meine Obhut übernehmen. Ich erinnere mich nicht mehr an genaue Zahlen, aber es waren *Millionen*! Wir hatten sie in zwei Vulkanfiberkoffern in einem Safe verwahrt! Alle zwei bis drei Monate zählten erst Thorner und ich, später dann ich mit einem anderen Kollegen hinter abgeschlossenen Türen mit einem Posten davor minutiös genau die »Vorräte« und verfaßten darüber ein Protokoll. Es machte uns jungen Leuten unglaublich Spaß, mit diesen Pfund- und Dollarnoten ein Schneetreiben à la Frau Holle zu veranstalten, uns die Hunderttausende buchstäblich an den Kopf zu werfen, unter ihnen zu duschen! Von dergleichen Scherzen durften die verzopften Schuldiplomaten der Botschaft natürlich nichts wissen, und sie ahnten auch nicht, welche Schätze in unserem Spezialsafe ruhten.

Es war aber die Geldgebarung der Ribbentrops insgesamt nicht unkorrekt, wenn auch ein Kapitel für sich, und als ich später, besorgt, bei einer einflußreichen Persönlichkeit aus der Umgebung Hitlers eine entsprechende Andeutung machte, bekam ich zu hören, dem Führer sei solches völlig gleichgültig. Und das stimmte! Es war Adolf Hitler einerlei, was seine Mitarbeiter anstellten, wenn sie nur gehorchten und treu blieben. Ja, mir wurde bald klar, daß ihm Korruption unter seinen Getreuen gar nicht so ungelegen kam! Darin lag fast System. Denn je mehr sich seine Mitarbeiter »bekleckerten«, um so abhängiger wurden sie von seiner Gnade. Diese Methode hatte schon Macchiavelli empfohlen und Al Capone weiterentwickelt.

Ribbentrop begriff das bald und Madame wurde in bezug auf Qualität und Moral der Mitarbeiter ebenfalls großzügiger. Als ich mich eines Tages über einige »ganz unmögliche Gesellen« in unserer Dienststelle bei ihr beschwerte, erklärte sie mir, Nicht-Gentlemen wären letzten Endes verläßlicher und auf die Dauer die sichersten Werkzeuge, denn für sie gäbe es nur restlose Treue oder Sturz und Konzentrationslager. Wieder mußte ich etwas an Lady Macbeth denken.

Ein in diesem Sinne idealer Mitarbeiter war Likus. Er war schon in der Volksschule mit Ribbentrop zusammengewesen und hatte im Ersten Weltkrieg mit Auszeichnung als Unteroffizier gedient. Nach seiner Teilnahme an den Kämpfen der baltischen Freikorps trat er früh in die NSDAP ein und besaß daher das goldene Parteiabzeichen mit einer sehr niedrigen Nummer. Er hatte sich tüchtig in der Partei durchgesetzt und wurde trotz seiner Unkenntis in außenpolitischen Belangen, trotz Fehlens jeglicher Sprachkenntnisse oder gesellschaftlicher Manieren von Ribbentrop als wichtige Parteiverbrämung mit offenen Armen aufgenommen. Himmler mußte Likus sofort in die SS übernehmen, und Ribbentrop vereinbarte für ihn eine Blitzkarriere, wodurch er innerhalb weniger Monate in wöchentlichen Schüben vom gewöhnlichen SS-Mann bis zum Oberst, also zum Standartenführer, avancierte. Der eigentliche Zweck dieses so beeindruckenden Aufstiegs aber war, mit einem hochdekorierten Uralt-Parteigenossen tief in die Organisation der Parteiführung vorstoßen zu können. Likus verband dabei burschikoses Auftreten mit kumpelhaftem Benehmen; er war demnach absolut unverdächtig, ein feiner Diplomat zu sein. Im übrigen war er bauernschlau genug zu erkennen, daß er nur mit »seinem« Ribbentrop weiterkommen und bestehen konnte. So tat er wirklich sein Bestes, Ribbentrops Stellung in der Partei zu festigen und ihn stets prompt über drohende Gefahren zu unterrichten. Es war merkwürdig, diese seltsame Figur mit roter Schnapsnase in dem noblen Rahmen der Londoner Botschaft umherstapfen zu sehen. Bald hatte Likus jederzeit Zutritt zum Chef, auch in dessen Schlafzimmer, und da er mit seinem morgendlichen Vortrag über deutsche Presse auch bis an die halboffene Tür der Toilette herandurfte, bekam er von uns intern den Titel eines »geheimen Kabinettsrates« verliehen.

Likus hatte bei alledem keinen unangenehmen Charakter, und ich mochte ihn gut leiden. Er hatte Sinn für Humor und war auch selbst eine beliebte Zielscheibe für Witze. Hochmusikalisch, konnte er uns durch Trommeln auf Fensterscheiben, durch Singen, Summen und Trompetenimitationen während unvermeidlicher Wartezeiten im Vorzimmer des Chefs ganze Opern vorführen. Seine Hauptaufgabe war es, Spionage für Ribbentrop in der Reichskanzlei in Berlin und bei den Parteistellen zu betreiben. Er hatte dort überall Gnaden und Geld verteilt, also Agenten angesetzt, und berichtete regelmäßig in kurzen Aktennotizen oder auch persönlich über all jene Kleinkriege zwischen Goebbels und Göring, Bohle und Rosenberg, über Unstimmigkeiten im Stab Hess, über das weitere Vordringen von Bormann, über Unstimmigkeiten zwischen Himmler und Heydrich und ähnliches mehr. Gerne ging Likus mit alten Parteikollegen in düstere Bierlokale; er besorgte aus London per Kurierpost Seidenstrümpfe für Sekretärinnen und Whisky für Adjutanten wichtiger Staatspersönlichkeiten. Er war ein großartiger Späher und Schnüffler im Dritten Reich. Man konnte ihn sich niemals als vortragenden Legationsrat und Berufsdiplomaten vorstellen, das aber wurde er dann schließlich doch, obwohl er keine Fremdsprache sprach und seine Allgemeinbildung unter dem ohnehin schlichten Durchschnitt blieb.

Likus hatte sich zeitweise auch mit der Sicherheit des Chefs zu befassen, und in immer wiederkehrenden Wellen wurden von Ribbentrop Maßnahmen gegen die finsteren Machenschaften des Intelligence Service befohlen. So kam durch Likus schließlich ein Kriminalkommissar mit Gehilfen an die Londoner Botschaft, zu den Kammerdienern weitere Ordonnanzen, und der alte treue Botschaftschauffeur Parks wurde gegen einen treu-deutschen Fahrer ausgetauscht. Sobald wir in Berlin im Hotel Kaiserhof abstiegen, wurden die Zimmer untersucht, ob nicht irgendwo Mikrophone installiert waren, Bomben lagen oder sich vielleicht nicht doch in irgendeinem Schrank oder unter einem Bett ein böser Agent des Intelligence Service verborgen hatte. Einmal mußte ich diese Untersuchung vornehmen. Ich glaubte aber nicht, daß deutschfeindliche Engländer ausgerechnet etwas gegen den für uns so schädlichen Ribbentrop unternehmen würden!

Ähnlicher Meinung war übrigens auch der französische Botschafter in Berlin, François-Poncet: Frankreich habe im Laufe seiner Geschichte in verzweifelten Momenten oft großes Glück gehabt. Wie ein deus ex machina sei dann rechtzeitig eine Person erschienen, um seinem Land aus einer verzwickten Lage zu helfen. So sei vor ein paar hundert Jahren etwa die Jungfrau von Orléans aufgetreten. Jetzt aber, wo schon ernstlich eine deutsch-englische Verbrüderung gedroht und die Entente Cordiale nur mehr auf dem Papier bestanden habe, sei glücklicherweise Ribbentrop aufgetaucht.

Natürlich verbrachten wir Weihnachten in Berlin und dehnten unseren Aufenthalt bis Ende Januar 1937 aus. Ribbentrop fühlte überhaupt keine Lust, wieder abzureisen und benützte die Zeit, sich beim Führer fleißig in Erinnerung zu bringen. Für dieses Ziel war ihm keine Mühe zu groß. Mit Zähigkeit legten wir uns z. B. in den Vorzimmern der Reichskanzlei auf die Lauer, um von Hitler zum Mittagessen gebeten zu werden. Dies war allerdings kein großes Problem. Man mußte nur so gegen halb zwei erscheinen, denn an der großen Mittagstafel war für Parteigrößen immer Platz. Pünktlich erschien dann gegen zwei Uhr der Führer im großen Vorzimmer, begrüßte die Herren, blätterte in den letzten DNB-Nachrichten oder Pressestimmen, setzte hierzu seine goldene Brille auf, mit der er niemals fotografiert werden durfte, oder las mit Hilfe seines riesigen viereckigen Vergrößerungsglases. Wir kleinen Sekretäre und Adjutanten standen ehrfürchtig umher und versuchten, Brocken wichtiger Staatsgespräche zu erhaschen.

Als mich Ribbentrop bei meinem ersten Besuch in der Reichskanzlei dem Führer vorstellte, war dieser freundlich, außerordentlich höflich, und erkundigte sich kurz nach meiner Herkunft und nach meinem Geburtsland. Ganz im Gegensatz dazu war Göring bei der Vorstellung nur kurz angebunden und ließ mich merken, daß ich für ihn nur ein kleiner Fisch bei dem »dummen Ribbentrop« sei.

Sobald es zu Tisch gehen sollte, pflegte Hitler zu sagen:»Meine Herren, ich glaube, wir gehen jetzt essen.« Dies war der Moment, der alle elektrisierte! Jedermann wußte, daß Hitler nun die Tischordnung bekanntgeben würde. Alle Paladine stellten sich flugs auf die Zehenspitzen und machten sich so groß und so dick wie möglich, damit das Auge des Fürsten nach Möglichkeit auf sie falle. Hitler genoß diese Situation sichtlich und ließ sich Zeit.»Ja«, sagte er,»dann möchte ich zu meiner Rechten« – Pause »bitte Dr. Goebbels, zu meiner Linken Herrn von Ribbentrop, anschließend rechts noch bitte General X und links Gauleiter Y. Die anderen Herren setzen sich, bitte, wie sie wollen.«

Das war stets eine hochpolitische Handlung. An der Reihenfolge der Sitzordnung, an der Entfernung zum Führer, konnte selbst der Uneingeweihte merken, wie hoch die jeweiligen Persönlichkeiten, wie hoch ihre Ämter beim obersten Chef im Kurs standen, und Hitler wußte das! Süffisant und maliziös mischte und spielte er seine Karten. Er ließ seine Mitarbeiter nie zu hoch steigen, und nur ungern gestattete er, daß ein in Ungnade Gefallener von den hocherfreuten Kameraden ganz ausgeschaltet wurde. Gleichgewichtspolitik ging ihm über alles. Für jedes Amt hatte er immer zwei oder mehr Beauftragte. Es gab einen Reichsjustizminister und einen Reichsjuristenführer, es gab einen Reichsaußenminister, es gab aber auch Dienststellen, deren Chefs sich ebenfalls mit Außenpolitik beschäftigten, so die Dienststelle Ribbentrop oder die Auslandsorganisation der Partei und das außenpolitische Amt Rosenbergs. Hitler gefiel es, wenn sich ähnliche Dienststellen befehdeten. Nur so, glaubte er sich von den Fachministerien unabhängig halten zu können. Zum Beispiel ließ er den Reichspressechef Dietrich, der praktisch seinem persönlichen Stab angehörte, parallel zum Propagandaministerium wirken, das sich auch hauptsächlich mit der Presse beschäftigte. Jeder Amtsträger kam dann mit Klagen über den Konkurrenten. Hitler hörte sie aufmerksam an, versprach Abhilfe, veranlaßte aber meist gar nichts.

Zu groß Gewordene ließ er gerne etwas sinken, Gestrandeten half er wieder auf die Beine.

Bei Tisch führte ausschließlich Hitler die Konversation. Andere Herren kamen nur selten zu Wort. Wurden sie aufgefordert, durften sie über gewisse Dinge erzählen oder berichten. Das galt dann als hohe Ehre und wurde von den anderen Anwesenden mit Staunen, Zustimmung oder Mißgunst vermerkt. Das Essen war unterdurchschnittlich, meist etwas fett. Zu trinken gab es Saft, Wein oder Bier. Schon vorher waren im Vorzimmer Vermouth und kleine Brötchen gereicht worden. Hitler selbst ließ sich Suppe, Salate, sehr oft Nudelgerichte servieren, dazu trank er Wasser oder Saft. Er war Antialkoholiker und reiner Vegetarier, nur selten machte er eine Ausnahme für eine Leberknödelsuppe, die er besonders gerne aß. Seine Eßmanieren waren, außer bei Staatsdiners, ungepflegt. Er beugte den Kopf tief über den Teller zu seinen Nudeln oder Kartoffeln, und wenn Dr. Goebbels mit hocherhobener, sarkastischer Stimme irgendeinen Anwesenden oder Abwesenden bespöttelte oder durch süßliches Fragen häßliche Fallen stellte, lachte oder blinzelte er. Ich habe Goebbels bewundert, war er doch von der ganzen Runde bei weitem der Intelligenteste; eine geniale, aber diabolische Persönlichkeit. Hitler genoß es besonders, wenn Goebbels sich Himmler vorgenommen hatte, der dann vollkommen hilflos wie ein ertappter Schüler primitive Ausreden brachte oder devot versprach, sofort, ganz nach dem Wunsche des Führers, Abhilfe zu schaffen. Ich glaube, Himmler haßte Goebbels von ganzem Herzen, wie auch Goebbels Himmler nicht leiden konnte; Göring mochte beide nicht, und so war es auch umgekehrt. Eigentlich waren nur wenige einander gewogen, und jeder buhlte in Konkurrenz zu allen anderen um die Gunst des Führers. Alle kämpften um ihre Stellung, um ihr Amt und um ihr Verbleiben an der Spitze.

Selbstverständlich fühlte ich mich hochgeehrt, als ich das erste Mal an so einem Essen in der Reichskanzlei teilnehmen durfte. Ich prägte mir jedes Wort ein, das der Führer sprach und himmelte ihn an wie ein Backfisch den Erkorenen seines Herzens. Ich glaube, jeder von uns Adjutanten und jungen Leuten hätte sich gern und zu jeder Zeit für diesen Mann in Stücke hauen lassen. Unsere Begeisterung und unser Idealismus waren grenzenlos und aufrichtig. Es kann auch keinen Zweifel daran geben, daß Hitler sein Deutschland liebte und von dem Gedanken besessen war, diesem mit List und Gewalt, mit Überraschung und Tücke jenen Platz an der Spitze der Völker zu verschaffen, auf den es nach seiner Ansicht durch Wert und Leistung Anspruch hatte.

Ich erinnere mich noch eines Ausspruchs anläßlich der Intervention in Spanien. »Wenn irgendwo ein Feuer brennt, dann blase ich gerne noch hinein, um eine deutsche Suppe daran zu wärmen. Für das deutsche Volk das Beste, für die anderen aber, wenn es notwendig sein sollte, auch etwas Schlechtigkeit, und, meine Herren, glauben Sie ja nicht, daß wirklich gute Staatsmänner dies jemals anders gemacht hätten. Ohne solche Methoden hätte es doch niemals Rom oder das englische Weltreich gegeben!«

Diesem galt im Grunde seine Bewunderung, und es schmerzte ihn, ja, es brachte ihn zu wilden Haßausbrüchen, wenn er die deutsch-englische Verständigung durch – wie er glaubte – übelwollende reaktionäre Cliquen in London verhindert sah. Seiner Ansicht nach waren es die Angelsachsen, die seine stets freundlich ausgestreckte Hand dumm und stolz verschmäht haben.

Während des Essens also bestritt Hitler fast allein die Konversation und zeigte sich über viele Themen informiert und belesen. Oft gab er ein Statement von sich, das schon in seinen Voraussetzungen falsch war. Aber auf dieses Falsche baute er dann logische Schlüsse in langer Kette, und am Ende vergaß man angesichts der brillanten Konstruktion, daß ja die Prämisse nicht gestimmt hatte. Erst viel später, als ich dem Dritten Reich gegenüber schon kritischer eingestellt war, erkannte ich Methode und Absicht. Diese Mittag- und Abendessen aber waren für mich außerordentlich interessant. Die Unterhaltungen zogen sich oft bis in die tiefe Nacht hinein. Stundenlange politische Monologe allerdings waren die obligate Kost. Hitlers Gedächtnis erwies sich dabei als phänomenal. Auch war er ein amüsanter Geschichtenerzähler und konnte Leute glänzend imitieren. An ihm war ein Schauspieler verlorengegangen.

Nach Tisch gab es schwarzen Kaffee, aber – nichts zu rauchen. Tabak nämlich war in der gesamten Reichskanzlei strengstens verboten, auch auf den Korridoren und in den Toiletten. Dort konnte man Staatsminister und Generale überraschen, die wie Schuljungen die Fenster öffneten und mit Handtüchern ihren Zigarettenrauch hinausfächelten. Hitler hatte einen ausgezeichneten Geruchssinn, und ich wußte von seinen Adjutanten und Dienern, daß er sehr böse werden konnte, wenn er entdeckte, daß irgendwo geraucht worden war. Auch bei Tisch kam er mitunter auf dieses Thema zu sprechen. »Wenn einer betrunken ist oder viel trinkt, so ist dies zwar nicht angenehm, aber mich stört es weiter nicht, und ich kann den Kerl leicht und begründet loswerden. Daß ich aber gezwungen sein soll, einzuatmen, was andere an widerlichem Zeug ausgeatmet haben, das geht zu weit, und so etwas dulde ich hier in meiner Umgebung nicht.« Er sei auch überzeugt, daß das Rauchen weitaus schädlicher wäre, als man annehme. In dieser Hinsicht hatte er recht und griff den Erkenntnissen der neuen Medizin voraus.

Im Januar 1937 fuhren wir auf den Obersalzberg – ein ganz großer Eindruck für mich. Von diesem legendären Ort hatte ich ja nur gehört. Als ich das erste Mal die Räumlichkeiten dort sah und dann mit Ribbentrop in den großen Aufenthaltsraum befohlen wurde, machte es mir gar nichts aus, zwei Stunden an der Wand zu stehen, während Hitler und Ribbentrop, ins Gespräch vertieft, vor mir auf und ab gingen. Ich stand mit meiner Aktenmappe wie eine Statue und suchte dem Gespräch zu folgen. Dabei bewunderte ich den Raum und das gewaltige Glasfenster, von dem aus man bis nach Salzburg sehen konnte und das sich durch einen elektrischen Mechanismus auf und nieder bewegen ließ. Langsam begann sich dann mein Magen zu melden, denn es war Mittag geworden, aber Hitler, ein Spätaufsteher, hatte gut gefrühstückt und zeigte kein Bedürfnis, sein Gespräch und die Wanderungen abzubrechen, bis plötzlich der schwere Vorhang beiseitegeschoben wurde und sich ein Lockenköpfchen zeigte, das zu meinem ungeheuren Erstaunen zu dem gewaltigen Führer des Dritten Reiches sagte:»Bitte, kommt doch endlich essen. Es ist schon höchste Zeit, wir können nicht mehr länger warten!«

»Ja, mein Kind, ich komme gleich.« War die ebenso schlichte Antwort. Ich war wie vom Donner gerührt. Wer konnte es wagen, so mit dem Führer zu sprechen? Wer war diese Frau, wo kam sie her? Wieder erschien nach zehn Minuten das freundliche Wesen und setzte durch, daß wir zu Tisch gingen.

Nach dem Essen fragte ich Obergruppenführer Brückner, den alten Chefadjutanten des Führers:»Obergruppenführer, sagen Sie mir bitte, wer ist diese Frau?«

Darauf er:»Mein Lieber, du bist neu hier. Auch unser Führer hat ein Recht auf Privatleben, und ich rate dir, alles, was du in dieser Hinsicht gesehen und gehört hast, niemals irgend jemandem zu erzählen, deinen Eltern nicht, noch deinen Geschwistern und niemals deiner Geliebten! Am besten ist, du selbst vergißt es, denn s o n s t … Ich glaube, mehr brauche ich dir nicht zu sagen. Die Folgen für dich wären nicht abzusehen. Hast du mich verstanden?«

»Jawohl, Obergruppenführer!« war meine Antwort, und ich reihte mich gehorsam in die Verschwörung des Schweigens ein, die zum Staunen der Welt bis nach dem Kriege gehalten hat.

Eva Braun war eine nette Person, die Hitler die wohlige Wärme eines bürgerlichen Haushaltes verschaffte. Sie war verträglich, wirkte sympathisch, schien aber kein auffallendes Format zu besitzen. Eine freundliche Verkäuferin hätte sie sein können. Nicht sympathisch war dagegen ihre Schwester mit ihrem Anhang. Dieser Kreis nützte die Situation aus und wußte, von einem im Privatleben gutmütigen Hitler Geschenke und Zuwendungen zu erbetteln. Eva Braun hingegen war ein liebes, einfaches Wesen, das sich nie in die Politik einmischte. Lediglich über Personen gab sie beifällige oder abfällige Urteile ab. Sie war modern angezogen, lackierte ihre Nägel und schminkte sich dezent. Hitler machte ihr in dieser Hinsicht keinerlei Vorschriften. Er betrachtete dergleichen als verständliche weibliche Schwächen, die er anziehend fand. Für mich war es merkwürdigerweise erschütternd zu erfahren, daß der Führer, den ich in Askese wähnte, erhaben über Sex und Lust, sich ein schlichtes weibliches Wesen erkoren hatte, ein Kind des Kleinbürgertums, das bourgeoise Gemütlichkeit bei Tisch und Bett spenden sollte. Es war mir unverständlich, wäre es ihm doch ein Leichtes gewesen, Frauen von Geist und Schönheit neben sich zu haben. Das aber schien Hitler nicht zu wollen. Er zog es vor in seinen Entschlüssen frei und ohne den Einfluß einer Frau zu bleiben.

Wahrscheinlich war es ein großes Unglück, daß dieser geniale und außergewöhnliche Mann nicht von dem mäßigenden Wesen einer vernünftigen Frau davor bewahrt wurde, zu gräßlichen Tiefen hinabzusteigen. Corruptio optimi pessima – sagte der heilige Benedikt, und wie wahr war dieses weise Wort. Eine gebildete, kluge Gattin an Hitlers Seite hätte wohl auch verhindert, daß er sich mit Nonvaleurs wie Ribbentrop umgab. Nur ein Mann konnte auf diese »Figur« hereinfallen, der Instinkt einer Frau von Format hätte das Unheil gewittert und auch Madame Ribbentrop durchschaut. So brachten meiner Ansicht nach zwei Dinge Hitler ins Unglück: Fehlende Auslandserfahrung und das Malheur, daß ihm keine bedeutende Frau mäßigend zur Seite stand. Er schätzte oft Männer falsch ein, Frauen kaum. In Frau von Ribbentrop schien er Unheil zu wittern. Alle ihre Versuche, mit Hitler in Kontakt zu treten, bei ihm eingeladen und überhaupt in der Reichskanzlei zu Ansehen zu kommen, schlugen fehl. Aber sie war klug genug, nichts zu erzwingen, und vermied es, Hitler mit ihrer Gegenwart zu belästigen. So mußte sie sich mit indirekter Einflußnahme über ihren Mann begnügen.

Auf dem Obersalzberg ging es zumeist gemütlich zu. Das Tagesprogramm richtete sich ausschließlich nach Hitler, der meist bis zehn, elf Uhr vormittags schlief und erst gegen Mittag erschien. So wurde man erst um diese Zeit vorgelassen. War keine Besprechung vorgesehen, so setzte sich Hitler gerne in das kleine Zimmer mit dem großen Kachelofen, in dem sich seine Mitarbeiter und Adjutanten und manchmal auch Gäste aufhielten. Hier war es verboten, ihn zu bemerken. Trat Hitler ein oder man selbst betrat den Raum, so durfte man keine zackigen Meldungen machen oder militärisch grüßen, sondern man mußte so tun, als ob man einem »gewöhnlichen Sterblichen« begegnete. Ein merkwürdiges Gefühl, wenn man auf der Ofenbank saß, und plötzlich kam dieser Fürst der damaligen Welt und setzte sich stumm mit einer Zeitung dazu. Es kostete körperliche und seelische Überwindung, die vorgeschriebene Ruhe und Ungezwungenheit sitzend zu bewahren. Besagter Ofen war ein Prachtstück und hatte seine Geschichte. Hitler, der wußte, wie ein guter Kachelofen sein sollte, war mit seinem alten Stück unzufrieden und erfuhr, daß der beste Ofenbauer im Lande eine Gefängnisstrafe absaß, weil er gewildert hatte. Was für ein Glück für diesen Mann! Er wurde sofort begnadigt, baute einen hervorragenden Ofen und vergoldet kehrte er zu seiner Familie zurück.

Nach dem Essen gab es auch auf dem Obersalzberg regelmäßig Kaffee, und Hitler zog sich dann in sein Zimmer zurück. Der Tee wurde oft im Teehäuschen eingenommen, in der Regel nach einem Spaziergang durch das ziemlich umfangreiche, zum Besitz gehörende Wald- und Wiesengelände. Hitler, mit einem Velourhut, ging voraus im Gespräch mit dem erwählten Partner, es folgten die Adjutanten und Sekretäre, und auch der unvermeidliche Bormann fehlte leider nie. Gelang es Hitler, irgendeinen Geheimpolizisten oder Sicherheitsposten zu entdekken, wurde er wütend. Er rief Bormann zu sich und kanzelte ihn ab, er solle doch mit seinen geradezu lächerlichen Sicherheitsmaßnahmen endlich aufhören. Bormann protestierte dann dienstbeflissen, versprach Besserung und bessere Tarnung, und erklärte, man könne doch das höchste Gut des deutschen Volkes nicht dem Zufall aussetzen. Dieser Widerspruch Bormanns war genau kalkuliert, wußte er doch, daß Hitlers Protest eine tüchtige Portion Show für die Umwelt beinhaltete. Auf dem Rückweg ging es dann an einer Straße vorüber, an der sich Trauben von begeisterten Menschen, oft junge Burschen und Mädchen, angesammelt hatten, die ihn mit leuchtenden Augen bejubelten. Er sprach mit einigen, schüttelte Hände, nahm Blumen entgegen und strich den Kindern über Haar und Wangen. Über die jungen Leute freute er sich, und man fühlte, daß sie ihm Zuversicht und Optimismus einflößten.

Die Konversation am Abend führte ebenfalls nur Hitler. Ergeben lauschten wir seinen Worten, und ließen uns wie Computer durch ihn füttern und programmieren. So ein Abendessen auf dem Berghof verlief sehr einfach. Es gab keinen übergroßen Tisch wie in der Reichskanzlei, sondern zusätzlich zum Haupttisch noch einige »Katzentische«. Bei Staatsbesuchen wurden Leute wie ich zusammen mit solchen im Range unter einem General auf diese Nebentische verteilt. Später am Abend gab es mitunter Kino. Manchmal sah sich Hitler sogar gleich zwei Filme an und erklärte, dies brauche er, um abzuschalten und auf andere Gedanken zu kommen. Greta Garbo verehrte er glühend und erklärte, wenn diese Frau je nach Deutschland käme, würde er ihr einen Empfang bereiten wie dem größten Staatsmann.

Hitler war an Filmen überhaupt sehr interessiert und kritisierte sie sachkundig. Er anerkannte kühl die Kunst jüdischer Regisseure und wünschte nur, daß unsere Regisseure endlich auch gut werden sollten. Für nationales Sektierertum hatte er wenig übrig, er hielt die gotische Schreibschrift für Unsinn und propagierte die Lateinschrift. Einmal lehnte er mit der Bemerkung »er habe nicht die Absicht, sich vor der Welt lächerlich zu machen« einen neuen »arischen« Text für die »Zauberflöte« ab, den ein Übereifriger ihm anstelle des angeblich jüdischem Geist entsprungenen Schikaneder-Textes überreicht hatte. Himmlers germanische Brauchtums- und Kräuterweisheiten waren beliebte Zielscheiben seines Spottes. Er hatte ganz bestimmte Vorlieben und Antipathien, über die er immer wieder dozieren konnte. So zum Beispiel hielt er Pferde für äußerst dumme Tiere, weil sie aus Nervosität vor einem im Winde tanzenden Papier ausbrechen und so eine ganze Parade ruinieren konnten. Motoren waren ihm alles, Pferde aber snobistischer Atavismus.

Konstrukteure, Rennfahrer und Autoindustrielle besuchten Hitler oft. So erlebte ich, wie Porsche seinen Volkswagen vorführte, und hörte die begeisterten Ausführungen Hitlers. Über Autobahnen und Volkswagen konnte er stundenlang reden. Künstlerische Trassenführungen, die Wichtigkeit von Kurven, die Qualität des Bodenbelages in Ebene und Gebirgsland, die Fahrtgeschwindigkeit und der Reifenverbrauch, die Propagandawirkung der deutschen Rennsiege, die Eleganz von Brükken, Bogen und Serpentinen, all dies waren unerschöpfliche Themen endloser Ausführungen. Bis in die Nacht hinein bestritt er allein das Programm. Während wir Neulinge mit leuchtenden Augen zuhörten, kippten die alten Herren vor Müdigkeit fast von den Stühlen. Kein Paladin aber wollte das Feld räumen. Denn jeder konnte nur durch Anwesenheit Eindruck machen, und schließlich wußte ja niemand, wie man in seiner Abwesenheit über ihn sprechen würde.

Einer meiner stärksten Eindrücke jener Zeit war eine Szene mit Hitler auf dem Obersalzberg im Anschluß an ein Erlebnis in Nürnberg. Der Führer hatte vor, zusammen mit Speer die neuen Reichsparteitagsbauten zu besuchen und erlaubte dem begeistert zustimmenden Ribbentrop, ihn zu begleiten. So trafen wir eines Nachmittags im Juni 1937 mit der üblichen Korona von Gauleitern, Reichsstatthaltern, Sekretären, SS-Begleitungen, Bürgermeistern etc. in Nürnberg ein. Unverzüglich wurde im gigantischen Reichsparteitaggelände auf- und ab-, hin- und hergestapft. Während Hitler und Speer gestikulierend eine riesige Wiese für neue Superbauten einteilten, eilte trotz hermetischer Himmlerscher Absperrungsmaßnahmen von weiter Ferne, als dunkler Punkt beginnend, ein Mann auf uns zu. Himmler sah den lokalen Polizeichef wütend an. Dieser wies heimlich und entschuldigend auf den Bürgermeister, und hinter dem Rücken Hitlers wurden finstere Blicke ausgetauscht. Der Mann aber kam unaufhaltsam näher. Hitler blickte hin, unterbrach das Gespräch und niemand wagte, etwas zu sagen. Als der ungebetene Gast in Sprechnähe eintraf, hob er brav die Hand und grüßte unvorschriftsmäßig komisch mit: »Heil Hitler, Herr Hitler!«

Der Führer grüßte zurück mit »Heil!«

Hierauf der Sprechpartner: »Herr Hitler, I hob an Wunsch.«

Hitler leicht amüsiert: »Na, was haben Sie denn für einen Wunsch?«

Darauf der andere: »An Wunsch für mi und meine Freind!«

»Na, mein Lieber, dann wolln wir mal hören«, so der Führer leutselig.

Da tönte es zurück: »Herr Hitler, mir wolln a Freibier für uns alle, bittschön.«

Nun schien Hitler unangenehm berührt über dieses Verlangen in solch einmaliger Stunde. Ärgerlich drehte er sich zu seinem Adjutanten Brückner und sagte: »Brückner, und Sie, Liebig (das war der Bürgermeister von Nürnberg), sorgen Sie dafür, daß dieser Wunsch erfüllt wird. Also, Sie kriegen Ihr Bier.«

»Dann dank ich ja schön, Herr Hitler.«

»Schon gut, Heil!«

»Heil Hitler, Herr Hitler!« Und langsam stapfte der prosaische Zeitgenosse wieder zurück. Über den Vorfall sprach man nicht mehr, aber irgendwie merkten wir alle, daß diese Begegnung Hitler betroffen und nachdenklich gemacht hatte.

Anschließend, am späten Nachmittag, fuhren wir zum Obersalzberg, und abends nach dem Essen kam die Rede auf den Unterschied zwischen Mensch und Tier und auf die Frage, ob das Tier Intelligenz besäße und Gefühle hätte oder allein vom Instinkt gelenkt würde. Da brach mit elementarer Gewalt Hitlers aufgestauter Unmut hervor. Er rief aus: »Meine Herren, da gibt es Idioten, die dem Tier Intelligenz, Gefühle und Noblesse absprechen und vom Hund meinen, er träume nur von seiner Wurst. Bitte, denken Sie doch an meine Hündin Blondi, was war das für eine treue Seele, wie kümmerte sie sich um ihre Kleinen, wie freute sie sich, wenn ich nach langer Abwesenheit wiederkam, wie treu umhegte und umsorgte sie mich. Ein rührendes, doch hochintelligentes Geschöpf! Auf der anderen Seite erinnern Sie sich bitte, meine Herren, an diesen Mann heute auf dem Parteitagsgelände, der trotz blödsinniger Absperrungsmaßnahmen über eine weite Wiese völlig unbehindert zu mir kommen konnte. Der Kerl hatte damit eine einmalige Chance. Ich war durch diese Situation nur belustigt und gut in Stimmung. Als der

Glückspilz dann sagte, daß er einen Wunsch hätte, war ich bereit, viel, ja sehr viel für ihn zu tun.

Ich dachte einen Moment, der Mann will vielleicht ein Häuschen bauen, ein Grundstück kaufen, seine Tochter verheiraten oder einen Sohn studieren lassen, ich hätte ihm fast alles genehmigt. Ich hätte ihn, soweit ich konnte, gerne glücklich gemacht. Was wollte der aber, als er sich plötzlich dem Führer des deutschen Reiches gegenübersah? Nichts Gescheiteres hatte er im Sinn als Freibier! Also, diese angeblich mit Vernunft begabte Kreatur dachte im Augenblick an nichts anderes, als an seine Wurst, sein Fressen und sein Saufen. Nehmen Sie andererseits meinen Hund. Er freute sich über mich, wenn er mir etwas Gutes tun und sein Interesse beweisen konnte. Heute war wohl der Mann mit dem Freibier das Vieh!«

Wir merkten, wie nah Hitler dieses Erlebnis gegangen war, und er verbreitete sich noch lange Zeit über diesen Themenkreis. Die Korona stimmte brav und eifrig zu. Nicht zu überbieten war dabei Ribbentrop, seine Modulation der Zustimmung, der treudeutsche Augenaufschlag, die Beifallsseufzer und lauten Exklamationen waren wirklich ihr Geld wert.

Wann immer er konnte, versuchte Ribbentrop das Thema auf die Königskrise zu bringen, um nachzuweisen, daß Baldwin und die Erz-Reaktionäre der englischen Oberschicht Edward VIII. unter Druck, Alkohol und Nikotin gesetzt hätten. Mit nervenzermürbender Taktik, dauerndem Drängen und verhüllten Drohungen hätte man ihn nach einem genau abgestimmten Plan gezwungen, abzudanken, mit dem beherrschenden Gedanken, den allzu deutschfreundlichen König in der Versenkung verschwinden zu lassen. Dieser Streich sei auch direkt gegen den Führer und dessen Vertreter Ribbentrop gerichtet gewesen. Dies wäre auch kein Wunder, denn die englische Oberschicht sei schließlich bis ins Königshaus jüdisch versippt. Ferner verwies er auf die Allgegenwart des Intelligence Service, der ihm das Leben sauer mache, und auf das englische Establishment, bestehend aus Hocharistokratie, Hochfinanz, High-Church und weltumspannende Vereine wie Pfadfinder, die YMCA (Christlicher Verein junger Männer) usw. Überall verspüre man das Wirken dieser Cliquen gegen Deutschland. Hitler nahm diese Ausführungen ohne besondere Begeisterung auf, aber er schien sie langsam zur Kenntnis zu nehmen.

Natürlich war ich entsetzt, denn es war mir selbst nach verhältnismäßig kurzem Aufenthalt in England nicht entgangen, daß diese Ausführungen ganz einfach nicht stimmten, sondern nur eine vom Ehepaar Ribbentrop ausgeheckte These waren, um für den Mißerfolg ihrer Mission ausschließlich die Briten verantwortlich zu machen. Bald merkte ich auch, daß die Umgebung Hitlers solche Tiraden nicht für bare Münze nahm und hörte von Adjutanten und Trabanten, daß der Führer nach wie vor England und die englische Oberschicht bewundere, vor allem deshalb, weil er Gelegenheit hatte, einige Leute dieser Klasse kennenzulernen. Außerdem hatte er noch immer ein Faible für Miss Unity Midford, eines der gescheiten und etwas exzentrischen Mädchen aus dem Redesdale-Clan. Von nachhaltiger Wirkung waren leider Ribbentrops Ausführungen über die englische Presse. Da Hitler diese täglich in Übersetzung las, konnte hier Ribbentrop mit konkreten Beispielen aufwarten und seine Ansichten »untermauern«, wobei er es, wie immer, geflissentlich unterließ, Hitler darauf aufmerksam zu machen, daß die sensationslüsterne Boulevardpresse in England kaum Einfluß hatte. Diese ohne Zweifel absichtliche Nachrichtenverfälschung Ribbentrops empörte mich und veranlaßte mich, ihn immer kritischer zu betrachten.

Ohne Zweifel war es auch Ribbentrops Bestreben, bei Hitler stets als besonders »zackig« zu gelten und ihm die Gewißheit zu geben, daß er ein bedingungsloser und mutiger Vertreter nationalsozialistischer Thesen gerade in England sei und bleibe. In Deutschland litt Ribbentrop nämlich ohne Zweifel unter Minderwertigkeitskomplexen gegenüber den Fachleuten der alten Beamtenschaft und den altverdienten Revolutionären. Er merkte, daß von all diesen ihn kaum einer für voll nahm.

In Hitlers Umgebung wurde ich oft meines Chefs wegen gehänselt und gefragt, ob ich denn alles glaube, was er »verzapfe«. Langsam sprach es sich herum, daß Ribbentrop und seine Frau geradezu einen antienglischen Tick hätten. Göring, Neurath, Goebbels und die Beamtenschaft des Auswärtigen Amtes sorgten im Einvernehmen mit dem Stab Hess und vielen Alt-Parteigenossen geflissentlich dafür, diese Ansicht weiterzuverbreiten.

Während der deutsche Botschafter und seine diplomatischen Mitarbeiter nach dem unglücklichen Hitlergruß beim König in London zu Anfang wie Parias oder wie Bajazzos gesehen wurden, merkte der vernünftige Engländer doch bald von selbst und erfuhr es auch aus Berlin, daß es sich um einen Ribbentropschen Solotanz gehandelt hatte. So klärte sich der Horizont wieder ein wenig. Doch Ribbentrop selbst mußte weiter unter dieser Situation leben und leiden. Dabei hatte er eigentlich nur Berlin zeigen wollen, daß er ein »Nazi« und ein starker Mann sei, den nicht einmal der Glanz des englischen Hofes und des britischen Weltreiches beeindrucken konnten.

Erst viel später kam für ihn ein Lichtblick von der »Heimatfront«, als ihm nämlich Ende Januar 1938 das goldene Parteiabzeichen verliehen wurde, was ihn zu größter Begeisterung hinriß. Dämpfend wirkte freilich die Nachricht, daß gleichzeitig Graf Schwerin-Krosigk und der ehemalige Freimaurer Schacht in den Genuß dieser Ehre gekommen waren. 1937 war die Lage des deutschen Botschafters in England derart prekär, daß etwas geschehen mußte. Ribbentrops Popularität hatte schwer gelitten, und es wurde von allen Herren der Botschaft im Einvernehmen mit den vernünftigen Leuten der Dienststelle beratschlagt, wie man den Chef in London wieder »aufbauen« könnte. So waren wir der Meinung, daß eine sympathische Geste England gegenüber auch sympathische Reaktionen, und diese wieder günstige Wirkungen auf den Chef ausüben könnten. Professor Berber und Graf Dürkheim von der Dienststelle Ribbentrop in Berlin, dazu einige Herren der Botschaft überzeugten den Botschafter davon, daß er nun einige Zeit in England bleiben müsse, der Ruhe bedürfe und am besten die Osterferien an einem typisch englischen Ort, in einem typisch englischen Hotel zufrieden und in demonstrativer Beschaulichkeit verbringen sollte.

Die Wahl fiel des milden Klimas und der Abgelegenheit wegen auf Cornwall. Dort hatte die Great Western Railway Company gerade ein neues Hotel eröffnet, und ich wurde beauftragt, mit der Direktion Verbindung aufzunehmen, und für Chef und Stab Fahrt und Hotelaufenthalt zu organisieren. Mit Feuereifer stürzte ich mich in diese Aufgabe und hatte mit dem Direktor Parker von der Company lange Besprechungen. Es war für eine Eisenbahngesellschaft ein Ereignis, wenn der Botschafter einer Großmacht mit seinem Stab ein neues, noch nicht sehr bekanntes Hotel besuchen wollte. Alle unsere Wünsche wurden erfüllt. Prächtige Zimmer mit Aussicht auf das Meer, vernünftige Preise. Mister Parker tat etwas für uns! Dann aber tappte ich ahnungslos in eine Falle, als mir Mr. Parker strahlend mitteilte, die Generaldirektion habe für uns »private saloons« reserviert. Das koste gar nichts, »it is a pleasure for the company«, wir müßten nur ganz gewöhnliche Billette bezahlen.

Am nächsten Tag erzählte ich Ribbentrop in seinem damals noch sehr engen Badezimmer am Eaton Square, daß alles sehr fein organisiert sei und daß die Great Western Railway Company für uns private saloons ohne Mehrkosten zur Verfügung gestellt hätte. Zuerst brummte der Chef noch zufrieden vor sich hin, doch auf einmal stoppte er, »was haben Sie da gesagt, was wollen die da für uns reservieren? Private saloons? Ja, sind Sie wahnsinnig geworden? Sind Sie sich klar darüber, was das ist?«

Ich sagte: »Sicherlich doch sehr schöne, erstklassige Abteile.«

»Na, hören Sie, das ist doch Unsinn, das sind Salon-Wagen, wissen Sie? Ausgewachsene Salon-Wagen!«

»Nein, wirklich?« stotterte ich.

Nun kam der Chef in Fahrt und kanzelte mich ab. Ich bekam gemeinsam mit anderen, eilig herbeigerufenen Herren den Auftrag, unbedingt die »private saloons« zu verhindern, weil sonst die Presse sich wieder den Mund zerreißen würde. »Der devisenschwache Botschafter, dem nichts fein genug sei, fahre mit mehreren Salon-Wagen in Urlaub.« Solche Erwägungen waren sicherlich richtig. Da wir aber schon am nächsten Tag fahren sollten, und ich den emsigen Mr. Parker erst am Nachmittag erreichen konnte, wollte die Abbestellung nicht klappen, da Parker immer wieder sagte: »It's a pleasure and it wouldn't cost a penny more.« Andererseits wollte ich nicht sagen, daß wir Angst vor der Presse hätten, und ich versuchte, ihn zu überzeugen, daß der Herr Botschafter ein grundbescheidener Mensch wäre, im übrigen diese Reise absolut privater Natur sei, er incognito reise und alles hasse, was nach Pomp und Luxus röche. Doch Mr. Parker blieb unerschütterlich. Er wiederholte hartnäckig: »It is a pleasure and absolutely normal and due to such an important person.« Schließlich versprach er kopfschüttelnd, »to do his best«.

Am nächsten Morgen fuhr man in längeren Kolonnen mit Gepäck zum Bahnhof, in der Vorhut Diener, Sekretärinnen und eine Krankenschwester. Dann kam ich mit dem zweiten Schub. Thorner sollte später mit dem Chef, Kordt und Professor Berber nachkommen. Die Familie kam Gott sei Dank diesmal nicht mit. Wir alle setzten unsere Hoffnung darauf, den Chef ohne Gattin in der sanften Atmosphäre Cornwalls zu ruhigen, vernünftigen Gedanken zu bringen.

Als ich also auf den Bahnsteig kam, war ich fassungslos. Für uns waren drei Waggons reserviert! Ein Spezialspeisewagen für uns, ein Salonwagen mit Bibliothekszimmer und kleineren Abteilen sowie ein weiterer I. Klasse-Pullman. An den Türen klebten Schilder, auf denen taktvoll – incognito stand: »Reserved for Mr. Williams.« Großer Gott! Mindestens ein Dutzend Journalisten mit Kameras und Blitzlichtgeräten eroberten den Bahnsteig! Aus dem Speisewagen lachten zwei Köche mit hohen Mützen, uniformierte Beamte mit goldumränderten Zylindern standen herum, der Bahnhofsvorsteher – und von der Direktion – Mr. Parker mit Anhang, in normalen Zylindern und Cut; sie alle rundeten die Szene zum Verzweifeln ab. Und fröhlich installiert winkte unsere Vorhut aus den Salonwagen. Zusätzlich gaffte natürlich eine beachtliche Menge. Also war genau das, was nicht geschehen durfte, nun doch passiert. Ich nahm Mr. Parker dringend und vor Aufregung schwitzend zur Seite, wiederholte energisch und beschwörend, daß der Botschafter jedes Aufsehen hasse, und wenn auch nur ein Wort in die Presse käme, wäre das das Ende. Wir könnten nie mehr seine Dienste in Anspruch nehmen, und alle Great Western Hotels wären in Zukunft für uns gestorben. Das machte ihm Eindruck. Der arme Parker war verzweifelt – aber er verwies auf die »free press in England, we are a democratic country. Everybody can write, what he wants.«

Dies konterte ich mit der Bemerkung, keine Zeitung würde davon schreiben, wenn sie wüßte, daß sich die Great Western Company zu einer Incognito-Reise für den erholungsbedürftigen Botschafter verpflichtet hätte. Die eilige Diskussion wurde immer erregter. Kurz schloß ich mit der Bemerkung, Mr. Parker brauche nur den Zeitungen zu drohen, es werde keinerlei Inserate mehr durch seine Company geben, wenn sie auch nur die leisesten Kommentare bringen würden. Die Beziehungen zu Parker waren somit geklärt, doch etwas getrübt. Anschließend stieß ich wie ein Geier auf unseren letzten Waggon zu, wo sich bereits die Sekretärinnen, Diener und die Krankenschwester in Prachtabteilungen eingenistet und breitgemacht hatten und befahl ihnen, sich sofort in die Nebenabteile des großen Salonwagens zu begeben, den dritten Waggon aber total zu räumen und ja nie mehr zu betreten. So gelang es mir wenigstens noch, unsere Sonderwaggons auf zwei zu reduzieren. Protestierend gehorchte man, und da kam schon Ribbentrop mit Anhang würdevoll herbeigeschritten.

Mißmutig sah er die Menschenmenge. Ich stellte ihm schnell die Herren der Direktion von der Great Western Railway Company vor und führte ihn flugs zum ersten Salonwagen. Die Schilder mit »Mr. Williams« hatte ich vorher noch verschwinden lassen, denn sonst bestand die Gefahr, daß die Boulevardpresse nicht von einer Incognito-Reise, sondern am Ende gar von einer Spionagereise berichten würde.

Richtung Exeter fuhr der lange Zug endlich los. Wir waren ganz hinten am Schluß. Thorner nahm mich beiseite und riet: »Du mußt dich mal aus dem Verkehr ziehen, der Chef kocht. Geh in den anderen Wagen hinüber, ich werde den Alten schon versorgen und beschäftigen.«

Mit finsteren Gedanken saß ich nun allein in einem großen Abteil, abwechselnd kam Berber, Thorner oder Kordt vorbei, bemitleideten mich und gaben kurze Stimmungsberichte. Nach ein paar Stunden hatte sich Ribbentrop an den Luxus gewöhnt, und fand die Sache nicht mehr so schlimm. Thorner arrangierte es, daß ich bereits mehrmals mit Akten, die ich aus den Koffern holen mußte, in den Salon vorstoßen durfte.

Doch in Exeter kam ein neuer Rückschlag. Dort war ein längerer Aufenthalt vorgesehen, und als ich am Bahnsteig auf und ab ging, erfuhr ich von dem uns begleitenden höheren Beamten, daß wir von nun an bis Cornwall ohne Halt als Privatexpreß, als Sonderzug also, bestehend nur aus Lokomotive, Speisewagen, Salon- und Pullmanwaggon, geführt würden. All mein Klagen nützte nichts und meine Bitten, ob man nicht einige Waggons zur Tarnung einfach an den Zug anhängen könne, wollten die Bahnhofsbeamten einfach nicht verstehen. Sie sahen mich nur mit verwunderten Blicken an, und so donnerten wir bald wie ein Miniexpress durch das Land. Ich ging in den letzten Waggon und versuchte, die Türen dorthin abzuschließen, fürchtete ich doch, daß der Chef einen Spaziergang machen würde und dabei zu der Erkenntnis kommen könnte, den eigentlichen Zug habe irgendein Mitglied der Sabotintern abgekoppelt.

Dann wagte ich mich in den Salonwagen. Ribbentrop war glänzender Stimmung. Mit Kordt, Professor Berger und den Sekretärinnen saß er und sah aus dem Fenster und erzählte leutselige Geschichten. Ja, als wir die Küste erreichten und das Meer sahen, rief er plötzlich: »Thalatta, Thalatta!« Wir drei Voll-Humanisten, Kordt, Berber und ich sahen uns mit großen Augen an, voll Bewunderung, aus diesem Munde so profundes klassisches Wissen zu hören. Auch die Damen staunten über diese ungewohnten Klänge. »So meine Lieben, wißt Ihr auch, was das heißt? Thalatta, Thalatta?«

»Nein, Herr Botschafter«, piepsten die Damen sehr geehrt.

»Das heißt: das Meer, das Meer.« – Allgemeine Bewunderung.

»Und wissen Sie auch, wer das gesagt hat?«

Wieder flüsterten die Damen ergeben: »Nein.«

»Das riefen die Griechen, als sie das Meer erblickten.«

Die Hochachtung von uns drei Altgriechen stieg raketengleich, aber leider fuhr der Chef fort: »Jaja, das riefen die Griechen, als sie mit Alexander dem Großen ans Meer kamen.«

Schade, das hätte nicht kommen dürfen, und es war auch unrecht, Xenophon um seine schöne Geschichte in der Anabasis zu betrügen, die ganze zwei Generationen vor Alexander dem Großen stattgefunden hatte. Unsere Meinungen über klassische Geschichtskenntnisse unseres Chefs kamen also wieder ins rechte Lot.

Und weiter donnerte der Zug durch die Gegend, wir gingen zu Tisch, rauchten köstliche Zigarren, und es gelang, unseren Meister zu einer Siesta in seinem Schlafabteil zu bewegen. Er müsse ein Nickerchen machen, meinten wir und sich endlich erholen nach so viel anstrengender Fahrt und Arbeit für Partei und Staat.

Während er bald friedlich schlief, nahmen wir dem ganzen Gefolge das Versprechen ab, daß niemand je ein Wort darüber verlauten lassen dürfe, daß dies ein Sonderzug gewesen war. Und alles klappte! Ein Mann hatte dafür zu sorgen, daß sich der Boß dann auf der Endstation nicht umdrehte, um nicht zur Salzsäule zu erstarren, wenn er dann den Hinterteil des Zuges vermissen müßte. Alle mußten hinter Ribbentrop in einer halbmondförmigen Formation eiligst dem Ausgang zustreben.

Bei dieser Gelegenheit rannten wir fast den Bürgermeister über den Haufen, der von der Great Western Railway zur Begrüßung herbeizitiert worden war.

Doch als wir im Hotel ankamen, empfing uns ein neuer Schreck: Der mit seiner Administration zur Begrüßung aufgebaute Hoteldirektor erklärte nach den üblichen Zeremonien vertraulich, daß his Excellency, the Japanese Ambassador, bereits gestern eingetroffen sei. Ich sagte das sofort Kordt und Berber, die wurden beide fahl, brachen dann aber in lautes Lachen aus. Kordt eilte schnell zum Hoteldirektor und fragte an, ob Seine Exzellenz, der japanische Botschafter, schon wüßte, daß wir erscheinen würden. Daraufhin der Hoteldirektor: Hierüber könne er keine Auskunft geben, denn sie hätten die gesamte Angelegenheit mit größter Diskretion behandelt, und er hätte auch diesbezüglich Auftrag aus London.

Nun erzählte uns Kordt einige Details, die beleuchteten, wie wenig der japanische Botschafter, der als Aristokrat den japanischen und englischen Hofkreisen nahestand, unseren Chef mochte und daß dieser schon wegen seiner sprichwörtlichen Anglomanie auf keinen Fall den Verdacht aufkommen lassen würde, daß wir mit ihm hier etwa ein geheimes Treffen hätten, um womöglich antibritische Pläne auszuhecken.

Kordt überbrachte Ribbentrop die Sensationsnachricht – anscheinend in so humorvoller Form, daß beide in lautes Gelächter ausbrachen, und unser aller Gelächter war noch größer, als der japanische Botschafter am nächsten Tag nach kurzer, saurer Begrüßung höflich, aber in Windeseile das Hotel verließ und nach London zurückkreiste.

Jetzt genoß Ribbentrop in guter Stimmung die Landschaft, die Ruhe und die sicherlich sehr interessanten Unterhaltungen mit Professor Berber und Kordt: der politische Aufpeitscher, Frau von Ribbentrop, war ja nicht da. Nun war es urgemütlich, der Chef »in Form« und sympathisch. Er dachte nicht mehr daran, zu regieren, er ging spazieren, interessierte sich für tausend Dinge und versprach, womöglich sogar etwas länger hier zu bleiben. Wir fürchteten nur die telefonischen Einwirkungen von Madame, welche mit sicherem Gespür ihren Mann nicht zu lange Zeit fremden Einflüssen überlassen würde.

Am nächsten Vormittag kam, wie sich bald zeigen würde, ein für mich schicksalhafter Telefonanruf. Ein Colonel X. meldete sich mit militärisch kurzer, gütiger Stimme am Telefon; er wollte den Botschafter sprechen. Dieser war aber gerade spazierengegangen. Ich fragte, ob ich etwas ausrichten dürfte, ich sei der »Private secretary«, da erklärte er, er sei der Lord Lieutenant von Cornwall, er hätte einen Besitz mit Park und Rhododendren, im übrigen sei er der Master of the Hounds und hätte nicht zu schlechte Pferde. Wenn sowas Seine Exzellenz interessieren sollte, würde er sich freuen, wenn diese morgen oder in den nächsten Tage zum Luncheon kommen würde. Ich sollte dann gleich mitkommen und vielleicht auch noch ein oder zwei Herren von der Begleitung.

Bald mußte ich im Namen Ribbentrops für den nächsten Tag zusagen. Er fand dies eine gute Sache, und Berber klärte uns auf, daß Lord-Lieutenant eine lediglich repräsentative Hofcharge sei und daß ein Master of the Hounds der oberste Herr über alle Fuchsjagden des County wäre und daß der eine Meute besitzen müsse. Na gut, dachten wir – das kann so schlecht nicht werden.

Also fuhren wir am nächsten Morgen, von einem Motorradpolizisten geführt, nach Rodmin, dem Prachtbesitz mit Manorhouse. An der Treppe empfing uns das Ehepaar mit Sohn und Tochter. Oberst X. ein jovialer typisch englischer Kolonialoffizier klassisch-ländlich, vornehm-schlotterig gekleidet, begrüßte uns sprudelnd herzlich. Mrs. X. , eine etwas ältere, hagere, distinguierte Dame, war zurückhaltender. Besonders ansprechend die blonde, rassige Tochter und der jugendlichrosige Sohn, der als Leutnant in einem Garderegiment diente. Es waren noch einige Freunde der Familie anwesend, unter ihnen Lord und Lady Ch. Nach den üblichen Formalitäten wurde beschlossen, sich den Park mit den Rhododendren anzusehen. Die Pracht der Blüten war überwältigend, die Vegetation, dem milden Klima Cornwalls entsprechend, fast subtropisch. Immer wieder Rhododendren zwischen Eukalyptusbäumen; gerne glaubten wir die »ersten Preise«, die diese Pflanzen bei der jährlichen Rhododendron-Show in London gewonnen hatten. Auf einen Sherry im Salon folgte ein ländliches Luncheon mit dem üblichen Ende nach dem Rückzug der Damen: Portwein und gewagte Witze. Dann, wieder vereinigt mit der Weiblichkeit und Mokka schlürfend, wurde das Programm für den Nachmittag beschlossen und – wie konnte es anders sein – wir durften die Reitpferde, die Stallungen und die Meute bewundern. Dies schien der Lebensinhalt der Familie – ich war davon sehr beeindruckt.

Doch bald zeigte es sich, daß man auch von patriotischer Pflichterfüllung Britannien gegenüber tief durchdrungen war. Der Hausherr erzählte von seinen Jahren in Indien, auch vom Ersten Weltkrieg, wobei er uns versicherte, daß er die Deutschen immer für »decent fellows« gehalten hätte und eigentlich die Franzosen nicht mochte. Es hätten nämlich die Deutschen ehrlich geschossen, jedoch hätten die verbündeten Franzosen stets versucht, ihnen mit »faulen Tricks«, mit Wein und Weibern beizukommen. Madame erzählte weniger amüsant von den Schulen und Krankenhäusern, die sie betreute, der Sohn von seinem Regiment und die Tochter von ihren Pferden und Hunden. Angelegentlich erkundigte sie sich nach meinen Geschwistern, nach deren Namen. Ich war darüber gerührt, aber nur so lang, bis ich feststellte, daß die junge Dame Namen mit dem Anfangsbuchstaben L suchte. Da meine jüngste Schwester Luise-Lotte heißt, war sie begeistert über diese »trouvaille« und erklärte mir ungeniert, sie brauche Namen mit Anfangsbuchstaben L für die diesjährigen Puppies ihrer Hunde. Sie wurde dabei rot, und entschuldigte sich reizend. Sie erzählte amüsant, daß sie so neugierig auf unseren Besuch gewesen wäre, da man doch über die Deutschen nicht viel Gutes höre, und daß ihr Vater taktvoll angeordnet hätte, ein paar Kriegstrophäen aus dem Ersten Weltkrieg, darunter einen durchschossenen Stahlhelm, schnell wegzuräumen, bevor der Ambassador käme.

Die köstliche Unbefangenheit der jungen Dame vom Lande veranlaßte mich, genauer auf sie einzugehen, und ich fand zunächst eine blonde, gebändigte Mähne, Sommersprossen, blaugrüne Augen und einen sportlich hageren, noch kindlich unbeholfen bewegten Körper – ohne Zweifel das nordische Ideal der damaligen Zeit, durch Humor und Jugend vermenschlicht. Was mich aber doch beeindruckte, war, daß sich dieses Mädchen von Persönlichkeiten des öffentlichen Lebens gar nicht beeindrucken ließ. Mit Stolz wurde auch ein Dackel vorgeführt. Er war der Exponent einer grundsätzlichen Deutschfreundlichkeit, denn während des Ersten Weltkrieges mußten Dackel versteckt werden!

Nach dem Tee verabschiedeten wir uns gutgelaunt und akzeptierten für den nächsten Tag eine Einladung zum Ausritt. Auch Ribbentrop war in gelöster Stimmung und wie so oft, wenn seine Frau nicht da war, genoß er hier sichtlich das englische Landleben.

Pünktlich waren wir am nächsten Tag wieder zur Stelle und mit einem frommen Gaul für unseren rundlichen und schwitzenden Professor Berber galoppierten wir zwischen Wiesen, Hecken und Steinzäunen umher. Bei jeder Rast hielt dieser einen kurzen Vortrag über die historisch so vielfältig bedeutsame Gegend, in der bereits die Phönizier Zinnminen betrieben, wo König Artus Tafel hielt und Ritter und Hexen das Land behausten. Im Mittelalter war die Landessprache cornisch, also keltisch. Professor Berber war hier in seinem Element und erntete Bewunderung. Diese wandelte sich bald, als er bei einem Sprung über eine Steinmauer, der auch mir großes Herzklopfen verursacht hatte, in hohem Bogen vom Pferd in eine Hecke fiel. Gott sei Dank war ihm nichts passiert.

Um beweglich zu sein, hatten wir unser prachtvolles, viersitziges 5,4 Liter-Mercedes-Kompressor-Kabriolett aus London nachkommen lassen, das dann auch sehr bewundert wurde. Als Ribbentrop am nächsten Tag für kurze Zeit dringend nach London zurückkehren mußte, und es mir durch Tricks gelungen war, ihn davon zu überzeugen, daß ich hier die Stellung bei seinen Akten halten müsse, blieb mir dieser herrliche Mercedes mit Chauffeur erhalten. Thorner und Dörnberg waren schon am ersten Tag zurückgefahren und so war ich unumschränkter Herr meiner selbst in diesem herrlichen Land des Frühlings am Golfstrom. Natürlich benutzte ich jede Möglichkeit, um nach Rodmin zu fahren. Mit Agnes X. ritt ich von Meer zu Meer quer durch dieses Land der Sagen, und aus Freundschaft wurde später Liebe. Ich war glücklich und konnte mir gar nicht mehr vorstellen, daß ich vor Tagen, als der Lordlieutenant angerufen hatte, den Chef noch beschworen hatte, abzusagen, damit nicht seine Ruhe und Erholung durch Besuche wieder gestört würden.

Nach ein paar Tagen kam Ribbentrop zurück und wieder gab es ein Lunch auf Rodmin und zu meiner Begeisterung lud der Botschafter zu dem kommenden Besuch des deutschen Kriegsschiffes »Schlesien« ein, der Mitte April in Torquay stattfinden sollte, wobei – neben offiziellen Empfängen – auch ein Ball für die jungen Offiziere vorgesehen war.

In Plymouth erzählte uns Ribbentrop, wie er 1914 hier gebangt hatte, als er, unter den Kohlen eines amerikanischen Schiffes vergraben, die Blockadeuntersuchung über sich hatte ergehen lassen müssen – »über sich« im wahrsten Sinne des Wortes, denn die Engländer stießen gottlob nicht bis in die tiefen Regionen seines Verstecks vor. Das machte uns den Chef sympathischer, und das brauchten wir, denn es war nicht leicht, einem Mann dienen zu müssen, den man kaum schätzen konnte. Positive Eindrücke waren darum für uns ein Grund zur Freude und halfen uns bei der Gewissenserforschung, wenn wir uns fragten, ob wir nicht am Ende bei der Beurteilung seiner verkrampften Persönlichkeit ungerecht wären. Dergleichen kam leider nur selten und immer nur dann vor, wenn Frau von Ribbentrop sich nicht einmischen konnte. In gewissem Sinn war Ribbentrop immer nur Trabant starker Persönlichkeiten. In Deutschland war es Hitler, in England Frau von Ribbentrop, und in Ermangelung eigener Ideen versuchte er, seinen »Sonnen« durch überspitzte Einfälle zu imponieren. Der »normale Ribbentrop« dieser schönen Tage von Cornwall war ein durchaus liebenswerter Mensch, der dort aus verkrampfter Haltung wieder zu sich selbst gefunden hatte und manchmal sogar einen Anflug von Humor zeigte.

Nach London zurückgekehrt, stürzten wir uns wieder in die Arbeit. Der Chef begann erneut »zu regieren«, doch genoß ich damals die ersten Balleinladungen bei alteingesessenen englischen Familien. Ein Ball bleibt mir unvergeßlich, zu dem Lady Weigall eingeladen hatte. Vor einem prachtvollen Haus mit mehreren Terrassen, Brunnen, Wasserbecken, Rosenhecken, gepflegtem Rasen und Blumen waren drei riesige Zelte aufgebaut, in denen Buffets mit Köstlichkeiten und unermüdlich blasende Bands für eine herrliche Stimmung sorgten. Der Ball wurde zu Ehren von Lady Iris Mountbatten gegeben: »the first debutante of the season.« Leider zwang mich Lady Weigall, die mir ihr Wohlwollen geschenkt hatte, mit Iris zu tanzen. Ich war nie ein Freund moderner Tänze gewesen, und da ich ihr nicht viel zu sagen wußte, hatten wir beide keinen Genuß von dieser Begegnung. Ich tröstete mich am Buffet und genoß das Fest und den hinreißenden Anblick der weiblichen englischen Jeunesse dorée sehr platonisch. Denn mein Herz war in Cornwall geblieben.

Mit Ungeduld erwartete ich deshalb den Tag der Abreise nach Torquay. Unsere Protokollabteilung war schon vorausgefahren, um alles sorgfältig vorzubereiten, sollten wir doch für die Herren der englischen Admiralität und Marine bei Dinner und Ball die Gastgeber sein. Unsere Abfahrt erwies sich als schwierig, wie üblich durch Verzögerungen und Umdispositionen behindert. In Torquay angekommen die erste Überraschung: In einem sehr vornehmen Hotel wurde Thorner und mir ein wunderschönes Appartement mit zwei Zimmern und Salon, darin Blumen und Klavier, zugewiesen. Thorner spielte gleich darauf, und ich machte mich an den Fruchtkorb, stand auf dem Balkon wie Polykrates und sah auf das Meer hinaus. Wir waren zufrieden mit der Protokollabteilung. Da riß uns aufgeregtes Hin- und Herlaufen aus unseren Meditationen. Wir ahnten Böses, und es dauerte nicht lange, da waren wir beide in andere Zimmer umdisponiert, die nicht so großartig waren. Was war geschehen? Die Sabotintern von der Protokollabteilung hatte die Zimmerliste durcheinandergebracht.

Frau von Ribbentrop war in einem für die Zofe bestimmten Lichthofzimmer gelandet und daraufhin explodiert, während Thorner und ich ihr Apartment für kurze Zeit bewohnt hatten. Das kostete den damaligen Protokollchef, Herrn von Oswald, laut offizieller Begründung die Stellung. In Wahrheit aber konnte Frau von Ribbentrop und Frau von Oswald einander nicht ausstehen. Letztere, eine geborene Prinzessin Lippe, war eine sehr sympathische Dame und hatte Frau von Ribbentrop schnell durchschaut.

Am nächsten Morgen besuchten wir das Schulschiff »Schlesien«. Damals trugen wir Botschaftssekretäre noch keine Diplomatenuniform. Daher schritten wir im Cutaway und mit Zylinder zur Barkasse, die uns zum Kriegsschiff beförderte. Nach kurzem Salut-Schießen aus einer kleineren Kanone wurden wir, wie es Admiralen und hohen Herren gebührt, vom Klang einer Bootsmannspfeife begrüßt. An Bord waren Mannschaft und Seekadetten makellos angetreten. Wir marschierten würdevoll die Reihen ab, wobei uns die Herren des Offizierskorps vorgestellt wurden.

Es herrschte leider ein leichter Sturm, der die Cutawayschöße fliegen ließ und die Zylinder gefährdete. Treppauf, treppab ging es dann über und durch das Schiff. Wir klammerten uns mit der rechten Hand ans Geländer, mit der linken retteten wir die Zylinder. Nach dem Besuch einiger Geschütztürme stellten auf einmal Thorner und ich fest, daß der graue Anstrich des Schiffes wohl erst anläßlich dieses Besuches erfolgt, noch nicht ganz getrocknet war und sich nun teilweise nicht nur auf unseren Cutaways, sondern auch auf Rücken und Zylinder unseres Botschafters befand. Den Offizieren der deutschen Seestreitkräfte war das sehr peinlich, und sie entschuldigten sich immer wieder ganz verstört.

War es noch relativ leicht gewesen, an Bord der »Schlesien« zu kommen, so hatte sich inzwischen der Sturm verstärkt, und beim Verlassen des Schiffes spielten sich Szenen ab, die Thorner und mir Grund zu neuer Heiterkeit boten. Das Schöne oder Schreckliche war ja, daß wir offiziell nie lachen durften, und daher versuchte jeder von uns beiden, den anderen zu einem unvorschriftsmäßigen Heiterkeitsausbruch zu verleiten. Der Seegang hob die Barkasse auf und nieder, und es erforderte von jedermann große Geschicklichkeit, gerade in dem Moment entschlossen hinüberzusteigen, in dem sich Schiff und Boot auf gleicher Höhe befanden. Ribbentrop und die älteren Herren der Botschaft hatten größte Schwierigkeiten, und wären sie nicht von Seeleuten energisch bugsiert worden, hätte es eine glatte Bauchlandung im Boot oder Wasser geben können. So ging aber alles gut vorüber.

Am Abend, noch vor dem Ball, gab der Botschafter den Offizieren der beiden Marinen ein Herrenessen. Da gab es eine zweite Protokollpanne. Die Plätze waren nur durch Tischkarten bezeichnet, und als wir uns setzen wollten, bemerkte ich, daß ein englischer Admiral seinen Sitz nicht finden konnte. Es waren aber schon alle Plätze bis auf meinen besetzt. Ich überließ dem höflich protestierenden Offizier energisch meinen Stuhl und zog mich, lautlos schleichend, gebückt zurück, nicht ohne einen dankbaren Blick des unglücklichen Herrn vom Protokoll aufgefangen zu haben. Eigentlich war ich froh, dieser langweiligen, steifen Angelegenheit entronnen zu sein, und ich bestellte mir in der Bar auf Protokollkosten Hummer und Champagner. Da traf zu meiner Begeisterung etwas zu früh meine Flamme ein. So hatten wir miteinander dank der Protokollpanne ein Souper à deux und feierten es gebührend.

Wahrscheinlich war der folgende Ball steif und langweilig, aber nicht für uns! Erst kurz nach Sonnenaufgang lieferte ich meine Flamme am Gartentor des Hauses einer Tante ab.

Da war nichts mehr zu machen, Amors Pfeile saßen tief. Wir waren uns der Tatsache durchaus bewußt, daß dies für Menschen, die uns nahestanden, einfach unbegreiflich und unannehmbar sein würde. Doch ahnten wir damals nicht, wie einschneidend diese Liebe unser beider Leben und Geschick beeinflussen sollte.

Es folgte eine Zeit sehnsüchtig erwarteter Briefe zwischen Cornwall und London, verliebter Telefonate, kunstvoll organisierter Besuche, ihrerseits in London oder meinerseits in Rodmin. In London gab es Einladungen bei Agnes' Freundinnen mit dem unvermeidlichen Besuch der Bar des schicken Clubs der »Fourhundred«, in Cornwall erwarteten mich viele Ausritte, begleitet und kontrolliert durch den taktvollen alten Groom der Reitpferde, der uns in respektvollem Abstand folgte. An ihm imponierte mir besonders, daß er jedesmal ehrerbietig den Bowler zog, wenn er vom Lordlieutenant, sprach. Dieser streng gerechte Diener seines Herrn, der Agnes über alles liebte, litt sehr darunter, daß er unsere Romanze gegen den Willen der Eltern dulden, ja sogar begünstigen mußte. Er machte mir manchmal leise, respektvolle Vorwürfe, indem er auf die Schwierigkeiten zwischen unseren Völkern hinwies. Auch Lady Ch. nahm mich einmal vor, als sie mich zu einem Lunch zu zweit in den Ladies Carlton Club einlud. Unvermutet begann sie, meine Ansicht über »intermarriage between nations« zu erforschen, und meinte, dies hätte selten zu glücklichen Lösungen geführt. Ich stellte mich so dumm wie möglich und spielte den Nichtbetroffenen. Agnes' Familie hatte im Grunde nichts gegen unseren Flirt, aber die Mutter, von Anfang an mißtrauisch, sprach Ribbentrop auf einer Royal Garden Party auf die Romanze zwischen ihrer Tochter und mir an. Ribbentrop redete mir daraufhin meiner Karriere wegen sehr ins Gewissen, obgleich er Agnes besonders anziehend fand. Ich sollte mir aber, meinte er, klar darüber werden, daß »solche Dinge« für aufrechte Nationalsozialisten und Deutsche niemals in Frage kämen. Wir ließen uns aber nicht stören.

»Agnes and her hun«, Agnes und ihr Hunne, so nannten uns manche so witzig. Doch Freunde und Verwandte waren uns freundlich gesinnt, vor allem eine alte Tante, die Agnes' Mutter nicht leiden konnte und für »eyelashes« (das sollte ich sein) ein Faible hatte. Sie wollte uns sogar etwas vererben. Im übrigen hofften die meisten, daß unsere Beziehung von kurzer Dauer sein werde. Auch der Vater neigte dieser Ansicht zu. Seine Frau war aber beunruhigt; selbst kolonialer Herkunft, wollte sie für ihre Tochter eine urenglische Heirat und fürchtete eine Verbindung mit einem Mann, der weder »cornish«, noch »english«, noch »scotch«, sondern ein »Continental«, German Nazi und ein Mann »without title« war. Impossible!

Aber solche Widerstände machten uns nur noch verliebter und entschlossener! Agnes nahm mich überallhin mit, so daß ich Merry Old England, das in der Gentry, dem niederen Landadel, seinen besten Ausdruck findet, mit seinen ländlichen Treffen, kleinen Pferderennen und Bällen nach Fuchsjagden kennenlernte. Aus diesem Reservoir von Landbesitzern rekrutierten sich die Offiziere der englischen Flotte, der Armee und jene Beamten, die das englische Weltreich und seinen ungeheuren Reichtum mit Maß, Geschick und Takt verwalteten. Besonders beeindruckte mich bei allem Wohlstand deren einfache, verantwortungsbewußte Lebensweise. So wurde auch Agnes kurz gehalten und war streng erzogen worden. Ihr Taschengeld war lächerlich gering, und wenn ihr Vater mit seinen Freunden im Herbst nach Schottland zum grouse-shooting zog, kostete das damals genau das Dreißigfache von dem, was sie als Taschengeld für ein ganzes Jahr bekam. Doch sie fand das »dead right«, denn Daddy müsse ja mit seinen Freunden in Verbindung bleiben, sonst gäbe es keine Geschäfte mehr, und »grouse-shooting and salmon-fishing« in Schottland wären dazu gerade richtig, basta! Sie selber könne leicht mit ihrem Geld auskommen, da heiße es eben, zweiter Klasse fahren und nicht erster, wie sie mit tadelndem Blick zu mir her bemerkte. Sie übte ohne Zweifel einen guten Einfluß auf mich aus und versuchte, mich auf den soliden Boden von »modesty and decency« zu bringen; ich sei viel zu »conceited« und fast schon so komisch wie mein Chef!

Eines Tages, nach einem Dinner auf der Botschaft, zu dem Agnes auch eingeladen war, saßen wir im Salon. Ribbentrop brütete globalpolitisch vor sich hin. Auf einmal ließ Agnes ihre helle Stimme vernehmen: »Oh, don't try to look like a statesman, better use your bewitching smile.« Ich erstarrte. Die anderen fingen an zu grinsen und verschwanden. Ribbentrop aber hatte, gottlob, die vernichtende Bedeutung dieser Bemerkung, die noch tagelang gefeiert wurde, nicht ganz mitbekommen!

Niemand könnte meine Entschlüsse und Schritte verstehen, wenn ich den Einfluß dieser Frau, die mich, wie ich glaube, England so sehen ließ, wie es wirklich war, verschweigen würde. Das leere Geschwätz des Botschafters über ein degeneriertes Establishment, das von Plutokraten, blasierten Aristokraten und Juden regiert werde, wurde mir in all seiner Primitivität klar. Dieses großspurige Gehabe, dies Stolzieren und Wichtigtun, das den »Übermenschen« des Dritten Reiches eigen war, verpuffte im Gelächter dieses jungen, natürlichen und doch so wohlerzogenen Mädchens. Alles, was wir nationale Idealisten uns an Rasse, Klasse und Lebensart als erstrebenswertes Ziel vorgestellt hatten, war hier in einfacher und viel menschlicherer Weise längst gelebtes Leben. Mein Mentor und Freund, Erich Kordt, der diese Elemente schon lange richtig eingeschätzt hatte und meine politischen Ansichten auf realen

Boden zurückzuführen trachtete, war der zweite große Einfluß in meiner damaligen Entwicklung.

Ich hatte übrigens zwei Leidensgenossen, deren Karriere auch durch Liebe zu Engländerinnen bedroht war. Der eine war Prinz Ludwig von Hessen, der sich in die reizende, fröhliche Margaret Geddes, Tochter des Lord Auckland Geddes, des ehemaligen Munitionsministers im Ersten Weltkrieg verliebt hatte, der andere Herr von Wussow, der sich ebenfalls entschloß, eine Engländerin zu heiraten. Wir drei – wie ja schon berichtet – wohnten zufällig außerdem bei Mrs. Gardyne. Ribbentrop sah mit Schrecken, wie seine Mitarbeiter dem Charme englischer Damen verfielen, obgleich er und seine Frau ein tägliches »Ceterum censeo ...« gegen England und sein Establishment predigten.

In der Folge versuchte ich ganz bewußt mit dem ganzen Einsatz meiner Person und meiner bescheidenen Möglichkeiten, jeden Ansatz zu einer Entwicklung auf einen Krieg zwischen den angelsächsischen Großreichen und Deutschland zu verhindern. Auf meinem kleinen Posten konnte ich nur selten dafür sorgen, daß Informationen über England, die an die Führungsspitze des Dritten Reiches über ihren Botschafter in London, Joachim von Ribbentrop, und damit indirekt gesteuert von dessen Gemahlin, so wenig als möglich manipuliert weitergegeben wurden, sondern den Tatsachen entsprachen. Daß der Friede mit England privat auch meinen Wünschen entsprach, ist wohl richtig, dieser Aspekt aber hatte für einen durchdrungenen Idealisten, wie ich es war, keine Bedeutung. Meine Freunde und ich hätten damals alles für unsere Ideale geopfert – auch das private Glück.

An unserer Londoner Botschaft wurde für die Krönung weiter umgebaut – ohne Rücksicht auf Kosten. Aber der Erfolg war beeindruckend. Termingerecht war zur Krönung alles fertig und wohlgelungen. Frau von Ribbentrop strahlte und wollte ihren Erfolg »urbi et orbi« zeigen. Kleine und große Parteigrößen wurden herangelotst bzw. eingeflogen, auf daß man dem Führer ein richtiges Bild von der großen Kulturarbeit des Hauses Ribbentrop vorführe!

Zu dem Ereignis der Party in der Botschaft, dem »ganz großen einmaligen«, wie die Ribbentrops meinten, war dann wahrhaftig alles erschienen, was Rang und Namen hatte. Der Herzog von Kent kam pünktlich, wie vorgesehen, um halb elf, vor diesem Zeitpunkt mußten alle Engländer und Persönlichkeiten geringeren Ranges bereits anwesend sein.

Das Polizeiaufgebot war ungeheuer, die Kontrolle gegen ungebetene »gate crashers« sehr genau. Wir hatten eingeladen und es erschienen z. B. der Bruder des Kaisers von Japan, Prinz Chichibu; der französische Generalstabschef Gamelin; der Sohn Ibn Sauds; das gesamte diplomatische Corps, Prinzen, Herzöge, Grafen, Baronets, Bischöfe, Künstler, Professoren, Bankiers; es waren Freunde und Feinde gebeten, vornehme und auch eine gute Zahl weniger nobler Zeit- und Volksgenossen – Parteigrößen, die Likus und Luther herangeschafft hatten und die mit ihrem ungezügelten Drang zum Alkohol das Fest nicht feiner machten.

Eine unendliche Schlange von befrackten und uniformierten Herren, begleitet von ihren Damen in prächtigen Abendroben, manche mit Diademen oder mit ungeheuren Werten an Schmuck ausgestattet, wand sich durch das Haus. Bald waren alle Säle übervoll. Man konnte sich weder vor- noch rückwärts bewegen. Eintausendzweihundert Personen sollen gekommen sein! Man trat sich auf die Füße, blieb an Ordenssternen und Schnallen hängen, weichte sich den Kragen zu einem Galgenstrick zusammen, schnappte nach Luft, und kleinere Personen wurden über Tische und Stühle gehoben. Dazu jubelten und trompeteten zwei Orchester, Gläser klirrten, Teller und Bestecke klapperten, denn Horcher, der berühmte Restaurateur, hatte mit dem Flugzeug ein Riesenbuffet aus der Hauptstadt herbeigezaubert. Berühmte Kammersänger und -sängerinnen versuchten verzweifelt, gegen den Partylärm anzusingen. Die Armen! Sie waren völlig überflüssig. »It really was a bright party!« Ich selbst fand sie weniger »bright«, denn ich sollte stets bei meinem Ribbentrop bleiben. Das war aber einfach nicht möglich, ich hätte die Welt durch Niederboxen einiger Potentaten in höchste Kriegsgefahr bringen müssen. Dörnberg gab mir dazu die Aufgabe, den jungen Ibn Sâud mitzubetreuen, der groß und hager, in seinem Burnus mit Goldschnüren um den Kopf sehr nobel aussehend, von einem dicken kleinen, emsigen Wesir begleitet, stumm in den Massen stand. Auch ihn gab ich bald auf und zog mich schließlich mit Freunden und meiner englischen Flamme in mein Büro zurück, wo wir uns erleichtert selbständig machten. London jedenfalls fand das Fest sehr gelungen. Dieser Erfolg hätte sehr gut ein neuer Anfang für die Ribbentrops sein können.

Dazu kam es leider nicht. Das Botschafterpaar war vielmehr in größter Sorge, die deutschen Gäste, vor allem aber die Krönungsdelegation unter Blomberg könnten, von englischer Herzlichkeit günstig beeinflußt und aufgeklärt über Ribbentrops Sündenregister, zu Hause in einer Weise berichten, die dem Ansehen oder gar der Karriere des Herrn Botschafters schaden werde. Dem mußte man natürlich zuvorkommen! So wurde in größter Eile ein eigener Krönungsbericht auf anderen Wegen nach Berlin gebracht und darin gegen England weitergehetzt. Der Versuch aber, den alten Blomberg gegen England zu stimmen, schlug gänzlich fehl. Im Gegenteil war der Feldmarschall in London richtig populär geworden.

Unvergeßlich ist mir der Eindruck, den die deutsche Delegation dann im Krönungszug machte. Wir konnten ihn von der Botschaftsterrasse aus wunderbar beobachten. Nach der Prunkkarosse mit dem König und der Königin kamen die Wagen mit den anderen Mitgliedern der königlichen Familie. Ihnen folgten die mächtigsten der indischen Fürsten zu Pferde. Ein Bild aus »Tausend und einer Nacht«. Die Tiere und ihre Reiter waren mit Juwelen übersät! Funkelnde Solitäre auf Turbanen oder am Knauf gezückter Säbel in bizarren Formen wetteiferten mit Perltropfen oder nußgroßen Diamanten, Saphiren und Smaragden auf den Stirnen edelster Hengste. Großartig auch die Pracht der Traditionsuniformen des englischen Hofs und des englischen Militärs. Die ganze Welt hatte ihre Delegationen geschickt und verschwenderisch ausgestattet. Gold- und ordenübersät kamen die Diplomaten meist in Zweispitz und Frack. Da plötzlich wurde dieses glitzernde Bild unterbrochen von einem feldgrauen Nebel. Der Jubel verstummte. Tief beeindruckt sah alles auf die schlichte deutsche Delegation: Blomberg, begleitet von den Wehrmachtsattachés; alle bis auf Admiral Wassner in Feldgrau mit Stahlhelmen auf den Häuptern. Nur große Gestalten, keiner, der nicht Gardemaß hatte. Würdig verhalten war ihr Schreiten, dezentes Klirren und Funkeln von Sporen und Waffen, an der Brust lediglich Orden aus dem vergangenen Weltkrieg. Es war ein eiskalter Hauch, der künftige Schlachten zwischen beiden Reichen erahnen lassen konnte. Doch dann brauste der Jubel wieder aus den dichtgedrängten Massen der Pall Mall, und von neuem war alles wieder »Glanz und Gloria«, alles in Farben, Gold und fröhlicher Pracht.

Unsere Botschaftsterrasse war voll mit Botschaftsmitgliedern, ihren Familien, Freunden und mit Gästen aus Deutschland. Ehrengast war auch der österreichische Gesandte Frankenstein mit Anhang. Tags zuvor hatte dieser nämlich anfragen lassen, ob er unsere Terrasse mitbenützen dürfe, da der Krönungszug die abgelegene österreichische Gesandtschaft nicht berühre, und obwohl ich wußte, daß Frankenstein kein Freund Deutschlands war, setzte ich mich sehr für die Erfüllung seines Wunsches ein. Die Engländer ging unser Bruderzwist schließlich nichts an. Ein paar junge Österreicherinnen hatte ich eigens eingeladen; unter ihnen Heldis von der Lippe, die Schwester meines alten Freundes Viktor.

Doch zurück zur Krönung und zu deren Nebenschauplätzen, soweit sie unsere Botschaft betraf. Schon Monate vorher bestand unser halbes Leben aus Vorbereitungsarbeiten, damit alles möglichst minutiös geplant sei, und es keine Pannen gäbe. Das gelang leider nicht ganz – oder gottlob, denn traurig wäre das Leben der Diplomaten ohne die köstliche Würze solcher Pannen. Es geschah also folgendes: Zur Krönungs-

party am 12. Mai war auch ein wichtiger schottischer Lord, ich glaube, er hieß Armstrong, geladen worden, der auf seinen Gütern zurückgezogen lebte. Der Lord kam in einem prächtigen Rolls Royce mit footman, mit Frack und vielen Orden angetan, pünktlich um neun Uhr vor unserer Botschaft an. Das war aber leider an einem ruhigen Tag, nämlich am 2. Mai des Jahres 1937, als sich der Botschafter schon mit Zahn- oder Kopfweh früher als sonst zu Bett begeben hatte und ich mich nach Abschließen aller Safes und Abdrehen der Prachtlichter soeben zufrieden von unserem Portier und den zwei Bobbies vor der Botschaft verabschiedet hatte. Just zu diesem Moment hielt der Wagen unseres Lords an der Botschaftstreppe. Portier, Bobbies und ich staunten sehr. Fragend und unschlüssig standen Lord, Chauffeur und foot-man auf der Straße. Ich dachte mir, man sei wohl an der falschen Adresse, da ja die Palais der Carlton House Terrace einander ähneln. Freundlich fragte ich also den distinguierten alten Herrn, ob ich ihm behilflich sein dürfte und welche Adresse er suche. Er erklärte herablassend, alles sei all right, er ginge zur Party auf die deutsche Botschaft. So erklärte ich also, da müsse wohl ein Irrtum walten, hier sei zwar die deutsche Botschaft, aber heute Abend wäre keine Party angesetzt – und ich müsse das wohl genau wissen, sei ich doch der Private secretary des deutschen Botschafters. Hierauf zeigte der Lord seine Einladung zur Krönungsparty, auf der tatsächlich statt 12. Mai nur 2. Mai geschrieben stand!! Man hatte das Datum nicht mitdrucken lassen, um die definitive Zeit im letzten Moment noch einsetzen zu können, und das war dann handschriftlich geschehen, aber falsch. Bei über tausend Einladungen war einmal eine Eins vergessen worden! Es stand klar der 2. Mai dort, und die Schrift war einwandfrei die von Ludwig von Hessen. Ich rang nach Luft. Die buschigen Augenbrauen des Lords hatten bereits beachtliche Höhe erreicht, und eine Explosion stand kurz bevor. Die Bobbies, die unsere Konversation mit angehört hatten, lächelten dezent vor sich hin, spielten mit ihren Knüppeln und blickten zu Boden. Welch ein Glück aber in solch verfahrener Situation, daß ein echter Prinz, sogar königlichen Geblütes und ein echter Urenkel der Königin Viktoria, einwandfrei der Schuldige war! Es gelang mir, das dem Lord klarzumachen. Schon als er »Prinz« hörte, wurde er friedlicher, und als ich einfließen ließ, daß der Schuldige als Urenkel der Königin Viktoria doch besser hätte aufpassen müssen, war das Eis gebrochen. Ich bat um die Adresse des Geladenen, damit sich Prinz Ludwig morgen bei ihm persönlich entschuldigen könne. Am nächsten Tag wurde Ludwig von Hessen vom Lord zum Dinner eingeladen, das feucht und fröhlich in großer Freundschaft endete. Snobappeal hatte sich als englische Universalmedizin bewährt.
Auch mit Feldmarschall von Blomberg gab es ein lustiges Erlebnis. Un-

zählbar waren die Luncheons und Dinners vor und nach der Krönung, unermüdlich war das Ehepaar Ribbentrop und das Protokoll dabei, wichtige und wichtigste Leute aus England und Deutschland in der Botschaft abzufrühstücken und zusammenzubringen. Bei einem solchen Lunch für den in der Botschaft wohnenden Blomberg passierte eine komische Geschichte. Hauptakteure waren ein furchtsamer Haushofmeister, den die Ribbentrops einige Zeit zuvor irgendwo »erbeutet« hatten, dazu ein vom Berliner Juwelier Lettré kreiertes unpraktisches »Feuerschiff« für das silberne Zigaretten- und Zigarrentablett. Es war dies eine epochemachende Erfindung von Frau von Ribbentrop: eine Gondel, aus Silber getrieben, mit Spiritus gefüllt, ungefähr zehn Zentimeter lang, an deren Bug eine ewige Flamme brannte. Zog man nun aus dem Heck der Gondel einen Stift heraus, so konnte man dessen spiritusnasses Ende an der Bugflamme entzünden und mit dieser genialen Mini-Fackel Zigarren und Zigaretten der Gäste frei von jedem Phosphorgeschmack in Brand setzen. Der Juwelier hatte aber vergessen, den Fakkelstift am Griffende thermisch zu isolieren, und daher war es für den Haushofmeister eine Qual, mit dem immer heißer werdenden Stift lässig vornehm Feuer zu geben.

Blomberg hatte das Essen sehr genossen, besonders auch deshalb, weil neben ihm die sehr lustige und schöne Baronin »Tutz« Stumm saß. Als nach den Cognacschwenkern der Haushofmeister mit Rauchwaren und Feuergondel zum Marschall trat, nahm dieser, ohne die Konversation mit seiner Nachbarin zu unterbrechen, eine Havanna, schnitt sie ab und beschrieb, mit der noch kalten Zigarre heftig in der Luft gestikulierend, die interessante Geschichte, die er gerade zum Besten gab. Es hatte aber der Haushofmeister den spiritusgetränkten Wattestift vorschriftsmäßig an der Bugflamme der Silbergondel bereits entzündet und hielt ihn mit Verbeugung so nahe wie möglich an den Feldmarschall und an seine durch die Luft hin und her sausende Zigarre. Der Marschall kannte in diesem Augenblick nur seine blendende Geschichte und die entzückende Tutz. Der Stift aber wurde immer heißer! Der Haushofmeister versuchte, dieses Übel durch immer schnelleres Drehen des Glühstiftes zu steuern. Der »tolle Blomberg« war aber nicht zu stoppen, und unser Mutius Scaevola hatte leider nicht die Absicht, seine Hände verkohlen zu lassen. So steckte er den Stift wieder in das Spiritusschiff zurück. Ein dumpfer Knall folgte, und das Schiff explodierte. Brennende Spiritusirrwische flogen durch die Luft und fielen auf Tisch und Teppich und auch auf unseren tapferen General und seine angehimmelte Nachbarin. Unerschrocken nahm der Marschall eine Serviette und schlug damit die Flammen auf der zarten Baronin und dann auf sich selbst aus. Alles sprang herbei und trampelte ebenfalls auf dem Boden herum. Die

Show aber gehörte dem tapferen Krieger, und wenn der Marschall nicht seine Feuerwehrrolle so aufrichtig genossen und zur Verteidigung des Unglücksraben sofort erklärt hätte, aus welchen technischen Gründen die wunderschöne Feuergondel völlig unbrauchbar sei, dann hätte niemand unseres armen Haushofmeisters Stellung und Karriere retten können.

Blomberg war überhaupt ein angenehmer Gast. Mit seinem Adjutanten, Korvettenkapitän von Wangenheim, freundete ich mich rasch an, und es kam beim Tagesablauf der Delegation kaum je zu Schwierigkeiten. Besonders imponierte mir das System für Reisen des Marschalls und Kriegsministers, soweit es Gepäck und Uniformen betraf. Es gab da die Reise eins, zwei oder drei. Bei Reise eins waren sämtliche Galauniformen mitzunehmen, dazu Frack und Smoking. Bei Reise zwei etwas weniger und bei Reise drei nur ein Bruchteil. Alles war klar geregelt, und beide Ordonnanzen hatten schriftliche, verständliche Weisungen.

Kurz vor seiner Abreise schenkte mir der Marschall sein Bild mit Widmung. Es wurde mir aber innerhalb einer Woche von englischen Blomberg-Fans aus meiner Wohnung entwendet. Es mir zu ersetzen, lehnte aber der Marschall ab. Er gäbe Bilder nur einmal, und auf diese müßte man eben aufpassen, berichtete Wangenheim traurig.

Schon Monate vorher hatte ich bei einem kurzen Aufenthalt in Berlin unfreiwillig die telefonische Bekanntschaft des Marschalls gemacht. Damals war Blomberg noch General, aber bereits Kriegsminister. Ich saß gemütlich im Vorzimmer in der Dienststelle meines Chefs und hatte den strikten Auftrag, alle Anrufer abzuweisen. Einen Auftrag dieser Art schätzte ich sehr, denn er bedeutete Ruhe von außen und Ruhe von seiten des Chefs, der mit Fachmitarbeitern über die deutsche Zukunft brütete.

Als wieder einmal das Telefon läutete, und sich so ein General direkt meldete, dessen Namen ich nicht genau verstand, erklärte ich lässig bedauernd, der Chef sei leider nicht im Hause, und ob ich etwas ausrichten könne. Hierauf fragte mich dieser General, wann denn der Chef wiederkäme. Da ich aber Sperrauftrag für den ganzen Tag hatte, erklärte ich, das wüßte ich nicht genau, doch sobald ich Genaueres erfahren würde, könnte ich ja zurückrufen und ich bäte nur um Namen und Telefonnummer. Darauf der General ganz ruhig »Generaloberst von Blomberg, Reichskriegsminister!«

Ich dachte, mich rührt der Schlag, sprang auf, nahm Haltung an, knallte die Telefonmuschel stramm an das Ohr und schmetterte eine unsinnige Entschuldigung.

Hierauf Blomberg: »Schon gut, ist ja in Ordnung. Rufen Sie mich dann an.«

Hierauf ich: »Herr Reichsminister, selbstverständlich kann ich Sie sofort mit dem Herrn Botschafter verbinden.«

Wiederum Blomberg belustigt: »Wieso, Sie sagten doch, Ihr Chef sei nicht im Hause?«

Darauf ich: »Herr Reichskriegsminister, das gilt für alle Welt, bestimmt aber nicht für Sie!«

Doch Blomberg meinte, er wolle nicht stören, ich solle am Nachmittag die Verbindung zustande bringen, und so kam es dann auch. Ich war sehr angetan von so viel Leutseligkeit und Vernunft, die in krassem Widerspruch zur Pampigkeit meines Chefs stand, der, obwohl rangniederer, niemals selbst zum Telefon gegriffen hätte. Da aber Blomberg selbst angerufen hatte, ohne einen Sekretär zu bemühen, hatte ich ihn, da ich ja den Namen nicht verstand, für einen ganz gewöhnlichen General gehalten, und abgewimmelt. Wie man sieht, war ich schon etwas blasiert, und Herren unter dem Rang von Gesandten und Botschaftern, Generalen und Admiralen, Ministern und Gauleitern imponierten mir überhaupt nicht mehr. Auch verlangte Ribbentrop von uns Mitarbeitern, daß wir uns von niemandem beeindrucken lassen sollten und wir seine Stellung, die seiner Dienststelle, sowie unsere eigene mit selbstbewußter Zähigkeit verteidigen sollten. Darin hatte er recht. In einem autoritären Staat gehören Selbstbewußtsein und Zähigkeit, sowie Intrige und Schlauheit zu den Elementen des täglichen Bürokampfes, ja des Raufens um das »Dabeisein« schlechthin.

Ich versäumte die anläßlich der Krönung stattfindende gigantische Flottenparade in Spithead und machte mir einen freien Tag mit Agnes. Der schien mir wichtiger, als alle Pracht und Herrlichkeit der Welt. Ich schützte also dringende Büroarbeit vor, als der Botschafter mit seinen Mitarbeitern nach Spithead brauste. Diesmal konnte er nichts merken. Denn nach der Coronation Party hatte er am nächsten Tag bei der Generalbesprechung tadelnd bemerkt, der gute Spitzy sei fast gar nicht zu sehen gewesen, der hätte wohl geflirtet. Das sei sicherlich sehr angenehm, aber Staatsempfänge seien eben Pflicht, da müsse das Privatleben zurückstehen, und damit hatte der Botschafter durchaus recht! Ein richtiges »Privatleben« freilich gab es für mich ohnehin nicht. Denn ich war jeden Tag von morgens um acht bis zu später Stunde in der Botschaft oder mit dem Botschafter unterwegs.

Ribbentrops waren nach der sehr gelungenen Krönungsparty bei den Engländern wieder populär geworden, und Woermann, Dörnberg, Hessen und Kordt gaben sich jede Mühe, den gesellschaftlichen Verkehr mit englischen Familien zu intensivieren. So folgte denn auch eine Einladung der anderen. Ich genoß diese Luncheons und saß meist fröhlich am Ende der Tafel neben einer vergnügten jungen

Engländerin oder blieb tischdamenlos neben Wussow oder Lu Hessen. Ich habe sie alle gesehen, die damaligen Großen des englischen Weltreiches, so etwa den Archbishop of Canterbury, den Editor der Times, Geoffrey Dawson, Mr. Eden, Mr. Butler, Sir Robert Vansittart, Cadogan und last but not least auch den soeben zurückgetretenen Premierminister Mr. Baldwin. Auch Winston Churchill kam einmal zum Tee in die Botschaft. Er traf dabei mit Gauleiter Bohle zusammen, der in Südafrika geboren, aufgewachsen und zur Schule gegangen war und daher geläufig Englisch sprach. Es ergab sich eine zweistündige Unterhaltung, bei der hart diskutiert wurde. Churchill erklärte, er verstünde es gut, daß Deutschland seine Kräfte darauf konzentriere, sich von den Fesseln von Versailles zu befreien, nur könne er die rüden deutschen Methoden nicht gutheißen, aber er, Churchill, gebe zu, daß für ihn Hitler ein großer Mann sei. Er hätte nur einen entscheidenden Fehler: Er sei kein Engländer! Es sei durchaus möglich, daß er, Churchill, wäre er selbst Deutscher, in Hitler einen großen Führer sähe.

Anschließend an diese Unterhaltung gab es noch ein kleines Intermezzo. Churchill hatte, als er an diesem Nachmittag in die Botschaft gekommen war, seinen Regenschirm höchst eigenhändig irgendwo abgestellt. Beim Verlassen des Hauses ließ sich der Schirm nicht sogleich finden. Alle überboten einander in deutscher Dienstbeflissenheit, um dem Gast behilflich zu sein – zu einer Zeit übrigens, in der Churchill gar nicht als wichtige Persönlichkeit galt. Damals, 1937, hielt man nämlich nur wenig von ihm, hatte er sich doch während der Königskrise, als es um Edward VIII. und seine Gattin ging, blamiert. Churchill war ungeschickt und sinnlos für Edward VIII. bzw. dessen Ehe mit Mrs. Simpson eingetreten. Dabei war es klar gewesen, daß das Commonwealth niemals eine zweimal geschiedene Frau als Königin akzeptieren und deren Gatten weiter als Haupt der anglikanischen Kirche anerkennen konnte. Churchill wollte sich damit wohl profilieren und populär machen. Anläßlich der so geringfügigen »Schirmepisode« aber zeigte er sich keineswegs von einer eleganten Seite. Unsoigniert, wie er aufkreuzte – Zigarrenasche auf dem Ärmel, Whiskyflecke im Hemd – mit gedunsenem Gesicht brummte er voll Ungeduld alle Hilfsbereiten an. Er war so verdammt unenglisch! Wohl fand sich das gesuchte Objekt alsbald, aber Churchill verließ erbost unsere Botschaft und kehrte meines Wissens nie mehr dorthin zurück.

Es war dem deutschen Botschafter zu Ohren gekommen, daß Churchill damals stark verschuldet war. Ich kann mich nicht mehr daran erinnern, welcher englische Freund es war, der Ribbentrop vorschlug, doch die Schulden Churchills aufzukaufen, um dadurch diesen Deutschenhasser zu neutralisieren. Ribbentrop lehnte aber lächelnd ab und erklärte,

Churchill sei schon ein toter Mann, da wäre es doch schade um jeden Pfennig. Später werden sich dann wohl Roosevelts Hintermänner noch rechtzeitig eingeschaltet haben. Aber wer konnte damals schon ahnen, welche Rolle Winston Churchill noch spielen würde! Damals machte der Verlierer von Gallipoli keinen sehr fähigen Eindruck. Doch wichtig wäre es dennoch gewesen, wie Philipp von Mazedonien mit Goldsäcken zu operieren! Für die Anwendung von Gold bedarf es keiner besonderen Genialität, und so hätte man sich mit einem Promille der deutschen Militärausgaben vielleicht auch wichtige Angelsachsen gewogen machen können. Aber Hitler hatte so gut wie kein Verhältnis zum Geld. Für ihn waren Pracht, Macht und Kanonen alles.

Auch Mr. Eden fand uns nicht sympathisch – hatte aber im Gegensatz zu Churchill gute Manieren. Eines Tages war er mit seiner Frau zum Lunch in die Botschaft gekommen, aber da gab es ein Malheur. Frau von Ribbentrop besaß einen sehr schönen Frà Angelico. Er hing in einem kleinen Durchgangssalon, war hinter Glas geborgen und durch eine Alarmanlage wohl beschützt. Eden beugte sich dem Bilde zu und berührte dabei das Glas. Nicht nur im Haus, sondern auch auf der Straße gellten jetzt Alarmsirenen. Niemand in der Botschaft hatte eine Ahnung, wie man diese abstellen könnte. Endlich kam einer auf die Idee, die Hauptsicherung auszuschrauben. Eden entschuldigte sich, und wir jungen Leute fanden dieses kleine Mißgeschick natürlich köstlich.

Einige Wochen nach der Krönung war der ehemalige Premierminister Baldwin zu einem Luncheon geladen. Ich ahnte nicht, wer noch gebeten war, denn dergleichen war Sache des Protokolls. So wußte ich lediglich, daß wichtige Herren zum Essen kämen, das für ein Uhr angesetzt war. Kurz nach halb eins, als ich den Ordonnanzen am Eingang etwas mitteilte, verwiesen diese mich an einen älteren Herrn, der schon angekommen war und sich sichtlich um eine halbe Stunde verfrüht hatte. Ich ging höflich auf ihn zu. Er machte mir den Eindruck eines durchaus interessanten Mannes, und ich genoß es, mit Menschen zu sprechen, von denen ich lernen konnte. Der Botschafter war noch in seiner Wohnung, so hatte ich Zeit für den feinen Gast. Ich führte ihn von Salon zu Salon, bemerkte sein großes Interesse an den Bildern aus deutschen Museen und spielte gerne und emsig den Cicerone. Da gab es wirklich prachtvolle Bilder, und der alte Herr war ein dankbarer Zuhörer und aufrichtiger Bewunderer. Ich zeigte ihm auch unseren großen Ausziehtisch, die letzten Arbeiten von Lettré, die Lucrezia Borgia von Lukas Cranach und im letzten Salon den Frà Angelico. Unser Gast verstand ziemlich viel von Kunst und, ich weiß nicht wie, kam das Gespräch auf die geringe Anzahl bedeutender weiblicher Maler. Doch da konnten wir in der Botschaft aufwarten. In der Halle im ersten Stock hing eine Angelika Kaufmann. Der alte Herr fand es ganz richtig, mit mir hinaufzusteigen, und da wir uns schon einmal im ersten Stock befanden, brachte ich den Gast auch noch in mein Arbeitszimmer, zeigte das Zimmer des Botschafters und dort den großen Bismarck von Lenbach.

Mein freundlicher Gast hörte sich alles interessiert und leicht amüsiert an. Ja, er schien diese vertrauliche Inspektion der deutschen Botschaft zu genießen. Ich fand es sehr erfreulich, einmal mit jemandem normal sprechen zu können, fern von der Hektik des täglichen Dienstes, und ich war durchaus beeindruckt von der Versiertheit dieses Besuches.

Als wir dann wieder den Abstieg zu den unteren Gemächern über die Nebentreppe nahmen, polterte uns Dörnberg mit hochrotem Kopf entgegen, verbeugte sich tief vor dem Gast und führte ihn unter mehreren Bücklingen hinunter in die Salons, wo bereits der Botschafter und andere Herren warteten. Als ich Dörnberg flüsternd fragte »Wer ist denn dieser Mann?«, zischte er zurück: »Du Idiot, Baldwin natürlich.«

Um Gottes Willen, der Prime-Minister persönlich, und ich Rindvieh hatte ihn nicht erkannt! Ich wollte auf der Stelle in den Boden versinken, und das Essen schmeckte mir überhaupt nicht. Aber Baldwin lächelte ein- oder zweimal freundlich zu mir herüber, und nach Tisch, beim Portwein, zog er mich im Beisein Ribbentrops kurz ins Gespräch und erklärte dem Botschafter, daß ich ein intelligenter junger Mann und er dankbar dafür gewesen sei, daß ich ihm alles so sachkundig gezeigt hätte. So schützte mich der rührende Baldwin vor einem Riesenkrach, und aus einer Missetat wurde eine Anekdote.

Das Botschafterehepaar deutete das wiedergewonnene gesellschaftliche Ansehen auf seine Weise: »Da sehen Sie«, meinte Ribbentrop, »da haben wir's ja. Nur meine kompromißlose harte Haltung wird gewürdigt. Alle meine Vorgänger, wie sie alle geheißen haben mögen, Hoesch, Bismarck usw., was haben die schon zustande gebracht? Jetzt, wo wir energisch die deutschen Reichsbelange vertreten und auch bereit sind, den Herren Engländern einmal richtig einen hineinzuwürgen, da kommen sie friedlich angetrabt, und alles andere, was das Auswärtige Amt vorher behauptet hatte, daß man Rücksicht auf englische Sitten und internationale Formen nehmen müsse, war doch nichts wie leeres Geschwätz der Herren Berufsdiplomaten mit ihren schlotternden Hosen.« So wörtlich!

Als wir anläßlich der Krönung unsere Einladungen stolz in deutscher Sprache ausgeschickt hatten, hatte es ein großes Aufsehen gegeben. Denn es ist üblich, solche Einladungen entweder in der international gebrauchten Diplomatensprache, also Französisch, abzufassen oder in der Sprache des Gastlandes, somit Englisch. Trotz zahlreicher Bedenken unserer Beamten hatte Ribbentrop auf deutschen Einladungen bestanden, mit dem Erfolg, daß wir Zu- und Absagen folgerichtig in ausländischen Sprachen bekamen, und so mußten Briefe in allen exotischen Sprachen nach Berlin zur Übersetzung gesandt werden. Man stelle sich bitte das Amusement des diplomatischen Korps und der englischen Gesellschaft vor! Wie dem auch sei, die deutsch-englischen Beziehungen waren wieder einigermaßen, und das künstlerische Wirken Frau von Ribbentrops beim Umbau der Botschaft wurde vielfach und mit Recht anerkannt.

Gelegentlich gelang es den Herren der Botschaft, Ribbentrop und seine Frau davon zu überzeugen, daß man nicht nur Staatsmänner, Politiker oder Generale, sondern auch Wissenschaftler und Schulmänner einladen sollte. Gerade diese hatten doch für England eine so hervorragende Bedeutung! Mir war schon aufgefallen, daß die Headmasters von Eaton, Harrow oder Westminster-School in England rangmäßig über Generalen und hohen Beamten standen. Ich war auch sehr beeindruckt davon, was mir der älteste Sohn des Botschafters, Rudolf, ein netter junger Mensch, über seine Erfahrungen und Erlebnisse in der Westminster-School erzählte. Dort war es den Engländern gelungen, ihren Schülern eine gewisse Fairness den Lehrern gegenüber beizubringen »Schwindeln«, bei uns doch das höchste Verdienst in der Schülerschaft, wurde dort mit Verachtung und sogar öffentlich vor der versammelten Schülerschar mit allerdings eher symbolisch verabreichten Stockschlägen bestraft. Überhaupt schienen mir die britischen Lehrer in den höheren Schulen ein ganz anderes Niveau zu haben, als bei uns. Das zeigt ein Erlebnis: Als eines Tages Lord Lothian erschien, um den Botschafter zu besuchen, und dieser, wie üblich, die Termine durcheinandergebracht hatte, mußte ich den Gast auf Bitte des Protokolls in den großen Salon führen und dort so lange unterhalten, bis der Botschafter verfügbar war. Lord Lothian war ein reizender älterer Herr, Anhänger von Christian Science. Später, während des Zweiten Weltkrieges, war er lange Zeit englischer Botschafter in Washington. Nach einigen Belanglosigkeiten brachte er unser Gespräch auf die Probleme der deutschen und englischen Erziehungssysteme. Ich fragte Lord Lothian, wieso englische Mittelschulprofessoren freier und wohlerzogener auftreten könnten als deutsche. Diese nämlich wären doch sehr oft, da sie durch Existenzsorgen bedrängt und daher von ihren Mitmenschen mehr bedauert als geachtet seien, beliebte Zielscheiben für Schülerwitze. Der Lord gab mir eine klare und prägnante Antwort. Zuerst äußerte er sich höflich lobend über die deutsche und österreichische Hochschullehrerschaft. Das Britische Empire aber, meinte er dann, brauche höhere Beamte, Gouverneure und Chefs mit großer Allgemeinbildung, mit Weitblick und Verständnis für internationale und historische Probleme. Um aber solche Persönlichkeiten heranzubilden, dürfe England nichts teuer und gut genug sein. Daher würden Mittelschullehrer grundsätzlich gut bezahlt und hätten durch ausreichende Ferien und große Stipendien vielfältige Möglichkeiten, sich weiterzubilden und kostspielige Reisen zu machen. Solche Großzügigkeit trage aber bei der Erziehung der Jugendlichen goldene Früchte. Weiters habe man in England die Einsicht gewonnen, daß man ein Kind nicht in der Volksschule für sein ganzes Leben prägen könne und daß moralische und kulturelle Einflüsse in der Zeit der Hochschulausbildung zu spät kämen. Der richtige Zeitpunkt, einen Menschen zu formen, wäre die Epoche seiner sexuellen Entwicklung, also der Übergang vom Kind zum Erwachsenen. Die tiefsten Eindrücke erhielte ein Mann fast ausschließlich in der Pubertätszeit, und sie prägten ihn zumeist für die ganze Zukunft. Deshalb lege England so großen Wert darauf, für seine Mittelschulen das beste Lehrermaterial heranzuziehen, und diesem dann auch an Rang, Ansehen und Geldmitteln all das zu geben, was sie billigerweise verlangen könnten. Solche im englischen Sinn erzogenen Ladies and Gentlemen, hätten später kaum enttäuscht, und alle diese im gleichen Sinn nach gleichem Ideal erzogenen Menschen würden, trotz aller persönlichen Freiheit, im entscheidenden Moment im gleichen, das heißt im englischen Sinn reagieren.

Ich war von diesen Erläuterungen sehr beeindruckt und dachte mir, hier liege wohl einer der Gründe für das Funktionieren der englischen Demokratie. Gleich erzogene Gentlemen würden in überwältigender Mehrzahl trotz aller Diskussionen und bei aller Freiheit zu aktuellen Problemen in ähnlicher und kalkulierbarer Weise Stellung nehmen.

Bei uns hingegen gibt es die verschiedensten Mittelschulen, geistliche und weltliche, protestantische, katholische, freiheitliche, sozialistische, moderne, traditionsreiche und konservative. Aus der Welt solch heterogener Ideen und Ideologien formieren sich die Studenten der Hochschulen, die dann ihrerseits wieder die verschiedensten Traditionen pflegen und sicher immer in den besten Absichten, den Nährboden für die berüchtigte deutsche Uneinigkeit darstellen. Wie war doch Britannien glücklich. Es stellte, versorgt von einem an Bevölkerungszahl zehnmal so großen Kolonialreich, ohne demokratisches Potpourri einen gut geführten Staat dar. Es wähnte sich zwar dieses über gleichen Leisten geschlagene Volk in vollkommener Freiheit, war aber in Wirklichkeit das korsettierte Produkt des englischen »way of life« und einer genialen, einheitlichen Erziehung in der Hand des Establishment. Tragisch, daß wir inzwischen ansehen mußten, wie das englische Weltreich nach dem Kriege Stück für Stück auseinanderbrach und unter der Devise »one man, one vote« Selbstmord verübte. Unfaßlich, daß zu meiner Londoner Zeit, also vor nicht ganz fünfzig Jahren, die Welt noch von riesigen, friedlichen und saturierten Imperien umspannt wurde, die zwar Härte und Geschäft, aber auch Arbeit, Fortschritt, Industrie, Wissenschaft, Gesundheit, Ordnung und unter dem Strich auch mehr Herrscherrechte hervorbrachten. Der »Untergang des Abendlandes« schien noch weit entfernt, und in jenen glanzvollen Tagen des englischen Weltreiches wurden Schönheit, Takt, Geschmack, Harmonie und Noblesse noch groß geschrieben. Rücksicht und dezentes Benehmen, gutes Beispiel, Moral und Treue galten noch etwas. Ja, ein König mußte zurücktreten, weil er seinem Volk eine zweimal geschiedene Frau als Königin nicht präsentieren und zumuten konnte.

Ganz England war zufrieden mit dem neuen Herrscherpaar, jedermann wußte, daß der neue König Georg VII. zwar nicht klug, dazu außerordentlich scheu war und öffentliche Reden am besten halten konnte, wenn ihn seine Frau mit der Hand berührte. Die Königin, weder hübsch noch elegant, aber liebenswert, witzig und eine gute Mutter, hatte den Spitznamen »Soutien George«, weil sie ihren Gatten zu stützen wußte. Sie sah aus wie eine biedere Frau aus dem Bürgertum, aber ihre beispielhafte Liebe zu Mann und Kindern gewann ihr schnell alle Herzen. Eduard VIII., jetzt Duke of Windsor, hatte sich mit der Herzogin – ohne den von ihr heiß ersehnten Titel »königliche Hoheit« – bereits auf den Kontinent zurückgezogen und sich nach längeren Verhandlungen bereiterklärt, Deutschland zu besuchen. Doch darüber später.

Im Anschluß an die Krönungsfeierlichkeiten gab es noch viele Parties, und man erzählte sich, daß der Duke of Kent und seine wunderschöne Frau Marina trotz eines Verbots des Königs zur Coronationparty auf die Deutsche Botschaft gekommen waren, um guten Willen zu zeigen. Der König hatte nämlich damals generell Botschaftsbesuche der Mitglieder des Königshauses untersagt. Aber auch solches schien die Ribbentrops kalt zu lassen.

Auf Tanzveranstaltungen und Hausbällen gab es damals noch altmodisch Notizkärtchen, in denen die Anzahl der Tänze bis Mitternacht numeriert aufgeschrieben waren. Wie brausten wir los, um die populärsten und schönsten der Damen für einen der numerierten Tänze zu gewinnen. Es war herrlich, wenn bis Mitternacht die »Pflichttänze« abgetanzt waren, und man »nummernlos« bis ins Morgengrauen flirten und tanzen konnte.

Bald fühlte sich der Bo. (so die Abkürzung in den Schriftstücken) durch den Alltag des Botschafterlebens gelangweilt, und nach Fertigstellung eines durchaus negativen Krönungsberichts gedachte er, selbst nach Berlin zu fahren, diesen zu überreichen und eventuelle positive Schilderungen Blombergs oder anderer Krönungsgäste durch eigene »authentische« Beobachtungen beim Führer »richtig« darzustellen.

Während also Ribbentrop selbst noch am »Hitler-Gruß-Komplex« krankte und an dessen fatalen Folgen wenig Freude hatte, war Madame besser über die Runden gekommen. Anfangs hatte sie bei Übungen mit einem Tanzmeister des englischen Hofes darauf bestehen wollen, keinen Hofknicks zu machen, sondern die Hand nach leisem Kopfnicken »deutsch« zu heben. Solches mußte sie aber aufgeben, da ein vorschriftsmäßiger deutscher Gruß in ärmelloser Abendrobe wenig dezent gewirkt hätte. So entschloß sich also die Botschafterin zu einem damenhaften abgewinkelten Hitlergruß, der freilich geradezu etwas rührend Hilfloses an sich hatte. Das erkannte die Botschafterin schließlich doch, und so verzichtete sie mit der Zeit ganz auf dies erhebende nationalsozialistische Bekenntnis.

Der Bürobetrieb wurde mir jetzt fast unangenehm. Kordt spürte meine Unlust und Enttäuschung, zog mich immer mehr ins Vertrauen und ließ mich bald auch geheimste Akten lesen. Selten habe ich soviel Kauderwelsch und ungereimtes Zeug bestaunt, wie in den Spezialberichten und weltbewegenden Statements unseres Chefs enthalten. Die Qualität war erschütternd.

Als wir wieder einmal in Berlin weilten, und der Botschafter überall versuchte, schlecht und giftig über die Krönung und über England zu reden, fiel mir auf, wie der dritte Adjutant des Führers, Hauptmann Wiedemann, verzweifelte Grimassen schnitt, wenn Ribbentrop in der Reichskanzlei seine Tiraden losließ. Nach einiger Zeit wagte ich Wiedemann darauf anzusprechen. Er gab mir recht und bezeichnete unseren Chef als »gefährlich halbgebildetes außenpolitisches Rindvieh«. Wiedemann, der zur Krönung nach London gekommen und positiv beeindruckt gewesen war, hat später für die deutsch-englische Verständigung gearbeitet und ohne Wissen Ribbentrops mit Hitlers Erlaubnis sogar Halifax besucht und einen Besuch Neuraths in London angeregt. Nun versuchte er zusammen mit Neurath, Blomberg und Göring, die Quertreibereien der Ribbentrops zu neutralisieren, – mit leider nur wechselndem Erfolg.

Aber unser Botschafter merkte bald, daß Wiedemann bei Hitler gegen ihn intrigierte, und Madame erklärte ihn ab sofort zu einem der gefährlichsten Feinde. Es dauerte nicht lange, und tatsächlich gelang es Ribbentrop, Wiedemann abzuschießen, wie das so schön hieß. Es hatte dieser nämlich die Bekanntschaft der Prinzessin Stefanie Hohenlohe gemacht und diese Dame bei Hitler eingeführt. Sie verfügte über gute Beziehungen in England, kannte Lord Rothermere und wußte viel Interessantes zu berichten. Als Hitler später von Himmler erfuhr, daß diese Dame die Tochter eines jüdischen Zahnarztes war, blies Ribbentrop ins Feuer, und bald hatte Wiedemann ausgespielt. Anfang 1939 wurde er

Der Autor Reinhard Spitzy
1932 in der Fliegerschule Thalerhof am Steuerknüppel eines
Hopfner-Hochdeckers (Archiv
Verfasser)

Der Autor zur Zeit seiner
Tätigkeit als Sekretär Ribbentrops an der deutschen Botschaft in London (Archiv
Verfasser)

Die Herzogin von Kent, die Erb-Großherzogin von Hessen und Frau von Ribbentrop auf dem Krönungsempfang der deutschen Botschaft am 13. Mai 1937 (Privatarchiv Dirk Freiherr von Dörnberg)

Das Ehepaar von Ribbentrop 1937 beim Verlassen der Dienst-Ju 52 (Sammlung Walther Hewel)

Der Herzog von Hamilton (im schottischen Kilt), den Rudolf Heß 1941 aufsuchen wollte, mit zwei hohen Offizieren bei einer Frontkämpfertagung vor dem Krieg (Privatarchiv Dirk Freiherr von Dörnberg)

schließlich auf den Posten eines Generalkonsuls, nach San Francisco abgeschoben. Die Krönungsfeierlichkeiten hatten somit Wirkung bis in das Gefüge der autoritären Staaten. Am schlechtesten aber bekamen sie den beiden russischen Admiralen, die mit dem Schlachtschiff »Marat« an der Flottenparade in Spithead teilgenommen hatten. Sie wurden kurzerhand erschossen, weil sie der Mannschaft ihres Schiffes in Gdingen Landurlaub gewährt und so den Matrosen die Möglichkeit gegeben hatten, kapitalistische Zustände mit den straffen sowjetischen zu vergleichen. Kurz darauf wurde auch der Chef der Krönungsdelegation, Marschall Tuchatschevsky, in Rußland liquidiert.

In London aber trat bald wieder der Alltag ein. Ribbentrop besuchte oft den Nichteinmischungsausschuß für Spanien, um gemeinsam mit dem russischen Botschafter Maisky und dem italienischen Grafen Grandi pompöse Statements und Reden weiterzugeben, In England oder im Ausland nahm niemand diese Ausführungen ernst, und im Nichteinmischungsausschuß selbst lasen der bolschewistische oder die faschistischen Botschafter bei Reden der Gegenseite ostentativ Zeitung oder gingen in den Erfrischungsraum. Kaum in die Botschaft zurückgekehrt, rief Ribbentrop regelmäßig die deutschen Pressevertreter zusammen und wies sie an, seine Aktion im Nichteinmischungsausschuß und seine prächtigen Reden ausführlich auf der ersten Seite der deutschen Blätter zu bringen.

Nun war im Mai in Deutschland der englische Botschafter ausgewechselt worden. Man hatte den deutschfeindlichen Sir Eric Phipps durch Sir Nevile Henderson ersetzt. Dieser genoß das Vertrauen der neuen Regierung Chamberlain, die mit Deutschland und Italien eine Politik des Ausgleichs und der Verständigung verfolgen wollte, nachdem die Regierung Baldwin in den letzten Maitagen zurückgetreten war.

Ribbentrop fürchtete sehr, daß der neue Botschafter in Berlin »gut ankommen« würde und flog, Anfang Juni für ein paar Tage nach Berlin, um sich dort »rechtzeitig einzuschalten«.

Vorher aber, also Ende Mai, beschloß Ribbentrop, der seit Cornwall Gefallen an dem englischen Landleben gefunden hatte, ein verlängertes Weekend zu genießen und etwas Golf zu spielen. Madame kam diesmal mit, ebenso Baron und Baronin Dörnberg vom Protokoll, dazu auch eine Sekretärin, eine Zofe und ein Kammerdiener. Mehrere Autos setzten sich in Bewegung. Zur ersten Rast und Übernachtung war in Moreton Heamstead ein historisches uraltes Gasthaus vorgesehen. Der Abend wurde sehr gemütlich, Dörnberg braute eine »kalte Ente«, der bald alle etwas stark zugesprochen hatten. Leider kam das Gespräch auf meine Imitationskünste, und ich mußte einige Personen nachmachen. Ich weiß nicht, wie es kam, zu vorgerückter Stunde fragte Frau von Ribbentrop, ob ich auch den Botschafter imitieren könnte. Hierauf allgemeines positives Gelächter und man drang in mich, davon eine Probe zu geben. Auch Ribbentrop stimmte zu. Mir gefiel meine Situation gar nicht, denn ich wußte, daß am nächsten Tag alles ganz anders aussehen würde. Es blieb mir aber nichts übrig, und ich erzählte einige Anekdoten über den »Chef« und imitierte seinen Brummbaß. Der Erfolg war leider »durchschlagend«. Wir gingen spät zu Bett, aber pünktlich um drei Uhr nachts wurde ich geweckt und zum Botschafter gerufen. Er hatte ein fürchterlich altmodisches Zimmer bekommen und schlief in einem Himmelbett unter niedrigem und wuchtigem Gebälk. Er war mißgelaunt, und sein Humor verflogen. Ich sollte augenblicklich den Lärm auf dem Gang abstellen, den es dort jede Stunde gäbe. Da »bliesen und trommelten Leute«. Und tatsächlich entdeckte ich auf dem Gang eine ungeheure Kuckucksuhr aus der nicht nur Kuckucks herauskamen, sondern auch der Trompeter von Säckingen, Zwerg Perkeo, Landsknechte, Trommler usw. Und alle Stunden gab es hier vollautomatische Mini-Festspiele, deren dezenter Lärm genügte, um unseren Chef nicht schlafen zu lassen. Ich kassierte schnell die Gewichte dieser Uhr, von der man mir später erzählte, sie wäre vom deutschen Kaiser geschenkt worden, und ging wieder zu Bett. Um sieben Uhr früh wurde ich erneut zum Botschafter befohlen. Er hatte nicht mehr recht schlafen können und erinnerte sich, wie man genau merkte, eher ungnädig an meine Vorführungen vom vergangenen Abend. Er begann zu »regieren«, verlangte x Telefonverbindungen mit London und sogar damals sehr problematische mit Deutschland – sehr zum Entsetzen der Hoteldirektion, die um sieben Uhr früh solchen Wirbel sehr unfein fand.

Fluchtartig verließen wir diesen romantischen Ort und quartierten uns in einem Golfhotel in der Provinz ein. Wie üblich waren noch einige Leute aus London herbeibefohlen worden, so daß wir am Schluß einen beachtlichen Teil dieses Hotels besetzt hatten. Immerhin sah alles relativ rosig aus, und wir waren bester Stimmung. Doch dauerte dies nicht lange. Schon am nächsten Tag, als der Botschafter zum Golfspielen verschwunden war, und ich mich gemütlich zur Arbeit ins Haus zurückgezogen hatte, kam ein unheilvoller Telefonanruf aus London: Rotspanische Flieger hatten das patrouillierende deutsche Panzerschiff »Deutschland« an der Reede von Ibiza bombardiert und über 30 Matrosen getötet. Darauf hatte Hitler als Repressalie am 31. Mai angeordnet, den befestigten spanischen Hafen von Almeria unverzüglich zu beschießen. Dies war fürwahr eine Bombennachricht, und es war klar, daß wir daraufhin sofort nach London zurückfahren müßten. Um aber zu verhindern, daß der Chef in seiner Aufregung alles durcheinander brachte, hielt ich die Nachricht zurück und ließ von den Sekretärinnen und Dienern alles in Ruhe packen.

Sobald der Botschafter vom Golfspielen zurückkam, waren wir also gewappnet und reisefertig. Prompt explodierte der Chef auf die unheilvolle Kunde hin und meinte, wir müßten augenblicklich nach London fahren. Wie lange wir bräuchten. Meine Mitteilung, daß in einer halben Stunde alles marschbereit wäre, nahm er zweifelnd entgegen, mußte sich dann aber anerkennend über meine »efficiency« aussprechen. Der Grimm über meine Imitationskünste war somit begraben, Gott sei Dank!

Nach einem erneuten Berlin-Hüpfer trafen wir Mitte Juni wieder in London ein. Am Nichteinmischungsausschuß wurde nicht mehr teilgenommen. Ribbentrops Hauptaugenmerk konzentrierte sich jetzt auf die englische Presse und die weltbewegende Frage, ob die deutsche Presse seine Person gebührend würdige. Der Aufenthalt in London wurde ihm langsam zum Greuel. Das Schlimmste war die dauernde Angst vor erneuten Hitlergrüßen beim König. Immer wieder suchte er neue Gründe, nach Deutschland zurückzufahren, wo er jetzt finstere Gefahren durch den neuen englischen Botschafter Henderson vermutete, der sich im Gegensatz zu dem vorherigen Botschafter sehr darum bemühte, nicht nur mit Staatspersönlichkeiten, sondern auch mit Parteigrößen guten Kontakt zu bekommen. Dies gelang ihm mit der Zeit ohne Schwierigkeiten, und bald hatte er sogar ein ausgezeichnetes Verhältnis zu Göring erreicht.

Alle Botschaftsmitglieder beschworen Ribbentrop aufs neue doch einmal ausnahmsweise längere Zeit in England zu bleiben, da die Kritik an seinen dauernden Flügen nach Deutschland immer schärfer und bitterer wurde und sein Desinteresse an der Londoner Botschaftertätigkeit für England langsam beleidigende Formen angenommen hatte. Thorner und ich waren fast ununterbrochen gezwungen, hin- und herzupendeln. Denn für die Divaallüren unseres Chefs mußte für »kleinen Ortsverkehr« bereits Gott und die Welt in Bewegung gesetzt werden, und die Organisation einer richtigen Reise vereitelte ganz und gar den Ablauf eines normalen Arbeitstages in der Botschaft.

Thorner und ich hatten uns schon blendend eingespielt. Wir lösten uns gegenseitig ab und konnten so manchmal auch ein bißchen Privatleben führen. Wir vertrugen uns ausgezeichnet, hatten Sinn für Humor und nahmen nur etwa die Hälfte der Anordnungen des Chefs für bare Münze. Mit den anderen Herren der Botschaft arbeiteten wir gut zusammen und kamen ihnen entgegen, wo wir konnten. Allgemein verbreitete sich die Auffassung, daß Thorner und ich die richtigen Toreros für den »Alten« wären. Doch aus heiterem Himmel kam eine böse Überraschung,

163

die Thorner die Karriere bei Ribbentrop kostete und mich an die Spitze des Botschaftervorzimmers katapultierte: Eines Tages Mitte Juni, schloß sich Thorner mit mir in ein Zimmer ein und überreichte mir totenbleich und verzweifelt einen Brief des Reichsführers-SS, in dem geschrieben stand, Nachforschungen des SS-Rasse- und Siedlungs-Hauptamtes hätten ergeben, einer seiner Vorfahren sei nicht arisch, und er müsse deswegen aus der SS ausscheiden. Man bedaure dies sehr, doch sein Verbleiben in Partei und Hitlerjugend würde wohl möglich sein, da es sich nur um ein Achtel handle. Die scharfen Maßstäbe für SS-Führer aber ließen leider keine Ausnahme zu etc. etc.

Thorner war wie vernichtet. Mir tat er sehr leid, und es wurde uns beiden klar, daß seine Karriere damit ihr Ende gefunden hatte. Als Ribbentrop davon erfuhr, benahm er sich durchaus anständig, und auf unserer Reise nach Dresden zur Einweihung der Autobahn trug er den Härtefall eines verdienten Kämpfers dem Führer vor. Hitler entschied, daß Thorner in der Partei und im Auswärtigen Amt bleiben dürfe, ernannte ihn zu einem höheren Rang in der Hitlerjugend und genehmigte die Versetzung an die Gesandtschaft in Stockholm.

So hatte ich damit plötzlich »den ganzen Laden« allein auf mir lasten. Nur war mir nicht klar, wie ich das alles auf die Dauer allein machen sollte – denn ab sofort hatte ich keinen freien Tag mehr. Mit Hilfe unserer netten Sekretärinnen und der Herren des Protokolls kam ich aber doch ganz gut über die nächsten Schwierigkeiten, denn vorübergehend herrschte wieder einmal etwas mehr Ruhe. Ribbentrop hatte endlich eingesehen, daß er die Engländer nicht mehr mit weiteren Fahrten nach Berlin reizen durfte. Es war sogar gelungen, ihm klarzumachen, daß ein kleiner Urlaub in England das beste Mittel sei, die Briten von seinen Sympathien für ihr Land zu überzeugen.

Während des Monats Juli blieben wir noch in London. Anfang August aber fuhren wir nach Schottland. Dort nahmen wir Quartier im Golfhotel Glenneagles mit seinen herrlichen Golfplätzen und der wundervollen Lage – aber auch mit sagenhaften Preisen. Zahlreich wie immer kamen wir an: Madame und Zofe, der Chef mit Kammerdiener und Krankenschwester, das Ehepaar Dörnberg, dazu eine unserer Sekretärinnen, die Hunde nicht zu vergessen.

Nach ein paar Tagen Ruhe besuchten wir den in der Nähe wohnenden, urlaubenden, lachsfischenden und grouse-schießenden spanischen Botschafter, den Herzog von Alba, der auch den schottischen Titel eines Herzogs von Berwick trug. Anschließend wurden wir zum Abendessen gebeten und fühlten uns sehr geehrt. Doch zu unserem Staunen figurierte die eher »toll« aussehende Freundin des Herzogs ganz ungeniert als Hausfrau. Die Situation war merkwürdig und komisch, und selbst Ribbentrop konnte nur mit größter Mühe sein Lachen unterdrücken. Frau von Ribbentrop war verstimmt und das mit Recht. Was aber der Herzog eigentlich mit dieser Einladung bezweckt hatte, wurde uns nie ganz klar. Unvergeßlich für mich die Fahrten kreuz und quer durch Schottland mit unseren beiden hakenkreuzbeflaggten Mercedes-Kompressoren. Ein Traum der Loch Leven mit seinen sieben Inseln!

Gisela Dörnberg, eine sehr amüsante Dame, hielt Ribbentrop bei bester Stimmung. Es war aber sehr mühsam, ernst zu bleiben, wenn sie in würdigen Augenblicken verzweifelte Grimassen schnitt oder komische Bemerkungen vor sich hinflüsterte. Ich durfte doch nicht lachen und war manchmal ganz verzweifelt.

Nach wenigen Tagen wurde es dem Chef zu ruhig. Er ließ sich – ein neuer Gag – per Sonderflugzeug den Chef des Stabes beim Reichsführer-SS, Gruppenführer Wolff, zu »wichtigen Besprechungen« kommen. Gleichzeitig kam ein Monteur der Mercedes-Werke mit, um den kleineren Kompressor in Ordnung zu bringen. Die Landung dieser zwei Herren mit einer Ju 52 auf einem kleinen Flugplatz in der Nähe des Hotels wurde aufrichtig bestaunt, und die Zeitungen schrieben sofort von zwei geheim herangeflatterten bedeutenden deutschen Diplomaten.

Wolff war ein blendend aussehender Bonvivant, der von Politik, besonders aber von westlicher Außenpolitik nicht viel verstand. Er war ein großer Flirter, unterhaltend und privat sehr sympathisch. Bald beschwor ich ihn, den Chef ein bißchen zur Vernunft zu bringen und erzählte ihm einiges aus meiner Wunderkiste, aber Wölfchen, wie er genannt wurde, vertröstete mich und wollte solche Geschichten nicht tragisch nehmen. Der Chef wäre doch »ein prima Kerl« und ich sei auch einer! Daher sollte ich mit ihm einen darauf trinken, daß alles gut gehen möge, und das sei ganz sicher, denn der Führer wache stets und passe schon richtig auf. Im übrigen werde er dafür sorgen, daß ich gleich nach seiner Rückkehr zum Obersturmführer ernannt würde. Großer Gott, war das ein schwacher Trost. Zu jener Zeit wäre es ihm noch ein leichtes gewesen den Reichsführer-SS Himmler gegen Ribbentrops Vabanque-Politik zu mobilisieren!

Später, im Jahre 1940, hatte ich anläßlich eines Essens bei Dörnberg nochmals eine Unterredung mit Wolff. Ich »meckerte« ihm etwas vor, wie er das abfällig nannte, und er erteilte mir auch eine scharfe, nicht ungefährliche Abfuhr. Anschließend meinte er, es sei nur meiner alten SS-Mitgliedschaft und unserer beider guten Bekanntschaft zuzuschreiben, daß er gegen mich nicht dienstlich vorgehen würde. Ich hatte nämlich gewagt, noch weitere fünf Jahre Krieg zu prophezeien!

Mitte August fuhren wir wieder nach Deutschland, und Ribbentrop setzte dort offiziell seinen Urlaub fort, zum Teil in Feldafing am Starnberger See. Wie gewohnt, zog auch dorthin ein ganzer Rattenschwanz von Befehlsempfängern, und es wurde fleißig weiterregiert. Denn in der Dienststelle hatte es eine schwere Krise gegeben. Diesmal zwischen Herrn Luther, dem Leiter der Parteiverbindungsstelle, und Herrn von Raumer, dem offiziellen Stellvertreter Ribbentrops und obersten Beamten dieser Behörde. Besagter Luther hatte sich bei der Partei gewaltig durchgesetzt, nach vorne und nach oben gerobbt. Das war aber in einer Weise geschehen, die dem Gentleman Herrn von Raumer nicht gefiel. So erschien dieser in Feldafing bei Ribbentrop und fragte dezidiert, wer nunmehr der eigentliche Leiter der Dienststelle sei, er oder Luther. Es kam zu erregten Auseinandersetzungen, die sich über Tage hinzogen. Frau von Ribbentrop unterstützte Luther.

Es war ihr wohl klar, daß ein scharfes Vorgehen gegen diesen für ihren Mann hätte gefährlich werden können. Denn Luther hätte aus jener Zeit, als er noch Stadtrat von Dahlem war und dort »einige Sachen regeln konnte«, dazu aus der Zeit des Botschaftsumbaues und der Verschwendung von Devisen »Material sammeln« können, wie das damals bei der Partei so üblich war. Jeder hatte »Material« über den anderen und sammelte, wo er konnte. Der oberste Materialsammler aber war der »Reichsheini« (Himmler), dessen Vorräte bald mehr als gewaltig waren. Er machte aber nur in den seltensten Fällen Gebrauch davon und dann meist ungeschickt. Als Himmler gegen Kriegsende nach jahrelangem Bohren Schellenbergs und vieler anderer Vernünftiger Ribbentrop endlich erledigen wollte, kam er mit seinem umfangreichen Material nicht mehr an. Es war alles schon veraltet, und Vorwürfe, die in der Vorkriegszeit gewirkt hätten, schienen in der heroischen Zeit des totalen Krieges und der Brutalität überholt und nebensächlich.

Nun, die Aufregungen zwischen Ribbentrop, Luther und Raumer wurden immer heftiger, und schließlich brüllte man sich gegenseitig an. Das ganze Hotel, sicher aber die Gäste auf der Terrasse, konnten die Auseinandersetzungen in allen Details mithören. Ribbentrop widerfuhr es damals zum ersten Mal, daß seine Untergebenen zurückschrien. Erst fuhr Ribbentrop Luther an, worauf dieser in derselben Lautstärke zurückschrie und behauptete, Ribbentrop habe ihn angespuckt. Solch unguter Lärm wiederholte sich kurz darauf mit dem Dienststellenleiter von Raumer. Raumer aber schrie zurück, und als Ribbentrop ihm vorwarf, daß seine Urlaubswünsche in einer »so großen Zeit« nicht gerechtfertigt seien, meinte er, er habe seine Frau seit Wochen nicht mehr gesehen und er hätte schließlich ein Recht auf sein Privatleben. Die verächtliche Antwort Ribbentrops, ein echter Nationalsozialist in entscheidender Stellung habe kein Privatleben zu haben, entkräftete Raumer mit den Worten: »Daß man Arbeit für Führer und Staat sehr gut mit hohen Einkünften und intensivem Ehe- und Familienleben vereinen kann, zeigen ja gerade Sie, Herr Botschafter. Sie richten es immer so ein, daß ihre Frau Gemahlin und Familienmitglieder auch auf Reisen stets bei Ihnen sind!«

Raumer warf daraufhin die Türe zu, reiste ab, schrieb einen scharfen, mutigen Brief und zog sich nach ein paar Monaten ins Privatleben zurück. Rachsüchtig und von Madame aufgestachelt, schwärzte Ribbentrop daraufhin Raumer bei Himmler an und erreichte später, daß dieser aus der SS ausgeschlossen und von der Gestapo beobachtet wurde. Göring, der Ribbentrop verachtete, nahm Raumer daraufhin in Schutz und gab ihm bald eine leitende Stelle im Reichsluftfahrtministerium.

Ich hatte damals Gelegenheit, mich in persönlichen Dingen mit Herrn von Raumer auszusprechen, auch über meine ernsten Absichten mit Agnes und die damit zusammenhängenden, zu erwartenden Schwierigkeiten. Raumer war mir gegenüber besonders aufgeschlossen und riet mir, ich solle in meiner Sache nicht nachgeben. Er wolle im Zusammenhang mit »diesem Ribbentrop« alle Konsequenzen ziehen, und das tat er auch. Er blieb aber noch ein paar Monate im Dienst und hob sich die Demission für später auf, um sein Werk, den Antikomintern-Pakt, noch durch die Unterschrift Italiens im November gekrönt zu sehen.

In Feldafing gab es noch ein ungewöhnliches Frühstück. Der mit der schönen Lilo von Sch. verheiratete, gutaussehende SS-Standartenführer X. von der deutschen Botschaft in Washington brachte es zustande, daß ein Sohn Roosevelts mit Gemahlin nach Feldafing zu Besuch kam. Man speiste sehr gelöst auf der Terrasse des Hauses. Ribbentrop redete dabei pausenlos, das Ehepaar Roosevelt hingegen hörte bescheiden und mit süßsaurem Lächeln zu. Des Botschafters Ausführungen scheinen sie aber nicht beeindruckt zu haben, denn nach fünf Wochen hielt Roosevelt, der Präsident, in Chicago seine berühmte antideutsche Quarantäne-Rede, in der er das Zusammenrücken der »friedliebenden« Nationen gegen die Herrschaft von »Terror und Rechtlosigkeit« dringend empfahl.

Eine ganze Reihe von Mitarbeitern aus der Dienststelle wurde im Lauf dieses Urlaubs nach Feldafing »kommandiert«, unter ihnen auch Walther Hewel. Hewel war im März mit bevorzugtem Rang aufgenommen worden, da er genau die Persönlichkeit war, die Ribbentrop für seine eigene Durchsetzungspolitik bei Adolf Hitler brauchte. Ribbentrop, der ja weder eine diplomatische Ausbildung genossen noch Erfahrung auf außenpolitischem Gebiet hatte, oder ein einschlägiges Studium nachweisen konnte, litt, wie erwähnt, außerdem auch darunter, daß er nur eine sehr bescheidene Parteivergangenheit hatte. Um solchem Mangel abzuhelfen, umgab er sich gern mit alten Parteigenossen und bewährten Mitkämpfern des Führers. So jemand war nun Walther Hewel. Er hatte als halbes Kind am Hitler-Putsch im Jahre 1923 als Fahnenträger teilgenommen, war damals verurteilt worden und besaß daher den Blutorden und dazu das goldene Parteiabzeichen. Im Herbst 1924, nach einem halben Jahr gemeinsamer Haft mit Hitler in der Festung Landsberg, wanderte er nach Java aus und arbeitete dort auf Plantagen. Er hatte in den folgenden Jahren mit seinem Parteiführer in lockerem Briefwechsel gestanden und war dann 1936 auf Hitlers Wunsch nach Deutschland zurückgekehrt. Seine Auslandskenntnisse brachten ihm den Kontakt zur Dienststelle Ribbentrop. Der Botschafter empfing ihn mit offenen Armen und nahm ihn sofort auf.

Hewel war ein sympathischer und gemütvoller Rheinländer, den man sofort gern hatte. Er erkannte sehr bald die Fehler und das wahnsinnige Gebaren des Chefs, doch war er zu entschlossenem Handeln kaum fähig. Willensstärke gehörte nicht zu seinen Stärken. Häufig litt er unter Depressionen oder viel Liebeskummer. Er war einer der angenehmsten Mitarbeiter in der Botschaft, und ich blieb ihm während seines ganzen Lebens aufrichtig in Freundschaft verbunden, ja, Hewel wurde später mein Trauzeuge.

In den Jahren 1937/38 arbeitete er in der Dienststelle Ribbentrop als Englandreferent, dann wurde er zu Hitler als Verbindungsmann zwischen dem Reichskanzler und dem Auswärtigen Amt versetzt. Hewel blieb auch während des ganzen Krieges in der engsten Umgebung von Hitler. Er verübte nach Hitlers Freitod ebenfalls Selbstmord, weil er als Geheimnisträger nicht in russische Hand fallen wollte.

Hewel kam damals auch nach Feldafing, und wir hatten zusammen mit dem Ehepaar Dörnberg viel zu lachen, war doch die Situation in Feldafing einfach »komisch«. Jedermann im Hotel war ja durch den überreichen Stimmaufwand des Herrn Botschafters ohne Unterlaß über die politische Lage und die internen Miseren der Dienststelle informiert worden.

Von Feldafing aus ging es zurück nach Berlin, und von dort flogen wir nach Kiel, um am feierlichen militärischen Begräbnis von Admiral Wassner, dem deutschen Marineattaché der Botschaft in London, teilzunehmen. Anschließend flogen wir nach Stuttgart zum »Tag der Auslandsdeutschen«; dort hatte der Chef eine Rede zu halten, deren Inhalt sich nicht wesentlich vom täglichen Text des amtlichen »Völkischen Beobachter« unterschied.

Am 8. September 1937 trafen wir dann zum Reichsparteitag in Nürnberg ein. Zum ersten Mal sah ich den ungeheuren Aufmarsch aller Formationen, erlebte die fast unbegreifliche Begeisterung der Massen. Ich selbst befand mich nicht mehr unter ihnen, sondern unter den führenden Persönlichkeiten, wenn auch an bescheidener Stelle. Wenn mich die Mißstände bei Ribbentrops in London, wenn mich das widerliche Intrigenspiel unter den Parteigrößen nicht selten schwer bedrückt hatte, so richtete mich dieses Ereignis in Nürnberg seelisch ganz im Sinne der Bewegung wieder auf. Zum ersten Mal waren auch die Botschafter Englands und Frankreichs mit dem »Diplomatensonderzug« geladen, und sie erschienen auch. Bei dem großen Empfang der ausländischen Exzellenzen durch Adolf Hitler hielt François-Poncet eine sehr witzige Rede, und in Anspielung auf den »Sonderzug« und auf eine Rede von Goebbels erklärte er, daß ihr Kommen ein »Zug des guten Willens sei, wenn sie auch schon am ersten Tag als ›Kälber, die ihre Schlächter selber suchen‹, bezeichnet worden seien«. Denn Goebbels hatte am Vortag mit dieser Formulierung die Ahnungslosigkeit des Westens dem Bolschewismus gegenüber gegeißelt.

Hitler nahm diese witzigen Ausführungen des geistreichen Franzosen mit Wohlwollen auf, denn er vertrug sich mit François-Poncet besonders gut, auch wenn dieser das später nicht mehr wahrhaben konnte. Beide hatten viel Sinn für Humor, und François-Poncet unterließ es nie, ihm einige Anekdötchen zu erzählen, etwa daß anläßlich der Saar-Abstimmung seine Kinder, die in Berlin auf das öffentliche französische Gymnasium gingen, mit dem Gesang »deutsch ist die Saar« auf die französische Botschaft nach Hause gekommen waren. Als dieser Superdiplomat einmal mit Überzeugung und erstklassigen Argumenten seine Position vertrat, erklärte ihm Hitler, es wäre eigentlich bedauerlich, daß er unter seinen Mitarbeitern keinen hätte, der so gut reden könne. So wolle er ihn hiermit in Anerkennung seiner hervorragenden Begabung zum deutschen Reichsredner ernennen. Ebenso witzig und prompt akzeptierte François-Poncet dieses Kompliment.

Überall fand François-Poncet offene Türen, nur Ribbentrop mochte ihn nicht leiden, und diese Antipathie beruhte auf Gegenseitigkeit. Einmal meinte François-Poncet in kleinem Kreis, die französisch-englische Entente werde am besten durch die gewaltigen Taktlosigkeiten England gegenüber und die diplomatischen Unkünste eines Herrn von Ribbentrop gerettet. Solche Geschichten wurden natürlich belacht, und es dauerte nie lange, dann hatte sie auch Ribbentrop erfahren, und der wurde bitterböse, wenn sie ihn betrafen.

Beim Diplomatenempfang in Nürnberg sah ich zu meiner großen Überraschung in der japanischen Delegation meinen alten Freund Satosi Watánabe, der mit mir in Paris an der »Sciences Politiques« studiert hatte. Er war in der Begleitung des Prinzen Chichibu, dem Bruder des Tenno, der eine längere Reise durch Europa und Amerika absolvierte. Ich hatte den Prinzen bereits in London bei der Krönungsfeier erlebt, und

der japanophile Ribbentrop war von meiner Freundschaft mit Watánabe beeindruckt.

Damals genoß ich überhaupt das Wohlwollen des Chefs. Das äußerte
sich eines Tages darin, daß er mir bei Tisch vor allen Leuten versprach,
dafür zu sorgen, daß ich in die Partei aufgenommen würde. Dieser Vorschlag war grotesk, denn ich war ja zwei Jahre vor Ribbentrop, 1931, in
die Partei eingetreten, er aber erst in letzter Minute, im Jahre 1933!
Mich ärgerte dieser wohlwollend pampige Vorschlag sehr, denn ich gehörte ja zu den alten Kämpfern aus der Zeit *vor* der Machtergreifung.
Ribbentrop war und blieb für mich ein Neuling und ein Opportunist.

Nun, als er gönnerhaft sagte, »Na, Spitzy, dann will ich mal dafür sorgen, daß Sie in die Partei aufgenommen werden«, da erwiderte ich laut
vor allen Anwesenden: »Herr Botschafter, das geht leider nicht.«

Ribbentrop witterte sofort Unrat, Meuterei oder eine neue Aktion der
Sabotintern. Er sah mich scharf an und zischte: »Was haben Sie dagegen?«

Worauf ich bescheiden bemerkte: »Herr Botschafter, da ich bereits seit
1931 in der Partei bin, kann ich jetzt nicht nochmals eintreten.«

Der Hieb saß, und die Kollegen lächelten! Ribbentrop aber sagte: »Das
war wohl so'ne Sache in Österreich.«

Hierauf ich sehr amtlich: »Nein, Herr Botschafter, die Parteinummern
laufen für Österreich und Deutschland in einem durch und sind einheitlich, denn es gibt für beide Länder nur eine NSDAP.«

Das wirkte wiederum sehr gut. Nun nannte ich meine Parteinummer
521591. Sie lag unter der Million und war weit besser als die Ribbentrops. Sicherlich beneidete er mich darum. Ich durfte ihm vom »Kampf
in Österreich« erzählen, und von da ab nahm er mich immer mit, wenn
er zum Führer ging, dies um so mehr, als er merkte, daß ich dort als dessen Landsmann gern gesehen war. So gehörte ich ganz nebenbei auch
zur Verbrämung, zur Patina, die der Neu-Parteigenosse doch so dringend zu brauchen glaubte.

Den Nürnberger Parteitag genoß ich mit Leib und Seele und erlebte ihn
mit allem Idealismus, dessen ein junger Mann damals fähig war. Viele
Details beeindruckten mich, zum Beispiel die phantastischen Ziellandungen knapp vor der Führertribüne, die drei möwengleiche Segelflugzeuge in Formationsflug durchführten. Die Organisation der Manife-
stationen war für uns überwältigend, und der Ideenreichtum schien mir
großartig. Wenn die Scharen von Arbeitsdienstmännern ihre Spaten
schulterten, blitzte und blendete es wie ein gewaltiger Sonnenstrahl
über das riesige Stadion, und am Abend wölbte sich ein gigantischer
Lichterdom von Hunderten von Scheinwerfern über unseren Häuptern.
Was die Reden betraf, so waren sie weit weniger ansprechend und kon-

zentrierten sich auf den Bolschewismus, seine Abwehr vom Abendland und der westlichen Welt, die das leider noch immer nicht richtig verstehen wollte. Auch aus England waren einige Gäste eingetroffen, die schon vorhergehende Parteitage, sonst von »echten« Engländern gemieden, bevölkert hatten. Diese mußte man jetzt natürlich auch wieder einladen, und es bedurfte großer Kunststücke, solche Originale getrennt von den »besseren« Briten, die zum ersten Mal teilnahmen, zu betreuen. Unter unseren alten Kunden gab es auch einen armen englischen Lord, der schon vor zwei Jahren erschienen war und den man in Berlin erst neu einkleiden mußte. Vor allem hatte er nur ein Paar Socken. Doch war man damals sehr froh, Engländer »mit Namen« zu kriegen, so daß man gerne Socken bezahlte und den noblen Lord auf Reichskosten ausstattete. Solche Besorgungen erledigte ganz unvergleichlich unser guter Rodde. Seine Erzählungen über seine Einkaufstourneen mit merkwürdigen Renommier-Engländern gehörten zu seinen besten Repertoirestücken.

Im Jahre 1937 war das diplomatische Corps auf dem Parteitag vollzählig erschienen, und aus westlichen Ländern trafen bereits bedeutende Persönlichkeiten des öffentlichen Lebens ein. Wir waren durchaus zufrieden und fühlten uns durch das Ausland einigermaßen anerkannt. Aus England erschienen auch Conwell Evans, der Chef des »Anglo German Fellowship« und enger Mitarbeiter von Sir Robert Vansittard, sowie die Lords Mount Temple, Londonderry und Sempill vom deutschfreundlichen »Cliveden Set« der geistreichen Lady Astor. Ja, es hatte bereits im Spätherbst 1936 Lloyd George Hitler auf dem Obersalzberg besucht und war ganz begeistert gewesen. Im April darauf besuchte der Arbeiterführer Lansbury Hitler, auch er war beeindruckt. Es haben also bedeutende Engländer aller Parteien, die sich aus ihrer freien Presse nach Belieben orientieren konnten, nach Besuchen auf dem Obersalzberg bekanntgegeben, daß sie Hitler für einen großen Mann und guten Deutschen hielten. Ja, sogar Winston Churchill sagte im November 1935: »Man mag Hitlers System mißbilligen und doch seine patriotische Leistung bewundern. Sollte unser Land einmal geschlagen werden, so würde ich hoffen, einen solchen bewunderungswürdigen Kämpen zu finden, der unseren Mut wieder aufrichtet und uns zurückführt zu unserem Platz unter den Nationen.« Am 4.10.1938: »Unsere Führung muß wenigstens ein Stück vom Geist jenes deutschen Gefreiten haben, der, als alles um ihn in Trümmer gefallen war, als Deutschland für alle Zukunft in Chaos versunken schien, nicht zögerte, gegen die gewaltige Schlachtreihe der siegreichen Nationen zu ziehen.«

In Frankreich war es mit der Sympathie für Hitler nicht viel anders. Auch dort gab es unter den konservativen Elementen viele Bewunderer, die zwar Deutschland grundsätzlich fürchteten, aber es gerne sahen, wenn dessen Macht nach Osten hin zur Eindämmung des Bolschewismus wirkte. Hätte sich Ribbentrop in London nicht wie ein Elefant im Porzellanladen verhalten, dann wäre die Zahl unserer Freunde dort aus dem gleichen Grund erheblich angewachsen. Denn auch die führende Schicht in England fürchtete den Kommunismus, obgleich sie das kaum offen zugab. Das Meere beherrschende Albion hätte in Hitler gern einen Kontinentalsoldaten gegen Asien und die Bolschewiken gesehen. Auch die päpstliche Kurie sah nicht ungern ein Erstarken Hitlers. Die politische und militärische Macht des Nationalsozialismus schien dem Vatikan nicht so gefährlich, wie die atheistische Kraft des internationalen Bolschewismus, der sich in einem Sechstel der Welt etabliert hatte. Damals regierte noch Pius XI.; sein sehr einflußreicher Kardinal-Staatssekretär war Monsignore Pacelli, der durch und durch deutschfreundliche spätere Papst Pius XII. Im Dritten Reich war die Kirchensteuer durch das Ansteigen des deutschen Nationaleinkommens beachtlich gewachsen, und auch das stimmte den Vatikan wohlwollend. Außerdem hoffte man auf eine mäßigende Evolution in Deutschland. Nicht zuletzt wurde auch die deutsche Intervention in Spanien durch katholische und konservative Kreise auf der ganzen Welt begrüßt.

Auf dem Parteitag erschienen auch Österreicher, leicht erkennbar an ihren Lederhosen und weißen Strümpfen, denn weiße Stutzen waren das öffentlich geheime Zeichen der Nationalen in Österreich. Sie jubelten wie erlöst. Angesichts der schlechten Wirtschaftslage in Österreich hätten sie dort bereits damals bei demokratischen Wahlen wahrscheinlich einen überwältigenden Sieg davongetragen.

Anläßlich des Parteitages stellte mich Ribbentrop nacheinander allen Größen des Regimes vor. Er machte das sehr geschickt und wollte auch, daß sein erster Adjutant bei allen Dienststellen eingeführt werde. Ich genoß das alles und liebte meine Stellung. Ich lernte Adjutanten und Sekretäre der anderen Paladine des Reiches während der Feierlichkeiten gründlich kennen. Diese Bekanntschaften waren für mich sehr interessant, und auch ich galt für die anderen als nicht unwichtiger Zeitgenosse. Später verband mich mit vielen der Vorzimmerchefs anderer Größen eine aufrichtige und bleibende Freundschaft. Wir waren in der Mehrzahl alte Kämpfer und Idealisten, denen »Friede, Freiheit, Brot« und die Größe des Dritten Reiches mehr bedeuteten als der eigene Vorteil. Dieser Parteitag war ein Triumph für Hitler. Er stand damals ganz im Zeichen des Kampfes gegen den Bolschewismus und des Stolzes auf die wiedererrungene Wehrhoheit und Gleichberechtigung im Konzert der europäischen Völker.

Nicht lange danach gab es einen neuen Erfolg. Kurz nach Beendigung des Abbessinienkrieges hatte Mussolini einen Dankesbesuch in Deutschland angekündigt. Die Achse Berlin-Rom sollte durch einen triumphalen Besuch des Duce vom 25. bis 29. September ihre feierliche Bekräftigung finden. Jetzt dachte Ribbentrop noch weniger daran, in seine Botschaft nach London zurückzukehren. Seine ganze Arbeit bis zum Besuch Mussolinis konzentrierte sich darauf, dafür zu sorgen, daß er, Ribbentrop, protokollmäßig während des bevorstehenden Besuches richtig eingeschaltet und in der Presse entsprechend hervorgehoben würde.

Als Mussolini dann eintraf, gab es Begeisterung und brausenden Jubel. Besonders die Berliner hatten Spaß an diesem Schauspiel. Alles war hervorragend vorbereitet und organisiert worden. Mussolini besuchte unter anderem auch die Waffenschmiede des Reiches, die Krupp-Stadt Essen, und nahm an großen Wehrmachtsmanövern in Norddeutschland teil. Ribbentrop eilte, verbissen um Platz und Rang kämpfend, per Sonderzug oder mit seiner Mercedes-Kolonne im Kielwasser von Führer und Duce hinterher. Auf unseren Fahrten standen an den Rändern der Straßen jubelnde Menschen, Ribbentrop versuchte, durch leutseliges Winken Kontakt mit den Massen zu finden, wurde aber meist gar nicht erkannt, und als einmal die Leute irrtümlich riefen »Heil Ritter von Epp!«, wurden unsere Presseleute sofort herbeizitiert, denn es wäre nun wirklich die höchste Zeit, daß die Presse endlich ihre Pflicht täte und Ribbentrop als einen der engsten Mitarbeiter unseres Führers ausweise.

Auch der nerventötende Kampf zwischen Ulrich von Hassell, unserem Botschafter in Rom, und Ribbentrop um die jeweilige Vorrangstellung war komisch. Ribbentrop war lediglich Botschafter in London und hatte eigentlich bei dem Staatsbesuch nicht viel verloren. Herr von Hassell aber als deutscher Botschafter in Rom mußte – das verstand sich von selbst – notwendigerweise den Duce begleiten. Daher gehörte er in dessen unmittelbare Nähe. Aber immer wieder bekam unser hervorragender Fahrer Brütgam von Ribbentrop den Befehl, sich durch flottes Überholen womöglich noch vor Hassell in die Kolonne zu quetschen! Es folgten nun Empfänge, Aufmärsche, Fackelzüge ohne Unterlaß. Mit Fahnen, Uniformen, Trommeln und Pauken, Partei, SA, SS und Hitlerjugend zeigte das Dritte Reich dem Faschismus seine Kraft, Pracht und Macht. Höhepunkt war sicherlich die große Feier auf dem Maifeld, dem ehemaligen Reichssportfeld aus der Zeit der Olympiade. Schon der Anmarsch gestaltete sich gigantisch. 650.000 Menschen waren aufgeboten, wovon nur ein geringer Teil aus Zuschauern, der Hauptteil aber aus Formationen bestand, die schachbrettartig aufgestellt waren.

Leider war das Wetter nicht gut, es war diesig und es nieselte. Fast alles stolzierte in Uniform umher. Dazwischen als einsame Größen alter Zeiten einige würdige Figuren mit Zylinder, und Herr von Papen gar in kaiserlicher Uniform mit Pickelhaube – ein unbeschreiblich atavistisch-komischer Anblick.

Göring begrüßte ihn laut mit: »Heil, Herr Altreichskanzler!« Alles mußte über diesen Witz »von oben« schrecklich und pflichtgemäß lachen, von Papen natürlich auch. Die arme Hitlerjugend in ihren nassen Hemden fröstelte. Nach Begrüßungsworten durch den Führer hielt Mussolini eine deutsche Rede mit italienischem Akzent. Am Schluß rief er aus: »Firer, das werd ik inen nickt vergessen!« Brausender Applaus! Aber jedermann grinste insgeheim.

Die ganze Veranstaltung sollte schließlich von einem ungeheuren Lichtdom gekrönt werden, der auf dem vergangenen Parteitag schon so erstklassig gelungen war. Man hatte hierzu Hunderte von Heeresscheinwerfern aufgestellt, deren Strahlen leicht einander zugeneigt, sich hoch oben am Firmament treffen sollten. Leider aber ließen diesmal Regen, Nebel und Wolken das Schauspiel nicht zu. Die Scheinwerfer zeichneten nur eine ungeheure »Waschküche« in den Himmel.

Mit Trompeten, Pauken, Chören und Fanfaren ging die »historische Versammlung« ihrem befehlsgemäß großartigen Ende zu. Alles war minutiös vorberechnet, nur die Hast der durchnäßten Menschen war amtlich nicht vorgesehen. Die zuvor gezeigte Disziplin wies da bald erhebliche Auflösungserscheinungen auf. Auch mit den Parkplätzen ging es nicht so richtig gut voran. Frau von Ribbentrop war schon anfangs am Autoparkplatz hängengeblieben, konnte weder vor- noch rückwärts und hatte zu ihrem Ärger, man stelle sich vor, so ziemlich alles versäumt.

Der Abmarsch von Duce und Führer ging noch gut vonstatten. Sie begaben sich, gefolgt vom allerengsten Anhang, zum Ausgang, setzten sich in die offenen Mercedesse und brausten los. Aber wehe den anderen! Diese versuchten sich erst streng nach Rangordnung, bald aber in völliger Auflösung über Treppen und Gänge schnellstens zu ihren Autos durchzukämpfen, um den Anschluß an die hohen Chefs ja nicht zu verlieren. Theoretisch war dies durchaus lobenswert, aber praktisch völlig undurchführbar. Der glorreiche Eroberer Abbessiniens, Marschall Badoglio, fiel fast die Treppe hinunter, und nur mit Mühe konnte man verhindern, daß die aufgelöste Schar ordenglitzernder Trabanten über ihn hinwegtrampelte. Militärattachés und Diplomaten verloren ihre Orden, ich natürlich meinen Chef und alle Kollegen. Kurz, alles rannte und drängte über Stiegen und Bänke zu den Ausgängen, der U-Bahn und zu den Autos. Der Regen wurde immer heftiger. Immer wieder fielen Würdenträger hin und schlichte Volksgenossen stapften über sie hinweg. Ein Höllenlärm, keine Spur von Marschmusik oder Posaunen. Am Eingang der Untergrundbahn drängten sich Tausende von Menschen. Wie man später vertraulich mitteilte, gab es über zwanzig Tote. Das brave deutsche Militär war vollkommen machtlos, die Einheiten vollständig aufgelöst.

Ich selbst drang, halb abgerissen und ohne Pelerine, die ich verloren hatte, bis zum Parkplatz vor, erwischte den nächstbesten Wagen eines kleineren Parteibonzen, beschlagnahmte diesen mit Gebrüll und unter Hinweis auf meines Chefs und meine Stellung und kam erst spät nachts wieder ins Zentrum der »welthistorischen« Geschehnisse.

Presseberichterstatter, die vom Propagandaministerium aus telefonieren sollten, kamen natürlich niemals dort an. Die italienische Presse mußte stundenlang auf Nachrichten warten. Nur ein findiger Journalist vom Mailänder »Corriere della Sera« hatte die schlichte, aber gute Idee, von einem kleinen Bierrestaurant in der Umgebung des Stadions aus als Privatmann Rom anzurufen, und siehe, es klappte. Er konnte also als erster und einziger das große Ereignis pünktlich durchsagen.

Der Duce und der Führer waren im offenen Wagen friedlich vereint über die Ost-West-Achse, die zu einer Parade- und Prachtstraße ausgebaut worden war zum Stadtzentrum gefahren, im Regen zwischen schlotternden Fahnen, dampfenden Pechpfannen auf Pylonen, durchnäßt und bejubelt, beglückt, aber heiser. Hitler wollte natürlich Mussolini persönlich zu dessen prunkvoller Bleibe, dem ehemaligen Kronprinzen- bzw. Reichspräsidentenpalais in der Wilhelmstraße begleiten. Während der Fahrt hatte der etwas Deutsch sprechende Mussolini ein wenig über Kälte, Nässe und rauhen Hals geklagt. Hierauf unser Führer verbindlich und freundschaftlich: »Exzellenz« – so nannte er ihn damals noch – »Sie werden erlauben, daß ich Ihnen einen Ratschlag gebe, wie man sich in unserem unberechenbaren Klima nach einer solch großartigen Anstrengung, wie Ihre Rede es war, vor einer fatalen Verkühlung schützen kann. Sie müssen so schnell wie möglich ein ganz heißes Bad nehmen und sich sofort ins Bett legen!«

Der Duce stimmte begeistert zu, denn er zitterte bereits vor Kälte. Alles schien noch gut zu gehen, denn für diesen Abend war kein offizielles Programm vorgesehen. Unter dumpfem Trommelwirbel der SS-Leibstandarte zog der Duce in sein hellerleuchtetes Palais ein und wurde feierlich von den Herren des Protokolls in seine Gemächer geleitet. Diese und das ganze Palais waren mit Millionenaufwand umgebaut worden, alles war neu gestrichen und vergoldet, marmorbelegt, an den Wänden prangten die schönsten Gemälde aus deutschen Museen und prachtvolle Gobelins. Die Räume waren mit erlesenem Geschmack und allem

Luxus eingerichtet. Blumen, Fruchtschalen, Tabletts mit Rauchwaren und Flaschen – an alles war gedacht worden. Natürlich auch an ein prächtiges Badezimmer aus Marmor. Doch eben da kam es zur Katastrophe! Neben der Wanne stand ein bleicher Lakai und drehte verzweifelt an den Hähnen! »Mein Duce«, stammelte er wohl unter Tränen der Angst, »mein Duce, es rinnt nur kalt! Freddo, freddo, fredissimo!« Unser armer Duce mußte sich kalt abreiben lassen, ehe er ins kühle Prunkbett stieg. Mussolinis Humor soll unter den Nullpunkt gesunken sein, und sein Glaube an deutsche Organisationskünste hat sich von dieser Enttäuschung nie wieder erholt.

Am nächsten Tag erfuhr der Führer davon. Er war außer sich und verlangte schärfste Untersuchungen, Verhaftung der Schuldigen und Sofortbericht. Wie war es zu dieser Panne gekommen? Laut Erlaß aus der Frühzeit des preußischen Innenministeriums, später bestätigt durch den sparsamen Herrn Reichspräsidenten von Hindenburg, durfte in Dienstgebäuden, und ein solches war ja dieses Palais, nach siebzehn Uhr nicht mehr in der Zentralheizung nachgelegt werden.

Der brave Oberheizer hatte sich friderizianisch auch an diesem Tag an die Vorschriften gehalten, und Punkt siebzehn Uhr die Schaufel beiseite gelegt. Mit solch korrekten Beamten war aber nicht gerechnet worden. Nur: Mussolini hatte kalte Füße bekommen und der pflichtgetreue »Heizer von Köpenick« verbrachte heiße Stunden bei der Gestapo. Man konnte gegen ihn aber nichts unternehmen. Soviel ich erfuhr, wurde er aber nach ein paar Tagen auf Intervention Görings wieder freigelassen.

Am nächsten Tag ging es von Berlin nach Wustrow zu den Wehrmachtsmanövern. Endlose Autokolonnen. Die Bevölkerung am Rande der Wege, respektvoll grüßend, Polizei, Kriminalbeamte und Detektive oft in einsamen Rübenfeldern, teils in Zivil, aber unverkennbar mit durchlöcherten Zeitungen als »Auge des Gesetzes«. Die Italiener lachten, der Führer wurde wütend, und Himmlers Stabschef, Gruppenführer Wolff, mußte vorausfahren und diese oberschlauen »Geheimen« einsammeln.

Es gab nun Panzermanöver und Flugzeug-Tiefangriffe in der trostlosen, sandigen norddeutschen Ebene. Zum Schluß zeigte man Flakschießen auf geschleppte Zielflugzeuge und demonstrierte die Feuerkraft der Küstenbatterien. Es brachte ein wenig Abwechslung in die langweiligen, lärmenden Übungen, als der berühmte Kunstflieger General Udet zum ersten Mal den Fieseler Storch vorführte. Ebenfalls mit einem Fieseler Storch kam General Milch. Allgemeine Heiterkeit: »Der Storch bringt gleich Milch mit.« Von Milch wußte man, daß er auf Görings Ansuchen vom Führer zum »Ehrenarier« ernannt worden war, weil er lange Jahre als verdienstvoller Chef der Lufthansa gedient hatte. Hitler war damals in der Judenfrage noch »zugänglich«, gleich wie im Fall Thorner.

Der Staatsbesuch lief bis zum üblichen Ende mit unvermeidlichem Ordenssegen, wobei von Hitler bis hinunter zum Lokomotivführer viele bedacht wurden. Ich bekam die Krone von Italien und somit den Titel »Cavaliere Ufficiale«. Da aber das Protokoll nicht funktioniert hatte, kam es dabei zu großen Kränkungen und zu einem lustigen Durcheinander. Der Portier des Münchner Hotels »Vier Jahreszeiten« bekam einen Offiziersorden, ebenso der Chauffeur des Führers. Der Chef der Wehrmachtsadjutantur aber, Hauptmann Schmund, erhielt eine niedrigere Stufe als der Chef dieser Chauffeure, Sturmbannführer Kempka. Auch Italiener waren falsch eingestuft worden. Wenn ich mich recht erinnere, hatte auch Mussolinis Lokomotivführer einen viel zu hohen Orden bekommen – also eine echte Katastrophe. Ich war froh, diesmal nur Zuschauer gewesen zu sein.

Ende des Monats trafen wir aber dann wieder in London ein. Dort wurden wir kühl empfangen, denn diese langen Abwesenheiten des Botschafters schätzte man nicht. Das beeindruckte Ribbentrop freilich wenig, im Gegenteil. Auch der Oktober war von hektischer Reisetätigkeit erfüllt und sah uns nur selten in London.

Diese Betriebsamkeit galt der Vorbereitung für den Beitritt des faschistischen Imperiums als Originalmitglied zum alten Antikominternpakt. Eine neue Aufmerksamkeit für die Engländer, die diese Konstellation als gegen sich gerichtet empfanden. Während das Auswärtige Amt von alledem nicht viel gehalten hatte, unterstützte Hitler dieses Vorhaben, dessen Vorbereitung noch in den Händen Herrn von Raumers und des japanischen Militärattachés in Berlin, General Oshima, gelegen hatte, seit geraumer Zeit. Am 21. Oktober besuchte Ribbentrop den Führer auf dem Obersalzberg, damit dieser ihm die Verhandlungsvollmacht für Rom unterzeichne. Am 22. trafen wir in Rom ein. Ribbentrop besuchte Mussolini und Ciano. Die Verhandlungen verliefen günstig, Mussolini und Ciano waren durchaus einverstanden, denn auch sie ließen als mutige Autokraten die Bedenken des »Affari Esteri«, ihres eigenen Auswärtigen Amtes, völlig unbeeindruckt.

Am 23. fuhren wir nach Berlin zurück, denn dort waren gerade der Herzog von Windsor, der ehemalige König Edward VIII. und seine »femme fatale« Wallis, nun Herzogin von Windsor, eingetroffen. Offiziell wollten sie Sozialeinrichtungen studieren, in Wirklichkeit aber sich für die moralische Unterstützung während der Krise bedanken und die Widersacher in England tüchtig ärgern. In Berlin bemühte man sich sehr um die Herzogsfamilie. Sie bekam eine Suite im »Hotel Kaiserhof« und wurde von Hitler empfangen, dem beide sehr gefielen, und der Ribbentrops Redereien, daß sie lediglich Opfer ihrer Deutschfreundlichkeit geworden wären, in seinen anschließenden Abendkommentaren glatt nachbetete. Das war zum Verzweifeln! Hier konnte man den fatalen Einfluß von Ribbentrops Fehlinformationen erkennen.

Nach einem gelungenen Besuch bei Göring in Karinhall gab Ribbentrop ein Essen im Nobelrestaurant Horcher, zu dem außer den beiden Windsors auch Herr und Frau Himmler, Gustav Gründgens, Marianne Hoppe sowie dienstlich Dörnberg und ich erschienen – eine wirklich köstliche Mischung. Am Vortage schon hatte Reichsleiter Ley, der Chef der »Deutschen Arbeitsfront«, somit der Chef aller deutschen Arbeiter, die Windsors zu Film und Buffet in seine Villa eingeladen. Ich war den Windsors zugeteilt worden und mit einem Super-Mercedes vorausgefahren. Da wurde ich beim Aussteigen in der Dämmerung von den Journalisten mit dem Herzog von Windsor verwechselt, die verschossen ihre Blitzlichter ziemlich restlos auf mich, und als das Herzogspaar kurz darauf eintraf, war mit den damaligen primitiven Fotoblitzen in der Eile nicht mehr viel nachzuholen. Bei Ley gab es ein prächtiges Buffet, aber zwei sehr langweilige Filme über deutsche Sozialleistungen und Arbeitsverhältnisse. Der Herzog von Windsor fand es aber richtig, sich so einen Film anzusehen. Natürlich war man mit dem hohen Gast sehr zufrieden; Er war außerordentlich freundlich, sprach fließend Deutsch und schlug leise die Hacken zusammen, wenn er jemanden begrüßte. Wahrscheinlich dachte er, das mache bei den Preußen einen guten Eindruck, doch galten solche Gesten bei uns Nazirevolutionären als reaktionär.

Am nächsten Tag mußte ich mich um den Adjutanten des Herzogs kümmern, ich glaube, er hieß Lord Grey und war ungefähr so alt wie ich. Die Windsors waren auf einem Einkaufsbummel, und wir hatten uns selbständig gemacht. Am Abend saßen wir dann beide im Kaiserhof fest und machten im Salon der Fürstensuite Dienst. Aus lauter Langeweile veranstalteten wir eine feuchte private Nachfeier zu zweit, nicht wissend, daß das Ehepaar Windsor längst zurückgekommen war. So ergab es sich, daß wir im schwach beleuchteten Salon beim Whisky in einer Ecke saßen, als plötzlich die nichtsahnende Herzogin im Negligé hereinschwebte, wahrscheinlich, um Zigaretten zu holen. Bei unserem Anblick suchte sie mit einem leisen »Oh« das Weite. Sie war eine sehr elegante Erscheinung und immer blendend angezogen. Ich war froh, diese beiden so berühmten Persönlichkeiten aus der Nähe erlebt zu haben. Sie waren reizend und sympathisch.

Inzwischen kam auch der Nichteinmischungsausschuß für Spanien wieder in Schwung, und Ribbentrop hatte Mitte und Ende November während kurzer Aufenthalte in London zwei weltbewegende Reden gehalten mit dem klaren Ziel, in der deutschen Presse an hervorragender Stelle zu prangen.

Natürlich war auch ich gerne wieder in London. Nicht nur wegen Agnes, nein, auch auf der Botschaft hatte ich sympathische Bekannte. Es gab da schöne Frauen, wie Gisela Dörnberg und ihre Schwester Gitti, die sehr hübsche Baronin Illemi Steengracht und Daisy Schlitter, eine wahre Bilderbuch-Schönheit – sie wurde später nach dem Krieg Botschafterin in Athen. In der Auswahl ihrer Mitarbeiter hatten die Ribbentrops eine gute Hand, und mit Recht legten sie Wert darauf, daß die Damen der Botschaft gut und elegant aussahen.

In London hatte der Botschafter eine neue Idee, um sich dort unbeliebt zu machen, aber zu Hause in Berlin gut aufzufallen. Er beschäftigte sich nämlich damit, die deutsche Kolonie in London »auf Vordermann« zu bringen. Unter anderem sollte das berühmte deutsche Hospital »gleichgeschaltet« werden, d. h. Hakenkreuzfahne aufs Dach und jüdische Ärzte raus. Doch beim Wohltäter und Protektor des Spitals, Sir Bruno Schröder, dem bekannten Bankier, kam er da nicht weiter. Schröder blieb eisern als wir zu dritt im Bathclub lunchten, doch die Sache sprach sich herum, und Ribbentrop, der später in Nürnberg nie Antisemit gewesen sein wollte, blieb in London mit seinen antisemitischen Vorstößen erfolglos.

Die Atmosphäre unter den Kollegen an unserer Botschaft war angenehm und kameradschaftlich. Bei dem Druck, unter den der Chef und seine Gemahlin uns setzten, blieb uns auch nichts anderes übrig, wenn wir irgendwie heil überstehen wollten. Es half also einer dem anderen, und wenn jemand gerade Ärger mit dem Botschafter hatte, fand er von allen Seiten Verständnis. Mit Ausnahme vielleicht der treuen Sekretärinnen nahm niemand diesen Chef ernst, und alle litten unter seinen »Divaallüren«. Er war nur dann freundlich, wenn er – wie so oft – von seinem geliebten Führer einen Tadel bekommen hatte. Und gerade in dieser Hinsicht zogen für ihn dunkle Wolken am Horizont auf.

Am 3. November verließen wir wieder London. Es ging nach Berlin und Rom; dort sollte, nämlich im Auftrag des Führers das »welthistorische Dreieck« begründet werden. Das imperiale Italien Mussolinis hatte sich endlich entschlossen, dem Antikominternpakt als Urmitglied beizutreten und diesen in Rom zu unterzeichnen. Die Reise nach Rom erfolgte mit einem Sonderwaggon des normalen Schnellzugs über München. Dabei mußten wir natürlich Österreich durchqueren; das war für mich eine merkwürdige Sache. Als wir in Innsbruck Aufenthalt hatten, meinte ich zu Ribbentrop, wenn ich jetzt ausstiege, müßte ich eigentlich als Hochverräter festgenommen werden. Ribbentrop lachte und meinte:

»Da können Sie ruhig einen großen Spaziergang machen, man würde es nie wagen, Ihnen auch nur ein Haar zu krümmen.« Ich wandelte also eine Viertelstunde lang zwischen Uniformierten und Geheimpolizisten genüßlich auf und ab. Als wir in Rom ankamen, gab es sofort die üblichen Rangeleien über »Rangfragen«. Sehr bald entstand ein Kleinkrieg zwischen dem deutschen Botschafter in Rom, Herrn von Hassell, und unserem Chef. Schon beim Besuch des Duce in Berlin hatte es Schwierigkeiten gegeben. Ribbentrop verlangte, daß man den ersten Platz bei dem feierlichen Dinner am ersten Abend ihm zuweise, Hassell beanspruchte verständlicherweise ebendenselben Platz für sich, war er doch akkreditierter Botschafter beim italienischen König in Rom und als solcher Vertreter des deutschen Staatsoberhauptes. Aus diesem Grunde gebühre ihm der Vorrang vor Ribbentrop, der ja nur Sonderbotschafter für diesen einen Spezialfall wäre. Der Kampf wogte bald hin und her und man vergaß sich so weit, ihn vor den staunenden Italienern auszutragen! Ja, man bemühte sie geradezu, in diesem Kampf zwischen den beiden Botschaftern Stellung zu nehmen. Wie genossen das die Italiener! Aber sie fanden eine ganz einfache Lösung: Mit Hilfe runder Tische wurde das Problem umgangen.

Um seinen Forderungen Nachdruck zu verleihen, hatte Ribbentrop herumerzählt, Neurath werde bald in Pension gehen und er, Ribbentrop, sei demnächst mit Sicherheit der künftige deutsche Außenminister. Die Italiener berichteten dergleichen weiter, es kam zu Hassells Ohren, der seinerseits einen ausgezeichneten Draht zu Neurath hatte, war doch Neuraths Sohn Hassells erster Legationsrat. Der Außenminister ließ so eine Behauptung natürlich nicht auf sich beruhen und zögerte nicht mit einer Gegenmaßnahme. Er konnte es schließlich nicht zulassen, daß ein deutscher Sonderbotschafter ihn im Ausland einfach abwertete. So fuhr also Neurath sogleich zum Führer und übergab diesem seine Demission. Hitler war sehr verärgert und beschwichtigte Neurath, so gut er konnte.

Zunächst aber genoß Ribbentrop noch ganz unbefangen seinen großen Auftritt in Rom. Er machte in der Hauptstadt einige Besuche; Rudolf Hess, Stellvertreter des Führers in Parteisachen, war in Rom als Ehrengast anwesend. Unser Chef hatte sich mit ihm, dem er ja eigentlich als Dienststellenleiter im »Stabe Hess« theoretisch noch unterstand, eng verbündet, und Hess hatte, wie wir heute aus Cianos Memoiren wissen, für Ribbentrop und gegen Hassell bei den Italienern intrigiert. Diesen schienen aber die deutschen Machtkämpfe großes Vergnügen zu bereiten. Sie hatten auch Verständnis dafür, daß sich die Partei gegen das Auswärtige Amt stellte, hatten sie doch als Faschisten auch ihre liebe Not mit den Berufsdiplomaten der »Affari Esteri«.

Ribbentrop war also noch in Hochstimmung. Er hatte sein Werk, den Antikominternpakt, unter Dach und Fach gebracht, hatte – wie er glaubte – protokollarisch gesiegt und die Unterstützung des obersten Parteivertreters genossen. Der Weg zum deutschen Außenminister schien für ihn frei . Den Befähigungsnachweis als großer Staatsmann vom Range eines Talleyrand bzw. Bismarck hatte er – wie er meinte – soeben erbracht. Er ließ das überall fühlen und war ungenießbar wie immer, wenn er sich oben wähnte. Jetzt fehlte ihm zum Glück nur noch ein Propagandaerfolg beim Führer gegen die Engländer. Eine deutsch-englische Verständigung konnte es ja nur über seine politische Leiche hinweg geben, und England würde in diesem Fall zweifellos seine Opferung verlangt haben. Dafür hätten die Briten ihrerseits sicher nicht ungern Eden und die Vansittart-Churchill-Clique preisgegeben.

Frau von Ribbentrop war sich über restliche Möglichkeiten der Karriere ihrer Familie vollkommen im klaren. Deshalb sprach Madame täglich gegen England, ja sie hetzte förmlich und pries gemeinsam mit ihrem Schwiegervater, dem Japanverehrer, die einzig mögliche Gegenkonstellation! Breitgeschlagen, folgsam, schließlich überzeugt und damals noch durch den Antikominternvater, Herrn von Raumer, fachlich gestützt, machte sich Ribbentrop an das gewaltige Werk, ein »welthistorisches Dreieck« zu schmieden, wie er es nannte: also das Dreieck Berlin-Rom-Tokio, und nur noch in diesem Sinne wirkte er auf seinen Führer ein. Wie oft habe ich von da an erlebt, daß er politische Nachrichten einfach unter den Tisch fallen ließ, eine Meldung über einen Hundert-Kilometer-Gepäckmarsch eines Japaners aber in die Mappe für den nächsten Vortrag beim Führer legte. Diese berühmte, fatale Mappe F!

Die größte Gefahr drohte Ribbentrops Politik damals von Henderson, dem englischen Botschafter in Berlin, der sich aufrichtig bemühte, nicht nur mit Hitler, sondern auch mit dessen Mitarbeitern ins Gespräch zu kommen. Unzweifelhaft war es Henderson bereits gelungen, sich vor allem höhere, alte Parteigenossen gewogen zu machen. Diese konnten es sich ja leisten, ganz im Sinne von »Mein Kampf« anglophil zu sein und für die bestehende kapitalistische Ordnung einzutreten, denn sie hatten ihren nationalen Sozialismus bereits in den wilden Jahren der »Kampfzeit« bewiesen. Die Ribbentrops hingegen stammten aus einem Milieu, das man als kapitalistisch bezeichnen konnte. Sie hatten früher in der Gesellschaft von Fabrikanten und jüdischen Bankiers in Frankfurt und Berlin verkehrt; sie mußten also eiligst und womöglich tagtäglich ihre Parteitreue und revolutionäre Fortschrittlichkeit unter Beweis stellen. Wenn andere »Heil« schrien – Ribbentrops schrien dreimal »Heil«! Lauter als andere sprach der Botschafter von »Habenichts-Nationen«, von Aufteilung der Weltgüter und bei Hitler ließ er sich mit strahlend deutschem Blick in meiner Gegenwart ungefähr so aus: »Mein Führer, auf mich schimpfen in England fast alle und hier nicht wenige, weil ich mich nicht so billig abspeisen lasse, wie die müden Herren vom Auswärtigen Amt, Wiedemann und morsch gewordene Parteigenossen. *Ich* bin unnachgiebig und ganz auf Ihrer Linie! Auf mich können Sie sich verlassen in Ihrem Kampf gegen das jüdisch-versippte Welt-Establishment und die verfaulten Demokratien!« oder: »Wir aufrechten Nationalsozialisten sollten in Ihrem Sinne Seite an Seite mit den jungen Völkern Italien und Japan über das degenerierte Establishment der Angelsachsen hinwegschreiten!«

Natürlich stammte diese Konstruktion, die für den Vabanquespieler Hitler viel Bestechendes hatte, nicht nur von Ribbentrop, sondern im Wesentlichen von seiner intelligenteren Frau. Sie war es, die England Rache geschworen hatte und mit feinem Instinkt herausfühlte, daß sich die Engländer nunmehr mit Henderson über Neurath und Göring an Hitler heranpirschen wollten. Sie war Cato, der von nun an seinem Joachim immer wieder das »Britanniam esse delendam« vorsagen würde! Unablässig drang sie bei ihrem Mann darauf, daß der Informationsstrom an Hitler so zu leiten, zu formen und zu sieben sei, daß über England nur ungünstige Berichte, über Japan und Italien aber ausschließlich Vorteilhaftes gemeldet werde. Sehr zum Leidwesen des Ehepaars Ribbentrop gab es aber in der Umgebung des Führers und unter seinen Bekannten auch »rückschrittliche Ignoranten und Saboteure«, die nach wie vor in einem Ausgleich mit England das wahre außenpolitische Ziel des Nationalsozialismus sahen: alte Parteigenossen, Universitätsprofessoren, Schriftsteller, nicht zuletzt der »böse« Adjutant Wiedemann, dazu die germanomane Idealistin Unity Mitford aus der mächtigen Redesdale-Familie. Aber auch Göring und Bohle gehörten dazu. Sie zogen sich damit den Unmut der Frau von Ribbentrop zu, und diese veranlaßte ihren Mann, solche mißliebige Personen bei jeder Gelegenheit mit Intrige und Verleumdung beim Führer zu desavouieren.

In der ersten Zeit fand sie dabei die Unterstützung von Himmler und Hess, und diese besannen sich erst eines Besseren, als es schon zu spät war. 1937 aber waren Himmler und Hess noch sehr mit unseren »Chefs« befreundet und hofften sobald Ribbentrop erst Außenminister war, mit ihren Organisationen erst richtig zum Zug zu kommen. Und Ribbentrop gab, wo es nur möglich war, bekannt, von Hitler die Zusicherung erhalten zu haben, daß er Außenminister werden, sobald Neurath die Altersgrenze erreicht haben würde. Dann wollte er, Ribbentrop, ein neues, durch und durch nationalsozialistisches Auswärtiges Amt aufbauen, und er versprach beiden Herren unabhängig voneinander, den

Nachwuchs der zukünftigen deutschen Diplomatie aus den Reihen ihrer Anhänger zu rekrutieren. Dies hörten natürlich Hess und Himmler gerne. Nichts Besseres konnten sie sich wünschen, als das vielumworbene Auswärtige Amt ihrer Hausmacht beizufügen!

»Hausmacht«, das ist der richtige Ausdruck, denn unter den Parteigrößen und Ministern gab es nur Hausmachtspolitik. Mehr als die Hälfte der täglichen Arbeitszeit wurde für diesen inneren Krieg verwendet! Was gab es da an Kämpfen aller gegen alle. Hitler aber genoß das, er hatte für jeden Posten immer zwei Besetzungsmöglichkeiten vorgesehen und glaubte, aus zwei verschiedenen Quellen informiert, am ehesten unabhängig zu bleiben.

Was jedoch Ribbentrop betraf, so irrte er sich in fataler Weise. Dieser nämlich erzählte seinem Führer nur was er hören wollte. Ribbentrop hatte sich durch Likus und Hewel in der Reichskanzlei ein doppeltes Nachrichtensystem aufgebaut, das ihm prompt berichtete, welche Art Nachrichten dem Führer gerade besonders willkommen war, und mit solchem Nachrichtenmaterial pirschte er sich an Hitler heran! War aber Ribbentrop in einer Sache nicht ganz sicher, brachte er sie vorsichtig ins Gespräch, und nach einer Viertelstunde »Hitler-Monolog« wußte er genau, welche Haltung in dieser Frage erwünscht war. Dann strahlte Ribbentrop »seinen Adolf« an, sagte: »Mein Führer, Sie haben sooo recht, man faßt sich an den Kopf, daß es Leute gibt in Partei und Auswärtigem Amt, die Ihren Weitblick und Ihre genialen Schachzüge nicht verstehen oder gar nicht verstehen wollen!«, und übertrumpfte noch Hitlers Ansichten, indem er weiter in dieser Richtung phantasierte.

Hitler genoß das sehr, er fühlte sich bestätigt und sah in Ribbentrop einen bedingungslos ergebenen Sekretär den er bequem steuern konnte. Hewel hat mir einmal ausführlich von Hitlers Einstellung zu Ribbentrop berichtet und mir erklärt, weshalb er ihn behalte, obwohl er auch ihm lästig falle. Als man sich nämlich wieder einmal über Ribbentrop beschwerte, wehrte Hitler ab und erklärte: »Warum ich Ribbentrop behalte? Sehen Sie, meine Herren, es ist doch gräßlich mit meinen Mitarbeitern! Unabwendbar verlieren sie, nachdem ich sie mühsam für eine Sache begeistert und in Marsch gesetzt habe, mit der Zeit den richtigen Schwung und werden das Opfer eigener oder fremder, so bequemer Bedenken. Dann muß ich sie wieder herbestellen, ihnen ins Gewissen reden und sie neu aufmöbeln. Das ist eine lästige Arbeit bei so vielen, denen meistens schon auf der Hälfte des befohlenen Weges die Puste ausgeht. Da ist doch dieser Ribbentrop ganz anders. Der ist unentwegt und stets in Fahrt. Wissen Sie, ich komme mir so vor, wie ein Bub, der auf einem Kirchtag von den komischen Pfeiferln mit diesen Gummiblasen gekauft hatte, die man zuerst groß aufblasen muß, damit dann durch das

Pfeifen die entweichende Luft einen Dauerton fabriziert. Nun, dieser Bub, der sich mehrere solcher Pfeiferln gekauft hat, hat seine Not, alle gleichzeitig tönen zu lassen. Hat er das letzte Pfeiferl aufgeblasen, war dem ersten schon die Luft ausgegangen oder es entwichen bei bereits schlapper Blase nur mehr jämmerliche Töne. Sehen Sie, da ist Herr von Ribbentrop ganz anders. Den brauche ich erst gar nicht aufzublasen. Der ist schon aufgeblasen! Der tönt in einem fort! Das ist natürlich viel bequemer für mich, wie viel mühsamer ist es mit meinen anderen Herren, wenn sie mit sorgenvollem Gesicht und großen Augen auf den Obersalzberg kommen, um mich zu warnen und Bedenken vorzubringen! Was muß ich dann für Zeit und Mühe aufwenden, um die Herrschaften wieder aufzurichten und in Fahrt zu bringen! Wie gesagt, der Ribbentrop ist in dieser Hinsicht ideal!«

Natürlich ist so ein Mitarbeiter ideal, dachte ich mir, aber wenn schon der Führer die Außenpolitik selber macht, dann kann so ein Außenminister und Jasager allein schon als Informant entsetzlich einseitig, gefährlich und fatal werden. Mit der Zeit wurden also Hitlers Informationsquellen immer unergiebiger, ein Teil der Warner zog sich zurück, hatten sie es doch nicht nötig, sich von Hitler anschnauzen zu lassen, und so wuchs um diesen zusehends ein Kreis von Jasagern und geistigen Eunuchen heran, und gegen Ende des Krieges verwandelte sich sein Befehlsstand in den willenlosen, ängstlichen Hofstaat eines Sultans, wie Hewel mir phlegmatisch erzählte. Vor dem Krieg aber galt noch manchmal ein freies Wort oder gar eine positive Kritik, die zwar nicht gerne gehört, aber doch noch geduldet wurde. Leicht aber konnte man in den Ruf eines Defaitisten kommen und in der Folge abgehalftert werden.

Nach erfolgreichem Abschluß des Antikominternpaktes in Rom herrschte also bei Ribbentrop beste Stimmung, und mancher hatte dort schon von ihm »streng vertraulich« vernommen, daß er bald der zukünftige deutsche Außenminister sein werde.

Wieder in München angekommen, erhielt ich sofort den Auftrag festzustellen, wo sich der Führer aufhalte. Ich sollte einen Termin für meinen Chef erbitten. Vom Berghof bekam ich die Antwort, der Botschafter müsse noch etwas warten, da der Führer nach München in seine Privatwohnung kommen werde.

Mit dieser Privatwohnung hatte es eine besondere Bewandtnis, eine eigentlich rührende Geschichte. Als junger Politiker lebte Hitler in den zwanziger Jahren als Untermieter bei einer Frau Winter. Er hatte dort ein »Zimmer mit Frühstück«. Frau Winter war nationalen Leuten gegenüber großzügig und scheint sich um den Junggesellen Hitler etwas gekümmert zu haben. Sie bot ihm auch manchmal ein warmes Essen und wartete mit der Bezahlung, so gut sie konnte. Hitler, der – wenn es seine Altpartei- und Weggenossen betraf – einen ausgeprägten Sinn für Dankbarkeit hatte, solange sie nur treu waren, erinnerte sich später auch seiner Dankesschuld Frau Winter gegenüber. So kaufte er das ganze mehrstöckige Haus, schenkte es ihr, mietete sich dann wieder bei ihr ein und nannte das seine »Privatwohnung«.

Wollte Hitler wirklich Ruhe haben, dann zog er sich zu Frau Winter zurück. Sie garantierte ihm eine Atmosphäre bürgerlicher Behaglichkeit. Mir gefiel das, ich empfand das als einen sympathischen Zug des Führers. Die Wohnung hatte Hitler geschmackvoll eingerichtet. Die Bilder dazu hatte ihm sein Fotograf Hofmann besorgt, der nebenbei auch Kunsthändler war. Es hingen auch einige schöne Gobelins an den Wänden. Hitler war inzwischen vermögend geworden. Aus dem Eher-Verlag, bei dem sein Buch »Mein Kampf« verlegt worden war und der die offizielle Parteizeitung »Völkischer Beobachter« herausgab, bezog er viele Millionen. Soweit es mir bekannt war, griff Hitler niemals in die Staatskasse, wie das Göring, Ribbentrop und andere nur zu gerne taten. Nur kleine Geschenke wurden angenommen; je wertvoller sie waren, desto eher wurden sie abgelehnt. Hitler selbst jedoch schenkte gern.

Unsere Wartezeit in der Stadt währte nicht lange. Hitler kam in München an, und Ribbentrop wurde für den nächsten Tag auf neun Uhr vormittags bestellt. Wir fuhren also sozusagen amtlich in die Privatwohnung am Prinzregentenplatz und fühlten uns in unseren SS-Uniformen imposant. Ribbentrop war Gruppenführer, ich war inzwischen Hauptsturmführer geworden. Nach kurzer Wartezeit im bescheidenen Vorzimmer, wo wir inzwischen Mütze, Degen und Koppel selbst an die Wand hängen mußten, hörte ich Hitler mit scharfer Stimme zu seinem Adjutanten sagen: »Herr von R i p p e n t r o p p p solll herrreinkommen!«

Dieser stürzte dienstbeflissen hinein, um endlich den ihm so gewissen, aber auch sehnlichst erwarteten Lorbeer aus der Hand seines geliebten Führers zu empfangen. Noch dachte ich nichts Böses. Doch da hörte ich durch die Türe abgehackte Sätze und dazwischen nur bescheidene Entgegnungen. Dann immer lauter und lauter: »Nein, Herr von Ribbentrop, ich verbittte mir dasss. Das stimmt nicht! So gettt das nicht! Sie haben überall herumerzählt, daß Sie in Kürze Außenminister werden würden. Neurath hat sich bitter bei mir beschwert. Was bilden Sie sich eigentlich ein?! Und das alles noch dazu im Ausland.«

Ribbentrops Antworten wurden immer leiser, und nach einer Viertelstunde war alles vorüber. Ich war verblüfft, der Adjutant Gruppenführer Schaub blickte fröhlich und schadenfroh drein, als plötzlich die Türe aufging, und ein gebrochener Ribbentrop sich mit einem strammen »Heil, mein Führer« verabschiedete. Hitler sah wütend durch die Tür und würdigte mich eines kurzen »Heilll«. Ich grüßte stramm und dann war es vorüber ... »Na Prost, Mahlzeit«, dachte ich mir, »das kann ja gut werden« – und so wurde es auch!

In der Suite im Hotel »Vier Jahreszeiten« legte mir der Chef milde seine Hand auf die Schulter: »Kommen Sie, Spitzy, kommen Sie.« Er war überströmend freundlich, wie immer, wenn ihm Böses widerfahren war. Jetzt aber war er gebeugt, freundesuchend und über die Schlechtigkeit der Welt sinnend. »Ja, mein Guter«, sagte er wiederholt, »jetzt ist alles aus. Es hat alles keinen Sinn mehr. Der arme Führer ist in der Hand von bösen Ratgebern und Saboteuren!«

Dann ging er auf sein Zimmer, ließ die Vorhänge vorziehen, legte sich zu Bett, und der furchtsam brave Kammerdiener Bonke mußte, wie immer in solchen Fällen, Pfefferminztee zubereiten. Auf meine Frage, ob der Herr Botschafter noch Wünsche habe, meinte er nur: »Nein, mein Lieber, es ist alles sooo gleichgültig.«

Ich ging hinunter, um erst einmal zu essen, und genehmigte mir auch einen Beruhigungswhisky vor der mündlichen Herausgabe eines internen Bulletins an die nächste Umgebung, und ich berichtete dem inzwischen eingetroffenen Kordt. Likus war recht aufgeregt und meinte: »Eijeijeijeijei, das wird wieder ein Aufsehen geben am Obersalzberg. Morgen wissen alle davon. Göring, Goebbels, Rosenberg, Bohle. Mein Gott, wie werden die sich freuen! Auch bei Himmler wird das keinen guten Eindruck machen. Eijeijeijei! Der meidet ja gestürzte Mitarbeiter unseres Führers wie der Teufel das Weihwasser.«

Kordt lachte vor sich hin, und ich versuchte, nach außen eine streng neutrale Position einzunehmen. Die fiel mir gar nicht leicht, denn nach der Euphorie des großen Erfolges in Italien war der Chef unausstehlich gewesen und hatte die ganze Rückreise lang gottähnlich regiert.

Richtig – es dauerte nicht lange, da kamen »Freunde« aus Staat und Partei wie zufällig in der Halle des Hotels »Vier Jahreszeiten« vorbei und erkundigten sich angelegentlich nach dem Befinden unseres Chefs. Ich gab stereotyp die Antwort, es ginge ihm gut, er wäre nur sehr müde von der anstrengenden Reise und den Strapazen seiner römischen Tätigkeit. Die alten Parteigenossen, aber auch Berufsdiplomaten waren sehr angetan von dem Knacks in der Karriere dieses Neulings und Außenseiters in Partei und Staatshierarchie. Vor allem die alten Kämpfer waren verärgert über Ribbentrops proitalienische und projapanische Politik, hatte doch Hitler in »Mein Kampf« den Japanern jede schöpferische Begabung abgesprochen. Auch schätzte man in Bayern die Italiener nicht, und Idealisten waren schon aus weltanschaulichen Gründen auf Versöhnung und Zusammenarbeit mit England eingeschworen. Unverhofft erschien der Kammerdiener mit der Mitteilung, daß der Chef mich zu sprechen wünsche. Ich betrat das düstere, lavendelduftende Zimmer und wurde zu meinem Staunen aufgefordert, mich ans Bett zu setzen. Mit schmerzerstickter Stimme und in väterlicher Vertraulichkeit hörte ich nun in verschiedenen Varianten und Interpretationen die Geschichte seines Malheurs. Es hatten wieder einmal alle zusammengewirkt, die Bösewichte in der Partei, Neurath, Bohle und Rosenberg, Wiedemann und Brückner, Hassell und die Herren des Auswärtigen Amtes in diabolischer Zusammenarbeit mit der finsteren Reaktion am italienischen Hof und nicht zuletzt mit dem Vatikan – kurzum, die ganze Liste der schon hinlänglich bekannten »Sabotintern« unter Anführung des britischen Establishments wurde für seine Niederlage verantwortlich gemacht. Der arme Führer! Ja, das müsse man verstehen, er sehe die Lage nicht richtig, sein Blick für die Wirklichkeit werde von solchen Leuten durch eine Mauer von Lügen verstellt, und so habe er nun gerade ihn, der sich rest- und rastlos seinem Dienst geweiht hätte, mit schnödem Undank belohnt, und das in einem Moment, da ihm, Ribbentrop, ein entscheidender Schritt zur künftigen deutschen Größe gelungen sei! Ja, bitter sei das, sehr bitter!

Ich begann zu trösten: Der Führer trachte immer, Mitarbeiter, die zu groß geworden wären (und ihm, Ribbentrop, wäre ja eine besondere Tat geglückt), wieder zurechtzurücken. E r bliebe doch einer seiner liebsten Mitarbeiter, und so eine kleine Krise dürfe man nicht ernst nehmen!

»Nein, nein, mein Guter«, kam es zurück, »jetzt ist es aus, es ist alles aus. Ich habe den falschen Beruf ergriffen. Eigentlich hätte ich General werden sollen. Ich werde mich jetzt als Freiwilliger für Spanien melden. Sie kommen doch mit mir, Spitzy, nicht wahr?«

»Dies sind ja gute Aussichten«, dachte ich mir und meinte, vielleicht wäre es besser, gleich nach London zurückzufliegen, und in einem Monat werde alles wieder beim alten sein.

»Nein«, kam es zurück, »Nein, ich bleibe jetzt hier und werde alles auflösen. Wir gehen nach Spanien.«

Fast wäre ich versucht gewesen zu fragen, ob zu dieser Heldenreise an die bolschewistische Front auch Bonke mit dem Bettsack mitmüßte. Ja, der Bettsack, das A und O unserer Reisen. In diesem Sack aus brauner Leinwand waren Pyjamas, Leintücher, Kissen und die unvergleichlich geblümte Decke; er mußte uns immer begleiten, und so schlief unser Chef gewissermaßen immer im eigenen Bett – wie wichtig für einen Staatsmann, der die jungen Völker Europas und Asiens zum Sturm auf die überlebten Demokratien führen wollte!

Mit diesem guten Bettsack hatte es hartnäckig vertrakte Schwierigkeiten gegeben. Einmal wäre er uns sogar fast verlorengegangen. Wir waren von Berlin aus in München eingetroffen, der Chef nahm gerade in der Halle der »Vier Jahreszeiten« mit Kordt und mir einen Whisky, als mich Kammerdiener Bonke bleich beiseite rief und schlotternd erzählte, daß der Bettsack immer noch nicht eingetroffen sei. Mich packte sofort kalter Schauder, denn es befanden sich zusätzlich noch sämtliche Toilettenartikel, wie Bonke gestand, und die Pyjamas darin.

Unverzüglich telefonierte ich »dringend, Staatsgespräch« nach Berlin und richtig, dort war der Sack liegengeblieben. Zu spät. Erst am nächsten Vormittag konnte man das Gepäcksstück nachgesandt erhalten. Sorgenvoll setzte ich mich wieder zu den Herren und dem noch leutseligen Chef. Jovial und nichtsahnend verabschiedete sich Ribbentrop, und als ich ihn auf sein Zimmer begleitete, versuchte ich, ihm schonend die böse Geschichte mit dem Bettsack zu melden. Anfangs begriff er sie noch nicht ganz und meinte nur, dies wäre ja eine sehr dumme Geschichte; morgen müsse der Sack her. Ich versprach das eifrig und dachte mir, das sei ja noch einmal gutgegangen. Weit gefehlt! Nach einer Stunde kam Bonke und bat mich hinauf.

Oben beim Chef eingetroffen (er lag mit einem seidenen Braunhemd im Bett), bekam ich einen großen Krach und wilde Vorwürfe wegen mangelnder Umsicht und fehlender weltanschaulicher Festigkeit. Ribbentrop erklärte mir, genausogut hätte ich geheime Staatspapiere verludern können usw. Dann hielt er mir in längeren Ausführungen einen Vortrag, daß Schlaksigkeit zu Bolschewismus führe, und ich wäre völlig falsch beraten, wenn ich glaubte, dieser Bettsack sei unwichtig. Er sei letzten Endes genauso wichtig wie der Aktenkoffer. Wenn er, Ribbentrop, nämlich nun nicht gut schlafen könne, und das könne er nun einmal nicht in anderen Betten, wäre er gehemmt in der Entwicklung seiner politischen Gedanken; oft kämen ihm in der Nacht die besten Ideen, wenn normale Bürger friedlich schliefen. So und nicht anders sei es, und das solle ich mir ein für allemal gesagt sein lassen!

Nun, die Bettsackgeschichte hatte sich am nächsten Tag mit der glücklichen Ankunft des Zurückgelassenen wieder gelegt; abends schon stand ich wieder neben dem Bett meines Chefs in seinem düsteren Zimmer. Wie war er wieder gütig! Zeichen seiner Depression. Madame sprach mit ihm eifrig am Telefon, und ich durfte mich zurückziehen, da ich äußerste Müdigkeit vorgab.

Unten aber warteten die Kollegen auf das letzte Nachtbulletin, und damals entstand das geflügelte Wort für Ribbentropsche Weltschmerzstimmung plus Niedergeschlagenheit: »Tango Notturno«. Wir Mitarbeiter hatten in dieser Hinsicht ein eigenes Vokabular entwickelt und konnten uns in Codeworten über die jeweilige Stimmung verständigen. »Tango Notturno« war damals neu; es gab schon »man regiert« oder

»Sabotintern wird verfolgt«. Hatte der Chef sich wieder einmal richtig erregt, gab es zwei Möglichkeiten: »es wurde jemand fertiggemacht« oder es gab ein »Fernbeben«. Trat nämlich einer von uns aus dem dröhnenden Botschafterzimmer und wurde bemitleidet, obwohl es ihn gar nicht betraf, dann brauchte der nur zu sagen »Nein, nein, nicht ich! Fernbeben auf Rosenberg, auf Bohle oder den Papst!« Wir hatten unser eigenes, geheimes Ribbentrop-Chinesisch, und das war sehr praktisch. Die beiden folgenden Tage in München herrschte weiter »Tango Notturno«. Beinahe sämtliche Telefonate konzentrierten sich auf Dauergespräche mit Frau von Ribbentrop in Berlin-Dahlem. Madame unterließ es wohlweislich, nach München zu kommen, wußte sie doch nur zu genau, daß sie bei den Spitzen der Partei nicht beliebt war. Sie wollte auch nicht – was aber klug gewesen wäre – mit den weniger eleganten Damen der Parteispitzen Umgang pflegen. Aber stundenlange Telefonate zwischen »Nick« und »Mam«, wie sie einander gegenseitig nannten, waren für unseren Chef Balsam, und wir hatten deshalb in diesen Tagen ein verhältnismäßig ruhiges Leben. Ribbentrop befand sich also weiter »auf der Wartburg«, wie wir das nannten. Doch bald bekam ich den Auftrag, leise vorzufühlen, ob sich die Lage beim Führer nicht doch gebessert habe. Ich konnte aber keine guten Neuigkeiten vermelden – im Gegenteil.

Der Botschafter wurde zusehends aktiver und telefonierte fleißig mit echten und falschen Freunden (letztere waren leider zahlreicher), aber fast alle zogen sich zurück und mieden ihn wie einen Paria. Auch vom Obersalzberg oder aus der Münchner Privatwohnung kam keine Kunde.

Tags darauf war die Geduld des angeschlagenen »Staatsmannes« zu Ende, und er beschloß, nach London zurückzukehren, wo wir am 9. November wieder unsere Zelte aufschlugen. Diesmal wollte Ribbentrop wieder den Botschafter herauskehren, um etwas an Terrain zu gewinnen, da durch den für Ende des Monats angesetzten Besuch von Außenminister Lord Halifax in Deutschland und bei Adolf Hitler eine Direktverständigung London-Berlin drohte. Das Ehepaar Ribbentrop hatte panische Angst davor, durch Halifax und Botschafter Henderson in Berlin umgangen zu werden und bemühte sich nun in England nach außen hin um eine Klimaverbesserung. Im Verlauf der kommenden Wochen nahm deshalb der deutsche Botschafter an einem Bankett des neuen Lord Mayors in London teil, er erschien zum Jahresessen der deutschen Handelskammer, gab selbst Einladungen, bat auch Sir Robert Vansittart, den Deutschenfresser, zum Anglo German Fellowship Dinner, hielt dort eine Grundsatzrede und gab einen großen Cocktail. So wollte sich Ribbentrop wieder in das politische Geschehen Londons einschalten, doch nützten seine jetzigen Bemühungen nicht mehr viel, da bereits zu viel Kredit verspielt war.

Der äußere Anlaß zum Halifax-Besuch in Berlin war die Teilnahme an den Feierlichkeiten zur Internationalen Jagdausstellung in Berlin. Sie war ein voller Erfolg. »Halalifax« – wie ihn die Berliner nannten – wurde anschließend persönlich von Hitler empfangen, und Ribbentrop, dem es nicht gelungen war, mit dem Obersalzberg wieder in Kontakt zu kommen, mußte sich mehr als verärgert über das Auswärtige Amt nähere Details und einen Bericht auf dem »lächerlichen Dienstweg« besorgen – bitter für den großen Paladin des Führers.

Den beiden Ribbentrops wollte es als historische Notwendigkeit erscheinen, dem geliebten Führer mit einem grundsätzlichen Bericht über die bösen Angelsachsen die Augen zu öffnen. Sollte der Führer dergleichen abweisen, dann wollte Ribbentrop mit diesem historisch wichtigen und zukunftsweisenden Statement im Rücken »souverän und eiskalt« abwarten, bis ihm die Ereignisse recht gäben, und der Führer dann wieder auf seinen klugen und weitblickenden Botschafter zurückgreifen würde. So begann Ribbentrop, an diesem Bericht zu kauen und zu brauen; zunächst »in camera caritatis« mit seiner Gemahlin. Ich mußte deshalb Akten in die Botschafterwohnung bringen. Das war an und für sich nichts Ungewöhnliches, denn Geheimakten nahmen oft einen Séjour in besagten Privatgemächern, und ich durfte sie nachher zusammen mit Bonke mühsam wieder aufsammeln. Nicht selten fand ich sie auf dem Nachtkästchen oder in Manteltaschen!

Mitte November erschütterte uns in London ein wahrhaft furchtbares Flugzeugunglück: der Absturz der gesamten großherzoglichen Familie Hessen.

Eines Tages hatte mir mein Kollege und Wohnungsnachbar Lu Hessen, dessen Heirat mit der reizenden Peg Geddes für Mitte November festgesetzt war, berichtet, daß er am nächsten Tag mit einem Sonderflugzeug der LUFTHANSA seine gesamte Familie, Freunde und Trauzeugen erwarte. Lu Hessen bat mich, an seiner Stelle offiziell in den Buckingham-Palast zu fahren, um dort den Namen des Botschafterehepaares in das Gratulationsbuch der Königin, die gerade Geburtstag hatte, einzutragen. Er selber hätte keine Zeit, denn er sei mit den Hochzeitsvorbereitungen voll beschäftigt und müsse nach Croydon, um dort die Ankunft des Sonderflugzeuges abzuwarten.

Ich war gerne bereit und erbat mir genauere Instruktionen darüber, was ich zu tun hätte. »Du hast nur«, antwortete er, »Dich mit einem großen Mercedes plus Chauffeur in Livree und uniformiertem foot-man, in Cutaway und Zylinder in den Buckingham-Palace zu begeben – dorthin, wo auch die anderen Diplomaten um elf Uhr fahren – dann hast du Dich mit gemessen würdigen Schritten fortzubewegen und – geleitet von einem Hofbeamten – am Ziel angelangt, mit einer dort gereichten Feder folgende Worte in das prächtige Buch einzuschreiben »The German Ambassador and Frau von Ribbentrop«. Sodann möge ich, wieder würdig begleitet, zu meinem Wagen zurückkehren, gemessen grüßend, mir vom foot-man die Decke über die Füße breiten lassen und mit freundlichem Lächeln und Nicken durch die gaffende Menge hindurch langsam mit dem Prachtmercedes zurück zur Botschaft rollen.

Vor dem Buckingham-Palace stand die gaffende Menge. Ein großes Staatsauto nach dem anderen rollte heran, meist waren es Fahrzeuge der akkreditierten Gesandten oder Botschafter. Als dann unser Wagen durch das Gittertor des Buckingham-Palace an den aufmarschierten Grenadier-Guards vorbeifuhr, applaudierte auch hier die Menge beflissen, und ich grüßte durch leichtes Anheben des Zylinders und mit freundlichem Nicken.

Vornehm blickend folgte ich dann im Palast dem Hofbeamten, der an der großen Hakenkreuzflagge am Dienstmercedes mein Herkunftsland festgestellt hatte. Ich trug dann mit möglichst markanter Schrift in das riesige Gratulationsbuch Botschafter und Gemahlin ein.

Somit verlief der Akt wie vorgesehen, und ich fühlte mich sehr wohl, als ich, wieder im Auto unter der Pelzdecke, bei der Ausfahrt die freundliche Menschenmenge grüßte. Gegen Deutschland, gegen Hitler oder gegen das Hakenkreuz hatte man damals in England nichts einzuwenden. Die Öffentlichkeit brachte »sportliches« Verständnis dafür auf, daß Hitler die Ketten von Versailles gesprengt hatte.

In den vielen Salons der Botschaft gab es am Nachmittag noch einen Cocktail; Ribbentrop sprach leutselig mit englischen und deutschen Geladenen, als plötzlich Herr von Wussow hereinkam, das Ehepaar Ribbentrop beiseite bat und erregt auf sie einsprach. Sie wurden totenbleich, und bald hörte auch ich die furchtbare Nachricht: Die dreimotorige Junkers-Maschine aus Hessen war nach einer Zwischenlandung in der Nähe von Brüssel gegen einen Fabrikschornstein gestoßen, abgestürzt und explodiert. Es gab keine Überlebenden.

Inzwischen wartete Ludwig von Hessen mit seiner Braut in der Halle des Flugplatzes von Croydon. Er hatte lediglich die Mitteilung erhalten, daß das Flugzeug in Brüssel abgeflogen sei. Als nach einer Stunde noch immer kein Flugzeug eingetroffen war, und mehrere Nachfragen erfolglos blieben, erschien, wie mir Ludwig Hessen Jahre später erzählte, plötzlich ein Beamter der Flugplatzleitung und teilte nach anfänglichem Stottern etwa mit: »there has been an accident, plane crashed, no news about survivals«. Lu verlor das Bewußtsein und sank in einen Stuhl. Peg, seine Braut, kümmerte sich rührend um ihn und es gelang ihr, trotz

verboteter Stunde, »out of licence« einen Cognac an der Bar zu bekommen. Man kam auf die Idee, die Mountbattens zu verständigen,
die sofort herbeieilten und die beiden in ihre Wohnung aufnahmen,
befürchtete man doch, daß der verzweifelte Prinz Ludwig sich am Ende
etwas antun könnte. Auf der Botschaft waren alle niedergeschmettert von dem Ausmaß dieses unfaßlichen Unglücks. Fast die gesamte
Familie Hessen war nun ausgelöscht: der Großherzog und seine Gemahlin (eine Schwester der Herzogin von Kent) deren Kinder, weitere
Geschwister, dazu Ludwigs beste Freunde und Trauzeugen. Ein Unstern schien über diesem Hause zu walten. Die Schwester von Ludwigs
Vater war als Zarin von Rußland mit ihrem Mann Nikolaus II., mit all
ihren Töchtern und dem Zarewitsch von den Bolschewiken grausam liquidiert worden.
Nun war nur noch Ludwig übrig und ein Baby in Darmstadt. Keiner
konnte sich vorstellen, wie er diesen Schlag überstehen sollte. Wussow,
damals Ludwigs bester Freund in London, und das Ehepaar Ribbentrop
bemühten sich sehr, und man beschloß, im Einvernehmen mit der Familie Geddes, den Mountbattens und der Herzogin von Kent, die Trau-
zeugin sein sollte, daß Ludwig einfach nicht mehr allein gelassen werden dürfte und der liebenden Hilfe von Peg bedürfte. So wurde auch im
Einvernehmen mit dem englischen Hof beschlossen, daß die Trauung
unverzüglich, wenn auch in schwarz und unter Trauer, stattfinden müsse. Die Kirche von Eaton Square wurde zum Trauungsort bestimmt.
Als ich mich am Morgen des Hochzeitstages gerade ankleidete, läutete
das Telefon. Ludwig war selbst am Apparat. Ich hatte ihn noch nicht gesehen und stotterte verzweifelt einige Worte, worauf mir Ludwig entgegnete: »Das ist sehr lieb von Dir, und Du kannst mir alles später sagen, aber jetzt erfülle mir bitte einen kleinen Wunsch. Gehe in mein
Zimmer. Dort habe ich in einem braunen Lederkoffer hinter den Klei-
dungsstücken ein Etui mit einer Smaragdbrosche versteckt. Gib mir
diese, wenn ich zum Traualtar gehe. Ich habe sonst nichts, was ich Peg
schenken könnte. Mein eigentliches Geschenk und aller Schmuck waren im Flugzeug und sind vernichtet. Vielen Dank!«
Damit war diese erschütternde Konversation zu Ende. Ich war wie erstarrt und konnte nicht begreifen, daß ein so entsetzliches Unglück gerade diese liebenswerten Menschen getroffen hatte.
Am späten Vormittag trafen wir, alle in Trauer, in der schwarz-weiß
ausgeschlagenen Kirche ein. In den vorderen Bänken saßen der Herzog
und die Herzogin von Kent, neben ihnen Herr und Frau von Ribbentrop. Sie waren die vier Trauzeugen. Der englische Hochadel war erschienen; eine große Menschenmenge stand diszipliniert vor der Kirche
und benahm sich sehr taktvoll. Sogar die Presse hatte es unterlassen,

Sensationsbilder zu machen und zu stören. Alles neigte sich vor der Majestät solch überwältigender Tragik.

Prinz Ludwig und Margaret, beide in Schwarz, zogen nicht durch das Portal ein, sie schritten vielmehr von der Sakristei aus zum Hochaltar. In diesem Augenblick konnte ich Prinz Ludwig das Schmuckstück in die Hand drücken. Unauslöschlich bleibt mir bis heute der Eindruck dieser Hochzeit. Uns allen kamen Tränen. Bleich und hölzernen Schrittes ging Ludwig, nunmehr der letzte Großherzog von Hessen und bei Rhein, zum Hochaltar. Rauh klang seine Stimme, als er die vorgeschriebenen Antworten gab. Die in Trauer und mit Perlen noch schönere Herzogin von Kent zerfloß in Tränen.

Anschließend fuhr das junge Paar wieder auf einen Landsitz zu den Mountbattens und später von dort nach Deutschland. Doch das Unglück verfolgte sie weiter. Ein Jahr darauf starb in Deutschland das am Leben gebliebene Baby, und die Ehe von Lu und Peg blieb zu beider größtem Schmerz kinderlos.

Die Ribbentrops hatten sich in diesen Tagen reizend und menschlich benommen und die Sympathie mancher Leute wiedergewonnen. So gab ihnen das Schicksal aufs neue die Chance, alte Fehler wieder gutzumachen. Der Botschafter selbst wäre leicht zu beeinflussen gewesen, hätten seine Mitarbeiter es mit ihm allein zu tun gehabt. Aber er war ja nichts als ein Satellit von zwei Gebietern: von Adolf Hitler und seiner ihn ebenso beeindruckenden Frau. Sie bestimmte stets die Stunde, bis Mars sie regierte.

Vor Jahren erzählte mir der Gesandte Steg, der während des Krieges als Ministerbüromitglied manchmal bei Ribbentrop in Fuschl Dienst machte, folgende Episode: Hitler hatte Ribbentrop, der im Frühjahr 1943 in Fuschl seinen 50. Geburtstag feierte, besucht. Er hatte mit ihm und seiner Frau eine längere Unterredung. Als Steg schließlich den Führer wieder zum Auto geleitete, hörte er folgende Worte Hitlers zu seiner persönlichen Begleitung: »Meine Herren, der Eiserne, der ist S I E.«

Der »welthistorische« Abschlußbericht über die Briten und deren grundsätzliche Feindschaft gegen Deutschlands Wiederaufstieg wuchs und gedieh. Vergebens versuchte Ribbentrop die Herren der Botschaft einzuschalten, als ersten den Gesandten Woermann. Nachdem dieser den ersten Entwurf gelesen hatte, lehnte er ab. Bei einem Glas Whisky nach dem Abendessen im Salon recht mutig gemacht, erklärte Woermann uns rundheraus, daß das, was im Bericht stünde, nur »Bockmist« wäre und Ribbentrop sagte er Ähnliches. Der war empört und wandte sich der Reihe nach an Kordt, Selzam, Schlitter, Hewel und auch an andere Herren der Dienststelle. Alle hatten Einwände, niemand war einverstanden oder gar begeistert. Zum Schluß kam ich an die Reihe. Der Botschafter rief mich in sein Zimmer, zeigte mir einen Teil der Aufzeichnungen und sprach über den gesamten Bericht. Auch ich ließ durchblicken, daß ich von dem Elaborat nicht angetan war, und ich wurde verärgert zurechtgewiesen.

Mit Hilfe einiger Karrieremacher und Pressefritzen wurde nun geplant, umgebaut, verbessert, zusammengefaßt; man zerriß Skizzen, Neues entstand. Der ganze Fußboden war voll von Entwürfen, die abends pünktlich ins Schlafzimmer mitgenommen wurden. Es sollte etwas Einmaliges, Nie-Dagewesenes an Logik, Überzeugungskraft, Klarheit, Weitsicht, Führertreue und an nationalsozialistischem Denken sein. Eine einmalige Verdammung von England und seiner herrschenden Clique! Der Grundtenor aber sollte sein: »Ich, Ribbentrop, habe alles versucht, mein Führer, aber England will einfach nicht und macht stur Politik gegen Deutschland und das Dritte Reich.« Da aber trotz aller Überzeugungskünste sämtliche Berufsdiplomaten der Botschaft anderer Ansicht blieben, wurde Ribbentrop immer gereizter und gab es bald auf, Fachleute beizuziehen.

Wieder kam er zur Überzeugung, er sei von Saboteuren umgeben, und es traf ihn sehr, daß auch ich bei der Abfassung des Berichtes nicht mitmachen wollte, obwohl er mir angeboten hatte, nun auch politisch mitzuarbeiten. Ich meinte ihm gegenüber, im Grunde sei England gar nicht abgeneigt, zu einem guten Verhältnis mit Deutschland zu kommen, es bedürfe auf beiden Seiten nur der Geduld und viel guten Willens. Damit war auch ich nicht mehr erwünscht, und Ribbentrop arbeitete von da an fast ausschließlich mit seiner Frau und den unentwegten Sekretärinnen Blank und Krüger; sie hatten sich miteinander in ein Turmzimmer des Privattraktes zurückgezogen.

Dort, so erfuhr ich vom Diener, läge der ganze Fußboden voll von Papieren und Entwürfen, und zwischen allem krabble das Ehepaar, bessere Versionen suchend, manchmal auf allen Vieren herum. Das hatte für uns sein Gutes, denn Ribbentrop besuchte jetzt kaum mehr sein Büro in der Botschaft. So konnten wir dort endlich alte Vorgänge aufarbeiten und den Geschäftsgang wieder normalisieren. Trotzdem aber hatten wir ein ungutes Gefühl hinsichtlich des Gifts, das da wohl von Lady Macbeth im Turm gebraut wurde.

Ich war jetzt sozusagen als Schwächling ins Abseits geschoben und wurde herablassend behandelt. Dafür waren die Kollegen der Botschaft um so netter zu mir. Weihnachten kam heran. Ich hatte inzwischen einen Stellvertreter in Bernd Gottfriedsen, einem sehr jungen Mitarbeiter des Grafen Dürkheim, gefunden, und der Chef ließ mich Gott sei Dank, als er über Weihnachten nach Berlin fuhr, in London zurück. Ich hatte darum gebeten, und es war mir gewährt worden – deshalb, weil ich zur Zeit schlecht im Kurs stand, und man mir die Zuneigung zu Agnes, die immer ernster wurde, übelnahm. Also wollte ich mit Dörnbergs zusammen gemütlich Weihnachten feiern. Da, ganz unerwartet rief man von Berlin an – der Chef selbst war am Apparat. Er fragte nach einem gewissen Schriftstück. Ich fuhr auf die Botschaft. Das Schriftstück fand sich nicht. Ribbentrop mußte es mitgenommen haben. Ich rief also in Sonnenburg, der edlen Neuerwerbung des Ehepaars, wieder an und bat zu prüfen, ob das Schriftstück nicht dort sei. Nein, so Ribbentrop, bei ihnen sei es nicht, das wisse er genau. Neues Suchen in Berlin, in London. Abermals klingelte das Telefon, wieder Ribbentrop am Apparat. Sofort, augenblicklich solle ich das Schriftstück finden! Ich war jetzt gereizt – es war doch Heiliger Abend – und so bat ich den Botschafter schlicht, er möge doch einmal in seinen Taschen nachsehen. Ein Aufschrei am Telefon war die Antwort, eine Flut von Beschimpfungen folgte. Dann wurde der Hörer hingeworfen. Jetzt rief ich meinerseits wieder Sonnenburg an, ließ mich mit dem Kammerdiener Bonke verbinden, und bat ihn herzlich, er solle doch minutiös alle Kleidungsstücke des Chefs durchsuchen – und richtig, dort wurde das Schriftstück gefunden: D a s Geheimtelegramm steckte in der Manteltasche!

Zufrieden begab ich mich zurück zur Weihnachtsfeier. Am 27. wurde ich aber dringend nach Berlin gerufen. Im »Kaiserhof« angekommen, rief mich auch schon der Botschafter aus Sonnenburg an und teilte mir mit, ich werde die Ehre haben, dem Führer persönlich den glücklich fertiggestellten Englandbericht zu überbringen. Das müsse so vor sich gehen, daß das Schriftstück direkt in die Hand des Führers gelange, und Neurath (damals noch Außenminister) nichts davon erfahre. Ich sagte fürs erste »jawoll«, war aber ganz und gar entschlossen, diesen Bericht nicht zu überbringen, da er mir unsinnig, ja zur Gänze erlogen schien. Was tun? Verhindern konnte ich nichts – aber durch meine Hände sollte dieses fatale Machwerk niemals zum Führer gelangen, auch wenn ich dabei nur als kleiner Kurier dienen sollte.

Aber vielleicht konnte ich die Angelegenheit verzögern und hinausschieben. Also legte ich mich flugs ins Bett und spielte den Grippekranken. Dr. Bosch, der Hausarzt der Ribbentrops, der den Botschafter gut kannte und ihn ebenfalls für einen gefährlichen Hasardeur hielt, half mir dabei. Da Frau von Ribbentrop schwer an Stirnhöhlenkatarrhen litt, wählten Dr. Bosch und ich diese Krankheit aus, um damit beim Botschafter Eindruck zu machen. Es wurde ein Bestrahlungsapparat in meinem Zimmer im Kaiserhof montiert, und ich stöhnte vor Schmerz, wenn Besuch kam. Ansonsten ruhte ich mich köstlich aus. Ich wußte, daß Adolf Hitler mich gut leiden mochte und mich demnach möglicherweise auf diesen Bericht ansprechen würde. Da hätte ich schweigen oder lügen müssen. Zugleich war ich mir aber wohl bewußt, daß mir als kleinem Sekretär, Kritik an meinem Chef als Illoyalität ausgelegt worden wäre. Deshalb wollte ich diesen Bericht unter keinen Umständen übergeben.

Beide Ribbentrops waren sehr aufgebracht, denn sie meinten, nur mir könne es gelingen, an »bösen« Adjutanten vorbei, direkt zu Adolf Hitler vorzustoßen. Einige andere Kuriere, die in Frage gekommen wären, waren in London oder auf Weihnachtsferien oder hatten nicht die richtige »Parteiwitterung« für den Obersalzberg.

Ribbentrop rief alle Augenblicke an, ob es mir denn nicht schon besser ginge, und riet mir zu schmerzstillenden Injektionen für die Tage der Reise und des Auftrages; nachher könnte ich mich auskurieren. Nein, sagte ich, ich hätte enorme Schmerzen, und der gute Dr. Bosch erteilte Reiseverbot. Nun wurde der Chef böse, doch der Arzt und ich blieben unerschüttert bei unserer Version. Die für mich vorbereiteten Weihnachtsgeschenke, die bei Ribbentrops noch in Sonnenburg lagerten, wurden – wie ich erfuhr – zurückgezogen. Auch eine Kiste mit Rotwein, die man mir im ersten Mitleid geschickt hatte, wurde unterwegs gestoppt. Ich blieb aber ruhig im Bett und ließ mich von Freunden und Bekannten besuchen. Diese Verzögerungstaktik aber nützte der Sache wenig. Anfang 1938, vom 2. Januar datiert, ging der Bericht mit Woditsch, einer schlichten Ordonnanz, als Kurier ab. Das fiel nicht auf. Ribbentrop hatte vorher den Führer angerufen und ihm diesen wichtigen Bericht angekündigt. So ging dieses später im Nürnberger Prozeß als Hauptbeweisstück verlesene unselige Schriftstück endlich ab. Mir blieb die moralische Befriedigung, mich nicht für dieses Machwerk hergegeben zu haben. Ribbentrop aber mußte für seine und die noch viel größere Schuld seiner Frau am Galgen enden, denn dieser Bericht erwies sich als der Anfang vom Ende.

Am 8. Januar erschien der Chef im »Kaiserhof« und begann »zu regieren«. Ich war offiziell wieder auf den Beinen. Ribbentrop ließ mich tagelang warten. Schließlich empfing er mich kühl mit den Worten, er staune, daß ich überhaupt noch lebe. Ich aber war ebenso gemessen und meinte, wenn er kein Vertrauen mehr zu mir habe, müßte ich wohl gehen. Da lenkte er plötzlich ein, und nach ein paar Tagen war ich wieder im gewohnten Trott.

Der »Alte« wollte einen so gut ausgetretenen bequemen »Hausschuh« wie mich, nach allen vorherigen bösen Erfahrungen mit Adjutanten, eben nicht missen. Ich kannte seine Eigenheiten, konnte darauf Rücksicht nehmen und legte ihm meistens schon die Briefe mit einem Antwortentwurf vor. Diese fanden fast alle seine Billigung, nachdem er zunächst genau jene kleinen Fehler herausgestrichen hatte, die ich mitunter absichtlich fabrizierte, um seinen Grünstift zu beschäftigen und um zu verhindern, daß andere Punkte bekrittelt wurden, die mir wesentlich erschienen. Das funktionierte meist recht gut; Ribbentrop sah mich dann wohlwollend an und sagte: »Na hören Sie, mein Lieber, das da muß aber raus!«

Ich machte dann treuherzig belehrt ein zustimmend dankbares Gesicht. Langsam fand ich meine Methoden, und dieser schwierige Chef wurde für mich berechenbarer.

Die Vormittage belegte ich für meinen Chef so viel als möglich mit Terminen, so daß dessen Morgengrimm anderweitig ausgelassen werden konnte. Zu diesem Zweck wählte ich gerne übereifrige neue Parteigenossen aus, die sich wegen Schönheitsfehlern in ihrer Parteivergangenheit und ihrer hohen Mitgliedsnummer wegen durch lautes Vordrängen hervortun mußten. Alte Parteigenossen hatten solche Kapriolen nicht mehr nötig; sie wurden von Ribbentrop auch mit Respekt behandelt. Auch Denunzianten warf ich dem Chef zum Morgenimbiß vor. Solche gab es unter den alten Beamten des Auswärtigen Amtes zur Genüge. Kurzum, wer einen Morgentermin bekam, war meist »bedient«! Für nette Leute reservierte ich die milden Abendstunden. Der abgeärgerte Chef war dann verträglich und sogar Argumenten zugänglich. Diese meine Methode sprach sich langsam herum und hat mir nie geschadet. Solange ich nur das Terminbuch beeinflußte, konnte mir niemand etwas vorwerfen.

Bei schwierigen Problemen mit dem Chef suchte ich, wenn möglich, vorher das Einverständnis von Madame, mit der man immer vernünftig reden konnte. Ging das gut aus, so kam bestimmt der Chef am nächsten Morgen mit einem Befehl im gewünschten Sinne und machte uns sogar Vorwürfe, daß wir nicht schon von selbst auf diese einzig richtige Lösung gekommen wären. Wir nickten dann verständnisinnig und hüteten uns, Triumph zu zeigen, denn Tyrannen gegenüber ist es oberstes Gesetz, niemals recht zu haben. Ein reumütiges Eingeständnis eigener Unzulänglichkeit hingegen wird von oben herab gerne vergeben. Legte ich mitunter eine Sache vor und fürchtete, mit einer zu sehr vorgegebenen Entscheidung meinen Herrn zu reizen, dann pflegte ich die Lage etwa so von vornherein zu entschärfen: »Herr Botschafter, ich dachte in Ihrem Sinne zu handeln, als ich das so schrieb. Hoffentlich war das richtig.«

Meist kam es dann zurück: »Naja, so ganz schlecht ist das nicht.«

Auf jeden Fall nahm der von Thorner empfohlene Satz: »Herr Botschafter, ich hätte gerne in Ihrem Sinne gehandelt«, einem möglichen Donnerwetter bereits viel an Intensität. Fiel ein Mitarbeiter in Ungnade, der sonst ein netter Kerl war, so stellten wir alle uns schützend vor ihn und zogen ihn zunächst einmal aus dem Verkehr, wie wir das nannten; nach Tagen wurde er dann, fein dosiert, in die Reichweite des Löwen gelassen.

So arrangierten wir uns unter solch großem Druck sehr kameradschaftlich und zeigten Humor, Geduld und Findigkeit.

Bei Frau von Ribbentrop mußten wir aber subtiler vorgehen; Madame merkte ziemlich schnell, was im Gange war, doch hatte sie im Gegensatz zu ihrem Mann Sinn für Humor. Als ich ihr einmal am frühen Vormittag, nachdem sie es gewesen war, die eine Portion von der »Morgenstimmung« ihres Gatten abbekommen hatte, zum gerade fälligen Hochzeitstag gratulierte, sagte sie schnippisch: »Warum gratulieren Sie mir? Wohl, weil ich es so lange ausgehalten habe«, und lachte so spitzbübisch dazu, daß sie bei all ihrer eleganten Häßlichkeit sehr sympathisch wirkte. Sie konnte auch herzlich lachen, wenn man ihr kleine Anekdoten erzählte, auch solche, die mit ihrem Mann passiert waren. Mit ihr gut zu stehen, war besser, als bei Lloyds versichert zu sein. Hätte sie nur nicht diese anglophobe Politik getrieben; alles andere wäre verzeihlich gewesen und vielleicht gar nicht so schlecht ausgegangen.

Mit den Ribbentrop-Kindern vertrug ich mich gut. Die Tochter Bettina war zwar noch ein Backfisch, aber hübsch. Hier gab es einmal Ärger, als ich ihr erzählte, daß sich die Gemsen im Gebirge durch Eierlegen vermehrten und diese Eier auf der Schattenseite der Berge durch den Vollmond ausgebrütet würden. Am nächsten Tag bekam ich eine bestimmte, aber freundliche Rüge. Ich solle meine Späße anderswo anbringen, denn Bettina wäre immerhin die Tochter des deutschen Botschafters, und es wäre nicht gut, wenn sie so einen Unsinn weitergäbe. Und damit hatte mein Chef recht!

Meine Liebe zu Agnes wurde von der ganzen Familie Ribbentrop mißbilligt, und ich bekam deswegen immer wieder direkt oder indirekt Vorwürfe zu hören. Agnes war im Sommer 1937 zum erstenmal nach Deutschland gekommen, wo sie von alten Bekannten und Mitarbeitern Ribbentrops, dem Industriellenehepaar Lehnkering, eingeladen war und von ihnen betreut wurde. Sie machte sich aber bald selbständig und fuhr zum Reichsparteitag nach Nürnberg, wo sie sich durch Baron Egloffstein, den Präsidenten des Deutschen Automobilclubs, behüten ließ und große Freundschaft mit seiner Familie schloß.

Am selben Parteitag 1937 machte ich zum erstenmal die Bekanntschaft des gefürchteten und allwissenden Chef des Sicherheitsdienstes, SS-Obergruppenführer Heydrich. Natürlich wußte ich, wer Heydrich war, und als er das Grandhotel in Nürnberg betrat, wo auch wir uns aufhielten, grüßte ich natürlich, wie es sich gehörte. Eines Tages schickte mir der Obergruppenführer seinen Adjutanten, den besonders netten SS-Untersturmführer Neumann, mit dem Ersuchen, ich möge an seinen

198

Tisch kommen, man wolle mich dort sprechen. Ich eilte dorthin, und meldete mich; Heydrich bot mir einen Platz an, und nach einigen banalen Fragen über meine Person und über Dinge, die er längst über seinen hervorragenden Nachrichtendienst wissen mußte, kam er auf das eigentliche Thema: »Sagen Sie mir, lieber Spitzy, Sie sind da immer mit einer hübschen, blonden Engländerin zu sehen. Können Sie mich dieser Dame einmal vorstellen?«

»Gern, Obergruppenführer«, antwortete ich, »aber ich darf darauf aufmerksam machen, daß diese Dame mir sehr nahesteht.«

»Das weiß ich, und Sie können sich darauf verlassen, ich werde das respektieren.«

Heydrich fand Agnes großartig. Er fuhr sie in seinem Mercedes spazieren, machte sie mit vielen Parteigrößen bekannt und lud sie zur Jagd ein. So kam es auch, daß Agnes Himmler kennenlernte und auch Göring. Alle fanden sie reizend, sie sei große Klasse, entspräche unserem nordischen Ideal und sei schlagfertig. Allgemein bedauerte man, daß sie keine Deutsche sei, denn das könne große Schwierigkeiten für uns bringen. Für mich war es aber unendlich wichtig, daß Agnes in diesem Personenkreis eingeführt und dort auch anerkannt wurde. Nur mit Heydrich hatte sie einen kleinen Zusammenstoß. Als dieser nämlich einmal bei Mary Lehnkering erschien, zur Laute sang und auch wenig anständige Texte probierte, wurde Agnes unwillig und verletzte Heydrich tief, als sie eiskalt zu ihm bemerkte: »You are not a gentleman in the proper sense of the English word!«

Heydrich kam oft auf diesen ihren Ausspruch zurück, wie sie mir erzählte, und versuchte sie zum Widerruf zu bewegen; sie kam ihm aber nur auf halbem Wege entgegen. Heydrich war ein sehr gutaussehender Mann, aber nie zuvor hatte ich so eiskalte blaugrüne Augen und so elegant brutale Lippen gesehen! Es war klar, dieser Mann ging über Leichen. Allerdings glaube ich nicht, daß er dabei den eigenen Vorteil anstrebte. Später erlebte ich ihn noch einige Male, und stets zeigte er mir sein Wohlwollen. Ribbentrop hielt er für einen Popanz, wie mir sein Adjutant verriet, und mich ließ er wissen, daß er gegen eine Heirat von mir und Agnes nichts einzuwenden hätte. Es sei doch sinnlos, eine rassisch und charakterlich so erstklassige Person nicht dem Deutschen Volk einzugliedern.

Auch Himmler lernte ich gut kennen. Ich war ihm früher schon vorgestellt worden. Er gab sich streng väterlich und sah mit seinem Zwicker wie ein Oberlehrer aus. Es war grotesk, daß ausgerechnet dieser Mann eine neue »adelig-nordische« Rasse züchten wollte. Mir blieb es unverständlich, wie er je hoffen konnte, gleichzeitig Ritter und KZ-Schergen zu züchten. Tatsächlich wußten wir damals über die Konzentrationslager nicht viel. Wir dachten, daß sich dort asoziale Elemente und unverbesserliche kommunistische Saboteure befanden, die gemeinsam mit arbeitsscheuem Gesindel für die Allgemeinheit wieder brauchbar gemacht werden sollten. Daß dort, wo gehobelt wird, auch Späne fliegen müßten, fanden wir aber durchaus einleuchtend. Den Juden ging es damals noch »erträglich« und sie konnten bei einiger Hartnäckigkeit auswandern. Unsere Propaganda und weltanschauliche Schulung richtete sich in erster Linie gegen den Bolschewismus. Das fanden nicht nur wir richtig, sondern auch viele Leute im Westen und sogar in der Schweiz – siehe die Notizen von General Guisan, dem späteren Schweizer Oberbefehlshaber. Das Monopol für Menschenschlächterei im größeren Ausmaß hatte bis dahin Rußland allein. Die Übeltaten des Faschismus und des Nationalsozialismus waren bis 1937 nicht zu vergleichen mit den Blutbädern, die andere Revolutionen inklusive der französischen angerichtet hatten.

Von Göring sah ich nicht viel, auch von Goebbels nicht. Diesen Herren »roch« ich wohl zu viel nach Ribbentrop, den sie beide nicht leiden konnten. Erst später konnte ich sie näher kennenlernen. Dafür vertrug ich mich gut mit Görings Chefadjutanten, General Bodenschatz, den ich während der Affäre Putzi Hanfstaengel häufig traf – einem sehr merkwürdigen Kapitel am »Hofe des Führers«.

Hanfstaengel war ein alter Anhänger und Mitarbeiter Hitlers, er figurierte sogar eine zeitlang als Auslandspressechef der Partei. So gehörte er zu den Auserwählten der engeren Tafelrunde, das waren Herren, die jederzeit zum Mittagessen in die Reichskanzlei kommen durften. Hitler mochte Hanfstaengel gut leiden, besonders, weil er musikalisch war und ausgezeichnet Klavier spielte. Ich selbst kannte Hanfstaengel kaum, und die Geschichte, die ich jetzt erzähle, habe ich mit sehr vielen Details von Hewel und Bodenschatz erfahren und nur die Auswirkungen mit dem dramatischen Ende in London selbst miterlebt.

Eines Tages im Frühjahr 1937 erschien in der Londoner Botschaft mit den Anzeichen großer Aufregung und in wichtiger Staatsmission Görings Adjutant und Faktotum (damals noch Oberst der Luftwaffe) Karl Bodenschatz, der Görings Kriegskamerad in der Richthofen-Staffel gewesen war. Erregt sprach er hinter verschlossenen Türen mit Ribbentrop, der auch Woermann zuzog.

Ich erfuhr im Moment über die Sache nichts. Nach einigen Tagen flog Bodenschatz wieder zurück nach Deutschland und kehrte gleich darauf wieder nach London zurück, wo er eine Woche lang geheimnisvolle Fahrten unternahm. Es wurde viel telefoniert, und Pilot Zivina mußte so manche Kurierpost extra nach Berlin fliegen. Meine Neugierde stieg, weil ich daran dachte, was das alles kostete. Aber man erzählte mir nichts. Nachdem Bodenschatz, wie es mir schien, traurig und unverrichteterdinge zum zweiten Mal und endgültig nach Berlin zurückgeflogen war, bohrte ich Hewel an, der mir mit rheinisch gluckerndem Lachen unter dem Siegel der allergrößten Verschwiegenheit folgende Geschichte erzählte:

Putzi Hanfstaengel, dem die Erfolge des Dritten Reiches bald nach der Machtergreifung zu Kopf gestiegen waren und der seine Stelle als Auslandspressechef eher schlecht als recht erfüllte, war trotzdem oft beim Führer geladen, denn er gehörte zu den alten Kumpanen. Hitler hatte Putzis Erzählungen gerne und genoß auch lustige Streiche, die Hanfstaengel fabriziert haben wollte, – bis zu dem Tag, an dem das Unglück geschah. Damals gelang es Hanfstaengel, nachdem er allen durch seine Einbildung auf die Nerven gefallen war, auch Hitler gegen sich aufzubringen. Dieser hatte aus seiner Weltkriegszeit, den Entbehrungen und Leiden an der Somme-Front erzählt. Da wollte Hanfstaengel nicht zurückstehen und begann zu berichten, was er selbst in amerikanischen Lagern durchgemacht hatte. Ja, er verstieg sich sogar zur Behauptung, daß ein Einzelschicksal in Internierungslagern unter Fremden fast schlimmer wäre, als Trommelfeuer mit echten Kameraden im Schützengraben. Hitler hörte sich das an und ergrimmte, sagte aber nichts. Nach einer Rücksprache mit Göring beschloß Hitler am nächsten Tag, dem zu protzig gewordenen Hanfstaengel eine Lehre zu erteilen.

Göring stellte also in Tempelhof einen Bomber mit Mannschaft und Fallschirmen bereit, und Hitler beorderte Hanfstaengel durch einen Adjutanten mit allen Zeichen der Eile und Wichtigkeit zu einer bedeutenden Mission mit zwei großen, schwerversiegelten Briefen per Sonderflugzeug sofort zu Franco nach Spanien. Der Führer habe ihn, Hanfstaengel deshalb für diese ehrenvolle Mission ausersehen, weil er von seinen Ausführungen über die Leiden und zähe Widerstandskraft während des Ersten Weltkrieges, vor allem in US-Internierungslagern, tief beeindruckt gewesen sei. Hanfstaengel war entsetzt und verwies bestürzt auf seine doch geringe körperliche Widerstandskraft, seine Jahre und seine Überraschung. Aber da war nichts mehr zu machen. Man klopfte ihm auf die Schultern und sprach vom großen Vertrauen. Einwände, daß doch andere Leute besser geeignet seien, waren vergeblich. Im Vorzimmer standen Luftwaffenoffiziere, die Hanfstaengel eine Fliegerkombination mit Fallschirmgurten und die zwei großen Briefe mit Siegeln überreichten. Ein Brief war, wie sich später im Flugzeug herausstellte, für den Chef der Fünften Kolonne der Nationalen im roten Madrid bestimmt, den anderen Brief sollte Hanfstaengel erst während des Fluges öffnen.

Man verabschiedete ihn allseits mit Handschlag und treudeutschem

Blick, und der Auserwählte wurde wie ein Paket mit einer Kolonne von brausenden Mercedes-, Staats- und Militärwagen zum Flugplatz befördert. Dort bekam Hanfstaengel den Fallschirm umgeschnallt und wurde mit seinen zwei Briefen nach kurzer Bekanntmachung mit der martialischen Mannschaft höflich in den Bomber gehievt. Es war bereits Nacht, und brausend erhob sich die Maschine in den Sternenhimmel. Hitler und seine nächste Umgebung feierten bereits fröhlich den ersten Teil des gelungenen Streiches und freuten sich schon auf den Film, denn es war Sorge dafür getragen worden, daß die großartigen Szenen alle gefilmt wurden. Inzwischen stieg der Bomber mit seiner wichtigen Last immer höher, Hanfstaengel bekam eine Sauerstoffmaske, er sollte recht viel erleben, die Maschine wurde gerüttelt und geschüttelt, und dem verzweifelten Passagier wurden stets von neuem Zettel überreicht, die ihn mit der jeweiligen Position der Maschine vertraut machten. So hieß es z. B.: Wir überfliegen soeben den Main – unter uns liegen die Alpen – wir sind über Frankreich – wir steigen, um die Pyrenäen zu überfliegen usw. Hanfstaengel hatte inzwischen befehlsgemäß den ersten Brief aufgemacht und gelesen. Der Inhalt war ein neuer schwerer Schlag. In dem Brief stand, daß er mit einem Fallschirm an einsamer Stelle abspringen solle, um durch Landung und Start der Maschine in der Umgebung von Madrid nicht zu viel Aufsehen zu erregen. Die Stimmung Putzis war auf den Nullpunkt gesunken, wie man sich unschwer vorstellen kann. Langsam zog die Morgendämmerung herauf. Der entscheidende Moment war gekommen. Die Maschine verlor in lautlosem Gleitflug an Höhe. Doch da kam ein Lichtblick. Der scheinbar gutmütige Kommandant der Maschine meinte, er sehe da unten einen glänzenden Landeplatz, eine große Wiese, wo er leicht landen und starten könnte.

Daher wäre der Fallschirmabsprung überflüssig, und er wolle Hanfstaengel den Gefallen tun, auch gegen seine Instruktionen dort kurz zu landen, kaum auszurollen und sofort wieder durchzustarten. Hanfstaengel müßte aber dann sofort aus der Maschine springen. Hanfstaengel war sehr einverstanden, daß wenigstens der Kelch des Fallschirmabsprungs von ihm genommen war. Es geschah, wie anscheinend neu geplant. Die Maschine setzte auf, rollte aus, kam zum Stillstand, unser Held hüpfte schlecht und recht aus der Maschine und rettete sich so schnell er konnte in das nächste Gebüsch. Der Bomber aber brauste wieder ab und verlor sich in den Wolken des Morgenrotes.

Es wurde heller und heller, die Vögel begannen zu singen, die Sonne ging auf. Hanfstaengel vergrub vorschriftsmäßig seine Fliegerausrüstung im Boden und schlich vorsichtig von Busch zu Busch bis zur nächsten Straße. Nach allen Seiten sichernd, bewegte er sich dort etwas vorwärts und kam bis zu einem großen Straßenschild, das ihm wohl schon von weitem merkwürdig vertraut vorkam. Als er die Aufschrift lesen konnte, fiel er buchstäblich zum zweiten Mal aus den Wolken. Auf diesem Schild stand nämlich: Regierungsbezirk Potsdam, 5 km nach Treuen-Brietzen, oder so ähnlich. Die Maschine war gar nicht nach Süden geflogen, sondern hatte die ganze Nacht mit falsch-präzisen Angaben über einen Flug nach Spanien lediglich über Deutschlands Norden gekreist. Hewel erzählte mir, daß auch dort in der Nähe dieser Gebüsche eine Filmkamera versteckt gewesen wäre, und man habe Hanfstaengel, seinen mutigen Vormarsch über Büsche, Wiesen und Straße zum Straßenschild Treuen-Brietzen mit Teleobjektiv gefilmt.

Nun, soweit verlief alles befehlsgemäß und nach Wunsch der obersten Führung. Hitler erwartete, daß Hanfstaengel wie ein begossener Pudel oder wütend in die Reichskanzlei eile, und man mit ihm großen Spaß habe würde, um anschließend nach ernster Belehrung über die Unterschiede zwischen amerikanischen Internierungslagern mit corned beef und dem Grauen und Hunger des Grabenkrieges wieder Versöhnung zu feiern. Doch die Witzbolde in der Reichskanzlei, darunter Göring und Goebbels, ausnahmsweise einig, warteten vergebens. Der Tag verging, es kam der Abend und der nächste Morgen. Hanfstaengel blieb verschwunden. Was war mit ihm geschehen?

Wir blenden zurück zu dem Moment, als er das amtliche Straßenschild bestaunte. Er sammelte seine Gedanken, und da er sich nie gut mit Göring und Himmler verstanden hatte, vermutete er sofort aus dieser Richtung eine Intrige. Den geliebten Führer hatte er nicht in Verdacht. Es konnte sich für Putzi nur um einen Versuch von genannter Seite handeln, ihn auf teuflische Weise loszuwerden. Wahrscheinlich habe man dem Führer von der Wichtigkeit dieser Spanienmission erzählt, und womöglich sollte er jetzt im Kerker oder im Grab verschwinden, während man dem Führer von einem unglücklichen, wahrscheinlich tödlichen Ausgang seiner Mission in Spanien berichten würde. Da war allerdings guter Rat teuer und höchste Eile geboten.

Hanfstaengel beschloß zu fliehen. Er hastete auf der Straße vorwärts, erreichte irgendein Fahrzeug, nahm Bahn und Taxi, packte die dringendsten Sachen, brachte Geld und Devisen zusammen und brauste mit dem nächsten Zug unter Mitnahme eines ganzen Paketes das Dritte Reich kompromittierender Akten über die Grenze in die Schweiz. Von dort fuhr er später nach London, wo er sich in einer kleinen Pension einigelte.

In der Reichskanzlei war inzwischen die Stimmung auf Null gesunken, nachdem man sich schon auf Vorschuß über den gelungenen Streich gefreut hatte. Und als nach der Landung noch immer kein Hanfstaengel erschien, wurde eine Suchaktion gestartet, natürlich erfolglos. Man fand nur eine leere Wohnung vor und konnte sich nicht erklären, wo der Mann geblieben war.

Doch dann kam nach Wochen ein Brief für den Führer und Reichskanzler persönlich. In diesem stand kurz und bündig, daß er, Hanfstaengel nach England gefahren sei, um einer Mordintrige Görings und Himmlers zu entgehen. Es sei ihm klar, daß der verehrte Führer mit dieser Sache nichts zu tun haben könne, nur wisse er leider nicht, von welch bösen Leuten er umgeben sei. Und solange er sich von solchen Leuten nicht befreit haben würde, werde er, Hanfstaengel, im Westen bleiben. Der Presse gegenüber werde er schweigen, sich jedoch sämtlichen Versuchen, ihn mit Gewalt ins Reich zurückzubringen, energisch widersetzen. Er habe dafür Sorge getragen, daß in einem solchen Falle viele Dinge und Hintergründe an die Weltöffentlichkeit gelangen würden. Ließe man ihn jedoch in Ruhe und überweise man ihm Devisen ins Ausland, dann könne man sicher sein, daß er sich loyal und diskret still verhalten würde. Dieser Brief soll mit den Worten:»Ihr, Ihnen, mein Führer, stets treu ergebener Ernst Hanfstaengel«, geendet haben.

In der Reichskanzlei formten sich die Gesichter zu nordischer Länge. Da war guter Rat teuer. Dann beschloß man, Görings Freund, den bereits erwähnten gutmütigen Oberst Bodenschatz, mit der delikaten Staatsmission zu beauftragen, sich diskret nach London zu begeben und dort unauffällig und so herzlich wie möglich mit Hanfstaengel Kontakt aufzunehmen. Nur Ribbentrop und seine engsten Mitarbeiter sollten davon erfahren. Die ganze Angelegenheit wurde quasi zur geheimen Reichssache erklärt: Bodenschatz solle Hanfstaengel alle nur möglichen Zusicherungen geben und ihn mit Geduld und unter Einsatz höchster Versprechungen zur Rückkehr ins Reich bewegen. Bodenschatz tat sein Bestes, aber Hanfstaengel dankte. Bodenschatz insistierte immer wieder, aber da war nichts zu machen. »Nein«, meinte Hanfstaengel, »nein! Was Sie mir da alles erzählen von einem lustigen Scherz usw. das glaube ich einfach nicht. Dahinter stecken Göring und Himmler! Man wollte mich eliminieren oder irgendwie fertigmachen. I c h bleibe jetzt fürs erste einmal hier, und sagen Sie in Berlin, von mir sei nichts zu fürchten, solange ich keine finanziellen oder anderen Schwierigkeiten von Deutschland aus habe.«

Immer wieder schloß sich Bodenschatz mit Ribbentrop zu Beratungen ein oder fuhr zu Hanfstaengel, aber alles erfolglos. Dann flog Bodenschatz nach Berlin zurück, war aber nach ein paar Tagen wieder da, mit noch größeren Versprechungen von Führer und Reich.

Abermals begann die Aktion, doch das milde Flöten blieb erfolglos. Hanfstaengel bekam, was er wollte: Devisen und Auslandspension.

Andere Führerscherze nahmen kein so bitteres Ende, waren aber auch originell.

Hitler hatte ganz bestimmte Abneigungen; im besonderen gegen Juristen, also »Rechtsverdreher«, oder gegen Studienräte, genannt »Steißtrommler«, Lehrer, Staatsbeamte und Bürokraten. Außerdem hatte er auch kein Verständnis für Jagd oder Reiterei. Pferde hielt er für dumm, ihn interessierte lediglich Motorisierung; »Ach«, sagte er, »lassen Sie mich doch mit Pferden in Ruhe. Was soll man denn damit im zwanzigsten Jahrhundert? Diese Tiere sind doch strohdumm. Wenn ein Wind nur ein Papier herbeiweht, scheut so ein Pferd und wirft, wie dies unlängst bei einer Parade geschah, seinen Reiter in den Dreck. Mit diesen sicherlich schönen Tieren kann man doch heute nichts Gescheites mehr anfangen.«

Über die Jagd ließ er sich ungefähr so aus: »Es ist mir wirklich schleierhaft, was man an der Jagd Schönes und Erhabenes finden soll. Diese armen Tiere! Es gibt doch nichts Schöneres als einen Rehbock. Und der wird dann von einem modernen Waidmann mit Zielfernrohr aus dem Hinterhalt abgeknallt, und dazu kommt noch ein Sammelsurium altmodischer Zeremonien. Ich kann da keine Heldentat oder besondere Kunst erkennen. Was soll denn das Besonderes sein, mit einem modernen, hochrasanten Gewehr einen Elefanten, Tiger oder Löwen abzuknallen. Ich sehe durchaus ein, daß die Tiere ihrer Zahl nach unter Kontrolle gehalten oder aus volkswirtschaftlichen Gründen für Felle oder Fleisch zur Verwertung gebracht werden müssen. Daß es ein erhabenes Vergnügen sein soll, einem so netten, interessanten, meist sogar schönen Geschöpf aus sicherem Versteck heraus das Leben auszublasen, das ist mir völlig unbegreiflich. Früher war das vielleicht etwas anderes, als man mit Schwert und Speer gegen Auerochsen, Eber und Bären kämpfte. Ja, davor ohne weiteres Respekt! Aber heute? Ich bitte Sie, meine Herren!«

Göring hatte oft versucht, beim Führer wenigstens etwas Verständnis für Waidwerk und Hege mit der Büchse zu wecken, doch da war nichts zu machen. Hitler lachte über Görings Verzweiflung und bedachte ihn mit ätzendem Spott.

Die »Steißtrommler« waren ein anderes Lieblingskapitel. Besonders, als eines Tages von einer Nebengasse aus ein Auto herausgebraust kam, von der Seite den Mercedes des Führers rammte und fast zu Schrott fuhr. Als man schließlich feststellte, daß der unglückliche Lenker ein Studienrat gewesen war, packte Hitler entsetzlicher Grimm. Er stöhnte: »Meine Herren, bitte, stellen Sie sich vor, ich, der Schöpfer des Großdeutschen Reiches, eine immerhin geschichtliche Person, ich soll also durch so einen wild gewordenen Steißtrommler über den Haufen gefahren werden? Bitte, stellen Sie sich so ein Ende für meine Person vor! Nein, das ist doch nicht ausdenkbar, das wäre wohl das Schlimmste! Adolf Hitler durch Studienrat getötet! Ich bitte Sie, das geht doch etwas zu weit. Himmler soll definitiv dafür sorgen, daß dieser Schulmann mit seinem Auto kein Unheil mehr anrichten kann!«

Armer Studienrat! Himmler hat bestimmt dafür gesorgt, daß der Pechvogel zumindest Führerschein, Auto und noch ein paar Wochen Freiheit im Karzer verlor. Aber die Weltgeschichte hätte einen anderen Lauf genommen; nicht auszudenken!

Ganz besondere »Lieblinge Hitlers« waren die Bürokraten, die er in ihrer Mehrheit für verkalkte, eingebildete Berufsbremser und Fachidioten hielt. Hierzu erklärte er eines Tages: »Wissen Sie, das ist schon etwas Merkwürdiges mit so einem subalternen Beamten, der sich in seinem kleinen Reich mühselig hochgedient hat und der dann wie ein König regieren will. Solche Leute, die – aus kleinsten Verhältnissen kommend – die erste Stufe des Bürgertums erklommen haben, das sind ja die wirklich konservativen Elemente. Die wissen, wie schlimm, hart und böse das Leben in den untersten Schichten ist, und um keinen Preis wollen sie wieder auch nur eine Stufe auf der Sprossenleiter der Gesellschaft nach unten steigen. An keinem Hof finden Sie so konservative Elemente, wie unter der großen Schar jener, welchen der Sprung vom Proleten zum kleinen (pragmatisierten) Staatsbeamten unter vielen Mühen, Entbehrungen und mit Fleiß endlich geglückt ist.«

Adolf Hitler liebte, ähnlich wie Napoleon, seine Mutter über alles. Unvergessen bleibt mir folgendes Erlebnis: Eines Tages erschien der berühmte Porträtmaler Knirr auf dem Obersalzberg und überreichte ein von ihm nach einer kleinen zerknitterten Photographie gemaltes Gemälde von seiner Mutter. Hitler hatte dieses einzige, kleine Photo während des ganzen Krieges in seiner Brusttasche getragen und nie verloren. Er gab das Photo schließlich Professor Knirr mit dem Auftrag, ein Porträtgemälde anzufertigen und sagte ihm, daß er die blauen Augen seiner Mutter geerbt habe. Und diese waren wirklich schön und trugen wesentlich zum Gelingen des Porträts bei, für welches damals in meiner Gegenwart Hitler dem Künstler überschwenglich und mit feuchten Augen dankte. Neben Putzi Hanfstaengel wurden auch noch andere Personen aus dem Umkreis Hitlers Opfer zum Teil recht rüder Scherze, besonders solche, die ihm durch ihre Wichtigtuerei und Aufgeblasenheit unangenehm aufgefallen waren. Ribbentrop jedoch blieb verschont. Eines Tages aber wäre wohl auch er an die Reihe gekommen. Doch vorläufig konnte es sich Hitler nicht leisten, seinen außenpolitischen Berater und Emissär lächerlich zu machen. (Allerdings brauchte sich da niemand erst zu plagen, denn Ribbentrop besorgte das von Zeit zu Zeit selbst.)

Trotz unserer anstrengenden Arbeit und der Tatsache, daß wir fast nie einen freien Tag hatten und nur selten vor 20 Uhr am Abend nach Hause kamen, hatten wir jüngeren Adjutanten und Sekretäre der hohen Partei- und Regierungschargen doch viel Humor. Wir erzählten einander vergnüglich die letzten Neuigkeiten und Marotten unserer jeweiligen Chefs, und in den Galaxien der Stars aus dem Dritten Reich gab es die köstlichsten Pannen, so daß die Anekdoten nie ausgingen. Alle Chefs hatten Eigenheiten: Goebbels seine Frauen, Göring seine Prunksucht, Hess seinen Glauben an Schicksal und übernatürliche Kräfte und Himmler sein Vertrauen zu Kräuterdoktoren und Alchimisten, ja, der gefürchtete Reichsführer SS ließ ein Kräuterbüchlein drucken, das er gerne Neuvermählten verehrte. Auch behaupteten böse Zungen, daß er aus Versehen einmal statt: »Heil Hitler« »Heilkräuter« gerufen habe. Was Hitler selbst betraf, so waren ausländische Berichte, wonach er an Sterne und Horoskope glaube, völlig aus der Luft gegriffen – im Gegenteil: Ich selbst hörte Hitler einmal sagen, daß er über dergleichen dumme Dinge nur lachen könne. Wohl aber glaubte er an das Walten einer gewissen, nicht genau definierbaren Vorsehung.

Von Görings Hobbies wußten wir viel: Zum Beispiel, daß er eine wunderschöne riesige Spielzeugeisenbahn hatte, die auf seinem prächtigen Landsitz Karinhall durch Räume und Hallen, und zum Teil sogar durch den Garten führte. Es war eine ganz besondere Auszeichnung, wenn er einen Besucher dazu einlud, mit ihm Eisenbahn zu spielen. Der englische Botschafter Henderson genoß dies sehr und verstand sich auch auf waidmännischem Gebiet mit dem Reichsmarschall glänzend. Henderson hatte überhaupt viel für Göring übrig und wußte, daß dieser ein konservativer und im Grunde friedlicher Mensch war, daß er gerne und gut lebte und deshalb gewaltsame Änderungen und Risiken nicht anstrebte. Unser Botschafter sah in Göring einen Renaissancemenschen, der nicht kleinlich war und der, wenn es ihm paßte, zum Beispiel verdiente Juden mit einem Federstrich in Arier verwandelte.

Das Angenehmste an Göring war seine Natürlichkeit, die wohltuend von der verkrampften Haltung Ribbentrops, Himmlers oder Rosenbergs abstach. Als einmal François-Poncet und Sir Nevile Henderson gemeinsam mit Göring den Sonderzug verließen, der sie von Karinhall zurück nach Berlin gebracht hatte, meinten beide Botschafter, das Beste auf dieser Reise wäre Görings hervorragende Salami gewesen, die sie gerade genossen hatten. Göring war geschmeichelt und lief ohne Umstände selbst zum Speisewagen zurück, brachte zwei große Würste und überreichte sie persönlich den beiden Botschaftern – eine amüsante, natürliche Geste. Ribbentrop hätte wahrscheinlich durch das Protokoll eine Kiste Salami überreichen lassen.

Auch Görings Jagdgesetz war vorbildlich und fand weltweit Anerkennung. Mir widerfuhr in diesem Zusammenhang eine lustige Geschichte: Es war Anfang September 1937, als ich einmal unseren Botschafter ins Foreign Office begleiten mußte, wo er den Prime Minister, Sir Neville Chamberlain, besuchte. Währenddessen wartete ich im »ambassadors waiting room«, einem düsteren, aber eleganten Raum mit großem Kamin. Nach kurzer Zeit wurden auch Sir Nevile Henderson, der englische Botschafter in Berlin, und Lord Halifax, der Außenminister, in den Raum geführt. Die Herren wollten ebenfalls zum Prime Minister gehen und mußten nun warten, bis Ribbentrop herauskam. Henderson kannte mich, stellte mich Halifax vor und verwickelte mich in ein Gespräch. Dabei stand Halifax mit dem Rücken an das Kaminsims gelehnt vor dem armselig und sparsam flackernden Kohlenfeuer.

Beide Herren fragten mich etwas süffisant, ob man etwa hoffen dürfe, daß Ribbentrop einmal etwas länger in England bleiben würde, er wäre doch bald mehr in Berlin oder Rom als auf seiner Botschaft in London.

Und wie ich denn diese dauernden Reisen vertrüge? Es müsse doch wenig angenehm sein, an einem Tag nicht zu wissen, wo man am anderen sein werde.

Nun, ich versuchte, mich so gut wie möglich – ernstbleibend – aus der Affäre zu ziehen, und meinte, der Botschafter weile gerne in London, nur könne er sich von anderen ihm übertragenen Aufgaben so schwer lösen, und ich bedaure es ebenfalls, vor allem seiner Gesundheit wegen, daß er sich so mit Reisen abplage und keine Ruhe fände. Aber das würde wohl bald besser werden, des sei ich gewiß.

Den beiden Herren gefiel meine Antwort, und sie wurden etwas freundlicher. Sir Nevile, der wußte, daß ich Österreicher war, erzählte dies Halifax und so kam das Gespräch bald auf die Jagd in den Alpen. Binnen kurzem war ich mehr als überrascht über Hendersons fehlerfreie deutsche Waidmannssprache. Er sagte, das wäre sein großes Hobby. Auch Halifax ließ erkennen, daß er Waidmann war, und beide bewunderten ehrlich und uneingeschränkt das deutsche Jagdgesetz. Zum Schluß konnte sich Halifax die Bemerkung nicht verkneifen, er hoffe, daß die deutsche Politik ebenso vernünftig sein werde, und daß außer den Autobahnen und dem Jagdgesetz mehr neue Errungenschaften dauernd Bestand haben würden.

Ich schwieg, als ob ich nichts gehört hätte, und war froh, als mir Henderson zeigte, wie man bei schwachem Kaminfeuer sich erst den Rücken anwärmen müsse, um sich dann mit warmem Buckel wohlig in einen Fauteuil zu versenken. Das sei sparsam und effektiv. Ich genoß diese unverdiente Unterhaltung mit beiden englischen Staatsmännern außerordentlich, bis dann Ribbentrop wieder erschien.

Im Jahre 1937 widerfuhr mir ein Mißgeschick, das für mich fast fatal ausgegangen wäre: Ribbentrop, einige Herren der Botschaft und ich fuhren einmal ganz normal mit dem Nordexpress nach Berlin, anstatt mit dem Flugzeug zu reisen. Nach Calais waren wir zum Mittagessen in den Speisewagen gegangen. Die berühmte »schwarze Mappe«, eine alte, wegen des abergläubigen Chefs aber weiter diensttuende, schäbige Ledertasche, in der die allergeheimsten und kompromittierendsten Papiere verstaut waren, diese Mappe also nahm ich selbstverständlich zum Essen mit mir und verstaute sie unter der schweren Filzdecke, die vom Fensterrahmen auf den Boden hing, um den Luftzug abzuhalten. Ich selbst nahm den Fensterplatz ein und hielt zur Sicherheit mit meinem rechten Fuß Druck- und Tuchfühlung mit dieser Staatsmappe. Beim Essen hatten wir es gemütlich, und nach dem Kaffee gab es noch Cognac und Zigarren.

In Brüssel angekommen, verließen wir in bester Stimmung den Speisewagen, um uns in die für uns reservierten Abteile des Zuges zurückzubegeben. Der Chef erzählte schrullige Dinge, die anderen Herren taten desgleichen, kurzum, es war sehr erholsam im alten Abteil, und ich genoß, an einer schönen Havanna ziehend, das Glück und den Frieden einer telefonlosen Plauderei. Noch stand unser Zug auf dem Bahnhof von Brüssel, wo wir umrangiert werden sollten. Da plötzlich durchzuckte es mich wie ein Blitz, und mir wurde totenübel.

Ich muß grün und bleich geworden sein, alle starrten mich an, doch ich sagte keinen Ton. Mir war eingefallen, daß ich die Mappe – jawohl, d i e M a p p e im Speisewagen vergessen hatte. Entsetzlich! Sie enthielt dechiffrierte Telegramme und vor allem die berühmten »braunen Vögel«, diese allergeheimsten Abhörberichte aus den fremden Berliner Botschaften, deren Telefone und Zimmer – wie überall in der Welt – auch von uns angezapft worden waren. Mit der Entschuldigung, mir wäre nicht ganz wohl, schoß ich bei der Waggontür hinaus in die Richtung des Speisewagens. Doch, welch ein Schreck: Er war bereits abgehängt. In dieser Not half mir mein gutes Französisch. Ich packte einen Bahnbeamten und gab ihm einen hohen Geldschein, damit er mich schnell zum Speisewagen begleitete. Wir stolperten kreuz und quer über die Geleise und rannten, was wir konnten, denn es war nicht mehr viel Zeit bis zur Abfahrt unseres Zuges; endlich erreichten wir den Speisewagen auf einem Nebengeleise: dort war bereits alles abgeräumt, und Putzfrauen und Fensterputzer im blauen Eisenbahnarbeiterkittel waren in Aktion. Ich griff mit der Hand hinter die Fensterfilze und tatsächlich, da stand noch meine Mappe. Ich gab dem verblüfften Eisenbahnbeamten und dem Putzpersonal selig noch eine Handvoll Geld und raste auf unseren Zug zu, den ich in letzter Minute erwischte. Ich hatte mir während der

Aktion überlegt, was ich tun sollte, wenn die Mappe verschwunden wäre. Es stand fest, daß ich dann den Zug versäumt hätte, und es wäre mir nichts anderes übriggeblieben, als im Ausland zu verschwinden. Denn auf Verlieren von Geheimmaterial standen die allerhöchsten Strafen, unter denen eine langjährige Zuchthausstrafe noch die harmloseste war. Überglücklich erreichte ich das Abteil mit den Sekretärinnen und Ordonnanzen, übergab so gleichgültig wie möglich die Mappe, rauchte zwei Zigaretten und ging dann wieder zum Chef in sein Abteil. Auf die Frage dort, ob mir schlecht gewesen wäre, erklärte ich, ja, anscheinend hätte mir die Havanna nicht gut getan. Das wurde zwar mit Gelächter quittiert, aber das nahm ich gerne in Kauf.

Als nach ungefähr einem Jahr in einer friedlichen Stunde das Gespräch auf verlorene Akten kam, und ausgerechnet Herr von Papen, von einem französischen Botschafter in Rußland berichtete, dem solch ein Mißgeschick genau wie ihm selbst unterlaufen war, erzählte auch Herr von Ribbentrop, daß er einmal eine Aktenmappe in Paris liegengelassen habe, sie aber Gott sei Dank hatte wiederfinden können. Da diese Geschichten der meinen sehr ähnlich waren, gestand auch ich mein Abenteuer, und es stellte sich bald heraus, daß fast alle Diplomaten einmal in ihrem Leben mehr oder weniger leichtsinnig mit Geheimmaterial umgegangen sind.

Ribbentrop ermahnte uns abschließend väterlich und meinte, solche Erlebnisse hätten immerhin ihr Gutes darin, daß sie eine bleibende Lehre seien und warnte wie schon so oft vor dem – seiner Ansicht nach – allgegenwärtigen Intelligence Service. So unrecht hatte er damit nicht, und in der Botschaft hatten wir deshalb bereits einen Kriminalkommissar mit zwei Gehilfen, die in regelmäßigen Abständen die Mauern abklopfen mußten und den Verkehr des Botschafterpersonals zu kontrollieren hatten. Auch in Berlin im »Kaiserhof« wurde regelmäßig kontrolliert, und als sich der Chef endgültig auf die antienglische Politik festgelegt hatte, drang er, wenn wir in Hotels übernachteten, auf ganz genaue Untersuchung seiner Privaträume. Es wurde nie etwas gefunden. Nur einmal berichtete unser eifriger Londoner Kriminalkommissar, daß man versucht habe, im Sommer durch einen Rauchfang ein Mikrophon in den Kamin im Salon hinunterzulassen.

Gegen Ende Januar mußte ich mit Ribbentrop und kleiner Begleitung wieder nach München fahren. Dort nämlich wollte sich der Chef auf die Lauer legen und hören, ob ihn nicht der Führer, beeindruckt durch seinen einmaligen, »eisernen« Englandbericht, wieder in Gnaden aufnehmen würde. Man zog also in die »Vier Jahreszeiten« und wartete. Doch es rührte sich nichts. Endlich kam ein Anruf von »Photo-Hoffmann«. Der Herr Botschafter wolle doch nach dem Essen zu einem gemütlichen

Abend kommen, er werde es nicht bereuen. Ich versuchte, Näheres zu erfahren, doch Hoffmann meinte nur, Ribbentrop würde sich freuen, wenn er sähe, wer anwesend sein würde. Ich meldete das sofort meinem Chef und äußerte leichtsinnig die Vermutung, daß vielleicht auch Hitler, wie so oft, bei Hoffmann einen gemütlichen Abend verbringen wolle. Am Ende wäre dies ein Fingerzeig des Schicksals oder vielleicht sogar die ausgestreckte Hand des Führers. Ribbentrop ging mit Begeisterung auf diese Gedanken ein; ich mußte sofort für ihn zusagen und natürlich auch mitkommen.

»Photo-Hoffmann« war ein untersetzter, etwas rundlicher Fünfziger mit rötlicher Alkohol-Nase, Berufsphotograph, Kunsthändler und ein hochintelligenter Mann. Er gehörte seit langer Zeit zum engeren Stab des Führers, zum Kreis seiner alten Vertrauten. In der Kampfzeit hatte er einmal eine Aufnahme von Adolf Hitler auf dessen Bitten nicht veröffentlicht, worauf ihm dieser versprach, daß er schon in naher Zukunft dieses Entgegenkommen nicht zu bereuen haben würde, und tatsächlich wurde Hoffmann als sein Leibphotograph, vermögend und einflußreich. Er verheiratete seine Tochter mit Baldur von Schirach und hatte jederzeit Zutritt zum Führer. Eva Braun war in seinem Büro als Verkäuferin angestellt gewesen. Hoffmann war also »in«, hatte ausgezeichnete Beziehungen und galt als schlauer, gefährlicher Parteigenosse der ersten Stunde.

Hitler wie Hoffmann waren kunstbegeistert und liebten Bilder alter Meister. Hoffmanns Wohnung in München war damit reich bestückt, sogar in seinem Vorzimmer hing ein Breughel. Auch der Türklopfer war ein Kunstwerk, und an der Toilettentüre hing ein flämisches Bild, auf dem in gotischer Schrift geschrieben stand: Du sollst mich nicht umdrehen. Tat man das dennoch, so glänzte einem ein nackter Hintern entgegen.

Pünktlich um 21 Uhr – Ribbentrop konnte es kaum erwarten – fuhren wir im Mercedes bei Hoffmanns Wohnung vor. Jovial begrüßte mein Chef den »bösartigen« Hoffmann, von dem er wußte, daß er nicht gerade sein Freund war. Auch der Gastgeber erwiderte den Gruß mit heuchlerischer Herzlichkeit. Anwesend waren von der Partei noch Hermann Esser, dann Speer, Amann vom Parteiverlag und noch andere Herren. Sogleich empfahl man Ribbentrop, das an der Toilette hängende Bild nicht umzudrehen. Es kam, wie es kommen sollte, und gequält stimmte der Botschafter bei diesem undezenten Anblick in das gröhlende Gelächter der bereits angeheiterten Gesellschaft ein. Nun wollte er zeigen, was für ein patenter Kumpel er sei, und mimte großen Durst. Es wurde ihm ein- und nachgeschenkt, und bald wurde mir klar, daß man ihn nur eingeladen hatte, um mit ihm, dem in Ungnade gefallenen, seinen Spaß zu treiben. So erkundigte man sich angelegentlich nach dem Stand seiner Politik, nach seinem Verhältnis zu Neurath, ließ sich peinlich genau erzählen, wie das mit dem Hitlergruß beim englischen König gewesen wäre und dergleichen mehr.

Nach einiger Zeit begann Ribbentrop, häufiger nach dem Verbleib des Führers zu fragen. Mit undurchsichtigen Antworten deutete man die Möglichkeit an, daß Hitler vielleicht nicht mehr fern wäre, ja zu solchen Abenden mitunter noch recht spät einträfe. Hitler aber kam nicht, und das Fest wurde für alle immer vergnügter, nicht aber für Ribbentrop, der jetzt merkte, wie sehr die Fröhlichkeit auf seine Kosten ging, und als es dann zum Witze- und Anekdoten-Erzählen kam, fiel er vollends ab. Ribbentrop war eher humorlos und brachte auch den besten Witz und die komischste Geschichte nicht zur Wirkung. Nicht, daß er die Pointen falsch erzählte, er brachte sie nur so gekünstelt, daß sie von vornherein schal blieben.

Das Fest wurde immer runder, die Witze immer anzüglicher, nur Speer versuchte sich noch als Gentleman. Auch er mochte Ribbentrop nicht, aber die Grobschlächtigkeit der bajuwarischen Parteigrößen ging ihm auf die Nerven, und bei der Verspöttelung Ribbentrops, dem er diese Lektion sicherlich gönnte, blieb er im Rahmen.

Unvermittelt fragte Hoffmann Ribbentrop, ob er denn Abitur habe. Der Gefragte verneinte und erklärte jovial, er hätte einige Klassen Gymnasium genossen. Da frohlockte Hoffmann: »Ach, da haben Sie doch eine humanistische Bildung.« Er bat ihn, ihm einen griechischen Satz zu übersetzen, der sehr einfach wäre; dann kam natürlich das bekannte »Mäh'n Äbte Heu – Äbte mäh'n nie Heu – Mägde mäh'n Heu«, das wie das griechische »Men epte heu – epte men ni heu – megte men heu« klang.

Ribbentrop begriff das nicht und verwies darauf, daß er eben alle Schulweisheit längst vergessen habe. Das war es, was die Korona hören wollte. Scheinheilig bat man ihn nun, sich doch als sprachgewaltiger Diplomat etwas anzustrengen, und wiederholte ohne Unterlaß, lauter und eindringlicher im Chor, das »Mäh'n Äbte Heu« unter Gelächter, Hallo und Taktgetrommel mit Fäusten auf dem Tisch. Ribbentrop wagte nicht, die Komödie mit dem bekannten Götzzitat zu beenden, was hier allein Eindruck gemacht hätte. Um die Peinlichkeit der Situation zu mildern, die alle außer Ribbentrop bereits begriffen hatten, half schließlich Speer dem »zukünftigen Außenminister«, der nur gequält lachte. »Eilige« Arbeiten für den Führer vorschützend brach Ribbentrop auf, und so dämmerte es ihm endlich, daß er das Opfer eines Ulks geworden war und man ihn mit dem vermeintlichen Führerbesuch nur geködert hatte.

Ribbentrop war mehr als verärgert. Ich bekam auf dem Nachhauseweg einen ordentlichen Guß ab. Immer wieder mußte ich, scharf befragt, genauestens berichten, mit welchen Worten die Einladung erfolgt war, wie sie gelautet hatte, und wieso ich überhaupt auf die Idee gekommen wäre, daß der Führer erscheinen würde. Ich wiederholte stereotyp, daß Adolf Hitler öfters Hoffmann besuche, und man geheimnisvoll das Erscheinen von »Super-Persönlichkeiten« angekündigt habe, was ja schließlich auch geschehen sei, denn Amann, Speer und Esser wären doch bedeutende Parteigrößen. Hierauf mein unglücklicher Chef: Das seien doch nur kleine Pinscher, ich solle mich ja nie beeindrucken lassen, das nächste Mal solche Dinge präziser weitergeben und nicht eigene Eindrücke dazumixen.

Ribbentrop wurde also zu seinem Leidwesen weiter von seinem Führer verschmäht und nicht gerufen. So begab er sich schließlich schmollend nach Berlin zurück. Während wir dort entweder im »Kaiserhof« oder in der Sonnenburg oder in Dahlem in der Privatwohnung wohnten – mitunter logierten wir auch in der Dienststelle – kam eines Tages Likus an. Er war in dieser Zeit aufgeregt zwischen Reichskanzlei, Stab Hess, Propagandaministerium und Journalistenkaschemmen hin- und hergependelt. Es kursierten bedrohlich anmutende Gerüchte, und sie hatten sich verdichtet: Zwischen Staat, Partei und Wehrmacht schien sich eine Krise anzubahnen. Wir hatten schon vorher von einer etwas späten Liaison des Reichskriegsministers von Blomberg mit seiner Sekretärin gewußt. Aber nun sei plötzlich geheiratet worden. Der Führer und Göring waren die Trauzeugen, damit schien alles bestens. Man erfuhr außerdem, es hätte mit dem Generalobersten von Fritsch Probleme gegeben; er stünde im Verdacht einer zumindest einmaligen homosexuellen Verfehlung. Es wäre von der Gestapo ein Jüngling aufgegriffen und zu einem diesbezüglichen Geständnis gebracht worden. Auch sei die neue Ehe des Generalfeldmarschalls Blomberg nicht ganz »stubenrein«, und es habe in der Reichskanzlei schon seit Tagen mit Fritsch und der Wehrmacht, aber auch mit Blomberg Auseinandersetzungen gegeben.

Ribbentrop und Gefolge fühlten sich verunsichert, bis endlich die ganze Wahrheit zutage kam, und die Bombe mit voller Wucht platzte. Ganz unerwartet erschien damals der Chefadjutant des Reichskriegsministers, Korvettenkapitän von Wangenheim, mit wichtigen Nachrichten für das Auswärtige Amt. In meinem Büro erzählte er nun Kordt und mir vorsichtig und mit Tränen in den Augen Einzelheiten: Die neue Marschallin stamme aus keinem anständigen Hause, ihre Mutter habe einen Massagesalon geführt, sie selber aber wäre früher nicht nur in Berlin, sondern auch in anderen Großstädten eindeutig tätig gewesen; das Allerschlimmste aber sei, daß der belgische Militärattaché schon vor dieser Dame gewarnt hatte. Generaloberst von Fritsch und die Herren seiner Umgebung hätten den Generalfeldmarschall vor einer überstürzten Heirat gewarnt, vor allem im Hinblick darauf, daß er selbst der Initiator der neuen strengen Heiratsvorschriften für die Offiziere gewesen sei.

Es sei doch unvorstellbar, daß die Gemahlin eines Generals und Kriegsministers nicht in jeder Hinsicht einwandfrei wäre.

Blomberg hatte jedoch die Warnungen in den Wind geschlagen und als Gerede bezeichnet. Bei Hitler hatte er sich dann beschwert, daß reaktionäre Kreise der Armee ihn daran hindern wollten, eine schlichte deutsche Frau zu heiraten. Ihm, dem Freiherrn, ginge es auch darum, ein Beispiel zu setzen, und er hatte den Führer gebeten, ihn in seinen Absichten zu unterstützen.

Das war für Hitler natürlich das Richtige: »Da haben Sie meine vollste Unterstützung! Göring und ich werden natürlich Ihre Trauzeugen sein!« war die Antwort. Die Hochzeit wurde übereilt angesetzt und, wie besprochen, kamen Hitlers und Görings Unterschriften auf das Trauungsprotokoll zwischen Generalfeldmarschall von Blomberg und seiner Sekretärin Eva Gruhn.

Wangenheim erzählte weiter, daß man jetzt durch den belgischen Militärattaché Nacktphotos von der nunmehrigen Frau Marschallin besitze. Deshalb schaltete man in dieser unglaublichen Lage schließlich Göring ein. Er aber, Wangenheim, hätte seinem Chef seine Dienstpistole angeboten, damit er die Konsequenzen ziehe, denn nur durch das Opfer seiner Person könne er die Armee und das Reich vor Schande bewahren.

Doch Blomberg wollte davon nichts wissen. Die Sehnsucht nach dem »dritten Frühling« hatte ihn völlig gefangengenommen. Die Tragödie nahm also ihren Lauf. Sie führte zusammen mit der Fritsch-Affäre zu Ribbentrops Aufstieg und verhalf damit diesem Kriegstreiber zum Durchbruch.

Als man Hitler über das Ausmaß der Katastrophe informierte, soll er ausgerufen haben: »Wenn so etwas bei einem preußischen Marschall möglich ist, dann, meine Herren, ist auf dieser Welt alles möglich!« Damals soll er Tage in wütender Verzweiflung verbracht haben, war doch gerade erst die Intrige von Heydrich und Himmler gegen den Generalobersten von Fritsch – viel zu spät – aufgedeckt worden. Ob Heydrich unter Ausnützung einer fatalen Namensgleichheit Fritsch schaden wollte oder nicht, war damals noch nicht ganz klar. Jedenfalls war es unerhört und von Hitler eine unglaubliche Taktlosigkeit, General Fritsch in der Reichskanzlei dem erwähnten Strichjungen gegenüberzustellen, der in seiner Verzweiflung und Angst vor der Gestapo aussagte, er habe Beziehungen zu Fritsch unterhalten. Unfaßlich auch, daß Fritsch nicht augenblicklich mit Härte reagierte, seinen Degen zerbrach, Hitler vor die Füße warf und die Reichskanzlei verließ. Hitler hätte bestimmt eine stolze Haltung respektiert und honoriert. Statt dessen versuchte Fritsch, der leider durch Hossbach befehlswidrig vorgewarnt war, wieder gefaßt und mit Geduld das »Mißverständnis« aufzuklären, zerredete die Sache und überließ deren Lösung im Einverständnis mit Hitler einem späteren Ehrengericht unter dem Vorsitz von Göring.

Fritsch hatte die entscheidende Stunde seines Lebens und vielleicht unser aller verpaßt! Es wäre d i e Gelegenheit für die Wehrmacht gewesen, sich durchzusetzen und üblen Intrigen Halt zu gebieten.

Hitler hätte wohl Verständnis gehabt für eine harte Reaktion der Wehrmacht. Aber die geradezu pastoral maßvolle Haltung des so martialisch aussehenden Monokelträgers General von Fritsch mußte ihm, dem Sohn eines beispielhaft harten k. u. k. Beamten aus Braunau, verächtlich erscheinen und er nützte diese Schwäche sofort. Nun glaubte Hitler, daß man einem preußischen General alles zumuten durfte. Hitler, der die deutsche Oberschicht in Regierung und Armee bewundert und nach der Machtergreifung im Generalstab und in der Diplomatie unangetastet gelassen hatte, sah jetzt in diesen beiden Adelsdomänen keine Elite mehr. So ließen sich von Bülow-Schwante und von Papen einerseits feuern, griffen aber andererseits später wieder nach einträglichen Posten. Von Neurath wird noch zu reden sein. Hitler jedenfalls hat damals allen Respekt vor großen Adelsnamen verloren und von da an entsprechend gehandelt.

Später habe ich noch oft mit verschiedenen Herren der Wehrmacht über diesen Fall gesprochen, besonders, als ich bei Canaris war und die Interna besser kannte. Wir kamen meist zu dem Schluß, daß es ein Fehler von Oberst Hossbach, dem damaligen Adjutanten Hitlers, gewesen war, Fritsch während der Fahrt in die Reichskanzlei befehlswidrig vorzuwarnen. Die ganze Angelegenheit war damals wie heute ein nach den Maßstäben des militärischen Ehrenkodex unfaßbarer Vorgang. Ihre psychischen Folgen bei Hitler waren entscheidend und für uns alle von schicksalhafter Bedeutung.

Hitler befand sich jetzt in einer fatalen Situation. Er hatte einerseits gestattet, daß der OB des Heeres übel verleumdet wurde. Andererseits mußte er erfahren, daß sein Protegé, der Generalfeldmarschall von Blomberg, Treuester der Treuen in der Armee, ihn unter Verschweigen gewisser Tatsachen dazu verleitet hatte, durch seine persönliche Teilnahme an der Hochzeit als Trauzeuge die Ehe mit einer Dame der Halbwelt zu sanktionieren. Auch die Wehrmacht war in einer diffizilen Lage, denn wenn sie einerseits mit Recht über die dem Generalstabschef angetane Schmach empört sein mußte, so befand sie sich andererseits durch die Affäre Blomberg Hitler gegenüber fatal im Unrecht. In dieser Situation würde natürlich derjenige die Oberhand gewinnen, der sich als erster zu einem starken Entschluß aufschwang. Und das war dann wieder einmal Hitler: Er beurlaubte kurzerhand Generalstabschef Fritsch für die Dauer des Ehrengerichtes und entließ den Generalfeldmarschall Blomberg, der sich mit seiner Erwählten in Richtung Ostindien auf Hochzeitsreise begab. Ich erlebte noch, wie das Auswärtige Amt zu diesem Zwecke Papiere ordnen und Devisen zur Verfügung stellen mußte.

Später, bei den Nürnberger Prozessen, wurde Blomberg noch von seinen ehemaligen Kameraden geschnitten, wie mir Admiral von Puttkammer, Hitlers Marineadjutant, erzählte. Aber Blomberg meinte, er bereue nichts, so hätte er noch fünf glückliche Jahre gehabt.

Um zu großes Aufsehen zu vermeiden, ließ nun Hitler die beiden Einzelskandale Fritsch und Blomberg gemeinsam in einer Woge von Umbesetzungen und Demissionen untergehen. Der Reichsaußenminister von Neurath gab sein Amt ab und wurde zum Chef des Geheimen Kabinettsrats ernannt, der ist allerdings niemals zusammengetreten. Papen wurde aus Wien abberufen, und Hitler übernahm persönlich den Oberbefehl über die gesamte Wehrmacht. Sofort ordnete er die Errichtung eines Oberkommandos der Wehrmacht an, OKW genannt, und ernannte General Keitel darin zu seinem persönlichen militärischen Mitarbeiter und Vertreter. Generaloberst von Brauchitsch wurde Oberbefehlshaber des Heeres, und Ribbentrop der neue Reichsaußenminister. Hitler schien die Krise gemeistert zu haben, doch auf lange Sicht besiegelte dieser Tag sein Schicksal. Die Wehrmacht und das Auswärtige Amt waren somit entmannt. Keitel, der später gerne »Lakaitel« genannt wurde, und ein zweiter Lakai, nämlich Ribbentrop, übernahmen als dienstbeflissene Jasager und Claqueure die Agenden der allerhöchsten Wehr- und Außenpolitik. Ein freies Wort vor Fürstenthronen hat es von da an nicht mehr gegeben. So schadete sich Hitler selbst, denn er verschüttete eben jene Quellen, die ihm sachkundige und objektive Information hätten liefern können.

Heldenplatz

Nach dem Fall Blomberg war Hitler endgültig zu einem Verächter der traditionellen Oberschicht geworden. Er hörte hinfort nur mehr ihm genehme Nachrichten. Außerdem war auch das Auswärtige Amt durch die Bequemlichkeit des Herrn von Neurath preisgegeben, der sich nicht entschließen konnte, mit aller Macht gegen Ribbentrop vorzugehen und sich, wie es doch logisch gewesen wäre, rechtzeitig mit dem Generalstab zu verbünden. Hitler hatte Jahre hindurch den Generalstab und das Auswärtige Amt, diese zwei Bastionen der deutschen Elite, gegen anstürmende Parteileute verteidigt. Man erinnere sich nur an den Röhmputsch, an seine Loyalität Neurath gegenüber, dem er, wenn es hart auf hart ging, doch meist recht gab – erinnere sich an die Affäre Jakob, an den Putsch vom 25. Juli in Österreich und an den Krach mit Ribbentrop anläßlich der Unterzeichnung des Antikominternpaktes in Italien. Bei den Affären Blomberg und Fritsch ist in Hitler etwas zerbrochen, das von Jugend auf sein Ideal gewesen war. Dahin war sein Glaube an die deutsche Herrenschicht, an den hart-korrekten deutschen Offizier, an den preußischen Junker. Wie hatte er, Hitler, vom zerfallenen Österreich aus das kaiserliche Deutschland Ludendorffs, Hindenburgs und Tirpitz' idealistisch verklärt gesehen! Hitler war freiwillig in die deutsche Armee eingetreten und hatte bis zum Schluß im Weltkrieg an vorderster Linie seine Pflicht getan. Jene zwei Ämter, in denen Bismarck und Moltke gewirkt hatten, nämlich das Auswärtige Amt und das Reichskriegsministerium, waren für ihn ein Hort hehrer Gestalten, wohl mit Fehlern und starr traditionellen Ansichten, aber doch zwei Bastionen, die er nicht seinen Landsknechten überlassen wollte. Daher hatte er Militärs und Diplomaten bis 1937 mit Respekt behandelt. Dieser Respekt war nun in die Brüche gegangen. Die Wehrmacht hatte keine Würde gezeigt. Das Auswärtige Amt war schlapp in seinen Augen. Der Glaube an konservative Eliten war für Hitler endgültig vorbei.

Verstärkt kehrte er nunmehr zu den ideologischen Wurzeln seiner Partei zurück und suchte Rückhalt bei deren Elitekadern. Die Wehrmacht war zu dezentralisieren und an die Kandare zu legen, und auf seinen ureigenen Domänen, der Wehr- und Außenpolitik, gedachte er fortan allein zu entscheiden, ohne Rücksicht auf Bedenken von konservativer Seite, wer konnten ihm da willkommenere Handlanger sein, als der ewig »tönende« Ribbentrop und der dienstfertige Keitel?!

Es mag am Abend des 3. Februar gewesen sein, als Ribbentrop in die Reichskanzlei gerufen wurde, wo er sich endlos mit dem Führer im sogenannten Wintergarten, darin beide Herren ruhelos auf und ab liefen, beriet. Ich war solche Situationen gewöhnt und war zufrieden, daß ich den strahlenden und anscheinend wieder in Gnaden aufgenommenen Chef zur Reichskanzlei begleitet hatte. So beschäftigte ich mich im Vorzimmer mit den herumliegenden Zeitungen, und unterhielt mich mit Adjutanten und Ordonnanzoffizieren. Heikle Themen berührte man natürlich nicht. Hier, in den Vorzimmern der Reichskanzlei galt es noch mehr als anderswo, auf der Hut zu sein. Es war wichtig, an solchen Orten den Dummen zu spielen, und es war besser Whisky und Seidenstrümpfe zu versprechen, als irgendein Interesse zu zeigen. Nur mit dem linken Ohr sollte man bei den Gesprächen anderer etwas mitlauschen. Die SS-Ordonnanzen in ihren kurzen, weißen Jäckchen, welche die Bedienung in der Reichskanzlei und auf dem Obersalzberg zu besorgen hatten, liefen eifrig hin und her. Einer von ihnen, der persönliche Diener Hitlers, SS-Oberscharführer Krause mußte ein paarmal mit Selterswasser und Fruchtsäften in den Wintergarten eilen. Als er wieder einmal herauskam, flüsterte er mir zu: »Hauptsturmführer, ich gratuliere. Sie sind kein Botschafteradjutant mehr, Sie sind jetzt schon Adjutant eines Reichsministers« und eilte verschmitzt lächelnd weiter, so daß ich nichts Näheres mehr erfragen konnte.

Ich konnte mir nicht recht vorstellen, was für ein Minister Ribbentrop nun sein sollte. Neurath saß nach seinem runden Sieg vor zwei Monaten doch fest im Sattel. Also Außenminister kaum, dachte ich. Vielleicht wird er auf ein Nebengeleise geschoben und Kolonialminister oder etwas ähnliches. Da wird es ja höchste Zeit, daß ich mich nach Ablegung der Attachéprüfung definitiv ins Auswärtige Amt übernehmen ließe, was mir Kordt schon so oft dringend ans Herz gelegt hatte. Nun, ich behielt die Nachricht von Krause für mich, war aber sehr aufgeregt und schmiedete Pläne für die Zukunft. Eine Welle der Dankbarkeit für mein Schicksal erfüllte mich und – ich will es nicht leugnen – eine Welle der Verehrung für unseren mit so viel Idealismus bewunderten Führer. Denn alles, was schlecht war im Reich, schoben wir stets nur den Fehlern seiner Mitarbeiter zu. Hitler selbst war damals noch tabu für uns junge Leute in den Vorzimmern der Großen.

Wenn wir auch unsere Chefs oder Mißgriffe der Partei oft verachteten und noch öfter belachten, so war unsere Verehrung für Hitler doch grenzenlos, obwohl manche seiner Handlungen in uns erste Zweifel an seiner Lauterkeit aufkeimen ließen.

Wir trösteten uns damit, daß gewisse charakterliche Abgründe eben zu einem Politiker gehören und daß es ohne diese Skrupellosigkeit keinen

Caesar, keinen Napoleon und keinen Alexander gegeben hätte. Hitler war für uns nach wie vor der große Hüter des Grals oder auch der Trommler und Wegbereiter, dessen Wirken eines Tages in ein großartiges Reich aller deutschen Stämme einmünden sollte. Wir spannen verschwommene Ideen von einer modernisierten Wahlmonarchie unter Ausschluß der Häuser Habsburg und Hohenzollern.

Während ich mich also erstaunt und zufrieden über mein Schicksal derart wunderlichen Gedanken hingab, öffnete sich die Türe. Ein über das ganze Gesicht strahlender Ribbentrop erschien, und nachdem er sich zackig und mit einem schmetternden »Heil, mein Führer« und einem treudeutschen Blick mit langem Händedruck verabschiedet hatte, kam er wohlwollend zu mir. »Na, dann wollen wir mal nach Hause gehen.« Ich sah ihn forsch an und sagte: »Herr Reichsminister, darf ich Ihnen gratulieren?«

Er hierauf: »Was, Sie wissen schon? Woher wissen Sie denn das?«

Dann ich: »Herr Reichsminister, Ihr Adjutant hat immer informiert zu sein; ich habe so meine kleinen Quellen und Wege.«

»Na, das ist ja großartig. Ha, jetzt bin i c h der Außenminister. Mein Guter, jetzt werden wir echte deutsche Politik machen, jetzt werden wir an der großen Zukunft bauen. Das Vertrauen des Führers hat mich berufen – ich werde ihn nicht enttäuschen und von Grund auf werde ich alles ändern, neu in Angriff nehmen, und Sie werden sehen, ganz große Erfolge werden kommen.«

Donnerwetter, nun wußte ich es – er war tatsächlich Reichsaußenminister geworden! Von meinem privaten Standpunkt aus war dies natürlich herrlich, doch konnte ich Bedenken schon in diesem ersten Augenblick nicht unterdrücken. Denn wie sollte von diesem Mann Vernünftiges kommen. Es war doch etwas bedenklich, daß soviel Unbildung und Einbildung den Platz Bismarcks einnehmen sollte. Doch kommt Zeit, kommt Rat, dachte ich mir, und für mich ist das alles großartig! Vielleicht würde sich das neue Amt sogar positiv auf sein Verhalten auswirken, würde die Nähe zum Führer den Einfluß seiner Frau abschwächen. Ich freute mich jedenfalls ehrlich und war voll der besten Hoffnung.

Im Kaiserhof angekommen, bestellte der Chef – er war jetzt die Leutseligkeit selbst – zwei Whiskys, und wir stießen auf die großen Dinge an, die da kommen sollten. Gleich liefen Dauergespräche mit Madame, die in Sonnenburg geblieben war. Ich aber sandte Stoßgebete zum Himmel, damit dieser den »Alten«, da er doch jetzt sein Ziel erreicht hatte, vernünftig mache. Vorsichtig ließ ich Ribbentrop, die gute Stimmung ausnützend, meine diesbezüglichen Hoffnungen fühlen, bevor Madame, die Unentwegte, eintreffen konnte.

Während also der neugebackene Bismarck mit seiner Frau telefonierte, tat ich dasselbe mit Kordt, der aus allen Wolken fiel. Aber wir kamen schnell zu einer internen Strategie und Taktik. Der Chef möge sich mehr Ruhe gönnen und seine Gesundheit schonen. Das wäre er dem Führer und der Nation schuldig nach den Mühen seines Aufstiegs und vor den kommenden schweren Werken und so fort. Natürlich hofften wir, ihn fest an das Auswärtige Amt zu ketten, und so mit Arbeit einzudecken, daß für häusliche Schlafzimmer-Weltpolitik nicht mehr viel Raum und Energie blieb.

Ruhe und Seßhaftigkeit sollten auf seine Politik und seine Umgebung ihre Wirkung nicht verfehlen. Wir brauchten mehr Freunde, denn mit dem hohen Amt würde auch der Neid der anderen gewaltig wachsen, sagte ich und stieß so fürs erste ganz in sein Horn, das gebe ich zu. Sorge bereitete mir dennoch Frau von Ribbentrop, die mit ihrem eisernen Willen für sich und ihre Familie Glanz und Gloria für alle Zeiten sichern wollte. Daß sie wie eine Löwin für eine antibritische Politik kämpfen würde, war mir klar. Ich vertraute in dieser Sache dem Führer; Kordt tat das nicht und meinte pessimistisch, der Fisch stinke vom Kopf her, und das ganze System wäre grundfalsch. Na, dachte ich mir, der ist eben bei aller Intelligenz doch nur ein liberales, angekränkeltes Produkt des Auswärtigen Amtes.

Kordt kam schon am nächsten Tag auf dem Luftweg aus London und sprach zum Chef, wie ich es vorher getan. Wirklich schien es, als ob wir Erfolg hätten. Ribbentrop behandelte den abgesägten und ganz und gar überraschten Neurath höflich, ja sogar herzlich und hielt eine durchaus vernünftige Antrittsrede an die Beamtenschaft, die ihm allerdings Kordt vorfabriziert hatte. Er erregte damit Verwunderung und freudige Überraschung bei den verschreckten, aber dienstwilligen Mitarbeitern. Auf Kordts Rat nahm unser neuer Minister den unvergleichlichen Weizsäcker zum Staatssekretär und Woermann aus London zum Leiter seiner politischen Abteilung. Dirksen, der mit den Ribbentrops entfernt verschwägert war, wurde als Botschafter nach London geschickt, mit ihm der ältere der Brüder Kordt, Theo, als Botschaftsrat. So schien alles in Ordnung. Kordt selbst wurde Kabinettschef und ich zweiter Mann im Ministerbüro.

Aber zurück zum ominösen 4. Februar, dem offiziellen Tag der Ernennung Ribbentrops. Am frühen Vormittag erschien Lammers im Kaiserhof und überbrachte die Ernennungsurkunde. Ich hatte den Reichsminister und Amtschef der Reichskanzlei auf der Straße erwartet und ihn im Lift hinaufbegleitet. Lammers brummte unwirsch vor sich hin: »Na, Ihr Chef ist jetzt der Außenminister. Hoffentlich geht das gut.«

Sehr überzeugt klang das nicht. Etwas später kam noch General Oshima, der japanische Militärattaché und alter ego Ribbentrops bei der

Antikomintern-Politik, zur Gratulation. Mit ihm zusammen mußte ich
länger auf den Chef warten, der angeblich nur kurz zu seinem Intimfeind Göring gefahren war. Also machte ich etwas Konversation mit
dem General und erkundigte mich – nicht sehr originell – ob er gern in
Berlin wäre. Er meinte: »Ja, serr gerrne!«
Was ihm in Deutschland am besten gefiele: »Ja, alles serr gut, Wehrmacht und so.«
»Und sonst?« »Ja, sonst liebe ich deutsche Weine.«
Aha, dachte ich mir. »Und wissen Sie, schon vormittags trinke ich
davonn das macht so gutt!«
Darauf ich: »Exzellenz, welche deutschen Weine sind Ihnen denn am
liebsten?«
Da lachte dieser Samurai und rief: »Kirrschwasser, Kirrschwasser!«
Ja, das glaubte ich ihm aufs Wort, denn es hatte sich schon herumgesprochen, daß der tüchtige, intelligente und blendend – wie ein japanischer Kriegsgott aussehende – General Oshima kein Verächter der harten, guten Tropfen war.
Das wußte auch die Flugzeugfirma Heinkel, die ihm einmal eine meter-
hohe Kirschwasserflasche verehrte. Ich erlebte ihn später noch einmal
bei einer Kranzniederlegung, als wir ihn am Ehrenmal behutsam in unsere Mitte nehmen mußten. So eine Kranzniederlegung am frühen Morgen ist auch etwas Stinklangweiliges! Sonst aber war Oshima ein wirklich angenehmer und hochintelligenter Mann, der als Generalstäbler
das Konzept der japanischen Armee mit Ausdehnungsabsichten nach
Westen über die Mandschurei, ins »Sojagebiet«, vertrat und nicht die
Linie der japanischen Marine, des Hofes und des japanischen Außenamtes, die eine Expansion nach den südlichen »Reisgebieten« mit
Hauptstoß in Richtung Indonesien befürworteten.
Nach Oshima kamen andere Besuche, alle befreundeten Botschafter
und Generalkonsuln traten an. Diese ersten zwei Tage waren ein einziges Kommen und Gehen. Ribbentrop schwelgte; er war die Liebenswürdigkeit selbst.
Kordt und ich nahmen nun langsam Kontakt mit unseren Vorgängern
wegen der Übernahme der Geschäfte auf. Kordts Vorgänger, der Kabinettschef Neuraths, war ein Herr von Kotze gewesen, ein Karrierebe-
amter in den besten Jahren. Mein Vorgänger war Herr von Marchthaler, ungefähr zehn Jahre älter als ich, also ein guter Dreißiger. Kotze litt
unter der Situation, während Marchthaler sich schnell damit abgefunden hatte, vor allem als er hörte, daß Kordt und auch ich uns bei Ribbentrop dafür verwenden wollten, daß die engeren Mitarbeiter seines
Vorgängers auf schöne Posten ins Ausland komplimentiert würden.
Und das gelang dann auch, Neurath aber hatte sich aus Bequemlichkeit

oder Indolenz überhaupt nicht mehr um seine Mitarbeiter gekümmert, und das nahm ihm Weizsäcker sehr übel.

So war also nunmehr jener Mann als Außenminister installiert und somit zum obersten Informanten Hitlers geworden, von dem nach dem Kriege die folgende wohlbekannte Aktennotiz für eine Führerbesprechung gefunden wurde:

Deutsche Botschaft London, 2.1.1938
Notiz für den Führer: Nach außen hin weiterhin Verständigung mit England, Herstellung in aller Stille, aber mit ganzer Zähigkeit, einer Bündniskonstellation g e g e n England. Nur auf diese Weise können wir England begegnen ... sei es eines Tages noch zum Ausgleich, oder zum Konflikt.
Ribbentrop

Das war die Handschrift von Madame und ließ nichts Gutes ahnen.

Langsam kam jetzt Licht in die Hintergründe und in die Vorgeschichte zur Ernennung Ribbentrops zum Außenminister. Adolf Hitler hatte anfangs nicht daran gedacht, ihn zum Nachfolger Neuraths zu machen. Groteskerweise geschah dies auf Wunsch des Parteisekretärs Rudolf Hess, der später der erbittertste Feind Ribbentrops wurde. Niemand hatte damals Ribbentrops Ernennung erwartet, am wenigsten er selbst, war da doch das Zerwürfnis mit Hitler wegen der römischen Angebereien. Seit Mitte November war Ribbentrop trotz seines »welthistorischen« Anti-England-Berichtes vom 2. Januar bei Hitler überhaupt nicht mehr vorgelassen worden. Erst an diesem 2. Februar wurde er in die Reichskanzlei gerufen und nach oben katapultiert. Ich, der von früh bis abends urlaubslos Dauerdienst hatte und so sein wahrer Schatten war, hatte auch keine Ahnung.

Nunmehr war alles auf den Kopf gestellt. Kordt und ich zogen mit Ribbentrop ins Auswärtige Amt. Wir führten beide keine adeligen Namen und das war für die ergrauten Amtsdiener dieser ehrwürdigen Anstalt eine Enttäuschung, denn bisher waren immer Herren »von Stande« Ministersekretäre gewesen. Da konnten wir leider nicht abhelfen, und so bemühten wir uns, trotzdem ihre Hochachtung zu gewinnen. Kordt und ich schlossen jetzt ein Bündnis auf Gedeih und Verderb. Wir wollten zusammenhalten und uns – was den Chef betraf – auf dem Laufenden halten. Nur so konnten wir etwas Einfluß nehmen, manche »faux pas et gaffes« verhindern und den RAM (Reichsaußenminister), so nannte er sich jetzt, zur Erledigung des notwendigsten täglichen Geschäftsverkehrs zu bringen, wie er gerade diesem Amte gemäß war. Ribbentrop aber wich dem nur zu gerne aus, er war für geregelte Arbeit einfach nicht zu gewinnen. Kordt war wild entschlossen, das durchzusetzen, und er hatte damit im Auswärtigen Amt eigentlich nur Freunde. Auch mein Wort als Mitglied der Dienststelle hatte einiges Gewicht, war ich doch stets beim Chef persönlich anwesend und außerdem der einzige ausgebildete Berufsdiplomat. In SS und Partei galt ich zudem als »alter Kämpfer«. Kordt wiederum hatte Beziehungen zur alten Bürokratie und zur Wehrmacht. Bald gelang es ihm, Ribbentrop davon zu überzeugen, daß Weizsäcker der richtige Mann für den so wichtigen Staatssekretärsposten wäre. Wir informierten Weizsäcker direkt oder indirekt über alle wichtigen Vorgänge und schon bald mußte er sein Amt als Oberfeuerwehrhauptmann bei Ribbentrops Fackeltänzen antreten. So weit wie möglich sollten von nun an in erster Linie Madame, aber ebenso Ribbentrops Vater, der Japan-Narr und »Gott strafe England«-Saurier aus dem Ersten Weltkrieg, ferngehalten werden, ferner sowohl halbgebildete Scharfmacher und Postenjäger als auch Denunzianten aus unserem eigenen Auswärtigen Amt.

Die »Dienststelle« selbst sollte auf ein Abstellgleis gebracht werden; nur ihre wenigen guten Köpfe wollte man ins Auswärtige Amt übernehmen. Dort stellte mich auch Kordt den wichtigsten Kollegen als voll ausgebildeten und verläßlichen Mann vor. Unser Plan war gut, er funktionierte anfangs, aber auf die Dauer bewirkte er leider wenig. Ich selbst sollte nun ganz ins Auswärtige Amt übernommen werden und von unten als Attaché anfangen. Kordt und Weizsäcker hielten das auf lange Sicht für das einzig Richtige. Schon in London wollte Ribbentrop mich zusammen mit Steengracht unter Überspringung der normalen Laufbahn zum Legationssekretär ernennen lassen. Kordt aber riet mir dringend davon ab; ich sollte vom Boß nichts als Geschenk entgegennehmen, was ich selbst erwerben konnte. So verhinderte ich trotz Ribbentrops Unmut meine Ernennung zum Legationssekretär und beschloß, ganz normal die Attaché-Prüfung zu machen. Kordt meldete mich zeitgerecht zur Prüfung an, die ich heimlich, ohne daß ich Ribbentrop etwas sagte, sehr gut bestand. Einer meiner Prüfer war der großartige Dolmetscher und spätere Gesandte Paul Schmidt. Meine Ernennung zum Attaché legte ich dem überraschten Chef zur Unterschrift vor.

Ribbentrop war darüber erbost und meinte, solche Mätzchen wären wohl nicht notwendig. Lieber wäre es ihm gewesen, er hätte mir alles geschenkt und mich gleich auch zum Legationsrat gemacht! So aber hatte ich meine Unabhängigkeit bewahrt und war für die Beamten im Auswärtigen Amt kein Günstling Ribbentrops, sondern ein Kollege und kein »Schmalspur-Diplomat«. Kordt aber und die Personalabteilung des Auswärtigen Amtes hatten nun eine Handhabe, um die zahllosen Bewerber aus Partei und Verbänden abzuwimmeln, indem sie auf die Attaché-Prüfung hinwiesen, die soeben der Altparteigenosse Spitzy abgelegt hatte, und sie empfahlen allen, ein Gleiches zu tun. Das wirkte dann sehr ernüchternd.

Kaum hatte sich der Staub der Ministerkrise einigermaßen gelegt, und kaum begann sich der Chef mit etwas Ruhe in seiner neuen Würde zu sonnen, da kam ein Anruf vom Obersalzberg und befahl den Reichsaußenminister augenblicklich mit einem bereitstehenden Sonderzug nach Berchtesgaden. Denn – ich glaubte, meinen Ohren nicht zu trauen – Schuschnigg, der österreichische Bundeskanzler, käme mit Papen, unserem Botschafter in Wien, überraschend dorthin. Wir fielen aus allen Wolken. Wir – das heißt Marchthaler und ich – waren die einzigen im Ministerbüro, denn Kordt war nach London gefahren, und Kotze war auf Urlaub. Weder der Chef noch wir wußten, wieso es zu einem Besuch Schuschniggs gekommen war, und wir wußten nicht, was wir eigentlich vorbereiten sollten. Gott sei Dank war Altenburg, der sympathische Österreichreferent, auf dem Posten. In zwei Stunden wurde hektisch das Nötigste gepackt. Es wurden aber weder ein Österreichreferent noch entsprechende Akten oder irgendein mit Spezialkenntnissen belasteter Sachbearbeiter mitgenommen. Praktisch fuhren wir überstürzt und völlig unvorbereitet los: Ribbentrop mit seiner persönlichen Bedienung, Herrn von Marchthaler und mir. Später kam noch Herr Keppler, ein Wirtschaftsspezialist der Partei dazu. Er galt als Vertrauensmann des Führers für Österreich und Süd-Ost-Fragen; er war ein alter Mitkämpfer, ein hoher SS-Führer von etwa sechzig Jahren, dessen häßliches, aber durchgeistigtes Gesicht eine himmlische Ruhe ausströmte. Alle mochten ihn. Er war das genaue Gegenteil von Ribbentrop: klug, bescheiden und weise – vielleicht der Vernünftigste von uns allen.

Keppler kam also mit dem Auto zum Glück noch in der Nacht nachgefahren. Unser Chef aber hatte nicht die leiseste Ahnung von österreichischen Problemen, und ich war auch nicht mehr auf dem Laufenden seit meinen Tätigkeiten in Paris, Berlin und London. Marchthaler verstand natürlich sehr wenig von der ganzen Angelegenheit; mit einem Wort, es war eine schwache und völlig unvorbereitete Delegation, die da zum Obersalzberg reiste. Ich mußte dem Reichsaußenminister in der Nacht im Zug so viel wie möglich von unserem illegalen Kampf in Österreich berichten. In Berchtesgaden angekommen, stiegen wir im Grandhotel Berchtesgadener Hof ab. Wenig später kam auch schon von Papen aus Wien an. Er hatte Schuschnigg überredet, sich mit Hitler auszusprechen. Der österreichische Bundeskanzler habe zugestimmt. Schuschnigg glaubte nämlich, daß Hitler infolge der Ministerkrise noch etwas angeschlagen sei und somit konzilianter sein würde.

Papen nahm anscheinend im tiefsten Grunde seiner konservativen katholischen Seele dasselbe an und hoffte auf einen gütlichen Ausgleich

Hitler spricht vor dem Reichstag Ende März 1938 anläßlich des Anschlusses von Österreich. Links vom Präsidentenstuhl in der letzten Reihe als Vierter der Autor (Photo Hoffmann)

Die Wahlnacht vom April 1938. Hitler und Goebbels hören das Ergebnis der Volksabstimmung für Großdeutschland. Dahinter Reichsleiter Bouhler (mit Brille), ganz rechts Oberst Bodenschatz und Ribbentrop, dahinter der Autor (Photo Hoffmann)

Der italienische Außenminister Graf Ciano in Begleitung von Botschafter Attolico und General
Graziani nach der Kranziederlegung am Ehrenmal anläßlich eines Berlin-Besuches Ende Mai 1938
(Privatarchiv Dirk Freiherr von Dörnberg)

Staatsbesuch des Reichsverwesers Admiral von Horthy Ende August 1938. Hitler nimmt mit Horthy und
Generaloberst von Brauchitsch (oben) bzw. Großadmiral Raeder (unten) die Flottenparade ab (Privatarchiv Dirk Freiherr von Dörnberg)

Das »Münchner Abkommen« – September 1938. Im Vordergrund auf dem Sofa: Daladier und Ciano, dahinter v.r.n.l. Rudolf Schmundt, Freiherr von Neurath, Julius Schaub, Erich Kordt, der Autor, Pressechef Dietrich, Botschafter François-Poncet, Fritz Wiedemann, Alexis Leger, Günther Altenburg, Sir Horace Wilson, Friedrich Gaus (Sammlung Walther Hewel)

zwischen beiden Kanzlern, möglichst unter Vermeidung »brutaler Nazimethoden«. Als Vertreter der österreichischen Illegalen erschienen die Herren Globotschnigg und Mühlmann in Knickerbockern und weißen Strümpfen. Hitlers Haus durften sie aber nicht betreten. Papen hatte einen Vertragsentwurf mitgebracht, der sehr gemäßigt war, von gegenseitiger Garantie sprach, von Amnestie und einer gemeinsamen außenpolitischen Linie. Da nun Ribbentrop weder von der Lage wußte, noch eine Ahnung von den Absichten des Führers haben konnte, verschärfte er auf gut Glück den Vertragsentwurf. Es konnte doch beim Führer nicht schaden, »zackig« zu erscheinen. Ich für meine Person war natürlich freudig gestimmt. Nach fünf Jahren Emigration war für mich ein Besuch in meiner Heimat wieder in greifbare Nähe gerückt.

Am 12. Februar um 10 Uhr vormittags kamen wir pünktlich am Berghof an. Ich hatte keine besondere Aufgabe. Da wir kein Aktenmaterial hatten, meinte Ribbentrop, ich solle mich um den Sekretär des österreichischen Außenministers Guido Schmidt kümmern und ihn etwas ausforschen. Ich ließ Sandwiches, Zigaretten und Vermouth bzw. Whisky vorbereiten. Was hätte ich auch anderes tun sollen?

Gegen 11 Uhr traf Schuschnigg ein. Hitler kam ihm über die Terrassentreppe entgegen. Gefolgt von Ribbentrop und den Adjutanten, empfing er den österreichischen Bundeskanzler betont höflich. Ich beobachtete die Szene seitlich aus der Halle. Dann gingen die Herren in die Empfangsräume weiter, wo auch wir Sekretäre und Adjutanten in einer Reihe standen. Der Führer stellte uns, einen nach dem anderen, Schuschnigg und seiner Begleitung vor. Der österreichische Kanzler sah bleich, übernächtigt und etwas unrasiert aus. Mir machte er einen eher lehrerhaften Eindruck. Jedem von uns nannte er bei der Vorstellung seinen Namen, wiederholte immer wieder Schuschnigg, Schuschnigg, Schuschnigg und verbeugte sich leicht. Ich fand dies für einen österreichischen Bundeskanzler unadäquat. Dann wurde seine, Schuschniggs, Begleitung vorgestellt: der Außenminister Guido Schmidt, dessen Sekretär Otto Peter-Pirkham, ferner ein Offizier der Garde und ein Kriminalbeamter.

Nach diesen Präliminarien zogen sich Hitler und Schuschnigg in das private Arbeitszimmer des Führers in den ersten Stock zurück, während Guido Schmidt, Keppler und Ribbentrop in dem großen Aussichtssalon Platz nahmen. Außer Keitel waren noch die Generale Sperrle und Reichenau herbeigerufen worden, »damit mit ihnen Angelegenheiten der Intervention in Spanien« besprochen werden konnten. Sie wirkten aber indirekt als martialische Staffage, und Hitler benutzte ihre Anwesenheit, um Schuschnigg zu beeindrucken. In solchen Improvisationen war der Schauspieler Hitler unübertrefflich.

Ich unterhielt mich nun mit Peter-Pirkham und dem Gardeoffizier. Letzterer war anfangs noch recht scharf, am Nachmittag wurde er dann milder; doch zunächst erklärte er, das Beste wäre, wenn alle österreichischen Nazis nach Deutschland abgeschoben würden und die deutschen Anti-Nazis nach Österreich gingen.

Ich widersprach höflich dieser Patentlösung und stellte mir vor, wie sehr sich die Österreicher freuen würden, von ein paar hunderttausend norddeutscher Nazigegner überschwemmt zu werden. Mit Otto Peter-Pirkham aber, den ich noch nicht kannte, freundete ich mich schnell an. Wir hatten sogar eine entfernte Verschwägerung festgestellt, und er erzählte mir von Österreich und von gemeinsamen Verwandten. Politisch aber blieb er korrekt unergiebig, wenn er auch durchaus großdeutsche Tendenzen erkennen ließ, so daß ich später guten Gewissens für seine Übernahme ins Auswärtige Amt eintreten konnte. Ich zeigte ihm ausführlich das Haus, die Bilder von Canaletto, Defregger und Spitzweg in den verschiedenen Räumen, die herrliche Aussicht und den Garten. Schließlich ließen wir uns auf der Terrasse nieder. Was die beiden Österreicher Hitler und Schuschnigg im zweiten Stock wirklich besprochen hatten, und ob dabei gebrüllt wurde, blieb allen unbekannt: SS-Posten verhinderten den Zugang zu den Privaträumen. Als man später zum Essen ging, war Schuschnigg allerdings still, nachdenklich und bleich. Er sah sich wohl in seiner Hoffnung enttäuscht, nach den Affären auf einen konzilianten Hitler zu stoßen.

Während des Essens – ich saß an einem Nebentisch mit Offizieren der Adjutantur – sprach Schuschnigg kaum, dafür aber Hitler um so mehr. Er dozierte über Architektur, über die Verschönerung des neuen Deutschland und die projektierte Riesenbrücke über die Elbemündung, die ankommende Amerikaner beeindrucken sollte, über die Autobahnen und anderes mehr. Kein Wort fiel über Politik. Hitler war höflich und korrekt. Interessiert hörten wir alle zu, ich aber beobachtete besorgt Schuschnigg, den ich gerne in gelösterer Stimmung gesehen hätte. Statt dessen brütete er stumm vor sich hin.

Nach Tisch zog man sich wieder gruppenweise zu Besprechungen zurück. Peter-Pirkham, Marchthaler und ich saßen auf der Terrasse und in den Vorzimmern herum; es nahm kein Ende. Auf öftere Befragung durch Ribbentrop erklärte ich nur stereotyp, Schuschnigg müsse für die österreichischen Parteigenossen eine Amnestie erlassen, Wiedergutmachung versprechen, den emigrierten Österreichern die Rückkehr erlauben und relegierte Studenten wieder zulassen. Schuschnigg aber fürchtete die Folgen einer zu weitgehenden Amnestie, die seiner Ansicht nach die stagnierte Situation wieder in Bewegung bringen mußte. Es war für einen so christlichen Kanzler eine peinliche Situation. Im

Grunde sah Schuschnigg seine Rettung nur im Einfrieren des Status quo. Personellen Umbesetzungen in Österreich und Aufnahme Nationaler in Regierung und Beamtenschaft setzte er weniger Widerstand entgegen. Einmal zog Hitler sich ostentativ mit General Keitel zur Beratung zurück. Gegen 22 Uhr war man sich endlich einig geworden, und Schuschnigg fuhr mit seiner Begleitung wieder ab. Sein persönlicher Kriminalbeamter grüßte dabei bereits mit »Heil Hitler«.

Das Merkwürdige an dieser berühmten Unterredung war, daß bei den Verhandlungspartnern die Österreicher vorherrschten. Hitler und Schuschnigg, Guido Schmidt und beide Sekretäre der jeweiligen Außenminister, Peter-Pirkham und ich, waren Österreicher. Ribbentrop, das Nordlicht, hatte wenig zu sagen.

Der RAM und Keppler fuhren gemeinsam nach Berchtesgaden in unser Hotel zurück. Ribbentrop meinte, der Vertrag sei schwach und kein Erfolg. Papen habe da etwas angerichtet. Ich wagte zu widersprechen und meinte, die NSDAP in Österreich brauche keine Hilfe von außen. Sie hätte die Mehrheit der Bevölkerung für sich, sei mächtig und stark genug, sich selbst durchzusetzen, sobald sie sich wieder einmal etwas freier bewegen könnte. Und dies garantiere dieser Vertrag. Mit ihm seien die Dinge endlich wieder in Fluß gekommen. Die Regierung Schuschniggs sei eine autoritäre, reaktionäre Minderheitsregierung und habe nach allen Seiten Feinde. Käme es zu freien Wahlen, hätten wir den Kampf bereits gewonnen. Ribbentrop war nicht sehr überzeugt, doch Keppler meinte ebenfalls, durch den Vertrag seien die starren Fronten in Bewegung geraten, so daß sich das wahre Verhältnis der Kräfte durchsetzen werde.

Zwei Tage später waren wir wieder in Berlin, und durch die Taten am Obersalzberg »selbstbestätigt«, begann der Chef nun im Auswärtigen Amt so richtig zu »regieren«. Die ganze Beamtenschaft durfte auf dem Hof antreten und wenig ergriffen einer zackigen Ansprache unseres Reichsaußenministers lauschen. Während der GRÖRAZ (der größte Reichs-Außenminister aller Zeiten, wie wir ihn heimlich nannten) bramarbasierte, zwinkerten wir uns verstohlen zu. Es war ja auch wirklich eine Schnapsidee, im Hof eine Versammlung von gestandenen Berufsdiplomaten, Geheimräten etc. militärisch aufmarschieren zu lassen, um sie »auf Vordermann zu bringen«.

Nun sollten auch die schlichten Büros entmufft werden. Ich muß zugeben, das Zimmer Neuraths war etwas dürftig, und der neue Reichsaußenminister hatte recht, wenn er im geschrumpelten Leder des Schreibtischstuhles noch »die Nülle von Bismarck« zu entdecken glaubte. Übrigens war dies einer der ganz seltenen Witze Ribbentrops, den wir prompt auch ehrlich gefeiert haben.

In die sogenannte Privatwohnung des Chefs nach Dahlem fuhr ich nur noch selten. Außer dieser Villa gab es noch andere »Lager« in und um Berlin mit Dienerschaft, Ordonnanzen, Chauffeuren. Da war das eben erworbene Gut Sonnenburg mit Schloß, ein dauergemieteter Flügel im ersten Stock des Hotels Kaiserhof, gegenüber der Reichskanzlei, außerdem noch Räume in der »Dienststelle Ribbentrop«. Zu jenem Zeitpunkt bestand auch noch eine Wohnung in London. Später kam dann Schloß Fuschl bei Salzburg dazu, weiters Schlösser und Jagden im Protektorat Böhmen und in der Slowakei sowie ein Hof und ein Gestüt im Rheinland. Gleichzeitig wurde der Umbau des Reichspräsidentenpalais als künftiger Sitz des Außenministers in Angriff genommen. Ohne Rücksicht auf die Kosten wurde umgebaut und neuerrichtet; von nationalsozialistischer, revolutionärer Schlichtheit war nichts zu merken. Die Einrichtungen waren überkomplett, sogar die Mottenkammer in Sonnenburg bekam ein Telefon. Wir riefen von dort spaßhalber öfters an und summten Unsinn ins Telefon – Ribbentrops ging es also demnach nicht schlecht.

Es sei ihnen vergönnt. Ich finde es auch heute noch vertretbar, wenn Leute in solcher Stellung repräsentieren und – meinetwegen – auch privat Geld und Güter erwerben. In dieser Richtung Kritik zu üben, ist kleinlich, wenn das dahinterstehende Amt mit entsprechender Leistung zum Wohl aller verwaltet wird. Was aber nicht scharf genug verurteilt werden kann, ist die Tatsache, daß das Ehepaar Ribbentrop trotz Erreichung des ersehnten Außenministerthrones die gefährliche Hetze gegen England intensiv fortsetzte und Hitler dahingehend beeinflußte, eine präventive Auseinandersetzung mit dem britischen Empire bewußt zu riskieren, falls dieses nicht politisch nachgebe. In Verfolgung dieses Zieles machte sich Ribbentrop vorsätzlicher Fehlinformationen schuldig und ließ Nachrichten, die einem deutsch-englischen Ausgleich gedient hätten, bewußt verschwinden. Das kostete im Endeffekt über fünfzig Millionen Menschen das Leben, und darin liegt seine historische Schuld.

Von Papen schreibt hierzu in seinen Memoiren auf Seite 424:

»Was sagte der Außenminister zu solcher Politik, und wer sollte eigentlich den Partner für eine anti-englische Koalition spielen? Wieviel Unsinn und Leichtfertigkeit in wenig Worten! Ribbentrops Ansicht: Das britische Imperium habe seinen Höhepunkt überschritten und werde gegen eine Neuregelung Europas nicht mehr wie früher mit der Waffe auftreten, bildete die Grundlage für Hitlers aggressive Pläne gegen Prag und Polen. Man kann sagen, daß diese lächerlich falsche Einschätzung des Weltreiches Hitler und mit ihm uns alle in die Katastrophe getrieben hat, weil die Stimme Ribbentrops die aller vernünftigen und gemäßigten Ratgeber übertönte.«

Von Papen war natürlich wieder nach Wien zurückgeschickt worden. Zu seiner Abberufung von diesem Posten kam es nicht. Doch war er es ganz zufrieden. Auf dem Obersalzberg war er noch einmal ins Fettnäpfchen getreten. Denn beim Mittagessen am Tage nach der Unterredung mit Schuschnigg, an dem wir noch teilnahmen, brach er eine Lanze für die Habsburger und kam damit bei Hitler sehr schlecht an. Bei einiger Kenntnis der Vorurteile Hitlers hätte er diesen Mißerfolg freilich voraussehen können. Seitdem hielt ich Papen zwar für einen mutigen und klugen, aber nicht für einen geschickten Diplomaten, und ich glaube, die gewaltigen Folgen seiner Vermittlung der Zusammenkunft zwischen Hitler und Schuschnigg am Obersalzberg waren weniger gewollt, sie sind ihm vielmehr unterlaufen. Was dabei in Monatsfrist herauskam, war von ihm in keiner Weise geplant oder auch nur vorausgesehen worden. Papen lag vielmehr an einem lockeren großdeutschen Zusammenschluß beider Staaten und an einer Stärkung des mäßigenden, katholischen Elementes. Seine fromme, halbfranzösische Gattin hatte ihn bestimmt in dieser Richtung bestärkt.

In den ersten Märztagen erschien Henderson beim Reichsaußenminister und schlug Besprechungen zur Lösung der Kolonialfrage vor. Hitler empfing ihn kurz darauf, leider in Anwesenheit Ribbentrops. Der englische Botschafter brachte ganz konkrete Vorschläge, die er anhand einer Bleistiftskizze, die natürlich nicht unterschrieben war, erklärte. Er bot eine gewaltige Freihandelszone südlich und nördlich des Äquators unter deutscher Verwaltung an, ohne britische Gebiete.

Portugal und Belgien waren noch nicht gefragt worden. How English! Hitler wollte nur ungern darauf eingehen, denn ihn interessierte die Kolonialfrage lediglich als Druckmittel. Seine eigentlichen Ziele waren die Revision der deutschen Grenzen, die Vernichtung des Bolschewismus und die Eroberung neuen Lebensraums im Osten. Ein endgültiges Revisionsabkommen über Kolonialgebiete hätte die Anerkennung des Status quo in Europa als Gegenleistung verlangt, und das kam Hitler nicht gelegen. Henderson wurde höflich abgewimmelt, und die legere Bleistiftskizze achtlos liegengelassen. Ich nahm sie an mich. Leider ist sie bei den Bombardements von Berlin verlorengegangen.

Auf Kordts und Weizsäckers wiederholt vorgetragenen Rat beschloß Ribbentrop – allerdings nur ungern – kurz nach London zu fahren, um sich nach den vielen peinlichen Absenzen wenigstens ordnungsgemäß in seiner Eigenschaft als deutscher Botschafter am Hofe des englischen Königs zu verabschieden und sich so als neuer deutscher Außenminister zu empfehlen. In London aber kam ihm die Idee, »vertraulich« – vor einem Dutzend Journalisten der deutschen Presse – eine die britische Politik kritisierende, »grundsätzliche« Rede zu halten. Ich zitiere hierzu aus Studnitz »Seitensprünge«, Seite 209:

»Ich traf gerade noch rechtzeitig in London ein, um der Verabschiedung des neuen Reichsaußenministers von den in London tätigen, deutschen Pressekorrespondenten beizuwohnen. Der Analyse, der Ribbentrop bei diesem Anlaß die deutsche Außenpolitik unterwarf, folgte tiefes Schweigen. Es löste sich erst, als der Vertreter der »Deutschen Allgemeinen Zeitung«, Graf Carlos Pückler, den Minister fragte, ob er nicht fürchte, daß die von ihm umrissene politische Linie zum Kriege führen werde. Ribbentrop selbst mag Ähnliches gedacht haben, denn seinen Schlußfolgerungen vom Januar 1938 hatte er die Erkenntnis vorangestellt, daß ›Deutschland sich an den Status quo in Europa nicht binden will, und eine kriegerische Auseinandersetzung in Europa früher oder später möglich ist.‹ Daß Pückler zu ähnlichen Konsequenzen gelangte, war ihm jedoch unangenehm. So ging der Reichsaußenminister auf die Frage nicht näher ein und schloß die Konferenz.«

Die taktvollen Ausführungen unseres Talleyrands werden die Engländer jedenfalls kaum »eingelullt« haben, wie dies doch bei einer Kriege riskierenden Außenpolitik sinnvoll gewesen wäre.

Mir war nur mit größter Mühe gelungen, in Berlin zu bleiben, denn ich wollte mich etwas erholen, mich auch ein wenig des Privatlebens erfreuen, mich aber vor allem von meinem Vorgänger Marchthaler in die Akten einweihen lassen. Ich hatte schließlich ganze Schränke davon zu übernehmen, und wenn der Chef da war und regierte, war an normales Arbeiten und Aktenstudium nicht zu denken. Ich erklärte deshalb dem RAM, es ginge nicht an, daß er mit seinen Mitarbeitern und mit Kordt nach London führe, ohne daß ein Vertrauensmann in Neuraths Büro die Stellung hielte und ein scharfes Auge auf die Aktenbestände habe. Darauf der Reichsaußenminister: »Ja, Spitzy, da haben Sie recht. Bleiben Sie da und passen Sie gut auf.«

Binnen einer Stunde änderte er wieder seine Meinung und befahl mir mitzufahren. Erneut trug ich ihm meine Bedenken vor, und wieder gab er mir recht. So ging es ein paarmal hin und her, und als er zur Bahn fuhr, verschwand ich einfach. Ich hörte etwas später zu meinem diebischen Vergnügen, daß er am Bahnhof energisch wieder nach mir gefragt hätte, obwohl ich zuletzt mit schwerem Geschütz aufgefahren war und gesagt hatte, wenn ich mich nicht rechtzeitig in die Unterlagen einarbeiten könne, wären wir ja diesen Leuten vom Auswärtigen Amt auf Gedeih und Verderb ausgeliefert und müßten alles, was diese uns erzählten, für bare Münze nehmen.

Herrlich, nun war ich »frei in Berlin«! Nur für ein paar Stunden ging ich

– und das selten – ins Auswärtige Amt, fühlte mich in meiner neuen Position wohl und genoß auch ein wenig das Berliner Nachtleben, um mich dann am nächsten Tag tüchtig auszuschlafen.

Inzwischen hatte ich gehört, daß es in Österreich Schwierigkeiten gäbe, und – wie bereits vorausgeahnt – endlich Bewegung in die Fronten gekommen war. Nationalsozialistische Unruhen hatten am 1. März in meiner steirischen Heimat begonnen und sich von Graz auf andere Orte ausgedehnt. Die Lage spitzte sich zu. Nun, das war für mich nichts Aufregendes, denn ich hatte erwartet, daß Schuschnigg Ärger mit seinem Abkommen haben würde. Nur dachte ich nie, daß sich die Ereignisse derart überstürzen würden. Wir glaubten doch zu wissen, daß Hitler die Österreich-Frage evolutionär lösen wollte, und er hatte auch Ende des Monats Februar mit den österreichischen nationalsozialistischen Führern Leopold, Tavs, in der Maur, Schattenfroh und Rüdiger eine eingehende Aussprache gehabt. Schon kurz vorher ließ er Leopold, den Landesleiter der NSDAP in Österreich, zurücktreten und ernannte den gemäßigten Major a. D., Klausner, einen Kärntner, zum Landesleiter. Mein Bruder Karl-Herrmann war im übrigen damals einer der geheimen Sekretäre Klausners.

Auf Grund der Sachlage erwartete wirklich niemand eine überstürzte Entwicklung in Österreich, und wir dachten, die Heimkehr ins Reich würde noch einige Zeit auf sich warten lassen. Ich bin auch heute noch der Ansicht, daß es Schuschnigg selbst war, der mit seiner pseudodemokratischen Blitz-Volksbefragung die Lawine, die ihn begraben hat, ungeschickt und zumindest vorzeitig lostrat. Ihm geschah, wie es Mussolini befürchtete, als er ihm ausrichten ließ: »Schuschnigg, diese Bombe wird in Ihrer Hand zerplatzen!«

Am 9. März organisierte also Schuschnigg überraschend ein Plebiszit für ein »freies und deutsches, unabhängiges und soziales, für ein christliches und einiges Österreich« und deklamierte: »Österreich, rot-weißrot, bis in den Tod.« Das klang wohl nobel und gerecht, aber die Fragestellung war nicht fair. Denn statt eine Alternative zu bieten, forderte sie Zustimmung zu einer Ansammlung von Phrasen und Gemeinplätzen, gegen die im Grunde nicht zu argumentieren war. Auch die Umstände des Plebiszits waren merkwürdig: Seit Jahren gab es keine Wählerlisten mehr. Neue wurden nicht angelegt. Daher konnten junge Leute unter 24 Jahren nicht wählen. Niemand war vorbereitet. Kurz und gut, die ganze Sache war trickreich und schäbig. Es gibt auch heute kaum Historiker, die die Art und Weise, in der diese Volksabstimmung organisiert und durchgeführt werden sollte, im demokratischen Sinne verteidigen. Allerdings war Schuschnigg in einer sehr unangenehmen Lage. Überall, besonders unter der Jugend, wuchs die Unruhe.

Die Macht zerrann bereits in seinen Händen, und es wäre schwer gewesen, ihm Besseres zu raten. Was immer er auch tun konnte, es war alles falsch; weder Italiener, noch Tschechen, nicht Jugoslawen, Franzosen und schon gar nicht die Engländer hatten die Absicht, dem Monarchisten Schuschnigg zu helfen. Die Mehrheit der Bevölkerung war eindeutig für Deutschland, nicht zuletzt für dessen Wirtschaftsmacht. In Österreich gab es einerseits eine präpotente Oberschicht, andererseits aber Arbeitslosigkeit, Elend und Armut. Alle Zeichen standen gegen Schuschnigg, und die Chance, etwas für Österreich zu retten, indem er mit Hitler einen dornigen, evolutionären Weg suchte, ergriff er nicht. Dies bleibt sein historisches Versagen.

Schuschnigg wollte also im Alleingang gegen Deutschland und das europäische Ruhebedürfnis eine provokative Lösung durch dieses Afterplebiszit suchen und die öffentliche Meinung im In- und Ausland überrumpeln. Solches führte nur dazu, daß sich die Ereignisse überstürzten. Schuschnigg fiel nämlich mit seiner Vabanque-Politik den gemäßigten Elementen sowohl in Deutschland als auch in Österreich in den Rücken. Aus den Gräbern der gehenkten Idealisten von Sozialisten und Nationalsozialisten stieg der Haß, und das Schicksal nahm seinen vorhersehbaren Lauf.

In diesen Tagen also wollte ich mich reichsaußenministerfreier Tage erfreuen, denn Ribbentrop war, wie gesagt, in London. Was Österreich betraf, war er völlig ahnungslos abgereist. Die letzte Entwicklung dort war ihm höchstens ungenau aus Zeitungsartikeln bekannt. Ich für meinen Teil ließ das Aktenstudium für spätere Tage liegen, und als ich eines Nachmittags – ich glaube, es war am 9. März – einmal proforma ins Auswärtige Amt schaute, erzählte mir Altenburg, der Österreich-Referent, »in Österreich sei ziemlich was los«.

Da rief auch schon der Chef aus London an. Er fragte mich, was es Neues aus Wien gäbe, und im Zusammenhang damit, was in Berlin los sei. Ich stotterte uninformiert herum, der Chef wurde nervös. Er fragte mich, ob ich schon »drüben« gewesen wäre (er meinte getarnt die Reichskanzlei), und befahl mir, das sofort nachzuholen, Fühlung zu halten, Interesse zu zeigen und umgehend zu berichten. Ich donnerte ein »Jawoll« in die Leitung und ging sofort in die Reichskanzlei. Dort war ich kleiner Mann aber absolut nicht willkommen. In den Vorzimmern wimmelte es von hohen und höchsten Würdenträgern und Militärs wie Göring, Goebbels, Hess und Keitel. Die Adjutanten Schaub und Brückner waren aufgebracht. Denn die Anwesenden wirkten wie ein aufgescheuchter Hornissenschwarm. Alle waren erregt und sensationshungrig.

Als ich schließlich wagte, die Chefadjutanten um nähere Auskünfte zu bitten, komplimentierten sie mich bayerisch grob und energisch hinaus. »Kein Mensch interessiert sich jetzt für Euch Diplomaten«, meinte Schaub, »und für Deinen Chef schon gar nicht« fügte Brückner hinzu. Gedrückt ging ich ins Auswärtige Amt zurück und begab mich wieder zu Altenburg, um wenigstens von ihm Material für den Reichsaußenminister in London zu erhalten. Denn wenn ich dem Chef keine Nachrichten bringen konnte, dann drohte eine Explosion. Als ich nun friedlich bei Altenburg im Büro saß, Radio hörte und Telegramme durchblätterte, kam plötzlich einer der vornehmen Amtsdiener hereingeplatzt und keuchte aufgeregt: »Gott sei Dank, Herr Attaché, daß ich Sie gefunden habe. Es wurde schon mehrfach von der Reichskanzlei angerufen, Sie müssen sofort hinüberkommen!«

»Wer, ich?«

»Jawoll, Herr Spitzy, Sie selbst.«

Ich schnallte das Koppelzeug um, denn ich hatte zur Überwindung von Sperren SS-Uniform angelegt, und raste in die Reichskanzlei. Während ich eine Stunde zuvor noch ziemlich respektlos abgewimmelt worden war, empfingen mich jetzt Schaub und Brückner mit offenen Armen und machten mir noch Vorwürfe, daß ich nicht erreichbar gewesen wäre. »Wo haben Sie sich denn herumgetrieben? Wir haben Sie überall gesucht! Sie sollen gleich zum Führer kommen.«

»Wie, bitte?«

»Jawoll, Sie sollen zum Führer hinein und zwar flott!«

Mir schwindelte; ich hatte aber keine Zeit, um nachzudenken, vielmehr wurde ich durch eine Türe gestoßen, und schon bald befand ich mich in einem Salon allein mit Hitler persönlich. Mein Atem stockte, ich machte eine Meldung. »Na, das ist gut, daß Sie da sind. Ich dachte, Sie wären mit Ihrem Chef in London. Kommen Sie, nehmen Sie Platz.«

Als ich vor Aufregung keine Anstalten machte, mich zu setzen, wiederholte er: »Bitte, setzen Sie sich.«

Im Moment konnte ich die Situation überhaupt nicht fassen, denn Hitler so allein gegenüber zu sitzen, während er stand, das war für mich alten Reichskanzleihasen doch noch etwas Neues.

»Sie müssen sofort nach London fliegen«, begann er, »und Herrn von Ribbentrop einen Brief von mir überbringen. Er soll sofort antworten und zwar schriftlich. Dann bringen Sie mir bitte unverzüglich die Antwort. Es eilt! Ein Flugzeug steht schon bereit. Es ist die Maschine des Chefs des Heeres. Gepäck brauchen Sie nicht, morgen sind Sie wieder da. Ich wußte zuerst nicht, wie ich den Brief schnell übersenden könnte, und da sagte mir Schaub, Sie wären hier. Nun, das hat sich ja alles gut getroffen. Sie können doch weg?«

Das war eine Frage! »Jawoll, mein Führer, selbstverständlich.«
»Sie wissen doch, was los ist?«
Ich mußte kein sehr intelligentes Gesicht gemacht haben: »Mein Führer, nur in großen Zügen, Genaueres weiß ich nicht.«
»So, dann hören Sie mal. Dieser Schoschnik, der will mich betrügen. Nach allen meinen großzügigen Abmachungen mit ihm bereitet er heimlich, wie wir rechtzeitig erfahren haben, eine Überrumplungsvolksabstimmung vor, die über die österreichische Unabhängigkeit bestimmen soll.
Und das mit faulen Tricks wie offene Stimmabgabe, Ausschluß der jüngeren Jahrgänge, Verbot von Gegenpropaganda usw. Das ist unerhört, das werde ich nicht dulden! Und dabei hatte ich doch die Absicht gehabt, mit ihm zusammen die Österreichfrage in Ruhe und mit der Zeit zu lösen. Das aber, was er jetzt macht, ist eine Unverschämtheit. Ich lasse mich nicht begaunern. 600 Flugzeuge werde ich über Österreich fliegen lassen und mit gigantischen Propagandaflügen und Millionen von Flugzetteln die österreichische Bevölkerung aufklären. Der Schoschnik wird seinen primitiven Schwindel noch bitter bereuen. Meine Entschlüsse sind gefaßt. Also, Herr von Ribbentrop soll mir schleunigst über Englands Haltung zur Lage und zu unseren geplanten Maßnahmen berichten. Genaueres steht in diesem Brief. Prinz Philipp von Hessen ist bereits nach Rom mit einem Brief an den Duce unterwegs, um ihn zu informieren, ihn um sein Verständnis zu bitten und mir unverzüglich zu berichten. Aber dieser Schoschschnikk, wenn der glaubt, er kann mich hineinlegen ... !«
Hitler war sichtlich empört und unterstrich mit hämmernden Handbewegungen jeden seiner Sätze in meine Richtung, als ob ich Schuschnigg wäre. Ich saß verdonnert da ob so viel Ehre, ja Weltgeschichte und schwitzte, befehlsgemäß sitzend, vor Aufregung, Bewunderung und Freude auf meiner Stuhlkante. Schnell aber verzog sich das Donnerwetter, und Hitler schloß: »Lesen Sie noch den Brief, damit Sie auf jeden Fall den Inhalt kennen, ich werde inzwischen veranlassen, daß das mit Ihrer Maschine klappt. Dann können Sie gleich fliegen. Geht das?«
»Jawoll, mein Führer«, strahlte ich ob so viel Vertrauens und Höflichkeit, »selbstverständlich sofort!«
»Na, dann guten Flug, Heil!« Und draußen war ich.
Im Vorzimmer nahmen mich Schaub und Brückner wie ein rohes Ei in Empfang. Sie waren geradezu unglaublich freundlich. Die Blicke der Umherstehenden, unter ihnen höchste Chefs von Partei und Staat, richteten sich auf mich, und ich war, wenn schon nicht der Mann der Stunde, so doch der folgenden Minuten.
Ähnlich wie Hanfstaengel wurde ich mit meinem inzwischen versiegel-

ten Führerbrief respektvoll in einen Mercedes-Kompressor verstaut, und die Kolonne fuhr nach Tempelhof. Dort nahm mich eine dreimotorige Junkers – sie war früher die Maschine von Fritsch gewesen – allein auf, und schon brummten wir los in Richtung London, um dort bei später Dämmerung einzutreffen. Vorher hatte ich noch den Flughafenkommandanten gebeten, die Maschine in London nicht anzumelden, damit ich nicht in die Hand von Presseleuten fallen würde. Doch war meine Bitte vergeblich.

Allmählich beruhigte ich mich wieder und sah mich im Flugzeug etwas um. Ich war völlig allein in dieser JU 52. Ein Tisch und eine Liege waren da, eine Ordonnanz servierte mir Sandwiches und Selterswasser. Wie ungeheuer wichtig kam ich mir vor! Den Brief legte ich auf den Tisch und streckte mich auf das Feldbett. Die Situation gefiel mir. Und der Chef, der würde Augen machen!

Ich steckte mir eine Zigarette an und begann, meine Lage zu überdenken. Die entscheidenden Tage des Umbruchs also, für den ich jahrelang gestritten hatte, das Ziel meiner Wünsche, war gekommen.

Nun saß ich allein im Flugzeug des Oberbefehlshabers des Heeres mit dem Auftrag des Führers, vom deutschen Außenminister, der in London den König besuchte, die Stellungnahme des britischen Weltreiches in dieser historischen Situation zu erfahren und dem Führer wieder darüber zu berichten. Ich überdachte meine Karriere und fühlte, daß ich in diese Situation nicht hineingewachsen, sondern wohl durch ein höheres Geschick hineinkatapultiert worden war. So genoß ich mit religiöser Dankbarkeit, dem Schicksal und Hitler gegenüber, zum Glück des Wiedererstehens des Reiches und der Korrektur der Verträge von Westfalen, Versailles und St.-Germain in entscheidender Stunde ein Quentchen beitragen zu dürfen. Ja, ich glühte vor Begeisterung!

Bald schüttelte ein Weststurm unsere Maschine, und wir flogen oft dicht über dem Boden. Meine Gedanken schweiften nach London, zu Agnes nach Cornwall, nach Wien zu meinen Eltern und vor allem zu meinen österreichischen Kampfkameraden. Trotz des bequemen Feldbettes konnte ich nicht schlafen. Jede Minute der vier Flugstunden wollte ich so richtig genießen. Alles war viel zu aufregend. Endlich kamen wir wegen des Gegenwindes recht spät in Croydon an. Dort warteten schon ungezählte Journalisten. Wie ich es gelernt hatte, durchteilte ich diesen ungebetenen Schwarm mit dem üblichen »no comment, no comment«. Wie ärgerlich, daß der Flughafenkommandant von Tempelhof den englischen Behörden gegenüber nicht das so dringend verabredete Schweigen eingehalten hatte! Unverzüglich meldete ich mich mit dem gewichtigen Brief beim Reichsaußenminister.

Ribbentrop las das Schreiben mehrmals aufmerksam durch, war daraufhin außerordentlich freundlich und fragte mich dann immer wieder nach allen Umständen aus: Wieso es zu solchem Entschluß gekommen wäre, wer dabei in der Reichskanzlei anwesend war, und wie der Führer gelaunt sei. Dann wurde die ganze Botschaft alarmiert. Ich ging übermüdet zu Bett. Der Chef aber begann alsbald zu »regieren«, zu beraten. Alle Herren der Botschaft waren sich darüber einig, daß man in England nichts unternehmen, ja einer Lösung der Österreichfrage im deutschen Sinne, wenn auch ungern, zustimmen würde. Darüber bestand also, seit der Scharfmacher Eden Ende Februar gegen den verständnisvolleren Halifax ausgetauscht worden war, kein Zweifel. Doch dies war Ribbentrop zu einfach. So wollte er einen Superbericht bauen, der später einmal ehrfürchtig in den Lesebüchern der deutschen Schulen gelesen werden sollte, als der monumentale Bericht des deutschen Außenministers von Ribbentrop aus London, der Hitler das Wagnis erst erlaubte, ohne Bedrohung durch die angelsächsische Flanke seine Heimat mit starker Hand endlich heim ins Reich zu holen oder so ähnlich ...

Klar, eine solche Fassung mußte gut formuliert sein und markig klingen, sie sollte ja Jahrtausende überdauern. So begann ein großes Formulieren, unzählige Fassungen wurden erarbeitet. Zweimal hatte man inzwischen aus Berlin angerufen und wissen lassen, daß man »oben« auf einen Bericht warte.

Die Situation wurde allmählich peinlich. Ich war inzwischen wieder in mein altes Büro, ins Botschaftervorzimmer nämlich, eingezogen, ging von Zeit zu Zeit zum Chef und bat ihn verzweifelt, die Angelegenheit doch zu beschleunigen, denn ich hätte klaren Auftrag, sofort mit der Antwort zurückzukehren. »Jaja, wie Sie sehen, arbeiten wir schon daran. Bereiten Sie alles vor, damit Sie gleich abfliegen können.«

»Herr Reichsminister, das Flugzeug ist ohne Unterlaß unter Dampf.«

»Schon gut, schon gut, halten sie sich nur ständig marschbereit.« Und es wurde weiter formuliert, besprochen und verbessert; gottergeben setzte ich mich wieder an meinen Schreibtisch und wartete und wartete.

Es war bereits Nachmittag, da klingelte das Telefon, ein Gespräch »Dringend, Staats« aus Berlin wurde angemeldet und ich am Telefon verlangt. Ein Herr fragte mich, wann ich nach Berlin zurückkäme. Mißtrauisch wollte ich keine Antwort geben und fragte, wer denn am Apparat sei. Darauf meinte dieser mysteriöse Anrufer, er sei Herr Krause. Zuerst dachte ich, daß es sich um eine Mystifikation handle, und »Herr Krause« nur ein Pseudonym sein könne. »Aber nein, Herr Spitzy, Sie kennen mich doch, ich bin Krause, wissen Sie, der Diener.«

Du lieber Himmel, das war ja Hitlers Kammerdiener persönlich! Noch ehe ich etwas sagen konnte, kam es plötzlich: »Einen Augenblick, Herr Spitzy, der Chef will Sie sprechen.«

236

»Wie bitte?«

Aber schon ertönte My Masters Voice. Hitler selbst war am Apparat. Ich dachte, die Welt ginge unter. Ich sprang auf, nahm Haltung an, knallte den Hörer ans rechte Ohr und lauschte. »Sind Sie's Spitzy? Ja, kommen Sie bald?«

»Jawoll, mei ...« mehr sagte ich nicht, denn ich mußte ja das übliche »mein Führer« bei diesem Incognitoanruf wegen der englischen und belgischen Abhördienste unterlassen, »Jawohl, es kann nicht mehr lange dauern. Die Sache wird schon fertiggestellt.«

Darauf Hitler: »Gibt es Schwierigkeiten?«

Ich: »Nein, überhaupt nicht.«

»Dann würde ich doch bitten, daß Sie bald kommen. Sie wissen, wir warten hier.«

»Jawoll.«

»Na gut, Heil!«

Erschöpft sank ich in meinen Stuhl und sammelte meine Gedanken. Das war ja die Höhe. Ein Incognitogespräch mit dem Führer persönlich! Da mußte man ja dort ganz schön unter Druck stehen, und hier in London wurde gebummelt! Aufgeregt gestikulierend stürzte ich zum Reichsaußenminister hinein. Er war zuerst wütend über die Unterbrechung, wurde aber dann mit großen Augen jovial, als ich ihm dieses höchst merkwürdige Telefongespräch mehrfach hersagen mußte. Dann stöhnte er: »Jajaja, wie Sie sehen, wir sind gleich fertig.«

Nun, man hatte es erst in der Nacht bereit. Das war dann einer der ersten kurzen Entwürfe vom Vormittag. Aber das ganze Botschafterzimmer lag voll zerrissener und zerknüllter Elaborate.

Zu später Nacht flogen wir endlich von London ab und erreichten gegen acht Uhr früh Berlin, wo bereits Gruppenführer Schaub mit einem großen Mercedes-Kompressor direkt am Flugzeug auf mich wartete. Hochgeehrt durch diese Abholung fühlte ich mich wieder »bedeutend«, wir flitzten sogleich in Richtung Reichskanzlei mit Martinshorn und Blaulicht.

Unterwegs ließ Schaub ein gewaltiges Donnerwetter auf mich los. Ob ich denn wahnsinnig wäre? Der Führer habe doch haargenau den Auftrag gegeben, »postwendend« mit der Antwort zu erscheinen! Er sei außerordentlich nervös und habe immer wieder gefragt, ob es aus London nichts Neues gäbe, und wo der Spitzy bliebe. Na, ich möge mich auf allerhand gefaßt machen! Im übrigen könne er mir im Vertrauen mitteilen, daß die Österreich-Frage in diesen Tagen vom Führer endgültig gelöst werden würde. Diese Mitteilung freute mich derart, daß ich auch gerne bereit war, einen fürchterlichen Anpfiff Hitlers zu ertragen.

In der Reichskanzlei angekommen, sah ich nur finstere verachtungsvolle Gesichter und Blicke, die sagen wollten: »Mönchlein, Mönchlein, du gehst einen schweren Gang.« Auch Brückner meinte, ich hätte einiges zu erwarten, und wenn nicht i c h an der Verzögerung schuldig wäre, »dann wäre es eben dein Chef Ribbentrop, dieses Rindvieh!« Binnen Minuten stand ich wieder allein vor Hitler und machte, »auf alles gefaßt«, meine Meldung. Aber es kam ganz anders, als ich wohl mit Recht erwartet hatte. Hitler war sehr freundlich: »Na, da sind Sie ja wieder, wie war denn der Flug? Ist das der Brief? Danke! – Haben Sie denn überhaupt schon gefrühstückt? Was nehmen Sie, Kaffee oder Tee?«

Ich fiel aus allen Wolken, wußte aber nicht, was ich antworten sollte, und sagte erst nur: »Bitte Kaffee. Aber bitte mein Führer, das ist doch so unwichtig, vielen Dank.«

Darauf Hitler: »Nein, nein, das bestelle ich gleich«, ging zur Türe und bestellte höchstpersönlich für mich Überwältigten ein Frühstück. – Hitler hatte eben, wenn er wollte, durchaus gute Umgangsformen, wie auch Prinz Louis Ferdinand von Hohenzollern in seinem neuerschienenen Buch berichtet. Dann fuhr Hitler fort: »Prinz Philipp von Hessen, der Schwiegersohn des italienischen Königs, ist schon mit einer positiven Antwort vom Duce zurück; Ihre ist wohl auch nicht anders, nicht wahr?«

Ich nickte natürlich lachend vor Freude.

»Also gut, Spitzy, dann lesen wir jetzt den Brief. Sie aber bleiben am besten greifbar und können auch hier wohnen. Bitte, bleiben Sie sitzen.« Und schon nahm Hitler seine geheime goldene Brille und begann, Ribbentrops Elaborat zu lesen, während ich mein Frühstück bekam und es mit Andacht »zelebrierte«.

Schließlich legte Hitler den Brief beiseite und sagte: »Naja, das hab' ich mir schon gedacht. Von dort drohen kaum Schwierigkeiten. – Was sagen denn die Leute in England? Wie ist die Stimmung dort?«

Ich meinte, ich hätte nicht viel Gelegenheit gehabt, Leute zu sprechen, jedoch fast alle Botschaftsmitglieder seien der Ansicht, daß sich England einer energischen Lösung der österreichischen Frage nicht widersetzen würde, und Frankreich dann ebenfalls nicht eingreifen könnte.

Hitler fuhr fort: »Der Duce ist, Gott sei Dank, absolut kameradschaftlich. Ich bin ihm mehr als dankbar dafür. – Und morgen geht es nach Österreich!« Er rieb sich die Hände, schlug sich auf die Schenkel, und ich ward in Gnaden entlassen. Dies merkten natürlich auch die Außenstehenden.

Wenn vorher mein Kurs tief im Keller war, so stieg er nun in lichte Höhen. Nicht nur gleichgestellte Adjutanten beschäftigten sich mit meiner Wenigkeit, nein, auch einige der herumstehenden Größen lächelten mir wieder zu. Alles schwätzte und diskutierte. Man verstand sein ei-

238

genes Wort nicht, es ging zu wie in einem Bienenhaus. Ich aber genoß die Gunst der Stunde. Dann ging ich zu Brückner und bat ihn, nach Österreich mitfahren zu dürfen. Da geriet ich aber an den Falschen, und der mächtige Chefadjutant brummte unwirsch: »Nein, nein, das geht nicht, es gibt keinen Platz mehr.«

Doch in diesem Augenblick kam Hitler aus dem Salon. Ich nützte die Gelegenheit und bettelte: »Mein Führer, bitte, darf ich auch nach Österreich mit?«

»Ja, das können Sie! Brückner, sorgen Sie dafür!«

Dieser stand stramm: »Jawoll, mein Führer!«

Ich dankte militärisch, und Brückner warf mir einen schelmisch drohenden Blick zu.

Nun war ich wirklich restlos glücklich. Schnell lief ich in den Kaiserhof zum Packen, ließ mir auf Staatskosten noch ein Superfrühstück geben und verzehrte dieses nicht so »nach Vorschrift«, wie in der Staatskanzlei, aber mit mehr kulinarischem Genuß. Dann rief ich selbstsicher und zufrieden den Chef in London an und teilte verklausuliert nur den Vollzug meiner Aufgabe mit, aber natürlich nichts von den geplanten Bewegungen, weil die Engländer und Belgier ganz sicher mithörten. Schließlich erhielt ich den wohlwollenden Befehl vom RAM, mich wieder in die Reichskanzlei zu begeben, um dort auf dem Posten zu sein. Gegen Abend tat ich dies. Alle waren jetzt soo freundlich zu mir!

Zu meinem grenzenlosen Staunen hörte ich, daß man in Österreich militärisch einmarschieren werde, und daß in Graz, ja in Wien eine Revolution gegen Schuschnigg im Entstehen sei, und Sender bereits das Horst-Wessel-Lied spielten. Um mich zu überzeugen, wurde ich zu einem Radioapparat geführt, und richtig, es stimmte. Ich war verrückt vor Freude! Und bald berichtete man mir, Schuschnigg sei zurückgetreten, ja Mussolini habe sogar ein Glückwunschtelegramm geschickt.

Früh am nächsten Morgen würde der Führer nach Österreich fahren, dann über Braunau nach Linz, und von dort aus nach Wien. Jetzt mußte ich aber wirklich wieder nach London telefonieren und dem Reichsaußenminister so gut wie möglich Genaueres berichten. Natürlich wollte er sofort zurückkommen. Ich solle augenblicklich über Brückner bei Hitler anfragen, ob er kommen dürfe. Dies tat ich unverzüglich. Doch zu meinem Erstaunen richtete Brückner aus, Ribbentrop solle vorläufig schön in London bleiben und so die westliche Flanke decken. Die Außenpolitik aber würde diese Tage Neurath in seiner Vertretung führen. Brückner grinste sehr zufrieden. Ich jedoch machte große Augen, denn mir schwante schon, daß diese Nachricht bei Ribbentrop wie eine Bombe einschlagen würde. Neurath redivivus – um Gottes Willen – das konnte ja heiter werden!

Und richtig, als Ribbentrop das von mir hörte, schien er mich durch die Leitung umbringen zu wollen. – Ich hätte wohl nicht richtig verstanden, das könne einfach nicht wahr sein – augenblicklich solle ich nochmals nachfragen.

Nun, ich tat es, bekam aber natürlich die gleiche Antwort. Der Erfolg war derselbe. Auf meinen erneuten Anruf in London hin überschlug sich die Stimme des »Außenministers auf Eis«, und er schrie mich an. Er dachte wohl, ich hätte mich mit Neurath verbündet und wäre einer allgemeinen »Anti-Ribbentrop-Sabotintern« des Auswärtigen Amtes beigetreten. Die ewig lauschenden Engländer müssen sich totgelacht haben. Immer wieder mußte ich Ribbentrop wiederholen, was ich wirklich gehört hatte, ob mir nicht dieser Brückner absichtlich etwas Falsches erzählt habe. Erneut erklärte ich, der Führer hielte ihn in London für besonders wertvoll, er habe dort wichtige Aufgaben zu lösen. Auf einmal wollte er plötzlich nichts mehr hören und hängte einfach auf. Kurz darauf, sicherlich nach Rücksprache mit Madame, rief er wieder an und befahl mir, den Führer persönlich aufzusuchen. Das war natürlich völlig ohne Sinn und auch im Interesse Ribbentrops falsch. – Da wäre ich schön angekommen bei Hitler, der jetzt andere Sorgen hatte. So schlug ich Ribbentrop vor, daß ich mich an das Gefolge anhängen und mitfahren würde, um ihn stets genauestens auf dem Laufenden zu halten. Ja, das wäre gut so. Ich sollte aber den Führer wissen lassen, wie dringend sein Kommen wäre, er habe wichtige Nachrichten, und – wie gesagt – er könne jederzeit kommen. Ich müsse das aber oben ganz klar ausdrücken. Ich war bereits völlig erschöpft und repetierte automatisch: »jawoll, jawoll, jawoll«. – Nur nicht noch mehr reizen, sagte ich mir.

Der dritte Adjutant Hitlers, Wiedemann, hatte mit Vergnügen diesen langen Telefondisput mitangehört. Er haßte Ribbentrop und verehrte Neurath. Im übrigen war er ein großer Bewunderer Englands. Wir beide lachten dann noch lange über den aufgeregten RAM in London. Für mich aber stand der Traum meines Lebens vor seiner Erfüllung. Meine Heimat vereinigte sich mit dem Reich zu neuer gemeinsamer Größe, und ich hatte trotz meiner jungen Jahre auch ein wenig dazu beitragen dürfen.

Am nächsten Morgen ging es also los, zunächst mit überfüllten Heeresflugzeugen nach München-Oberwiesenfeld. Dort warteten Kolonnen von sechsrädrigen, elegant-grauen, geländegängigen Mercedeswagen. Im siebten Auto fand ich Platz, bei Oberst Bodenschatz vom Stabe Göring. Vor Braunau passierten wir an der Spitze einer stets wachsenden Autokolonne die Grenze. Ich schämte mich nicht meiner Rührung. Bodenschatz ging es nicht besser, und Tränen flossen über unsere staubigen, bald völlig verschmierten Gesichter. An der Brücke von Braunau wartete noch kerkerbleich der neue Bürgermeister. Er war am Tag zuvor aus einer Strafanstalt des verhaßten Systems befreit worden. Obwohl ein schlichter, einfacher Mann, hielt er eine großartige, von Emotion getragene Rede. Er sprach wohl mit leiser Stimme, war aber so erfüllt von Freude, Liebe und Anhänglichkeit, ja übergroßer Dankbarkeit, daß ich heute noch glaube, nie schönere Worte gehört zu haben. Hitler hörte ergriffen zu, drückte dem Bürgermeister beide Hände, und nun wischten sich alle die Augen, die Bauern und Bürger, die Soldaten, die Generalität – sogar die Polizei. Nur Hitler konnte sich beherrschen. Aber man merkte die tiefe, innere Bewegung an diesem seinem größten Tag.

Und weiter ging unser Zug in die Richtung nach Linz. Rechts und links stand Bundesheer in den Feldern neben den Straßen. Die Soldaten winkten, grüßten und standen herum, wie bestellt und nicht abgeholt. Die Bevölkerung aber drängte sich an die Wagen heran, die Männer strahlten und schrien, die Frauen vor allem jubelten oder weinten vor Begeisterung und hoben ihre Kinder hoch. Es war ein Triumph ohnegleichen.

Hitler stand wie aus Holz geschnitzt vorn in seinem langsam fahrenden Auto und grüßte, grüßte, grüßte. Unfaßlich, daß er dies stundenlang bis Linz durchhielt. Eine unendliche Fülle von Blumensträußen legte man auf seinen Wagen, der nicht einen Bruchteil davon fassen konnte, und sie fielen auf der anderen Seite wieder heraus. In größeren Orten waren Musikkapellen angetreten, aber man sah nur an den aufgeblasenen Backenbewegungen, daß sie spielten, denn jeder Ton ging in dem gewaltigen Aufschrei der Befreiung von der Schuschnigg-Diktatur unter. Doch alles das war nicht zu vergleichen mit dem Empfang in Linz! Straßen, Dächer, Balkone, Fenster, ja die Bäume und Laternen waren voll mit Menschen. Von der Pestsäule auf dem Hauptplatz konnte man die Konturen nur mehr ahnen. Die Leute schrien, ja sie sprangen vor Begeisterung, und unsere Trommelfelle hatten einiges auszuhalten. Hitlers an und für sich gewöhnliches, manchmal sogar schwammiges Gesicht hatte jetzt edle Züge angenommen, ja, ich muß gestehen, daß so viel Glück in diesen Augenblicken ihm geradezu Noblesse verlieh.

Wie oft hatte ich erlebt, daß häßliche Frauen in Momenten des Glücks schön wurden. Nun, bei Hitler war es nicht anders. Er hatte wohl auch manche eher feminine Eigenschaften. Wie staunte ich, wenn er Blumen arrangieren ließ oder sich einmal sogar um Details der Gedecke kümmerte, als Besuch von eleganten Frauen erwartet wurde. Nie wieder habe ich einen Menschen erlebt, dessen Gesichtsausdruck so unterschiedlich sein konnte. Hitlers Nase konnte manchmal plump und gequollen erscheinen, dann aber wieder fein geschnitten und interessant aussehen. Ich glaube, dieser Mann hatte eine Vielzahl von Gesichtern. In seiner Brust wohnten nicht zwei Seelen, sondern ganze Bündel davon. Er konnte furchtbar, erregend, drohend, oft brutal, zynisch, ja verletzend sein, aber seine liebenswerten, noblen Eigenschaften versöhnten, ja begeisterten die Menschen – so auch damals in seinem höchsten Triumph. Er spielte seine Rolle einfach und großartig, und in diesem Augenblick adorierten wir ihn wie einen Messias, oder besser, wie einen Gott-Kaiser der Antike. Ich hätte in diesen Tagen mit allen gerne alles geteilt. Wir umarmten damals die Welt mit allen unseren Gedanken. Und wenn auch unsere Tat in der Folge erneut Unglück, Knechtung und Unrecht geboren hat, so war doch dieser Moment der siegreiche Abschluß eines langen Kampfes. Aufhebung einer Fülle von Unrecht nach langer Unterdrückung durch eine präpotente Minderheit. Es war das überschäumende Glück der Befreiung, das nicht nach Recht fragt und nicht nach den Folgen.

Ebenso glücklich waren die Erstürmer der Bastille, waren jene in London und Paris im Jahre 1918, als es ihnen gelungen war, den deutschen Riesen zu Boden zu zwingen, so glücklich waren die Mörder unseres Kronprinzen in Serbien, als ihnen der unverdiente Lorbeer des Sieges zuteil wurde; glücklich auch waren die Bolschewiken, als sie sich umarmten nach der Liquidierung der Zarenfamilie. Und glücklich waren auch alle jene, die nach einem abscheulichem Blutbad unter Kollaborateuren 1944 den Wiedereinzug der Freiheit in den Champs Elysées erleben konnten. Ihnen allen gönne und anerkenne ich das Recht auf die Seligkeit der Befreiung. Aber wir hatten damals fast unblutig einen solchen sublimen Moment erreicht und diesen möchte ich nicht missen. Mein ganzes Leben wäre weniger wert ohne das Glück jener Tage. So war damals unsere Stimmung und nicht anders.

Als wir in Linz einfuhren und unsere Bleibe, das Hotel Weinzinger, erreichten, kamen die ersten Probleme. Das Weinzinger war ein kleines Hotel; ein größeres gab es damals in Linz nicht. Es gab dort nur eine einzige Telefonleitung und eine kleine Portierloge, aber es lag prächtig am Hauptplatz. Doch was bedeutete das? Wir alle dort waren ein Pulk lachender Menschen. Immer neue Leute kamen, das Volk ballte sich vor den Türen, jubelte und sang, alle, die Jungen, die Alten. Sie wollten den Führer sehen, ganz gleich, ob der wollte oder nicht. Hitler aber hatte sich in seine Zimmer zurückgezogen und bereitete sich für die Anschlußkundgebung vor.

Ich kämpfte nun wie ein Löwe um d a s Telefon, sollte ich doch meinem Chef in London Bericht erstatten; allerdings war dieses Vorhaben fürs erste völlig illusorisch. Die Telefonleitung des Hotels war ununterbrochen besetzt, und die Herstellung einer Verbindung für Herrn von Papen nach Berlin dauerte neun Stunden. Was sollte ich da mit meinem schlichten Staatsgespräch zur Botschaft nach London? Um mich herum standen viele wichtige Leute, und als ich verzweifelt versuchte, die arme Telefonistin zu betören, mußten wir am Schluß alle hellauf lachen. Neben mir stand Ward Price, der englische Journalist – er hatte schon jede Hoffnung aufgegeben, jemals seine »Daily Mail« zu erreichen. Da traten wir vorerst einmal von unseren Telefonansprüchen zurück, um ihm eine Chance zu geben, damit wenigstens eine Zeitung der Weltpresse ungeschminkt die Wahrheit zu bringen vermochte.

Bald gab ich es auf, weiter um eine Leitung nach London zu kämpfen und bat nur mehr bescheiden, daß man mich nicht ganz vergessen möge. Dann ging ich zum Fenster im ersten Stock und erlebte die begeisterte Anschlußkundgebung und die überraschende Verkündigung der definitiven und legalen Wiedervereinigung Österreichs mit dem Reich. So schnell hatte dies niemand erwartet. Aber Hitler war ja ein Meister der Improvisation, wenn es galt, die Gunst des Augenblicks zu nutzen. Den Rausch dieser Kundgebung und des Fackelzuges zu beschreiben, will ich gar nicht versuchen. Es war schlechthin unbeschreiblich.

Doch es dauerte nicht lange, da kam für mich der erste Wermutstropfen. Am späteren Abend war ich in die Bar gegangen, um mit österreichischen Kameraden den Tag fröhlich zu begießen.

Das Lokal war gerammelt voll, und einige höhere und hohe Parteiführer waren anwesend. Die Musik spielte unverdrossen flotte Märsche und Kampflieder und manchmal auch einen Walzer. Langsam begann es mich zu ärgern, daß unter den Märschen nur »Preußens Gloria« oder »Als die goldene Abendsonne« und andere alte SA-Lieder erklangen, aber nicht ein einziges österreichisches Stück. Da ging ich zum Kapellmeister, gab ihm einen Hunderter und bestellte: »Oh du mein Österreich.« Kaum waren einige Takte dieses Marsches erklungen, als Gruppenführer Schaub das Lied stoppte. Ich war außerordentlich erregt und wir schrien uns an. Im allgemeinen Trubel fiel, Gott sei Dank, unsere Diskussion nicht sonderlich auf, und die Musik hatte inzwischen ein anderes Lied intoniert. »Wissen Sie, Gruppenführer«, brüllte ich, »wenn die schon die ganze Zeit preußische Lieder spielen, hier in Österreich, in meiner Heimat, die auch des Führers Heimat ist, dann sollten auch österreichische Lieder erklingen. Oder es gibt hier weder Österreich noch Preußen, sondern nur Deutschland. Da bin ich auch einverstanden. Aber dann wollen wir beide auf Lokalpatriotismus vergessen.«

Nun, die Diskussion war von Alkohol angeheizt und auch nicht ganz logisch, denn Schaub war ein waschechter Bayer und hatte eine Provokation der Kapelle gewittert. So ging dieser kleine Zwischenfall vorüber. – Doch dabei blieb es nicht, und manche Taktlosigkeiten haben in den nächsten Tagen die Freude von uns nationalen Österreichern reichlich strapaziert.

Spät nachts und leicht bezecht suchten wir unsere »Betten« auf. Beim besten Willen kann ich mich nicht mehr erinnern, wie und wo ich damals übernachtet habe. Herren im Generalsrang mußten auf Feldbetten in Gängen schlafen.

Erst frühmorgens gegen 7 Uhr bekam ich endlich mein Telefongespräch mit London. Ribbentrop war noch immer ungnädig, befahl mir in schärfstem Ton, mich augenblicklich mit dem Führer in Verbindung zu setzen, um festzustellen, wann er endlich abfliegen könne, um zu uns zu stoßen. Gegen 8 Uhr hatte ich via Brückner die Anfrage angebracht, doch Hitler wollte von einer Anreise Ribbentrops nichts wissen; er fühlte wohl sehr genau, daß sich dieser Mann nur wichtigmachen wollte, und hatte nicht die geringste Absicht, seinen Triumph mit irgend jemandem zu teilen. Auch Göring war in Berlin geblieben und mußte dort die Stellung als stellvertretender Reichskanzler halten. Hitler genoß in seiner Heimat den Sieg allein.

»Nein«, sagte Wiedemann, »sagen Sie Ihrem Chef, der Führer meine, er müsse noch in London bleiben.«

Nun, ich sagte es meinem Chef. Die Verbindungen gingen jetzt flotter, denn in der Nacht hatte die Wehrmacht einige Leitungen organisiert. Ribbentrop fertigte mich am Telefon böse und unwirsch ab und knallte den Hörer auf.

Nach einer Stunde kam Wiedemann zu mir und erklärte mir: »Wollen Sie das Neueste wissen? Na, dann lassen Sie sich erzählen, daß Ihr Chef gerade versucht hat, unter Umgehung Ihrer Person und vor allem von uns Adjutanten des Führers direkt mit dem Kammerdiener Krause höchstpersönlich Verbindung aufzunehmen, um auf diese Weise die ersehnte Genehmigung zu erreichen.

Der Führer hat nur gelacht. Bitte rufen Sie Ihren Chef nochmals an und sagen Sie ihm endgültig und definitiv, er müsse weiter in London bleiben. Der Führer wird es ihn schon wissen lassen, wann er seine Koffer packen darf. Das ist nun sein allerletztes Wort. Ich glaube, wenn man weiter bohrt, wird der Führer ernstlich böse und unangenehm werden.«

Ich nahm das zur Kenntnis und gab es gerne an den bitterbösen Adressaten in London weiter.

Erich Kordt, der im Gefolge Ribbentrops in London weilte, hat die Reaktionen des tiefenttäuschten RAM aus nächster Nähe miterlebt und in seinem Buch »Nicht aus den Akten« (S. 194) geschildert:

»Hitler hatte Ribbentrop inzwischen angewiesen, bis auf neue Weisung in London zu bleiben. Fast vierundzwanzig Stunden vergingen, ohne daß eine Aufforderung, zurückzukommen, eintraf. In der Reichskanzlei war

telefonisch niemand mehr zu erreichen, der irgendeine Auskunft hätte geben können. Dort war augenscheinlich alles nach Österreich ausgeflogen. Auch von Spitzy war keine Spur mehr festzustellen. Daß der Anschluß vor sich gehen sollte ohne seine Beteiligung, war für Ribbentrop ein schwerer Schlag. Seine Stimmung verschlechterte sich noch mehr, als er hörte, Hitler habe Neurath kommen lassen und ihn beauftragt, in der Zwischenzeit als Außenminister zu fungieren. Im Rundfunk wurde bekanntgegeben, daß Neurath den britischen und den französischen Botschafter empfangen habe. Es schien fast, als sei Ribbentrop nach kaum einem Monat Außenministertätigkeit wieder ausgeschaltet. Der Anschluß verlor unter diesen deprimierenden Aspekten für Ribbentrop jeden Reiz. Sein Zorn galt in erster Linie Spitzy, von dem er offensichtlich erwartete, daß er die Stellung in Berlin hätte halten und an Neuraths Statt den Außenminister hätte vertreten sollen. Ich hatte alle Mühe, meinen Mitarbeiter, der sich anscheinend Hitlers Gefolge angeschlossen hatte, einigermaßen aus dem Schußfeld herauszubringen. Ribbentrop wagte nicht recht, ohne Erlaubnis Hitlers London zu verlassen.«

Gegen elf Uhr kam Hitler die große Treppe des Hotels herab. Wir standen aufgereiht in der Halle und grüßten mit erhobenen Händen. Hitler grüßte nach rechts und links, erkannte mich und fragte: »Na, was sagen Sie? Morgen fahren wir nach Wien! Leben Ihre Eltern noch?«

»Jawohl, mein Führer.«

»Also, dann besuchen Sie sie gleich in Wien und grüßen Sie sie von mir.«

»Jawohl, mein Führer, danke!«, sagte ich strahlend und tief bewegt, dachte mir aber, was wohl wäre, wenn der Führer wüßte, wie wenig meine Eltern von ihm hielten. Zumindest war er bis vor kurzem noch ein Greuel für sie gewesen. Nun, das konnte mich in diesem Moment nicht stören, im Gegenteil. Um so großartiger fand ich es, daß Hitler sie grüßen ließ, und ich nahm mir vor, dies zu Hause sehr ausführlich und klar darzutun.

Hitler besuchte anschließend das Grab seiner Eltern in Leonding. Nachmittags empfing er die alten Kämpfer der Bewegung in Österreich, und am nächsten Tag begann die unbeschreibliche Triumphfahrt nach Wien. Von Linz über Amstetten gelangten wir, frenetisch bejubelt, an die Donau bei Melk, der klerikalen Hochburg.

Da sah ich Pfarrer und Nonnen mit einer solchen Begeisterung aus den Fenstern winken, daß ich fast fürchtete, sie würden das Gleichgewicht verlieren.

In St. Pölten kam es zu einem lustigen Auftritt. In »austrifizierter« SA-Uniform erschien der Gauleiter von Kärnten, Major Klausner, der auch neuer Minister für nationale Willensbildung geworden war. Er trug

Braunhemd, braunen Rock und – Lederhose! An der Brust die Tapfer-
keitsmedaillen, dazu eine Samtweste mit roten Röschen und silbernen
Knöpfen. Er hatte ein markantes Gesicht; sein rechter Ärmel aber
steckte schlapp in der Rocktasche, denn den dazugehörigen Arm hatte
er im Ersten Weltkrieg verloren. Mehrere Herren aus Norddeutschland
mokierten sich über Klausners Aufzug, aber sie ließen das sofort bleiben, als sie merkten, wie sehr Hitler dies gefiel, und wie er Klausner
herzlich und lachend begrüßte.

Bei dieser Gelegenheit bemerkte mich Hitler und sagte zu mir: »So,
jetzt können Sie Ihren Minister direkt nach Wien kommen lassen – ich
brauche ihn nicht mehr in London.«

Augenblicklich gab ich diese Wundernachricht als dringendes Staatste-
legramm über die mitreisende Nachrichtenabteilung der Wehrmacht
nach London weiter, wo sie meinen Chef augenblicklich zum Flug nach
Wien veranlaßte.

Ohne längeren Aufenthalt ging es über den Riederberg und über Pur-
kersdorf unter gewohntem Jubel weiter. Das Wetter war prachtvoll,
und Schönbrunn wie ein Traum. Die Wiener überschlugen sich vor Begeisterung. Unvergeßlich der Anblick der Mariahilferstraße! Die Dächer waren vollbesetzt, die Fenster vollgepfropft. Ganze Trauben von
Menschen hingen irgendwie an den Häusern und Fassaden. Alle Balkone waren überfüllt. Die Bewohner der äußeren Bezirke waren ins Zentrum geeilt, die Häuser außerhalb wirkten entvölkert. Es war beängsti-
gend. Auf Straßen und Plätzen erfüllte die Luft ein ohrenbetäubendes
Jubeln. Das konnten nicht lauter »Herr Karls«, das konnten nicht nur
Opportunisten, gezwungene oder gequälte Österreicher gewesen sein,
die da wie im Rausch jubelten.

Wir bahnten uns mühsam einen Weg durch die Massen über die Ring-
straße bis zum Hotel Imperial, unserer derzeitigen Endstation. Vom
Balkon dort klangen dann die denkwürdigen Führerworte: »Was immer
auch kommen mag, das Deutsche Reich, so wie es heute steht, wird niemand mehr zerschlagen und niemand mehr zerreißen können.«

Nie war eine Prophezeiung weniger »prophetisch« gewesen. Aber in
der Geschichte gibt es wohl nie etwas Endgültiges. Auch heute nicht!
Jedenfalls hatten wir zuviel Vorschußlorbeeren gepflückt!

Bis zum Abend trafen noch ungezählte Gratulationen ein. Es war oft erstaunlich, wer die Absender waren. Alle Bischöfe Österreichs und der
Staatskanzler Renner gratulierten; prominente Sozialisten fehlten
nicht, und dazu gab es natürlich eine Menge neubegeisterter »Ada-
beis«. Vor dem Hotel staute sich die Menschenmenge und rief ohne
Unterlaß:

»Wir wollen unseren Führer sehen!«

Am nächsten Tag, es war der 15. März, erlebten wir auf dem Heldenplatz vom Balkon der Hofburg die ungeheure Kundgebung und die Rede Hitlers, mit welcher er den »Eintritt seiner Heimat in das Deutsche Reich« meldete.

Ich hatte dort schon viele Kundgebungen mitgemacht, nie aber war der riesige Platz bis auf den letzten Quadratmeter besetzt gewesen. Dieser Enthusiasmus war echt, war grenzenlos; unsere Ohren schmerzten vom Jubellärm. Am Nachmittag fand eine Parade der deutschen Truppen und des Wiener Regiments der Hoch- und Deutschmeister statt, auch die Garde paradierte und machte einen vorzüglichen Eindruck. Bei dieser Gelegenheit ersuchte ich den Heeresadjutanten des Führers, Hauptmann Engel, er möge bitten, den österreichischen Traditionsregimentern ihre alten Uniformen zu belassen. Engel ging auf diesen Vorschlag ein, bekam aber, wie er mir später erzählte, eine unverständlich harte Abfuhr.

Inzwischen war Ribbentrop gelandet und belegte sogleich mit zahlreichem Gefolge die von mir vorbereitete Zimmerflucht im Hotel. Der RAM befahl mich sofort zu sich, empfing mich und begann alsbald, mich einem richtigen Verhör zu unterziehen: Weshalb ich ihn nicht öfter und pünktlicher angerufen hätte; wer mir erlaubt habe, nach Österreich mitzufahren, statt in Berlin im Auswärtigen Amt nach dem Rechten zu sehen? Wieso der Führer ihn, Ribbentrop, nicht früher hätte kommen lassen? Wieso ich nicht stets erreichbar gewesen wäre? Wo ich mich herumgetrieben hätte, und ob ich mir nicht darüber klar sei, was Neurath inzwischen alles angerichtet haben konnte? – und dergleichen mehr.

Bald achtete ich nicht mehr auf die vielen Fragen meines Chefs, ließ ihn toben und lauschte statt dessen dem Jubel, der durch die Fenster zu uns heraufdrang. Dann sagte ich: »Herr Reichsminister, hören Sie doch, wie sich die Menschen an diesem herrlichen Tag freuen. Warum freuen Sie sich nicht auch mit dem Führer?«

Das hatte er nicht erwartet. Er sah mich groß an und belehrte mich dann, daß ich meine Pflichten pünktlicher zu erfüllen hätte. Damit aber ging er entschieden zu weit und ich erwiderte gereizt, ich wollte jetzt meine Eltern besuchen, die ich seit fünf Jahren nicht mehr gesehen hätte. Darauf Ribbentrop: »Das sieht Ihnen wieder ähnlich! Jetzt, wo es soviel zu tun gibt – da denken Sie nur an private Dinge!« Jetzt gäbe es erst einmal Arbeit und Dienst. Ich hätte diese Tage genug an mich selbst gedacht und gefeiert.

Daraufhin vermeldete ich: »Herr Reichsaußenminister, der Führer selbst hat mir befohlen, in Wien meine Eltern zu besuchen!«

Darauf Ribbentrop entgeistert: »Wie das?«

So berichtete ich, wie mir der Führer im Hotel Weinzinger befohlen hatte, in Wien gleich die Eltern aufzusuchen und sie von ihm zu grüßen.

Ribbentrop verzog das Gesicht und verstummte zunächst. Dann aber, milder, »Na gut, jaja - jetzt verstehe ich Sie erst besser, klar, natürlich müssen Sie gleich zu Ihren Eltern gehen, nach soviel Jahren. Und grüßen Sie sie auch von mir!

Es war mir auf diese Weise gelungen, ihn hier zu überrumpeln und der Führerwunsch hatte pünktlich seine Wirkung getan. Ich bestellte mir also aus unserem Fuhrpark einen großen Wagen, dann fuhr ich – angetan mit voller Uniform – zur Wohnung meiner Eltern. Gestiefelt, mit Degen und siegesbewußt kehrte ich nach fünf Jahren heim. Meine Eltern warteten im Salon. Mama weinte gerührt, Papa war glücklich, und wir umarmten einander. Die Geschwister bewunderten meinen Aufzug und auch mich ein wenig.

Ich erinnere mich heute nicht mehr daran, was ich damals sagte. Es bleibt mir nur ins Gedächtnis geprägt, daß ich die Gunst des Augenblicks in vollen Zügen genoß und an Coriolan denken mußte. Meine Eltern waren noch immer nicht mit Hitler einverstanden. Dazu hatten sie zuviel Charakter. Doch sie sagten, sie wollten der jungen Generation nicht im Wege stehen und wünschten ihr viel Glück. Bundespräsident Miklas und Kardinal Innitzer seien nun auch für den Anschluß, und daher sei es auch ihre Pflicht, nicht abseits zu stehen. Wir feierten noch etwas, dann bummelte ich durch die nächtlichen Straßen zurück und mischte mich unter das jubelnde Volk.

Am nächsten Tag war Ribbentrop etwas gnädiger. Hitlers Interesse an meinem persönlichen Schicksal hatte ihm zu denken gegeben. Es gab an diesem Tag eine Sensation. Innitzer, der Kardinal und Fürsterzbischof von Wien, erschien, um dem Führer Treue zu geloben. Dieses Ereignis konnte ich mir nicht entgehen lassen! War es überhaupt zu fassen? Man empfing Innitzer in der Hotelhalle und geleitete ihn über die große Treppe zum Appartement des Führers. Der Fürsterzbischof lächelte freundlich nach allen Seiten, ich glitt mit der Begleitung weiter und tat einen Blick in den großen Salon, wo der Führer wartete. Dann kam der große Augenblick. Der Kardinal Fürsterzbischof grüßte Hitler, ohne daß ihn jemand dazu veranlaßt hatte, freiwillig mit erhobener Hand und sagte »Heil, mein Führer.« Dann fuhr er fort, er begrüße das Großdeutsche Reich, und gelobe Treue und Gehorsam. Hitler war erstaunt, freundlich und entgegenkommend. Innitzer konnte sich wirklich nicht über Empfang und Behandlung beschweren.

Anschließend begab sich Ribbentrop zum Bundeskanzleramt am Ballhausplatz, um das Außenministerium zu übernehmen. Wir trugen SS-Uniform. Das war etwas stillos, doch hatten wir damals noch keine Diplomatenuniform. Wir gedachten nun der Opfer des mißlungenen Putsches vom Juli 1934. Die Übernahme des Amtes ging dann eher geschmacklos und hochnäsig vor sich. Die Art und Weise Ribbentrops, kaltschnäuzig und in weniger als einer Stunde die Tradition von Jahrhunderten zu »kassieren«, war widerlich. Er sah sich kurz ein paar Bilder und die Seidentapeten an, ließ sich ein paar nervöse Herren vorstellen, die er kaum anblickte, erkundigte sich aber um so angelegentlicher nach Devisen und nach Planstellen, die er vom Reichsfinanzministerium sogleich verlangen werde, da das Reich doch jetzt um zehn Prozent gewachsen sei.

Sonst war die Stimmung bei den Ribbentrops eher getrübt, Parteileute und Beamte hatten dem RAM die Show gestohlen, und der Führer hatte ihn abseits von den Ereignissen gehalten. Auch Spitzy hatte nicht funktioniert, der Kerl! Aber in Anbetracht des großen Moments war mir das gleichgültig.

Kurz darauf erfuhren wir, daß Hitler wieder nach München abgeflogen war. Natürlich wollte der Reichsaußenminister ihm sofort nachfliegen, um »am Drücker« zu bleiben. Wir setzten uns also überstürzt und unvorbereitet in unsere Mercedes-Wagen, die aus Deutschland nachgekommen waren, um nach Aspern zum Flugplatz zu eilen.

Der Chauffeur des Außenministers kannte aber den Weg nicht, und auch ich konnte mich nicht mehr gut an ihn erinnern. So zeigte ich nur ungefähr die Richtung an, paßte nicht weiter auf, und als ich schließlich merkte, daß wir in eine ganz andere Gegend fuhren, war es leider schon zu spät. Ribbentrop war inzwischen höchst ungeduldig geworden und trieb uns immer wieder zu erhöhter Eile an. »Fahren Sie schneller, fahren Sie schneller!« tönte es ständig aus dem Fond des Wagens. Aber von Aspern keine Spur! Wir waren in die Gegend des Marchfeldes geraten und landeten zu guter Letzt auf einem Feldweg zwischen Pfützen und Gänsen!

Der RAM explodierte! Auskünfte einiger erstaunter Bauern und Gastwirte halfen uns und so erreichten wir mit einem nicht zu Unrecht empörten Reichsaußenminister unser Ziel, wo schon seit Stunden der unvergleichliche Flugkapitän Zivina mit der »AMY« startbereit stand.

Im Flugzeug beruhigte sich der Chef wieder, ich mußte mich dann neben ihn setzen und mit ihm die Ereignisse der letzten Tage immer wieder durchsprechen und genau erklären. Ich mußte dabei auch versprechen, in Zukunft keine unverschämten Antworten mehr zu geben. Nun, dies tat ich, und so versöhnten wir uns auf dem Fluge so gut es ging, und die Gnadensonne begann wieder, mein Haupt zu umleuchten.

Von München, wo der Reichsaußenminister den Führer besuchte, ging es sofort weiter nach Berlin. Dort gab es einen ungeheuren Empfang für den heimkehrenden Führer, blendend inszeniert vom Reichspropagandaministerium und dem unvergleichlichen Benno von Arend.

Es dauerte nicht lange, und es kamen in mein Büro Hunderte von Besuchern, die alle auf Grund ihrer besonderen Kenntnisse oder Talente ins Auswärtige Amt übernommen werden wollten. Sie buhlten geradezu um meine Gunst. Es war mehr als unangenehm! Seelenruhig wimmelte ich aber diese Drohnen ab und verwies sie auf den normalen Dienstweg. Für die alten Beamten des österreichischen Außenamtes trat ich aber nach Kräften ein, ohne mich um deren Vorleben zu kümmern, und so konnte ich vielen ihre Posten retten. Doch nach dem Krieg habe ich von den wenigsten ein paar nette Worte gehört.

Nur für einen einzigen Dollfußdiplomaten war ich nicht zu haben, nämlich für Prinz Mi Schwarzenberg. Es erschien mir geschmacklos von ihm, sich um den diplomatischen Dienst des Dritten Reiches zu bemühen, nachdem er nicht nur ein scharfer Gegner der Nazis war, sondern auch Rintelen, seinen Chef, durch Bespitzelung und Denunziation fast an den Galgen gebracht hatte. Daß es also damals für Schwarzenberg keine deutsche Karriere gab, war für ihn freilich ein großes Glück. Denn nach dem Wiederauferstehen Österreichs wurde er als gänzlich »Unbelasteter« sogleich Botschafter in London.

Nach diesen eindrucksvollen Tagen und der Euphorie der ersten Begeisterung kam bald eine Zeit mit herben Enttäuschungen. Während ich bis zum Anschluß die deutsche Einheit für das Wichtigste hielt und daher der Ansicht war, daß hinter diesem hohen Ziel alles andere zurückzutreten habe, vertrat ich nach dem Sieg, wo immer ich konnte, die Interessen meiner engeren Heimat.

Mich empörte es, daß preußische Sitte und Tradition überall großgeschrieben wurden, während man von Österreich und seiner Vergangenheit nichts wissen wollte. Die öde Gleichschaltung, die nun begann, war verbitternd. So änderte man die Grenzen der Bundesländer. Es kam Aussee zum Beispiel von der Steiermark zu Oberösterreich, das Burgenland wurde zwischen Niederösterreich und der Steiermark aufgeteilt, und aus Oberösterreich und Niederösterreich wurden die Gaue Oberdonau und Niederdonau, als ob es französische departements wären. Der Name Österreich stand seit Dollfuß und Schuschnigg für den Klerikofaschismus. Er war nun verfemt und sollte im Gegensatz zu Preußen nicht mehr erwähnt werden. Linz wurde bevorzugt, Wien zurückgesetzt. Ich begann langsam aufzubegehren und wurde mißmutig.

Einen bereits angedeuteten Plan Ribbentrops konnte ich gemeinsam mit Kordt sabotieren. Der Reichsaußenminister bekam tatsächlich vom Finanzministerium in Anbetracht der Vergrößerung des Reiches die durch Übernahme des Bundeskanzleramtes freigewordenen Planstellen zugesprochen, und nun beschloß er, man höre und staune, so viele Österreicher wie möglich zu entlassen, um diese Planstellen von nun an mit Schmalspurdiplomaten aus seiner eigenen Dienststelle zu besetzen. Wenn man glaubt, Ribbentrop hätte das vor mir verheimlicht – weit gefehlt! Er erzählte mir, dem Österreicher, von dieser seiner Absicht, als wäre das sogar ein genialer Plan, und meinte: »Wissen Sie, auf diese Weise kriegen wir Planstellen für unsere besten Mitarbeiter.«

Als ich Jahre zuvor einmal für die Botschaft in London zwei Diener in der österreichischen Legion aufgetrieben hatte, hatte er damals gemeint, das wäre eine schöne Sache, denn Österreicher seien immer schon gute Diener gewesen. Dergleichen hört man natürlich aus dem Norden besonders gern. Seine Taktlosigkeit war bewundernswert. Kurzum: Kordt und ich verhinderten diesen Plan und das sogar im Einvernehmen mit der Personalabteilung und dem Staatssekretär Weizsäkker. Wir bekamen die Zusicherung der Beamtenschaft, daß freiwerdende Planstellen fast ausschließlich durch Österreicher besetzt werden sollten. Auch würde man so wenig Österreicher wie möglich entlassen und danach trachten, fast alle alten Beamten zu übernehmen. Wenigstens auf diesem Gebiet hatten wir also Erfolg. Tagelang schrieb ich Affidavits für alte Schuschnigg- und Dollfuß-Anhänger, wohl wissend, daß sie erbitterte Gegner gewesen waren. Angeblich bereuten sie jetzt alle ihre Gegnerschaft oder taten wenigstens so. Staatssekretär Weizsäcker und Kordt waren sogar der Ansicht, der österreichische Einfluß im Auswärtigen Dienst könne gar nicht groß genug sein. Nur so könnten Taktlosigkeiten gewisser anderer deutscher Stämme einigermaßen neutralisiert werden. Doch es kamen hier die größten Schwierigkeiten aus der »lieben Heimat« selbst, wo sich unsere guten Landsleute gegenseitig mit Eifer denunzierten und bekämpften.

Im folgenden April begann Hitler seine Wahlreise und startete in Königsberg. Als Verbindungsleute des Auswärtigen Amtes sollten abwechselnd Hewel und ich mitfahren, und den Führer begleiten.

Mit Hewel einigte ich mich darauf, daß er die Reise im Altreich absolvieren sollte, während ich auf der österreichischen Route Dienst machen würde. So fuhr ich begeistert mit und verbrachte dabei sechs Tage im Sonderzug des Führers. Am 3. April trafen wir in Graz, der »Stadt der Volkserhebung« ein. Graz war stets eine Hochburg des Nationalsozialismus gewesen und hatte als erste die Fesseln des Dollfußfaschismus abgeworfen. Nun war die Begeisterung ungeheuer: die Massen wogten jubelnd und singend durch Straßen und über Plätze. Es war einfach unbeschreiblich! Zu meinem Erstaunen aber stellte ich fest, daß Rintelen nicht zum großen Empfang geladen war. Das meldete ich anschließend dem Führer und berichtete, daß wohl eine kleinkarierte Intrige der Partei diesen verdienten und schwer geschlagenen Politiker als »Schwarzen« von allen Feiern ferngehalten habe. Hitler zeigte Verständnis und sagte: »Lassen Sie den Mann morgen früh zu mir kommen.« Sofort rief ich Rintelen an. Er war tief gerührt, und als ich ihn darauf auch noch selbst aufsuchte, sah ich, daß er nur mehr ein Schatten seiner selbst war. Tags darauf brachte ich ihn ins Parkhotel, wo Hitler wohnte. Nach kurzer Wartezeit begrüßte ihn der Führer mit beiden Händen und hatte besonders herzliche Worte für ihn. Das konnte er ja wirklich! Hitler sagte, wie er sich freue, daß nun seine Leidenszeit vorüber wäre.

Rintelen war überglücklich und ich mit ihm. Nur die Parteileute, die ganz unentwegten, radikalen aus Graz, waren bitterböse, und der neue Gauleiter Dadieu machte mir Vorwürfe, die ich allerdings unter Berufung auf den Führer einfach zurückwies, denn wenn es sich auch »nur um einen Schwarzen« handelte, wie Dadieu meinte, so war uns Rintelen als Verbündeter doch willkommen gewesen. Jetzt sei er schwer verletzt und knapp dem Galgen entgangen. Daher sei er jetzt genauso ein Kamerad wie alle anderen Kämpfer, und im Hinblick auf die Größe der Stunde möge man nicht kleinlich sein, sich nicht lächerlich machen. Genauso ließ ich es den wütenden Gauleiter wissen, denn damals konnte ich mir dergleichen als Vertreter des Außenministers beim Führer und als alter Kämpfer, der sichtbar in Hitlers Gunst stand, durchaus leisten! So war Rintelen glänzend rehabilitiert.

Damals gab es für jedes Land bis zu sechs Gauleiter, und das war so gekommen: Im Untergrund der Verbotszeit hatte sich mancher dieser Gauleiter so sehr belastet, daß er ins Reich flüchten mußte und ein anderer unverzüglich an seine Stelle trat. Es kam auch vor, daß der eine oder andere »erwischt« wurde und dann ins Konzentrationslager nach Wöllersdorf kam. Dabei handelte es sich nach heutigem Sprachgebrauch freilich nur um ein demokratisches »Anhaltelager«, aber der Zweck war der gleiche: politische Mißliebige ohne Verfahren auf beliebige Zeit aus dem Verkehr zu ziehen. Als nun Hitler in Österreich einzog, wurden plötzlich viele Gauleiter frei oder kehrten zurück, und so entstand ein wilder Kampf zwischen diesen Parteigrößen, denn jeder wollte der Richtige sein.

Sagte der eine, er wäre der erste gewesen, deshalb gebühre ihm die Stelle, so meinte der letzte, er wäre am besten auf dem Laufenden. Jener, der aus dem Reich kam, behauptete wiederum, er kenne am besten das Gefüge der Partei und die Art und Weise, wie man aufbauen müsse, außerdem hätte er die besten Beziehungen nach oben. Jener Gauleiter aber, der im Gefängnis gesessen hatte, erklärte, er habe am meisten gelitten, daher gebühre ihm nun auch der begehrte Posten. Ein unvorstellbares Durcheinander! Aber die Sache hatte auch ihr Gutes, da sich dann doch meist der Fähigste durchzusetzen vermochte.

Über Kärnten nach Innsbruck führte Hitlers Triumphzug weiter. Die Begeisterung unter der Bevölkerung war ohnegleichen. Entlang den Bahndämmen hatten sich die Menschen festlich versammelt; Frauen hoben ihre Kinder in die Höhe, damit sie den Führer sehen und gewissermaßen seinen »Segen« empfangen konnten, Blaskapellen spielten, Böller wurden geschossen, ein Regen von Blumensträußen wurde auf den Zug geworfen. Die örtlichen SA- und SS-Verbände, meist in Lederhosen und Trachtenanzug, die Zugehörigkeit zu den jeweiligen Formationen nur an den Armbinden erkenntlich, hielten die Bevölkerung von den Bahngeleisen zurück – ein allgemeines Fest der Freude und des Jubels. Jedermann war in gelöster Stimmung, nirgends Polizei oder andere staatliche Ordnungskräfte.

Als wir mit dem Sonderzug an der Festung Hochosterwitz vorbeifuhren, erklärte ich Himmler vom Speisewagen aus diese Burg. Er war so begeistert, daß er mich sofort beauftragte, festzustellen, ob die Fürsten Khevenhüller-Metsch, die dort residierten, bereit wären, ihre Burg an die SS zu verkaufen, damit man dort eine Ordensburg für SS-Junker einrichten könne. Ich sagte Himmler sofort, da gäbe es wohl wenig Chancen, denn die Khevenhüllers wären seit Jahrhunderten auf dieser Burg ansässig. Sie wären ein nobles Geschlecht, das während der ganzen Kampfzeit nichts gegen uns unternommen und sich nichts hatte zuschulden kommen lassen. Himmler darauf: Ja, das müsse man respektieren. Aber ich sollte dennoch mit den Khevenhüllers Verbindung aufnehmen und alles versuchen. Auf die Frage, ob die Familie der Khevenhüller auch »rassisch in Ordnung« sei, bejahte ich dies kräftig. Da erhielt ich den Auftrag ihnen mitzuteilen, daß es ihm, Himmler, ein Vergnügen wäre, Söhne der Familie in die SS zu übernehmen. Der RFSS als Sohn eines Prinzenerziehers hatte immer ein Faible für Aristokraten.

So ließ ich also durch Freunde nachforschen und anfragen, ob die Familie Khevenhüller geneigt wäre, die Burg zu verkaufen. Während meiner Vorfühlungen sprach mich Himmler wieder darauf an und erklärte mir: »Spitzy, wenn Sie mir diese Burg bringen, mache ich Sie zum Sturmbannführer.« Nun, dazu kam es nicht. Ich mußte dem Reichsführer melden, daß Khevenhüller kalt und tapfer abgelehnt hatte. Himmler antwortete mir darauf wörtlich: »Ja, wenn diese Leute so anständig sind, dann kann man leider gar nichts machen. Mit Gewalt will ich nichts tun – das würde auch kein Glück bringen.«

Diesen Bericht in das Stammbuch derer, die behaupten, daß man im Dritten Reich, und vor allem Himmler gegenüber, niemals nein sagen konnte, ohne die Existenz zu riskieren. Himmler hatte eher etwas Lehrerhaftes, ja, er war sogar ein Fanatiker spießiger Moral und penibler Anständigkeit, und wollte wie Robespierre »die Tugend seiner

Art« walten lassen. Mit dem gleichen Erfolg, denn beider Wirken endete prompt in einem gräßlichen Blutbad.

Als wir uns zum Mittagessen im Speisewaggon des Führerzuges versammelten, der außerordentlich geräumig war und eine lang aufgestellte
Tafel ermöglichte, machte Hitler wie üblich eine kurze Tischordnung
und bestimmte, wer die ersten beiden Plätze zu seiner Rechten und zu
seiner Linken einnehmen sollte, mit der Schlußbemerkung »die anderen Herren setzen sich, bitte, wie sie es wünschen.« Zu meinem grenzenlosen Erstaunen und zur allgemeinen Verwunderung setzte mich der
Führer zu seiner Linken an die zweite Stelle. Ich spürte förmlich, wie in
dieser Korona mein Ansehen stieg. Ich war überglücklich und wünschte
nur, diesem Mann durch eine Tat oder durch ein Opfer meine Dankbarkeit und Verehrung beweisen zu können.

Dies klingt heute alles reichlich »geschwollen«. Doch damals war es
so. Wir waren weder Idioten noch Opportunisten. Nur wenige ersehnten Geld, Karriere oder Macht. Wir waren einfach Idealisten und, wenn
man will, Träumer von einem gewaltigen, herrlichen Reich aller Deutschen, das die Größe der Ottonen und Staufer wiederbringen sollte,
und in dem alle Menschen deutschen Blutes und deutscher Sprache
gleichberechtigt vereint sein würden. Und dieser Mann, Hitler, schien
eben jener zu sein, der diesen Traum wahr machen konnte.

Nun, nach jenem für mich denkwürdigen Mittagessen im Führerzug
kam Himmler auf mich zu und sagte, er wolle eine Sonnwendreise durch
dieses herrliche Land Kärnten machen, und er würde meinen Chef bitten, mir zu gestatten, ihn auf dieser Reise zu begleiten. Ich solle ihm sagen, wo die Sonnwendfeier in Kärnten stattfinden könnte. Wie anders,
ich schlug gleich Wolfsberg vor, also jene Stadt, in der die Familie meiner Mutter seit Jahrhunderten als Hammerherrn eine hervorragende
Rolle gespielt hatte.

Unsere Fahrt führte zunächst nach Innsbruck. Überall das gleiche Bild:
Jubel und Glück, Fanfaren, Trompeten und Blechmusik, Blumensträu-
ße, Trachtenaufzüge, SA und SS in Lederhosen und mit jenen weißen
Strümpfen oder besser »Stutzen« angetan, die in der Kampfzeit verboten gewesen waren. Von Innsbruck fuhren wir weiter nach Salzburg.
Hitler war sichtlich erschöpft, und seine Stimme wurde heiser. Das war
ein großes Problem. Damals war es, daß sich auf Betreiben des Fotogra-
fen Hoffmann ein gewisser Dr. Morell einschaltete, der auf dieser Fahrt
tatsächlich Hitlers Stimme wieder in Ordnung brachte. In Salzburg lo-
gierte dieser im Hotel »Österreichischer Hof«, der in Windeseile in
»Salzburger Hof« umgetauft worden war, da ja unsinnigerweise überall
das Wort »Österreich« getilgt wurde. Es gab nur mehr die Ostmark.
Da ich auf dieser Reise zum engsten Stab Hitlers gehörte, wurde auch

ich im »Salzburger Hof« einquartiert und bekam dort gleich nach unserer Ankunft einen Stoß von Aufträgen vom Reichsaußenminister, der mich u. a. telefonisch ganz dringend beauftragte, dem Führer sofort ein Aktenstück vorzulegen und abzeichnen zu lassen, das eine beträchtliche Verstärkung der in Spanien kämpfenden Legion Condor mit Menschen und Material vorsah. Dieser Wunsch Ribbentrops war verständlich, und die Angelegenheit eilte. Es war aber nicht einfach, bei Hitler vorgelassen zu werden, denn der Arzt hatte ihm dringend empfohlen, sich in jeder Hinsicht zu schonen. So wurde ich in der Adjutantur des Führers grob und grundsätzlich zurückgewiesen. Doch ich ließ nicht locker, wies auf die kämpfende Truppe in Spanien hin, und so kam es schließlich zu einer lautstarken Diskussion, die Hitler aus seinem Salon lockte. Ich entschuldigte mich und machte von meinem Anliegen Meldung. Hitler hatte Verständnis und befahl mich für später zum Abendessen auf sein Zimmer.

Wieder fiel ich aus allen Wolken und nahm natürlich dann beim Essen kaum etwas zu mir; ich war einerseits sehr aufgeregt, weil ich mit dem Führer allein in dessen Salon speisen durfte, und hatte andererseits wichtige Agenden vorzutragen. Hitler war abgespannt und sprach sehr leise. Als ich also das erwähnte Spanienpapier vorlegte, las er es, legte es beiseite und sagte dann zu meinem grenzenlosen Erstaunen ungefähr folgendes: »Wissen Sie, ich weiß nicht, ob wir dort in Spanien richtig liegen. Dieser Franco vertritt doch nur die Bourgeoisie, das Kapital, die Aristokratie, die Pfaffen und alles Reaktionäre. Die breite Masse und das Volk sind wahrscheinlich auf Seite der Roten und ich habe Verständnis dafür, daß sie mit den alten Klassen abrechnen wollen. Wahrscheinlich wäre es klüger, uns mit dem Volk zu verbinden, dieses dem internationalen Sozialismus zu entreißen und dem nationalen Sozialismus, wie wir ihn verstehen, zuzuführen. Dann könnten wir uns auf die verlassen! Ich fühle mich bei der ganzen Angelegenheit, wie sie bis jetzt gelaufen ist, gar nicht wohl. Wir haben vielleicht auf das falsche Pferd gesetzt. Aber da wir nun einmal angefangen haben, müssen wir jetzt auch weitermachen, und die Sache energisch durchziehen! Geben Sie das Papier her!« Sprach's und unterschrieb.

Ich war sprachlos, bewunderte aber Hitlers Großzügigkeit, da ich damals selber ein radikaler Linker in der Partei war und vom Kampf gegen Dollfuß und Schuschnigg her die Diktatur der Kirche, der Reaktion, des Kapitals und der Bürokratie verabscheute. So schien mir diese Ansicht Hitlers gar nicht so übel. Aber dieser wollte ja Realpolitiker sein und so machte er manchmal Politik contre cœur und glaubte – was sich später oft als tragisch erwies – von einem einmal gefaßten Beschluß nicht mehr abgehen zu dürfen.

Während ich also bei Hitler in dessen Zimmer zu Tisch saß, hörten wir immer wieder die Begeisterungsstürme von der Straße her. Ganz besonders taten sich Mädchenchöre mit dem sinnigen Spruch hervor: »Lieber Führer, sei so nett, komm doch an das Fensterbrett!« Wie meine Frau und ich später feststellten, war auch sie unter der Hitlerjugend gewesen, die den Führer mehrfach an das Fenster lockte, wo er dann gerührt winkte und mit Lust dieses Elixier in sich aufnahm, welches ihm aus der reinen und gläubigen Verehrung der Jugend entgegenströmte, ihn befruchtete und wahrscheinlich seine erstaunlichen Leistungen überhaupt erst möglich machte.

Ich glaube fast, daß Hitlers Abstieg sich beschleunigte, als ihn das aus dem Enthusiasmus seiner Anhänger gewonnene Stimulans nicht mehr erreichte. Hitler trank nicht, rauchte nicht, und war im Essen außerordentlich mäßig, aber er berauschte sich am Glauben und an der Begeisterung seiner Anhänger.

In Salzburg lernte ich noch den damaligen Gauleiter Friedl Rainer kennen. Er machte mir einen ausgezeichneten Eindruck. Später Gauleiter von Kärnten, wurde er nach dem Kriege Titos Heerscharen übergeben, wo er nach den obligaten Quälereien am Galgen sein Ende fand. Mir tut es um diesen Mann leid, der als gerader, ehrlicher Idealist mit Umsicht und Tüchtigkeit seine Gaue regierte. Da gab es schon andere, wie z. B. den Gauleiter Bürckel, im Volksmund »Bierleiter Gaukel« genannt. Aus dem Saarland stammend, wollte er die Wiener »zackig auf Vordermann« bringen und hatte hierzu eine ganze Menge Kumpels aus dem Saarland mitgebracht, mit denen er so manches Saufgelage veranstaltete. Einmal, so erzählte mir ein Kellner, hatte er in einer der besseren Wiener Bars wieder einmal »ne ordentliche Zeche« gemacht und reichte abschließend seine gefüllte Brieftasche dem Kellner mit dem Auftrag, er möge sich Geld herausnehmen und die Rechnung damit begleichen. Dieser etwas plumpe Vertrauensbeweis war natürlich gerade das Gegenteil von dem, was ein Wiener Kellner erwartet: ein Mindestmaß an Kultur.

Bald sprach es sich in Wien herum, der Gauleiter Bürckel sei kein sehr feiner Mann! Im Bundeskanzleramt z. B. ließ er Bilder von Habsburgern entfernen, die später auf Geheiß seines Nachfolgers, des hochgebildeten Baldur von Schirach, wieder aufgehängt wurden. Dabei hatten ihn nicht einmal die verschossenen Flecken auf der Tapete gestört.

Als mein Vater am Wiener Naschmarkt einmal ein paar hantige »Naschmarktweibln«, die ja seit Jahrhunderten für ihr Mundwerk berühmt sind, fragte, was sie vom neuen Gauleiter hielten, erklärten sie rundweg: »Ja, wissen's Herr Professor, den brauch ma net, urdinär samma söllwa.«

256

Unzweifelhaft gab es unter den Hunderttausenden, die Hitler auf seinem Triumphzug bewunderten, auch Zigtausende »Herr Karls«, die später dann ebenso opportunistisch alles verfluchten, als die Alliierten 1945 in Österreich einzogen. Aber im großen und ganzen war die Feststimmung ungetrübt, und man kann sagen, neunzig Prozent der Menschen waren für die Wiedervereinigung mit dem Reich. Der Kardinal und der ehemalige Bundespräsident, der spätere Staatskanzler Renner nämlich, und viele andere hatten, gefragt oder ungefragt, ihre Loyalität gegenüber dem Deutschen Reich erklärt. Natürlich gab es während des Anschlusses Tragödien, Verfolgungen und Verhaftungen, doch merkten wir nicht viel davon. Der überwiegende Teil der Bevölkerung, ob Nationalsozialisten oder Sozialisten, hatten vom christlichen Ständestaat der Dollfuße und Schuschniggs, ihren Konzentrationslagern, Kerkern und Galgen, der wirtschaftlichen Aussichtslosigkeit und dem großen Elend endgültig genug, und in der Ablehnung des vergangenen Regimes waren sich mehr als Dreiviertel der Bevölkerung einig.

In Österreich hatten nicht die »bösen Nazis«, sondern die Anhänger von Dollfuß, Schuschnigg und Starhemberg, sowie die hinter diesen Leuten stehenden internationalen Kreise bekannter Prägung mit Konzentrationslager und Galgen begonnen. Man klage also nicht, wenn diese Methoden nach dem Zusammenbruch des verhaßten Systems zum Teil auf die Urheber zurückfielen – und dies in einem Ausmaß, das etwa zur Abschlachtung von offiziell zugegebenen dreißigtausend Kollaborateuren und Anhängern Petains nach der De Gaulleschen Befreiung in keinem Verhältnis steht. Erst viel später wurden die Verfolgungen in Österreich ernster. Vorläufig flüchteten einige Geschickte nach Berlin, darunter z. B. Guido Schmidt, zu Göring.

Den Juden Wiens ging es allerdings schlechter; sie mußten fürs erste, genau wie vorher die Nazis, politische Aufschriften wegputzen, für welche sie nur zum Teil verantwortlich waren. Sie wurden ebenso pauschal verfolgt, wie seinerzeit die Aristokraten bei den Revolutionen in Frankreich und Rußland.

Am 10. April folgte die Volksabstimmung, die – wie zu erwarten – über neunzig Prozent Ja-Stimmen erbrachte. Ich kenne viele Leute, die den Nationalsozialismus ablehnten. Dem Anschluß an Deutschland stimmten sie aber fast alle zu. Staatssekretär Weizsäcker sagte mir: »Wissen Sie, Spitzy, ich hätte mir eine nettere Form des Ganzen vorstellen können, aber der Erfolg ist großartig, und ich bin so froh, daß wir jetzt Österreicher bei uns haben werden. Ich hoffe, daß deren Einfluß von wohltätiger Wirkung sein wird.«

Romzug

Kaum war ich wieder in Berlin eingetroffen, da erfaßte mich auch schon die Turbulenz der umfangreichen Vorbereitungen für Hitlers Italienreise. Da ging es wahrhaftig drunter und drüber, denn jedermann wollte mitgenommen werden. Während Mussolini »nur« mit etlichen siebzig Leuten bei uns aufgetreten war, standen auf unserer Liste bereits über 350 Namen – zur geringen Freude Hitlers. Aber auf emsiges Betreiben Madame Ribbentrops wurde sogar noch in letzter Minute ein Damenprogramm eingeschaltet, und auf diese Weise bekam Sandro Dörnberg zu seinen normalen Protokollsorgen noch den Ärger mit den zum Teil recht hysterischen Damen der Ministerwelt. Das Wichtigste aber schien, kaum zu glauben, das Uniformproblem zu sein. So ließ also Ribbentrop verschiedene Diplomatenuniformen entwerfen. Einer seiner bevorzugten Modemacher war Benno von Arent. Dieser wollte uns riesige Hans-Huckebein-Mützen mit Ohrenklappen und einem ungeheuren Hakenkreuz vorne verpassen. Dieser Plan kam dann, Gott sei Dank, doch nicht zur Verwirklichung. Die Uniform erschien zuletzt als ein Zwischending von Marine und Wehrmachtsuniform. Statt der Rangabzeichen an den Kragenspiegeln hat man Kolbenringe an den Ärmeln vorgesehen.
Wie ein Dressman wurde ich zu Hitler gesandt, um ihm die verschiedenen Modelle vorzuführen. Deren gab es dann eine schöne Zahl: Diplomatenuniform in Weiß, Diplomatenuniform in Dunkelblau, Diplomatenuniform in Feldgrau. Dazu kam noch der Diplomatenfrack und der Diplomatensmoking, als Uniform ausgeführt natürlich, mit schweren Stickereien auf besten, aus London importierten Stoffen.
Als ich endlich alle Mützen beisammen hatte, stellte sich heraus, daß die Stickerei darauf einen Reichsadler zeigte, der nach links sah. Dies war natürlich »unmöglich«, und nun mußten alle Mützen nochmals mit nach rechts blickendem Reichsadler hergestellt werden. Schließlich hatte ich einen wahrhaft imponierenden Stoß von Uniformen in meinen Schränken, der mich gar nichts gekostet hatte. Zu allen gab es entsprechende Mäntel und prachtvolle Pelerinen in Grau, Blau und Weiß. Alle waren innen mit schwerer Seide gefüttert.
Hitler akzeptierte nur gelangweilt dieses Uniformtheater. Es kam außerdem bald zu einem Riesenkrach, als sich nämlich herausstellte, daß andere Minister für ihre Beamten genau dieselben Modelle verwenden

wollten, und somit die von Herrn und Frau von Ribbentrop so mühsam geschaffene elitäre Diplomatenuniform gewissermaßen zur deutschen Wald- und Wiesen-Beamtenuniform degradiert worden wäre. Doch gelang es der Zähigkeit der Ribbentrops, solch bösen Angriff abzuwehren. Lediglich den Herren der Präsidialkanzlei wurde unsere Uniform zugestanden – mit dem Erfolg, daß deren Chef, Staatssekretär Meissner, sich auf die Ärmel die gleiche Anzahl Kolbenringe sticken ließ, wie Herr von Ribbentrop, war er doch unabhängiger Chef eines eigenen Ministerialamtes. Daraufhin ließ sich flugs Ribbentrop noch einen weiteren Kolbenring aufsticken. Um aber zu verhindern, daß in diesem Wettstreit die Kolbenringe bis hinauf zu den Achseln kletterten, entschloß sich Ribbentrop später für ein eigenes, lorbeerbekränztes Abzeichen mit Weltkugel für den Reichsaußenminister, und die Kolbenringe wurden wieder reduziert.

Mit dieser Uniformkomödie war es aber noch nicht genug. Für die verschiedenen Veranstaltungen der beiden Staatsparteien waren selbstredend Parteiuniformen vorgesehen. Daher mußte ich auch entsprechende SS-Uniformen in Schwarz und Weiß und dazu einen SS-Smoking mitnehmen. Die dazugehörigen Pelerinen mit Brustkette und zwei Löwenköpfen waren natürlich nicht zu vergessen, von Mänteln, Dolchen und Degen gar nicht zu reden. Doch damit war ich immer noch nicht voll ausstaffiert. Denn für die verschiedenen Programme eher gesellschaftlicher Natur hatte ich auch einen gewöhnlichen Frack, einen Smoking und einen Cutaway mitzunehmen. Natürlich waren auch noch zwei normale Flanellanzüge, hell und dunkel, sowie die alte deutsche Diplomatentracht, der sogenannte »Stresemann« – ein schwarzes Jackett mit gestreifter Hose – als ziviler Dienstanzug mitzunehmen! Dies alles wurde in mehrere Schrankkoffer verpackt, und ich hatte mir hierzu zwei Ordonnanzen zu meiner persönlichen Bedienung genehmigt.

Endlich war es soweit. Am 3. Mai vormittags standen drei Sonderzüge für sage und schreibe fast 600 Personen am Lehrter Bahnhof in Berlin bereit. Bald schritt Ribbentrop staatsmännisch gewichtig unserer Gruppe voran über den Bahnsteig. Ungefähr auf halber Höhe des Zuges, unweit des Führerwaggons und des großen Speisewagens, stand Göring. Er war in überaus prächtiger Uniform erschienen, um Führer und Gefolge zu verabschieden. Göring mußte in der Zeit von Hitlers Abwesenheit die Herrschaft in Deutschland übernehmen.

Solch wichtige Position schien er sichtlich zu genießen, und er war allerbester Stimmung. Seine Laune aber stieg noch höher, als er Ribbentrop in seiner brandneuen, schönen Diplomatenuniform ansichtig wurde. »Herr von Ribbentrop«, lachte er schallend, »Sie sehen ja aus wie der Portier von der Rio-Rita-Bar.«

Mein Chef überhörte diesen Ausruf geflissentlich, doch der Stachel saß. Wir vom Stab boxten uns aber heimlich in die Rippen.

Knapp vor der Abfahrt traf noch ein Ukas von oben ein, der verbot, in Italien weiße Uniformen zu tragen, da der Führer alles vermeiden wollte, was auch nur den Anschein geben konnte, daß wir Italien als exotisches oder gar koloniales Land betrachteten. Er fürchtete wohlweislich deutschen Takt und italienische Komplexe.

Der ganze Bahnhof war nun überfüllt von Abordnungen der verschiedensten Verbände in Uniformen. Endlich erschien Hitler selbst. Jubel und Heilrufe wie üblich, und danach setzten sich die Züge unverzüglich in Bewegung.

Am Morgen des folgenden Tages erreichten wir den Brenner. Dort begrüßte der Herzog von Pistoja – in prächtiger Uniform mit weißem Federbusch am Stahlhelm – im Namen des Kaisers und Königs Viktor Emanuel den Führer. Gleichzeitig erschienen an Bord unseres Sonderzuges drei Adjutanten des Königs, hohe Offiziere aus Marine, Heer und Luftwaffe, die sich während der ganzen Reise der Suite des Führers anschließen und ihm gewissermaßen zur Verfügung stehen sollten. Darunter war Admiral Graf Thaon de Revel, dem man auf den ersten Blick anmerkte, daß er diesen Dienst beim deutschen Usurpator als unter seiner Würde erachtete. Er selbst sah dabei nicht sehr aristokratisch aus, war vielmehr etwas schwammig, tat aber ungemein distinguiert und war reichlich arrogant. Später hat er allerdings als großer Intrigant noch eine dumm-fatale Rolle gespielt. Es meldeten sich dann noch die Adjutanten des Faschismus, und sie waren entschieden die fescheren Typen.

Bald bekam ich das Minutenprogramm überreicht. Es war ein gedrucktes, in blaues Leder gebundenes Buch, auf dessen Einband mit Golddruck »Adetto Spitzy« eingeprägt prangte. Diese Art von Organisation war wirklich großartig und bewies südliche Theatralik. In besagtem Minutenprogramm war eben wirklich jede Minute des siebentägigen Besuches im voraus eingezeichnet und wesentliche Änderungen wären – Gott behüte – katastrophal gewesen. Hier hatte die monatelange Kleinarbeit beider Protokollabteilungen ihren sichtbaren Ausdruck gefunden.

Während der Fahrt durch Südtirol war die Stimmung sowohl im Zug, als auch außerhalb an den Bahnsteigen etwas gedrückt. Außer uniformierten italienisch-faschistischen Polizeibeamten und Sicherheitsspezialisten in großer Anzahl sah man hie und da auch Teile der Bevölkerung in respektvoller Entfernung vom Bahnkörper. Hitler dozierte in seinem Speisewagen über die Wasserscheide am Brenner und über die ewige Alpengrenze. Er habe volles Verständnis dafür, daß das faschistische Imperium diese neue Grenze verlange. Auch für Deutschland sei sie von Vorteil, denn die Italienzüge der deutschen Kaiser im Mittelalter und die Italien-Politik der Habsburger hätten zu viel deutsches Blut gekostet.

Hitler entwickelte dabei eine merkwürdige Theorie über den Einfluß der Meere auf die beiden Kulturkreise. Er meinte, an der Nordsee und am Atlantik läge die nordische Kultur, und um das Mittelmeer herum lagere die Mittelmeerkultur. Unsere natürliche Kulturgrenze seien nun einmal die Alpen, und wenn wir darüber hinweg Land besäßen, so würde dieses und das Hinterland bis ins Reich hinein unter den magnetischen Einfluß des verlockenden Mittelmeerkulturkreises kommen, während Norddeutschland der Anziehungskraft des atlantischen Kulturkreises unterläge, und es könne durch die gegensätzliche Zielrichtung beider Kulturen früher oder später zu einem fatalen Bruch in der Mitte von Deutschland kommen. So etwas Ähnliches sei bereits einmal passiert, als nach dem faulen Westfälischen Frieden an der Mainlinie eine Bruchstelle zwischen romanischem Katholizismus und germanischem Protestantismus entstand, deren unheilvolle Folgen für Deutschland nur zu bekannt seien.

Alles dies konnte mich aber nicht über meine traurigen Gefühle hinwegtrösten bei dem Anblick dieses herrlichen Südtiroler Landes, das mit seinem traditionsbewußten Menschenschlag uns Österreichern so sehr am Herzen liegt. Meinen französischen Freunden gegenüber verglich ich immer Südtirol und Andreas Hofer mit Jeanne d'Arc und Lothringen. Im tiefsten Grund seiner Seele fühlte sich auch Hitler damals nicht recht wohl in seiner Lage und erzählte uns etwas krampfhaft amüsiert folgende Geschichte:

»Vor etwa einem Monat ist eine Tiroler Abordnung verdienter Parteigenossen zu mir gekommen, und während ich sie begrüßte, fiel ein bärtiger alter Mann vor mir auf die Knie, hob die Hände und rief: ›Herr Hitler, bittschön, bittschön, trauens' jo den Wallischen net, die wern uns wieder verraten, ich sag Ihnen, trauens' do den Wallischen net!‹ Ich beruhigte den guten Mann, so gut ich konnte. Diese Einstellung ist bei den Tirolern typisch. Aber da läßt sich nun mal nichts mehr machen. Durch eine klare historische Entscheidung ist ab jetzt eine definitive Grenze zwischen Freunden gezogen und für alle Zeiten zu respektieren.«

Mir aber machte diese Geschichte tiefen, traurigen Eindruck, und sie ging mir nie mehr aus dem Kopf. Wie oft dachte ich später: Hätte Hitler nur auf diesen schlichten alten Tiroler gehört!

Auf der ganzen Fahrt durch Südtirol sah man den Gleisen entlang nur faschistische Schwarzhemden mit ihren Troddelmützen, dazu Militär und herbeibefohlene Formationen. Die deutsche Bevölkerung saß zu

Hause. Dementsprechend war unsere Stimmung, doch als die Salurner Klause hinter uns lag, und wir uns im eigentlichen Italien befanden, sah alles wieder anders aus, und unsere Lebensgeister kehrten wieder, als südlicher Jubel und theatralischer Enthusiasmus die drei Sonderzüge begrüßten – ein neuzeitlicher »Romzug« uniformierter Bürogermanen. Unseren italienischen Gastgebern waren schon Monate zuvor die Vorbereitungen zu einem solchen Massenansturm auf die Nerven gegangen.

Größten Ärger verursachten die Rangkämpfe unter den Damen der deutschen Delegation. Niemand war glücklich über ihre Anwesenheit, waren sie doch zum Teil nur spießige Matronen. Sie gingen den musischen Italienern sicher noch mehr auf die Nerven als uns, die wir Kummer mit ihnen gewohnt waren.

Auf unserer Weiterfahrt standen rechts und links vom Bahndamm immer wieder tiefgestaffelt Scharen von gestikulierenden Menschen; schreiend, singend, jubelnd und savoyisch-italienische Fahnen schwenkend. Sie paßten mit ihrem Temperament durchaus in die südliche Landschaft. Gegen Abend rollten wir schließlich erwartungsvoll in Rom ein. Wir wurden nicht enttäuscht. Es gab einen »Super-Bahnhof«! Mussolini und der König waren in Gala erschienen, Kanonenschüsse dröhnten, Musikkapellen spielten gegeneinander, der Jubel überschlug sich in Wogen, und ungezählte Formationen von Militär und faschistischer Miliz in bunten Uniformen ergaben einen bombastischen Rahmen.

Vor dem Bahnhof warteten vierspännige Karossen, um die »Crême« unserer sechshundertköpfigen Monsterdelegation in besonders würdiger Form in ihre Quartiere zu geleiten. Ganz Rom erstrahlte in bengalischem Feuer und elektrischem Glanz – für mich »alten Römer« ein ganz neuer Eindruck. Hat man das Colosseum schon jemals in Rosa gesehen?

Da ich nicht zur höchsten Spitze gehörte, andererseits aber offenbar als bedeutend eingestuft worden war, wurde ich ganz für mich allein in einem schönen Staats-Lancia zu unserem Domizil gebracht. Ein Hauptmann der Miliz, der sich bei mir als der zu meinem Dienst befohlene Adjutant gemeldet hatte, geleitete mich sogleich zu diesem Gefährt und erklärte mir nun, er stünde mir während der ganzen Besuchstage zur Verfügung. Ich empfahl ihm, mich jeden Tag einmal kurz zu besuchen, um der Form zu genügen, im übrigen aber solle er sich in Rom mit hübschen Mädchen und dem schönen Lancia amüsieren. Mein Hauptmann war überglücklich und voll des Dankes; er versorgte mich danach täglich mit den letzten inoffiziellen Berichten über amüsante Vorfälle, Pleiten und Pannen.

Während Hitler und seine Begleitung in einem Flügel des Quirinals untergebracht waren, wohnten wir vom Auswärtigen Amt im Grand-Hôtel. Ich bekam dort ein prächtiges Zimmer. Auf einem prunkvollen Marmortisch standen Fruchtschalen und Flaschen mit vielerlei Getränken, daneben aber lagen Stapel von Broschüren mit Staats- und Parteipropaganda.

Das Programm der kommenden Tage war übervoll. Prunkvolle Empfänge, grandiose Aufmärsche und Feiern! Unvergeßlich ist mir der Empfang auf dem Capitol durch den Bürgermeister von Rom, Fürst Colonna. Zu diesem fuhren für uns vierspännige Karossen vor und zu meinem Erstaunen wurde auch ich in eine davon verfrachtet. Links von mir saß der Chef der Leibgarde des Königs in funkelndem Harnisch. Mit schnaubenden Rossen ging es durch ein ungeheures Menschenspalier zum Capitol hinauf. Ich war mit großer Uniform angetan, trug Degen, Fangschnüre und Orden, unter denen neben der »Krone von Italien« nun auch der Orden »Mauritius und Lazarus« prangte. So winkte und nickte ich nach links und rechts, denn das Volk jubelte auch mir in der Kutsche Nr. 11 noch frenetisch zu und ich genoß es, in diesem Rom bejubelt zu werden, wo ich noch wenige Jahre zuvor wegen meiner Teilnahme am Dollfuß-Putsch meine Verhaftung befürchtet hatte.

Wie aber beschreibe ich meine Genugtuung, als ich, am Capitol angekommen, von einigen Mitgliedern der römischen Gesellschaft entdeckt und sofort mit größter Herzlichkeit begrüßt wurde, als hätte es nie eine Verstimmung gegeben. Wie gehoben fühlte ich mich, und der Humanist in mir erfreute sich an der urbs und ihren Römern. Hitler genoß diese Tage mit Hingabe – nicht so sehr als Staatsmann und Diktator. Es war vielmehr der Architekt in ihm, der von einem Entzücken ins andere fiel und dessen Begeisterung bei der Besichtigung der antiken und der mittelalterlichen Bauwerke keine Grenzen kannte. Rom hatte ihn in seinen Bann geschlagen. Besonders die Mostra Augustea, die Ausstellung über das Rom des Augustus, hatte es ihm angetan. Als wir später knapp vor der Rückkehr nach Berlin, noch einmal kurz in Rom weilten, brachte Hitler das ganze Minuten-Programm durcheinander, als er plötzlich den Wunsch äußerte diese Ausstellung noch einmal zu sehen. Die italienischen Sicherheitschefs rauften sich die Haare und stöhnten: »Impossibile!« Mussolini aber und sein Gefolge waren von soviel Interesse beeindruckt und angenehm überrascht.

Von Rom aus führte uns die Reise nach Neapel weiter. Das Wetter war prachtvoll. Der Führer nahm mit dem König und mit Mussolini an Bord des Schlachtschiffes »Cavour« an einem riesigen Flottenmanöver im blaustrahlenden Golf von Neapel teil. Wir von der hohen Begleitung waren auf dem Linienschiff »Giulio Cesare« untergebracht. Das hatte sein Gutes. An Bord dieses gewaltigen Kriegsschiffes gab es nämlich jede Menge von Sandwiches und Drinks, sowie unmilitärisch angenehme Deckstühle; ein Glas in der Rechten und ein Sandwich in der Linken, so verfolgten wir auf dem von Salven dröhnenden Deck fröhlich und sehr bequem eine grandiose Seeschlacht. Hinter Capri wurde auf große Entfernung durch gezieltes Schießen ein richtiges Schiff versenkt. Die gewaltigen Drillingstürme feuerten ohne Unterlaß, und es war sehr interessant, zu beobachten, wie die schweren Granaten zu dritt am Scheitelpunkt ihrer Bahn bei relativ geringer Geschwindigkeit kippten, und so dem mit Feldstecher bewaffneten Auge gut sichtbar wurden; kurz danach sahen wir sie dann unter gigantischen Fontänen ins Meer einschlagen. Marschall de Bono, der mit anderen hohen Herren ebenfalls auf unserem Schiff untergebracht war, erklärte mir höflich diese Details. Während dieser gemütlichen Schlacht donnerten Flugzeuggeschwader bombenwerfend an uns vorbei, Schwärme von U-Booten tauchten in Hakenkreuzformation unmotiviert auf und ab und feuerten bellend ein bißchen vor sich hin. Mit einem Wort:»Una guerra alla Italiana.« Das war nun nicht ganz das Richtige für den militärisch eher realistischen Hitler. Dennoch, diese große Flottenparade zwischen Capri und Vesuv war ein Erlebnis!

Als wir am Nachmittag wieder im Hafen von Neapel einliefen, empfingen uns die Neapolitaner – wie konnte es anders sein – mit ihrem unbändigen Enthusiasmus. Die Seefahrt aber hatte ich auch deshalb genossen, weil Ribbentrop auf dem Schiff »Cavour« bei Hitler klebte und wir auf unserem Linienschiff Ruhe hatten.

Nun aber ging der Dienst wieder los. Ribbentrop überschüttete mich, während er den Frack anzog, mit hundert Aufträgen und meinte, als er fertig war;»So, jetzt gehen wir los.«

Dann wurde er ungemütlich, als ich ihm erklärte, daß auch ich mich einmal umziehen müßte, und meinte:»Bitte, beeilen Sie sich, es ist schon furchtbar spät!«

Nun, ich war an solche Situationen längst gewöhnt und hatte mir meine beiden Ordonnanzen vorsorglich zum Blitz-Umziehen gedrillt. So stürmte ich also in mein Abteil, sie rissen mir förmlich die Kleider vom Leibe und »schossen« mich in den Diplomatenfrack hinein. Das Ganze dauerte keine fünf Minuten. Sobald ich dann aus dem Abteil unseres Salonwagens stürmte, klaubten sie den Haufen meiner letzten Maskerade zusammen und brachten alles wieder in Ordnung. Wo Geld und Arbeit keine Rolle spielen, kann man erstaunliche Leistungen erzielen.

Im Palazzo Reale von Neapel wurden wir vom König empfangen und ihm der Reihe nach persönlich vorgestellt. Daß man aber zu solchem Anlaß weiße Glacé-Handschuhe zu tragen hat, das hatte das Protokoll vergessen und uns daher auch nicht wissen lassen. Ich glaube, es waren insgesamt nur sechs Paar weiße Handschuhe verfügbar. Jeder mußte also nach der Vorstellung beim König sein Paar rasch auszuziehen und zur erneuten Verwendung heimlich und flott zurückbefördern. Die anfangs blütenweißen Dinger wurden dabei grau und grauer, aber es klappte, und wir hatten etwas zu lachen. Anschließend mußten wir uns mit umgeschnalltem Degen an die Hoftafel setzen, so wollte es das Zeremoniell. Bescheiden ließ ich mich an einer Generaltafel nieder, die in einem Nebensaal aufgestellt war, und mußte zu meinem Erstaunen hören, daß es Ärger gegeben hatte, weil an der königlichen Tafel selbst peinlicherweise mein Platz freigeblieben war, und man in letzter Minute schnell hatte umdecken müssen. Ich hatte mir nicht träumen lassen, daß ich dort zur Verfügung des Reichsaußenministers placiert worden war. Das Essen war gottlob nicht schlecht, die Musik zu den Speisen passend.

Die Generale an unserem Tisch schaufelten bei gleichzeitiger Konversation mit vollem Mund unter aufgeregten Gesten genießerisch alles in sich hinein – aber nicht lange, denn weiter ging es in die königliche Oper, ins Teatro San Carlo, wo ein Akt von »Aida« gegeben werden sollte. Ich kam wieder zu Marschall de Bono in dessen Loge. Rechts vom Marschall hatte ich meinen Platz, links von ihm sein Adjutant. Zu meinem Pech hatte ich trotz eifriger Opernbesuche noch nie »Aida« gesehen und so wußte ich nur wenig von der Handlung. Diese Bildungslücke sollte sich jetzt bitter rächen, als auf der Bühne plötzlich ein schwerer Balken herunterstürzte und donnernd neben der armen Sängerin aufschlug. Diese schrie auf – sehr überzeugend – sang aber geistesgegenwärtig und tapfer weiter. Dafür belohnte sie Szenenapplaus. Ich aber war völlig desorientiert und dachte bei mir, daß dergleichen möglicherweise im Libretto vorgesehen war. Also wandte ich mich an Marschall de Bono und fragte dummerweise, ob dies zum Stück gehöre. Da sah mich de Bono entgeistert und mit tiefer Verachtung an und dann sprach er halblaut zu seinem Adjutanten nur die zwei bitterbösen Worte: »Barbaro Tedesco!« Ich war vernichtet und immer wieder hörte ich im Geiste »Barbaro Tedesco, barbaro Tedesco!«

Bald erlöste mich aber der unentrinnbare Ablauf des weiteren Programms von meinen düsteren Gedanken. Wir mußten nämlich jetzt in Windeseile die Loge verlassen, um an der nächtlichen Parade teilzunehmen. Zu unserem größten Erstaunen erschien Hitler dabei in Frack und Zylinder, nervös an seinem Schnurrbart nagend. Der Diktator sah in dieser Adjustierung wahrlich nicht überzeugend aus; eher wie eine Kreuzung zwischen Oberkellner und Kaminkehrer. Hier mußte etwas geschehen sein. Diese Panne konnte nur von reaktionären Protokollkreisen mit Bedacht vorausgeplant worden sein. Das Minutenprogramm sah nämlich ausdrücklich vor, daß der Führer nach Beendigung der Vorstellung in der Oper in einem dortigen Umkleidezimmer zwanzig Minuten zum Garderobewechsel haben sollte, um für die anschließende Truppenparade statt des Fracks die Uniform anzulegen. In diesem Augenblick nun wandte sich der Adjutant, Admiral Graf Thaon de Revel, ziemlich schnoddrig an Hitler und erklärte ihm bestimmten Tones:»Exzellenz, durch verschiedene Verzögerungen sind wir mit dem Programm in Zeitdruck geraten, daher ist es zu unserem Bedauern nicht mehr möglich, daß sich Exzellenz noch umkleiden. Die Truppen sind bereits im Anmarsch. Wir wären demnach dankbar, wenn Euer Exzellenz die Parade so, wie Sie sich jetzt befinden, abnehmen würden, da für den Kleiderwechsel keine Zeit mehr bleibt.«

Hitler akzeptierte das bleichen Gesichtes und war ärgerlich, ließ sich aber höflich seine Mißstimmung nicht ansehen. Der lange Vorbeimarsch der Truppen muß für ihn eine Qual gewesen sein da er doch als alter Frontsoldat Frack und Zylinder bei militärischen Veranstaltungen zutiefst verabscheute. Zudem war ihm bekannt, daß er kein Adonis war. Dieses »Frackattentat« der intriganten Höflinge blieb aber nicht ohne Folgen.

Die Nacht begannen wir ermattet wieder in unseren Schlafwagenzügen in dem Tunnel vor Neapel. Ribbentrop hatte seinen eigenen Salonwagen. Es war dies ein Waggon des Königs, zwar altmodisch, aber bequem. Auch mein Abteil war nicht schlecht und doppelt so groß wie normale Schlafwagenabteile. Nachdem ich mit Freunden noch eine Flasche Chianti getrunken hatte, legte ich mich friedlich zu Bett. Von Ribbentrop bekam ich nichts zu sehen. Der harrte natürlich im Waggon bei seinem geliebten Führer aus, um dort nur ja nichts zu versäumen. Diesmal freilich war er das Opfer, denn Hitler überhäufte ihn mit Vorwürfen über diese »Frackpanne« und fauchte er ließe sich durch diese italienischen Protokollfritzen, Aristokraten, Hofschranzen und Reaktionäre nicht vor der Truppe lächerlich machen. Dieses Theater von Hof, König, Adel und Vatikan-Lakaien sei ihm, dem nationalen Sozialisten, in der Seele verhaßt. Er wisse ganz genau, wie sehr man in diesen Kreisen gegen ihn und seine Bewegung und auch gegen den Faschismus stünde.

Ribbentrop schob verzweifelt alle Schuld auf das Auswärtige Amt und dessen Beamte, statt sich schützend vor seine Mitarbeiter zu stellen. Er erklärte immer wieder, er selbst habe ohne Unterlaß gegen Bürokratie und Reaktion zu kämpfen, ja er stünde da fast auf verlorenem Posten. Die Debatte zwischen den beiden Herren wurde zusehends hitziger. Von Ribbentrop kam es immer weinerlicher und Hitler redete sich immer heftiger in seinen Zorn hinein. Schließlich fand man eine Lösung. Man kam überein, daß der Protokollchef, von Bülow-Schwante, auf

Knall und Fall abzusetzen sei. Ich aber hatte fürs erste von diesem ganzen Jammer nichts bemerkt und schlief friedlich in meinem Abteil.
Gegen vier Uhr früh hörte ich Ribbentrop befehlend und klirrend in sein Abteil stiefeln. Es dauerte nicht lange, da klopfte Bonke an meine Tür und verkündete zaghaft, der Herr Reichsminister wünsche mich sofort zu sprechen, ich könne so kommen, wie ich sei, denn es wäre eilig, und er erwarte mich sofort. Wütend stieg ich aus dem Bett und legte gemächlich volle Uniform an, um schon aus prinzipiellen Gründen der Form Genüge zu tun und um meinen Unmut über solche Nachtattacken zu demonstrieren. Bald aber kam Bonke zurück und bat im Namen des Ministers um Eile. Als ich dann endlich vor meinem Chef stand, verlangte der zunächst eine Erklärung, wieso ich denn solange gebraucht hätte, und nicht, wie er gewünscht habe, im Schlafrock gekommen sei. Ich erklärte ihm, ich würde es nie wagen, in solch einem Aufzug vor den Außenminister des Deutschen Reiches zu treten. Ribbentrop akzeptierte besänftigt meine Erklärung und meinte begütigend, man dürfe doch Genauigkeit und Protokoll nicht übertreiben. Dann begann er, mir zu erzählen, wie aufgebracht der Führer wäre, und wie empörend das Verhalten des italienischen Protokolls und der giftigen Hofschranzen sei. Der Führer habe alles glasklar durchschaut und habe harte Entschlüsse gefaßt. Niemals würde es in Deutschland zu solchen Zweigleisigkeiten kommen wie hier in Italien.
Mussolini täte gut daran, sobald wie möglich sich des Königshauses zu entledigen, weil seine Camarilla und all die Hofschranzen, Aristokraten, Pfaffen, Malteserritter usw. doch nur ein ewiger Bremsklotz und eine Gefahr für den Faschismus wären. Aber auch er selbst, der Reichsaußenminister, erkenne seine Pflicht, nunmehr durchzugreifen, und so habe er mit Genehmigung des Führers den Protokollchef Bülow mit sofortiger Wirkung gefeuert. Für die nächsten Tage aber sollte das Protokoll durch Dörnberg geführt werden, und dieser sei mit augenblicklicher Wirkung dem Führer zugeteilt. Wir beide, also Dörnberg und ich, seien ab sofort für den reibungslosen und würdigen Ablauf des Protokolls über vierundzwanzig Stunden verantwortlich. Mit großen Augen und Ohren vernahm ich von dieser Entwicklung. Der Gedanke, nunmehr dem Führer zugeteilt zu sein, der ja ein angenehmer und vernünftiger Chef war, schien mir begrüßenswert, und dies war wieder ein gewaltiger Schritt nach oben. Ich nickte stumm und gehorsam. Dann rief Ribbentrop in Ekstase: »Und eines sage ich Ihnen, schon morgen machen Sie Dienst im Quirinal, und wenn sich da irgendeiner dieser Hofschranzen dem Führer nähern sollte, dann fackeln Sie nicht lange, Sie packen den Kerl und schmeißen ihn die nächste Treppe hinunter! Können Sie das? Können Sie das, Spitzy?!

Anworten Sie mir doch! K ö n n e n Sie das?!« Jetzt aber war für mich guter Rat teuer, denn auf solchen Unsinn mit einem militärischen »Jawoll« zu antworten, erschien mir unter meiner Würde. Ich sagte also gemessen: »Ich werde mich bemühen, Herr Reichsminister.«

Das war aber nun ganz und gar falsch. Der Reichsaußenminister sah mich groß mit traurigen Augen an und stöhnte verzweifelt: »Bemühen, bemühen, bemühen! Mein Gott, jetzt spricht der auch schon so wie die vom Auswärtigen Amt! Spitzy, ich beschwöre euch, bleibt mir Nationalsozialisten!«

Beim Frühstück gab ich diese Szene unter allgemeinem Hallo zum Besten. Es dauerte nicht lange, und Hewel gesellte sich, gluckernd vor Lachen, zu uns, um Ähnliches zu berichten. Auch er sei am frühen Morgen zum Reichsaußenminister befohlen worden, der ihm nochmal mit allen Zeichen tiefster Empörung vom gemeinen Frackattentat erzählte, das die finstere italienische Reaktion begangen hatte, und dann seine bewegten Ausführungen mit dem Ausruf beschlossen hatte: »Hewel, sagen Sie mir, haben Sie Worte?!«

Darauf habe er schlicht mit einem langgedehnten »Nööö!« entgegnet. Auch das war natürlich falsch. Wie konnte er nur! So bekam er, Hewel, den zweiten Guß ab. »Was haben Sie mir gesagt? Nö, haben Sie gesagt? Nö! Nö! Nö! So antworten Sie einem Reichsaußenminister?!« Dann, noch kopfschüttelnd, zwei weitere empörte Schluß-»Nönös« und: »Sie, Hewel, ich verbitte mir das!« Ribbentrop habe sich dann abgewandt und den verdutzten Sünder einfach stehen gelassen. Dieser kam dann prompt zu uns, um Spaß und Teilnahme zu finden, und so war wieder für unsere Heiterkeit gesorgt.

Natürlich machten solche Geschichten eiligst ihre Runde bei den zweiten Garnituren in den Sonderzügen.

Die Sekretäre, Adjutanten und Vorzimmerchefs mußten ja alle Mukken und Marotten ihrer Chefs ertragen, daher hatten sie füreinander Verständnis und so konnten sie oft bei den Kriegen zwischen den verschiedenen Ministern, Paladinen und Dienststellen besänftigend wirken. Diese Erfordernisse des täglichen Beamtenlebens hatten uns daher einander nähergebracht. Wir gaben Vorwarnungen, schlichteten manchen sinnlosen Streit, waren also gegenseitig die ausgleichenden Elemente. In dieser Beziehung hatte man als Ribbentrops Vorzimmermann einen Full-time-job. Heute tut es mir leid, daß ich mit ehrlichem Bemühen so oft geschlichtet habe. Es wäre viel besser gewesen, wir hätten Ribbentrop zu tausend Amokläufen aufgereizt, damit er endlich zu Fall gekommen wäre. Doch man ist immer klüger, wenn man aus dem Rathaus kommt!

Am nächsten Tag waren wir also in Rom. Ich machte nun Dienst im Quirinal wo Hitler untergebracht war. Der sah sich ein zweites Mal die Mostra Augustea an und war wieder in guter Stimmung. Er sollte am Morgen gemeinsam mit dem König ausfahren. Da dieser aber den anderen Flügel des riesigen Quirinals bewohnte, mußten beide Herren kurz vor der Abfahrt in der Eingangshalle aufeinandertreffen. Es schien den Italienern wichtig, daß der König nur ganz kurz vor seinem Gast in der Halle ankam und auf keinen Fall länger als eine Minute auf diesen zu warten hätte. Donnerwetter, war das ein Problem! Ich nahm sogleich die Verbindung mit den entsprechenden Herren des italienischen Protokolls auf. Da ich zwei von ihnen aus früheren Tagen gut kannte, beschlossen wir unter Gelächter, eine praktische Probe durchzuführen. Einer von uns sollte den König und ein anderer den Führer spielen. Beide Countdowns wollten aber nie richtig gelingen, denn die langen Anmärsche aus den allerhöchsten Gemächern, der Abstieg über die Prunktreppen hinunter waren trotz unserer Stoppuhren nie verläßlich zu »timen«. So beschlossen wir schließlich, an den Stiegenfenstern Leute aufzustellen, die mit Taschentüchern hinter den Fenstern über den Hof hinweg diskrete Zeichen zu geben hatten, um damit ihren Gegenüber mitzuteilen, wo sich das jeweilige Staatsoberhaupt gerade befand.

Nun stand aber in jeder besseren Ecke oder Nische auch noch ein riesiger Leibgardist im Küraß und nahm rasselnd Haltung an, wobei er jeden, der unvorbereitet in sein Revier kam, erschreckte. Schließlich aber klappte es nach einigen Proben wenigstens einigermaßen, wenn ich mir auch nicht sicher war, ob diese meine erste Protokollaktion auch wirklich gelingen würde, und ich fürchtete welschen, schnöden Verrat.

Als ich mich dann am nächsten Morgen bei Hitler melden mußte, um ihn abzuholen und in die Empfangshalle hinunterzubegleiten, erlaubte ich mir, ihm ironisch von der Aktion zu berichten, und bat gehorsamst um seine Mitarbeit. Hitler mußte lachen und meinte: »Spitzy, das kriegen wir schon hin. Wissen Sie was? Sie sagen mir halt genau, wann ich schneller und wann ich langsamer gehen muß.«

Das war das Ei des Columbus! Hitler fragte pünktlich und mitarbeitend: »Spitzy, ist das jetzt richtig oder bin ich zu schnell?«

Ich darauf: »Bestens, mein Führer, es geht ganz großartig«, oder: »Bitte, etwas langsamer«, je nachdem es eben nötig war. Kurz, Hitler funktionierte vorzüglich, es gab keine Zeitdifferenz im Aufeinandertreffen der Potentaten. Ob wohl Seine Majestät mit seinem eigenen Protokoller auch so huldvoll kollaboriert hat? Die Veranstaltungen und Feste wurden uns allmählich zu viel. Schlaf war einfach Mangelware. Alkohol und Kaffee gaben uns dann den Rest. Unvergeßlich war für mich jedoch ein Abend in der Villa Madama, wo ich im Garten mit einem kleinen Flirt aus alten Zeiten, mit Maria Badoglio, der Tochter des Marschalls und Eroberers von Abessinien, auf einer Marmorbank in einem Bosquetto saß. Wir blickten auf das festlich illuminierte Rom und verzehrten gleichzeitig aus einer Alabasterschüssel Berge von Ucelli, also gebratene Singvögel. Ich enthielt mich jeglicher Kritik an diesem Gericht, denn ein Italiener wird nie verstehen, daß das Singvogelessen für Deutsche eine Barberei größten Ausmaßes bedeutete. Nachdem sie aber nun einmal für uns gebraten waren und köstlich schmeckten, ehrte ich die Tierchen zu guter Letzt durch Appetit.

Als weniger taktvoll erwiesen wir uns bei einem kleinen und intimen Besuch Hitlers bei Viktor Emanuel in dessen Privatvilla, der herrlichen »Villa Margherita«. Dort zeigten wir uns mal so richtig von der forschen Seite. Hitler hielt ganz bescheiden seinen Einzug und grüßte den ihm zutiefst verhaßten König mit wienerischem Charme, während der Hausherr und vor allem die Königin, die ihren kleingewachsenen Gatten weit überragte, einen recht gequälten Eindruck machten. Die Königin, mit großem blauen Hut zu einem blauen Sommerkleid mit dunkelblauer Federboa sah recht gut, doch etwas matronenhaft, aus. Der König aber mümmelte nervös wie ein Kaninchen und wirkte trotz höchster Absätze wie ein Kobold. Der Kronprinz und die Prinzessinnen machten einen eleganten Eindruck. Der Rahmen für diesen Empfang war wunderschön; ein herrlicher, sehr gepflegter Park mit Kieswegen und englischem Rasen umgab die Villa. In diese Idylle hinein drang plötzlich ein Brausen, Knirschen, dazu erregte Stimmen und ich sah zu meinem Entsetzen, wie das SS-Begleitkommando des Führers mit zwei großen Mercedes-Kompressorwagen in flotter Geschwindigkeit durch den königlichen Park raste und mit quietschenden Bremsen kiesspritzend einen prima Jetschwung gegen die Beete riß.

Wütend fuhr ich auf die Leute los, beschimpfte sie und warf sie samt den Wagen wieder zum Garten hinaus. Vergeblich, der König hatte das Sakrileg bereits bemerkt, des Führers zusammengepreßte Lippen stammelten peinliche Entschuldigungen, die zwar nichts mehr zu lindern vermochten, aber für unsere forschen Leute nichts Gutes verhießen.

Wieder einmal meinte Kordt nach diesem Vorfall, daß so ein Staatsbesuch oft die beste Grundlage für bleibende Verstimmungen zwischen befreundeten Nationen bilde. So gesehen waren wir also auf dem besten Wege, und auf dem Gebiete der Politik zeigten sich kaum Ergebnisse, obgleich Ribbentrop immer wieder versuchte, seinen Bündnisvertrag wie saures Bier an den Mann zu bringen. Doch Ciano, anscheinend jetzt schon Böses ahnend, wich ihm sehr geschickt aus. Überhaupt zeigten sich damals die Italiener in Presse und Politik dem Westen gegenüber demonstrativ von der liebenswürdigsten Seite, wohingegen Ciano Ribbentrop erklärte, ein Bündnis mit den Deutschen wäre im gegebenen Zeitpunkt gar nicht erforderlich, da doch die tiefe Verbundenheit beider Systeme gerade in diesen Tagen vor aller Welt so deutlich offengelegt und herzlich bekräftigt worden sei. Ribbentrop, der bei jeder Gelegenheit weiter insistierte, brachte schließlich Ciano dazu, doch noch einen lahmen, nichtssagenden Entwurf zu produzieren, der wiederum deutscherseits wenig Gegenliebe fand.

So blieb es also bei weiteren »brüderlichen« Feiern, die in Rom noch durch einige Kundgebungen und durch eine monströse Lohengrin-Aufführung im Forum Mussolini gekrönt wurde. So einen Lohengrin habe ich nie mehr in meinem Leben gesehen. Der stets amüsante Dolmetscher, Gesandter Schmidt, würzte das bombastische Geschehen zu unserem Vergügen mit hämischen Bemerkungen.

Zum Abschied gab Mussolini für Hitler noch einen großen Empfang im Palazzo Venezia, seinem eigentlichen Regierungssitz. Dörnberg und ich eilten diensteifrig hinter dem Führer in die Eingangshalle und mußten dort feststellen, daß die Garderoben durch allerhöchste Würdenträger so überlastet waren, daß wir beide wohl eine Viertelstunde hätten warten müssen, um unsere herrlichen Verzierungen dort loszuwerden. Also verstauten wir kurzentschlossen unsere Pelerinen, Mützen und Degen respektlos hinter einer Nischen-Venus und rasten die Treppe hinauf, um wieder Anschluß an den uns entkommenen Führer zu finden. Der Empfang lief dann – gottlob – wie vorgesehen ab, und nachdem wir unter den hochgezückten Dolchen des faschistischen Treppenspaliers dicht hinter Führer und Duce hinabgehoppelt waren, fanden wir, von Kollegen sehr bewundert, pünktlich unsere Pelerinen wieder, die unsere gütige Venus wirksam bewacht hatte. Doch welch ein Mißgeschick: Wir hatten sie vertauscht, so daß ich den Monsterumhang des 2,06 m großen Dörnberg erwischte, mich darin verwickelte und der Länge nach klirrend hinfiel, während meine Hülle, obwohl ich 1,88 m groß bin, bei Dörnberg nur für ein verlängertes Schultercape reichte. Diese zwei tolpatschigen Riesen aus Germanien waren also wieder etwas für unsere italienischen Freunde, die sich totlachen wollten. Mit Mühe erreichten wir unser Auto, der Führer aber war uns fürs erste entkommen und mußte von uns mühsam wieder eingefangen werden.

Unser Aufenthalt in Rom ging zu Ende. Unmengen von gebrauchter Wäsche, verbeulten Hemdbrüsten wurden in riesige Koffer und Seesäcke verstaut. Unser Verbrauch war immens, doch es lief alles vorzüglich ab, denn was die Organisation betraf, so waren wir stets »auf Draht«. Nur einmal gab es große Aufregung, als nämlich ein paar SS-Degen von italienischen Andenkenjägern geklaut wurden – einem Offizier darf doch sein Degen niemals abhanden kommen. Gott sei Dank hatte ich den meinen durch ein graviertes Monogramm abgesichert. So konnte ich ihn dem Gesandten Woermann wieder abringen, der steif und fest behauptet hatte, es wäre hundertprozentig seine Waffe. Schließlich klaute er sich einen anderen Degen. Am Ende fehlten dann summa summarum zwei Degen, und der mit Recht erboste Himmler wollte absolut nichts von einer Neuverleihung, also von »Zweit-Degen« für die Unglücklichen wissen.

Nun ging es nach Florenz. Die Stadt, die mittelalterlich mit Fahnen geschmückt war, zeigte Renaissancegröße und Schönheit in alter Pracht. Kordt, Schmidt und ich wurden als »Ammiragli Tedeschi« von der Bevölkerung stürmisch gefeiert und auf die Schultern gehoben, da die modebewußten Toscaner unsere Uniform mit einigem Recht maritim einstuften. Der Aufenthalt in der Arno-Stadt war leider nur kurz, dafür aber besonders eindrucksvoll. Alles zeigte dort Tradition und Geschmack. Die Stimmung der Bevölkerung war maßvoll. In den aus Sicherheitsgründen gesperrten Straßen krächzten nur einsame Lautsprecher ihre Jubelparolen.

Der »Architekt« des Dritten Reiches, Adolf Hitler, genoß hier einmal wieder Kunst und Schönheit. Wie sehr hofften wir damals, daß all diese Noblesse einen mäßigenden und kultivierenden Einfluß auf ihn haben, daß ihm der hier wehende Hauch der Geschichte den Sinn für das Maß in der Politik wecken würde.

Mit Wehmut verließen wir Florenz. Von mir aus hätte alles länger dauern können, war es doch eine Märchenreise gewesen, und ein friedlicher Zug war es diesmal noch, kein »Sacco di Roma«, wie Böswillige spöttelten. Eine überaus traurige Tatsache war aber, daß Scharen von deutschen Journalisten und Parteibonzen des dritten Sonderzuges sich schnell in Florenz und Rom säcke- und bündelweise mit Mangelwaren wie Seide, Reis, Kaffee, Öl usw. eingedeckt hatten und diese Beute ungeniert vor den Augen der degoutierten Italiener meist durch die Abteilfenster in den Zug hievten. Ich schämte mich in Grund und Boden, schrie die Leute an und sagte ihnen laut meine Meinung.

Alles in allem ist diese Romfahrt eines der großen Erlebnisse meines wilden Lebens geworden. Heute noch, wenn ich die Augen schließe, rollen diese Bilder vor meiner Erinnerung immer wieder ab, als ob es erst gestern gewesen wäre. Es war das letzte friedliche Fest dieser beiden elitären Kraftregime, und nur zu bald sollte Mars ihre letzten Stunden regieren.

Obwohl die italienische Gesellschaft Hitler von Anfang an als Parvenu rundweg abgelehnt hatte, war es diesem doch gelungen, durch bescheidenes Auftreten und Liebenswürdigkeit gewisse Sympathien zu wekken. Auch mit seinem offen gezeigten künstlerischen und historischen Interesse hatte er Pluspunkte gesammelt.

Damen gegenüber war er ohnenhin stets von extremer Liebenswürdigkeit, und konnte auf Erfolg bei der holden Weiblichkeit rechnen. Insgesamt waren jedoch die überkommenen Vorurteile eher bestätigt als abgebaut worden, und wenn uns die meisten Italiener als brutale Barbaren ansahen, so blieben sie dafür in unseren Augen ausgemachte Operettenhelden, und das Haupt ihrer neuen Dynastie von Garibaldis Gnaden, dieser »Freimaurer und Giftzwerg«, schien uns höchst verdächtig. So hatte also diese Reise zur Vertiefung der neuen Freundschaft so gut wie nichts beigetragen

Bei unserer Ankunft in Berlin gab es großen Bahnhof. Kurz vor der Einfahrt befand ich mich im Pressewagen beim »kleinen Presse-Lorenz«. Dieser hatte unter anderem auch den Rundfunk, die Aufnahmegeräte und Mikrophone zu betreuen. Da hörte ich, wie er einem Mitarbeiter, gerade als wir in den Bahnhof einrollten, befahl: »So, und jetzt die Reichsplatte Nr. 7: ›Führer fährt in Bahnhof ein‹«. Ich staunte und lachte, als er mir erklärte, daß bei dem allgemeinen Getöse und Ankunftswirbel die Mikrophone nicht richtig ansprächen, und da habe er sich eben aus den verschiedenen alten Jubel-Aufnahmen eine zurechtgemixt, die gut verwendbar war.

Gegen die Reichsverderber

Zurück im Amt, beschäftigte sich der Reichsaußenminister unverzüglich wieder mit dem Ausbau seiner Stellung, die er grundsätzlich von seinen Ministerkollegen, vor allem aber von »diesem Goebbels« bedroht sah. Auf diesem Gebiet stimmte er sogar mit Göring überein, der ebenfalls Goebbels haßte. Die Herren des Auswärtigen Amtes aber wollte Ribbentrop endlich »auf Vordermann bringen«, und so besorgte er sich über Luther eine ähnliche Figur namens Ahlefeld, dessen Aufgabe es sein sollte, das Auswärtige Amt zu durchleuchten und eine politische Personalkartothek anzulegen, in der durch bunte Karten der Verläßlichkeitsgrad ersichtlich wurde.

Kordt und ich aber richteten uns, so gut wir konnten, das Ministerbüro brauchbar und praktisch ein. Kordt bekam unter seinem Schreibtisch einen Fußschalter, wodurch er in meinem anschließenden Zimmer ein rotes Licht aufleuchten lassen konnte. Blitzte dieses einmal auf, so war es meine Aufgabe, zu ihm ins Zimmer zu kommen, um ihn von einem lästigen Besucher zu befreien. Kordts Lage war wirklich nicht beneidenswert. Auf der einen Seite belästigte ihn der Chef, der dauernd bimmelte und nur Sofortwünsche äußerte, auf der anderen Seite wogte ein Ansturm von Beamten oder braunen Zeitgenossen, die alle Kordts oder auch meine Intervention erreichen wollten. Verläßlichen Amtskollegen gewährten wir manchmal einen Blick durch den Türspalt in das Zimmer des Reichsaußenministers, wo dieser gerne an dem Riesenglobus, einem Zwillingsbruder des neuen Führerglobusses, größenwahnsinnige Pläne ausbrütete. Von Zeit zu Zeit warf er dann einen prüfenden Blick auf das große Bismarck-Bild von Lenbach, gewissermaßen, um mit dem verblichenen Kollegen Kontakt aufzunehmen und ihn an unseren historischen Plänen teilhaben zu lassen. Da Kordt und ich den RAM für einen »Spezialfall« hielten wollten wir immer wissen, was er gerade tat. Daher lehnten wir die hohe Türe zum Minister stets nur leicht und leise an, so daß wir uns jederzeit durch den Spalt auf dem Laufenden halten konnten. Sobald der Abend kam, wurde Ribbentrop milder. Um ihn bald loszuwerden und vernünftig aufarbeiten zu können, überschütteten wir ihn dann mit Arbeiten, die er nicht leiden konnte. Dazu gehörte z. B. das Unterschreiben von Ernennungen, Ordensverleihungen und Glückwunschschreiben. Da es sich hier um geregelte Routinearbeit handelte, lief Ribbentrop bald davon, und wir konnten we-

nigstens in den Abendstunden wieder Ordnung in unseren Laden bringen. Große Mühe hatten wir, Parteigenossen aller Schattierungen abzuweisen, die sich zur hohen Außenpolitik und Diplomatie berufen fühlten. Stur verwiesen wir auf die Vorschriften des Auswärtigen Amtes und die üblichen Attachéprüfungen. Das wirkte ernüchternd. Ein besonderes Problem war, zehn Prozent brauchbare Österreicher unterzubringen, doch da half ich gerne, wo ich konnte. Auch Ahlefeld wollte bei uns Diplomaten neuester Prägung anbringen, doch schoben wir derartige Angelegenheiten auf den St. Nimmerleinstag, und als er, wie vorauszusehen, bald stürzte, waren seine Wünsche ohnehin erledigt. Ribbentrop forderte ihn nämlich eines Tages auf, für seine Beamten-Durchleuchtungs- und Schnüffelarbeit einen großen Stab zusammenzustellen und drängte:»Nehmen Sie sich doch Sekretäre und Sekretärinnen, soviel Sie wollen, aber führen Sie meine Aufträge schnell und konsequent durch.«
Bald darauf erschien Ahlefeld beim RAM und triumphierte, er hätte eine Supersekretärin gefunden, tüchtig, klug und gut gewachsen »mit so einem Busen«. Das war nun doch zuviel für unseren hohen Chef. Endlich fiel der Groschen, und der kometengleich aufgestiegene Günstling verschwand wieder so schnell, wie er erschienen war. Großes Aufatmen der verängstigten Beamtenschaft. Es gab aber auch Beamte alter Prägung, die sich an den Minister heranschleichen wollten, um dadurch Karriere zu machen, die Kollegen als Reaktionäre verpfiffen oder sie als »unverläßlich« anschwärzten. Solchen Typen gab ich grundsätzlich nur Morgentermine. Damit warf ich sie so dem Morgenbrummer vor, der sie um diese Zeit zuverlässig durchkaute. Solches sprach sich aber bald im Auswärtigen Amt herum, und eines Tages kam einer jener Schleicher zu mir, ein Gesandter in einem unwichtigen Land, der unbedingt etwas werden wollte. Der machte mir leise Vorwürfe, daß ich ihm immer nur Morgentermine gäbe. Da wurde ich amtlich, weil es sich bei ihm um einen besonders üblen Denunzianten handelte und erklärte ihm: »Herr Gesandter, Sie wollen also damit behaupten, daß der Herr Reichsminister Dinge nicht sachlich behandle und sich jeweils von persönlichen Tagesstimmungen beeinflussen lasse und daß ich dies ausnütze. Das wäre ein schweres Vergehen, das Sie mir da vorwerfen! Ich werde natürlich sofort zum Personalchef gehen und eine Disziplinaruntersuchung gegen mich einleiten lassen!«
Da wurde dem Gesandten plötzlich schwül, er bat mich inständig, dergleichen zu unterlassen, und so hatten wir in Zukunft Ruhe vor ihm.
Da das ganze Amt die Unberechenbarkeit des RAM fürchtete, galten Kordt und ich bald als »Fachleute« für die Behandlung Ribbentrops, auf die man nicht verzichten konnte. Dadurch stieg unser Ansehen beachtlich, und wir konnten uns daher ungestraft so manchen Scherz auch

mit würdigen Beamten erlauben. Besonders Ängstlichen gaukelten wir Ribbentrops Ungnade vor. Einfältigen machten wir Hoffnung auf Blitzkarriere, Neugierige und Lästige straften wir mit verschlossener Amtlichkeit. Doch halfen wir sonst, wo wir konnten, mit Rat und Tat. So macht ein unberechenbarer Chef mit Diva-Allüren seine Sekretäre leicht zu amtlichen Halbgöttern. Dies witterte Ribbentrop bald. Er versuchte, mit Insistenz das Ministerbüro zu vergrößern, um unser kleines Monopol zu brechen. Doch vorläufig konnten wir noch dagegen ankämpfen mit der sorgenvollen Behauptung, wir verlören dann die Übersicht, womit er schlecht bedient wäre. Im Laufe des Jahres aber kam es dann doch zu einer Vergrößerung der Abteilung. Wir hätten die gewaltige Arbeit bei diesem Chef sonst nicht mehr durchgehalten.

In der zweiten Hälfte des Mai lancierte der tschechische Staatschef Benesch einen politischen Schachzug, der nach einem Kurzerfolg am Ende fatale Folgen hatte. Obwohl wir in der Sudetenfrage vorläufig noch recht friedlich waren, heizte er diese überflüssigerweise von sich aus an, indem er am 20. Mai wegen angeblicher deutscher Truppenkonzentrationen an der Grenze die tschechische Armee mobilisierte. Diese Behauptung war jedoch völlig unwahr, wie man aus Berichten der britischen Militärattachés heute noch ersehen kann. Doch Benesch, der sich sehr schlau vorkam, verkündete weltweit, die Mobilisierung der zu allem entschlossenen tschechischen Armee hätte Hitler zum Rückzug und zur Aufgabe seiner Aggressionspläne gezwungen.

Dieser etwas kleinkarierte böhmische Trick machte Hitler wütend und führte, ähnlich wie bei Schuschniggs Wahlschwindel, lediglich zur Vorverlegungen langfristiger Planungen. Der empörte Führer fühlte sich vor der Weltpresse blamiert und beschloß, unverzüglich vom Leder zu ziehen, um diese Scharte auszuwetzen. Jetzt gelte es, den Tschechen eine Lektion zu erteilen, nachdem sie selbst diese Sache vorzeitig aufs Tapet gebracht hatten. Er werde nun, ohne weiter zu fackeln, schleunigst zupacken und die Angelegenheiten im deutschen Sinne erledigen.

Da die Westmächte anfangs nur den tschechischen Angaben Glauben geschenkt und wegen angeblicher deutscher Truppenkonzentration an der tschechischen Grenze voreilig Vorstellungen erhoben hatten, war es für den Scharfmacher Ribbentrop ein leichtes, wieder einmal gegen das Establishment in England zu hetzen. Madame Ribbentrop stieß natürlich ins gleiche Horn und verdächtigte den Intelligence Service als Spiritus rector dieser Krise.

Wäre es nur gelungen, diese Frau zu einer vernünftigen Haltung zu bringen, ihr Mann wäre dann kein Problem gewesen, war er doch im Grunde nichts anderes als das Echo jener beiden Personen, denen er blind vertraute: seiner Frau und Adolf Hitler.

Es ist in meinen Augen eine der großen Tragödien der Weltgeschichte, daß sich der kleinbürgerliche Adolf Hitler durch den vermeintlichen Mann von Welt Joachim von Ribbentrop in seinen gigantischen Plänen bestätigen ließ, daß Hitler nicht erkannte, wie sehr dieser Trabant ihm nur nach dem Mund redete und schwadronierte, und zwar stets erst, nachdem er vorher die jeweilige Stimmung Hitlers durch Hewel und Likus hatte ausforschen lassen. Dabei ging Ribbentrop mitunter selbst Hitler zu weit, doch das war, wie der RAM meinte, »allemal besser als zu lahm« zu erscheinen. Lageberichte aus der Reichskanzlei oder »vom Berg« waren für Ribbentrop das Höchste. Dann schob er noch »einige Zähne« nach, servierte das so angereicherte Produkt seinem Führer als Eigenbau und suchte sich auf diese Weise als stahlharter Neubismarck zu profilieren.

Agnes besuchte bald nach dem Anschluß Bettina von Ribbentrop für einige Tage in Sonnenburg. Dort verursachte ein großes Foto von mir auf ihrem Nachttisch helle Aufregung! Ende Juni beschlossen wir endlich, uns insgeheim zu verloben, komme, was da wolle. Ich hätte nicht gewagt, eher an einen solchen Schritt zu denken, und hatte dies auch Agnes erklärt. Ich wußte genau, daß die Heirat mit einer Ausländerin automatisch mein Ausscheiden aus dem diplomatischen Dienst zur Folge haben mußte, doch erschien mir dies immer weniger als Opfer, war ich mir doch langsam bewußt geworden, daß Ribbentrops Haß gegen die Angelsachsen bei Hitler immer mehr Eindruck machte und man schon zynisch mit Kriegsgedanken spielte. Ich war zu jeder Tat für das Reich bereit, aber einen neuen Krieg, den durften wir nie, niemals riskieren. Dergleichen stand auch ganz im Gegensatz zu unserem alten, beschworenen Parteiprogramm. Ich hielt daran eisern fest und nur diesem fühlte ich mich verpflichtet. Imperialismus und Unterjochung freier Völker blieben für uns, die alten Kämpfer für Großdeutschland, verabscheuungswürdige, kapitalistische Verbrechen wie Versailles. Durch die Vereinigung Österreichs mit dem Reich schien der Traum meiner politischen Ideale vorzeitig erfüllt und ich entschloß mich, nunmehr auch mein persönliches Glück zu suchen.

Frau von Ribbentrop merkte bald, daß die Sache mit Agnes ernst würde, und versuchte, mich hartnäckig, aber in liebenswürdiger, mütterlicher und netter Form zur Vernunft zu bringen und auch unter Druck zu setzen, damit ich die Pläne meiner englischen Heirat aufgäbe. Ich aber wich Diskussionen aus und wies darauf hin, daß Agnes als »Germanenmädchen« alle nötigen Vorbedingungen erfülle, und der Rassegedanke des Dritten Reiches nicht an politischen Grenzen halt machen dürfe. Ich war mir wohl bewußt, daß ich als Geheimnisträger nicht so ohne weiteres aus dem Auswärtigen Amt ausscheiden konnte. So begann ich

langsam aber sicher, Alliierte zu suchen. Zuerst erzählte ich Dörnberg und Weizsäcker von meinen Plänen. Kordt war längst eingeweiht. Dann sorgte ich dafür, daß Himmler über seinen Adjutanten, meinen Freund Hajo von Hadeln, die richtige Version über meine Pläne erfuhr. Die von Himmler geplante Sonnwendreise nach Österreich bzw. Kärnten fand am 17. Juni wirklich statt, und ich war fest entschlossen, ihm bei dieser Gelegenheit von meinen Heiratsplänen zu berichten. Nur ungern lieh mich Ribbentrop an den RFSS für diese Fahrt aus, konnte ihm aber seinen Wunsch nicht gut abschlagen. Also meldete ich mich am 17. Juni beim »Reichsheini« in München. Frühmorgens fuhren wir mit einem imponierenden feldgrauen Mercedes-Kompressor zum Flugplatz. Vor uns fuhr ein Lastwagenfahrer, der nicht daran dachte, uns Platz zu machen oder auch nur rechts zu fahren. Der gute Mann ahnte ja nicht, daß Himmler persönlich den großen Mercedes chauffierte. Der RFSS betätigte mit steigender Insistenz die Hupe, doch der bajuwarische LKW-Lenker machte keine Anstalten, dem Mercedes zu weichen. Da platzte dem empörten Himmler der Kragen. Obwohl selbst ein miserabler Autofahrer und noch dazu extrem kurzsichtig, riß er den Wagen mit aufheulendem Motor nach rechts und schoß über die Bankette an dem Lastauto vorbei. Der Lastwagenfahrer bekam einen Wutanfall und brüllte: »Du A......«, aber weiter kam er nicht, denn nun sah er durch Himmlers dicken Zwicker auf Meter-Distanz in dessen Fischaugen, bremste verzweifelt und sank stöhnend in sich zusammen. Wir Adjutanten im Auto erstickten fast vor unterdrücktem Lachen. Himmler aber – wütend – verordnete dem unglücklichen Bayern Zwangsfahrunterricht an sieben Sonntagen um sechs Uhr früh.
Wir flogen nach Klagenfurt. Dort warteten SS-Gruppenführer Kaltenbrunner mit seinem Mercedes-Kompressor und mein Bruder Karl-Hermann mit einem kleinen Steyr-Auto auf uns. Von Klagenfurt aus steuerte der RFSS kurzsichtig, aber atemberaubend nach einem Blitzbesuch in Hochosterwitz über den Griffenerberg nach Wolfsberg, wo am 21. Juni nachts auf dem Schloßberg das Sonnwendfeuer, begleitet von einer markigen Ansprache Himmlers gen Himmel lohte. Auf dieser Kärntenfahrt hatte Hajo von Hadeln dem Reichsführer auch von mir erzählt, und daß ich beabsichtige, jene reizende Engländerin zu heiraten, die der Reichsführer schon gesehen hatte, und die ein Herz auch für Deutschland habe. Himmler fand das Mädchen »rassisch« in Ordnung, meinte aber, sie müsse erst in Deutschland ihr Jahr Arbeitsdienst machen, um zu beweisen, daß es mit ihrer Liebe zu Deutschland ernst wäre. Vorher käme eine Heirat nicht in Frage. Später habe er nichts dagegen. Ich könne dann, wenn ich nicht mehr im Auswärtigen Amt verbleiben dürfe, zu ihm in seinen Stab kommen. Nach dieser Auskunft bat ich

Hajo von Hadeln, den Reichsführer zu fragen, wie er sich so ein Verbleiben von Agnes in Deutschland vorstelle, ganz alleine und dies für ein ganzes Jahr. Darauf ließ mich Himmler wissen, daß er gegen ein Zusammenleben nichts einzuwenden habe, wenn die ernste Absicht einer späteren Heirat bestünde. Wütend antwortete ich, ob das die offizielle Ansicht des SS-Ritterordens wäre über die Art, wie sich ein SS-Führer einer Dame gegenüber zu verhalten habe, die er zu heiraten beabsichtige. Hajo beschwichtigte mich und meinte, das könne er »so« dem Reichsführer nicht sagen. Der explodiere auf dergleichen hin, und die Situation würde dann schlimmer. Also griff ich die Angelegenheit vorerst nicht wieder auf.

Die Fahrt mit Himmler durch das Lavanttal über die Packstraße nach Graz wurde lebensgefährlich. Dieser fuhr wie ein Irrer, und dabei sah er doch so wenig! Hadeln und ich litten Todesängste. Mühsam folgten Kaltenbrunner in seinem Mercedes und mein Bruder Karl-Hermann im kleinen Steyr. Es war wirklich eine Erlösung, als wir endlich in Graz-Thalerhof eintrafen und dort ein ungefährliches Flugzeug besteigen durften.

Doch zurück zur Politik! Wie berichtet, hatte der tschechische Bluff mit der Falschmeldung über einen deutschen Aufmarsch an der Grenze und die von der tschechischen und internationalen Presse aufgebauschte Triumphmeldung über ein angebliches Zurückweichen Hitlers vor der tschechischen Mobilmachung diesen aufs äußerste gereizt. Obwohl die englische Botschaft genau wußte, daß von deutscher Seite keine Truppenbewegungen stattgefunden hatten, intervenierte dennoch Henderson am 21. Mai zweimal in schärfster Form bei Ribbentrop, um Deutschland vor militärischen Aktionen zu warnen. Dieses Vorgehen war für Ribbentrop ein gefundenes Fressen, und da er sich im Recht wußte, schlug er brutal zurück. Damit reizte er Henderson aufs äußerste. Diesmal hatten die Engländer der Sache des Friedens wahrhaft einen Bärendienst erwiesen und ihren Feind Ribbentrop in die Lage versetzt, den nicht zu Unrecht empörten Hitler gegen England aufzubringen. Dabei hatten die Tschechen sogar die Ungeschicklichkeit begangen, in Telefongesprächen zwischen Benesch und dem tschechischen Gesandten Masaryk in London sich in ordinärster Form über deutschfreundliche Damen innerhalb des englischen Establishments auszulassen. Verständlich, daß die Engländer, die genauso wie wir die geheimdienstlichen Niederschriften solcher Telefongespräche lasen, von der Widerwärtigkeit des Kaschemmentones tschechischer Staatsmänner zutiefst angeekelt sein mußten, zumal, wenn man – milde gesagt – einige Damen der englischen Gesellschaft als Kokotten bezeichnet hatte. Diese Ungeschicklichkeit der neuen Herren in Prag half uns mehr als vieles andere. Eine entscheidende Rolle spielte damals unser späterer Freund und Gönner, Prinz Max von Hohenlohe-Langenburg, dem es durch hervorragende Beziehungen im Westen ein leichtes war, in London für die sudetendeutsche Sache zu werben. Der Tschechoslowakei, mit ihren zahlreichen unzufriedenen Minoritäten ein kleinkarierter Abklatsch der alten Donaumonarchie, gelang es nicht, selbst mit ihren slawischen Minderheiten ein einigermaßen verträgliches Verhältnis zu schaffen. Die Ungarn und Deutschen waren in den letzten zwei Jahrzehnten systematisch unterdrückt worden und hatten nicht annähernd jene Rechte, die unter den Habsburgern für alle Minderheiten selbstverständlich waren. So war die Lage in der Tschechoslowakei schon vom moralischen Standpunkt aus äußerst prekär. Auf den Universitätsprofessor Masaryk war der kleinbürgerliche Chauvinist Benesch gefolgt, der mit Tricks und wenig Takt glaubte, ganz große Politik machen zu können.

Durch den Mobilisierungsdreh vom 20. Mai hatte nun Hitler Anlaß und Grund, Pläne bezüglich der Tschechoslowakei radikal vorzuverlegen. Am 28. Mai beschloß dieser, die Tschechoslowakei in absehbarer Zeit durch eine militärische Aktion zu zerschlagen und erteilte Todt den Auftrag, den Ausbau des Westwalls höchst beschleunigt vorzunehmen, um den Rücken bei einer Aktion geschützt zu haben. Zur gleichen Zeit rückte England näher an Frankreich heran und ein Besuch des englischen Königspaares in Paris demonstrierte die wieder aufgewärmte englisch-französische Freundschaft. Ein Versuch des deutschen Generalstabschefs Beck, durch ein ausführliches Memorandum Hitler von dessen Kriegs- und Erpressungspolitik abzubringen, blieb unbeantwortet liegen, doch akzeptierte Hitler den angedrohten Rücktritt Becks, der zwar noch zum Schein im Amt blieb, während aber Halder bereits de facto sein Nachfolger wurde. Wieder schwiegen die Militärs, doch seit der Fritschkrise war von ihnen ohnehin kaum mehr Energie zu erwarten.

Bisher hatten Kordt und ich versucht, das Ministerbüro allein zu bewältigen. Ribbentrop aber erzwang schließlich die große Ausweitung durch Einbeziehung anderer Herren wie der Attachés Hartdegen, Bruhns und v. Schröder, später des Legationssekretärs Brückelmeier und noch vieler mehr. Ein Österreicher, der erfahrene Berufsdiplomat, Legationssekretär O. Peter-Pirkham, wurde als dritter Mann vom Protokoll übernommen. Und Herr von Sonnleithner, alter Parteigenosse und Illegaler aus Wien, kam in die politische Abteilung. Die Aufblähung des Ministerbüros störte Kordt und mich anfangs wenig, denn wir waren ja inzwischen unentbehrliche Spezialisten in der Behandlung Ribbentrops geworden, während Neulinge eher erstaunt vor diesem Phänomen standen. Später stieß noch der Legationssekretär Dr. Erwin Wolff zu uns. Er begriff schnell, mit was für Größen wir hier zu jonglieren hatten, und er kollaborierte aufrichtig und überzeugt mit uns. »Wölfchen« war sudetendeutscher Alt-PG, Korpsstudent und SS-Obersturmführer.

Die Zusammenarbeit mit dem Büro des Staatssekretärs und dessen Sekretär Siegfried war stets vorzüglich, und wir konnten oft rechtzeitig warnen, wenn sich das Ehepaar Ribbentrop wieder einen neuen Schachzug ausgedacht hatte. Nach wie vor standen bei diesem fatalen Gespann die Zeichen eindeutig auf Konfrontation, und Ribbentrop garantierte jedem, der es hören wollte oder nicht, daß die Westmächte niemals bei einem militärischen Vorgehen Deutschlands im Osten eingreifen würden, vielmehr solches gar nicht vermochten und wollten. Ihnen würde nur Härte imponieren. Dies zeige auch die Erfahrung, denn alle deutschen Erfolge wie Rheinlandbesetzung, Wiederaufrüstung und der Anschluß Österreichs wären nur mit Kraft und Entschlossenheit gegen den Willen des dekadenten Establishments der Angelsachsen durchgesetzt worden. Vor allem England sei noch schlapp und ungerüstet in der Hand von Juden und Plutokraten, die Gesellschaft sei vergnügungssüchtig und degeneriert. Das aktuelle England habe mit dem des kraftvollen, viktorianischen Zeitalters nichts mehr gemein.

Hitler sollte also von nun an gegen die Angelsachsen auf die autoritäre italienisch-japanische Karte setzen. Dafür hatte sich Ribbentrop Hitler gegenüber auch schon in seinem Memorandum vom 2. Januar 1938 ausgesprochen. Hewel durchschaute ebenfalls dieses Spiel und versuchte öfters, in der Reichskanzlei kritische Bemerkungen über Ribbentrop fallenzulassen. Aber es war wie verhext: Je mehr man den Reichsaußenminister angriff, um so mehr verteidigte ihn der Führer. Dabei hatte aber Hitler als Endziel immer noch eine großzügige Aussöhnung mit England im Auge, wobei Großdeutschland die kontinentale Vormacht bleiben sollte, während England weiter über Wogen und Kolonien zu herrschen hätte! Den Ruhm für die endgültige Krönung seiner Außenpolitik, allen Erfolg wollte Hitler dann allein für sich beanspruchen. So war es ihm, dem Trickreichen, ganz recht, wenn sich Ribbentrop einstweilen für eine Lösung gegen die Angelsachsen einsetzte. Hier sei daran erinnert, daß Hitler es Ribbentrop nicht gegönnt hatte, beim Anschluß Österreichs in entscheidenden Stunden sichtbar zu werden; stets wollte er den Ruhm für sich allein. Ganz unfaßlich aber war, daß sich Hitler von Ribbentrop die internationalen Nachrichten vorkauen ließ, und die Berichte der Diplomaten des Auswärtigen Amtes bestenfalls lässig durchblätterte, wenn sie ihm Ribbentrop ausnahmsweise, dann aber übel kommentierend, überreichte. Lediglich Telegramme las Hitler gerne. Er beschränkte sich im wesentlichen auf seine Intuition und auf eifriges Pressestudium, wobei er freilich die politischen Gewichtungen in der Auslandspresse durcheinanderbrachte, weil er sich ausschließlich an den Auflagenziffern, nicht aber am jeweiligen Leserpublikum orientierte.

Ich gehörte damals immer noch zu jenen Leuten, die glaubten, daß Hitler, einmal von Ribbentrop befreit, unter den mäßigenden Einfluß eines Göring, eines klugen Goebbels und des Idealisten Hess wieder eine andere, ausschließlich nationale und nicht imperialistische Politik treiben würde. So sehnte ich aufrichtig den Sturz von Ribbentrop herbei. Mein Freund Hewel war derselben Auffassung, während Kordt und dessen Freunde im Auswärtigen Amt Hitler und sein ganzes Regime grundsätzlich ablehnten. Das störte mich damals aber wenig, da ich das Regime für gefestigt und die Gruppe um Kordt und Weizsäcker für Fossile einer überholten Zeit hielt, obgleich ihre außenpolitischen Ansichten von der Sache her wohl durchaus gerechtfertigt sein mochten. Im übrigen sah ich in der Vielfalt der Ansichten eher ein Zeichen von Stärke, wenn es nicht gerade um solch kriegerische Narreteien ging, wie sie das Ehepaar Ribbentrop aus egoistischen Gründen vertrat. Diese beiden waren in meinen Augen nie richtige Nationalsozialisten alter Prägung gewesen, waren sie doch erst zur NSDAP gestoßen, als die Machtübernahme bereits unmittelbar bevorstand.

Während ihrer ersten Zeit in London hatten sie alles Englische bewundert und begeistert in ihrem privaten Lebensstil nachgeahmt. Der Haß des Ehepaares Ribbentrop gegen das »schnöde Albion« entstand einwandfrei in jenen Tagen, in welchen man sich durch pompöses Auftreten, durch Angabe und nicht zuletzt durch den Hitlergruß beim König so lächerlich, ja unmöglich gemacht hatte. Von da an wünschten beide, daß die sich ankündigende Sudetenkrise Hitler Englands Hilflosigkeit und Schwäche beweisen und ihm zeigen würde, daß Ribbentrops Härte und Grobheit die einzig richtige Haltung gegenüber dem »im tiefsten Grunde deutschfeindlichen und unbelehrbaren englischen Establishment« war.

Außer Hitler gab es nur noch einen, nämlich Himmler, der von derartigen Ausführungen beeindruckt war – Ausführungen, die von den meisten Paladinen stumm und wissend belächelt wurden. Wäre Ribbentrop gestürzt worden – es hätte bei Staat, Partei und Wirtschaft ganz allgemein Freude und Genugtuung hervorgerufen. Allein, das Schicksal wollte es anders. Hitler sah in Ribbentrop seinen unbändigen außenpolitischen »Marschall Vorwärts«, einen Mann, der ihn nicht ewig mit Bedenken zu hemmen suchte wie die Generale, sondern der ein machtvoller Motor war, den er aber, wann immer es notwendig sein sollte, bequem abbremsen konnte. Dabei übersah der Diktator vollständig, daß er von seinem Außenminister immer abhängiger wurde. Seine eigene Meinungsbildung kam doch dadurch zustande, daß ihm Informationen präsentiert wurden, die von den Ribbentrops gesiebt, gesteuert und moduliert worden waren. Günstiges für eine deutsch-englische Annäherung kam niemals durch die Schleuse, mit Sicherheit aber alles, was dagegen sprechen konnte. Die Kanäle des Auswärtigen Amtes standen vollständig unter der Kontrolle des Reichsaußenministers. Gegen Bohle und das Propagandaministerium führte er einen erbitterten Kleinkrieg und verschaffte sich eine Monopolstellung für alle Informationen aus dem Ausland. Privatkontakte, die etwa von Göring, Neurath oder Herren der Wirtschaft stammen mochten, machte er bei Hitler lächerlich oder diskreditierte sie bereits in England durch seine Agenten, indem er dort auf fehlende Autorisierung durch Hitler hinweisen ließ. Gegen den englischen Botschafter Henderson aber kämpfte er mit Erbitterung und nutzte jede Gelegenheit, ihn beim Führer anzuschwärzen. So unterhielt Sir Nevile freundschaftliche Beziehungen zu Baronin Clarisse Rothschild (wie das aus zahlreichen Abhörberichten der Zeit vor dem Anschluß zu ersehen war), und das war natürlich ein wunderbares Fressen für unsere beiden Anglophoben! Hier sehe man es ja wieder, dieses Establishment, mit Juden versippt, verschwägert oder gar intim! Dabei vergaßen sie freilich, daß die von ihnen so hochgelobten Windsors auch gelegentlich die Rothschilds in Österreich besuchten. Henderson konnte es anstellen, wie er wollte, es wurde kein gutes Haar an ihm gelassen, und hier kalkulierte Madame Ribbentrop von ihrem egoistischen Standpunkt aus durchaus richtig. Denn die Möglichkeit, daß die Freunde einer deutsch-englischen Annäherung ihre Kontakte über den englischen Botschafter in Berlin und nicht die Verbindung über das Auswärtige Amt bzw. die deutsche Botschaft in London suchten, barg natürlich eine gewisse Gefahr für sie.

Das größte Malheur war aber, daß niemand wirklich und ernsthaft gegen Ribbentrop Stellung bezog. Man hielt ihn allgemein für einen eitlen Tropf, der sich sowieso bald von selbst erledigen werde, also sparte man sich größere Anstrengungen. Als man später einsah, welch fatale Rolle er als Falschinformant spielte, und wie sehr Hitler auf diesen bequemen Jasager und Liebediener hörte, war es bereits zu spät, und so blieb zum Beispiel dem armen Hess nur mehr der hysterische, viel zu späte »Versöhnungsflug« nach England.

Mit der Zeit hatte ich in Berlin eine große Anzahl von Leuten der führenden Kreise kennengelernt und von ihnen anderes gehört, als die abgestandenen offiziellen »Sprachregelungen«. Auch ausländische Diplomaten, Journalisten und Wirtschaftsführer lernte ich kennen. Ich konnte mir also auf Grund meiner Vorbildung, meiner Kontakte und meiner regelmäßigen Lektüre der internationalen Presse, außerdem der Abhörberichte unserer Geheimdienste, dazu aller Berichte bzw. Telegramme unserer Missionschefs im Ausland, und nicht zuletzt durch Agnes, die ja aus einer bedeutenden englischen Familie stammte, recht gut ein Bild von der wahren Lage im Westen machen. So konnte ich die Situation Englands aus einem anderen Blickwinkel beurteilen. Die führenden Herren des Auswärtigen Amtes taten ein übriges, um mir ein unverfälschtes Bild zu geben, denn da ich die Attachéprüfung bestanden hatte, zählten sie mich zu den Ihren. Auf der anderen Seite hörte ich, seit den Londoner Tagen von meinem Chef, dessen Schatten ich war, täglich Haß- und Neidtiraden gegen England. Nur im Verein mit anderen aufstrebenden und wildentschlossenen armen Nationen wie Italien und Japan, so wiederholte er unermüdlich, käme man durch harte Politik an internationale Rohstoffquellen heran, und könne dann definitiv die deutsche Größe etablieren. Ich war oft der Verzweiflung nahe und machte mir ein fatal-klares Bild über die Lage. Natürlich ist es schwierig, die Schuld Ribbentrops am Desaster der deutschen Außenpolitik im Sinne der wissenschaftlichen Geschichtsschreibung dokumentarisch nachzuweisen. Nach außen agierte er ja als Erfüllungsgehilfe Hitlers, aber er war es, der für dessen verhängnisvolle Entscheidungen die Informationsgrundlagen lieferte und die emotionalen Voraussetzungen schuf. Da dies fast immer in mündlicher Form geschah, hat es sich in den Geschichtsquellen kaum niedergeschlagen. Tonbänder hatte man noch nicht, und wenn es sie gegeben hätte, würde ich sie nicht benutzt haben. Liest man aber die zahlreichen Memoiren bedeutender Persönlichkeiten von Freund und Feind, so ist das Urteil über Ribbentrop, bei Ciano angefangen bis zu Churchill, von Henderson bis François-Poncet, von Coulondre bis Stehlin, von Goebbels bis Speer, von Kordt, Weizsäcker, Papen, Schellenberg und Schmidt, von Schacht, Milch bis Funck einhellig niederschmetternd (siehe Anhang). Ich befinde mich also mit meinem Bericht in vorzüglicher Gesellschaft.

Wenn nun einerseits Ribbentrop mit seiner Mißinformation mehr oder weniger bewußt, aber logisch eigensüchtige Zwecke verfolgte, so ist es andererseits unfaßlich, daß Hitler, der ein überaus intelligenter Zeitgenosse war, diesen Mann mit der entscheidenden Berichterstattung beauftragte.

Dafür habe ich nur eine Erklärung: Hitler war im Grund seines Herzens Revolutionär und Spieler. Was Ribbentrop ihm berichtete, kam ihm durchaus gelegen, denn Schwäche des Westens bedeutete für ihn freie Hand im Osten, und »quod volimus credimus libenter« (was wir wünschen, glauben wir gern). Hitler glaubte fälschlich, daß ein Ribbentrop mit seinen »glänzenden Beziehungen und seiner Weltgewandtheit« es ja wissen mußte, und so schrieb er fast alles, was gegen seinen Außenminister vorgebracht wurde, auf das Konto Neid und Besserwisserei. Ich habe nicht die Absicht, Hitler von seiner historischen Schuld zu entlasten, doch muß man eines bedenken: Hitler war ein typisches Produkt seines Milieus und seiner Zeit: im Ersten Weltkrieg ein begeisterter Freiwilliger mit tiefem Glauben an die Fahne Schwarz-Weiß-Rot, an das zweite deutsche Kaiserreich, an den Glanz, Anstand und die Kraft seiner Herrenschicht, deren beste Mitglieder in Marine, Luftwaffe und im Auswärtigen Amt Dienst taten. Dieser Glaube an die deutsche Führungsschicht war für Hitler sogar der Grund gewesen, nach der Revolution am 30. Januar 1933 Wehrmacht und Diplomatie nicht anzutasten, und sie dieser Schicht weiter anzuvertrauen, ja, er hatte sogar zur Zeit des Röhm-Putschs blutig seine eigene SA zerschlagen, als diese sozialistische Bewegung gegen den Klassenstaat Sturm lief. Doch von den vielen Vertretern der alten Herrenschicht, denen er hohe und höchste Posten anvertraute, wußte nicht einer seinen Respekt zu gewinnen: nicht Neurath, der nach seinem Ausscheiden nicht einmal fähig war, sich für seine engsten Mitarbeiter einzusetzen, nicht Blomberg und Fritsch, nicht Protokollchef von Bülow-Schwante, der sich nach seinem spektakulären Sturz während der Romreise mit einem Gesandtenposten beschwichtigen ließ, erst recht nicht von Papen, der sich immer wieder unter lauten Protesten ablösen lassen mußte, um dann doch wieder friedlich ein neues Pöstchen anzunehmen und den nicht einmal die Ermordung seiner Mitarbeiter Dr. Jung und von Ketteler veranlaßte, mit dem Regime zu brechen. Hitler war die Charakterschwäche dieser Herren sicherlich angenehm, er benützte sie, doch im Grunde seines Herzens verachtete er sie bald alle und kam schließlich nach der Blomberg-Affaire leider Gottes zu einem negativen Pauschalurteil über die deutsche Oberschicht. Man muß für dieses Fehlurteil aus seiner Sicht jedoch Verständnis aufbringen, obwohl fünf Herren nicht unbedingt repräsentativ für ihre Gesellschaftsschicht waren, deren beste Vertreter sich wegen der rüden Methoden des Nationalsozialismus vornehm abseits vom politischen Geschehen hielten. Das Schlimmste aber war, daß sie Ribbentrop unterschätzten, daß fast alle meinten, er würde sich über kurz von selbst erledigen. Ribbentrop hatte aber auch in der Partei wenig Freunde. Den revolutionären Sinn unseres Anliegens einer echten Volksgemeinschaft hatte er wohl nie begreifen können. Der ganze Haushalt strotzte von Luxus. Englische Lebensart wurde mit »preußischem Charme« imitiert – von englischem Sinn für Maß keine Spur. Alles mußte sofort geschehen, ganz gleich, zu welchem Preis.

Seit Ribbentrop Außenminister geworden war, kannte sein Aufwand überhaupt keine Grenzen mehr. Ein Flugzeug und ein ganzer Wagenpark standen praktisch den ganzen Tag »unter Dampf«; zur Besorgung selbst sinnloser Kleinigkeiten wurden vom Büro Ribbentrop oder von der Dienststelle und der Adjutantur stundenlange, dringende Staatsgespräche geführt, Autos und Flugzeuge durch die Gegend gejagt. Wenn aber irgend jemand diesbezüglich Kritik zu äußern wagte, wurde er als kleiner Geist, wenn nicht gar als Saboteur abgetan. Für einen alten Nationalsozialisten, der wußte, mit wieviel Opfern, auch von der ärmsten Bevölkerung geleistet, der Sieg der Bewegung zustande gekommen war, bedeutete das alles eine erschütternde Enttäuschung.

Wenn Göring Ribbentrop an Pracht und Luxus oft noch weit übertraf, so ist dazu zu sagen, daß dieser eine einmalige Persönlichkeit war, Träger des Ordens »Pour le Merite«, Fliegerheld des Ersten Weltkrieges und Kommandeur der Richthofenstaffel. Göring kämpfte von Anfang an mit Hitler, er machte, zu jedem Opfer bereit, alle Höhen und Tiefen seines Weges zur Macht mit. Ribbentrop war ein Spätling, ein imperialistischer Newcomer, der nach oben drängte und nichts von unserem nationalen Sozialismus verstand. Den alten ehrlichen Kampfruf »Friede, Freiheit, Brot« hat er nie begriffen.

Und immer wieder mußte ich an mein Schlüsselerlebnis denken: Es geschah Ende 1937. An einem späten Nachmittag vor dem Tee stand Hitler am großen Tisch in der Empfangshalle der alten Reichskanzlei und studierte vorgebeugt durch seine streng geheimgehaltene Goldbrille einen Stoß von Pressenachrichten. Ribbentrop stand dienstfertig neben ihm und ich nicht weniger dienstlich dahinter. Während also der Führer in »bösen« Presseergüssen aus dem Westen wühlte, dachte der Botschafter den Augenblick gekommen, seinen Kommentar dazuzugeben, und lauernd treuherzig fragte er: »Mein Führer, wir werden wohl bald das Schwert ziehen müssen?«

Ich war entsetzt und glaubte, nicht recht zu hören. Ich war überzeugt, daß Hitler nun den kriegslüsternen Preußen zusammenstauchen und zurechtweisen würde. Aber nichts dergleichen erfolgte, und Hitler sagte nur: »Noch nicht, Ribbentrop, jetzt noch nicht.«

Da fiel ich vollends aus allen Wolken, denn Krieg – um Gottes Willen – das durfte doch nicht wahr sein! Warum sollte denn alles Erreichte wieder aufs Spiel gesetzt werden? Zum ersten Mal war ich zutiefst enttäuscht, und meine Einstellung zu Hitler wurde kritisch. Bei den Krisen der kommenden Jahre klang es dann immer wieder in meinen Ohren, dieses verfluchte: »Noch nicht, Ribbentrop, *jetzt noch nicht.*«

Seit damals also wußte ich, daß Hitler auch kriegerische Lorbeeren reizten. Allerdings suchte ich bei den kommenden Aktionen diese Befürchtung und Erkenntnis zu verdrängen, denn Anschluß und Sudetenbefreiung schienen friedliche Wege zum Erfolg zu weisen. Auch Weizsäcker drängte in diese Richtung, indem er »chemische statt physikalischer« Methoden auf dem Wege zur Großmacht empfahl. Hitler erklärte die massive Aufrüstung zur Beruhigung der Öffentlichkeit damit, daß Macht Frieden garantiere und diplomatische Erfolge überhaupt erst möglich mache.

Denn bei allem Haß auf Versailles wollten nur wenige arrivierte alte Kämpfer in Partei und Staat einen neuen Weltkrieg riskieren.

Doch genug der bösen Reminiszenzen und vorwärts in den heißen Sommer 38. Die Sudetenkrise zeichnete sich ab, daher war es wichtig, die Kompetenz der »volksdeutschen Mittelstelle« unter SS-Obergruppenführer Werner Lorenz, einem älteren ehemaligen Major der Danziger-Husaren, festzulegen und diese dem Außenminister zu unterstellen. Lorenz sollte für Volksdeutsche im Ausland zuständig sein, also nicht für deutsche Staatsbürger in der Fremde, denn für jene war ja Bohle der Gauleiter. Bei den Volksdeutschen handelte es sich um Deutsche, die meist im Osten – seit Jahrhunderten ansässig waren. Ihre Betreuung unterlag also »Vater Lorenz« und damit der SS. Durch einen neuen Ukas Hitlers sollten die Vollmachten für Lorenz ausgeweitet und klar umrissen, seine Stellung unter dem Reichsaußenminister einwandfrei definiert werden. Außerdem stand der Staatsbesuch des ungarischen Reichsverwesers Admiral von Horthy vor der Tür, und hierfür waren verschiedene Angelegenheiten des Protokolls vorzubereiten. Ribbentrop brannten beide Probleme bereits auf den Nägeln, und es war verständlich, daß er in der Sudetenfrage die Führung der Sudetendeutschen, die ja Volksdeutsche waren, für das Auswärtige Amt, also für seinen ureigensten Herrschaftsbereich, fest in den Griff bekommen wollte. Das war sachlich durchaus gerechtfertigt. Ebenso richtig war es auch, daß das Minutenprogramm für den Empfang des ungarischen Reichsverwesers, vor allem aber die hierfür vorgesehenen Festveranstaltungen dem Führer vorgetragen, erklärt und von ihm genehmigt werden mußten. Nun wußte aber Ribbentrop durch Likus, daß Hitler seit Neuestem für niemanden zu sprechen war, weil er mit der Planung des Schnellausbaues des Westwalles voll ausgelastet schien. Da es sich aber bei unserem Anliegen ebenfalls um eilige Dinge handelte, und der Reichsaußenminister die Unterschrift des Führers dazu brauchte, übergab er mir diese Akten und setzte mich mit Dörnberg und Lorenz in Richtung Obersalzberg in Marsch. Ich bekam den dringenden Auftrag, für beide Herren beim Führer einen Termin zu erwirken. Ribbentrop hatte gemerkt, daß Hitler mich als alten Parteigenossen und österreichischen Landsmann wohlwollend behandelte, und daß ich mich auch mit

Neujahrsempfang 1939 in der
Reichskanzlei. Oben: Der
päpstliche Nuntius Orsenigo
verliest die Neujahrsansprache.
Unten: Adolf Hitler und Protokollchef Dörnberg im Gespräch
mit dem italienischen Botschafter Attolico (Privatarchiv Dirk
Freiherr von Dörnberg)

2. März 1939: Abendtafel des Führers für das Diplomatische Korps. V.l.n.r. Protokollchef Dörnberg, der englische Botschafter Sir Nevile Henderson, Chefdolmetscher Paul Schmidt und Adolf Hitler (Privatarchiv Dirk Freiherr von Dörnberg)

Der tschechische Außenminister Chvalkovsky bei seinem Besuch in Berlin, März 1939, im Gespräch mit Staatssekretär von Weizsäcker (Privatarchiv Dirk Freiherr von Dörnberg)

28. März 1939: Hitler und der japanische Botschafter General Oshima bei der Eröffnung der japanischen Kunstausstellung in Berlin (Privatarchiv Dirk Freiherr von Dörnberg)

der Adjutantur des Führers und den Damen seines Sekretariates gut verstand. So hoffte er, daß ich mich durchsetzen und die »Besuchssperre am Obersalzberg« überwinden würde.

Dörnberg, Lorenz und ich nisteten uns fürs erste im Grandhotel Berchtesgaden gemütlich ein. Alsbald begann ich mit einer vorsichtigen Kontaktaufnahme mit dem »Berg«, also mit dem Hof des Führers. Der Erfolg war niederschmetternd! Schaub und Brückner, die beiden Chefadjutanten, schnauzten mich an, ob ich wohl verrückt geworden wäre, man hätte doch Ribbentrop ganz ausdrücklich wissen lassen, daß der Führer jetzt keine Zeit habe und absolut niemanden sehen wolle. Auch ich möge mich gefälligst daran halten.

Als ich diese Abfuhr Ribbentrop telefonisch mitteilte, fuhr mich nun dieser wieder an und insistierte mit seiner bewundernswerten Hartnäckigkeit. Da war guter Rat teuer. Jetzt wandte ich mich heimlich an die Damen und vor allem an Hitlers nette Sekretärin Christa Schröder. Sie war stets hilfreich und fast mütterlich gewesen. Sie tröstete mich und versprach, vielleicht bei einem Diktat oder während einer Teestunde beim Führer mein Anliegen »einfließen« zu lassen. Ich möge inzwischen mit Dörnberg und Lorenz in Berchtesgaden weiter auf der »Wartburg« lauern. Das taten wir auch gerne auf Reichskosten. Das Wetter war prachtvoll, und so genossen wir diese letzten Junitage herrlichen Urlaub am Königssee. Nur der Reichsaußenminister störte uns mit seinen drängenden Telefonaten. Vorsichtige Anfragen bei Fräulein Schröder aber blieben nach wie vor erfolglos, und wir mußten uns weiterhin »gedulden«. Da, am 2. Juli um 6 Uhr früh klingelte plötzlich das Telefon. Christa Schröder war am Apparat und teilte atemlos mit, der Führer führe in wenigen Minuten nach München ab und erwarte uns dort in seiner Privatwohnung, Prinzregentenstraße, schon um 9 Uhr dreißig. Eiligst weckte ich Dörnberg und den übelgelaunten Lorenz.

In größter Hast brausten wir, noch recht ferienmäßig gekleidet, dem Führerkonvoy mit unserem Mercedes-Kompressor nach, stürzten in München in unsere Zimmer in den »Vier Jahreszeiten«, um uns für Hitler vorschriftsmäßig zu restaurieren. Trotz der himmlischen Ruhe des Obergruppenführers Lorenz erreichten wir noch in allerletzter Minute die Wohnung, gerade in dem Moment, als Hitler aus seinem Zimmer heraus »Der Spitzy soll hereinkommen!« rief. Atemlos warf ich Degen, Koppel und Mantel auf eine Vorzimmerbank, stürzte in das Arbeitszimmer und erstattete meine Meldung. Ich berichtete, weshalb Dörnberg, der als Protokollchef bestätigt werden sollte, und Lorenz, der ebenfalls in Amt und Vollmacht definitiv eingesetzt werden wollte, hier anwesend seien. Darauf Hitler: »Wissen Sie, eigentlich habe ich jetzt gar keine Zeit, aber da Sie nun einmal da sind, soll als erstes gleich der

Lorenz hereinkommen! Sie aber warten bitte, ich muß Sie nachher noch sprechen!«

Ich: »Jawoll, mein Führer!«

Lorenz erledigte seine Sache positiv und kam strahlend heraus, eine tintenfrische Unterschrift seiner Bestellung schwenkend. Dann wurde ich noch einmal hereingerufen, denn Hitler wollte Genaueres über das Anliegen Ribbentrops, Dörnberg betreffend, hören. Anschließend ging dann Dörnberg hinein, berichtete länger und hatte Erfolg. Dann war ich wieder allein an der Reihe.

Hitler fragte mich, ob ich glaube, daß Dörnberg der richtige Mann sei. Ich bejahte gerne und pflichtgemäß. Dann zog er mich zum Zeichentisch, zeigte mir seine Bunkerpläne für den Westwall und eine Landkarte der Tschechoslowakei. Nachdem er sich empört über die Unverschämtheit der Tschechen ausgelassen hatte, legte er den rechten Daumennagel auf die Grenze zwischen Mähren und der Slowakei und fuhr, die Landkarte einkerbend, energisch von Norden nach Süden an dieser Linie entlang. »Sehen Sie, das wird die zukünftige Grenze der Tschechei sein. Dies ist mein unerschütterlicher Entschluß. Berichten Sie das Ihrem Minister.«

Ich war tief beeindruckt und begeistert, denn die Zerschlagung der Tschechoslowakei war jedem Österreicher ein Anliegen, wurde eine solche Maßnahme doch als gerechte Strafe für den tschechischen Verrat an der alten, lieben Donaumonarchie angesehen. Die »Tschechei« war schließlich nichts anderes als deren unsympathischer, kleinkarierter, zusammengewürfelter Abklatsch geworden. Sie stellte geradezu einen Völkerkerker dar, der für seine vielen Minderheiten und deren Rechte im Gegensatz zum Habsburgerreich nur wenig Verständnis zeigte.

Dankerfüllt von so viel Vertrauen und mit leuchtenden Augen meldete ich mich bei Hitler ab. Wieder hatte er mich mit seinem Charme und seinen Plänen ganz gewonnen. Mir war alles recht, vorausgesetzt, es kam zu keinem Krieg. Der Führer wird es schon schaffen, dachte ich immer wieder. Aber bezüglich der Engländer hatte ich Bedenken, und – wieder zurück in Berlin – schien mir die Lage nicht mehr so rosig zu sein, als ich nämlich zahlreiches neues Material im Auswärtigen Amt durchblätterte. So ziemlich alle Fachleute waren besorgt und glaubten, ein brutaler Einmarsch in Böhmen würde wahrscheinlich Krieg mit Frankreich und in der Folge auch mit den Angelsachsen bedeuten. Nur Ribbentrop verkündete unermüdlich seine These vom morschen englischen Weltreich, dessen dekadenter Führungsschicht stabiles Wohlleben, Geld und Ungestörtheit alles bedeute. Albion würde es nie wagen gegen das neue Deutschland zu kämpfen und jetzt, da der Westwall erstehe, schon gar nicht. Es hätte sich ja in den letzten Jahren gezeigt, daß weder die

Abbessinienkrise noch die Rheinlandbesetzung, weder die Wiederaufrüstung Deutschlands noch der Anschluß Österreichs die Engländer zum Eingreifen veranlaßt hätten. Vieles sei bei ihnen eben nur Bluff! Man solle sie ruhig reden lassen und ihre Drohungen nur nicht ernst nehmen. Sie würden am Ende trotz vielen Geschreis und papierener Proteste alles hinnehmen, genauso wie sie es die letzten Male auch getan hätten. Frau von Ribbentrop nahm sogar eine noch härtere Haltung ein. Sie vertrat privat die Ansicht, daß es besser sei, wenn die Engländer jetzt intervenieren würden, da sie noch ungerüstet waren. Denn auf Dauer sei der Konflikt mit England ohnehin unvermeidlich. Wenn ich Tor also geglaubt hatte, daß nach der Vereinigung mit Österreich eine Periode friedlichen Aufbaus kommen würde, und ich nach den hektischen letzten Jahren auch einmal an mein Privatleben denken könnte, so hatte ich mich da wohl sehr geirrt! Langsam und stetig, wie ein böses Untier zog die Krise herauf. Ich war voll Sorge und bedrückt. Agnes war wieder nach Berlin gekommen, und obwohl auch sie skeptisch geworden war, verscheuchten wir unsere düsteren Gedanken und beschlossen, miteinander eine Reise durch Österreich zu machen. Es gelang mir, von Ribbentrop endlich einen Urlaub bewilligt zu bekommen. Es folgten nun glückliche, unbeschwerte Tage. Sie währten nicht länger als zwei Wochen, waren aber unvergeßlich. Der Abschied wurde mir mehr als schwer.

Anschließend wollte ich eine weitere Woche an meinem geliebten Wörther See verbringen, da mir noch acht Tage an Urlaub zustanden. Da, auf einmal ein Anruf aus Berlin! Ribbentrop selbst am Apparat. Er fragte mich empört, was ich denn mache, ich solle augenblicklich zurückkommen, er hätte etwas ganz Dringendes mit mir zu besprechen. Wütend unterbrach ich meinen Urlaub, ließ mein Auto nach Berlin fahren und »organisierte« das nächstbeste Regierungsflugzeug. Von Berlin aus fuhr ich wie die Feuerwehr nach Sonnenburg und meldete mich unverzüglich beim Herrn Reichsaußenminister. Unfaßlich – dieser schien höchst erstaunt: »Ach, Sie sind schon hier? Ich dachte, Sie wären noch in Kärnten?«

Auf meine starr-empörte Erwiderung, er hätte mich doch aus dem Urlaub herausbefohlen, sagte er: »Jajaja, richtig, da haben Sie recht, nein, das hat sich aber von selbst erledigt.«

Ich hauchte darauf: »Na, dann kann ich also wieder zurück in den Urlaub?«

»Oh nein, das geht nicht, jetzt sind Sie schon hier – da bleiben Sie besser gleich. Es gibt so viele wichtige Sachen!«

Mehr als ergrimmt vertrollte ich mich ins schale Büro. Von besonderer Arbeit merkte ich aber nichts. Es war der tägliche Kram: Durchsicht und Auslese der Telegramme, der Abhörberichte, täglich ca. 400 Seiten aus der Dechiffrierabteilung, die hervorragend arbeitete, Präparierung und Vorlage von Ernennungsdekreten, Ordensverleihungen. – Der tägliche Dienst in der Sauregurkenzeit.

In der zweiten Hälfte des August kam mehr Bewegung in die Sache. Der Staatsbesuch des Reichsverwesers Admiral Nikolaus von Horthy näherte sich und war für die Zeit vom 21. bis 26. festgesetzt. Es war ein umfangreiches Minutenprogramm aufgestellt worden, in dem u. a. einkalkuliert wurde, daß der Sonderzug jeden Morgen zwanzig Minuten anzuhalten habe, da der Herr Reichsverweser sich mit dem Messer rasierte, und Frau von Horthy, die sehr katholisch war (im Gegensatz zum calvinistischen Reichsverweser), kategorisch verlangte, täglich der Messe beizuwohnen. Das Protokoll hatte hier großzügig vorausgeplant, und am 21. August erschien der Reichsverweser mit seiner Begleitung. Hitler wollte Horthy, der doch Seeoffizier und zudem anglophil war, die Schlagkraft der deutschen Flotte vorführen. Deshalb sollten umfangreiche Manöver in der Ostsee stattfinden. Die Gäste und der Troß an deutschen Landratten wurden auf den Luxusdampfer »Woermann« verfrachtet, während Hitler auf seinem kleinen Aviso »Grille« dem Schiff des Marine-Oberbefehlshabers, die Bewegungen der Flotte verfolgte. Erfreulicherweise gelang es Ribbentrop, auf dem Aviso beim »Allerhöchsten« untergebracht zu werden. Dort war zwar nur eine kleine Kabine zu beziehen aber Ribbentrop zog dieses »am Drücker sein« einer bequemen Suite auf der »Woermann« vor. Da für mich auf dem Aviso natürlich kein Platz war, durfte ich glücklich auf der »Woermann« bleiben. Dort genoß ich das lustige Leben mit einer Menge junger Leute. Abends gab es Tanz und Unterhaltung; da fiel die Anwesenheit finsterer Gestalten wie Himmler oder Bormann etc. kaum ins Gewicht. Mit den lustigen Ungarn hatte ich als Österreicher sofort Freundschaft geschlossen, und dies besonders mit einem Herrn von Almassy, dem militärischen Adjutanten des Reichsverwesers.

Auch den Adjutanten Admiral Raeders, des Oberbefehlshabers der Flotte, Korvettenkapitän Herbert Friedrichs mit seiner schönen Frau, lernte ich damals kennen. Sie gehören bis heute zu unseren besten Freunden.

Zu unserer Gruppe stieß dann noch der Adjutant des Reichsführers-SS, Baron Hayo von Hadeln. Kordt war natürlich auch mit von der Partie. Oft saßen wir beisammen und besprachen sorgenvoll die Weltlage und das dräuende Ungewitter der Sudetenkrise. Die Ungarn erklärten klipp und klar, daß sie gar nicht in der Lage wären zu kämpfen. Sie waren entsetzt bei dem Gedanken an einen möglichen Krieg gegen das befreundete England. Andererseits aber wünschten auch sie der Tschechoslowakei alles Böse und hatten großen Appetit auf ehemals ungarische Gebiete. Ähnliches muß Horthy auch Hitler gesagt haben. Dieser ließ sich aber nicht im geringsten beeindrucken, sondern erklärte dem Reichsverweser seelenruhig, er wäre fest entschlossen, mit der Tschechoslowakei Schluß zu machen, und wenn die Ungarn ihre Gebiete wiedergewinnen wollten, so müßten sie selber zugreifen und nach dem Rechten sehen. Hitler soll wörtlich gesagt haben: »Meine Herren, hier wird nicht serviert, hier ist kaltes Buffet, da hat sich jeder selbst zu bedienen.« Privatim äußerte sich Hitler dann eher abfällig über die Ungarn »diese Angsthasen«.

Gleich zu Beginn erlebten wir den prachtvollen Stapellauf des Schweren Kreuzers »Prinz Eugen«, der eigentlich »Admiral Tegetthoff« heißen sollte. Da aber Tegetthoff in der Seeschlacht bei Lissa unsere Freunde, die Italiener, vernichtend geschlagen hatte, zog man es vor, dem Panzerkreuzer den Namen des Prinz Eugen von Savoyen zu geben, der ebenfalls ein großer Österreicher war, aber dem Geschlecht der späteren italienischen Könige entsproß, eine für Hitler typische, praktische Schnellösung eines vertrackten Problems. Im großen und ganzen wurde dieser Staatsbesuch ein schöner Erfolg, und die Magyaren kehrten beeindruckt von deutscher Stärke, wenn auch etwas sorgenvoll, in ihre Puszta zurück.

Ich persönlich hatte während dieser Fahrt ein entscheidendes Erlebnis. An einem dieser Tage während der Flottenmanöver saßen wir des Abends mit den Himmler-Adjutanten Hadeln sowie Kapitän Friedrichs an Deck und sprachen bewegt über die Weltlage und die Unmöglichkeit, einen Krieg gegen die Angelsachsen siegreich durchzustehen. Kapitän Friedrichs erklärte dezidiert, daß nach Ansicht seines Chefs und anderer hoher Marineoffiziere die deutsche Flotte nicht in der Lage sei, mit England fertig zu werden, daß von einem Abschluß der Flottenrüstung nicht die Rede sein konnte, ja, daß man erst mitten im Aufbau wäre.

Kordt wiederum beleuchtete die Lage vom außenpolitischen Blickwinkel her. Ich berichtete dann noch Hayo von Hadeln einige Details von Ribbentrops unverantwortlicher Haltung, erzählte von dessen völlig unzulänglicher Arbeitsweise, von seiner mangelnden Sachkenntnis, bescheidenen Intelligenz, von seiner Halbbildung, seinem abenteuerlichen Englandhaß und dem dominierenden Einfluß seiner Frau.

Ich wies auch noch auf die gewaltige Devisenverschwendung und den großen Luxus hin, der in keiner Weise nationalsozialistischen Prinzipien entspräche.

Hadeln war erschüttert. Auf sein Zweifeln und Bitten gab ich ihm Beweise und Details, verlangte aber sein Ehrenwort, daß er dies vorläufig niemandem und ganz bestimmt nicht dem Reichsführer-SS weitererzählen würde, denn dafür wäre die Zeit noch nicht reif. Wir, die jungen Aufsteiger aber sollten uns schwören, es einmal anständiger und besser zu machen.

Als ich am nächsten Morgen an Deck promenierte, kam Hayo totenbleich auf mich zu und stöhnte: »Bitte schlag mich, denn ich Schurke habe mein Ehrenwort gebrochen! Ich war so erschüttert über alles, was ich gestern abend hörte, daß ich es im Interesse des Reiches für richtig hielt, sofort den Reichsführer-SS darüber zu informieren. Ehrenwort hin, Ehrenwort her, aber das Wohl unseres Vaterlandes geht vor!« Und weiter meinte er, dafür opfere er alles, auch seine Ehre. Im übrigen könne er mich beruhigen, der Reichsführer habe die Information interessiert aufgenommen, aber nicht eine einzige ungünstige Bemerkung über mich gemacht.

Dennoch war ich wie erschlagen. Wer beschreibt aber meinen noch gewaltigeren Schreck, als gerade im selben Augenblick Himmler höchstpersönlich an Deck erschien, schnurstracks auf mich zuging und mich zu sich rief. Ich machte Meldung und dachte, nun wäre mein letztes Stündlein gekommen. Doch zu meinem Erstaunen sagte er nur: »Spitzy, ich finde es durchaus korrekt, was Sie da gestern meinem Adjutanten erzählt haben. Ich möchte über solche Sachen immer informiert werden, ja ich schätze das. Sie mögen mich ruhig immer alles wissen lassen. Aber ich warne Sie, auch nur einen Bruchteil von dem, was Sie gestern Hadeln sagten, irgend jemandem anderen zu sagen. Ich hoffe, wir verstehen uns!«

Nur zu gern versprach ich alles und fühlte mich wie neugeboren. Hadeln jedoch habe ich in Zukunft nichts mehr anvertraut. Er fiel später in dem dritten Kriegsjahr als Ritterkreuzträger.

Nach wie vor blieb mir der Reichsführer-SS seit jenem Tag stets wohlgesinnt. Das Merkwürdige an diesem Mann war, daß er zwar über jedermann bienenemsig Material sammelte und lehrerhaft ordnete, dieses aber selten nach »oben« hin und dann nur ängstlich verwendete. So benutzte er dieses lediglich als eine Art Absicherung für sich selbst, denn auf irgendeine Art hatten doch fast alle Größen »Dreck am Stecken« – mit Ausnahme vielleicht von Speer und auch Hess, der die Bescheidenheit selbst war. Da aber alle davon wußten und das böse Material in Himmlers Händen fürchteten, wurde dieser wie ein rohes Ei behandelt. In weiterer Zukunft erwies sich jedoch jede Hoffnung von mir und anderen, vor allem aber vom späteren Chef des Amtes VI des Nachrichtendienstes, dem SS-Brigadeführer Schellenberg, Himmler werde mit dem vorliegenden, niederschmetternden Material die deutsche Außenpolitik von einem Ribbentrop befreien, als illusorisch, denn Himmler saß bis zu den Tagen der Kapitulation auf Bergen von Material, ohne es jemals direkt und entscheidend zu verwerten. Höchstens daß er einem Gefallenen noch einen Packen Unrat in den Rücken warf.

Nun, damals war ich einer großen Gefahr entronnen und hatte noch dazu die Befriedigung, glauben zu dürfen, daß dieses belastende Material gegen Ribbentrop endlich richtig placiert war und zu gegebener Zeit seine Wirkung tun würde. Was für ein fataler Irrtum!

Kordt und ich waren natürlich nicht die einzigen, die sich in diesen Tagen Sorgen um den verhängnisvollen Kurs der deutschen Außenpolitik machten. Eine durchaus ähnliche Begebenheit, die dann sogar noch höhere Wellen schlug, schilderte mir später Herbert Friedrichs, damals Chefadjutant des Generaladmirals Erich Raeder im Rang eines Korvettenkapitäns. Friedrichs berichtet: »Während der Übungen in der Ostsee war Horthy an Bord des Aviso ›Grille‹ eingeschifft. Mit ihm einige weitere ungarische Begleiter bzw. auch Kabinettsmitglieder, von deutscher Seite Hitler als ›Oberster Befehlshaber der Wehrmacht‹ und, wie immer bei ähnlichen Anlässen, der Oberbefehlshaber der Kriegsmarine, Generaladmiral Raeder mit einigen Herren der Marine sowie mir als seinem persönlichen Adjutanten. An Bord der ›Grille‹ gingen die Beurteilungen über Risiken und Chancen zwischen der deutschen und ungarischen Führung teilweise weit auseinander.

An einem dieser Augusttage – die ›Grille‹ noch in der Ostsee – suchte der ebenfalls an Bord befindliche Adjutant Hitlers, Herr Wiedemann mich in meiner Kammer auf. Wiedemann war erst vor kurzem aus London zurückgekommen, um, wie man bei der Marine sagt, dort die Stimmung und Lage zu peilen: Unterredungen mit dem Premier Chamberlain und dem Außenminister Lord Halifax. Beide hätten ihm ebenso höflich wie unmißverständlich klar gemacht, daß England weiteren vertragsverletzenden Aktionen der Hitlerregierung nicht mehr tatenlos zusehen würde. Die Westmächte hätten sich allerdings mit der Erklärung der Wehrhoheit, mit der Rheinlandbesetzung sowie mit dem Einmarsch in Österreich abgefunden. Sollte die ›Wilhelmsstraße‹ ihre Agressionspolitik aber auch in Zukunft weiterführen, sollte man weiterhin in der Haltung gegenüber dem Judentum und den Kirchen zunehmend feindlich agieren, wären die Folgen unabsehbar.

Schließlich, etwas einlenkend, Chamberlain oder Halifax zu Wiedemann: Wenn man in Berlin dem britischen derzeitigen Kabinett eine Friedenspolitik gegenüber dem Dritten Reich erleichtern wolle, solle man das wenigstens mit einigen ›Gesten‹ demonstrieren. Auf die Frage Wiedemanns, wie das klar gemeint ist, antwortete man z. B., ›es würde in England schon sehr gut auffallen, wenn Hitler demonstrativ den im KZ befindlichen Pastor Niemöller in volle Freiheit entließe.‹

Wiedemann ließ nun mir gegenüber weiter durchblicken, daß der Reichsaußenminister gezielt ablehnend und ungnädig auf seinen Vortrag reagiert hätte. Beim anschließenden Vortrag beim Führer sei es ihm nicht anders gegangen. In der maßgebenden Umgebung des Führers sähe er niemanden mehr, der gewillt und in der Lage sei, Hitler und Ribbentrop zu stoppen. Daher beschwöre er, Wiedemann, mich, meinen Oberbefehlshaber zu bitten, beim Führer zu intervenieren.

Wiedemann äußerte sich weiter: ›Ich beschwöre Sie aus äußerster Sorge heraus: Tragen Sie Ihrem Admiral vor, was ich Ihnen eben sagte. Admiral Raeder ist wirklich meiner tiefsten Überzeugung nach, der einzige, der den jetzigen Kurs bei uns außen- wie innenpolitisch günstig beeinflussen kann. Er ist z. B. der einzige unter den Mitgliedern des Geheimen Kabinettsrates, der legal die Möglichkeit einer Intervention hat. Er ist der einzige, der heute noch aufgrund seiner Stellung, seines integren untadeligen Charakters, seiner als Seeoffizier gewonnenen Weltkenntnis und schließlich aus seiner als langjähriger Oberbefehlshaber der Kriegsmarine bewiesenen Leistung und Führungskraft überzeugen könnte. Auf ihn mußte meines Erachtens der Führer wirklich hören.‹

Soweit Wiedemanns Appell.

Unmittelbar nach diesem Gespräch (ca. 22 Uhr) meldete ich mich bei Admiral Raeder in seiner Kajüte. So wortgetreu wie möglich trug ich ihm den Appell, ja die Beschwörung Wiedemanns vor.

Raeder trommelte während dieses Vortrages, ohne ein einziges Wort zu sagen, verärgert mit nervösen Fingern auf den Tisch. Als ich beendet hatte, sagte er: ›Danke, ich kenne selbst meine Pflicht.‹

Am nächsten Tag, noch an Bord ›Grille‹, befahl Raeder mir, einen Vortrag beim Führer anzumelden, Thema: ›Seekriegsführung gegen England‹.

Mit Abschluß der Ostseeübungen verlegten Aviso ›Grille‹ und einige Begleitschiffe durch den Kaiser-Wilhelm Kanal in die Nordsee. Hauptzweck: Besichtigung der Insel Helgoland durch Horthy, Hitler und Begleitung. Dann folgte ein Empfang durch den Senat der Stadt Hamburg. Anschließend fuhr man zum Abschlußprogramm des ungarischen Staatsbesuches in mehreren Sonderzügen nach Berlin.

Im Führersonderzug fand Raeders Vortrag bei Hitler statt. Anwesend waren nur Hitler, Raeder und Hitlers damaliger Marineadjutant, Kapitän Albrecht.

Wie mir Albrecht sofort nach der circa einstündigen Unterredung sagte, sei Hitler äußerst engagiert auf das Thema eingegangen, Raeder habe natürlich unter anderem darauf hingewiesen, daß die bestehende katastrophale Unterlegenheit unserer Seestreitkräfte gegenüber der britischen Flotte und ihren Ausgangsbasen in der Nordsee wie in Übersee einfach keinen Krieg zulasse. Der Ausbau der deutschen Seestreitkräfte sei – bekannt als ›Plan Z‹ – erst 1944 soweit, daß man an einen Westfeldzug denken könne.

Hitler beendete das Gespräch mit den Worten: Herr Admiral! Alles worüber wir uns unterhalten haben, ist und bleibt Theorie! *England macht nie einen Krieg!*«

Es gab für mich während der Horthy-Reise noch ein zweites großes Erlebnis: Ribbentrop hatte sich nämlich bemüßigt gefühlt, Hitler in negativem Sinne von meinen Heiratsabsichten mit einer Engländerin zu berichten und ihn gebeten, mir den Kopf zurechtzusetzen. An einem Abend sagte mir Ribbentrop, ich hätte mich am nächsten Tag um 10 Uhr 30 auf dem Aviso »Grille« beim Führer zu melden. Darüber war ich höchst erstaunt. Welches Interesse konnte er schon an mir haben? Da Ribbentrop keine Details gab und mich mit einem vielsagenden Blick entließ, war es wahrscheinlich, daß es sich um meine Heiratspläne handeln würde. Ich kochte vor Wut. So sehr ich auch Hitlers Vabanque-Politik innerlich ablehnte, so sehr fühlte ich mich damals noch als Vasall jenes großen Mannes, der die kühnsten Träume der großdeutschen Bewegung so wunderbar realisiert hatte. Mich nun beim Führer in diese Situation zu bringen, empfand ich als besondere Niedertracht Ribbentrops. Am nächsten Tage um 10 Uhr 25 stand ich also an Bord der schwankenden »Grille«, den Degen umgeschnallt und in großer Montur. Pünktlich um ½ 11 Uhr erschien der Führer an Deck. Ich machte vorschriftsmäßig Meldung, bleich wie ein Leintuch, und muß wohl ziemlich verzweifelt dreingeblickt haben. Diesem Mann, dem ich alles zu verdanken glaubte, eine Absage erteilen zu müssen, schien mir unsagbar schwer. Doch der Dame meines Herzens war ich verpflichtet, komme was da wolle.

Hitler sah mich lange und tief an. Er muß wohl Verständnis und Mitleid mit mir gefühlt haben. Dann packte er mich mit der linken Hand an der Uniform und bewegte mich leise hin und her, während er mich einmal von einer Seite und dann wieder von der anderen gütig anblickte. Ich gestehe, daß sich nun meine Augen mit Tränen füllten. Hitler sprach kein Wort. Innerlich mag ihm auch die Tatsache, daß einer seiner jungen Mitarbeiter eine Engländerin heiraten wollte, gar nicht so unsympathisch gewesen sein. Er selbst war ja geradezu in England verliebt und bewunderte das britische Weltreich und seine Geschichte.

So sah mich Hitler lange fragend und voll Sympathie an, dann fragte er plötzlich abrupt: »Spitzy, wie spät ist es jetzt?«

Ich antwortete: »Elf Uhr fünfunddreißig, mein Führer«, ward sodann mit freundlichem Handschlag gnädig entlassen und war erlöst. Ich strahlte und war hingerissen vor Dankbarkeit.

Sofort ließ ich mich wieder zur »Woermann« übersetzen, wo mich Ribbentrop lauernd fragte: »Waren Sie schon beim Führer?«
Ich: »Jawoll!«
»Na, und was hat er Ihnen gesagt?«
Darauf ich mit harter Betonung: »Er hat mich gefragt, wie spät es ist, Herr Reichsaußenminister!«
Ribbentrop erstaunt: »Sonst nichts?«
»Sonst nichts, nein, absolut nichts«, antwortete ich und blickte ihn eisern an, worauf er erstaunt zu einem belanglosen Thema überwechselte.
Die Zeit auf der »Woermann« war sonst sehr unterhaltend gewesen; man konnte die größten Parteipaladine an Bord einherstapfen sehen, immer gefolgt von Adjutanten mit Fangschnüren, den sogenannten »Affenschaukeln«; amüsanter jedoch war ein Schwarm von Jugend aller Schattierungen. Bei dieser Gelegenheit lernte ich auch Leute kennen, die ich sonst vielleicht nie gesehen hätte, und deren Bekanntschaft für die Arbeit in Partei und Staat einigermaßen von Wert war. Da gab es z. B. den Adjutanten von Seyss-Inquart, einen lustigen Tiroler, der zu unserem Gaudium erzählte, daß er seinen Chef einmal irrtümlich mit einem großen Kranz statt zu einem Kriegerdenkmal zum Denkmal Kaiser Josefs geschleust hatte, und daraufhin fast gefeuert worden war. Nun, dieser selbe Tiroler kam eines Tages an Bord und erzählte folgende Geschichte: Er hätte sich am Abend in der Bar die Nase begossen und plötzlich erfahren, daß Himmler von der »Grille« wieder zurück an Bord wäre und daß es somit für ihn ratsam sei, sich leise zu verdrücken, denn Himmler war strikt gegen Besäufnisse von SS-Führern in Uniform. Unser Tiroler nahm sich diese Gefahr zu Herzen und eilte, durch die winkeligen Gänge des Unterdecks in Richtung Kabine, hatte dabei aber das Malheur, mit dem von der anderen Seite quer heransteuernden Himmler an einem Kreuzungspunkt hart zusammenzustoßen, wobei er diesen Moralisten, Entschuldigungen stammelnd, mit einer unverkennbaren Alkoholfahne anhauchte. Himmler sagte nur kalt und empört: »Sie melden sich bei mir morgen früh zum Rapport.«
Das tat er, hatte dabei auch noch das erhebende Erlebnis, den Reichsführer-SS in langen Unterhosen zu überraschen, da er etwas zu früh gekommen war. Himmler, kurz darauf in voller Montur, nahm ihm das Ehrenwort ab, zwei Jahre lang keinen Tropfen Alkohol zu trinken. Es zeugt von der Disziplin in unserem Verband, daß solche Ehrenworte auch tatsächlich eingehalten wurden, wobei natürlich zu bedenken war, daß der Bruch eines Ehrenwortes den sofortigen Ausschluß aus der SS zur Folge gehabt hätte.
Auch Bormann, gehaßt und gefürchtet, war auf diesem Schiff zu sehen.

Ich hatte ihn einmal in Ribbentrops Auftrag zu suchen, und als ich die Kabinentür angelehnt fand, dachte ich, daß da noch ein Vorraum wäre. Vorsichtig trat ich ein und fand zu meinem Entsetzen den gestiefelten Bormann in eindeutiger Situation mit einer Dame von Rang auf einem Bett. Er hatte nicht einmal die Türe abgesperrt. Gott sei Dank gelang mir ein mäuschenleiser Rückzug, denn Bormann hätte mir das Wissen um dieses Abenteuer nie verziehen. Mir wurde fast übel von dieser Gefahr.

Nach der Euphorie des Horthy-Besuches begann wieder der Alltag im Auswärtigen Amt und dieser wurde jetzt grau und grauer. Langsam, und scheinbar unaufhaltsam wuchs die Kriegsgefahr. Die Tschechen bemühten sich geradezu, die Krise anzuheizen, und die Weltpresse tat das Ihre. Täglich stieg die Spannung im Sudetengebiet, und die Hoffnung auf eine endgültige Befreiung ließ die Disziplin der deutschen Bevölkerung dem tschechischen Staat gegenüber zusehends erschlaffen. Dieser zeigte seinerseits wenig Neigung zu Ausgleich und Entgegenkommen. Im Gegenteil: Prag versuchte mit polizeilichen und militärischen Maßnahmen die Empörung der Bevölkerung zu unterdrücken. Seit dem schmutzigen Trick Beneschs vom 21. Mai war Hitler wild entschlossen, die sudetendeutschen Gebiete »heim ins Reich« zu holen. Jetzt tat auch er alles, um die Krise anzuheizen und so den Zerfall der Tschechoslowakei herbeizuführen. Soweit so gut; kein Österreicher hätte Mitleid mit den Tschechen gehabt. Das Maß der Tschechen war voll. Jahrzehntelang hatten sie die deutsch-österreichische Bevölkerung der Sudeten unterdrückt, wo sie nur konnten, erst der Weltwirtschaftskrise schutzlos überlassen und dann vom Wiederaufschwung ferngehalten. Sie versuchten unaufhörlich, sudetendeutsche Gebiete tschechisch zu besiedeln, und nur tschechische Firmen bekamen Staatsaufträge. Jeder Deutsche war von vornherein, auch schon vor Hitlers Zeit, a priori suspekt und wurde von wichtigen Positionen oder Geschäften ferngehalten. Sollten die Tschechen also ruhig ihren gerechten Lohn erhalten.

Beunruhigt über die Lage sandten die Engländer Lord Runciman zwecks Information nach Böhmen. Dort nahm sich die deutsch-böhmische Aristokratie seiner mit Erfolg an und zeigte ihm die wahre Situation, die Probleme von Land und Leuten. Der Lord kam dann mit einem für das Benesch-Regime vernichtenden Bericht zurück nach London. Dort hatte bald niemand, außer grundsätzlich hitlerfeindlichen Kreisen und Zeitungen, das geringste Interesse, wegen dieser fatalen tschechischen Nachkriegspolitik in einen Krieg hineingezogen zu werden. Vor allem der Cliveden-Set der Lady Astor, aber auch Chamberlain und Geoffrey Dawson, der Editor der »Times«, zeigten rundweg Sympathien für den deutschen Standpunkt und verachteten die Benesch-Clique. Doch der offizielle englische Standpunkt lautete vorläufig noch, es müsse in der Tschechoslowakei eine gerechte Lösung durch Autonomien gefunden werden. Diese Lösung müsse aber friedlich herbeigeführt werden. Einen brutalen Gewaltakt hingegen, etwa in Form eines militärischen Einmarschs könne Frankreich nicht akzeptieren. Es wäre also mehr als wahrscheinlich, daß dann, wie 1914, auch England zum Krieg gezwungen sein würde. Zwar seien die Briten noch nicht zum Krieg gerüstet, aber ihr Prestige, vor allem den Dominions gegenüber, wäre durch ein eigenmächtiges militärisches Handeln des Reiches ganz besonders in den USA so sehr in Mitleidenschaft gezogen, daß England und in der Folge die Vereinigten Staaten im Falle einer Konflagration schließlich unweigerlich zu den Waffen greifen würden.

Kreise des Auswärtigen Amtes, der deutschen Wirtschaft und vor allem der Militärs, ganz besonders aber der Marine, waren der Ansicht, daß Deutschland für einen Krieg gegen England nicht gerüstet sei und man wegen der sudetendeutschen Frage, mit deren friedlicher Lösung im Rahmen einer Autonomie mit Unterstützung der Westmächte ja bereits gerechnet werden konnte, einen Weltkrieg nie riskieren dürfe. Dies war auch die Ansicht Ungarns, wie wir anläßlich der Horthy-Reise hatten feststellen können. Vor allem aus Italien kamen warnende Stimmen. Botschafter Attolico erklärte vertraulich, aber unmißverständlich, daß Italien weder materiell noch moralisch für einen solchen Krieg gewappnet sei.

Hitler jedoch, als echter Vabanque-Spieler, trieb die Krise immer mehr auf die Spitze, und in seinem Auftrage goß das Propagandaministerium mit Tatarennachrichten unablässig Öl ins Feuer. Ich erinnere mich noch genau, wie Ministerialrat Berndt vom Propagandaministerium zu uns ins Büro kam und lachend klagte, ihm fielen einfach keine Schauernachrichten mehr ein. Alle Superlative seien bereits verbraucht. Man habe schon die komischsten Erlebnisse damit gehabt, als man sich willkürlich aus sudetendeutschen Telefonbüchern angebliche Opfer des tschechischen Terrors zusammensuchte und dann aus der deutschen Sprachinsel Iglau wütende Proteste von angeblich Toten und Verletzten kamen, die überhaupt nicht belästigt worden waren. Er könne nichts anderes machen, er müsse genauso mit Schauernachrichten arbeiten, wie es die Engländer mit so großem Erfolg im Ersten Weltkrieg getan hätten. Und wir im Auswärtigen Amt erfanden damals eine neue Witzfigur: Es war das achtzigjährige, schwangere volksdeutsche Mütterchen, das unter Kolbenhieben und Bajonettstichen der entmenschten tschechischen Soldateska unter Aufgebot seiner letzten Kräfte, das Enkelkind krampfhaft über Wasser haltend, mit einem brennenden Holzbein und verzweifelt »Heil Hitler« rufend, den Grenzfluß nach Deutschland überschwimmt. Täglich, wenn wir ins Büro kamen, fragten wir einander: »Sind schon wieder neue Nachrichten da von unserem Mütterchen?«

Und es gab sie, in jeder Auflage, falsche und echte. Die tschechische Instinktlosigkeit und Maßlosigkeit trug dabei nicht wenig Schuld an dieser Situation. Benesch hatte am 20. Mai 1919 versprochen, volle Rechte für die Sudetendeutschen als zweites Staatsvolk zu sichern und einen Staat friedlich zusammenlebender Völker, eine Art großböhmische Schweiz, zu errichten. Aber nichts dergleichen war geschehen, und als Dollfuß und Schuschnigg zur Sicherung der österreichischen Unabhängigkeit die Restauration der Habsburger erwogen hatten, drohte Benesch ungeniert und brutal wie Hitler mit Krieg.

Er und seine militärischen Berater bekamen in der Folge wohl was sie verdienten. Es nützte nichts, daß Krofta, der Ministerpräsident und die tschechischen Diplomaten diesen Kurs nicht mitmachen wollten. Sie wurden nicht gefragt, wurden überstimmt. Auch der tschechische Gesandte in Berlin, Mastny, dem Göring während des Anschlusses Zusicherungen gegeben hatte, warnte in Prag. Doch Präsident Benesch regierte dort die Stunde.

All dies gab aber Hitler natürlich nicht das Recht, den europäischen Frieden ernstlich aufs Spiel zu setzen und einen neuen Weltkrieg zu riskieren. Zwar konnte es ihm kein vernünftiger Deutscher übelnehmen, daß er die Krise anheizte, um einen friedlichen Abschluß zu beschleunigen. Dies ist ja eine uralte und sehr probate Methode der Politik, die seit Tausenden von Jahren immer wieder verwendet wurde. Wir vom inneren Kreis der Eingeweihten aber wußten, daß Hitler bereits mit dem Gedanken an einen Krieg spielte! Er hatte mit ungeheueren Kosten und nicht wiederholbaren Anstrengungen die Wehrmacht aufgebaut, während die englische Rüstung praktisch noch auf einem Tiefstand blieb.

Damals, während des friedlichen, blumenreichen Einmarsches in Österreich, hatte er der Welt die Stärke der deutschen Wehrmacht nicht eindrucksvoll genug demonstrieren können. Seither aber setzte er auf schnelle und vernichtende militärische Schläge, die er dann durch Pressionen »friedlich« auszunutzen gedachte. Ihm, dem bislang stets erfolgreichen Hasardeur, war dabei nicht klar, daß sich ein solcher Minikrieg kaum lokal begrenzen lassen würde und mit höchster Wahrscheinlichkeit in einen Weltkrieg münden mußte.

Ich muß ehrlich zugeben, auch ich hätte damals nichts gegen einen todsicheren kleinen Feldzug gehabt, denn die Tschechen und Polen hätten meiner Ansicht nach eine Lektion verdient. Sie waren es ja gewesen, die nach dem Ersten Weltkrieg, an dem sie als Staaten nicht einmal teilgenommen hatten, beim Zusammenstoppeln ihrer neuen Staatsgebilde so viele deutsche Gebiete gewaltsam annektiert und in der Folge niedergehalten hatten. Es wäre damals von einem patriotischen jungen Mann zu viel verlangt gewesen, anders zu denken. Wir waren noch vor dem Ersten Weltkrieg geboren. Die deutsch-österreichische Niederlage von 1918, der amerikanische Betrug mit dem Selbstbestimmungsrecht auf Grund der 14 Punkte Wilsons und das darauffolgende Unrecht der Gewaltverträge von St.-Germain und Versailles saß uns in den Knochen. Unsere Empörung war noch frisch und echt.

Masaryk und Benesch hatten es außerdem versäumt, die Sudetengebiete wenigstens wirtschaftlich zu fördern, um auf diesem Wege die Loyalität der deutschen Bevölkerung dem zusammengewürfelten Staatsgebilde gegenüber zu stärken. Weit gefehlt! Man ließ es eiskalt zu, daß in den Sudetengebieten die schlimmste Arbeitslosigkeit herrschte. So wurde der Anschluß an Deutschland nicht nur eine nationale, sondern auch eine wirtschaftliche Hoffnung, um so mehr, als dort durch die gewaltigen Bauvorhaben und durch die Rüstung die Arbeitslosigkeit praktisch verschwunden war. Dieses Wunder kam, zum Erstaunen aller Wirtschaftswissenschaftler der Westmächte, nicht zuletzt durch die Zauberkünste des Wirtschaftsgenies Schacht zustande. Mit meinem Herzen billigte ich sicherlich die Wünsche der Sudetendeutschen und die Absichten Hitlers. Vom Umstand her konnte ich aber die eminente Gefahr eines neuen, fatalen Weltkrieges mit drohendem Untergang nicht leugnen. Ich gehörte damals begreiflicherweise zu den bestinformierten Leuten überhaupt. Im Ministerbüro des Außenministers flossen sämtliche Nachrichten offizieller und inoffizieller Art in gewaltigem Strom zusammen. Ich war immer, wenn auch nur als Statist, im Zentrum des Geschehens dieser Tage. Zusätzlich wußte ich durch meine Verlobte, die die englische Oberschicht genau kannte, was man dort dachte, und daß die Engländer zwar nur ungern, aber notfalls mit eiserner Entschlossenheit gegen uns Stellung beziehen würden.

Hitler jedoch glaubte Ribbentrop, der ihn immer wieder beruhigte und ihm pampig garantierte, daß Frankreich niemals eingreifen könne und England letzten Endes nicht eingreifen werde. Diese Überzeugung entsprang seinem aus politischer Halbbildung geborenen Wunschdenken. Ribbentrop spielte aber auch gegenüber Hitler ein falsches Spiel.

Denn entsprechend den Absichten seiner Frau sollte nicht nur ein kleiner osteuropäischer Staat zum Einlenken gezwungen, sondern England gedemütigt und in seinem Einfluß auf Osteuropa beschnitten werden. Die Ribbentrops sehnten also eine »klärende Auseinandersetzung« mit England geradezu herbei, während die intelligenten Paladine wie Göring und Goebbels sowie alle einigermaßen denkenden politischen Köpfe alles taten, um einen Ausgleich herbeizuführen. Kurzum, es waren für mich die Ribbentrops weitaus entschlossenere Hasardeure und Kriegstreiber als Adolf Hitler. Aber alle drei nahmen bewußt das Risiko eines Krieges in Kauf, und hier mußten sich unsere Wege trennen. Risiko konnte man im Sudetenkonflikt vernünftigerweise nur dann eingehen, wenn die Chancen zwischen Krieg und Frieden mit den Engländern zumindest eins zu zehn standen. Bei einer gewaltsamen Lösung aber standen sie nicht einmal fifty-fifty, sondern mit größter Wahrscheinlichkeit 90 zu 10. Und so etwas durfte einfach nicht riskiert werden! Für mich war es wegen meiner jugendlich großen Begeisterung für Adolf Hitler und wegen der freundlichen Behandlung, die er mir stets widerfahren ließ, unendlich schwer, mich von ihm und seinem Weg zu trennen. Doch es blieb mir bei logischer Überlegung damals einfach nichts anderes mehr übrig. So kam ich zu dem Entschluß, mich mit allen meinen bescheidenen Mitteln für den Frieden einzusetzen – notfalls auch gegen Hitler, und ich befand mich dabei in guter Gesellschaft. Auf den Begleitschiffen »Patria« und »Woermann« hatten wir während des Horthy-Besuches erfahren, daß auch der Adjutant des Großadmirals Raeder, dazu der Adjutant Himmlers und viele andere schwere Bedenken gegen kriegerische Verwicklungen hatten, und gerade die alten Parteigenossen lehnten den Krieg aus tiefster Überzeugung ab. Bald bildete sich sogar in der Umgebung von Hitler eine Fronde. An ihrer Spitze stand der Adjutant, Hauptmann Wiedemann. Er war während des Ersten Weltkrieges ein Vorgesetzter Hitlers gewesen und verehrte diesen, ja bewunderte ihn, nicht zuletzt wegen seiner Tapferkeit im Krieg. Doch stand er Hitlers Politik kritisch gegenüber. Mehrfach hatte Wiedemann versucht, direkt mit England Fühlung aufzunehmen, um Ribbentrop zu überspielen und das Schlimmste zu verhüten. Weizsäkker, Kordt und manchmal auch ich informierten ihn, wann immer wir konnten, über die Lage. Wir wußten auch, daß es bei den Militärs um den ehemaligen Generalstabschef Beck herum Männer gab, die – zu allem entschlossen – nach Wegen suchten, eine kriegerische Entwicklung zu verhindern. Genaueres wußte ich allerdings damals noch nicht. Daß sich bereits damals eine echte Verschwörung entwickelt hatte, erfuhr ich erst später. Wohl merkte ich, daß Kordt immer wieder Besprechungen mit dem Staatssekretär und dessen engsten Mitarbeitern hatte, die ziemlich offen in Opposition zum Dritten Reich und seiner Politik standen. Aber ich maß diesen Unterhaltungen vorerst keine große Bedeutung bei. Ich hoffte noch immer, daß Hitler letztlich vor einem Krieg zurückschrecken würde und lediglich bei diesem internationalen Pokerspiel mit äußerstem Risiko das Größtmögliche herausholen wollte.

Allerdings »hoffte« ich dies nur, denn immer wieder erinnerte ich mich an seine Bemerkung über die »spätere« Möglichkeit eines Krieges, und auf dem Gebiet der internationalen Politik vertraute ich ihm nicht mehr, denn ich mußte ihm auf Grund verschiedener Vorgänge internationale Sachkenntnisse absprechen.

Inzwischen kam der Parteitag. Diesmal hatten wir in der Tat hochrangige Gäste: die meisten in Berlin akkreditierten Diplomaten, eine ganze Blütenlese edler Lords und anderer englischer Persönlichkeiten, darunter auch mein »Schwiegervater in spe«, der Agnes mitbrachte. Der Parteitag ging mit seinen üblichen Feiern und Festen vorbei, ohne daß Hitler mit Reden und Statements besonders brillierte. Ganz Nürnberg glich einem Heerlager. Alles gelang wie immer vorzüglich. Es gab wieder den üblichen Lichtdom aus Scheinwerferstrahlen, Kundgebungen und Aufmärsche der Hitlerjugend, der politischen Leiter, des Arbeitsdienstes, der SA und SS, militärische Vorführungen und dergleichen. Amüsant war ein Nachtlager der SS, zu dem auch Ribbentrop kommen mußte, wobei es ihm nicht erspart blieb, mit hohen SS-Führern, alten Haudegen und Rabauken der Kampfzeit am Lagerfeuer zu stehen und sich als »Pomade« – und »Spätnazi« anpflaumen zu lassen. Er wurde ja von alten Kämpfern nie für voll genommen.

Unter den Gruppenführern und anderen hohen SS-Führern glänzten hochadelige Namen wie Erbprinz Waldeck, Fürst Pückler, die Grafen Bassewitz, Schulenburg, Wolff-Metternich und die Herren von Alvensleben, Treuenfeld, Dörnberg, Reitzenstein und viele andere. Der Adel stellte fast ein Fünftel der Gruppenführer, also der allerhöchsten SS-Führer. Hier seien gleich noch weitere SS-Adelige zitiert, da es Mode geworden ist, den Nationalsozialismus als kleinbürgerlich abzutun. Der Großherzog von Mecklenburg, zwei Hessenprinzen, die Prinzen Hohenzollern-Emden, Hohenlohe, die Grafen Pfeil, Rödern, Strachwitz, die Freiherren Tüngen, Hadeln, Geyr, Malsen, von der Goltz, ferner die Edlen von der Planitz, Keudell, Podbielski, Woyrsch, um nur einige zu nennen. Sie alle gehörten dazu, und sie waren durchaus aktive SS-Mitglieder zum Teil sogar hauptamtliche.

Die Mischung von Rabauken und Herren gefiel mir sehr, denn ich muß sagen, fast alle waren Kerle! Himmler paßte wenig in diese Korona, und sein lehrhafter Vortrag an diesem Reichsparteitag über Germanen, Feldzüge, Pflicht, Opfer, Tapferkeit und Einsatz im Krieg, der uns möglicherweise kurz bevorstehe, wurde insgeheim belächelt. Spät gingen wir in die Zelte zum Schlafen. Dort blieb es Ribbentrop nicht erspart, die Nacht ohne Kammerdiener Bonke, ja ohne Bettsack auf einer Pritsche verbringen zu müssen! Am nächsten Tag war er dann entsprechend grantig, aber er erzählte, wo immer er konnte, wie sehr er dieses

Zusammensein mit harten Männern genossen hätte, was ihm allerdings niemand abnahm, am wenigsten diese echten Kerle selbst.

Nur widerwillig ließ sich Hitler herbei, die vielen Diplomaten, die zum ersten Mal einen Parteitag besuchten, zu empfangen. Da der päpstliche Nuntius durch Abwesenheit glänzte, war der französische Botschafter der Dienstälteste und somit der Doyen.

Er hatte daher die Ansprache zu halten und tat dies großartig, wohl wissend, daß Hitler seine Mutter über alles verehrte, und genau abwägend, wie weit er gehen konnte. François Poncet also, der bei Hitler Narrenfreiheit genoß, und den dieser wiederholt als den witzigsten aller Diplomaten bezeichnet hatte, hielt ungefähr folgende Rede: »Herr Reichskanzler! Wir sind hierher gekommen mit einem Sonderzug, den ich gewissermaßen als einen besonderen Zug des guten Willens bezeichnen möchte. Wir sind glücklich, hier Ihr Werk bewundern zu dürfen, obgleich wir gerade als dumme Kälber bezeichnet wurden, die ihre Schlächter selber suchen. (Goebbels hatte in einer Rede in bezug auf die Westmächte, die die kommunistische Gefahr nicht genügend ernst nahmen, jenen Ausspruch gebraucht: ›Nur die allerdümmsten Kälber suchen ihre Schlächter selber.‹) Herr Reichskanzler, wir wünschen Ihnen Glück und jeden Erfolg, der keine Träne in ein Mutterauge bringt!« Hitler war sichtlich beeindruckt und wir alle gerührt. Betretenes Schweigen folgte. Doch Hitler löste die Situation dadurch, daß er auf den französischen Botschafter zuging und ihm schweigend beide Hände drückte, tief in die Augen sah, sich verneigte und nach einer leichten Verbeugung vor den anderen Herren das Weite suchte. Somit weder Antwort noch Zusicherungen. Hitler hielt alles offen, und dabei blieb es bis auf weiteres. Die Nachrichten aber wurden immer schlechter und die Spannung bald unerträglich.

Agnes und ihr Vater waren bereits nach München abgefahren. Ich folgte ihr in der Nacht heimlich mit einem schweren Mercedes und dem treuen Chauffeur Brüdgam, um sie noch einmal zu sehen, und raste dann wieder in den frühen Morgenstunden nach Nürnberg zurück. Wir waren beide verzweifelt über unsere eigene und die allgemeine Lage. Was wir schon in jenen Tagen durchzumachen hatten, bleibt mir unvergeßlich.

Von Nürnberg aus fuhr Ribbentrop mit Gefolge, also auch mit mir, nach München, wo wir wieder einmal in den »Vier Jahreszeiten« logierten. Nachdem die Krise am 13. September einen qualvollen Höhepunkt erreicht hatte, und wir vom AA schon nicht mehr ein noch aus wußten, kam überraschend am 14. September eine Mitteilung von Chamberlain, in welcher er vorschlug, nach München zu fliegen, um mit Hitler in direktem Gespräch im allerletzten Augenblick noch eine Lösung zu suchen. Hitler sagte unverzüglich zu, und am 15. September machte Chamberlain bei schlechtem Wetter in einer kleinen zweimotorigen Maschine die erste Flugreise seines Lebens. Allgemein erlöstes Aufatmen: Alle vernünftigen Leute, und das war sicher die überwiegende Mehrheit, hätten sich wohl am liebsten umarmt. Wie ein Lauffeuer ging diese Nachricht durch München und alle deutschen Lande, ja, sie beglückte die Nation.

Als Chamberlain dann landete, war auch ich auf dem Flugplatz, und sah diesen alten, würdigen Mann, mit einem Regenschirm bewaffnet, der zufällig gerade sehr zweckmäßig war, aus dem Flugzeug steigen. Er wurde von Sir Horace Wilson und Sir William Strang begleitet.

Zum Empfang erschienen Ribbentrop und Dörnberg. Man war allerseits freundlich und höflich. Nur das Dazwischentreten des Münchner Parteibonzen Christian Weber störte. Dieser war ein unmöglicher Biervertreter, ehemaliger Kumpan und Financier Hitlers, der sich jetzt vordrängte und in schrecklichstem Deutsch gestikulierend auf Chamberlain einredete. Es gelang uns, Weber, den Chamberlain nur mit Verwunderung ansah, energisch wegzukomplimentieren. Dies hätte freilich gefährlich werden können, denn Christian Weber hatte einmal in der Urzeit der Partei, als diese kurz vor dem Bankrott stand, mit einer größeren Geldsumme ausgeholfen. Seither konnte er sich so ziemlich alles leisten, denn Hitlers Dankbarkeit alten Kampfgenossen gegenüber war stets grenzenlos – ein sympathischer Zug, der, wie bei Napoleon, leider manchmal fatale Konsequenzen hatte.

Auf der Fahrt vom Flugplatz durch München zum Bahnhof, wo der Sonderzug nach Berchtesgaden stand, zeigte sich die bayerische Bevölkerung von ihrer freundlichsten Seite. Sie bereitete Chamberlain herzliche Ovationen, die dieser – sichtlich überrascht – sehr genoß. Ribbentrop hingegen ärgerte das ungemein, denn ihm wäre natürlich ein Spalier von hartgesottenen, finster und kriegsentschlossen dreinblickenden Germanen lieber gewesen.

Auch Staatssekretär von Weizsäcker und der englische Botschafter Sir Nevil Henderson waren nach Berchtesgaden geflogen. Auf deutschen Rat hin und mit unserer Hilfe gelang es den Engländern, unter Umgehung Ribbentrops durchzusetzen, daß Chamberlain und Hitler einander allein, nur unter Hinzuziehung des Dolmetschers Schmidt sprechen konnten. Wie wir anschließend durch Schmidt erfuhren, war diese Unterredung durchaus positiv verlaufen, und Chamberlain hatte sich als großartiger Zuhörer bewährt. Lediglich gegen Schluß der Unterhaltung, als sich Hitler immer mehr in Zorn hineinsteigerte, hatte Chamberlain mit wenigen Worten überspitzte Forderungen zurückgewiesen, indem er erklärte: Wenn dies Hitlers letztes Wort sei, dann wäre seine,

Chamberlains, ganze Reise überflüssig gewesen, und er könne gleich wieder nach Hause fliegen. Da steckte Hitler sofort zurück und erklärte, wenn England im Prinzip das Selbstbestimmungsrecht anerkenne, könne man über Modalitäten durchaus noch reden. Dies nahm Chamberlain mit sichtlichem Interesse zur Kenntnis und erklärte, er werde nach England fliegen, um diesen neuen Standpunkt seinen Kabinettsmitgliedern vorzulegen. Anschließend wolle er dann gerne wieder zu einer Unterredung zurückkehren, nur bäte er, daß sich inzwischen Deutschland etwas gedulden und keine die Lage verschärfenden Schritte unternehmen möge. Hitler zeigte sich verständnisvoll. Er sagte zu, daß er bis zu Chamberlains Rückkehr stillhalten werde, es sei denn, es geschähen unvorhergesehene Dinge.

Uns allen, das heißt dem Kreis der normalgebliebenen Leute, fiel gleichsam ein Stein vom Herzen. Nur Ribbentrop fühlte sich auf den Schlips getreten, war er doch bei dieser so entscheidenden Unterredung ausgeschlossen geblieben.

Das verbitterte ihn ungemein. Mit einem kleinen, aber sehr üblen Trick, der wieder einmal dem deutschen Ansehen und unserer Glaubwürdigkeit sehr schadete, nahm er seine Privatrache. Er untersagte nämlich überraschend Paul Schmidt, der beim Übersetzen auf einem dicken Papierblock ständig die wichtigsten Stichworte mitgeschrieben hatte, um nachher (wie immer) erstklassige Aufzeichnungen daraus zu fabrizieren, ein zweites Exemplar – wie dies seit Jahren üblich – der Gegenseite, also nun den Engländern, zu übergeben. Diese hatten sich ganz auf unseren Schmidt verlassen, hatten vertrauensvoll und großzügig auf einen eigenen Dolmetscher verzichtet, um die Direktheit und Intimität der Unterredung nicht durch einen zweiten Übersetzer zu stören. Als nun Henderson Schmidt ganz selbstverständlich um die Aufzeichnungen für Chamberlain bat, mußte ihm dieser auftragsgemäß deren Aushändigung verweigern. Die Engländer waren hier richtiggehend betrogen worden, und sie waren über diese himmelschreiend unfaire Vorgehensweise der Deutschen hell empört. Mit Recht vermuteten sie, daß Ribbentrop dahinterstecke, und es blieb ihnen nichts anderes übrig, als verspätet eine eigene Aufzeichnung zusammenzubauen. Natürlich hätte man vor der Unterredung mit den Engländern die alte Gewohnheit, die Schmidtschen Aufzeichnungen dem Gesprächspartner zur Verfügung zu stellen, ohne weiteres aufkündigen können. Aber die Engländer im guten Glauben zu lassen, und ihnen dann nach einer so langen und wichtigen Unterredung ein Exemplar der einzigen Aufzeichnung post festum zu verweigern, war eine Lumperei ohnegleichen, die ob ihrer Niederträchtigkeit bei den Engländern einen verheerenden Eindruck hinterlassen mußte. Mir war, als müßte ich vor Scham in den

Boden versinken! Gerade so kleine und hinterhältige Gemeinheiten waren ja hervorragend geeignet, auch noch die letzten Reste von Vertrauen zwischen Deutschland und England zu zerstören. Ohne ein gewisses Minimum an Anstand und Fairness aber bleibt zwischen Gegnern dann nur mehr das Gesetz des Dschungels.

Langsam aber sicher wuchsen in mir Groll und Scham derartig an, daß ich mich innerlich von diesen Herrschaften zu trennen begann. Ich tat es mit gutem Gewissen. Solch rücksichtslose und unfaire Macht-, ja Kriegspolitik hatte einfach nichts mehr mit Ehre und dem alten nationalsozialistischen Gedankengut der Kampfzeit gemein. Ich begann zu bedauern, diesem Mann Jahre meiner Jugend gewidmet zu haben. Das schöne Gebäude meiner Ideale stürzte in sich zusammen. Ich fühlte mich elend, unglücklich und ernüchtert. Wie sollte ich auch all dies meiner Braut erklären, deren Begeisterung für Deutschland und das Dritte Reich ich selbst im guten Glauben so erfolgreich entfacht hatte? Ich mußte erkennen, daß man bereits reine Eroberungspolitik trieb, ja sogar konkret mit dem Gedanken eines Krieges spielte. Mit einem Schwall von billigen Phrasen betörte man das Volk, das nichtsahnend ins Verderben rannte – selbst wenn es diesmal noch gutgehen sollte.

Bisher hatte ich immer wieder meine Bedenken unterdrückt und den Führer von Schuld freizusprechen versucht. Jetzt wurde mir aber klar, daß sich zwischen Hitler und Ribbentrop eine Art Kumpanei entwickelt hatte, und Ribbentrop für Hitler gerade deshalb so angenehm war, weil er stets genau das sagte, was Hitler gerade hören wollte. Er unterstützte in Hitlers Seele den bösen Mr. Hyde, der dann immer mehr über Dr. Jekylls Güte, die ich so liebte, die Oberhand gewann.

Bald schuf sich der Reichsaußenminister etwas Oberwasser. Er verkündete überall, es hätte sich doch mit »dem Chamberlain« wieder einmal gezeigt, daß die Engländer nur blufften. Frau von Ribbentrop ging noch weiter und erklärte, Chamberlain wäre nur im Auftrag des Intelligence Service erschienen, um Zeit zu gewinnen und einen Krieg zu verhindern, von dem die Engländer sehr genau wüßten, daß sie ihn vorläufig nicht gewinnen könnten, da sie noch nicht genügend gerüstet seien. Alle diese salbungsvollen Aussprüche von englischen Politikern seien nichts anderes als Tarnungsmaßnahmen, um Deutschland so lange hinzuhalten, bis das englische Weltreich aufgerüstet habe und gemeinsam mit deutschfeindlichen Mächten über das Dritte Reich herfallen könne, um es zu vernichten. Jetzt wäre die letzte Gelegenheit um England diplomatisch oder – viel besser – militärisch in die Knie zu zwingen. Denn je länger man zuwarte, um so schlechter wären die Chancen des Reiches. Die Hoffnung, eine Auseinandersetzung auf Dauer verhindern zu können, sei geradezu lächerlich.

Wieder in Berlin zurück, hatte ich ein vielleicht bezeichnendes Erlebnis. Henderson lud mich zu einem kleinen Empfang in die englische Botschaft ein. Nur Herren waren anwesend. Man unterhielt sich in den Räumen zwanglos und sprach kaum über Politik. Dazu war die Lage fast zu gespannt; besonders nett war zu mir Mr. Harrison, der Privatsekretär des Botschafters. Auch mit Sir Ivone Kirkpatrick und Ogilvie Forbes wechselte ich einige Worte. Es ging nicht sonderlich unterhaltsam zu, aber man tat eben sein Bestes, um höflich zu sein.

Die britische Botschaft war ein recht verbautes Gebäude. Eine Flucht von Salons war sinnlos durch die Haupttreppe voneinander getrennt. Verschiedene Kunstgegenstände und Bilder betrachtend war ich gerade im Begriff, das repräsentative Stiegenhaus von Salon zu Salon zu kreuzen, als ich unterhalb auf einem Treppenabsatz stehend, den belgischen Gesandten Graf Davignon in erregtem Disput mit Henderson unbemerkt und ganz unbeabsichtigt belauschte. Im Brustton der Empörung rief Henderson gerade: »These damned Czechs!«

Ich zog mich sofort leise wieder zurück. Für mich war damit der Beweis erbracht, daß die Behauptungen der beiden Ribbentrops, Henderson spiele nur den Deutschfreundlichen und agiere in Wirklichkeit ganz in tschechischem Sinne, einfach nicht stimmten. Als ich Frau von Ribbentrop von diesem Erlebnis erzählte, fand sie, wie immer, tausend Ausflüchte und meinte, ich hätte wohl nicht alles gehört. Im übrigen sah sie mich so an, als wüßte sie, weshalb ich so englandfreundlich wäre, nämlich meiner Verlobten wegen. Dieser Umstand tat aber nichts zur Sache. Meine Privatangelegenheit war eine Sache, das Interesse des Reiches eine andere. Als Beamter des Auswärtigen Amtes wußte ich Privates von Außenpolitik streng zu trennen. So hatte ich etwa Agnes sogar den bevorstehenden Besuch Chamberlains verschwiegen.

In Anbetracht des dräuenden böhmischen Ungewitters mußten Agnes und ich unsere Heiratspläne wieder verschieben, und wir litten darunter. Mars und nicht Hymenäus regierte die Stunde.

Bei unserer Bevölkerung hatte der britische Premier einen sehr guten Eindruck hinterlassen. Leider aber war er nicht der richtige Mann für Hitler gewesen. Er war nämlich viel zu gütig und anständig. Als Verhandlungspartner für Hitler hätte man einen anderen Typus suchen müssen: eine Bulldogge wie Churchill oder noch besser einen scharfen Kolonialgeneral. Ein solcher, versehen mit dem englischen Offiziersstöckchen, hätte mehr imponiert als der gütige Onkel Chamberlain mit seinem Regenschirm, der einem Mann wie Hitler einfach nicht verständlich machen konnte, daß die ganze Macht eines Empires hinter ihm stand. Auch die gewählte Ausdrucksweise der Engländer mit ihren typischen Understatements war nicht jene Sprache, die ein Hitler verstand. Höflichkeit und schonende Formulierungen waren für ihn Schwächezeichen, und die Beamten, Sir Horace Wilson, Strang und andere, die mit Chamberlain erschienen waren, machten am Obersalzberg den Eindruck einer Schar »bürokratischer Nußknacker«. Welch ein Jammer, daß England in diesem Moment und auch später knapp vor dem Krieg niemals die Personifizierung des John Bull geschickt hat! Um Göring und Neurath hatten sich jetzt alle Gutwilligen geschart, darunter Schacht, Schwerin-Krosigk, Weizsäcker, der italienische Botschafter Attolico mit seiner klugen, schönen Frau, der Adjutant des Führers, Hauptmann Wiedemann, die Herren des Generalstabes, der Wirtschaft und viele andere. Sie alle versuchten, speziell Neurath und Göring auf dem Laufenden zu halten, denn auf diese beiden konzentrierten sich die letzten Hoffnungen. Mit jedem Tag wurde nämlich klarer, daß Hitler den Engländern Zugeständnisse abpressen wollte, die einer Niederlage gleichkamen, um damit der Welt zu beweisen, daß er, Hitler, der Herr in Ostmitteleuropa sei. Wenn er nämlich dort eine erfolgreiche Militäraktion durchführte, konnte er damit vor aller Welt beweisen, daß er die Ostprobleme nach seinem Geschmack zu lösen vermochte. Außerdem baute er darauf, in einem Blitzkrieg die Schlagkraft der neuen deutschen Wehrmacht offenbar zu machen, um diesen blutigen Lorbeer jahrelang politisch auszuwerten. Drittens sollte aller Welt gezeigt werden, daß die Westmächte, mit den Angelsachsen an der Spitze, in Wahrheit nie daran dächten und auch gar nicht in der Lage wären, der deutschen Expansion wirksamen Widerstand entgegenzusetzen. Die östlichen Staaten sollten erkennen, daß sie auf die Hilfe des Westens nicht bauen konnten.

Hitlers Schärfe gegen England war sicher auch die Reaktion auf verschmähte Liebe. Die ersten Jahre nach der Machtergreifung war er den Engländern geradezu nachgelaufen. Diese hatten ihn jedoch ziemlich hochmütig behandelt, ja einmal sogar einen Fragebogen zur gehorsamen Beantwortung überreicht, den Hitler natürlich nie ausfüllte, und Eden hatte nach seinem einzigen Besuch bei Hitler anschließend taktloserweise gleich Stalin besucht.

Der damalige englische Botschafter in Berlin, Sir Eric Phipps, und sein Militärattaché waren von Anfang an hochmütige Deutschenfresser und Nazihasser gewesen, hatten öffentlich törichte und anmaßende Reden geführt. Wahrscheinlich hätte ein kluger und energischer englischer Botschafter in den ersten Zeiten des Dritten Reiches positiven Einfluß ausüben und vielleicht auch manches Unheil und die böse Entwicklung verhindern können. Henderson kam zu spät und wurde, wie immer wieder erlebt, von Ribbentrop bei Hitler systematisch diskreditiert und unterlaufen. So standen die deutsch-englischen Beziehungen unter einem Unstern. An dieser Einstellung änderten auch Besuche englischer Persönlichkeiten nichts, wie von Lord Lloyd George, Lord Rothermere oder Mount Temple und anderer. In den Augen Hitlers waren sie eben weiße Raben, die keinen rechten Einfluß ausüben konnten. Hinzu kam noch, daß Unity Mitford, eine hitlerverehrende, jugendliche Redesdaletochter bei Hitler oft auf ihre Heimat schimpfte, über die englische Oberschicht witzelte und Hitler so glauben machte, daß das englische Volk dieser Clique bald überdrüssig sein würde. Welch fataler Irrtum! Damals war das Establishment noch fest verankert und wurde vom Volk anerkannt. Denn *jeder* Engländer hat ja die Möglichkeit, bei hervorragender Leistung in die höchsten Adelsränge aufzusteigen, und der jährliche »Pairsschub« war auch für das Volk ein ergreifendes Erlebnis. Auf dem Lande herrschte die Gentry, sportlich-hart, beispielhaft und dem Volk verbunden. Flotte, Armee und Luftwaffe waren zwar technisch nicht up to date, hatten aber erstklassige Kader.

Agnes war mit ihrem Vater, dem alten Lordlieutenant, längst wieder in England. Beide waren begeistert über die Reisen Chamberlains und voll der Hoffnung. In London hatte sie mich noch in der Wochenschau beim Empfang Chamberlains auf dem Münchner Flughafen begutachten können. Das Dritte Reich hatten sie auf dem Parteitag als Ehrengäste noch in vollem Glanz erlebt, und sie stand völlig unter diesem machtvollen Eindruck.

Das nächste Zusammentreffen zwischen Hitler und Chamberlain fand in Godesberg am Rhein statt. Hitler, Ribbentrop und auch ich unter dem Gefolge füllten das Hotel »Dreesen«. Chamberlain wohnte gegenüber auf dem Petersberg. Um zu den Besprechungen zu kommen, mußte Chamberlain also den Rhein überqueren. Doch war alles großartig organisiert. Eine Reihe von Rheinfähren stand uns stets zur Verfügung, ja man hatte sogar eine Pontonbrücke geplant. Das »Dreesen« war hervorragend, nur Ruhe gab es nicht eine Minute, statt dessen ununterbrochen hektischen Wirbel, Kommen und Gehen von Journalisten, allgemeine Nervosität und Aufregung. Dazu war auch noch Ribbentrop mißmutig und kriegslüstern wie immer. Hitler hingegen war zwar höflich, blieb aber hart. Als Chamberlain ihm mitteilte, daß England und Frankreich schließlich übereingekommen waren, den Tschechen die Abtretung aller Gebiete mit sudetendeutscher Minderheit nahezulegen, erklärte Hitler kühl, die Zustimmung der Tschechen allein genüge ihm nicht. Er kenne diese Leute zu genau, sie würden durch Verzögerungstaktik bestimmt versuchen, jede definitive Lösung hinauszuschieben. Daher müßten sie binnen weniger Tage unter Zurücklassung sämtlicher Installationen und Werte das Sudetengebiet räumen, und die deutsche Armee müßte dieses Gebiet sofort nahtlos übernehmen. Darüber war Chamberlain sehr enttäuscht, und er schlug zögernd als Kompromiß vor, die Tschechen sollten zwar sofort das Gebiet räumen, doch dann sollten sudetendeutsche lokale Ordnungstruppen diesen Raum unter internationaler Aufsicht während einer Zwischenzeit bis zur endgültigen Übergabe verwalten. Das aber lehnte wiederum Hitler rundweg ab. Jetzt wurde auch Chamberlain hart und erklärte, er sehe seine Mission als gescheitert an und stelle somit fest, daß Hitler ihm in keinem einzigen Punkte entgegengekommen wäre. Genau in diese verfahrene Situation platzte wie ein reinigendes Gewitter die Nachricht von der tschechischen Mobilisierung. Hitler frohlockte, wurde wieder etwas entgegenkommender und erklärte, das Wichtigste wäre nun, nach der grundsätzlichen Anerkennung des Selbstbestimmungsrechtes, für die Deutschen Böhmens und Mährens richtige Modalitäten zur Übergabe zu finden. Er nannte als neuen endgültigen Termin anstelle des 26. September den 1. Oktober. Gleichzeitig wünschte er aber die Berücksichtigung des Selbstbestimmungsrechtes auch für polnische und ungarische Minoritäten bzw. Territorialforderungen. Chamberlain hingegen wollte keineswegs über die Grundlage der Berchtesgadener Besprechungen hinausgehen. So verabschiedete man sich schließlich, ohne eine Lösung gefunden zu haben, und Chamberlain flog enttäuscht nach London zurück.

Am 26. September waren wir wieder in Berlin, als Sir Horace Wilson mit einem Brief eintraf, in welchem Chamberlain Hitler mitteilte, daß die Tschechen – was er ja schon vorher befürchtet hatte – die harten deutschen Forderungen rundweg abgelehnt hatten. Hitler brauste auf – seine Reaktion war überaus heftig – und donnerte, daß er – wenn die Tschechen nicht binnen kürzester Frist, d. h. bis zum 28. September, seine Forderungen annähmen – am 1. Oktober in die Tschechoslowakei einmarschieren werde. Hierauf erklärte Sir Horace auftragsgemäß, dann müsse er mitteilen, daß – falls Frankreich in Erfüllung seiner Bündnispflicht den Tschechen zu Hilfe eilen würde – sich die englische Regierung verpflichtet sähe, Frankreich zur Seite zu stehen. Wütend entgegnete Hitler, das sei ihm völlig gleichgültig, dann würden sich eben alle Beteiligten nächste Woche im Krieg befinden.

Einige Stunden später sprach Hitler im Berliner Sportpalast und hielt jene berühmte Rede gegen Benesch. Auf Grund geschichtlicher Daten schob er ihm alle Schuld zu. Gleichzeitig erklärte Hitler, daß dies seine letzte territoriale Forderung sei und daß er bestimmt keine Tschechen haben wolle. Später las man es allerdings anders. Doch in jenem Augenblick schien dies jetzt ein leichtes Entgegenkommen den Westmächten gegenüber zu sein, und als Staatssekretär von Weizsäcker, um den Faden nicht abreißen zu lassen, darauf bestand, daß der Brief Chamberlains korrekterweise doch »irgendwie« beantwortet werden müsse, kam auch, vom Staatssekretär entworfen und von Hitler korrigiert, ein etwas

312

gemäßigter Brief an Chamberlain zustande. Diesen mußte ich dann eilends (und glücklich) am späten Nachmittag dem Botschafter Henderson persönlich überbringen.

Kurz darauf wieder im Ministerbüro eilte ich – von pandämonischem Lärm überrascht – ans Fenster und sah erstaunt, wie eine motorisierte Division kriegsmäßig mit Lastwagen und Geschützen durch die Wilhelmstraße rollte. Hitler hatte nämlich befohlen, daß eine solche Division durch Berlin und vor allem an der britischen Botschaft vorbei durch die Wilhelmstraße zu donnern habe, um Kriegsbegeisterung anzuheizen und zu beeindrucken. Aber nichts dergleichen geschah. Mit stummer Ablehnung bestaunten die guten Berliner dieses martialische Schauspiel. Sie hatten noch vom letzten Krieg die Nase voll und vertrollten sich in die Nebenstraßen. Kein Heilruf, kein Winken – nur Mißmut. Kordt, Schmidt und ich waren davon angenehm überrascht und machten dementsprechend mehr oder weniger witzige Bemerkungen über das Ereignis. Auf Hitler und Goebbels aber soll dieser »Defaitismus der Berliner« tiefen Eindruck gemacht haben, als sie die Aktion von der Reichskanzlei aus beobachteten. Sie kamen anschließend zur Überzeugung, daß das deutsche Volk noch nicht reif und noch nicht genügend zur Härte erzogen sei, um für »eherne Lösungen« bereit zu sein. Da gäbe es noch viel Nachholbedarf für das Propagandaministerium und die Medien.

In der Tat: Wochenlang hatten die Leute geglaubt, daß der »große Führer« Hitler mit Zuckerbrot und Peitsche die Tschechen und Engländer schon irgendwie zur Raison bringen würde. Nun aber schien doch Mars schon vor der Tür zu stehen. Kein Wunder, daß das Stimmungsbarometer nach dem Zwischenhoch der Chamberlainbesuche ins Bodenlose fiel. Hitler soll jedenfalls, wie Hewel zufrieden erzählte, ausgerufen haben: »Mit diesem Volk kann ich noch keinen Krieg führen!« Doch noch standen alle Zeichen auf Krieg, und bald erfuhren wir, daß für den nächsten Tag, den 28. September, um zwei Uhr nachmittags, die Verkündigung der Mobilmachung vorgesehen war. Unsere Stimmung fiel auf den Nullpunkt.

Agnes und ich hatten in diesen letzten Tagen und Wochen viel durchgemacht. Grundsätzlich gab ich ihr nie den geringsten Einblick in die Lage. So war ich gezwungen, mich auf persönliche Nettigkeiten und nichtssagende Floskeln zu beschränken. Agnes war bei aller englischen Contenance mit ihrer Kraft fast am Ende, und das Wissen um unsere Hilflosigkeit machte alles nur noch schlimmer. Zwei Jahre lang hatten wir alle Extreme von Glück und Niedergeschlagenheit zu durchleben und dabei viele Sünden abgebüßt. Mich traf diese Situation so bitter, weil ich nunmehr an dem Mann verzweifeln mußte, dem ich seit fünf Jahren mit Begeisterung und Hingabe gedient hatte.

Kordt bemerkte meinen Zustand, hatte Mitleid und sagte mir am nächsten Morgen: »Beruhige dich, es kann noch alles gut werden. Gib mir dein Ehrenwort, daß du alles, was ich dir jetzt sagen werde, für dich behalten wirst.«

Ich versprach es und er fuhr fort: »Sollte heute nachmittag um vierzehn Uhr Hitler die Mobilisierungsorder tatsächlich unterschreiben, dann werden die Panzereinheiten von Potsdam unter General von Witzleben nach Berlin rollen, Hitler und die Reichsregierung festsetzen, sodann die Regierungsgewalt übernehmen und den ganzen Spuk zum Teufel jagen.

Bleibe jetzt hier bei mir, verlasse das Auswärtige Amt auf keinen Fall! Es steht dir nun frei, mitzumachen oder dich abseits zu halten. Auf jeden Fall bleibe ruhig und rühre dich nicht. Wenn du mitmachen willst, um so besser. Canaris, der Staatssekretär und einige andere Herren, sowie ein Großteil der militärischen Führung sind eingeweiht. Wenn wir Glück haben, ist am Abend der ganze Zauber vorbei!!«

Nicht ohne Wehmut, angesichts der Tatsache, daß unsere Ideale in Trümmern lagen und ich nunmehr alles verleugnen mußte, was mir heilig gewesen, erklärte ich nach kurzer Überlegung, daß ich um des Reiches willen mitmachen wolle. Ich dachte mir, auch Brutus hatte gegen Cäsar, den er doch liebte, um des Bestandes der Republik und der Freiheit willen den Dolch gezogen.

Der friedliche Erzzivilist Kordt hatte plötzlich mehrere Pistolen parat, und er gab mir eine. So harrten wir aufs höchste gespannt der Ereignisse, um im Falle des Falles unverzüglich unseren Chef Ribbentrop festzunehmen und ihm endlich das Handwerk zu legen.

Es war am Morgen des 27. September. Ribbentrop war wieder beim Führer in der Reichskanzlei und ging mit ihm mehr zustimmend als diskutierend im Wintergarten auf und ab. So konnte er andere Einflüsse schon durch seine Gegenwart erschweren und des Führers lautes Denken in Richtung auf eine »harte, souveräne Lösung« unterstützen. Ausgerechnet in diesen Augenblicken aber durfte ich als Bote wie ein deus ex machina das Konzert zerstören. Nach energischem Kampf mit den Adjutanten trat ich unangemeldet in den Saal, nahm Haltung an und wartete, bis Hitler das Wort an mich richtete. Ribbentrop sah mich ob der Störung wütend an. Ihm schwante wohl, daß irgend etwas passiert sein mußte, das seine »welthistorischen« Pläne durchkreuzte. Doch jetzt war nicht er gefragt, sondern unser allerhöchster Chef direkt. Dieser sah mich lauernd an und fragte etwas gequält, aber neugierig: »Na, was gibt's?!«

Darauf meldete ich ihm pflichtgemäß, daß der Botschafter Attolico soeben im Auswärtigen Amt angerufen habe und im Auftrage des Duce bäte, ohne Verzug dem Führer eine eilige Botschaft überbringen zu dürfen.

Was war geschehen? Kordt und ich hatten im Ministerbüro gesessen, trübsalblasend, doch fest entschlossen, und uns abwechselnd mit Mitverschworenen wie Siegfried, Etzdorf, Kessel, Heyden u. a. unterhalten. Wieder einmal klingelte das Telefon, gelangweilt nahm ich ab und wurde zu meiner Überraschung direkt mit dem italienischen Botschafter Attolico verbunden, der in seinem Italo-Englisch (Deutsch konnte er überhaupt nicht), aufgeregt und in höchsten Tönen geradezu flehte: »Please, I must speak to the Führer, immediately, please, quiek, quiek, it's a personal message from the Duce.«

Sofort verband ich Attolico weiter mit Kordt, dem er ebenfalls die Hölle heiß machte. Kordt versprach, alles zu tun, lachte mit mir noch herzlich über das »Quiek, quiek«, während ich vorschriftsmäßig »umschnallte«, um in die Reichskanzlei nebenan zu rennen. Jetzt ging es um jede Minute, sollte doch in wenigen Stunden die Mobilisierung befohlen werden.

Während ich also wie berichtet, auf Antwort des allerhöchsten Chefs gehorsamst wartete, überlegte dieser ruhig einige Minuten, wobei er langsam mit der rechten Faust in die linke geöffnete Hand schlug. »Sagen Sie Attolico«, erwiderte er, »ich hätte jetzt noch für 11 Uhr den französischen Botschafter bestellt, aber dann anschließend um 11 Uhr 30 möge er bitte kommen.«

Ich erledigte diesen Auftrag natürlich mit Windeseile und war voll der Hoffnung über diese neue, anscheinend günstige Wendung, denn die Italiener waren doch alles eher als kriegerisch. Kordt war weniger glücklich. Ihm wäre der Putsch Beck-Witzleben lieber gewesen. Während der kommenden Stunde sprach, wie wir später erfuhren, François-Poncet eindringlich auf den Führer ein und hielt ihm vor Augen, daß er doch die Erfüllung fast aller seiner Wünsche bezüglich des Sudetenlandes von den Westmächten bereits angeboten bekommen habe, und daß das Risiko und Unglück eines Kriegsbrandes wegen derart geringer Differenzen bei einiger Überlegung doch nicht mehr ins Kalkül gezogen werden könne. Natürlich mischte sich Ribbentrop wieder ein, um die Stimmung zu verschärfen, worauf ihm aber François-Poncet, wie er uns genüßlich erzählte, richtig über den Mund fuhr, indem er höflich darauf aufmerksam machte, daß er jetzt mit dem Führer persönlich spreche und nicht mit ihm. Hitler war sichtlich beeindruckt, weigerte sich aber, dem Franzosen irgendeine Zusage zu machen. Dieser hatte sogar eine Landkarte der Tschechoslowakei mitgebracht, in welcher wohl aus psychologischen Gründen die abzutretenden Gebiete grellrot eingezeichnet waren.

Nach dem französischen Botschafter sprach dann der italienische vor, und er berichtete dem Führer mit erregten Worten, daß sich die Engländer an den Duce gewandt hätten mit dem Vorschlag, eine Viererkonferenz zur Lösung der Sudetenfrage einzuberufen. Die Bedingungen seien nun so günstig, meine der Duce, daß man seiner Ansicht nach diese Lösung ruhig ins Auge fassen könne, aber ganz gleich, was der Führer auch immer bestimme, er, der Duce, stünde unerschütterlich an seiner Seite etc. etc. Letzteres klang zu schön, um wahr zu sein, und niemand konnte es recht glauben, wohl auch Hitler nicht.

Ein kurzer Besuch Hendersons, der dann noch folgte, hatte keine besondere Bedeutung mehr, denn Hitler hatte inzwischen schon telefonisch mit Mussolini die Annahme des englischen Vorschlages vereinbart. Man einigte sich dabei auf eine Konferenz schon für den nächsten Tag in München. Gleichzeitig wurde intern die für 14 Uhr vorgesehene Mobilisierung zur Erleichterung aller vernünftig gebliebenen abgesagt.

Inzwischen war eine Korona von Größen in die Reichskanzlei geströmt, darunter auch Göring, Weizsäcker und Neurath. Diese drei »Friedensanwälte« setzten sich abseits an einen Tisch und entwarfen eilig die Grundlagen eines Abkommens. Göring zeigte diesen Entwurf dem Führer, der seine Zustimmung gab. Nun sah Ribbentrop seine Felle davonschwimmen! Er mußte zusätzlich noch einen zweiten Anschnauzer an diesem Tag einstecken, diesmal von Göring, der ihm in scharfem Ton erklärte, er dürfe, falls es zum Krieg kommen sollte, gerne mit einem seiner Bombergeschwader mitfliegen und so am allerbesten seinen Mut beweisen.

Ribbentrop zog sich schließlich etwas säuerlich aus der Affaire, versuchte aber noch, mit seinem üblen Lakaien, dem Unterstaatssekretär Gauß, einen Gegenentwurf zu fabrizieren, in dem die deutschen Forderungen derart überspitzt waren, daß seine ersehnte »militärische Klärung« am Ende doch noch Chancen gehabt hätte. Aber dieses Elaborat stand schließlich nicht mehr zur Diskussion und wurde durch die Ereignisse schnell überholt.

Mir oblag es anschließend, die Abfahrt, soweit sie das Ministerbüro betraf, in größter Eile zu organisieren, und am nächsten Tag trafen wir per Sonderzug und Mercedeskolonne im Hotel »Vier Jahreszeiten« ein. Hitler war Mussolini während der Nacht in seinem Sonderzug bis Kufstein entgegengefahren, um ihn dort abzuholen und mit ihm Vorbesprechungen zu halten. Daladier und Chamberlain trafen per Flugzeug ein. Am Tage zuvor hatte Chamberlain im Unterhaus eine sehr ernste Rede gehalten, als ihm noch während seiner Ausführungen ein Zettel mit der Mitteilung überreicht wurde, daß Mussolini und Hitler die vorgeschlagene Viererkonferenz akzeptiert hätten. Chamberlain unterbrach seine Rede sofort und verlas sichtlich bewegt diese Mitteilung. Als er erklärte, er würde unverzüglich zu dieser Konferenz nach München fliegen, erhob sich im Unterhaus donnernder Applaus.

In der Tat ging damals ein Aufatmen durch die ganze Welt! Auch Frankreich genoß einen glücklichen Tag, denn jetzt konnte sich niemand mehr vorstellen, daß es Krieg geben würde. Überglücklich jubelten die Leute auch auf den Straßen Münchens, als wir zu Hitler fuhren und dort kurz nach dem Mittagessen gegen 1 Uhr 30 eintrafen. Ich aber muß gestehen, ich schämte mich in jenen Momenten vor dem Führer und hielt Erich Kordt wieder einmal für einen kleingläubigen Thomas. Doch sollten diese Empfindungen leider nicht von Dauer sein.

Die eigentliche Konferenz begann zunächst in kleinem Kreise zwischen Hitler, Mussolini, Chamberlain und Daladier. Die Delegationsmitglieder warteten inzwischen in einem Nebensaal. Mit der Zeit wurden aber immer mehr Personen zugezogen, ja es kamen leider außer den Außenministern, Staatssekretären und Botschaftern noch ganze Schübe von wichtigen Persönlichkeiten hinzu. Wirklich brauchbar waren auf deutscher Seite aber eigentlich nur Göring, Neurath, der Chefadjutant des Führers, Oberst Schmund und Hauptmann Wiedemann.

Kordt hatte das Text-Protokoll zu führen. Ich war dabei sein Adlatus und mußte die vielen entstehenden Entwürfe den gequälten Sekretärinnen überbringen bzw. die jeweils letzte Fassung allen beteiligten Größen überreichen. Man riß mir diese neuen Exemplare förmlich aus der Hand. Man merkte Hitler an, daß ihn dieser Mini-Völkerbund im Grunde langweilte. Chamberlain hingegen war übereifrig und wollte pedantisch alles ganz genau wissen. Er sprach z. B. von Details wie dem Verfrachten eines Teiles des Viehbestandes aus dem Sudetengebiet um die Ernährung der Rest-Tschechei zu sichern. Hitler aber wischte solche Diskussionspunkte ärgerlich vom Tisch, und als der Engländer von Installationen sprach, die die Tschechen eventuell abmontieren und mitnehmen dürften, fragte François-Poncet witzig: »Wohl sanitäre Installationen?« Alles lachte.

Unangenehm fiel der italienische Außenminister Ciano auf. Er benahm sich großspurig und nickte nicht einmal, wenn ich ihm ein neues Textexemplar überreichte, während sich Mussolini außerordentlich höflich jedesmal bedankte. Ja, die kleinen Imitatoren Mussolinis und Hitlers waren immer lästiger als die echten! Ciano stolzierte gewichtig mit zurückgelegtem Kopf und vorgeschobenen Lippen herum – er war genauso eingebildet wie Ribbentrop. Dieser aber war kaum mehr gefragt, denn die Entscheidungen traf nun Hitler selbst, und die Arbeit machte der Fachmann Weizsäcker. Die Anwesenheit von Göring und Neurath ärgerte Ribbentrop natürlich ganz besonders. Daladier hingegen ließ stoisch alles über sich ergehen, nur sein mitgebrachter Staatssekretär Leger versuchte nervös und verzweifelt, noch einige Vorteile für die Tschechen zu erkämpfen. Daladier aber winkte müde ab, denn grundsätzlich war da doch nichts mehr herauszuholen.

In einem Nebenzimmer des Gebäudes wartete die tschechische Delegation mit dem Gesandten Mastny. Sie wurde weder gefragt noch zugezogen und bekam »nach dem Fest« ihre Portion serviert, ganz wie unsere Friedensdelegation 1919 in St.-Germain, aber mit dem feinen Unterschied, daß sie im Bayrischen Hof auf Amtskosten logierten und telefonierten, sich frei bewegen durften und protokollarisch nicht so schäbig behandelt wurden, wie wir einst in St.-Germain, als Dr. Renner und seine Delegation miserabel untergebracht, von Stacheldraht eingezäunt, ohne Telefon, schlecht verköstigt, endlos das Diktat erwarten mußten, und die Posten erst nach Annahme desselben grüßen durften! Die Verhandlungen zogen sich nun endlos hin. Erst nach Mitternacht ging man schließlich in die Schlußrunde. Held des Tages war der Übersetzer Schmidt, der dieses Orchester undisziplinierter Staatsmännern maestral dirigierte, indem er immer wieder, wenn einer aufbrauste, um Geduld bat, denn er müsse erst einem anderen Herrn das soeben Gesagte übersetzen. Er übersetzte stets um Nuancen milder, so ihm etwas zu hart erschien, und versuchte auf diese Weise immer wieder, dem Besonnensten mehr Redezeit zu geben, damit sich die anderen inzwischen etwas abkühlen konnten. Auch die Leistungen der Sekretärinnen waren überragend, obwohl am Schluß schon manche nur noch still vor sich hinweinten.

Um 3 Uhr früh war endlich alles glücklich vorbei, und die definitiven, in mehrere Sprachen übersetzten Texte wurden unterschrieben. Hitler hatte sichtlich wenig Freude an der ganzen Geschichte, da er im Gegensatz zu Mussolini kaum Französisch und kein Italienisch sprach und nur etwas Englisch verstand. Grundsätzlich verabscheute er doch aus tiefster Seele so einen völkerbundartigen Debattierklub. Ihm war sicherlich klar geworden, daß er den Bogen überspannt hatte und er genau dieselbe Lösung der Großen Vier in München *bereits in Godesberg mit England allein* hätte aushandeln können. Dies wäre dann ein historisches Abkommen gewesen, das die größte Seemacht mit der stärksten Landmacht gemeinsam, gewissermaßen souverän getroffen hätte. Schade! Das hätte durchaus der Anfang einer deutsch-englischen Verständigung werden können.

Zu einer Garantie der Rest-Tschechei war es schließlich nicht gekommen. Deutschland hatte eine solche mit der Begründung abgelehnt, daß sie vorläufig nicht möglich sei, da polnische und ungarische Wünsche hinsichtlich gerechter Gebietsabtretungen bis zu diesem Zeitpunkt noch nicht erledigt seien.

Das Verdienst für die friedliche Lösung von München fiel nach außen hin offensichtlich Mussolini und Chamberlain zu. Doch schien es ein Witz der Weltgeschichte zu sein, daß jenes Dokument von München praktisch nichts anderes enthielt als die von Göring, Neurath und Weizsäcker gemeinsam aufgesetzten Punkte, die am Tage zuvor in der Reichskanzlei – sehr zum Ärger von Ribbentrop – Hitlers Zustimmung gefunden hatten.

Weizsäcker hatte nämlich dieses Papier insgeheim ins Französische übersetzen lassen und Attolico übergeben, der es, ins Italienische übersetzt, unverzüglich an Mussolini gelangen ließ. So geschah es, daß der Duce prompt zu Beginn der Konferenz, als gerade die ersten Diskussionen aufkamen, den Beteiligten genau diese Punkte als höchsteigenen Vorschlag übergab. Natürlich war Ribbentrop baß erstaunt, als gerade die von ihm so verabscheute »weiche Lösung« aus Mussolinis Mund wieder auftauchte. Von diesem ganzen Spiel bereits unter der Hand informiert, stimmten jetzt fast alle Beteiligten eiligst zu. Auch der gelangweilte Hitler machte nun keine Schwierigkeiten mehr. So waren also die Ribbentrops und Himmler um ihren Präventivkrieg bzw. um ihren kleinen »Germanenzug gen Osten« einstweilen geprellt worden.

Dem Ur-Manuskript aus Görings, Neuraths und Weizsäckers Feder widerfuhr übrigens noch ein groteskes Schicksal: Es wurde nicht nur ins Englische, sondern auch ganz offiziell wieder ins Deutsche und Französische rückübersetzt. Göring, Neurath und Weizsäcker haben sich damals also größte Verdienste um den Frieden erworben, und später – vor dem Ausbruch des Zweiten Weltkrieges – setzten sich wieder die nämlichen drei Herren, besonders aber Göring zusammen mit Henderson, abermals für den Frieden ein. Eben derselbe Göring wurde dann prompt und ungerecht in Nürnberg als Schuldiger an einem Angriffskrieg verurteilt.

Mein Freund, General Stehlin, der damals französischer Luftattaché und geheimer Vertreter des »Deuxième Bureau« war, offiziell aber als Berater von François-Poncet ebenfalls an der Konferenz von München teilnahm, erzählte mir nach dem Kriege 1973 in seinem Haus in Paris, daß er als Generalstabschef der gaullistischen Luftwaffe Churchill kennengelernt und ihn auch nach dem Kriege noch manchmal besucht habe. Bei einer solchen Gelegenheit hätte er, Stehlin, während des Nürnberger Prozesses bei Churchill zu Gunsten Görings interveniert, sei aber mit dem Bemerken abgewiesen worden, das möge ja alles gut und schön sein, aber er, Churchill, wolle da nichts mehr unternehmen. Als dann aber Stehlin Jahre später wieder einmal mit Churchill zusammengekommen sei, nachdem sich dieser inzwischen mehr mit der deutschen Vorkriegsgeschichte beschäftigt hatte, sprach er General

Stehlin von sich aus geradezu daraufhin an uns sagte wörtlich zu ihm: »Bezüglich Göring habe ich mich geirrt. Es tut mir leid, wir haben ihm Unrecht getan.«

Stehlin, der inzwischen auch Viceprésident der Chambre des Deputés geworden war, kam bei einer gegen ihn gerichteten Hetzkampagne im Jahre 1975 unter tragischen Umständen ums Leben – Attentat oder Selbstmord? Stehlin hatte jedenfalls mit seinem Eintreten für gemeinsame US-Flugzeugmodelle bei den NATO-Streitkräften die mächtige französische Flugzeugindustrie gegen sich aufgebracht. Dabei verlor er gleichzeitig Posten und Einfluß.

Noch während der Konferenz hatte sich in ganz München die Nachricht von deren günstigem Ausgang wie ein Lauffeuer verbreitet. Überall kam es zu Freudenkundgebungen, und besonders vor dem Hotel »Vier Jahreszeiten« sammelten sich unaufgefordert Scharen Begeisterter und riefen: »Daladier, vive la paix!«

In England und Frankreich aber war der Jubel noch größer. Erst langsam gelang es einem gewissen Teil der westlichen Presse, vor allem aber Hitlers brutaler Politik nach den Ereignissen von München, jener Euphorie Dämpfer aufzusetzen. Ich selbst erhielt gleich nach der Konferenz von München einen solchen, der mich ganz besonders beeindruckte. Chamberlain hatte Hitler gebeten, ihn noch einmal besuchen zu dürfen, um ihm bei dieser Gelegenheit ein Papier zur Unterschrift zu überreichen, das in allgemeinen Formulierungen festlegte, daß sich Deutschland und England in Zukunft über alle Probleme friedlich verständigen wollten. Der überraschte Hitler unterzeichnete dieses Statement, das er nicht gut ablehnen konnte, mit wenig Begeisterung. Als ich Hitler und Ribbentrop nach einem erneuten kurzen Besuch im Führerbau beim Weggehen in knappem Abstand folgte, hörte ich, wie bereits auf der Freitreppe Ribbentrop Hitler gegenüber abfällige Bemerkungen über das Münchner Abkommen und besonders über das »Friedenspapier« machte. Hierauf antwortete Hitler halblaut zu meinem Entsetzen: »Ach, das brauchen Sie nicht alles so ernst zu nehmen. Dieses Papier hat doch weiter keinerlei Bedeutung.«

Wieder war ich wie vor den Kopf geschlagen. Mein Wunschdenken und Hoffen, daß der Führer jetzt vernünftige, humane Politik treiben würde, da doch das Reich aller Deutschen in großen Zügen Wirklichkeit geworden war, erwies sich erneut als elender, dummer Irrtum. Mit einem Schlage wurde mir auch aus dem Ton der Äußerung Hitlers klar, daß dieser Mann weiter Poker und Vabanque spielen wollte. Hewel war ebenfalls bestürzt und traurig, als ich ihm davon berichtete. Auch er sah kein Ende der Schwierigkeiten für die Zukunft angesichts der zunehmenden Maßlosigkeit Hitlers.

Während die Menschen noch jubelten, die Marschmusik wie schon seit Wochen, ewig dieses unerträgliche »Egerländer, halt's euch z'samm« spielte und Agnes begeistert mit mir telefonierte, war ich schon wieder deprimiert und aller Illusionen beraubt. Auch wußte ich bereits, daß Hitler nicht daran dachte, einer Art Plebiszit zuzustimmen oder gar fremde Truppen in sudetendeutschem Gebiet stationieren zu lassen, um Sachübergaben oder Volksabstimmung zu überwachen. Ohne Begeisterung gab ich daher, weil bereits sinnlos, Agnes Bruder, der Gardeoffizier war und mich angerufen hatte, gute Adressen von mir bekannten »besseren« Familien in Böhmen und im Sudetenland, da dieser glaubte, binnen kurzem mit seiner Kompanie dorthin abkommandiert zu werden. Ich konnte ihm und Agnes ja nicht verraten, daß daraus leider bestimmt nichts mehr werden würde.

Wenn Hitler damals eine einigermaßen englandfreundliche Politik betrieben hätte, wäre es ihm durchaus möglich gewesen, in Zentralafrika Kolonien zu bekommen. Aber dergleichen interessierte ihn nicht. Das Volk ahnte natürlich nichts von alledem, jubelte weiter und war für seinen Führer begeistert, denn er hatte es wieder einmal in der weitverbreiteten Meinung bestärkt, daß er zwar »pokerte«, aber die besseren Nerven habe, mit dem Krieg nur drohe und am Schluß immer den Frieden gewönne.

Wir alle, die wir es leider besser wußten und vor der realen Kriegsgefahr gewarnt hatten, standen nun wie Esel da. Der Kreis der zum Widerstand entschlossenen Militärs schrumpfte jetzt sofort zusammen, wie mir Kordt berichtete. Er hatte die Münchner Lösung ja schon von Anfang an als die nur zweitbeste bezeichnet.

Natürlich hatten die Westmächte nur zu gerne nachgegeben, denn sie waren einstweilen zu Land und in der Luft nicht gerüstet. Chamberlain ging daher bis an die äußerste Grenze, um einen Krieg zu verhindern. Das ungeschickte Verhalten der Tschechen und der Bericht Lord Runcimans, der Deutschland hinsichtlich der Sudetenfrage durchaus recht gab, hatte bei der englischen Führung den Gedanken an einen Krieg zu Gunsten der Tschechen völlig unpopulär gemacht. Trotzdem aber hätten die Engländer bei militärischer Erpressung schon wegen der Dominions den Kampf auch mit dem Rücken zur Wand aufgenommen. Die Flotte lag damals bereits auf Kriegsposition. Das Endergebnis wäre nach vielen langen Jahren und nach großen und größten englischen Niederlagen sicherlich dasselbe gewesen, wie wir es dann im Zweiten Weltkrieg so bitter erleben mußten. Womöglich hätten wir noch zum Schluß die Atombombe auf den Kopf bekommen.

Frankreich befand sich damals in einer fatalen Position. Hoffnungslos unterlegen war seine geringe und technisch veraltete Luftwaffe, deren

Generalstabschef Vuillemin gerade Göring besucht hatte. Stehlin, der, wie bereits gesagt, damals französischer Luftattaché und Geheimdienstchef für Deutschland war, erzählte mir nach Jahren in Paris, daß Vuillemin ihm und François-Poncet damals dezidiert erklärt hatte, im Falle eines Krieges würde die französische Luftflotte in zwei Wochen praktisch vernichtet sein. Bestenfalls hätte Frankreich Franco-Spanien besetzen können, um seine hinteren Verbindungslinien zum Kolonialreich abzusichern, ansonsten hätte es nicht viel unternehmen können, und die Tschechoslowakei wäre in zwei – allerdings blutigen – Wochen erledigt gewesen. Hätte man damals einen Krieg gewagt, er wäre von vornherein mit entscheidenden Nachteilen für die Westmächte begonnen worden. Es wäre sinnlos gewesen, ihn in Kauf zu nehmen, nur weil man verhindern wollte, daß Hitler die ihm bereits zugesprochenen Sudetengebiete sofort besetze. Im Osten hätten die Westmächte damals, 1938, überhaupt keine Alliierten gehabt, da sowohl Polen als auch Ungarn Stücke vom tschechoslowakischen Kadaver verlangten und die kleine Entente zerfallen war. Der Zustand der russischen Armee nach der Füsilierung von Marschall Tuchatschevsky und seiner höchsten Offiziere war blamabel. Und Amerika? Es war damals noch ferne und ungerüstet.

Sollte nun Frau von Ribbentrop am Ende gar recht gehabt haben mit ihrer Ansicht, man hätte damals »den à la longue doch unvermeidlichen« Krieg in jenem Schwächemoment der Westmächte mit so erstklassigen Trümpfen und für die Propaganda so zutreffenden Anlässen sofort in Kauf nehmen müssen? Und dies vor allem, da ein Jahr später der Krieg dann ohnedies kam?

Hierzu ist zu sagen: Ein verhinderter Krieg ist immer besser als ein noch so erfolgreicher Feldzug, und auch der Zweite Weltkrieg war ein Jahr später in keiner Weise notwendig. Er wurde vielmehr von den Ribbentrops und Hitler risikofreudig und mutwillig vom Zaun gebrochen. Wenn man bedenkt, welch überragende wirtschaftliche Stellung die Bundesrepublik heute in der Welt hat, so ist gar nicht auszudenken, wie großartig der wirtschaftliche und somit auch der politische Einfluß eines saturierten großdeutschen Reiches geworden wäre, das unter friedlichem Druck und mit klugen Lockungen die Völker des Ostens um sich versammelt hätte. Wenn Hitler damals mit seinem Pokerspiel Schluß gemacht hätte, wenn England und Deutschland unter Ausschluß von Ribbentrop, Churchill, Eden und anderen Kriegstreibern eine Zusammenarbeit gesucht und gefunden hätten, hätte man auch eine Lösung für Danzig und den polnischen Korridor gefunden. Ein solcher Friede hätte dann unter dem Schutz der größten Seemacht einerseits und der stärksten Landmacht andererseits auf lange Jahre der ganzen Welt erhalten bleiben können. Der Rippentropschen These von der günstigeren Ausgangsposition 1938 ist entgegenzuhalten, daß sich damals die Tschechoslowakei und damit deren Flugplätze, die Skodawerke etc. und die enormen tschechischen Vorräte und Rüstungsrohstoffe noch nicht in deutscher Hand befanden, daß sie vielmehr Kerndeutschland ernstlich bedrohten. Auch der Westwall stand erst in rudimentären Anfängen. England hätte wie immer zäh und fürs erste hinhaltend gekämpft, Rußland war noch erbittert deutschfeindlich, unsere Rohstofflage mehr als mangelhaft, und die USA wären todsicher à la longue genauso, wie sie es später taten, den Westmächten zu Hilfe geeilt. Das Unternehmen wäre also auch damals im Jahre 1938 bestimmt kein Spaziergang geworden. Doch scheinen solche Spekulationen post festum wie immer überflüssig. Daher zurück zu unserem eigentlichen Thema und Bericht.

Hitler, der bereits dreimal, nämlich bei der Rheinlandbesetzung, beim Anschluß und bei der Sudetenkrise recht behalten hatte, erschien nun als der Mann mit den guten Nerven, der politisch Weitsichtige und der große Gewinner im internationalen Pokerspiel. Doch hatte auch er nicht ohne Grund etwas nachgeben müssen. Die »lahme« Haltung der deutschen Bevölkerung, deren mangelhafte Begeisterung für den Krieg, die zweifelhaften Pirouetten Italiens und die Mobilisierung der englischen Flotte ließen es ratsam erscheinen, »diesmal noch« nachzugeben, da außerdem die minimale Differenz zwischen englischem Angebot und deutschem Verlangen keinen brauchbaren Kriegsgrund darstellte. Durch die Münchner Lösung fiel ja auch die Resttschechei de facto in deutsche Hand. Die neuen Grenzen durchschnitten Eisenbahnlinien, elektrische Leitungen, Straßen, wirtschaftliche Einheiten etc., und lieferten dieses Land nicht nur militärisch und wirtschaftlich, sondern auch politisch dem Einfluß des Reiches aus. Benesch war bereits gestürzt, und der deutschfreundliche Chwalkowsky mit seinem Kabinettschef Masarčik an die Regierung gekommen. So schien für uns damals in diesem Raum alles nach Wunsch gelöst.

Nach diesen aufregenden Tagen wieder in Berlin, packten Kordt und ich die feldgrauen Diplomaten-Uniformen, die Dienstpistolen und auch die Gasmasken wieder weg, die wir uns auf Befehl des Reichsaußenministers hatten bereitlegen müssen. Vorher aber hatten wir aus Jux noch einige furchtsame Geheimräte zu uns ins Büro bestellt, wo wir scheinbar ganz normal, mit jenen Gasmasken angetan, amtlicher Arbeit zu obliegen schienen.

Schon während der Münchner Konferenz hatten die Ungarn maßlose Wünsche angemeldet und dabei auf italienische Unterstützung vertraut: »Särr viel Gebiete der Rest-Tschechoslowakei waren wertvolle

uralte Edelsteine und Perlen der heiligen Stefanskrone, bittaschön!«
Besonders gern hätten sie die ganze Slowakei und die Karpato-Ukraine
geschluckt. Jedoch wurden sie auf spätere Regelungen vertröstet. Hitler hatte sich schon beim Horthy-Besuch über die Ungarn mokiert, weil
sie, obwohl anglophil und kriegsängstlich, die Tschechoslowakei betreffend unmäßige Gebietswünsche angemeldet hatten.

Die Polen aber wollten nicht stillhalten. Sie forderten von den Tschechen sogar ultimativ, das Olsagebiet sofort herauszugeben (wir würden
diesen Distrikt klarer als den Raum von Teschen bezeichnen). Diese
Gegend hatte außer einer polnischen und tschechischen noch eine erhebliche deutsche Bevölkerung. Diese war eigentlich viel zahlreicher
als die polnische. Man ließ aber deutscherseits die Polen gewähren, weil
damals noch die Ansicht vorherrschte, daß man Polen noch für den Antikominternpakt bzw. für eine spätere Allianz gegen Rußland gewinnen
können werde.

Am 2. Oktober marschierten die Polen also in das Gebiet der Olsa ein.
Die westlichen Länder reagierten mit Empörung. Noch sechs Monate
später meinte selbst Churchill, »daß sich Polen mit der Gefräßigkeit
einer Hyäne an der Plünderung und Zerstörung des tschechoslowakischen Staates beteiligt« habe. Vernon Bartlett aber verfaßte aufgebracht im liberalen »Observer« einen saftigen Leitartikel gegen »Polens
Politik des Schakals«, und Mr. King, ein Engländer, der Deutschland
dauernd mit offenen Briefen bombardierte, schrieb: »Sollten die Deutschen jetzt in Polen einmarschieren, würde ich nicht weit davon entfernt
sein, stramm Heil Hitler zu rufen.« Zu jener Zeit hätte Polen kaum
Freunde gehabt, wenn Deutschland flugs das Korridor-Problem angepackt hätte. Doch Polen wurde ja für einen späteren Kreuzzug gegen
die Sowjetunion »warmgehalten«. Die UDSSR selbst zählte damals
überhaupt nicht, da ja deren Armee durch die Hinrichtung Marschall
Tuchatschevskys und anderer Generale sowie durch anschließende,
umfangreiche Säuberungen in den Grundfesten erschüttert erschien.
Die Westmächte jedoch signalisierten, daß ihre Kompromißbereit-
schaft ausgeschöpft war. Am 3. Oktober kündigte Chamberlain im
Unterhaus eine massive Aufrüstung Großbritanniens an, und am
5. Oktober hielt Roosevelt seine bekannte Quarantänerede gegen die
europäischen Diktatoren.

Als fatales, ja entscheidendes Ereignis folgte bald darauf die Saarbrük-
kener Rede Hitlers vom 9. Oktober. Sie zerschlug mit ihren peinlichen
Anpöbelungen unendlich viel Porzellan und gab damit Churchill und
seinen Hintermännern gratis Auftrieb. Unseren Freunden in England
aber war damit das Leben wieder einmal unnötig schwer gemacht.
Ich möchte behaupten, daß es zwei Handlungen Hitlers waren, die das

deutsch-englische Verhältnis nach München irreparabel vergifteten: zunächst jene Saarbrückener Rede vom 9. Oktober und im darauffolgenden März 1939 der Bruch des Münchner Abkommens durch den in jeder Hinsicht unnötigen Einmarsch in Prag. Auch sei bei diesen Erwägungen nicht auf den verheerenden Eindruck vergessen, den bald darauf die »Reichskristallnacht« verursacht hat.

Doch zurück zu der unheilbringenden Rede von Saarbrücken: Hewel, der Adolf Hitler stets begleitete, teilte mir mit, dieser würde per Sonderzug nach Saarbrücken fahren und dort eine grundsätzliche Rede halten. Ich solle ihm, Hewel, wie üblich, das Nachrichtenmaterial für den Führer nachsenden. Da ging es in der Hauptsache um Botschaftsberichte bzw. Telegramme und dergleichen. Ich stellte also für Hewel ein ganzes Paket solcher Papiere zusammen. Zu meinem Schrecken fand ich darunter ein Telegramm des deutschen Botschafters Dirksen aus London, in welchem er über eine Routineunterhaltung mit Halifax, dem etwas moralinsauren englischen Außenminister, berichtete. Es war auch zu lesen, daß der Lord anschließend an die dienstliche Aussprache noch einen privaten Herzenswunsch geäußert, hatte: Er setzte sich nämlich für den in einem Konzentrationslager gefangengehaltenen Pfarrer, den Führer der Bekennenden Christen (ehem. U-Boot-Kommandant und heutigen Stalin-Preis-Träger) Pastor Niemöller ein und wies darauf hin, daß dessen Freilassung in England das Klima dort erheblich verbessern würde.

Ich wußte aber, daß Niemöller quasi ein »Privatgefangener« Hitlers war. Dieser wollte dem Pastor nicht verzeihen, daß er sich bei einer Unterredung positiv und regimetreu gegeben hatte, daß dies aber Heuchelei gewesen war. Denn kurz darauf hatte er wie Görings Forschungsamt meldete, sich telefonisch in überaus gehässiger Weise gegen das Regime geäußert und dabei sogar angeregt, für Stimmungsmache im Ausland zu sorgen. Solche Hinterhältigkeit brachte, wie mir erzählt wurde, den Führer in Rage, und seither saß Niemöller im KZ ziemlich hoffnungslos fest. Als ich nun die Halifax-Bitte las, schwante mir Böses, und ich beschloß daher, zu verhindern, daß Hitler von »solch unverschämter Einmischung Englands« erfahre. Unterschlagen konnte ich diesen Teil des Dirksen-Telegramms nicht. So schickte ich den ganzen Pack Akten zwar an Hewel, rief aber zuvor an, verwies auf jenes Telegramm und erläuterte meine Bedenken. Hewel versprach mir hoch und heilig, dafür zu sorgen, daß man »oben« davon nichts zu sehen bekommen werde. Dem guten Niemöller hätte diese Intervention sowieso nichts genützt, ganz im Gegenteil!

Nun war also für den nächsten Tag die große Rede in Saarbrücken angesetzt. Sie sollte eigentlich nichts Besonderes beinhalten, nur das Übliche und einen Tour d'horizon.

Doch wer beschreibt mein Erstaunen und Entsetzen, als ich diese mit wilden, antienglischen Haßausbrüchen garnierte Rede am 9. Oktober aus unserem Rundfunk hören mußte! Ich konnte mir das überhaupt nicht erklären, kannte ich doch den geplanten Inhalt in groben Zügen. Außerdem hatte mir ja Hewel schon am Telefon gesagt, diese Rede würde außenpolitisch nichts Besonderes enthalten.

So rief ich sofort Hewel an und fragte verzweifelt, was denn da geschehen sei. Dieser gestand bedrückt:»Bitte, sei nicht böse! Es ist genau das passiert, was du befürchtet hast. Ich saß im großen Führerspeisewagen und hatte mich an einen Ecktisch zurückgezogen, während der Chef (Hitler) sich an der großen Tafel noch bis spät in die Nacht mit ein paar Leuten unterhielt. Ich hatte mir an meinem einsamen Tisch die Arbeitsmappe vorgenommen und begann, deine Sendung durchzuarbeiten, also manches zu unterstreichen, die Telegramme zu sortieren und dergleiche. Während ich so in meine Arbeit vertieft war, hatte ich nicht gemerkt, daß alle bis auf den Chef schlafen gegangen waren. Da sah ich auf einmal einen Schatten hinter mir. Es war Hitler persönlich. Ich wollte aufstehen, da höre ich ihn sagen: ›Bleiben Sie bitte sitzen, ich schau über Ihre Schulter und lese mit. Machen Sie nur ruhig weiter‹«. Botschafter Hewel stöhnte auf und fuhr fort:»Mir wurde bang und schwül, und als wir uns dem ominösen Londoner Telegramm näherten, versuchte ich, es rasch zu überblättern und – leider wohl etwas ungeschickt – verschwinden zu lassen. Da kam ich aber an den Falschen. Hitler war etwas aufgefallen, und er sagte ›Was haben Sie denn da? Geben Sie her, das will ich auch sehen.‹ Kaum aber hatte er das Ende dieser Unglücksdepesche gelesen, da schlug er mit der Faust auf den Tisch und begann lauthals eine Haßtirade auf England: ›Dieses unverschämte Pack von Plutokraten und eingebildeten Aristokraten! Ich werde es ihnen geben! Das ist ja eine Unverschämtheit. Was mischt sich dieser Kerl in deutsche Angelegenheiten ein! Ich möchte wissen, was die Engländer sagen würden, wenn ich durch meinen Botschafter in London Vorstellungen erheben würde – z. B. zu Gunsten von eingesperrten Irländern. Hewel, Sie wecken sofort die Sekretärinnen! Ich werde augenblicklich die morgige Rede umdiktieren und den Engländern eine saftige Lektion erteilen!‹ Sprach's und es geschah. Die vorgesehene Normalrede landete im Papierkorb, und die verhängnisvolle Saarbrückener Ansprache wurde emotionsgeladen in jener späten Nacht geboren.«

Ich war verzweifelt, machte Hewel Vorwürfe – aber das nützte nun nichts mehr. Auch ich war ein Esel gewesen, daß ich dieses Telegramm an den Englandspezialisten Hewel zur Information übersandt hatte. So sank nach der Münchner Euphorie die Stimmung wieder einmal auf den Nullpunkt. Denn wir konnten uns vorstellen, wie die Briten die wüsten Tiraden aufnehmen würden.

Die angelsächsische Reaktion war dann auch dementsprechend. Alles sprach nur mehr von Aufrüstung, von harter Haltung. Der Geist von München, der vorher so bejubelt worden war, galt plötzlich als Unsinn und Schwäche; Churchill und seine Clique sowie gewisse, die Medien beherrschenden Finanzkreise hatten kräftiges Oberwasser bekommen. Der alte Chamberlain war zutiefst gekränkt und Halifax in seiner vornehmen Skepsis bestärkt.

Wie müssen sich damals Tschechen und Franzosen gefreut haben. Auch die Italiener hatten sicher großen Spaß daran, denn nun war es ihnen allein möglich, von der Achse aus freundliche Fäden nach London zu spinnen, ohne eine alles bestimmende deutsch-englische Verbrüderung befürchten zu müssen. Keine zwei Wochen nach dem Münchner Friedensjubel begann dieses Werk Stück für Stück zu zerfallen. Politische Unglücksraben wie Churchill, Roosevelt und Ribbentrop waren plötzlich zu Propheten geworden.

Hitlers abwertende Bemerkung am Tage nach der Münchner Konferenz zu Ribbentrop bezüglich der Bedeutungslosigkeit jener frisch unterschriebenen deutsch-englischen Friedens- und Konsultativerklärung fand jetzt weltweit ihre Bestätigung. Ich hätte weinen mögen! Unbarmherzig offenbarte sich mir Hitlers neue Einstellung England gegenüber. Mir war vollkommen klar, wohin die Reise ging. Jetzt wollte ich mit dem ganzen »Laden« nichts mehr zu tun haben, die Politik an den Nagel hängen, in die Wirtschaft gehen – genauso wie viele andere enttäuschte Alt-Parteigenossen. Hewel, der alte Überseer, gab mir recht und war genauso verzweifelt. Durch seine langjährige Tätigkeit in Holländisch-Indien hatte er die Bedeutung des englischen Weltreiches für die weiße Zivilisation erfahren und war voll der Bewunderung für das Empire. Er erkannte zusehends welchen Einfluß die Ribbentrops auf Hitler ausübten – nicht durch direkte Beeinflussung mit ihren Ideen, sondern durch den banalen Umstand, daß sie grundsätzlich alles, was für England sprach, verschwinden ließen, während sie jede Gehässigkeit gegen die Westmächte pünktlich nach »oben« pumpten, alles gut mit negativen, verschärfenden Kommentaren angereichert. Ribbentrop hatte seinen kleinen Nachrichtendienst in der Parteispitze und in der Reichskanzlei über Luther und den Standartenführer Likus längst ausgebaut. Weiterhin festigte er seine Stellung bei Hitler, indem er dessen Ideen verstärkt herumtrompetete und so beim Führer als der Verläßlichste der Verläßlichen und der Stärkste der Starken galt, der sich nie von diesen Cliquen in London oder gar vom Auswärtigen Amt beeinflussen ließ. Das Wissen um die Gefahr eines Krieges, der von Ribbentrop betrieben und von Hitler gewollt und geplant wurde, ließ mir keine Ruhe mehr. Eine derartige Politik konnte ich nicht mitmachen, eine so ungeheure Verantwortung wollte ich auf keinen Fall mittragen. Ich hatte die Nase endgültig voll, ich wollte weg! Es gab nur ein Problem: Wie sollte ich das bewerkstelligen, ohne mir den Hals zu brechen? Es war gar nicht einfach, vom fahrenden Bus abzuspringen oder sich sanft zu verabschieden. Ich war Geheimnisträger! Jedermann »oben« wußte, daß ich Einsicht in sämtliche Akten, Dokumente und seit fast drei Jahren in das gesamte dechiffrierte Material, Abhörberichte, die wichtigsten Telegramme der Botschafter, der Militärattachés hatte und den peinlichen parteiinternen Schimpf- und Schriftverkehr kannte. Ich mußte mich also hüten, offiziell Kritik zu zeigen, und so erklärte ich jedermann, daß ich eben in meine Engländerin verliebt und daher wild entschlossen sei, sie allen Widerständen zum Trotz zu heiraten. Für mich sei nach dem Anschluß meiner Heimat an das großdeutsche Reich der politische Traum meines Lebens erfüllt und vom Schicksal wollte ich jetzt gar nicht mehr verlangen.

Da Agnes – blond und rassig, gutklassig und vom neuen Deutschland begeistert – dem nordischen Ideal entsprach, und selbst Parteigrößen von ihr beeindruckt waren, hatte ich es nicht schwer, meinen Entschluß verständlich zu machen. Ja, man betrachtete meine Haltung sogar mit Sympathie und vergönnte es dem englandfeindlichen und unpopulären Ribbentrop, daß ihn sein Sekretär um einer Engländerin willen verließ.

So mußte ich nun danach trachten, Ribbentrop, der einer endgültigen Aussprache über dieses Thema tunlichst auswich, irgendwann einmal allein für mich zu haben, ohne daß er mir entwischen konnte. Zunächst wollte ich aber den 9. November, den 21. Geburtstag von Agnes, noch abwarten, damit sie als Großjährige selbst bestimmen konnte, ob wir mit unseren Absichten Ernst machen wollten. Bis dahin also beschloß ich, meinen Dienst normal weiterzumachen.

Bald nach der Münchner Konferenz war der neue tschechische Außenminister Chwalkowsky mit seinem Mitarbeiter Masařčik im Auswärtigen Amt erschienen, um – wie schon einmal erwähnt – Deutschland seiner Ergebenheit zu versichern. Er war ja immer schon Feind der Benesch-Clique gewesen und hielt es für Wahnsinn, gegen das übermächtige Dritte Reich Politik machen zu wollen. Ribbentrop aber fertigte beide Herren eisig mit allgemeinen Phrasen und bösen Bemerkungen ab und warnte drohend vor »Rückfällen«. So waren die armen, versöhnungswilligen Tschechen natürlich sehr unglücklich. Auch der Gesandte Mastny, der so gerne sein Bestes getan hätte, um für ein gutes Verhältnis mit Deutschland zu sorgen, schien schockiert zu sein. Masarcik aber, Chwalkowskys Kabinettschef, sagte zu Kordt: »Ich bitte schen, wir mechten uns gerrne der deitschen Politik anschließen, wenn Sie gestatten!« Wir aber sahen keinen Grund, uns entgegenkommend zu zeigen.

Die Tschechen wären damals, tief enttäuscht über Frankreich, durchaus bereit gewesen, alles an Rüstungsgütern herauszugeben, was wir wollten, ja, uns sogar Einfluß bei den Skodawerken zuzusichern, uns Waffen zu liefern, etc. etc. Aber bei unserem eisernen Ribbentrop machte nichts Eindruck. Er wußte genau, daß Hitler später aufs Ganze gehen wollte und ihm Absprachen mit den Tschechen auf dem geplanten Wege nur lästig sein konnten. Prag mußte daher also weiter die Rolle des Bösewichts spielen, damit eine spätere militärische Aktion besser zu begründen war und wenigstens einigermaßen gerechtfertigt erscheinen konnte. Somit war die Tschechoslowakei dazu verurteilt, als »ein Flugzeugträger für sowjetische Flugzeuge, eine Insel finsterer Machenschaften und gewaltiger, drohender Geheimrüstungen in den kriegerischen Skodawerken« hingestellt zu werden. Die Tschechen waren darüber sehr unglücklich, aber so ganz unschuldig waren sie nun auch wieder nicht. Warum hatten sie auch gegen das brave, demokratische Deutschland Stresemanns und Brünings so rücksichtslos intrigiert und brutale Einkreisungspolitik betrieben? Sogar die unter Schuschnigg ernsthaft erwogene Restauration der Habsburger in Österreich hatten sie ungeniert zum »casus belli« erklärt!

Nun, jetzt konnten sie nicht viel Mitleid finden, und den Engländern waren sie ziemlich gleichgültig. Für die war die Münchner Konferenz die Gelegenheit, wenn nicht schon Ruhe und Frieden in Europa zu schaffen, so doch Zeit und Luft für die eigene Rüstung zu gewinnen. Das Konglomerat der Tschechoslowakei betrachteten ja auch die Engländer als eine künstliche Mißgeburt der Franzosen, für die sie sich nicht verantwortlich fühlten. Auch lagen ihnen die tschechischen Politiker nicht, da es sich meist um engstirnige Spießbürger handelte, deren Art dem aristokratischen Establishment auf die Nerven ging. Wohl hatte England in München auch auf Zeitgewinn gespielt, doch konnte das niemals bedeuten, daß es im Falle eines deutschen Angriffs auf die Tschechoslowakei nicht ebenfalls zum Kriege entschlossen gewesen wäre. Von solchen Erwägungen abgesehen, bleibe ich überzeugt, daß damals im Falle einer deutschen Mobilmachung die Wehrmacht eingegriffen hätte. Die Generalsverschwörung war bereits weit gediehen, und die Empörung über die Entlassung des Generalobersten Beck und der Skandal der Fritsch-Affäre waren noch nicht verflogen. Schließlich hatte Hitler damals auch noch nicht den ungeheuren Prestigegewinn, den die friedlich gelungenen Regelungen von München brachten – ein Erfolg, der eine Unzahl hoher Militärs davon überzeugte, daß »dieser Hitler nun einmal die Gabe habe, nach hartem Pokern bis zum Ende stets zu gewinnen«.

Aber auch die Engländer hätten bessere Möglichkeiten zur Durchsetzung ihrer Interessen gehabt. Sie hätten zum Beispiel an Stelle des vornehmen, zurückhaltenden Chamberlain einen harten Bevollmächtigten, z. B. einen Mann wie General Ironside schicken können. Ein solcher hätte Hitler genau an jene Engländer erinnert, denen er in Flandern im Weltkrieg gegenübergelegen hatte und für die er stets höchste Bewunderung hegte. Eine zweite Lösung wäre gewesen, überhaupt nicht zu erscheinen, und es auf eine Revolte der deutschen Armee ankommen zu lassen, von deren Vorbereitung man in London, wie wir heute aus Akten wissen, bereits Wind bekommen hatte. Wahrscheinlich aber hatten die Briten Angst vor einem deutschen Bürgerkrieg und dessen unabsehbaren Folgen in sozialer Hinsicht. Sie fürchteten den Bolschewismus als endgültigen Nutznießer, denn vor der Machtergreifung hatte sich der Kommunismus in Deutschland angesichts der aussichtslosen Wirtschaftslage doch als einzige Alternative angeboten. Einen begrenzten deutschen Krieg gegen die Tschechoslowakei hätten die Briten jedenfalls nicht hinnehmen können, und es ist nicht anzunehmen, daß sie bei der blutigen Zerschlagung dieses durchaus wohlgerüsteten Staates Frankreich zum Zusehen gezwungen hätten. Sobald aber die Franzosen einmal kämpften, mußten England und danach unweigerlich auch die USA in das Kriegsgeschehen eingreifen.

Nach München wurde immerhin offenbar, daß die neuen Grenzen im Hinblick auf das Selbstbestimmungsrecht der Völker auf jeden Fall gerechter waren als die unsinnigen Pariser Vorortverträge.

Trotzdem aber hatte ich den Eindruck, daß Hitler die friedliche »kleine« Regelung von München vom ersten Moment an nicht ins Konzept paßte. Sein Ideal war ein kurzer, harter, aber begrenzter Krieg, der die ängstlichen westlichen Staatsmänner beeindruckt und die östlichen Staaten in Abhängigkeit vom Reich gebracht hätte. Auf dieser Basis hätte man später eine allgemeine große Allianz gegen Rußland unter »großgermanischer«, sprich deutscher, Führung aufbauen können. Im übrigen war Hitler der Überzeugung, daß die deutsche Jugend immer wieder einen kleinen Krieg brauche, um gestählt, hart, up-to-date zu bleiben. Er fürchtete, daß die Partei nach längerer Friedenszeit ihren Elan und Schwung verlieren und ein Capua des Wohlstandes das »Tausendjährige Reich« frühzeitig gefährden würde. Also ähnliche Gedanken wie jene Mao Tse Tungs, der mit seiner Kulturrevolution Degenerierung, Verbürokratisierung verhindern und die Partei jugendlich erhalten wollte. In ähnlicher Weise habe Rom seine Jugend in Kriegen gegen Germanen und Perser gestählt, England seine Truppen in Kolonialkriegen. So dachte der Sozial-Darwinist Hitler. Wenn ein tausendjähriges Reich der Deutschen Bestand haben sollte, dann könne dies nicht durch Diplomatie, Wirtschaft, Gold und Schläue gewährleistet werden, sondern dann müsse sich im stetigen Kampf immer wieder eine Elite an Führern herausbilden. Damals freilich erkannte Hitler ganz einfach nicht die fatalen außenpolitischen Konsequenzen seines kurzsichtigen Handelns und er befand sich in dieser Hinsicht zusammen nur mit einigen Jasagern und Ignoranten auf wunderlich einsamem Posten. Nachdem er nämlich das System kleiner Erpressungen auf dem Wege zur Revision von Versailles zu Gunsten purer, ja sogar Krieg riskierender Machtpolitik verlassen und sich coram publico auf den Pfad imperialistischer Eroberungspläne begeben hatte, war die große Feindkoalition und das bittere Ende nur noch eine Frage der Zeit. Dies unterschied ihn von einem Bismarck, der zeitlebens vom »Cauchemar des coalitions« geplagt wurde und immer wieder auch im Erfolg seinen »Sens de la mesure« bewies. Auch Hitlers übergroße Eile, um alle Pläne noch zu Lebzeiten zu verwirklichen, widersprach dem fundamentalen Grundsatz des überragenden Lehrmeisters der Außenpolitik Talleyrand: »Pas trop de zèle!«

Auf Grund dieser meiner in Frankreich gewonnenen Erkenntnisse, und weil ich davon überzeugt war, daß ein »kleiner Krieg« nie lokalisiert bleiben konnte und unweigerlich zu einem Weltbrand und dem finis Germaniae führen mußte, entschloß ich mich, das Reichsinteresse über meine Loyalität zu Hitler zu stellen und mit allen Mitteln gegen das vorhersehbare Unheil anzukämpfen.

Das letzte Mal in meinem Leben traf ich Hitler am 18. Oktober 1938 in Bergeshöhe von 2.000 m. Ich hatte damals die Aufgabe, den französischen Botschafter François-Poncet und den ihn begleitenden, bereits öfter erwähnten Capitaine Stehlin in Berchtesgaden abzuholen, mit ihnen zu Mittag zu essen, und sie anschließend auf den Kehlstein zu begleiten. Der gewaltige Bau dort oben, ein von Bormann organisiertes Überraschungsgeschenk der Partei für Adolf Hitler, war erst kurz zuvor fertig geworden und mir noch völlig neu.

Ribbentrop war vorausgefahren und befand sich bereits seit Stunden bei Hitler. Es schien ihm wichtig, schon vorher dort zu sein, um im Hinblick auf diesen »gefährlichen« und wichtigen Besuch rechtzeitig die pazifistischen Fäden, welche von Saboteuren und Weichlingen über den Botschafter zum Führer hätten gesponnen werden können, ab ovo abzuschneiden. Ribbentrop fürchtete François-Poncet und wußte, daß diese Persönlichkeit Hitler immer wieder zu beeindrucken vermochte. Ja, Hitler zeigte gerne sein Faible für den geistreichen Franzosen. Ribbentrop hatte deshalb mit seinem Vorschlag, dem Botschafter als erstem französischen Diplomaten der Geschichte ein deutsches Großkreuz und zwar das des neuen deutschen Adlerordens zu verleihen, offene Türen auf dem Berghof eingerannt.

Ich holte, wie befohlen, die beiden französischen Herren gegen 14 Uhr am Flugplatz Ainring ab. Im Grand Hotel Berchtesgaden war ein Appartement reserviert worden, und so konnten sich die Franzosen nach dem damals noch anstrengenden, mehrstündigen Flug in einer dreimotorigen Junkers etwas restaurieren. Das Essen à trois fand dann auf dem Balkon statt und wurde durch den Zimmerkellner serviert. Ich erinnere mich noch ganz genau an alle Einzelheiten, besonders an die witzigen Ausführungen des geistreichen Botschafters. Ich mußte ihm ein wenig von meinem Studium in Paris erzählen, wir lachten beide über die Affären des Spinners Lop, eines schrulligen Lehrers, den die witzigen Studenten zu ihrem großen Führer und Diktator ernannt hatten, um mit ihm allen möglichen Schabernack zu treiben. Seine jeweiligen Anhänger nannten sich Lopisten, seine Gegner Antilopisten. Unter den Studenten teilte man sich ein, wer von Fall zu Fall bei einer oder der anderen Partei mitspielen sollte. Wir organisierten für ihn und um ihn fürchterlich urkomische Straßen- und Saalschlachten. Lop wurde ins Wasser geworfen und wieder gerettet, hinter Lop gingen immer einige »Biographen«, die jedes Wort des großen Chefs sofort und für die Nachwelt aufzeichneten und dies mit erhabenen Gesten taten. Ich erinnere mich noch, wie Lop bei einer Abendsitzung während seiner großen Ansprache dauernd unterbrochen wurde und schließlich den getreuen Lopisten befahl, die Antilopisten aus dem Fenster zu werfen, was wir auch mit ungeheurem Getöse durchführten, da das Lokal ebenerdig lag.

François-Poncet amüsierte es sehr, daß ich alle diese Dinge kannte, und erzählte seinerseits ebenfalls manche Anekdote aus seiner Studentenzeit. Das Essen war vorzüglich, und der Botschafter wischte zuletzt seinen Teller mit Brot sauber und erklärte dazu, er sei eben kein Engländer, daher müsse er einer guten Sauce mehr Bedeutung beimessen als den sogenannten guten, aus England importierten Manieren. So waren wir bester Stimmung. Auch das Wetter war wunderbar. Ich hatte den Auftrag, die Herren so lange zurückzuhalten, bis vom Kehlstein das Signal zur Abfahrt kommen würde.

In einem prächtigen Mercedes fuhren wir dann eine genial in die Felsen gesprengte Straße empor und erreichten schließlich ein kleines Plateau. Dort mußten wir aussteigen. Vor uns ragte ein riesiges, bronzenes Doppeltor mit Löwenköpfen auf.

Rechts und links davon präsentierten zwei extralange Kerle der SS-Leibstandarte in schwarzer Uniform mit Stahlhelm und weißem Koppelzeug krachend das Gewehr. Mit hallenden Schritten führten sie uns durch einen langen Tunnel in den Berg hinein ... Fackelartige Lampen rechts und links leiteten in das Zentrum des kegelförmigen Berges, wo eine runde Kuppelhalle den grandiosen Abschluß bildete. Dort betraten wir einen zimmergroßen Lift, der uns im Nu Hunderte von Metern höher hinaufbrachte. Damals ein großes Erlebnis! Heute ist das für jeden, der New York kennt, nichts Besonderes mehr.

Schon die Autofahrt hatte den Botschafter und Stehlin sehr beeindruckt, da die Landschaft ein hinreißendes Bild bot; beim Einmarsch durch die Bronzetore in diese Halle wurde François-Poncet zusehends stiller, und meinte im Lift, daß wir jetzt wohl zu einer Gralsburg auffahren würden. Oben angekommen, traten wir in eine große Halle. Dort wartete Hitler schon, reichte François-Poncet beide Hände und empfing ihn überaus herzlich. Ribbentrop gab sich jovial-staatsmännisch, aber nicht überzeugend. Es gab Tee, und bevor wir uns niedersetzten, zeigte Hitler, in die romantischen, tiefen Fensternischen tretend, die großartige Landschaft. Eben war unter uns ein kleines Unwetter vorbeigezogen und die Luft war glasklar. Greifbar nahe lag Salzburg, und der Blick schweifte über die Alpen zu fernsten Gipfeln. Der Hausherr zeigte uns noch den kleinen Garten, der sich auf dem Grat kühn anschloß. Nach tiefen Atemzügen köstlicher Luft schritten wir wieder zurück in die Halle, die sehr geschmackvoll möbliert war. An der Wand hingen alte Meister und einige flämische Gobelins. Über das Thema der Aussprache kann ich nichts berichten, denn ich saß an einem anderen Tisch. Eines aber weiß ich, daß die Unterhaltung überaus herzlich war, daß Ribbentrop den Führer anhimmelte und brav unterstützte. Gerührt nahm François-Poncet den deutschen Adlerorden entgegen, und als es zum Abschied kam, schüttelten sich diese historischen Weggenossen, einander tief in die Augen blickend, beide Hände. Ja, und diese Augen glänzten – vielleicht vor Ahnung und Wehmut!

In diesen Augenblicken war bestimmt nichts von jener süffisanten Nonchalance zu bemerken, mit welcher François-Poncet wenig später dem Quai d' Orsay über dieses Treffen unvorsichtigerweise telegraphierte! Prompt bekamen wir schon am nächsten Morgen den dechiffrierten Bericht zu lesen. Hitler war beleidigt, war tief enttäuscht: Von nun an war François-Poncet für ihn erledigt. Er konnte dann auch auf seinem neuen Posten in Rom nichts mehr bewirken, denn Mussolini wurde durch Hitler immer wieder von der »Doppelzüngigkeit Poncets und seinen Intrigen« gewarnt. Der endgültige und ausführliche Bericht François-Poncets an den Quai d'Orsay aber wurde ein Stück französischer Literatur und ziert heute die Lesebücher der Lyceen.

Nach dem Kriege beredete ich mit François-Poncet dies alles, als ich ihn in Paris zwei Stunden lang alleine sprechen konnte, und er gab mir im Wesentlichen recht. Die letzten Tage vor dem Kriege hat dann François-Poncet in Berlin sehr gefehlt.

Stumm fuhren wir den Lift hinunter und bestiegen unten die Wagen. Niemand sprach ein Wort. Dann aber rief François-Poncet: »Tout cela est absolument extraordinair, c'est colossal, c'est romantique et purement wagnerien!«

Während der Rückfahrt erholte sich der Botschafter kaum von dem tiefen Eindruck, gab das auch zu und war keineswegs mehr gesprächig. Ich verabschiedete mich auf dem Flugplatz von den beiden Franzosen und stieß mit dem Mercedes sehr nachdenklich zur Chefkolonne zurück.

Auf die euphorische Stimmung von München fiel der herbstliche Reif. Die Polen hatten mit ihrer rücksichtslosen Annexion des Olsagebietes am 2. Oktober die Welt gründlich verärgert. Damals wäre das für Hitler die Gelegenheit gewesen, sich mit breitester Zustimmung der ganzen Welt zum Verteidiger des Selbstbestimmungsrechtes aufzuwerfen; er tat es aber nicht, vielmehr munterte er die Polen geradezu auf, sich aus der Resttschechei ein ordentliches Stück herauszuschneiden. Er wollte nämlich Polen groß und stark sehen, wollte an ihm einen wertvollen Alliierten für den zukünftigen antisowjetischen, antibolschewistischen Kreuzzug haben; die Tschechoslowakei aber sollte definitiv zerschlagen werden. Gleich nach München sagte Hitler zu seinem Marineadjutanten, Jesko von Puttkamer, wie mir Kapitän zur See Herbert Friedrichs, der Adjutant von Admiral Raeder, vor kurzem erzählte: »Prag werde ich erst nach einem halben Jahr besetzen – das konnte ich jetzt dem alten Herrn (Chamberlain) nicht antun.«

In Wirklichkeit aber war Hitler über die Haltung des deutschen Volkes während der Sudetenkrise verbittert, hatte es doch in keiner Weise »heldische Entschlossenheit« gezeigt. Dies und die finstere Beklommenheit der Berliner während des Durchzuges der motorisierten Division sowie der kolossale Jubel für Daladier und Chamberlain in München hatten Hitler schwer verärgert. Er war betroffen zur Auffassung gelangt, daß dieses deutsche Volk noch viel zu weich sei, und daß der manifeste Pazifismus des Generalstabes niemals die Grundlage für eine entschlossene, auf säkulare Lösungen gerichtete Außenpolitik bieten könnte. Bald danach rief Chamberlain bei einer Rede vor dem Unterhaus zu verstärkter Rüstung auf, um in Zukunft nicht mehr aus einer Position militärischer Schwäche verhandeln zu müssen.

Mit den deutsch-britischen Beziehungen ging es zusehends bergab. Man stichelte völlig sinnlos gegeneinander, und daneben bekam eine antideutsche Presseclique in England kräftiges Oberwasser. Bald standen unsere Freunde dort recht dumm da. Ribbentrop aber strahlte und fühlte sich durch die Ereignisse bei seinem Führer bestätigt.

Bald drängten auch die erst so vorsichtigen Ungarn nach neuen Grenzen, während sich in der Resttschechoslowakei zunehmend Zerfallserscheinungen zeigten, denn Slowaken und Ruthenen pochten mit Erfolg auf Konzessionen und Autonomie.

Ende des Monats, wir schreiben den Oktober 1938, fuhr Ribbentrop wieder einmal nach Rom. Ich blieb fürs erste in Berlin, traf ihn jedoch anschließend in den »Vier Jahreszeiten« in München. Er erzählte mir dort eines Abends leutselig – ich glaube, es war der 28. Oktober – daß er mit Ciano abgesprochen habe, die slowakisch-ungarischen Grenzstreitigkeiten durch einen deutsch-italienischen Schiedsspruch zu regeln, dessen Vorbereitung uns obläge.

Ich sah sofort eine einmalige Gelegenheit, hier etwas für unser Wien zu tun, das nach dem Anschluß immer mehr in provinzlerische Bedeutungslosigkeit absank. Seit Jahrhunderten waren doch südosteuropäische Probleme von Wien aus geregelt worden, und hier war nun auf einmal eine gute Chance, dieser Stadt wieder Bedeutung zukommen zu lassen. Ich bat Ribbentrop, dringend, diesen Schiedsspruch nicht in Berlin oder in München abzuhalten, da man doch endlich der Heimat des Führers wieder eine Rolle zukommen lassen müsse. Dieses Argument, nämlich der Wink mit dem Führer, verfehlte seine Wirkung nicht, und der RAM fragte mich nur: »Ja, haben Sie denn in Wien geeignete Räumlichkeiten für eine solche Konferenz?«

Ich mußte mich sehr zusammennehmen, um nicht laut zu lachen, und versicherte dem großen Außenminister, daß Wien alles böte, was man sich für so etwas erträumen konnte, nur wären die Palais durch die Not der letzten zwei Jahrzehnte etwas ramponiert. Doch das könnte man auf Befehl sofort in Ordnung bringen. Am besten wäre es, das Belvedere zu wählen. Es sei das ehemalige Palais des Prinzen Eugen, der doch beim Führer als Feldherr des ersten Reiches in höchstem Ansehen stünde. Dies würde auch den Italienern schmeicheln, da Prinz Eugen ja aus dem Geschlecht der Savoyer stammte. Der Vorschlag gefiel Ribbentrop sehr und er befahl: »Na, dann machen Sie mal, Sie kennen ja Wien. Fahren Sie hin und bringen Sie die Sache in Schwung und die Kameraden dort auf Vordermann; nur innerhalb von zwei Tagen muß alles tiptop und fertig sein. Hiermit haben Sie alle Vollmachten!«

Beglückt setzte ich mich sofort mit der Wiener Gauleitung und dem Reichsstatthalter Seyss-Inquart in Verbindung, mobilisierte Tod und Teufel und erbat von Ribbentrop detaillierte Vollmachten für alle militärischen und zivilen Dienststellen, um alles zu organisieren und das alte Belvedere wieder auf Hochglanz zu bringen, soweit das in 48 Stunden möglich war. Ribbentrop zeigte sich wirklich großzügig und unbürokratisch, denn erstens freute er sich, daß er mich wieder so aktiv sah, und andererseits war es ihm grundsätzlich angenehm, wenn sich seine Leute durchsetzen wollten.

Gemeinsam mit meinem Bruder Karl-Hermann machte ich sofort Dampf hinter die Sache und sagte meinen Landsleuten, dies wäre jetzt die letzte Chance, um sich auf dem internationalen Parkett wieder einzuschalten und auch diesen Faschisten zu zeigen, daß in Wien alles mitmache, und kaum jemand den Minderheitsregierungen Dollfuß-Schuschnigg-Starhemberg usw. auch nur eine Träne nachweine. Das wirkte. Innerhalb weniger Stunden herrschte bei den zuständigen Stellen in Wien größte Aufregung. Das Belvedere, welches zu einem ärmlichen, etwas verstaubten Museum moderner Kunst umgestaltet, ein Aschenbrödeldasein geführt hatte, wurde in großer Eile völlig ausgeräumt. Das Militär fuhr Scheinwerfer auf. Innerhalb der vorgesehenen 48 Stunden wurden nun wahre Wunder vollbracht. Ohne Unterbrechung wurde gehämmert, geputzt und gemalt. Parkettböden wurden abgezogen, Fenster und Marmortreppen gewaschen.

Aus dem Hofmobiliendepot schaffte man die schönsten Tische, Sessel und Fauteuils herbei. Der Garten wurde mit neuen Büschen und Blumenbeeten versehen, auf die Wege kam frischer Kies. Nur frage man nicht nach den Kosten! – Aber das war damals völlig gleichgültig, nur klappen mußte das Ganze.

Während der Reise nach Wien regte der RAM noch ein kleines Dinner für unsere italienischen Freunde an. Er wollte sich auf diese Weise für ähnliche Einladungen in Rom revanchieren. Wieder bekam ich Auftrag und Vollmachten. Mir schien das Hotel auf dem Kobenzl das geeignetste zu sein. Es ist zwischen Grinzing und Donau auf einem herrlichen Aussichts- und Ausflugsberg nördlich von Wien gelegen. Wegen der vorgerückten Jahreszeit war das Haus aber bereits geschlossen und mit Brettern vernagelt. Also mußte auch dort Heinzelmännchenarbeit durch motorisierte Fachkolonnen geleistet werden. Es wurde die beste Band aus Wien bestellt, Porzellan und Besteck aus der Hofburg herbeigeholt, und für das Gesellschaftliche sorgte mein Bruder Karl-Hermann zusammen mit Heldis von der Lippe. Diese, selbst eine Schönheit, mobilisierte die hübschesten Mädchen der österreichischen Society, damit sie als Tischdamen für unser Diplomatendinner fungierten. Wie ein Lauffeuer verbreitete sich in der Stadt die Kunde, daß im Schloßhotel Kobenzl eine großartige Soiree stattfinden werde, und ein Sturm von Bitten aus der nobelsten Wiener Gesellschaft, die unbedingt auch eingeladen werden wollte, quälte mich und das Komitee meines Bruders. Wir konnten aber kaum ein Dutzend von unseren einheimischen Damen an den Tisch bitten, denn wir mußten ja auch die Gattinnen der Herren aus der italienischen Delegation würdig unterbringen. Schließlich beschloß ich, noch die Nischen des Tanzsaales mit zahlreichen »vorzeigbaren« Auserwählten zu füllen. Binnen kurzem waren wir überrannt und überkomplett, sonst aber liefen die Vorbereitungen für das Super-Fest auf dem Kobenzl heiter dahin.

Am nächsten Tag wurde dann die große Konferenz im Belvedere abgehalten. Sie war, was die Organisation und das Protokoll betraf, nach außen ein großer Erfolg und bot ein prächtiges Schauspiel. Tatsächlich aber war sie ein abgekartetes Theater. Kordt und ich hüteten uns, auf irgendwelche Photos zu kommen. Wir wollten an dieser schäbigen Komödie keinen Anteil haben. In gewissenloser Weise wurden zwischen Ciano und Ribbentrop Land und Leute auf Landkarten hin- und hergeschoben, es wurden neue Grenzlinien gezogen, wobei die Striche überdicker Bleistifte ganze Kilometer Tiefe verunsicherten. Ein schandbarer, wenn auch dünner Neuaufguß von Versailles und St.-Germain. Dabei wäre es doch d i e Gelegenheit gewesen, durch gerechte und durchdachte Entscheidungen Vertrauen zu gewinnen.

Elegant verlief anschließend das Mittagessen im prachtvollen Hauptsaal des Belvedere mit kaiserlichem Gedeck und Lakaien in Hoflivree. Dörnberg hatte alles, wie gewohnt, großartig organisiert und die Räume des Belvedere in ein Blumenmeer verwandelt. Die italienische Delegation war, wie wir es erhofft hatten, sichtlich beeindruckt und auch erfreut, in Wien wieder Eleganz und Schwung vorzufinden.

Auch wir waren glücklich, daß Wien auf dem internationalen Parkett wieder etwas darzustellen vermochte, und die Ostvölker – wie einst – wieder den Blick auf die Donaumetropole richten mußten.

Daneben kamen die Vorbereitungen für das Dinner am Kobenzl zum Abschluß und versprachen Erfolg. Berliner Veranstaltungen im Dritten Reich waren gewöhnlich nur ein schwaches Äquivalent zu den unvergleichlichen römischen Festen gewesen, und die oft recht biederen Damen aus Staat, Partei und Militär entsprachen kaum den Maßstäben der internationalen Gesellschaft. Das genossen die Italiener und sahen dann, wenn es Fragen von Chic und Eleganz betraf, etwas mitleidig auf die »barbarisch spießigen« Verbündeten aus dem Norden und deren etwas plumpe Gemahlinnen herab.

Diesmal wollten wir es ihnen zeigen. Mein Bruder Karl-Hermann, Viktor und seine Schwester halfen, ein Bukett der schönsten Blüten aus der Gesellschaft zusammenzutrommeln. Eigentlich brauchte man nur auszuwählen, denn alles wollte dabei sein, was in Wien Rang und Namen hatte. Man überschlug sich, tat sich hervor, machte den anderen schlecht, ja – es wurde sogar denunziert. Daher kam es zu peinlichen Szenen und Beleidigungen. An den Delegationstisch mit Ribbentrop und Ciano wurden nur erlesene Geschöpfe placiert. Alle anderen, die wir nicht ganz abwimmeln wollten, baten wir, das »normale« Publikum im Tanzsaal und in den Nischen darzustellen und der italienischen Delegation ein alltägliches Wiener Nachtleben à la Potemkin vorzugaukeln, wobei wir die Staffage allerdings wissen ließen, daß Getränke nur bis zu einer gewissen Grenze gratis wären. Am Schluß wurde aber alles bezahlt. Am Abend versammelten sich unsere für das offizielle Dinner vorgesehenen Tischdamen im Hause des Barons von der Lippe, wo ich sie bitten mußte, Ribbentrop und Ciano vorschriftsmäßig nach Madame Ribbentrops Beispiel mit angehobenem und leicht abgebogenem Arm und Nicken des Kopfes so elegant als möglich zu begrüßen. Dies wäre nun mal Vorschrift, an der ich allerdings unschuldig sei. Sollte dies aber irgend jemandem nicht passen, so könne er sorglos nach Hause gehen. Ich garantierte, daß dies niemand übelnehmen würde, da auch noch in letzter Minute problemlos Ersatz zu finden sei. Was ich vermeiden wolle, wären lediglich Ärger und Eklats. Doch ... oh Wunder, obgleich auch Vertreterinnen ältester österreichischer Familien präsent waren, es wollte keine als »Frühwiderständler« wieder nach Hause fahren, und alle die Schönen akzeptierten die Eigenarten der nationalsozialistischen Etikette. Kurz darauf setzte sich dann eine Kolonne von Mercedeswagen mit den jungen Damen zum Kobenzl in Bewegung.

Ich war bereits vorausgeeilt, um nach dem Rechten zu sehen, denn es drohten dort schon erste Pannen. Die zwar nicht eingeladene, aber tapfer erschienene Fürstin X machte mir eine Szene. Sie bestand unbedingt darauf, an die Haupttafel gesetzt zu werden. Ich lehnte natürlich eiskalt ab, worauf ihre Durchlaucht im schwarzen Taftkleid stolz, aber beleidigt wieder abrauschte, gefolgt von dem leisen Gelächter einiger Nazi-Standesgenossen, darunter die Grafen Dubsky, Hardegg, Khuen, usw.

Noch waren die Damen und Gäste nicht eingetroffen, da trat an mich die sehr elegante Gräfin Y heran und erklärte mir rundweg, sie müsse darauf bestehen, neben Ribbentrop gesetzt zu werden, da sie »Joachim« gut kenne, mit ihm »viel Tennis gespielt habe«, und es meinem Chef sicher nicht recht sein würde, wenn er feststellen müsse, daß eine so alte Freundin wie sie links liegen gelassen werde. Sie trug ihr Anliegen sehr eindringlich und überzeugend vor. Da ich aber wollte, daß sich Ribbentrop an diesem Abend problemlos amüsierte, opferte ich also eines der als Tischdamen vorgesehenen Mädchen, baute das Placement um und verpflanzte die schöne Gräfin Y an den Platz zu seiner Linken. Kaum hatte ich ihr das aber zugesagt, kam Graf Z und machte mich darauf aufmerksam, daß die gute Dame gar nicht so sehr daran dachte, ihren alten Freund Joachim zu erquicken als ihn beim Essen mit einem höchstpersönlichen Anliegen zu bedrängen. Sie wollte ihn nämlich bitten, die neue Grenzziehung, die mitten durch ihren Besitz lief, so zu korrigieren, daß nichts von ihrer Latifundie an die Resttschechei fallen würde. Das war zuviel für mich. Ich sauste auf die Dame los und sagte kurz und klar: »Ich höre, meine Gräfin, Sie haben heute abend vor, mit einem Anliegen die Grenzziehung betreffend dieses fröhliche Fest und somit den Außenminister zu belasten, der sich ausspannen und amüsieren sollte. Ich mache Sie aufmerksam: Sollten Sie das wirklich tun, so werde ich veranlassen, daß aus der Erfüllung Ihres Wunsches nicht viel wird. Sollten Sie aber, wie ich hoffe, sich zurückhalten, so verspreche ich, schon morgen die zuständigen Herren zusammenzubitten und mich für Ihr Anliegen einzusetzen.«

Die Arme wurde totenbleich und erklärte, sie verbäte sich so einen Ton, an den sie nicht gewöhnt wäre. Ich verbeugte mich knapp und ließ sie stehen, denn der Konvoy mit den Wiener Grazien rollte ein, dicht gefolgt vom Kompressor der zwei Außenminister. Dörnberg und ich übernahmen die Vorstellung der Damen, die alle manierlich den Arm hoben und ihr »Heil Hitler« hauchten. Ich glaube, sie meinten es damals durchaus ehrlich. Ciano und der RAM waren sichtlich angetan von so viel Schönheit und Eleganz. Inzwischen hatte sich der Saal mit Wiener »Gesellschaftsstaffage« gefüllt, ja, diese war natürlich überzählig gekommen und sichtlich bemüht, durch Charme, Witz und Wohlverhalten zu brillieren. Die Italiener schienen beeindruckt und sagten mir dies auch: Sie hätten nicht geglaubt, daß sich unsere Society so schnell mit dem Dritten Reich abfinden würde. Ich lachte ihnen ins Gesicht und meinte, sie wären mit dieser Ansicht wohl ein Opfer ihrer eigenen Propaganda geworden.

Die Tafel für die deutsch-italienische Delegation stand in einer großen, überhöhten Nische und war mit prachtvollem Porzellan, Silber und einem Meer von Blumen gedeckt. Es war gelungen, die Crème der alten und neuen Gesellschaft zu vereinen. Da glänzte die reizende Tochter des neuen Wiener Bürgermeisters und hohen SA-Führers Neubacher zwischen den Blüten der alten Gesellschaft.

Überhaupt war sozusagen alles vertreten, was Rang und Namen hatte, wie Mitglieder der Familien Hohenlohe, Rohan, Windischgrätz, Kinsky, Dubsky, Khuen, Meran, Hardegg, Auersperg, Bossi-Fedrigotti, Schönburg und noch andere mehr. Wohlgefällig ruhte Ribbentrops Blick auf den Damen meiner Wahl. Mehrfach nickte er mir freundlich zu, eingekeilt zwischen seiner alten Freundin, Gräfin Y, und der ranghohen, aber nicht mehr taufrischen Delegationsmutter Italiens. Ciano hatte es mit seinen Tischdamen erheblich besser.

Ein paar Stufen unterhalb unserer Nische begann sich, wie geplant, das »Wiener Nachtleben« zu formieren, die Tanzkapelle spielte modern, abwechselnd Lambeth-Walk und Walzer, damit die Italiener ja nicht glauben sollten, wir wären spießig und liebten nur altdeutsche Tänze. Da, plötzlich, geschah das Malheur! Ribbentrops Überraschungstischdame, Gräfin Y, wurde kreidebleich und von Übelkeit befallen. Taktvoll zur Seite blickend, reichte ihr Ribbentrop galant sein Taschentuch. Die Aufregungen vor dem Essen waren wohl zuviel für die Ärmste gewesen. Jedenfalls war sie plötzlich nicht mehr anwesend, und Ribbentrop saß jetzt allein mit der italienischen Matrone. In höchster Eile zogen Dörnberg und ich die reizende M. auf den leeren Stuhl, obwohl sie sich mit Händen und Füßen sträubte, denn sie wollte nicht ihre amüsanten Nachbarn gegen Ribbentrop tauschen. Es half ihr aber nichts, denn Dörnberg und ich waren zu allem entschlossen. Und, oh Wunder, M. spielte dann ihre Rolle ausgezeichnet. Sie wickelte Ribbentrop um den Finger mit ihrem Charme. Nun begann auch der RAM wieder zu strahlen und redete gestikulierend auf sie ein. Wie sie mir später erzählte, bat er sie, dafür zu sorgen, daß ich eine von all diesen Schönen heiraten und endlich meine Engländerin aufgeben solle. M. entgegnete ihm aber ziemlich kühl, sie sehe nicht ein, warum ich nicht eine nette Engländerin ehelichen solle, wenn ich sie liebte. Ihr tapferes Eintreten für mich habe ich ihr nie vergessen. Wie unendlich tragisch, daß sie während des Krieges bei einem englischen Bombenangriff den Tod fand.

Ribbentrop und Ciano schienen jenen Abend auf dem Kobenzl zu genießen und zogen sich nach Mitternacht höchst zufrieden zurück. Dabei stieg der RAM ins eigene Bett, während für den Italiener Besseres vorbereitet war.

Kaum waren die Chefs verschwunden, wurde es zusehends lustiger. Ja, viele Bummler der Wiener Society, die gar nicht eingeladen waren, trudelten jetzt heimlich ein. Niemand hinderte sie, und immer fröhlicher wurde das Fest, immer wilder wurde getanzt bis 6 Uhr früh. Wir machten uns sogar schon über treudeutsche Tänze lustig, und der 2.06 m große Sandro Dörnberg stellte frech in unserer Mitte mit ausgebreiteten Armen eine deutsche Eiche dar, die wir in Reigen umtanzten. Erst um 7 Uhr früh nahm das denkwürdige Fest auf dem Kobenzl sein Ende.

Schon am Vormittag darauf wurde es düster. Madame Ribbentrop hatte in Berlin von rauschenden Festen gehört und fand es ungehörig, daß Außenministerin und Protokollchefin nicht eingeflogen worden waren. Es kam zu erregten Telefonaten zwischen dem Ehepaar Ribbentrop. Der Reichsminister blieb hart und war sehr zufrieden, daß er den erstaunten Italienern Wiener Eleganz im Dienste des Dritten Reiches hatte vorführen können; ja, es kam sogar zu einer merkwürdigen und rührenden Szene zwischen ihm und mir im Fürstenflat des »Imperial«, wo wir eine ganze Flucht mit Arbeitsräumen für Chef und Sekretariat gemietet hatten. Der RAM ließ mich auf einmal ganz offiziell durch seinen Adjutanten zu sich bitten, obwohl er nur dreimal nach mir hätte klingeln müssen. Er bot mir dann in seiner Sitzecke ganz förmlich einen

Stuhl an und dankte mir in wohlgesetzten Worten für die Organisation des gelungenen Festes und die gute Vorbereitungsarbeit für den Schiedsspruch. Dann erhob er sich, drückte mir die Hand, und ich verabschiedete mich verwundert, ebenfalls dankend. So etwas war mir noch nie passiert, und ich war noch voll des Staunens, als es kurz darauf dreimal klingelte und ich, gerade eben offiziell verabschiedet, wieder als normaler Sekretär zum Chef eilen durfte. Aber es war eigentlich eine nette Geste.

Nach dem Wiener Erfolg war ihm der Gedanke, daß ich gehen wollte, mehr als zuwider. Ich aber erlebte damals nicht nur erfreuliche Reaktionen. Die Wiener Partei war verbittert, da man statt hundertprozentiger Hitlermädchen junge Damen der Gesellschaft eingeladen hatte, deren Familien zum Teil Stützen der Reaktion unter Dollfuß und Schuschnigg gewesen waren. Auf solche Dinge konnte und wollte ich aber keine Rücksicht nehmen, da ich doch den Italienern zeigen wollte, daß »Wien gewonnen war«. Wenn überhaupt noch Hoffnung bestehen sollte, daß das Dritte Reich mit den wachsenden Aufgaben vielleicht am Ende doch noch vernünftig wurde, um nach innen und außen wieder glaubhaft positive Politik zu machen, so durfte man auf die kultivierten Kreise der alten Donaumetropole niemals verzichten. Während ich also damals nur Ärger mit den lokalen Parteikreisen bekam, warfen mir nach dem Krieg Wiener »Adabei-Aristos« vor, daß ich sie zu diesem bösen Fest mit Nazibonzen und Faschisten gelockt hätte, ja einige tun gerade so, als ob sie damals gezwungen worden wären. Die Wahrheit aber ist, daß sich die Meckerer von heute in großer Zahl zu diesem Fest gedrängt haben und sich damals in Hunderten von Telefonaten geradezu anbiederten. Jeder, der die internationale Gesellschaft kennt, weiß, daß sie stets dabeisein muß. Wenn die Sache aber schlecht endet, will man natürlich nur unter Zwang gehandelt haben. Doch mag das meinetwegen ruhig weiter behauptet werden. Die »Upper ten« bedeuten selten mehr als eine amüsante, kulturvolle Begleiterscheinung, die auch ich nicht missen möchte. Es wäre ohne Glanz und Gossip doch zu langweilig auf diesem Globus. Witz, Eleganz und guter Geschmack sind leider meist nur in den oberen Schichten zu finden und gehören eben zu den angenehmen Seiten dieses Lebens. Auch Hitler war kein Verächter solcher Kost und bewunderte Schönheit und Eleganz. Einmal erzählte er bei Tisch wieder von seiner Wiener Zeit. Wie nobel damals die Equipagen über das unter den Hufen klopfende Holz-Stöckelpflaster fuhren, wie festlich die Vorstellungen in der Oper und im Burgtheater waren, und wie reizend die schönen und eleganten »Wiener Komtesserln« ausgesehen hatten!

Dies verbreitete ich dann süffisant unter meinen Parteifreunden, und da diese Äußerungen »aus dem Gral« kamen, hatte ich ab sofort Ruhe und es verstummte jede Kritik.

Von Wien aus flogen wir zurück nach Berlin. Dort ging der normale Dienst wieder los. Ich ahnte, daß ich bald zusehen mußte, mich von Ribbentrop zu lösen, bevor die nächste Krise käme, denn die war so sicher wie der kommende Frühling. Es war zum Verzweifeln. Anscheinend hatte jetzt alles keinen Sinn mehr. Man war oben einfach größenwahnsinnig geworden und hatte jeden Sinn für das Maß verloren. Ich fühlte, daß nicht mehr die geringste Absicht bestand, einzuhalten und die aggressive Außenpolitik zu mildern. So war mit Sicherheit anzunehmen, daß Hitler mit der »physikalischen Methode« des schnellen Holzhammers weitermachen wollte und nicht daran dachte, die von Weizsäcker propagierte langsame »chemische Methode« der friedlichen Durchdringung zu akzeptieren. Dabei lag es doch auf der Hand, daß Deutschland den einzig interessanten Markt für die agrarbetonten Balkanländer darstellte und man diesen geradezu vorschreiben konnte, was sie zu tun und zu lassen hätten. Aber nein, es galt höheren Orts einfach der Entschluß, sogenannte »klare« Zustände zu schaffen, und die Reichsgrenzen mit Gepolter vor sich herzuschieben, statt sie später einmal der pénétration pacifique mit Eleganz folgen zu lassen.

Schon beim Jahreswechsel 1937/38 hatte ich mich geweigert, Hitler in Berchtesgaden Ribbentrops anglophobe und falsche Denkschrift zu überbringen. Um so mehr wollte ich dann im Herbst 1938 konsequent mit dem größenwahnsinnigen System und seinem außenpolitischen Vabanque-Spiel brechen. Natürlich litt ich darunter, wie wohl jeder Mensch leidet, wenn er seine Ideale verraten sieht, wenn er als falsch erkennen muß, was ihm lange Jahre unumstößliche Wahrheit schien, wenn er sich von seinem Idol enttäuscht sieht. Aber es mußte sein, und ich konnte nicht anders. Über allem mußte die Treue zum Reich stehen und nicht die zur Person. Und das Reich war in Gefahr!

In jenen Tagen tauchte in Berlin mein späterer Schwager Hubert von Breisky auf, dessen Verlobte, Hildegard Schmidtmann, auf dem Kobenzlfest unter den Beautées geglänzt hatte. Ich müsse ihn unbedingt ins Auswärtige Amt einschleusen, insistierte er, denn er fühle Berufung zum Diplomaten und könne sich ein anderes Leben gar nicht mehr vorstellen. Ich warnte ihn und sagte ihm klar, was ich von der Situation hielt.

Er gab aber nicht nach, besuchte mich täglich schon zum Lever vor dem Frühstück, bis ich nachgab und versprach, in Anbetracht unserer alten Freundschaft alles zu versuchen. Des öfteren traf ich auch Otto Peter-Pirkham, den ich von der Entrevue Schuschnigg-Hitler am Obersalzberg her kannte, und meinen alten Freund Viktor und alle drei, Breis-

342

ky, Pirkham und Lippe hörten sich ungläubig und kopfschüttelnd meine Warnungen an, daß nämlich die Reichsregierung für die Durchsetzung imperialistischer Ziele einen Krieg riskieren werde. Erst langsam und entsetzt akzeptierten sie meine diesbezügliche Erkenntnis.

Mit Breisky kam es dann schließlich zur Vorstellung beim Reichsaußenminister, nachdem wir oft zweckmäßige Haltung und Antworten scherzhaft geübt hatten. Vorsichtshalber bereitete ich eine Aktennotiz für den RAM vor und gab sie Breisky zu lesen, dann schob ich ihn hinein zum Minister, der prompt die von mir angeregten Fragen stellte. Alles lief wie erwartet. Da Breisky aber schon anfangs der Dreißig war und der Chef nur ganz junge Leute wollte, die er in seinem Sinne abrichten konnte, blieb seine Sache noch ein paarmal hängen, bis er – nach wiederholtem Nachstoßen meinerseits – schließlich im Amt aufgenommen wurde.

Ja, Ribbentrop wollte nur ganz junge Leute! Der außenpolitische Nachwuchs war sein besonderes Hobby. Sein unvergleichlicher Weggenosse und Mitarbeiter Luther sollte hier richtig managen. Zu diesem Zwecke wurde auch ein großartiges »außenpolitisches Schulungshaus« geplant und bald realisiert. Alles Mögliche hatte man dort vorgesehen. Hauptsächlich aber Exerzieren und Drill zu blindem Gehorsam. Sogar einen Karzer hatte man nicht vergessen. Darin sollten unbotmäßige Jungdiplomaten von Zeit zu Zeit gehörig »brummen«. Geschichts-, Sprachoder Rechtsunterricht standen nur an zweiter Stelle. Die Hauptsache war natürlich die weltanschauliche Ausrichtung und somit die Gleichschaltung der Gehirne. Ja, es sollte – wie Ribbentrop mit seiner Frau gerne schwärmte – etwas ganz Neues, »nie Dagewesenes« werden. Und d a s wurde auch tatsächlich erreicht, denn etwas so Komisches hatte es vorher noch nicht gegeben. Ein besonderer Witz der Geschichte ereignete sich dann, als der Erfinder dieses Diplomatenkarzers, der spätere Unterstaatssekretär Luther, schließlich von Ribbentrop selbst in ein Konzentrationslager gesteckt wurde. Doch davon später.

Langsam verebbte die Sudetenkrise. Ich hatte mir nun fest vorgenommen, mich so schnell wie möglich, auf jeden Fall aber noch vor der nächsten Krise, zu absentieren. Ribbentrop ahnte diese meine Absicht und versuchte auf Madames Rat hin, mich wieder fester an sich zu fesseln. Frau von Ribbentrop konnte mich irgendwie gut leiden, und auch ich mochte, ja bewunderte sie persönlich, obwohl ich ihre konfliktschürende Einmischung in die Außenpolitik empörend fand. Jedenfalls war das Ehepaar Ribbentrop mir gegenüber damals ganz besonders freundlich, und der Reichsaußenminister ließ auch amtlich über mir seine Gnadensonne scheinen. Um so schwieriger wurde es, meine Entlassung aus dem Auswärtigen Amt zu verlangen.

Doch noch schrieben wir den 7. November 1938, da wurde in Paris der harmlose deutsche Legationssekretär vom Rath durch den jüdischen Emigranten Grünspan erschossen. Ohne Wissen von Hitler, Göring und Ribbentrop hatte Goebbels daraufhin einen »automatischen Volkszorn« organisiert, der in die berühmte »Reichskristallnacht« mündete. Wahllos wurden in Deutschland jüdische Geschäfte geplündert und verwüstet, Synagogen angezündet, Juden gepeinigt und verfolgt. Ribbentrop befand sich damals gerade im Hotel »Vier Jahreszeiten« in München, da er vorhatte, sich wieder einmal an den Hofstaat Hitlers heranzupirschen, um »am Puls« zu bleiben. Nahe dem Hotel brannte die Synagoge, und ich erinnere mich noch genau, wie des nachts Aschenflocken auf meinem Bett und dem Mobiliar landeten.

Über dieses Vorgehen seines Goebbels war Hitler eher ungehalten. Göring schimpfte sorgenvoll, da international wirtschaftliche Nachteile zu erwarten waren. Er fürchtete, die im Vierjahresplan und für die Rüstung vorgesehenen Ziele nicht erreichen zu können, falls der Boykott des deutschen Exportes weltweit anwachsen sollte. Auch Ribbentrop war äußerst ungehalten, weil er Goebbels und dessen Eigenmächtigkeiten haßte, und die Gelegenheit nützen wollte, ihm bei Hitler »eins auszuwischen«, obwohl er als RAM über die Ermordung seines Legationssekretärs doch äußerste Empörung zeigen mußte. Aber typisch für Hitler – er sanktionierte wie so oft – auch hier wieder im Nachhinein radikales »Über-die-Stränge-Schlagen«.

Zwei Tage danach, am 9. November, wurde Agnes nun volljährig. Unser Weltskandal war natürlich nicht die richtige Begleitmusik für das entscheidende Gespräch mit ihr. Ich zögerte lange, doch spät abends rief ich dann an, um wenigstens pünktlich zu gratulieren. Noch nie hatte ich sie am Telefon so verzweifelt erlebt. Ihre Familie und einige Freunde hatten ihr ein Großjährigkeits-Geburtstagsessen in einem eleganten Hotel gegeben, doch die Feier wurde zur Tragödie. Aus der schlimmen Stimmung heraus gab bald ein Wort das andere, und als einer der Geladenen sie spöttisch wieder nach ihrem »Hunnen« fragte, da war es mit ihrer Selbstbeherrschung vorbei. Wutentbrannt warf sie alles, was vor ihr lag, über den Tisch und rannte schluchzend nach Hause. Genau in diesem Moment kam mein Anruf. Ich versuchte sie zu trösten, so gut ich konnte, obwohl ich doch selber ganz vernichtet war. Alles schien nun Grau in Grau und ohne jede Hoffnung. Doch in dieser Verzweiflung flammte unsere Liebe stärker auf denn je, und wir schworen uns, niemals nachzugeben – ja wir wollten für die ganze Welt ein Zeichen setzen, gerade jetzt und allen zum Trotz.

Als dann am nächsten Tag der Sonderzug wieder nach Berlin rollte, verständigte ich wildentschlossen die Sekretärinnen und die Adjutantur, daß ich mit dem Chef allein länger zu sprechen hätte und jeden in der Luft zerreißen würde, der es wagte, uns zu stören. So eine Fahrt im Sonderzug war natürlich die ideale Gelegenheit, den Alten zu »cornern« und zu verhindern, daß er mir – wie so oft – davonlief, wenn ihm etwas nicht paßte. Damals gab es während der Fahrt noch kein Telefon, und ich verbot, während der kurzen Aufenthalte die Kabel anzuschließen! Gesagt, getan. Eine Stunde nach der Abfahrt des Zuges saß ich meinem Chef in seinem Sonderabteil gegenüber. Als Ribbentrop merkte, worauf ich hinauswollte, versuchte er abzulenken, doch ich war eisern entschlossen: jetzt oder nie! Meinen Ausführungen zuvorkommend, bot mir Ribbentrop die Leitung des Ministerbüros an, ich müßte mich doch auf eine ganz große Karriere vorbereiten. Doch ich dankte und erklärte, daß ich um meinen Abschied bäte, um Agnes zu heiraten, die seit gestern großjährig sei. Der RAM war sprachlos. Jetzt ergriff ich die Gelegenheit und fuhr unbeirrt fort, daß ich nun einmal diese Frau über alles liebe. Sie stünde trotz böser Schwierigkeiten unerschütterlich zu mir, und ich sei fest entschlossen alle Konsequenzen zu ziehen. Ich hätte mir alles genau überlegt, ich wollte noch bis zum 30. Januar, bis zur Übergabe im Ministerbüro arbeiten und anschließend, um Aufsehen zu vermeiden, für drei Monate zu einer militärischen Übung einrücken, von der ich dann nicht mehr ins Amt zurückkehren würde. Ich brächte gerne dies kleine Opfer. Mein Entschluß sei aber endgültig. Ich könne nicht mehr zuwarten, denn abgesehen von allen seelischen Empfindungen, mußte ich daran denken, mir eine neue Zukunft in der Wirtschaft aufzubauen. Ich bäte ihn, mir den Weg nicht zu versperren und mir den Abschied in Anbetracht meiner Verdienste für die Bewegung und sein Wirken nicht noch schwerer zu machen. Diese Rede hatte ich im Laufe des Jahres in Gedanken Hunderte Male geprobt.

Ribbentrop hatte kopfschüttelnd zugehört, dann aber ging es los: Ich sei völlig verrückt, eine so glänzende und sichere Karriere wegen einer Frau hinzuwerfen. Ein Botschafterposten sei mir später sicher. Er habe schon mit dem Führer darüber gesprochen. Bei ihm hätte ich einen guten Namen. Millionen von jungen Leuten würden sich glücklich preisen, wenn sie meine Zukunftsaussichten hätten. Ausgerechnet jetzt, wo es unaufhaltsam vorwärts gehe, wolle ich abspringen. Als Chef und auch als väterlicher Freund müsse er eine solche Wahnsinnstat verhindern. Es sei im übrigen ein Fehler gewesen, daß er nicht schon in London den Flirt mit Agnes rechtzeitig unterbunden habe. Kurz, diese Heirat käme gar nicht in Frage, ich sollte – wenn ich wollte – ordentlich Urlaub nehmen und mich in Wien oder anderswo in Deutschland um eine nette Frau umschauen.

Mein Gott. Es war wirklich nicht einfach, ich aber blieb fest und erklärte, mein Entschluß sei unerschütterlich. Agnes habe mein Wort und das würde ich unter allen Umständen halten. Ihm, dem RAM, sei auch nicht damit gedient, ein seit einem Jahr wohlbekanntes Problem weiter zu vertagen.

In dieser Form ging es zwei volle Stunden hin und her. Ribbentrop beschwor mich, lachte mich aus, machte Versprechungen, drohte mit üblen Folgen, bat um Vernunft und wurde schließlich müde und elegisch. So leid es ihm täte, einer Heirat von Diplomaten mit Ausländerinnen könne er unter keinen Umständen zustimmen; auch der Führer könne das nicht. Wenn dergleichen unter vorhergehenden Außenministern möglich gewesen war, dann sei das nur typisch für »diese Demokratie«. Ich sollte mich um Gottes willen nicht dieser Frau hinwerfen. Sie sei zwar reizend, er kenne sie ja, aber er wolle mir verraten, auch er habe einmal geglaubt, nur eine einzige Frau lieben zu können und habe dann – nicht ohne Vernunft – seine jetzige Frau geheiratet und sei mit ihr, wie ich wohl wisse, sehr, ja, sehr glücklich geworden.

Nach drei Stunden war schließlich alles vorüber, und der RAM gab sich geschlagen. Er wünschte mir freundlich viel Glück und entließ mich wehmütig. Ich aber war wie zermalmt. Zurück in Berlin, rief ich gleich Agnes an und teilte ihr das große Ereignis mit. Wir beide waren selig und stolz darauf, in dieser Zeit des Hasses dem aufkommenden Sturmwind vereint die Stirn zu bieten.

Im Auswärtigen Amt schlug die Nachricht wie eine Bombe ein. Von allen Seiten war ich der Gegenstand von Sympathiekundgebungen. Herzliche Händedrucke und anerkennendes Schulterklopfen zeigte mir, daß mein Schritt sowohl bei alten Beamten als auch bei Parteigenossen auf Verständnis gestoßen war.

Doch kam da nochmals eine Hürde. Anscheinend hatte Ribbentrop auf Wunsch seiner Gattin eine neue Idee, um mich wieder an sich zu ketten: Er wollte mich einfach zurück in die Adjutantur b e f e h l e n! Zu diesem Behufe ließ sich der Reichsaußenminister Kordt holen und erklärte ihm, so ginge es einfach nicht weiter, ich müßte aus dem Ministerbüro herausgelöst werden und wieder zu seiner persönlichen Verfügung stehen. Kordt, der mir versprochen hatte, mir unter allen Umständen beizustehen, protestierte. Er sagte, solches wäre im Augenblick technisch nicht möglich. Ribbentrop darauf: Er solle sich für sein Ministerbüro so viele Leute nehmen, als er nur wolle, aber er, Ribbentrop brauche mich ganz einfach. Kordt erwiderte, neue uneingearbeitete Leute in Massen nützten ihm schon gar nichts. Der RAM wurde ärgerlich und begann zu brüllen. Kordt entgegnete ganz ruhig, anbrüllen lasse er sich nicht. Darauf brüllte Ribbentrop, er brülle überhaupt nicht, aber Kordt sei ein Saboteur! Darauf Kordt: »Wenn ich Ihr Vertrauen nicht habe, ist alles sinnlos. Dann bitte ich um meine sofortige Entlassung!«

Nun schrie der Reichsaußenminister, das wäre Desertion! Kordt habe zu bleiben und das sei ein dienstlicher Befehl! Kordt bestand jedoch auf seiner Entlassung, weil das Vertrauen sichtlich fehle. Da überschlug sich Ribbentrops Stimme und er schrie, mit dem Fuß stampfend: »Sie bleiben! Sie haben mein Vertrauen! Widersprechen Sie mir nicht. Sie haben mein Vertrauen!«

Darauf ging Kordt eisig, fuhr nach Hause und legte sich erschöpft ins Bett. Tags darauf ließ er sich ein ärztliches Zeugnis ausstellen, er brauche wegen eines Nervenzusammenbruchs unbedingt Urlaub und kam einfach nicht mehr ins Büro. Er ging lediglich zum Personalchef, dem Gesandten Prüfer, um sich ordnungsgemäß abzumelden, und fuhr – ohne sich noch einmal im Amt zu zeigen – kurzentschlossen mit einem Touristendampfer auf einen Monat nach den Antillen.

Da saß ich nun ganz alleine im Ministerbüro und hatte den ganzen Kram wieder am Hals! Auf Kordts Bitte übernahm aber, zu Hilfe eilend, der Dolmetscher und spätere Gesandte Schmidt das Ministerbüro und wählte Legationssekretär Brückelmaier zu seinem Vertreter. Ich arbeitete im zweiten Vorzimmer zusammen mit den Attachés Schröder, Bruhns und Hartdegen, allerdings mehr auf Übergabe als auf Mitarbeit bedacht, weiter. Schmidt hatte schon oft im Ministerbüro mitgeholfen und übernahm anfangs Kordts Arbeit nur bis auf weiteres. Ich genoß das Zusammensein mit ihm sehr, er war einer der witzigsten, unterhaltsamsten und sicherlich auch intelligentesten Persönlichkeiten, die ich je in meinem Leben getroffen hatte. So »rollte« nun das Ministerbüro ohne Kordt mit »gebrochener Achse«, d. h. Dienst streng nach Vorschrift, weiter.

Seit Kordts Abreise war Ribbentrop mir gegenüber von ganz besonderer Freundlichkeit. Er sprach wieder von Karriere und glänzender Zukunft. Ich aber war mir darüber klar, daß ich auf gar keinen Fall nachgeben dürfe, wenn ich nicht auf immer festgenagelt werden wollte! Und meine Liebesaffäre war ja ein großer Vorteil, denn sonst wäre ein Abspringen aus voller Fahrt wohl dem »Geheimnisträger« unmöglich gewesen. Der entscheidende Schritt war getan, endlich, und nun hieß es eisern durchhalten.

Als letzten Versuch, mich umzustimmen, mobilisierte Ribbentrop noch meine Eltern. Er schickte den Standartenführer Likus zu ihnen nach Wien und ließ sie bitten, in seinem Sinne auf mich einzuwirken. Sowohl mein Vater als auch meine Mutter lehnten aber dieses Ansinnen ab, und so blieb es mir erspart, auch nach dieser Seite hin Widerstand leisten zu müssen.

Zuletzt sah Ribbentrop doch ein, daß nichts mehr zu machen war, und von einem Tag auf den anderen veränderte sich sein Verhalten mir gegenüber. Mit einem Male war ich für ihn ein Schwächling, der bestenfalls Mitleid verdiene. Nun, das konnte mir durchaus recht sein, hatte ich doch nur den einen Wunsch: Nichts wie raus. So erlebte ich auch die außenpolitischen Begebenheiten um den Jahreswechsel nur noch am Rande mit. Allerdings ging ich noch zum großen Neujahrsempfang in die Reichskanzlei, wo ich das Vergnügen hatte, Sven Hedin und die Professoren Bier und Sauerbruch persönlich kennenzulernen und mit ihnen an einem Tisch zu sitzen.

Inzwischen hatte sich mein Ausscheiden aus dem Auswärtigen Amt in Berlin wie ein Lauffeuer herumgesprochen, und ich konnte mich der vielen Einladungen diplomatischer Missionen kaum erwehren, bekam Geschenke von bekannten und unbekannten Leuten, ja die italienische Botschafterin, Frau Attolico, strickte sogar einen Pullover für mich. Über all dies freute ich mich sehr und empfand große Genugtuung.

Anfang Dezember fuhr Ribbentrop nach Paris, um eine deutsch-französische Nichtangriffserklärung zu unterzeichnen. Natürlich hätte es mich sehr gereizt mitzufahren, wie Ribbentrop es wünschte, aber ich widerstand der Versuchung, als Diplomat an den Ort meiner außenpolitischen Studien zurückzukehren. Denn ich wußte genau. Wollte ich meinen Abschied wie geplant durchziehen, so mußte ich fern vom Schuß bleiben. Ich blieb also in Berlin und hatte nochmals die Gelegenheit, eine der typischen und so komischen Pannen des Auswärtigen Amtes zu erleben und an ihrer Bewältigung mitzuwirken.

Ribbentrop hatte vor, am Arc de Triomphe bzw. am Grab des Unbekannten Soldaten einen Superkranz mit offizieller Hakenkreuzschleife niederzulegen. Mit großem Brimborium wurde der RAM in Berlin verabschiedet. Tags darauf, spät am Abend saß ich noch allein im Ministerbüro bei meinen Akten, als plötzlich ein dringendes Staatsgespräch aus Paris durchgegeben wurde. Am Telefon meldete sich Steengracht, der damals das Reiseprotokoll machte. Er war voller Verzweiflung und bat mich inständig, in die Protokollabteilung hinunterzulaufen, wo auf seinem Schrank in einer Kartonschachtel die vorbereitete Hakenkreuzschleife lag – ein Artikel, der in Paris natürlich nicht aufzutreiben war. Nicht auszudenken, wie köstlich sich die internationale Presse amüsiert hätte, wenn Ribbentrop scheinbar aus ängstlicher Rücksicht einen Kranz ohne offizielle Schleife niedergelegt hätte.

Natürlich ahnte der RAM noch nichts von der drohenden Blamage. Lediglich seine Begleitung war in heller Verzweiflung, denn schon am nächsten Tag um neun Uhr früh sollte die feierliche Kranzniederlegung unter militärischem Zeremoniell stattfinden. Die Schleife mußte also spätestens um halb neun in Paris sein und im Augenblick, als ich sie auf dem Schrank ergatterte, war es bereits gegen neun Uhr abends.

Da war guter Rat teuer, denn per Zug oder Auto war das nicht zu bewältigen. Doch mit Hilfe der Luftwaffe gelang es mir, die ominöse Schleife bis Saarbrücken fliegen zu lassen, wo sie dann ein Angehöriger der Geheimen Staatspolizei übernahm und mit einem Mercedes-Kompressor in wilder Nachtfahrt gerade noch rechtzeitig nach Paris brachte. So war das Ansehen des Reiches wieder einmal gerettet, in der Abteilung »Protokoll« rollten keine Köpfe, und der geplagte Steengracht überschlug sich am Telefon mit überschwenglichen, unvorsichtig schlecht getarnten Dankbarkeitskundgebungen. Das also war meine letzte Staatsaktion im Auswärtigen Amt.

Bis Anfang Januar machte ich wieder normalen Dienst in Berlin. Ich mußte ja weiter meine Übergabe vorbereiten und konnte wegen Kordts Abwesenheit nicht verhindern, daß das Ministerbüro nun gewaltig aufgebläht wurde. Gewissenhaft weihte ich meine Nachfolger in die Mukken des RAM und in unsere Tricks ein und machte auch meine Endabrechnung, die insgesamt nur 3.000 Mark ausmachte. Es war ein Glück und fast ein Wunder, daß ich mich aus dem Finanzgebaren Ribbentrops hatte heraushalten können, wie mir das Wussow schon in London so dringend nahegelegt hatte.

In den Stab des Reichsaußenministers kam nun noch Franz von Sonnleithner, während Botschafter Hewel Leiter des persönlichen Stabes des Herrn Reichsaußenministers, wie das so schön hieß, wurde. Was zuvor Kordt, Gottfriedsen als Adjutant und ich als Kordts Vertreter erledigen mußten, wurde jetzt auf ein ganzes Rudel von Beamten, Stabsmitgliedern und Adjutanten aufgeteilt. Auch die Protokollabteilung wurde weiter ausgeweitet. Ribbentrop umgab sich nunmehr mit einem richtigen Hofstaat, wurde immer gottähnlicher und unnahbarer. Also war es höchste Zeit für mich, das Weite zu suchen.

Um meine fällige militärische Übung nicht bei der SS machen zu müssen, ging ich als alter Flieger zur Flak (Flugabwehr) obwohl ich lieber zu den aktiven Fliegern gegangen wäre. Doch diese hätten eine mindestens neunmonatige Übung verlangt. Wichtiger schien mir, eine neue und lukrative Position zu suchen. Nun, das war nicht schwer, denn ich bekam bald Angebote von allen Seiten, war doch der Sekretär eines Außenministers mit allen seinen Beziehungen und Kenntnissen unserer autoritären Staatsmaschinerie damals eine gefragte Persönlichkeit. Die Industrie hätte mich mit offenen Armen aufgenommen, aber ich wollte mehr Distanz und ging auf Empfehlung von Freunden auf das Angebot einer amerikanischen Firma bzw. Vertretung von US-Trusts ein und schloß mit deren Chef, meinem späteren väterlichen Freund

und Gönner Henry Mann, einen mündlichen Vertrag mit Handschlag ab. Kurz zuvor hatte mich noch der Reichsführer-SS wissen lassen, daß er es gerne sähe, wenn ich in seinen persönlichen Stab eintrete, um seine Protokollabteilung zu leiten. Dabei könne ich ungeniert meine Engländerin heiraten. Ich dankte herzlich für diese Ehre – das hätte mir gerade noch gefehlt – und erklärte, ich würde gerne später darauf zurückkommen, zur Zeit aber müßte ich erst einmal meinen Militärdienst absolvieren und dann öfters nach England fahren, um mich um meine Braut zu kümmern und sie heimzuholen. Daher könne ich so eine wichtige und verantwortungsvolle Position im Moment noch nicht übernehmen. So gelang es mir also knapp, dieser Gefahr zu entschlüpfen.

Im Auswärtigen Amt hatten inzwischen die Tschechen wieder vorgesprochen und die geradezu unglaublichsten Angebote gemacht. So wollten sie sich gänzlich der deutschen Außenpolitik anschließen und die Skodawerke mit der ganzen Produktion, ja sogar alle Waffenvorräte dem deutschen Reich zur Verfügung stellen. Ribbentrop aber wollte nichts davon wissen, behandelte sie mit Überheblichkeit, überschüttete sie mit alten Vorwürfen und wies sie auftragsgemäß ab. Denn Hitler plante konsequent die Vereinnahmung der Resttschechei in Vorbereitung des großen Kreuzzuges gegen die Sowjets. Man rechnete damals noch mit den Polen als Alliierten, so merkwürdig das heute auch klingen mag, und jede antipolnische Bemerkung war im Auswärtigen Amt strengstens verboten. Selbst Brasilien sollte in diese Koalition des Antikominternpaktes einbezogen werden, regierte dort doch unser Freund Getulio Vargas autokratisch. Um diese Meisterstücke zu schmieden, fuhr Ribbentrop abermals nach Warschau, »um dort mal nach dem Rechten zu sehen«. Er kam aber recht enttäuscht von dort zurück. Denn die »Saboteure« dort dachten nicht daran, seinem Antikominternpakt beizutreten. Dabei hatte man sich so schön vorgestellt, wie man die Bolschewiken durch ein System von Allianzen im Antikominternpakt von der Türkei über Rumänien, Polen, Baltikum und Finnland einkreisen würde, um sie am »Tag der Tage« gemeinsam anzugreifen und zu vernichten. Doch daraus wurde nichts. Sowohl die Polen als auch die Türken dankten freundlich, aber sehr bestimmt.

Der Abschied vom Auswärtigen Amt wurde mir nicht leicht. Es hieß doch, so viele liebe Kollegen und Mitstreiter verlassen zu müssen. Ribbentrops unerträgliche Divaallüren hatten uns, seine täglichen Mitarbeiter, im wahrsten Sinne des Wortes zusammengeschweißt, und wir waren in der Mehrzahl ein verschworener Haufen. Mein Schreibtisch sah mich die letzten Tage schon recht traurig an. Andererseits aber lockten Freiheit, Liebe und der zwingende Drang, sich an dem dräuenden Unheil nicht mitschuldig zu machen.

Am 30. Januar wurde ich von Ribbentrop zum Abschiedstee nach Dahlem bestellt. Madame empfing mich liebenswürdig, enttäuscht und kopfschüttelnd. Sie zog sich bald zurück. Ribbentrop hatte gerade wieder einmal Geige gespielt und war in elegischer Stimmung. »Ja, mein Guter«, meinte er, »Sie wollen nun also wirklich fort. Ich bedaure das sehr für Sie und auch für mich. Ich verstehe Sie einfach nicht. Vielleicht überlegen Sie sich alles noch einmal, wenn Sie beim Militär sind. Ich verrate Ihnen, Sie werden Ihren Schritt noch sehr bereuen. Sie hätten alles werden können.«

Ich ließ ihn ausreden und erzählte dann von meinen Plänen in der Wirtschaft. Dabei riet er mir, keinen kleinen Posten anzunehmen. Schließlich sei ich ja sein Sekretär gewesen und hätte daher Anspruch auf eine Spitzenposition. Ich entgegnete ihm, ich ginge zu Mr. Mann, dem Generalmanager einer amerikanischen Interessenvertretung, um mich mit den Problemen großer Firmen wie z. B. Brown Harriman, Lorenz, Hollerith, ITT und vor allem Coca-Cola in Europa zu beschäftigen. Mit Vergnügen bemerkte ich, wie der Hieb beim alten Sektvertreter saß. Er brummte vor sich hin und beschränkte sich auf ein »Soso, aha«. Als Abfindung vereinbarten wir ein Jahresgehalt in meiner Eigenschaft als Dienststellenreferent, da ich ja durch eine Verordnung zu Fall gekommen war, die es bei meinem Eintritt in den Dienst noch gar nicht gegeben hatte, nämlich das Verbot der Verheiratung mit einer Ausländerin.

Dann kam das Gespräch auf die Politik. Ribbentrop sagte: »Mir ist es unbegreiflich, daß Sie jetzt gehen, wo wir doch erst am Anfang einer gewaltigen Entwicklung stehen. Jetzt kommen doch erst die ganz großen Dinge.«

Ich stellte mich dumm und meinte, dies wäre mir neu, denn das Ziel des Führers, alle Deutschen in einem Reich zu vereinigen, sei doch fast schon erreicht, und mehr wünsche doch kein *nationaler* Sozialist.

»Nein, nein, mein Guter, so primitiv geht das nicht«, dozierte er. »Der Führer hat ganz große Pläne in Richtung Osten. Bevor das Reich seine Grenzen, Protektorate und Einflußzonen nicht in Richtung Ural ausgedehnt hat, darf man nicht rasten und rosten oder gar Schwäche zeigen ...« Staatsmännische Pause. »Das allerdings wird wohl noch harte Kämpfe kosten.«

Ich antwortete so einfältig wie möglich, um ihn nicht zu reizen, solche Absichten widersprächen doch den Erklärungen des Führers und seinen Ausführungen in »Mein Kampf«. Ich könne nicht recht daran glauben. Die Vereinigung aller Deutschen und vor allem die meiner Heimat mit dem großdeutschen Reich wäre mein Jugendtraum gewesen, auf mehr hätte ich gar nicht zu hoffen gewagt, und all dies sei nun in Erfüllung gegangen. Nach langer Kampfzeit wolle ich jetzt auch etwas an mich selber denken, heiraten und eine Familie gründen. Ich hätte doch mein Wort verpfändet. Auch freue ich mich schon auf Besuche in meiner steirischen Heimat, um vielleicht dort meinen Kohl zu bauen. Das war zu deutlich. Ribbentrop sagte verächtlich: »Ja, dann habe ich mich eben in Ihnen geirrt und Sie für ein anderes Kaliber gehalten. Wie konnten Sie nur so schwach werden? Dies alles tut mir eigentlich leid für Sie.«

Somit war das Ambiente beim Teufel. Wir redeten noch eine halbe Stunde über belanglose Dinge, dann fand ich endlich den Absprung und wurde herablassend, gnädig und mit den obligaten Glückwünschen für meinen weiteren Lebenslauf entlassen.

Als ich wieder auf der Straße stand, schickte ich den Dienstmercedes weg, holte tief Luft und ging zu Fuß stundenlang durch die Stadt. Ja, alter Horaz »Beatus ille qui procul negotiis!« Endlich war ich wieder frei! Ein Mensch vor allem und nicht mehr die Kreatur eines ehrgeizigen, pampigen Narren. Ich fühlte mich wie neugeboren.

Bereits am nächsten Tag erfuhr ich, daß mir Ribbentrop meine »kleine Einstellung« schwer verübelte. Doch unternahm er nichts gegen mich, wohl weil ich viel wußte, was nicht zu Himmler dringen sollte. Ferner waren da große Geldausgaben aus Geheimfonds, die mit nationalsozialistischer Schlichtheit nichts mehr zu tun hatten, und vor allem die Tatsache, daß ich bei Hitler, der mir meine englischen Heiratspläne als überzeugter Anglophile in keiner Weise übelnahm, gut angeschrieben war.

Später sollte ich noch ein letztes Mal kurz mit Ribbentrop persönlich sprechen. Das war im Herbst 1940 auf dem Bahnsteig von Salzburg, als ich gerade den Zug nach Kärnten nehmen wollte, um dort auf Gamsjagd zu gehen. Zünftig angetan, in Lederhose und Steirerrock, mit übergehängter Jagdbüchse, überraschten mich alte Kollegen vom Stab Ribbentrop und führten mich widerstrebenden Jäger mit großem Spaß zum martialischen Sonderzug des RAM, vor welchem dieser gerade etwas promenierte. Als freier Steirer stand ich nun, umgeben von servilen feldgrauen Diplomaten vor dem Gewaltigen und wurde von ihm überrascht, doch gnädig begrüßt: »Ja, ja, der Spitzy, sieh mal an, auf Jagd. Ah, ah, sind Sie nicht beim Militär?«

»Jawoll, Herr Reichsaußenminister, im OKW bei Canaris und zur Zeit auf Urlaub.«

Der RAM schaute erstaunt auf, denn das gefiel ihm gar nicht. »Was machen Sie denn dort?«

Darauf ich: »Auswertung von Auslandsnachrichten aller Art.«

»So, sooh – aha, na denn, alles Gute. Heil!« und ich ward säuerlich gnädig entlassen.

Ribbentrop besichtigt mit Frau von Mackensen, der Gattin des deutschen Botschafters in Rom, den Bau der neuen Botschaft am Quirinal (Privatarchiv Dirk Freiherr von Dörnberg)

Stalin und Marschall Schaposchnikow im Gespräch mit Ribbentrop und dessen Adjutanten Richard Schulze-Kossens im August 1939 (Sammlung Richard Schulze-Kossens)

Botschafter Sir Nevile Henderson und der Reichsaußenminister. Letzte Begegnung und erregte Diskussion vor Kriegsausbruch 1939 (Archiv Verfasser)

Ribbentrop, Raeder, Göring, Hitler und Keitel (v.l.n.r.) erwarten die französische Waffenstillstandsdelegation in Compiègne (Photo Hoffmann)

Ribbentrop führt Staatssekretär Steengracht im Frühjahr 1943 in sein Amt ein (Archiv Verfasser)

Geburtstagsgratulation am 20. 4. 1942. V.l.n.r. Richard Schulze-Kossens, Dr. Brandt, Walther Hewel, Bormanns Bruder (Sammlung Richard Schulze-Kossens)

Protokollchef Alexander Freiherr von Dörnberg und Botschafter Walther Hewel – 1943

Die Fronde

Um 7 Uhr früh des 1. Februar 1939 mußte ich in der Flak-Kaserne Heiligensee wieder einmal als kleiner Rekrut antreten, obwohl ich in Österreich beim Bundesheer und in Deutschland bei der Waffen-SS schon gedient hatte. Meine österreichische Dienstzeit wollte man mir erst später anrechnen. Mir war das alles sehr gleichgültig, denn ich verspürte keinerlei militärischen Ehrgeiz mehr. Als letzten Luxus leistete ich mir, daß ich mich durch den treuen Brüdgam im Mercedes-Kompressor bis zur Kaserne fahren ließ. Vor dem Tor umarmte ich ihn, und wir hatten beide feuchte Augen.

Zur Abwechslung durfte ich nun das Dritte Reich ganz von unten erleben. Das wurde ein zweifelhaftes Vergnügen. Ich nahm meinen Koffer und betrat die Kaserne. Dort begann ein tagelanges Einkleiden und dann kam der übliche widerliche Drill, dem ich mich bereits zum dritten Male unterwerfen mußte, diesmal in der »grünen Hölle von Heiligensee«, wie die Kaserne mit Recht genannt wurde. Da war ich in ein »feines« Regiment geraten! Unsere Einheit war nämlich in schneller Aufblähung der Wehrmacht und insbesondere der Flak neu aufgestellt worden und bekam als Offiziere nur Leute zugeteilt, die andere Regimenter gerne los werden wollten. Zwar ging es uns älteren Freiwilligen besser, aber die jungen Rekruten wurden in einer Weise geschunden, daß uns »Alten« das Blut kochte. Ich glaube, in unserer Kompanie gab es nach Abschluß des Kurses keinen Militaristen mehr. Wir waren ein Club von stummen Meuterern geworden.

Nach drei Monaten, am 30. April, kam unsere Verabschiedung. Dabei verschwanden die meisten durch einen Hinterausgang, und ließen die Musikkapelle, die beim Haupttor für uns spielte, warten, bis diese aufgab. Das war natürlich ein unrühmliches Verhalten und wohl eine Ausnahme. Denn im großen und ganzen war die Wehrmacht ein Hort von Anständigkeit, Ordnung und Sauberkeit. Bei den neuaufgestellten Verbänden aber kam es eben auch zu unerfreulichen Begebenheiten.

Während meiner Dienstzeit holte mich mein Vetter Ernst Swatek an jedem Samstag in meinem kleinen Mercedes ab. Ich hatte ein Zimmer in der deutsch-englischen Gesellschaft. Dort besuchten mich dann alte Freunde und Bekannte, und ich wurde für 24 Stunden wieder Mensch. Kordt hielt mich stets auf dem Laufenden. Mit Schrecken erlebte ich so die Vorbereitungen zur Wahnsinnstat der Besetzung von ganz Böhmen und Mähren. Dieses Unternehmen konnte kaum Gewinn bringen, wohl aber die Welt aufwühlen und unsere außenpolitische Lage entscheidend verschlechtern. Bis zu diesem Zeitpunkt hatte Hitler noch einige Sympathien im Ausland, hatte er – wenn auch mit Tricks und Erpressungen – bisher doch ein durchaus legitimes Ziel verfolgt: die Fesseln von Versailles und St.-Germain zu zerbrechen. Da er aber nun vor aller Welt wortbrüchig wurde, verspielte er endgültig den internationalen Kredit des Dritten Reiches, schickte er sich doch augenscheinlich an, den Weg zur europäischen Hegemonie zu beschreiten.

Längst ahnten die Tschechen Böses. Sie hatten sich in letzter Zeit mit Angeboten, sich unverzüglich und vollkommen der deutschen Politik anzuschließen, geradezu überschlagen. Anträge solcher Art, vom Außenminister Chwalkowsky vorgebracht, fanden aber nur taube Ohren. Mitte März kam es zum Einmarsch in Prag und zur Zerschlagung der Resttschechei. Wir Flak-Kanoniere wurden damals drei Tage lang mobilisiert und starrten auf Posten, feldmarschmäßig ausgerüstet, den Nachthimmel an. Mehr ereignete sich für uns nicht. Hitler hatte die Reste der Tschechei kassiert und das erste »Protektorat« gegründet, wie mir der Reichsaußenminister vorausgesagt hatte.

In unserem Regiment war die Stimmung eher gedrückt. Jedermann hatte einen Krieg befürchtet. Zwei Sonntage später erzählte mir Hewel, Hitler habe in großen Tönen erklärt: »Passen Sie auf, meine Herren, es gibt nur kurz Stunk in der Weltpresse. Nach zwei Wochen aber spricht kein Mensch mehr davon.« Aber der Einmarsch in Prag wurde für Hitler auf lange Sicht tödlich. Und dabei war diese Gewalttour so unnötig gewesen, denn die lebensunfähige Resttschechei wäre uns ja ganz von selbst, zumindest wirtschaftlich, in den Schoß gefallen. Wieder einmal wurde eine unversperrte Tür mit dem Stiefel eingetreten. Es war zum Verzweifeln.

Die unvermeidlich herankriechende Kriegsgefahr lag mir schwer auf der Seele. Nur ein Wunder konnte uns noch retten, und an diese Hoffnung klammerte ich mich verzweifelt. Beschämt schrieb ich Agnes, sie solle die Prager Geschichte nicht zu tragisch nehmen, denn schließlich waren ja Böhmen und Mähren Bestandteile des alten Reiches, der böhmische König sogar erster unter den Kurfürsten gewesen. Ich schickte ihr eine große Goldmünze aus dem Jahre 1638, die den böhmischen Löwen im Reichswappen zeigte. Gescheiteres fiel mir dazu nicht ein.

Wenn es ging, besuchte ich jeden Samstag schon meinen zukünftigen Chef, Mr. Henry Mann. Er war ein großartiger Boß, war besonders nett und last but not least deutscher Abkunft. Auch von seinem Sekretär, Mr. Holland, erlebte ich nur das Beste. Wir drei freundeten uns bald herzlich an.

Es gab natürlich auch heitere Erlebnisse. Am Komischten war die Geschichte eines auslanddeutschen Freiwilligen aus Südamerika, der seinen Entschluß, dem deutschen Vaterland zu dienen, angesichts der Umstände bald heftig bereute. Er begann, meisterhaft den Dummen und Halbverrückten zu markieren. Ganz gleich, ob die Vorgesetzten ihn anbrüllten und Stillschweigen verlangten, immer hatte er eine Antwort, er kam stets zu spät zum Dienst und erklärte dann seelenruhig, er habe erst den Kaffee austrinken müssen oder noch auf der Toilette gesessen. Anstatt zu salutieren, zog er scheinbar geistesabwesend und verwirrt vor höheren Vorgesetzten tief seine Mütze und fegte vor dem »Hinlegen« bei übungsmäßigem Luftalarm im Gelände erst mit dem Taschentuch vorsorglich den Boden. Immer wieder wurde er bestraft und eingesperrt, doch spielte er seine Rolle unerschütterlich weiter. Wir hatten großes Gaudium mit ihm, und er wurde restlos bewundert. Schließlich kapitulierten die Vorgesetzten. Der Mann wurde wegen Untauglichkeit aus dem Heere entlassen. Ganz ungefährlich war aber die Methode nicht gewesen: Es hätte ihm passieren können, als Geisteskranker sterilisiert zu werden. Jedenfalls wurde unser Held, als er unsere Kompanie verließ, begeistert in der Kantine gefeiert.

Endlich kam auch für uns der Tag der Freiheit. Es war der 30. April 1939. Ich flog gleich zu Agnes nach London. Überglücklich verlebten wir drei selige Tage. Die Zukunft schien wieder rosig. Wir redeten uns ein »mit Gewalt«, es werde und dürfe ganz einfach nicht zum Kriege kommen.

Zurück in Berlin begann die Büroarbeit bei Mr. Mann. Er war ein idealer Chef, die reinste Erholung nach Ribbentrop. Jeden Flug nach London bewilligte er gerne und bezahlte sogar meine Tickets, ohne daß ich ihn je darum gebeten hätte. Als Gehalt hatte ich 5.000 Reichsmark vierteljährlich vereinbart. Es gab keinen Vertrag, lediglich »shake-hands«. So konnte jeder von uns jederzeit das Arbeitsverhältnis lösen. Es gab auch keine feierliche morgendliche Begrüßung des Chefs und ähnlichen Unsinn. Wir riefen sitzend lediglich »Hello, Boß«, und alles arbeitete bequem in Hemdsärmeln weiter. Wir waren wie eine große Familie und erledigten die Arbeit mit Freude und Eifer. Fast täglich nahm mich Henry zu einem Business-Lunch mit. Ich war fürs erste so etwas wie ein Berater für den Umgang mit den autoritären Staatsstellen. In dem Gewirr von Amtsschimmel, Parteieinflüssen und Doppelgleisigkeiten konnte sich kein normaler Geschäftsmann und ein Amerikaner schon gar nicht auskennen. Ich aber hatte reichlich Erfahrung und lieferte die nötigen Umgehungstricks, wann immer ich konnte. Alle Mitarbeiter waren glänzend bezahlt. Sogar die allerdings großartige Telefonistin bekam 400 Reichsmark im Monat. War jemand krank, so zahlte Mr.

Mann die Arztrechnung aus freien Stücken – für die Telefonistin sogar einmal eine Operation bei Sauerbruch persönlich.

Diese Politik der Güte und Kameradschaft hat sich bald ausgezahlt, denn als der Krieg ausbrach, gingen wir noch monatelang ohne Aussicht auf Gehalt ins Büro, um Ordnung zu machen und damit nichts in falsche Hände gelange.

Das Büro Mr. Manns lag »Unter den Linden Nr. 28«, im ersten Stock. Er hatte die Interessen vieler amerikanischer Wirtschaftsgiganten zu vertreten, darunter ITT, Adressograph, National City Bank, Brown-Harriman und last but not least Coca-Cola. Für diese Firma wurde ich angesetzt. Zuerst war ich etwas unwillig. Ich sollte mich mit »Limonaden« beschäftigen! Schnell aber begriff ich, welch ein gewaltiges, weltumspannendes Unternehmen Coca-Cola war und stürzte mich mit wachsender Begeisterung in die Arbeit.

Neues war da zwar nicht zu schaffen. Ich war so etwas wie ein »Trouble-Shooter« und hatte alle Hände voll zu tun, um Fallen und Hindernisse aus dem Weg zu räumen. Die Konkurrenz Afri-Cola oder Hag-Cola intrigierte mit allen Mitteln und hatte gerade wieder eine Verleumdungscampagne gegen Coca-Cola gestartet, indem sie behauptete, Coca-Cola sei eine jüdische Firma. Als Beweis legte man Kronenkorken aus New York mit dem Koscherzeichen vor. Das war natürlich lächerlich, denn Coca-Cola drängte weltweit auf alle Märkte und war daher froh, wenn Religionsgemeinschaften mit Speisevorschriften den Genuß des Getränkes offiziell freigaben. Mit einigem Erfolg bekämpfte ich fürs erste einmal diese Schwierigkeiten im Dritten Reich. Als Hauptziel schwebte mir aber vor, über Hewel aus dem Antialkoholiker Hitler einen Coca-Cola-Trinker zu machen. Doch das gelang mir nicht. Lediglich Hewel selbst trank einige Kisten aus.

Dafür aber hatte ich einen echten Erfolg bei dem Kampf um die Coca-Cola-Standardflasche. Diese nämlich entsprach mit ihrem Fassungsvermögen von 180 ccm nicht der neuen, von der Konkurrenz insgeheim initiierten »Flaschennormungsverordnung«! Es sollten ab sofort nur mehr Viertelliter-, Halbliter-, Einliter-, Zweiliter-, Fünfliterflaschen usw., also streng nach dem Dezimalsystem, genehmigt werden. Zwar wurde uns erlaubt, die alten Flaschen aufzubrauchen, aber neue durften nur noch nach dem Litersystem hergestellt oder eingeführt werden. Coca-Cola aber verwendete damals auf der ganzen Welt nur die eine patentierte Standardflasche, die als die zweckmäßigste erachtet wurde, und man weigerte sich eisern, für das deutsche Wirtschaftsgebiet Extrawürste zu braten.

Der Schuldige an diesem Theater war ein Regierungsrat Quassowsky im Wirtschaftsministerium. Er bestand stur auf seiner neuen metrischen

Flaschengrößen-Verordnung. So wurde die Lage langsam ernst, denn es durften keine neuen 180 ccm-Flaschen mehr hergestellt werden, und dasselbe galt auch für die dazupassenden Kisten. Dabei waren Bruch und Verlust auf diesem Gebiet beachtlich. Bald mußte die Produktion von Coca-Cola eingeschränkt werden; die Abfüllanlage in Essen arbeitete nur mehr vier Stunden am Tag. Alle meine Vorsprachen bei den Ministerien und zuständigen Stellen halfen nichts. Trotz der herrschenden Rohstoffknappheit auf so ziemlich allen Gebieten bewirkte mein Hinweis auf die sinnlose Rohstoffvergeudung durch die Aufgabe von Tausenden und Abertausenden Coca-Cola-Kisten und Hunderttausenden von Flaschen nur ein müdes Lächeln.

Quassowsky und seine Hintermänner, darunter der Industrielle Roselius von Hag-Cola, waren nicht zu erschüttern. Ebenso stur beharrte die amerikanische Generaldirektion der Coca-Cola auf ihrem Standpunkt.

Henry Mann also hängte mir die ganze Problematik an den Hals und erklärte, da hätte ich eine wunderbare Gelegenheit, erste Sporen zu verdienen. Es müsse doch möglich sein, dem ganzen Unsinn ein Ende zu bereiten! Außerdem würde er von der Zentrale in Atlanta dauernd gedrängt, endlich einmal zu zeigen, welchen Einfluß sein Büro in der Tat wirklich hätte.

Eines nachts im Halbschlaf kam mir d e r Gedanke. Im neuannektierten Sudetenland galt das deutsche Reichsgesetz noch nicht in vollem Ausmaß, und es gab auch keine Ausfuhrbeschränkungen in das Altreich. Ja, ein Führerbefehl bestimmte, daß das Sudetenland, was die Aus- und Einfuhr betraf, im Wirtschaftsverkehr mit dem Reich in keiner Weise benachteiligt oder behindert werden dürfe. Nun litt damals die sudetendeutsche Glasindustrie infolge des westlichen bzw. jüdischen Boykotts ohnehin bitter unter Auftragsmangel. Unverzüglich ließ ich mir von Mr. Henry Mann bzw. von der deutschen Coca-Cola einen Auftrag über Millionen neuer Flaschen geben und eilte zu dem sudetendeutschen Gauleiter und Reichsstatthalter Konrad Henlein. Den kannte ich von früher und wurde sofort empfangen. Nach einleitender Mitteilung, daß ich jetzt für die Wirtschaft arbeitete und beste Beziehungen zu den Amerikanern hätte, fragte ich ihn gezielt, wie es etwa um die sudetendeutsche Gablonzer Glasindustrie stünde.

Henlein antwortete wörtlich: »Mein lieber Parteigenosse Spitzy, die Lage der Glasindustrie ist total beschissen, die Flaschenautomaten arbeiten nur noch ein paar Stunden am Tage.«

Teilnahmsvoll erlaubte ich mir zu bemerken, daß dies völlig unnötig und sehr schade sei, da die Weltfirma Coca-Cola dringend Abermillionen von neuen Flaschen brauche und prompt zum Teil sogar mit Devisen bezahlen würde. Ich machte ferner klar, daß die Erfüllung solcher

Aufträge von einem Herrn im Wirtschaftsministerium im Zusammenspiel mit der Konkurrenz verhindert würde und erklärte mich bereit, augenblicklich eine Bestellung über mehrere Millionen Flaschen an die sudetendeutsche Glasindustrie zu vergeben. Mehr brauchte ich nicht zu sagen. Henlein geriet in Wut und brüllte:»Wie heißt dieser Saboteur im Wirtschaftsministerium? Ich werde den Kerl Mores lehren!« In der Tat griff Henlein durch, und bald flossen Ströme von Coca-Cola-Standardflaschen in die Getränke-Adern des Großdeutschen Reiches. So war diese Schlacht gewonnen, und ich galt bei Henry Mann und bei der Coca-Cola-Zentrale in Atlanta als tüchtiger Mann mit Verdiensten, was mir nach dem Krieg sehr geholfen hat.

Vorläufig plante Henry Mann, mich im Herbst des Jahres nach den USA mitzunehmen, um mich dort von der Pieke auf bei Coca-Cola einarbeiten zu lassen und mich Mr. Woodroff, dem großen Chef und Haupteigentümer der Weltfirma, persönlich vorzustellen. Mit diesem sollte ich anschließend Forellen fischen und Fasane jagen dürfen. Das war so ziemlich die höchste Auszeichnung, die einem dort widerfahren konnte.

In der Folge bekam ich von Henry Mann auch den Auftrag, die Gründung von osteuropäischen Coca-Cola-Gesellschaften vorzubereiten, und man versprach mir, mich dabei mit einigen Prozenten beteiligen zu wollen.

So ließen sich meine Zukunftsaussichten auf einmal glänzend an. Das war schon wegen meiner Heiratspläne so wichtig, und der amerikanische Geschäftsträger Kirk sagte mir auf einer Party der US-Botschaft, als ich ihm von meiner Arbeit bei Coca-Cola erzählte:»Boy, da sind Sie richtig vernünftig gewesen! Ein wichtiger Mann bei Coca-Cola ist zehnmal besser als ein wichtiger Mann im deutschen diplomatischen Dienst.« Und er machte eine symbolische Verbeugung vor mir. Da dies öffentlich vor allen Anwesenden geschah, stieg mein Ansehen im Kreise der Berliner Schickeria.

Weniger angenehm war, daß in dieser Zeit ein Bonmot von mir die Runde machte. Die halb nazistische, halb monarchistische alte Exzellenz Dirksen verbrachte ihre Witwenschaft damit, in ihrem Salon wichtige Persönlichkeiten und aufstrebende Talente zu bemuttern. Energisch und etwas taktlos fragte sie mich eines Tages vor anderen Leuten: »Mein Lieber, wie ist es möglich, daß Sie eine so glänzende Karriere aufgegeben haben, um sich jetzt, wie ich höre, mit diesem Coca-Cola-Getränk zu beschäftigen?«

Mit einer kleinen Verbeugung erwiderte ich lächelnd, es wäre doch sicherlich eleganter, von der Diplomatie zu den Getränken zu stoßen als umgekehrt. Sofort gab es ein homerisches Gelächter, denn alle verstanden, daß ich Ribbentrop meinte, den ja niemand mochte. Die Geschichte machte schnell die Runde, sie wurde auch Ribbentrop hinterbracht, der immer schlechter auf mich zu sprechen war. Aber er ließ mich in Ruhe, weil ich »oben« eine gute Nummer hatte.

Ich konnte mir in der Tat einiges leisten, solange es mit Witz geschah. Aber übertreiben durfte ich natürlich nicht, denn in außenpolitischer Hinsicht galt ich schon längst als »Meckerer«. Wo ich konnte, warnte ich vor Ribbentrops Risikopolitik und versuchte, zuständigen Parteigrößen klarzumachen, daß der Fehler eigentlich am Außenminister läge, der dem Führer wichtige Informationen vorenthalte oder solche verfälsche. Denn eines war klar: Sollte es zu einem Ausgleich mit England kommen, so hätte dies für den Empire-Killer Churchill und für Deutschlands Totengräber Ribbentrop noch rechtzeitig das Ende ihrer politischen Karrieren bedeutet. Also versuchten interessierte Kreise hüben wie drüben, alles zu tun, um eine solche Verständigung schon im Keime zu ersticken.

Es kommt mir heute wie ein Wunder vor, daß ich nicht zum Handkuß kam. Allerdings wurde ich mehrfach gewarnt und mußte damit rechnen, daß mein Telefon dauernd abgehört wurde. Deshalb führte ich mit sicheren Freunden vorher abgesprochene Telefongespräche und konterkarierte auf diese Weise böse Denunziationen mit einer sehr einfachen Methode. Immer wieder erklärte ich am Telefon, daß bei aller zugegebenen Kritik an Geschehnissen und NS-Paladinen eben die Person des Führers stets überragend bleibe, und man bei aller berechtigten Sorge immer daran denken müsse, daß an den entscheidenden Befehlen des Führers niemals herumgedeutet werden dürfe; er sei und bleibe der Garant der deutschen Zukunft! Auf diese Weise häufte ich, sobald es wieder einmal notwendig schien, entsprechend positives Material zu meiner Abhör-Akte bei den Nachrichtendiensten Görings und Himmlers.

Damals wäre Kritik an Hitler selbst glatter Selbstmord gewesen! Auch dachte ich bei mir: Ist die zweite Garnitur einmal weg, kommen vielleicht bessere Leute an ihre Stelle, und der Führer somit endlich unter vernünftigen Einfluß. Wir wissen heute, es blieb all dies ein frommer Wunsch, und ich kleiner Mann konnte natürlich mit meinen Nadelstichen nichts erreichen. Aber einer ganzen Anzahl von Leuten habe ich doch die Augen geöffnet, gleichgültig, ob sie das wollten oder nicht. Meist wollten sie nicht! Einige waren entsetzt über solche »Maßlosigkeit« und meine Entwicklung zum gefährlichen Staatsfeind. Erst Jahre später gab man mir zu, daß meine scheinbaren Übertreibungen die traurige Wahrheit gewesen waren. Einige Idealisten überlegten sich zu jener Zeit sogar, ob es nicht ihre Pflicht sei, mich bei der geheimen Staatspolizei anzuzeigen. Gott sei Dank hat es schließlich doch keiner von ihnen getan, und allmählich traf sich ein kritisch eingestellter Freundeskreis bei mir. Ich bilde mir heute auf meine damalige Haltung nichts ein, denn ich hatte ja jahrelang wie nur wenige Gelegenheit, in die braune Pandorabüchse zu schauen, und ich hatte daher die verdammte Pflicht und Schuldigkeit, aufzuklären, wo ich konnte. Schließlich war ich in den vorangegangenen Jahren mit ebenso großer Insistenz und nicht ohne Erfolg für Hitler eingetreten. So mußte ich wohl später mit der gleichen Energie die erkannten Irrtümer richtigstellen.

Es war mir gelungen, meine Situation bei Coca-Cola und Henry Mann auszubauen, und somit sah meine finanzielle Zukunft gut aus. Ich mietete eine elegante Wohnung am Kufürstendamm 171 und begann, ein »Social life« aufzubauen. Das war nicht schwer. Von meiner diplomatischen Laufbahn her kannte ich die »Oberen Hundert« und war außerdem meiner englischen Verlobung wegen allgemein recht beliebt. Mein alter Freund Dicky Eltz und mein Kollege aus dem Ministerbüro, Lutz Hartdegen, der mit mir die schöne Wohnung teilte, brachten die beste Gesellschaft ins Haus. Auch Politiker kamen gerne, war ich doch durch Hartdegen und Kordt stets gut informiert, überhaupt ließ ich meine Verbindungen zu meinen alten Freunden im Auswärtigen Amt niemals abreißen. Kurzum, ich kannte bald so ziemlich jeden, der Rang und Namen hatte, und zwei große Feste, die Lutz Hartdegen und ich gemeinsam gaben, taten ein übriges.

Agnes und ich dachten daran, im Spätherbst zu heiraten. Im Hinblick auf ihr mit Sicherheit zu erwartendes Heimweh, schien es mir wichtig, Anschluß an einen amüsanten Kreis in der Berliner Gesellschaft zu haben, und ich bemühte mich vor allem, für sie junge englische Frauen zu entdecken. Ich fand sie auch, ganz reizende Wesen, die ihren Kopf für eine Heirat nach Deutschland durchgesetzt hatten. Da gab es Peg Hessen und Chris Bielenberg, da waren auch Camilla Stauffenberg, Anne Twickel und die reizende Barbara Greene. Traurig, aber fest entschlossen, wartete diese als Verlobte von Rudolf Strachwitz bis Kriegsende in Deutschland auf ihre Heirat und wurde dann zu guter Letzt noch deutsche Botschafterin beim Heiligen Stuhl.

Ein besonderer Kreis hatte sich um Bismarcks gebildet. Die Fürstin, eine Schwedin von hinreißender, klassischer Schönheit, witzig und klug, der Fürst, Enkel des alten Kanzlers, gescheit, amüsant und ein glänzender Redner. Die Tage bei ihnen in Friedrichsruh vergingen immer wie im Traum. Jagden, Feste oder politische Gespräche sorgten für Abwechslung. Dort lernte ich Prinz Max Hohenlohe besser kennen, der später von so entscheidender Bedeutung für mich wurde.

Ende Juni fuhren Dicky Eltz und ich als Gäste der bekannten Bankiersfamilie Schröder, deren Sohn Manfred mein Kollege im Ministerbüro gewesen war, zum Hamburger Derby. Dieses letzte große elegante Ereignis vor dem Krieg war beeindruckend. Die Gastfreundlichkeit der Hamburger kannte keine Grenzen. Wir trugen natürlich Cutaway und grauen Zylinder, die Nelke im Knopfloch nicht zu vergessen. Da auch ein polnisches Pferd lief, erlaubte ich mir, den englischen Botschafter, Sir Nevile Henderson, zum Gaudium der Umstehenden zu fragen: »Your Excellency, did you bet on the Polish horse?« Da lachte Henderson ebenfalls. Er nahm mir diese Bemerkung nicht übel, war er mir gegenüber immer freundlich gesinnt gewesen. So hatte er nach meinem Austritt aus dem Auswärtigen Amt, als mir Ribbentrop abrupt den Diplomatenpaß abnehmen ließ, großzügig sofort ein mehrjähriges Spezialvisum in meinen neuen, normalen Paß eintragen lassen.

Das Derby war natürlich Anlaß für neue Bekanntschaften. So fuhren Dicky und ich für ein paar Wochen nach Schweden. Als wir Mitte August wieder die deutsche Grenze überschritten, erfaßte uns unerbittlich der graue Alltag des Dritten Reiches: Benzin war rationiert, denn die Kriegswirtschaft lief bereits an. Ich war noch nicht lange in Berlin, da ließ mich Kordt kommen und erklärte mir barsch es ginge nicht an, daß ich im Zeitpunkt der höchsten Kriegsgefahr so herumbummle und mich amüsiere. Er müsse jetzt mit mir rechnen können. Ich sollte sofort im Auftrag »seiner Gruppe« (darunter waren die Leute um Staatssekretär Weizsäcker und einige mir nicht genau bekannte hohe Militärs zu verstehen) nach London fliegen und seinem Bruder Theo Kordt, dem dortigen deutschen Geschäftsträger, einen richtigen Botschafter hatten wir seit »Prag« nicht mehr in England, geheim und sicher mitteilen, daß der Krieg unvermeidlich wäre, wenn die Briten nicht absolut unmißverständlich klarmachten, daß sie bei einem deutschen Angriff auf Polen marschieren würden. Noch bestehe etwas Hoffnung, daß Hitler von einer Gewaltlösung zurückschrecken würde, wenn England einen solchen Angriff unmißverständlich zum Casus belli erklärte.

Ich flog also vor der letzten Augustwoche noch ein letztes Mal nach London. Das fiel weiter nicht auf, da meine englische Verlobung amtsbekannt war. In London war die Stimmung unter dem Nullpunkt. Ich stieg in einem Hotel ab, wo man mich kannte und akzeptierte und wo ich als Deutscher kaum Ärger zu befürchten hatte. Agnes war in Schottland, wo sie an einer Grousejagd ihres Vaters teilnahm. Ich konnte sie leider nicht mehr sehen, sondern nur mit ihr telefonieren. Dann schrieb ich ihr noch einen langen, traurigen Brief, in dem ich sie auf einen anscheinend unvermeidlichen Krieg vorbereitete.

Ich war verzweifelt und wuterfüllt. Vom Hotel ging ich heimlich zu Theo Kordt in dessen Privatwohnung. Seine Frau empfing mich, und bald kam auch er. Ich erzählte ihm alles, was ich zu sagen hatte. Kordt war sehr nervös und schrecklich niedergeschlagen. Er fuhr anschließend sofort zu seinem englischen Freund, ohne mir dessen Namen zu nennen. Ich hörte ihn zum Taxifahrer lediglich »Park Lane« sagen. Wie ich heute weiß, war dies die Adresse von Sir Robert Vansittart, dem Undersecretary of State – einem bekannten Deutschenfresser und Chef des Secret Service. Deshalb hatte mir Theo Kordt wohl damals den Namen vorenthalten. Das war aus Gründen der Geheimhaltung auch durchaus richtig.

Am späteren Abend trafen Kordt und ich uns erneut in einem Restaurant. Er berichtete von seiner Unterhaltung mit dem »wichtigen Mann« und sagte, die Engländer würden die gewünschte Erklärung in aller Klarheit abgeben. Sein Gesprächspartner habe die Entschlossenheit Englands zu kämpfen betont und wörtlich gesagt: »Auch im Falle der Sudetenkrise hätten wir gekämpft, falls Hitler eigenmächtig einmarschiert wäre. Wir waren damals zwar völlig ungerüstet, und nicht einmal die Spitäler hätten funktioniert, von Luftschutzräumen keine Spur, aber gekämpft hätte wir, trotz wahrscheinlich ganz entsetzlicher Blutverluste. Heute aber sind wir erst recht entschlossen. Die Aufrüstung ist schon im Anlaufen, unsere militärischen Vorbereitungen sind besser. Wenn Hitler glaubt, das wird unser Ende sein, so irrt er sich. W i r gehen nicht in die Knie! Sollte er aber wider Erwarten siegen, dann werden wir wie Samson die Säulen des englischen Empire einreißen und auch ihn unter dem stürzenden Gebälk begraben.«

Theo Kordt, ganz entsetzt, stöhnte. So habe er »diesen Mann« noch nie erlebt! Er sei hundertprozentig sicher, daß England kämpfen werde. Sein Bruder müsse um Gottes Willen alle und alles mobilisieren, um dieses Unglück zu verhindern. Erschüttert nahmen wir Abschied voneinander.

Am nächsten Tag, wieder in Berlin, berichtete ich Erich Kordt. Aber all seine und Weizsäckers Mühen blieben ohne Erfolg. Der Nichtangriffspakt mit der Sowjetunion hatte Hitler und Ribbentrop benebelt und größenwahnsinnig gemacht, und die englische Erklärung wurde nur »souverän« belächelt. Als aber der Russenpakt veröffentlicht wurde, und der von Ribbentrop angekündigte Sturz des englischen Kabinetts ausblieb, da waren, wie Kordt berichtete, beide fürs erste doch etwas betreten, und Hitler verschob tatsächlich am 25. August die bereits befohlene, schon anlaufende Mobilisierung! Ein einmaliger Vorgang in der Militärgeschichte!

Bald jedoch gab man sich wieder »zackig«, und Ribbentrop vertrat weiter und ohne Unterlaß seine These: England bluffe nur und würde auf keinen Fall Krieg machen. Seit Wochen schon hatte der RAM im Auswärtigen Amt verkünden lassen, daß jeder, der behaupte, England würde kämpfen, sofort ins KZ käme. In den letzten Tagen erklärte er sogar schnaubend, er würde solche Defaitisten eigenhändig niederschießen. Wenn er gewußt hätte, wie die Herren des Auswärtigen Amtes wirklich dachten, hätte er sie wohl zu neunzig Prozent massakrieren müssen. Die tapferen Beamten schwiegen natürlich nur betreten, die Kreise um Weizsäcker aber versuchten wirklich alles, um Ribbentrop doch noch von seinem Wahnsinn abzubringen. Während Erich Kordt Hitler für den Hauptschuldigen bzw. Alleinschuldigen hielt, war Weizsäcker anderer Ansicht. Wie auch Marion Thielenhaus in ihrem ausgezeichneten Buch »Zwischen Anpassung und Widerstand: Deutsche Diplomaten 1938–1941« S. 224 (Verlag Schöningh 1985) bestätigt: »Dies widersprach allerdings der Zielsetzung Ernst von Weizsäckers, der seinen Hauptgegenspieler im Ringen um die Erhaltung des Friedens in Joachim von Ribbentrop vermutete und durch seine Aktionen die Politik des Reichsaußenministers desavouieren und Hitler auf diese Weise von einer militärischen Aktion abhalten wollte. Für die unterschiedliche Zielsetzung der Aktivitäten Weizsäckers und seiner Mitarbeiter bieten sich folgende Erklärungen an: Weizsäcker hielt Hitler prinzipiell für beeinflußbar und dessen politische Entscheidungen für korrigierbar, falls der Reichsaußenminister und die radikalen Elemente innerhalb der NSDAP ausmanövriert werden konnten. Aus der Position des Staatssekretärs heraus glaubte er, die nationalsozialistische Außenpolitik moderieren zu können, indem er seine Verbindungen zu den ausländischen Diplomaten, zu Führungspersönlichkeiten der NS-Hierarchie und seine Verbindungen zum Ausland dazu nutzte, Hitler auf Umwegen von einem internationalen militärischen Konflikt abzuhalten ...« Ribbentrop aber, angestachelt von seiner Frau, verfolgte unbeirrbar seine bekannte Marschroute: Kämpften die Briten nicht, so würde er sich großartig bestätigt sehen. Kämpften sie aber, so hätte er die englische Bösartigkeit als alter Cato und Warner rechtzeitig durchschaut, und der Orlog wäre auf Dauer niemals zu verhindern gewesen.

Der arme Henderson zog durch Berlin und erzählte allen Leuten, ob sie es hören wollten oder nicht, daß England auf jeden Fall kämpfen werde. Auch ich wurde bald von ihm beschworen, denn in den allerletzten Augusttagen hatte mich die holländische Gesandtin Nini de Witt kurzfristig zu einem Luncheon in die holländische Gesandtschaft eingeladen. Überrascht traf ich unter den wenigen Gästen auch den englischen Botschafter Henderson sowie den polnischen Gesandten Lipsky. Eine junge Graevenitz und ich waren die einzigen jungen Leute. Ich kam mir wirklich etwas deplaciert unter diesen Persönlichkeiten vor. Doch nach dem Essen zog mich Henderson in eine Fensternische, wobei mir die Hausfrau, die Gesandtin, aufmunternd zuzwinkerte. Henderson packte mich an beiden Schultern und beschwor mich, alles zu tun, um meinen irgendwie einflußreichen Bekannten klarzumachen, daß England, sollte Deutschland Polen angreifen, auf jeden Fall kämpfen würde.

Ich erklärte ihm: »Your Excellency, I'm certainly the wrong man. I believe you 100 percent! But who am I now ? I'm just a Coca-cola-man with some political friends, in the best case«, worauf mir Henderson antwortete: »Spitzy, I know you quite well and you know quite a lot of people. We all must do our best, ect. ...«

Ich antwortete: »Your Excellency, the best thing would be, you contact Göring.«

Hierauf Henderson: »Certainly, Spitzy, I did all I could and I think everybody should do what he can.« Dann weiter auf Deutsch: »Sie müssen es allen alten Freunden und vernünftigen Leuten sagen, ich beschwöre Sie.«

Ich versprach Henderson, dessen Worte mir unvergeßlich geblieben sind, »to do my best«. Daraufhin versuchte ich, die gerechten Ansprüche Deutschlands auf das unzweifelhaft deutsche Danzig und auf eine vernünftige Lösung der Korridorfrage hervorzuheben. Darauf antwortete Henderson mit gedämpfter Stimme: »Of course, you can have Danzig and all that, may be in two years, but not now and never by force. Don't forget, we have a Commonwealth and Dominions to be asked. We in England are certainly not alone to decide. But nobody denies that Danzig is indeed a German city and the Corridor Problem needs a reasonable solution. All that can be brought in order with patience and good will within a few years.«

Als ich beim Abschied Sir Nevile noch sagte, es werde nicht leicht sein zu überzeugen, daß England es diesmal wirklich ernst meine und nicht wieder wie damals bei der Sudetenkrise bluffe, wurde Henderson ganz böse und erklärte kategorisch, daß auch seinerzeit England, wenn auch vermutlich mit schrecklichen Anfangsverlusten, gekämpft und die letzte Schlacht, ihm wie immer, den Endsieg gebracht haben würde.

Ich setzte mich also in Marsch und pilgerte von Pontius zu Pilatus. Am wichtigsten erschien mir Richard Tilenius, der junge Sekretär von Neuraths, der damals Reichsprotektor von Böhmen und Mähren war und bei Hitler seit seiner im Gegensatz zu den Generalen harten Haltung bei der Rheinlandbesetzung in hohem Ansehen stand. Tilenius war ungefähr so alt wie ich und ein kultivierter, vernünftiger Mann. Ich schüttete ihm einfach mein Herz aus und riskierte alles, denn jetzt schien Vorsicht nicht mehr am Platze. Nun ging es auf Biegen und Brechen. Relativ leicht gelang es mir, ihn zu überzeugen, nach Böhmen zu fahren, Neurath aufzusuchen und diesen zu beknien, er solle unverzüglich nach Berlin kommen, um Hitler mit Rat und Tat zur Seite zu stehen, weil am ehesten s e i n Wort bei Hitler noch einen Umschwung bewirken könne.

Ungefähr zwei Tage später sah ich Richard Tilenius wieder in Berlin. Er war gänzlich gebrochen und meinte, alles wäre vergeblich gewesen. Neurath hätte ihn unwirsch abgewiesen und gesagt: »Da schieß' ich lieber den guten Rehbock, den ich noch frei habe. In Berlin kann ich doch nichts mehr erreichen!«

Das war wieder typisch Neurath, dem seine Bequemlichkeit über alles ging. Ich war empört! Denn selbst wenn er überzeugt war, daß sein Kommen nichts nützen würde, so mußte doch angesichts der drohenden Katastrophe jedermann alles, ja einfach alles versuchen. Denn, bei Gott, wie oft hatte in der Geschichte eine kleine Feder noch den Ausschlag auf der Waage entschieden! Ich kleiner Mann dachte mir damals, schon um des sauberen Gewissens willen sollte in diesen höllischen Augenblicken jeder Kopf und Kragen riskieren, um das Unheil abzuwenden. Und wenn der *Chef des geheimen Kabinettsrates,* der Mann im Reichsministerrang und als Reichsprotektor für Böhmen und Mähren eine der wichtigsten Figuren, es nicht für nötig hielt, sich einzusetzen, was konnte man dann von den anderen, kleineren Chargen noch erwarten?

Auch bei den Parteileuten, die ich kannte, warnte ich, wo immer es ging, wobei ich es natürlich unterließ, Hitler zu kritisieren, vielmehr wollte ich den Altparteigenossen über solche Neuparteigenossen, wie Ribbentrop die Augen öffnen. Man hörte sich meine Ausführungen meist verständnisinning an und dachte sich wohl dabei: Naja, der arme Spitzy, der sitzt jetzt in der Patsche mit seiner Engländerin. Aber, Herrgott, darum ging es ja gar nicht! Es ging doch um das wahrscheinliche »finis Germaniae!«

Die Leute, die mich verstanden, hatten leider wenig Einfluß, diesen längst verbraucht oder waren bereits als Waschlappen abgestempelt. Während jene, die noch Einfluß hatten, mich nicht verstanden oder einfach nicht verstehen wollten, um ihrer Karriere nicht zu schaden.

Viele Stunden der letzten Tage vor Kriegsausbruch verbrachte ich bei Kordt in dessen Wohnung. Teddy von Kessel, die rechte Hand Weizsäckers, war dort ebenfalls häufiger Gast. In Mr. Manns Büro wurde kaum noch gearbeitet. Sehr oft traf ich mich mit meinem Freund, dem SS-Kameraden Legationssekretär Dr. Erwin Wolf, der zu dem bereits gigantisch aufgeblähten Ministerbüro gehörte. Er, der kluge Sudetendeutsche, hatte Ribbentrop längst durchschaut, und immer wieder überlegten wir beide, ob nicht doch ein Attentat gegen den Unglücksmenschen schließlich das beste wäre. Wir wälzten verzweifelt viele Pläne. Etwa diesen: Es gab in Dahlem eine Stopstraße, an der selbst Ribbentrops Staatsmercedes haltzumachen hatte. An dieser Stelle wollten wir uns mit einem schweren Laster querstellen, den Mercedes damit blockieren und dann mittels eines Kugelhagels die Welt von dem Kriegstreiber erlösen. Mit einem anderen Auto wollten wir dann in entgegengesetzter Richtung davonbrausen.

Solch wirrer Plan wurde natürlich verworfen. Ein anderer, ebenfalls recht merkwürdiger, hätte mehr Erfolg haben können. Ribbentrop benützte einen altertümlichen Schreibtischsessel im Auswärtigen Amt, der mit einer ziemlich dicken Lederpolsterung versehen war; in diese wollten wir eine Injektionsnadel mit Gummiblase und Zyankali einbringen: Ließ sich nun der RAM auf diesen Sessel nieder, mußte er eine tödliche Ladung abbekommen. Breiskys Freund, der Chemiker Dr. Wolfgang Graf Czernin war bereit, das Zyankali und die Apparatur herzustellen.

Aber auch dieser Plan gefiel vor allem Kordt nicht. Er sagte immer wieder: »Dieser Ribbentrop ist nur ein dummer Popanz, er macht doch nichts anderes, als verstärkt hinauszutrompeten, was Hitler sagt, oder er sagt das, was eben Hitler gerne hören möchte. Der Fisch stinkt doch vom Kopf! Ganz zwecklos, sich mit dem Zweitrangigen abzugeben.« Was immer für eine Aktion erwogen werde, sie müsse den Kopf treffen!

Ich war lange Zeit nicht dieser Ansicht, hatte ich doch erlebt, wie Ribbentrops Fehl- oder Nicht-Information bei Hitler falsche Ansichten über das britische Weltreich, dessen Kraft und dessen Einstellung zu Deutschland hervorriefen.

Könnte nicht, so meinte ich, ein kluger Außenminister, der wahrheitsgemäß informiert, Hitler zu ganz anderer Einstellung bekehren? Sogar Weizsäcker hielt Hitler für zugänglicher als Ribbentrop. Kordt aber haßte Hitler von Anfang an. Jetzt, kurz vor Kriegsbeginn, war es für eine Beseitigung des bösen Geistes und Schwätzers Ribbentrop ganz einfach schon zu spät! Möglicherweise hätte in jenen späten Tagen auch nur ein anderer Höfling dessen Nachfolge angetreten. Hitler hätte wohl keinen einflußreichen Parteimann wie z. B. den zum Frieden neigenden Goebbels genommen, der ihm vielleicht »am Ende gar dreingeredet hätte«. Goebbels wieder mochte Göring nicht, und Göring mit allen seinen Ämtern war für den Außenministerposten eine Nummer zu groß.

In zu später Stunde, nach der englischen Bestätigung der Polengarantie, bekam sogar Ribbentrop Angst vor seiner eigenen Courage und wollte sich ein bißchen aus der Verantwortung stehlen. Er gab in den allerletzten Tagen vor Kriegsausbruch zu, daß die Briten zum Krieg entschlossen sein könnten – dies, nachdem er zwei Jahre lang zum Kampf gegen England gehetzt hatte. Begierig verschanzte er sich hinter dem Argument, daß den Briten erst durch das Verhalten des sichtlich kriegsunlustigen Italien der Kamm geschwollen war, und daher nach dem »Stahl-

pakt« eine neue, nicht voraussehbare Lage entstanden wäre. So empfahl auch er die Verschiebung der Mobilisierung am 25. August und redete halbherzig um den Brei herum, um seine Hände in Unschuld zu
waschen. Er unterließ es aber nicht, die Friedensaktion von Göring und
Dahlerus mieszumachen und bei Hitler zu unterlaufen.

Auch Frau von Ribbentrop äußerte plötzlich dem Protokollchef Dörnberg gegenüber, wie mir dieser erzählte, Sorgen wegen eines »nunmehr
möglichen« Krieges mit England, denn die Italiener wären schmählich
umgefallen. Dabei hatte doch der Duce bereits beim Abschluß des
»Stahlpaktes« klar wissen lassen, daß Italien erst ab 1942 »für alle Fälle«
gerüstet sein könne!

Unsere letzte Hoffnung war jetzt das hohe Militär. Aber auch hier war
Kordt skeptisch. »Man muß mal sehen, ob sich diese Onkels jetzt noch
zu einem männlichen Entschluß aufraffen. Ich glaube das aber kaum!«
So war also auch hier nicht mehr »viel drin«. Es war der unselige Rus-
senpakt, der die meisten Militärs unsicher oder verrückt gemacht hatte.
Hitler schien wieder einmal der große Nachfolger Bismarcks zu sein,
der Geist von Tauroggen geisterte durch den Wald der Uniformträger.
Viele Kritiker des Regimes waren auf einmal der Ansicht, daß Deutsch-
land gemeinsam mit Rußland wohl imstande wäre, den Westmächten
Paroli zu bieten.

Ich kann den Engländern den bitteren Vorwurf nicht ersparen, daß sie
in diesen Tagen, wie Weizsäcker es doch unter der Hand angeregt hatte,
nicht einen harten englischen Militär nach Berlin geschickt haben. Von
solchen Kalibern hatte Hitler immer mit großem Respekt geschwärmt.
Es hätte vielleicht noch eine gewisse Chance gegeben, wenn ein solcher
Sonderbotschafter der englischen Regierung klipp und klar und ohne
diplomatische Umschweife die Kriegsdrohung aller Angelsachsen »in
den Raum gestellt« hätte.

Mit Görings Hilfe wäre es sicher möglich gewesen, einen autorisierten
Mann auf eine Stunde mit Hitler zusammenzubringen. Zu einem derartigen Schritt aber waren die Engländer zu vornehm – leider.

Vielleicht hätte auch François-Poncet, der kluge französische Botschafter vergangener Tage noch etwas erreichen können. Allerdings war er
damals schon in Rom, und außerdem hatte ja sein etwas ironisches Telegramm nach dem Besuch auf dem Kehlstein Hitler um so mehr beleidigt, als der den Franzosen vorher besonders geschätzt hatte.

Die letzten Tage vor dem Krieg waren schier zum Verzweifeln! Man sah
das Unheil kommen und war dagegen absolut wehrlos. Jene, die Einsicht und Macht hatten, die Militärs oder Größen der Partei wie Goebbels oder Göring waren in diesen letzten Augenblicken zwar besorgt,
aber politisch niemals zur letzten Konsequenz entschlossen.

Die berühmte Radioerklärung über ein angeblich letztes großzügiges deutsches Angebot (das Henderson nicht lesen und Lipsky nicht erhalten durfte) hörten wir über das Radio. Das war während eines improvisierten Dinners bei Camilla und Döld Stauffenberg. Camilla war die Tochter eines Earls, Döld der Vetter des berühmten Kämpfers. Mit von der Partie waren auch Lutz Hartdegen, Peter Bielenberg und seine Frau Christabel, eine Nichte Lord Northcliffs. Adam Trott zu Solz war wahrscheinlich ebenso anwesend wie einige Freunde, die wie der Hausherr mit Engländerinnen verlobt oder verheiratet waren. Zu diesen zählte auch ich.

Als uns nach Musik verlangte, stellten wir nichtsahnend das Radio an. Da hörten wir plötzlich von dem großzügigen Plan des Führers, die Korridorfrage durch eine internationale Autobahn, durch Volksabstimmungen und andere Maßnahmen in Ordnung zu bringen. Wir schrien Hurrah, und Döld Stauffenberg holte sofort Sekt aus dem Keller, um den Frieden zu begießen. Da beendete – unerwartet – der Radiosprecher Fritsche diese Ausführungen. Markige Worte sollten jetzt glaubhaft machen, daß durch die Schuld der Engländer und der verantwortungslosen Polen böswillig das großzügige Angebot des Führers nicht rechtzeitig akzeptiert worden sei, und daß es nunmehr endgültig zu spät wäre usw.

Wir alle waren wie niedergeschmettert. Döld Stauffenberg räumte seinen Sekt wieder weg; wir tranken ihn dann später noch als Trost. Doch die Stimmung war auf den Gefrierpunkt gesunken, und traurig zogen wir bald nach Hause.

In Mr. Manns Büro wurde alles für die Schließung des Betriebs vorbereitet. Bald nach Kriegsbeginn fuhr der Chef dann in die Schweiz nach Gstaad, wohin ich ihm bis ins Jahr 1940 noch schreiben konnte. Wir beschlossen für spätere Friedenszeiten erneute Zusammenarbeit und verabschiedeten uns besonders herzlich. Vierzehn Jahre später sahen wir uns in Buenos Aires wieder und Henry Mann half mir, wo er konnte.

So hatten wir also den Krieg vor der Tür! Nicht zuletzt entsprang dieser, so absurd es klingen mag, einer allgemeinen Sprachverwirrung. Die ungehobelten Diktatoren verstanden nämlich England und den eleganten Stil einer diplomatischen Sprache nicht. Wenn nämlich ein englischer Staatsmann sagte: »I am afraid my government has to reconsider ...« dann verstand Hitler das etwa so, als ob dieser Politiker angstvoll bestürzt sei und sich etwas anderes einfallen lassen müsse. Ja, Hitler lachte über diese armseligen Typen, die sich »fürchten« und alles neu »überdenken« müssen. In Wirklichkeit konnte aber so ein Understatement auch bedeuten, daß die englische Flotte bereits die Kessel heizte.

Andererseits nahmen die Briten wiederum das sinnlose Gepolter für bare Münze, obgleich man mit diesen rüden Tönen doch nur ein bißchen drohen wollte. Und dann war man baß erstaunt, wenn die Engländer dadurch ernstlich verstimmt wurden. So gab es eine allgemeine Sprachverwirrung wie beim Turmbau zu Babel. Man verstand einander einfach nicht, hatte keine gemeinsame Sprache mehr. Die Engländer »flöteten« Understatements, die Diktatoren donnerten Overstatements! Welten an Kultur und Erziehung trennten die Repräsentanten beider Lager. Dabei waren die Diktatoren immer in Eile, die Demokraten hingegen hatten leider stets zu viel Zeit.

Im Grunde hatte niemand mit den Polen viel Mitleid. Man erinnerte sich noch zu gut daran, wie sie gleich nach München aus dem Leib Böhmens das Olsagebiet herausgerissen hatten und wie arrogant und selbstbewußt sich die polnischen Verlautbarungen des Obersten Beck anhörten. Ganz ohne Zweifel traf jenes Polen auch ein gerütteltes Maß an Schuld am Krieg. Das Selbstbewußtsein der dominanten polnischen Oberschicht war unfaßlich. Man sonnte sich im Glanz einer uneingeschränkten westlichen Garantie – vor allem Roosevelt gab unter der Hand immer wieder alle möglichen Zusicherungen. So wurden die Polen immer starrköpfiger, und selbst die Engländer und Franzosen hatten damals Ärger mit ihnen. In den letzten Tagen vor dem Krieg erzählte mir ein Freund, daß er, um Abschied zu nehmen, einen polnischen Diplomaten in dessen Wohnung trotz aller Gestapo besucht hatte. Der Pole sei reizend gewesen und guten Mutes. Er packte seine Koffer, und unter seinen Anzügen befand sich auch eine polnische Reserveoffiziers-Galauniform. Diese, so erklärte der Pole, sei für den Einmarsch in Berlin, denn in zwei Monaten sehe man sich hier sicher wieder, würde doch die polnische Armee mit den Deutschen kurzen Prozeß machen. Als mein Freund, selbst deutscher Reserveoffizier, lächelnd Einwände machte, meinte der Pole: »Na und, wenn wir diesen Feldzug zunächst einmal verlieren sollten, dann wird es nicht das Schlimmste sein, auf den Boulevards von Paris der Heimat nachzuweinen, wie schon so oft in unserer Geschichte. Der Endsieg an Seite der Angelsachsen ist aber sicher!«

Ja, das waren diese unwirklichen letzten Tage vor dem Ausbruch des Krieges. Eine makabre Tragikomödie der Irrungen ...

Die Franzosen taktierten überaus vorsichtig, die Engländer waren ebenso bedächtig wie entschlossen, Roosevelt und seine Hintermänner bliesen hinter der Hand ins Feuer, die Polen waren größenwahnsinniger denn je und die Sowjets freuten sich auf den kommenden Krieg zwischen den Kapitalisten. Hitler setzte alle seine bisherigen Erfolge auf eine Karte und schlug sämtliche Warnungen in den Wind. Er war wie besessen von seiner Idee, all seine politischen Träume noch zu seinen Lebzeiten zu lösen, denn er habe ja »leider keinen ebenbürtigen Nachfolger«.

Wie oft hat Hewel mir später erzählt, wie Hitler in der Reichskanzlei sich noch am letzten Abend vor der englischen Kriegserklärung an den gewaltigen Möglichkeiten eines deutsch-englischen Bündnisses in langen Ausführungen begeistert hatte. Er dachte ja nie daran, das englische Weltreich zu stürzen. England sollte mit seiner Flotte die Meere und das englische Empire beherrschen. Ja, er, Hitler, würde den Engländern jederzeit, wenn sie das brauchten, seine Divisionen zur Verfügung stellen, um den Besitzstand des »großartigen Empires« sichern zu helfen. Nur eines verlange er: freie Hand im Osten! Er, Hitler, glaube nicht, daß die Engländer so dumm sein würden, »für zweitklassige slawische Staaten des Ostens« ihr Empire aufs Spiel zu setzen!

Hewel war ein mutiger Mann und hatte Hitler oft widersprochen. So berichtet z. B. General Engel, der Heeresadjutant des Führers, in seinen Memoiren über den 27. August 1939:

»Der Führer will mit Hewel wetten, daß England im Kriegsfall mit Polen nicht in den Krieg eintreten werde. Botschafter Hewel widerspricht auf das heftigste und sagt wörtlich: ›Mein Führer, unterschätzen Sie die Briten nicht. Wenn die merken, daß es einen anderen Weg nicht mehr gibt, sind sie stur und gehen ihren Weg. Ich glaube, ich kann das besser beurteilen als mein Minister.‹ (nämlich Ribbentrop. Anm.d.V.). Hierauf brach der Führer verärgert das Gespräch ab.«

So warf Hitler am 1. September die Würfel. Er überspannte den Bogen und der zerbrach! »Überspannt« – das gab es noch in anderem Zusammenhang. Eingebildet und einander in fataler Weise ähnlich, agierten die Außenpolitiker Beck, Ciano und Ribbentrop. Ihr Anspruch entsprach in keiner Weise ihren Fähigkeiten, und sie fühlten sich alle drei als eine Art Edel-Kreuzung zwischen Machiavelli, Bismarck und Talleyrand. Ciano intrigierte, »tönte« gewaltig kriegerisch, spann dabei aber heimlich Fäden nach London. Beck, gestützt auf angelsächsische Blankoschecks, provozierte die Achsenmächte, hielt flammende Kriegsreden mit einer seltsamen Lust am eigenen Untergang. Der Ja-Sager und Hetzer Ribbentrop aber war am Ende zu feige, um selbst die Kriegserklärung bzw. das auf zwei Stunden befristete englische Ultimatum aus der Hand des englischen Botschafters entgegenzunehmen. Ribbentrop schickte dafür am 3. September um 9 Uhr früh den Chef seines Ministerbüros, den Gesandten Dolmetscher Paul Schmidt, an seiner Statt ins Auswärtige Amt, wo dieser im Zimmer des Reichsaußenministers vom englischen Botschafter das britische Ultimatum entgegennehmen mußte. Wie mir Schmidt später erzählte, eilte er daraufhin sofort in die Reichskanzlei und wurde dort mit Spannung von Hitler und Ribbentrop erwartet. Als Schmidt nun pflichtgemäß vorlas und verkündete, daß sich England ab 11 Uhr, d. h. also in 1 1/2 Stunden, als im Kriegszustand mit Deutschland betrachte, falls Hitler nicht doch noch seine Truppen aus Polen zurückzöge, habe der Führer Ribbentrop einen wütenden Blick zugeworfen und gesagt: »Was nun?!« Ribbentrop habe daraufhin nur kleinlaut erwidert, daß er für später eine ähnliche Mitteilung der Franzosen erwarte. Die im Vorzimmer versammelten Parteigrößen erster und zweiter Garnitur wären dabei alle gedrückter Stimmung gewesen, selbst der kluge, schnoddrige Josef Goebbels. Hermann Göring aber, der sich bis zuletzt über den Schweden Dahlerus für Frieden und Verständigung eingesetzt hatte, habe dramatisch ausgerufen: »Wenn wir diesen Krieg verlieren, dann gnade uns Gott!«

Wirklich Sinn in diesem Orlog sahen nur wenige Leute. Außer dem eigentlich bedauernswerten Ribbentrop, den in den letzten Tagen Ängste plagten, dem größenwahnsinnigen Beck und last but not least Roosevelts und Churchills Cliquen, die aus Prinzip mit Diktatoren und Antisemiten aufräumen wollten, dann noch natürlich Väterchen Stalin, der an einem kapitalistischen Weltbrand sein marxistisches Süppchen kochen wollte, war jedermann mehr oder weniger entsetzt. Der letzte Krieg saß allen noch zu sehr in den Knochen. Das Resultat war dann auch entsprechend. Deutschland wurde zerstückelt, das britische Empire zerfiel, Rußland stürzte in ein schauerliches Blutbad, Polen wurde nach Liquidierung seiner stolzen Oberschicht ein russischer Sklave, Frankreich verlor sein Kolonialreich und die USA? Sie bekamen als Folge der von ihnen gestalteten weltpolitischen Situation in Korea und Vietnam nachträglich noch ihre wohlverdienten Prügel. So hat sich in einem Meer von Blut erwiesen, daß ein moderner Krieg stets und für alle Seiten fatal enden muß.

Für meine Person war mit der Kriegserklärung wahrhaftig »alles« zu Ende. Von Agnes war ich durch Feuer und Schwert getrennt. Meine diplomatische Karriere hatte sich erledigt. Meine hoffnungsvollen Perspektiven in Industrie und Handel verflüchtigten sich in ein Nichts. Alles, aber auch alles war umsonst gewesen, alles lag nun in Scherben. Ich warf mich auf mein Bett und schrie vor Schmerz, wilder Wut und Verzweiflung.

Hitler war für mich endgültig erledigt. Er hatte sich zu einem verantwortungslosen Spieler und Imperialisten entwickelt. Die Beschränktheit seines Mißinformanten Ribbentrop kann nur zu einem geringen Teil als Entschuldigung für den intelligenten Hitler gelten. Es war mir nun klar, daß es für Hitler keinesfalls mehr einen Weg der Vernunft geben konnte. Er hatte den falschen Weg gewählt und konnte nicht mehr zurück. Selbst bei größten Siegen mußte er früher oder später scheitern. Daher nahm ich mir entschlossen vor, alles zu tun, um diesen Krieg zu stoppen und für den Frieden zu wirken, auch wenn der Nationalsozialismus darüber in Stücke gehen sollte, solange nur *DAS REICH* erhalten blieb. Alles in mir schrie nach Rache, und ich bat Kordt, über mich ganz im Sinne seiner Gruppe zu verfügen, damit das »finis Germaniae« durch die Wehrmacht nach innen und nach außen verhindert werde.

Ich gestehe, in den ersten Tagen nach Kriegsbeginn stand ich unter Nikotin und Alkohol. Mit Verzweiflung dachte ich an Agnes, die jetzt allein war, umgeben von Familie und Freunden, die fast ausnahmslos gegen unsere Zukunftspläne waren. Ob uns ein Friede je wieder zusammenführen würde? Noch gab es Hoffnung bei einigen, daß der Krieg im Westen einschlafen würde. Aber waren das nicht nur Wunschgedanken? Wenn das Reich gerettet werden sollte, dann mußten alle klaren Köpfe miteinander und entschlossen Kopf und Kragen riskieren, um dem Wahnsinn rechtzeitig ein Ende zu bereiten.

Im Westen würde für alle Zukunft niemand mehr mit Hitler verhandeln, auch wenn dieser noch kurz vor Kriegsausbruch, elegisch von einem Schutz- und Trutzbündnis mit England geschwärmt hatte. Allerdings hatte er sinnigerweise gleichzeitig verkündet, daß er nun zupakken müsse, denn er höre »den Engel des Erfolges über sich rauschen«. Hewel dachte sich damals sarkastisch »Hat denn niemand hier eine Schrotflinte, damit wir diesen Vogel abschießen können?« wie er mir später oft, bitter lachend, erzählte. Am nächsten Tag aber habe Hitler schon sehr bleich ausgesehen, als er den wartenden Generalen mit den abgehackten Worten: »D e r F a l l W e i s s !« den Angriff befahl, auf dem Absatz kehrt machte und den Saal wortlos verließ. Wohl habe sich Hitler dabei nicht gefühlt und vielleicht auch die böse Ahnung unterdrückt, daß er damit den Rubicon in Richtung Hades überschritt.

Ich hatte in den letzten Monaten vor Kriegsbeginn viele Freunde gewonnen. Niemals hatte ich das Empfinden gehabt, wir Österreicher könnten uns im Reich nicht durchsetzen. Man glaubte auch vielenorts, daß wir eine besondere Begabung für Verhandlungen besäßen und daß dem deutschen Volk ohne einen österreichischen Beitrag etwas fehlen würde. Kurzum, ich fand Vertrauen, fand auch Gleichgesinnte, sei es nun im Kreise um Adam Trott zu Solz, sei es in der Gruppe jener, die mit Engländerinnen verheiratet bzw. verlobt waren, sei es überhaupt in der Berliner Oberschicht, die jetzt von Hitler erst recht nichts wissen wollte. Da gab es auch – und das war das Entscheidende – die Frondegruppen im Auswärtigen Amt und eine eben solche in der Führungsgruppe des Heeres.

So entschied ich mich für den Vorschlag Kordts. Ich wollte bei der konservativen Gruppe in der Abwehr mitarbeiten. Das war schon lange vor dem Krieg für den Ernstfall besprochen worden. Kordt stellte mich also unverzüglich Oberst Oster vor, dem ich anscheinend gelegen kam, und nach kurzer Zeit wurde ich zur Wehrmacht einberufen, um in der Zentrale des Amtes »Ausland Abwehr«, d. h. in der Abteilung Z, der Oster vorstand, Dienst zu tun. Ich bekam dort für mich allein ein kleines Zimmer zugeteilt, das gleich neben dem Oberstleutnant Jenkes gelegen war. Dieser war der militärische Adjutant von Admiral Canaris. Im Gang gegenüber lag das Vorzimmer von Admiral Canaris und Oberst Oster; als Sekretärinnen wirkten dort für Oster und Canaris (der aber seine besondere Sekretärin, Frau Schwarte, in einem anderen Zimmer hatte), nach ihrer Wichtigkeit gereiht die Damen Eitner, von Wurmb und von Knobelsdorff. Die beiden ersten waren »ältere Semester«, während die Knobelsdorff jungverheiratet und hübsch war. Kam man nun in dieses Vorzimmer der Treppe gegenüber, so führte die Türe links zu Canaris, die Türe rechts zu Oster. Hinter Osters Zimmer befand sich ohne eigenen Zugang eine Art Erkerzimmer. Dort wirkte, dermaßen abgeschirmt, Reichsgerichtsrat Dr. Hans von Dohnanyi, der engste Berater und Spiritus rector Osters.

Ich hatte für Oster und Canaris da zu sein, gelegentlich auch für Dohnanyi. Meine Aufgabe war vor allem, die Verbindung mit Kordt und Weizsäcker aufrechtzuerhalten, unauffällig Nachrichten ins Auswärtige Amt zu bringen, wo mich jeder kannte, und ich nach wie vor praktisch ganz unkontrolliert ein- und ausgehen konnte.

Ferner hatte ich das Außenpolitik betreffende Material von ausländischer Presse und Rundfunk und nicht zuletzt die dechiffrierten Nachrichten durchzuarbeiten, auszuwerten und für Oster und Admiral Canaris zusammenzufassen. Manchmal sichtete noch Dohnanyi die Ergebnisse meiner Arbeit und verwendete sie für seine eigenen Vorlagen beim Chef. Jeden Morgen bekam ich also einen gewaltigen Stoß von Papier, wurde aber mit diesen Sachen schnell fertig, da ich solche Arbeit jahrelang beim Außenminister und an der Botschaft in London gemacht hatte, dieses Material und viele seiner Quellen kannte und beurteilen konnte. Ich hatte meine alte Arbeit als Routinier eigentlich nur fortzusetzen.

Meistens war ich schon am Vormittag fertig, so daß mir viel Zeit blieb, mich mit anderen Dingen zu beschäftigen. Oft holte mich Oberst Oster morgens um 8 Uhr am Kurfürstendamm ab. Da aber er und Dohnanyi wünschten, daß ich trotz des Krieges weiter zu den Parties der zahlreichen mir bekannten Diplomaten gehen sollte, um in jeder Hinsicht auf dem Laufenden zu bleiben und solche Parties sich oft bis spät in die

Nacht hinein ausdehnten, durfte ich im Büro erscheinen wann ich wollte. Nach solch »anstrengender« und nicht alkoholfreier Nachtarbeit mußte ich doch etwas ausschlafen, um einen klaren Kopf zu behalten. Oster war ein angenehmer Chef und besaß Eigenschaften, für die ich nach all den Jahren bei Ribbentrop empfänglich war.

Ende September 1939 gab ich meine Wohnung am Kurfürstendamm 171 auf. Ich zog in eine »Wohnung mit Frühstück« zu einer tüchtigen Witwe in Charlottenburg. Die Wohnung am Kurfürstendamm vermietete ich an Kordt. Da er nun hinfort mein Untermieter war, konnte es in Zukunft kaum auffallen, wenn ich ihn in meiner möblierten alten Wohnung besuchte. Sobald also Kordt von sich aus oder vom Staatssekretär für den Admiral oder für Oster neue Nachrichten hatte, verständigte er mich mit einem vereinbarten anonymen Telefonanruf, und ich erschien pünktlich, meist um 7 Uhr früh, in der Wohnung am Kurfürstendamm. Sogleich gab mir Kordt die letzten Akten und Telegramme zu lesen. Ich lernte sie auswendig, so gut dies in der Eile möglich war. Dabei nützte es mir, daß ich in meiner Jugend für Studium und Amateurtheater viel hatte auswendig lernen müssen. Anschließend fuhr ich in mein Büro bei der Abwehr und diktierte sofort meine Aufzeichnung für den Admiral und Oster. Manchmal hatte ich auch umgekehrt als Bote ins Auswärtige Amt zu gehen oder auch einige Male zu Staatssekretär von Weizsäcker persönlich vorzustoßen. So gestaltete sich meine Arbeit bei der Abwehr recht interessant und war im Grunde nicht viel anders als meine frühere Tätigkeit im Ministerbüro. Nicht selten gab es ganze Stöße von Vorlagen und von politischen Akten durchzuarbeiten. Das gefiel mir und füllte mich aus. Es blieb mir auch genügend Zeit, um den Kontakt mit meinen alten Freunden und Bekannten nicht zu verlieren und um am gesellschaftlichen Leben der Diplomaten weiter teilzunehmen. Daher war ich gut informiert. So wußte ich beispielsweise stets, was im Auswärtigen Amt geschah, was die Abwehr berichtete, was Göring über das Forschungsamt erspäht oder erlauscht hatte, was die Attachégruppe im Oberkommando der Wehrmacht von sich gab, was dechiffriert wurde. Überdies erfuhr ich über alte Parteibekanntschaften auch die Interna des Regimes. Somit gehörte ich zu den Gutinformierten und wurde in dieser Eigenschaft auf der »Nachrichtenbörse« geschätzt.

Es gab natürlich oft Besprechungen zwischen Dohnanyi, Oster und mir, wobei ich vortrug, was mir entweder Kordt oder Kessel erzählt hatten, oder was ich bei Diplomaten oder auch von alten, gleichgesinnten Parteifreunden gehört hatte. Im ersten Halbjahr drehte sich das Gespräch meist um die Möglichkeiten eines baldigen Friedensschlusses. Der Polenkrieg war schnell vorbei. Dennoch trat der von Hitler erhoffte Friede nicht ein, und folgerichtig befahl dieser, die Vorbereitungen für den

Angriff an der Westfront voranzutreiben. Aus diesem Grunde schien es uns unbedingt notwendig, rechtzeitig einen Ausgleich mit oder ohne Göring herbeizuführen, ehe ein Meer von Blut uns von der westlichen Koalition trennen würde. Alle einigermaßen klaren Köpfe waren damals schon überzeugt, daß Hitler selbst vom Augenblick des Kriegsausbruches an keinen Frieden mehr würde erreichen können. Aus solchen Überlegungen heraus versuchte ich über meinen guten Freund, Legationsrat Erwin Wolf, den Reichsmarschall »anzuzapfen«. Das gelang in der Folge tatsächlich gut, und bald begann diese Quelle zu fließen.

Wolf hatte es verstanden, sich mit Görings Schwester, Frau Riegele, gut bekannt zu machen, und ging bald in Karinhall ein und aus. Eines Tages nun erzählte Wolf von einer »Uranbombe«! Diese könnte ganze Stadtviertel wegblasen. Diese Nachricht belachten Oster, Dohnanyi und ich ungläubig und hielten sie als ein Zeichen dafür, daß Hitler in seiner damaligen unangenehmen Lage, die vor den Durchbrüchen in Norwegen und Frankreich keineswegs rosig aussah, die Leute mit Versprechungen von Geheim- und Wunderwaffen bei der Stange halten wollte.

Doch bald versiegte diese gute Quelle für einige Zeit, denn im Spätherbst faßte sich mein Freund ein Herz, als ihn der Reichsmarschall in Karinhall wieder einmal freundlich angesprochen hatte. Er erklärte ihm, wie vorher mit ihm abgesprochen: »Herr Luftmarschall, die ganze deutsche Nation und auch wir, die jungen Alt-Parteigenossen, blicken und hoffen auf Sie, damit Sie diesen unseligen Krieg beenden, den Sie selbst doch niemals gewollt haben. Der überwiegende, vernünftige Teil des deutschen Volkes würde wie ein Mann hinter Ihnen stehen, was immer Sie gegen Ribbentrop für den Frieden und damit für die Erhaltung des Dritten Reiches a u c h o h n e G e n e h m i g u n g v o n o b e n tun würden.«

Das war klar gesprochen, aber wohl auch zu starker Tobak. Denn Göring soll Wolf daraufhin mit großen Augen angeschaut haben. Er sei dann minutenlang nachdenklich im Zimmer auf- und abgelaufen. Schließlich blieb er abrupt stehen und blickte Wolf lange und streng an. Darauf sagte er grollend: »In Anbetracht Ihrer Jugend und Ihrer Verdienste als Nationalsozialist will ich Ihnen das jetzt nicht übelnehmen, will sogar vergessen, was Sie da gesagt haben. Aber kommen Sie mir nie wieder mit dergleichen unter die Augen!«

Damit war unser tapferes Wölfchen kaltgestellt und verabschiedet. Dieser Faden war also auch durch meine Schuld vorzeitig gerissen.

Nun hatte ich aber noch meinen alten Freund Hubert von Breisky in die Informationsabteilung des Auswärtigen Amtes lanciert. Seine Aufgabe war unter anderem, für eine gewisse Verbindung mit dem Propagandaministerium und seinen ehemaligen Kollegen dort zu sorgen. Bevor er ins Auswärtige Amt gekommen war, hatte er kurze Zeit im »Goebbels-laden« gewirkt. Breisky war endlich auch davon überzeugt, daß der RAM ein gefährlicher Narr war. Dies galt im Auswärtigen Amt ja als offenes Geheimnis. So lag ihm Ribbentrops Krieg genauso im Magen wie mir und den meisten Diplomaten.

Endlose Abende besprachen wir mit Gleichgesinnten die Lage und wälzten oft phantastische Pläne für Umsturz und Frieden. Breisky lieferte mir wertvolles Material für Oster bzw. Canaris. Über die Vorgänge in der Informationsabteilung (es handelte sich hier um ein Nebenamt, das Ribbentrop für sich als Gegenpol zum Propagandaministerium geschaffen hatte), war ich also stets auf dem Laufenden. Was im Ministerbüro gespielt wurde, erfuhr ich durch Kordt und andere ehemalige Kollegen im Detail. Für Canaris war ich daher von gewissem Wert, denn seine offizielle Verbindung zum Auswärtigen Amt über die Attachégruppe oder über Legationsrat Heyden-Rynsch brachte lediglich amtlich trockene Berichte, fallweise und zu Dienstzeiten, während meine Verbindung zum Auswärtigen Amt doch viel elastischer war, und ich ohne Zeitverlust immer die jüngsten Nachrichten serviert bekam.

Eines Tages bat mich Oberst Oster, ich möge doch versuchen, den Geheimbericht des SS-Sicherheitsdienstes über die innere Lage im Lande zu beschaffen. Diese streng vertraulichen Berichte erhielten nur höchste Spitzen von Partei und Staat. Oster hatte irgendwie erfahren, daß in diesen Berichten von einer schlechten Stimmung in deutschen Landen die Rede sei und wollte gerne Genaueres wissen. In der Tat wurde damals die Stimmung in der Bevölkerung immer besorgter. Osters Informationsquelle über die Existenz solcher Berichte war wahrscheinlich der Polizeipräsident von Berlin, SA-Obergruppenführer Graf Helldorf oder auch der Reichskriminaldirektor SS-Gruppenführer Arthur Nebe. Während Nebe oberster Kriminalfachmann und gezwungenermaßen SS-Führer von Beruf war, gehörte Helldorf zu den Uralt-Parteigenossen und verdienten SA-Führern. Beide lehnten die imperialistische Auswucherung des Dritten Reiches ab und hatten Kontakt zu Oster und Dohnanyi. Ich hingegen sollte Kontakte mit Helldorf und Nebe, die manchmal geheim meine beiden Vorgesetzten besuchten, der Sicherheit halber vermeiden. Mit Helldorf sprach ich allerdings mitunter, kannte ich ihn doch von früher her. Die oppositionelle Haltung Nebes hatte ich nie realisiert, er war für mich damals ein noch unbeschriebenes Blatt.

Nach längerer Überlegung entschloß ich mich, Breisky anzusetzen. Er sollte versuchen, die supergeheimen Berichte – angeblich nur für seine Ribbentropsche Informationsabteilung – über das Propagandaministerium zu beschaffen, sollte also im PRO MI zu dem zuständigen höchsten

Beamten gehen und ihm erklären, er käme im Auftrage des Chefs der Informationsabteilung, um sich intensiv über die innenpolitische Lage im Reiche zu erkundigen, die ja auch für den Auswärtigen Dienst von Interesse sei.

Er wäre daher dankbar, wenn man ihm entsprechende Unterlagen überlassen könnte; im übrigen habe er auch gehört, daß es da ganz besondere Geheimberichte des SD gäbe, die sich regelmäßig ohne jegliche Beschönigung, mit der innenpolitischen Lage befaßten. Der Boß im Propagandaministerium schien nicht sehr entgegenkommend zu sein. Immerhin hörte er, wenn auch nicht ohne Mißtrauen, sehr aufmerksam zu und gab nur ungern Einsicht in gewisse Papiere, darunter auch in einige dieser obengenannten SD-Berichte.

Hubert kehrte also beglückt in sein Amt zurück und machte dort sofort eine fulminante Aufzeichnung. Zum Glück hatte ich ihn aus Gründen der Sicherheit vorher gebeten, diese Aufzeichnungen etwa in dieser Weise zu beginnen: »Bericht über Besprechung im Propagandaministerium. Hiermit SS-Brigadeführer Stahlecker und Herrn Vortragenden Legationsrat Schirmer gehorsamst vorgelegt.«

Sollte nämlich Breisky bei der Überbringung dieser Aufzeichnungen oder gar noch bei Abfassung derselben von der Geheimen Staatspolizei gefaßt werden, so konnte er sich stets darauf hinausreden, er habe seinen Erkundungsbesuch zwar ohne Befehl, aber aus Amtseifer und gewissermaßen als Fleißaufgabe für seine amtlichen Vorgesetzten in der Informationsabteilung des Auswärtigen Amtes gemacht. Genau das trat auch ein. Als nämlich Hubert abends friedlich nach Hause trollte, die Aufzeichnungen, welche er mir am nächsten Morgen erst vor dem Gebäude der Abwehr übergeben wollte, zufrieden unter dem Arm, erwarteten ihn schon im Flur seines Wohnhauses zwei typische Gestapo-Gestalten. Geistesgegenwärtig sprang Hubert schnell in den Lift und fuhr damit hinauf, worauf aber einer dieser zwei Lederjacken dem Lift über das Treppenhaus nachhetzte, während der andere unten weiter am Liftschacht lauerte. Während der Fahrt ließ nun Breisky in seiner Verzweiflung den Bericht in den Lichtschacht gleiten. Umsonst! Der flatternde Bericht wurde geborgen, Hubert sogleich verhaftet und zu einem hochnotpeinlichen Verhör durch die Gestapo in die Prinz-Albrecht-Straße gebracht.

Ich ahnte nichts davon. Erst gegen Mitternacht erschien in meiner Wohnung Huberts Gattin Hildegard, meine spätere Schwägerin. Sie war völlig aufgelöst und berichtete von dem Malheur. Hildegard überhäufte mich mit Vorwürfen, nannte mich einen pathologischen Berufsrevoluzzer und dergleichen mehr, der uns alle noch ins Unglück bringen werde. Sie beschwor mich, in Zukunft »ihren Hubert« nie mehr in meine Machenschaften einzubeziehen. Jetzt aber bestünde sie energisch darauf, daß ich stante pede alles in Bewegung setzte, um Hubert freizubekommen.

Sobald ich mich erst selbst etwas beruhigt hatte, versuchte ich, auch sie zu besänftigen, und versprach alles Menschenmögliche zu unternehmen. Ich vertröstete auf den kommenden Morgen und auf Oberst Osters Rat und Beziehungen im OKW und anderes mehr.

Doch schon am nächsten Vormittag war Hubert Breisky wieder frei. Tatsächlich – der superamtliche Berichtskopf war seine Rettung gewesen. Die zuständigen Chefs in der Informationsabteilung erklärten zwar, daß sie Breisky keinen diesbezüglichen Auftrag gegeben hätten, aber sie waren angetan von solcher Fleißaufgabe und soviel Dienstfertigkeit, obgleich es diesmal schon etwas übertrieben und auch fehl am Platze gewesen sei. Schließlich galt in den Ämtern Ribbentrops eine Aktion gegen das böse Propagandaministerium im Grunde als durchaus verdienstvoll. Einer der Krebsschäden im Dritten Reich war ja, daß die entscheidenden Behörden – selbst jetzt im Krieg – einander bis aufs Messer befehdeten. Das war nicht zuletzt auch die Folge einer von Hitler absichtlich organisierten Zweigleisigkeit.

Im Herbst 1939 präsentierte sich in Deutschland die außenpolitische Lage nach dem Polenfeldzug trist. Hitler hatte im Reichstag gewiße Friedensavancen pampig vorgetragen. Diese wurden von den damals noch selbstsicheren Franzosen und Engländern abgelehnt. Daher schien jetzt alles Grau in Grau … Statt nun diskret über den schwedischen oder den belgischen König, eventuell sogar über die holländische Königin Friedensfühler auszustrecken, »tönte« man coram publico nach England sinngemäß:»Und willst Du nicht mein Bruder sein, so schlag' ich Dir den Schädel ein.«

Auch im Reich sah es damals nicht rosig aus. General Thomas vom Wehrwirtschaftsstab brachte triste Berichte über die Rohstofflage, etwa über den Mangel an Autoreifen, hohe Militärs stöhnten besorgt über fehlende Munitionsvorräte und stellten pessimistische Prognosen. Somit schienen die Voraussetzungen für einen Staatsstreich der Armee durchaus gegeben. Aus diesem Grunde besuchten Dohnanyi und Oster die verschiedenen in Frage kommenden hohen Kommandeure sehr eifrig.

Auch mich setzte man in Bewegung, und ich hatte so u. a. den Wehrkreiskommandanten von Hannover, General Muff, zu besuchen. Er war vor dem Anschluß Militärattaché in Wien gewesen und daher für mich durchaus ein Begriff. Muff hörte sich meine Ausführungen mit soldatischer Ruhe an und erklärte sinngemäß, er würde bei allem mitmachen, wenn der Befehl klar von oben komme. Er meinte wohl Brauchitsch. Ähnlich klang die Ansicht der meisten Spitzenkrieger. Für einen Putsch gegen Hitler hätten diese Helden wohl am liebsten einen ausdrücklichen Befehl von Hitler selbst gehabt!

Bei dieser Gelegenheit besuchte ich über Wunsch von Oster auch Herrn von Reden. Er war ein Führer der hannoveranischen Separatisten, denn so etwas gab es damals tatsächlich immer noch. Dohnanyi und Oster hatten nämlich in ihrem Haß auf das Regime mit allen möglichen und unmöglichen Oppositionskreisen Beziehungen angeknüpft: mit Liberalen, Demokraten, Sozialisten, Konservativen, Gewerkschaftlern, Klerikalen und Bekenntniskirchlern, mit Monarchisten und bayerischen Königstreuen, und in diesem Falle sogar mit anglophilen und königstreuen hannoveranischen Separatisten. Ich aber verbrachte auf dem schönen Gut zwei durchaus angenehme Tage mit Vater und Tochter, wobei sich bei Rotwein unsere Unterhaltungen über die Kriegslage, die trüben Aussichten, über historische Reminiszenzen des Königreiches Hannover und seine traditionell vorzüglichen Beziehungen zu Österreich drehten. Aber erfolgreich war diese Aktion keineswegs und ich berichtete:»Muff hat nur geredet und der Reden war nur Muff.«

In ganz Deutschland gehörte damals diese »Unkerei« zum guten Ton der oberen Zehntausend. Das hatte vielleicht ein Gutes, daß sich nämlich gewisse Widerstandsgruppen für den Fall eines »wind of change« herauskristallisierten.

Eines Tages traf ich auch meinen alten Freund Dietrich von Hülsen, der Marinepfarrer geworden war. Unter seinem Einfluß söhnte ich mich wieder mit der Kirche aus. Das gab mir Zuversicht, Rückhalt und Gewissensruhe, und das hatte ich dringend nötig. Auf mir lastete ja nicht nur das schreckliche Wissen um das drohende Ende, sondern auch die Tatsache, daß ich wieder einmal an einer höchst gefährlichen Konspiration teilnahm. Hätte man mich alten SS-Führer damals erwischt, ich wäre als Verräter nicht nur gehenkt worden, sondern man hätte mich vorher auch noch einer »Spezialbehandlung« unterzogen.

Da es nun aber einmal in der Natur jeder Konspiration liegt, jene, die man bekämpfen will, zu täuschen, mußte ich allmählich etwas vorsichtiger werden. In der Zeit um den Kriegsausbruch war ich noch ziemlich leichtsinnig gewesen. »Oben« hatte man das vielleicht bemerkt, aber nicht ganz ernst genommen, da man für meine Verzweiflung wegen meiner Verlobung mit einer Engländerin etwas Verständnis fühlte. Wahrscheinlich war das damals auch meine Rettung gewesen. Zu allem Überfluß hatte mir kurz nach Kriegsbeginn der sehr nette Privatsekretär von Henderson, Mr. Geoffrey Harrison, noch durch Boten seine Visitenkarte mit ppc und Abschiedsgruß gesandt, wobei das Kuvert das englische Wappen mit dem jetzt besonders sinnigen Spruch »Honi soit qui mal y pense« trug. Auch solches wird der Gestapo wohl nicht entgangen sein. Nicht zuletzt war es auch ein starkes Stück, daß ich als SS-Hauptsturmführer statt zur Waffen-SS ausgerechnet zu »diesem Canaris« ging, dessen »Laden« als reaktionär verschrien war. Dazu kam noch mein Verkehr in absolut eindeutigen Kreisen und unsere sonntäglichen Besuche in der Hedwigskirche.

Man ist mehrere Male in diesen Kriegsjahren auf mich »aufmerksam« geworden, doch habe ich stets davon erfahren und konnte Gegenmaßnahmen treffen. Da halfen auch immer wieder ein paar gut vorbereitete, mit Sicherheit abgehörte Telefongespräche mit einem NS-Freund, wobei ich – trotz einiger Kritik an der Lage – mein volles Vertrauen zum Führer hinausposaunte. Das brachte dann meine politische Unbedenklichkeit zu den Akten, und ich war somit wieder aus der Schußlinie. All diese Probleme besprach ich natürlich mit Oster, der zu mir unverändert freundlich, ja väterlich war. Er befahl mir, meinen Verkehr mit Diplomaten und Freunden sowie mit Parteibekannten in vollem Umfange weiter zu pflegen, um solche Verbindungen der »Großen Sache« zur Verfügung stellen zu können. Stets »informiert und interessant« war ich niemals knausrig mit gezielten Indiskretionen, und so erfuhr ich viel aus Partei- und SS-Kreisen. Denn ohne »do ut des« gibt es nun einmal keine Information.

Oberst Rohleder, der bei uns für Bekämpfung von Spionage und Landesverrat zuständig war, kam nicht selten mit den sogenannten »braunen Vögeln« zu mir. Das waren jene streng geheimen, auf braunem Spezialpapier getippten Abhörberichte. Er wollte mich über verschiedene jeweils aufscheinende Personen befragen, denn ich kannte natürlich so ziemlich das ganze diplomatische Korps und die Berliner Hautevolee.

Von vielen Aristokraten kannte kaum einer den wahren Vornamen, und es wimmelte in den Berichten von Bubis, Putzis und Guckis. Damit konnte natürlich der biedere Rohleder nicht viel anfangen. Das war gut so, und ich war froh, daß er mit seinen gefährlichen Fragen zu mir und nicht zu anderen ging. Auf diese Weise konnte ich manchmal als »Heinzelmännchen« helfen! Oft erfand ich auch verharmlosende Erklärungen, verwirrte die Angelegenheit oder nahm ihr durch einen Witz jede Ernsthaftigkeit. Rohleder war durchaus dankbar, zugänglich und vernünftig. So machte er aus gelegentlichen abfälligen Bemerkungen der Abgehörten keine Staatsaffäre. Ohne mich zu deklarieren, konnte ich auf Umwegen so manchen etwas vorsichtiger werden lassen, obgleich – ganz allgemein – die »gute Gesellschaft« ein ziemlich hoffnungsloser Fall war und sich unglaublich unvorsichtig bei ihren »Telefonsafaris« gab.

Aber auch die »Spezialisten« von der Abwehr waren nicht viel besser. Oberst Oster nannten manche am Telefon »Onkel Pfingsten«, Dr. Langbehn wurde mit »Kurzfuß« getarnt, und von Hitler sprach man als vom »Emil«. Solche »Tarngespräche« waren mehr als durchsichtig, und es zeugt von der Unfähigkeit der Gestapo, daß sie den ganzen Telefonquatsch nicht besser auszuwerten verstand. Dabei war die Unvorsichtigkeit von Oster und Dohnanyi geradezu erschütternd. Sie trafen mit ihren Freunden und Gesinnungsgenossen gerne in solchen Nobellokalen zusammen, bei denen jeder argwöhnen mußte, daß gerade dort die verschiedensten Nachrichtendienste ihre Wanzen eingebaut hatten. Hätte sich aber gar die Gestapo oder der SD dem Tirpitzufer gegenüber mit einem Feldstecher in irgendeiner Wohnung eingenistet und hätte das Kommen und Gehen bestimmter Gestalten am Eingang der Abwehr geduldig und genau beobachtet, sie hätten binnen kurzem erkennen müssen, was dort gespielt wurde.

Damals war es eminent wichtig zu verhindern, daß Unvorsichtige aus purer Nonchalance unsere Arbeit für den Frieden gefährdeten. Wir hatten schon genug Sorgen mit den normalen Risiken; es war wirklich manchmal zum Verzweifeln, wie die gute Sache durch solchen Leichtsinn noch zusätzlich belastet wurde.

Am risikofreudigsten von allen war Dohnanyi mit seinen ewigen Aufzeichnungen. Über alles was man ihm berichtete, mußte sofort eine Aktennotiz fabriziert werden, die er dann auswertete und meistens mit dem Originalbericht – oft mit genauen Herkunftsangaben – in seinem schlichten Stahlschrank, ja nicht einmal im Panzerschrank archivierte. Fast hatte ich das Gefühl, daß diese Kollektionen von Berichten sein Hauptanliegen war. Protestantische Bekenntnispfarrer wie sein Schwager Bonhoeffer, ehemalige Gewerkschaftler, königstreue Aristokraten, unzufriedene Parteigenossen und als kritisch bekannte Persönlichkeiten der Finanz und Industrie gaben einander bei ihm täglich und vertrauensvoll die Türklinke in die Hand und ahnten nicht, in welche – sicherlich unbeabsichtigte – Gefahr sie sich begaben.

Unweit vom Tirpitzufer in der Bendlerstraße lag der Gardekavallerieklub, ein schlicht-nobler Sitz der Reaktion. Dort aßen wir manchmal zu Mittag, wobei mehr als frei gesprochen wurde. Allerdings war hier das Risiko nicht allzu groß, denn die Stimmung war ziemlich einheitlich gegen das Regime gerichtet, und am konservativsten waren natürlich die wackeligen alten Diener. Die preußischen Junker hatten Hitler selten gemocht. Ihnen war die sozialistische Seite im Nationalsozialismus ein Dorn im Auge, und von der Gleichheit aller Volksgenossen wollten sie ohnehin nichts wissen. Am unvorsichtigsten aber waren bei Gesprächen, vor allem am Telefon, die stets aufgeregten italienischen Diplomaten. Sie nahmen sich selten ein Blatt vor den Mund, doch ihnen konnte natürlich nicht viel passieren, waren sie ja alle Mitglieder der faschistischen Partei und somit tabu. Nicht, daß ich diesen allgemeinen Gesellschaftsquatsch tragisch genommen hätte. Er hatte an sich nicht viel zu bedeuten; doch immer wieder wurden durch solches Gerede Personen, die für uns wichtig waren, vorzeitig und sinnlos belastet und oft auch verheizt ... So mancher flog durch Telefongespräche auf oder, schlimmer noch, durch unvorsichtige Freunde.

Den Kern unseres Kreises in der Abwehr bildete die »Abteilung Z«. Sie bestand aus Oberst Oster, Hans von Dohnanyi, den Sekretärinnen und mir. Später stieß dann noch Guttenberg dazu. Offizieller Verbindungsmann zum Auswärtigen Amt war Legationsrat Heyden-Rynsch. Unser oberster Chef war natürlich Canaris, doch der wollte so wenig Kontakt wie möglich mit uns bei unserer »Nebenarbeit« halten. Nur Oster war ausgenommen. Der Admiral stand also betont abseits, hielt aber seine schützende, damals noch mächtige Hand über uns und unsere Aktivitäten.

Die Sekretärinnen waren ausgesucht und absolut verläßlich. Der militärische Adjutant von Admiral Canaris, Oberstleutnant Jenke, der sehr zu seinem Leidwesen mit Ribbentrop verschwägert war, konnte als Gemäßigter und Vorsichtiger eingestuft werden. Er machte bei uns zwar nicht mit und hielt Oster und Dohnanyi nicht ganz zu Unrecht für »lebensgefährlich unvorsichtig«, wie er sagte. Seine eigene Verschwiegenheit war aber über jeden Zweifel erhaben.

Im zweiten Trakt befand sich die Verwaltung der Abteilung Z. unter einem Major. Er und seine Mitarbeiter waren brav regimetreu und uns, vor allem den Zivilisten, nicht gut gesinnt. Etwas weiter von uns entfernt lag die Abteilung I. unter Oberst Piekenbrock. Dieser und sein Adjutant, Hauptmann Kummerow, waren in unserem Sinne verläßlich. Sie beschäftigten sich »hauptamtlich« mit der eigentlichen Spionage im Ausland und leiteten dort das Agentennetz für die Beschaffung von kriegswichtigen Nachrichten. Ein Stockwerk tiefer lag die Abteilung »Ausland« unter Kapitän zur See Bürkner. Er mochte uns nicht besonders, war gemäßigt kritisch, doch regierungstreu. Er hatte als Sachbearbeiter den pensionierten Gesandten Kiep und meinen alten Freund C. C. Pfuel bei sich. Beide zählten zu unserem Kreis, waren jedoch kaum in Details eingeweiht.

Etwas abseits lagen die Büros von Bentivegni und Rohleder, die sich mit der eigentlichen Spionageabwehr befaßten. Noch ein Stockwerk tiefer saß Oberstleutnant Lahousen, der Sabotagefachmann, ein österreichischer Offizier und glühender Feind Hitlers.

Meine Nazivergangenheit war ihm peinlich, und wir verstanden einander erst mit der Zeit. Natürlich war unter uns Verschworenen kein Platz für Sympathien oder Antipathien; das Gesetz der Stunde verlangte unerbittlich verläßliche Zusammenarbeit.

Nebenan, im großen OKW-Gebäude, wirkte noch ganz der Geist von Moltke. Oberst Großcurth vom Generalstab und der verbitterte ehemalige Nazi, Major Heinz, der später im Regiment Brandenburg diente, waren von dort aus dauernde Besucher, die uns die allerneuesten Informationen auch über den Gemütszustand der hohen Generalität lieferten.

Außerhalb des Hauses gab es mehrere Gruppen der Fronde, die mit uns engen Kontakt pflegten. Die wichtigste war jene im Auswärtigen Amt unter Kordts Leitung, mit Weizsäcker an der Spitze. Wie weit der Staatssekretär direkt mitwirkte, wußte ich damals nicht, obgleich ich ihn manchmal sah und berichten mußte. Doch wagte ich bei meinem großen Respekt vor ihm nie, eine direkte Frage zu stellen. Sonst wußte ich noch, daß Kessel, Etzdorf, Nostiz und Heyden-Rynsch als »Aktivisten« in unserem konspirativen Sinn galten.

Dohnanyi hatte gute Verbindungen zur protestantischen Bekenntniskirche, d. h. dem Niemöllerkreis und der Gruppe um Pastor Bonhoeffer, seinem Schwager. Er war früher Kabinettschef des Justizministers Gürtner gewesen und hatte Ärger mit seinem Ariernachweis gehabt, bis schließlich Hitler auf Wunsch Gürtners durch einen Spezialerlaß dieses Problem aus der Welt geschafft hatte. Dohnanyi war somit voll »arisiert« und wurde in der Folge zum Reichsgerichtsrat ernannt. Oster, der ihn seit der Krise um Fritsch kennen und schätzen gelernt hatte, berief ihn sofort bei Kriegsausbruch in sein Büro.

Ein anderer Kreis bildete sich um Herbert Göring, einen kritischen Vetter des Reichsmarschalls, der engen Kontakt zur Wirtschaft hatte und das Regime verabscheute. Auch Schacht hatte mit dieser Gruppe Fühlung. Zu den Dauer-Informanten gehörte auch Dr. Gisevius, ein enger Mitverschworener Osters. Alle paar Tage saß er – oft stundenlang – bei Oster und Dohnanyi, war voll von Sensationen und Neuigkeiten und wohl der Unterhaltendste von allen. Seine Nachrichten sprudelten stets frisch aus der Quelle, denn er war früher Beamter der Gestapo gewesen und hatte dort einen breiten Freundeskreis; SS-Gruppenführer Nebe gehörte ebenfalls dazu, riskierte aber nur selten einen Besuch bei uns. Am meisten überrascht war ich freilich, als ich feststellte, daß auch der alte Kämpfer Helldorf zu Osters Club gehörte. Gleich am Anfang sah ich ihn einmal in voller SA-Uniform zu Oster kommen. Schnell verdrückte ich mich in mein Zimmer, damit er mich nicht erkennen konnte. Ich dachte, jetzt würde es womöglich ernst, denn Helldorf war doch der Polizeipräsident von Berlin. Als ich aber anschließend Oster heil und gesund in seinem Zimmer sitzen sah, wurde ich erstaunter Neuling unter Gelächter darüber aufgeklärt, daß Helldorf zu den ältesten Oppositionellen und Frondeuren gehörte.

Das geistige und militärische Haupt der gesamten Gruppe war unangefochten Generaloberst Beck, der ehemalige Generalstabschef. Ihn sah ich nie. Zu ihm fuhren nur Oster selbst, manchmal auch Dohnanyi zur Berichterstattung und um Weisungen entgegenzunehmen.

Für Beck zeigten diese beiden wie fast alle Generalstäbler abgöttische Verehrung. Er galt als der fähigste aller Generale und hatte stets die Ansicht vertreten, daß Deutschland keinen Krieg riskieren dürfe, weil sich dieser bestimmt früher oder später zu einem Weltkrieg ausweiten müsse, den Deutschland »mit mathematischer Logik« niemals gewinnen könne. Aus diesem Grunde war Beck bei der Sudetenkrise nach einer scharfen Auseinandersetzung mit Hitler zurückgetreten. Nun konnte er sich restlos seinem Plan widmen, Deutschland von Größenwahn und Krieg zu befreien. Er tat dies leider etwas zu professoral und war alles eher als ein Putschist. Dafür scheinen Deutsche kaum geeignet zu sein.

Auch ich hatte einen Freundeskreis, den ich aber nie ganz einweihte. Denn es war beschlossene Sache, kleine Gruppen selbständig zu erhalten und Kontakte mit anderen tunlichst zu vermeiden. Auch Legationssekretär Erwin Wolf soll hier nicht unerwähnt bleiben, der zusammen mit mir im Ministerbüro Ribbentrops einiges durchgemacht hatte. Als alter Idealist war er entsetzt und so – trotz seines SS-Ranges – genauso wie Helldorf, Nebe, Heinz und ich zum Gegner des entarteten Regimes geworden. Vom Jahre 1939 an bis zu seiner Versetzung wegen eines Kraches mit Madame Ribbentrop an die Botschaft in Chile 1941, leistete er uns wertvolle Dienste. Er besorgte mir alles gewünschte Material aus der Informationsabteilung des Auswärtigen Amtes, dazu auch SD-Berichte, Parteinachrichten und nach wie vor über Frau Riegele, der Schwester des Reichsmarschalls, »Rosinen« aus dem Göringladen. Genaueres über den Osterklub wußte er nicht – er wollte auch nicht mehr wissen. Es genügte ihm, wenn ich ihm sagte, ich brauche dies oder jenes für die Sache des Friedens, dann setzte er sich in Aktion. Weitere Informationen bekam ich von alten Kollegen wie Hartdegen und anderen. Denn das Aktenstudium in Ribbentrops Geheimschränken hatte selbst letzten gläubigen Parzifals den Rest gegeben.

Auch aus dem Führerhauptquartier fehlte es nie an Nachrichten, denn mein alter Freund und späterer Trauzeuge, Botschafter Hewel, erzählte mir so manches vom Olymp – freilich ohne zu ahnen, wo diese »Gustostückerln« später landen würden.

So gab es wenig Geheimnisse für mich. Um am Puls der Diplomaten und der heimischen Größen zu bleiben, hatte ich unaufhörlich auszugehen. Gewöhnlich war ich davon todmüde. Doch Information war eben d i e Basis für unsere Pläne. Im Büro arbeitete ich dann das Material auf und schrieb den außenpolitischen Teil des Tagebuchs der Abwehr, dessen versteckter Pessimismus Uneingeweihte und Unentwegte oft verbitterte und zu leisen Protesten veranlaßte. Aber Oster und Dohnanyi schienen zufrieden mit meiner Arbeit. Nachmittags um 6 Uhr war Büroschluß, und jedes Mitglied unserer Gruppe begab sich dann auf eigene Pfade der Erkundungen.

Bei dieser Gelegenheit soll auch noch von einer Heldentat Hubert Breiskys berichtet werden. Dieser konnte einfach noch immer nicht glauben, daß Hitler hoffnungslos den Weg des Verbrechens eingeschlagen hatte. Um dem Führer nun den Wahnsinn seiner Vabanque-Politik so richtig vor Augen zu führen und ihn zu bewegen, endlich Frieden zu machen und die Kirche besser zu behandeln, hatte Hubert ein überzeugendes, belegtes und zwanzig Seiten umfassendes Elaborat fabriziert, in welchem er direkt an Adolfs Herz und Seele appellierte und das er zu allem Überfluß noch brav und bieder unterzeichnet hatte. Wie er uns versicherte, war er bereit, sich für diese seine Meinung auch zu opfern. Gottlob zeigte er Wölfchen und mir, als wir gerade im Auto die Ost-West-Achse entlangfuhren, sein durchaus profundes Elaborat. Wir waren entsetzt und hatten alle Mühe, ihn von dem Wahnsinn und der Sinnlosigkeit solchen Beginnens zu überzeugen. Schließlich zerrissen wir die schöne Arbeit in tausend kleine Fetzen und streuten sie bei Höchstgeschwindigkeit über Kilometer hinweg in die Landschaft.

Doch bei all unserer Aktivität kamen wir in unseren Unternehmungen nicht recht weiter, und bald hatte keiner von uns noch Hoffnung auf den Gummilöwen Göring oder gar auf den Materialsammler Himmler. Dabei muß man zugeben, daß auch wir damals nur traurige Material-Ameisen abgaben. Besonders die gefährliche Aktensammlung Dohnanyis war mehr als beachtlich, überzeugend und leider auch niederschmetternd. Dazu kam das einfach umwerfende politische Tagebuch des Admirals. Zwar war ich längst schon einiges gewöhnt, aber die Hintergründe der Fritsch-Affäre oder die Kriegsvorbereitungen Hitlers, dazu seine kaltschnäuzigen Geheim-Ansprachen an die Wehrmachtschefs usw. waren für mich doch neu und erschütternd.

In zunehmendem Maße bereitete mir die Aktensammlung Dohnanyis Sorgen. Nach dessen Meinung sollte sie sogar in zweifacher Hinsicht sinnvoll und von Wert sein. Er wollte erstens mit einwandfreien Unterlagen weitere Generale überzeugen, und zweitens – nach geglücktem Putsch – mit Veröffentlichungen an das deutsche Volk herantreten, es aufklären und mitreißen. Mich aber überzeugte die Notwendigkeit einer solchen Aktensammlung wenig. Sie war viel zu groß, ja geradezu unübersichtlich geworden. Einmal mußten sogar ganze Koffer davon in die Preußenbank zum Bruder von Major Heinz gebracht werden, wo sie dann fürs erste in unterirdischen Gewölben eingeschlossen wurden. Um einen mit Vernunft begabten Menschen zu überzeugen, hätte das Tagebuch von Canaris vollauf genügt, zum anderen aber war ich nicht der Ansicht, daß des deutschen Volkes schmutzige Wäsche vor der ganzen Welt gewaschen werden sollte. Angelsachsen oder Franzosen hätten niemals so etwas gemacht. Da wäre es besser gewesen, zuerst Hitler zu beseitigen, dann autoritär zwar, aber vernünftig und anständig zu regieren und auch fürs erste etwas Unpopularität in Kauf zu nehmen, als Deutschland mit derartigen Veröffentlichungen gleich das moralische Rückgrat zu brechen. »Mais aux Allemands il leur manque le sens de la mesure.« Es war gefährlich, dergleichen heißes Material im eiskalten Reich zu erschnüffeln, zusammenzutragen und zu sammeln, und sei es in einem noch so sicheren Schrank. Sollte da je ein Malheur passieren, dann waren nicht nur wir erledigt, sondern auch fast alle besonnenen und einflußreichen Persönlichkeiten aufs schwerste kompromittiert. Dazu kam: Die meisten Akten waren ohne Wissen der jeweiligen Gewährsmänner und oft unter Bruch von Versprechen und Ehrenwörtern kopiert worden! Wenn jene Ärmsten von der amtlichen Dauerexistenz ihrer vertraulichsten Mitteilungen in einer solchen Aktensammlung gewußt hätten – sie wären vor Schreck wohl umgefallen.

Immer wieder habe ich in dieser Sache schwerste Bedenken geäußert – und leider habe ich am Ende recht behalten. Ein Teil dieser Akten fiel, nachdem sie über die Preußenbank nach Zossen verlagert worden waren, sogar dort nach dem 20. Juli 1944 in die Hand der Gestapo. Das hatte schließlich katastrophale Folgen für Canaris, für den Osterkreis und für fast alle unsere Freunde und Informanten. So warf also der Streit um diese Aktensammlung von Anfang an einen Schatten auf mein sonst gutes Verhältnis zu Dohnanyi. Mir hat diese Angelegenheit nicht wenige schlaflose Nächte bereitet, denn u. a. waren auch von Kordt, Weizsäcker und mir recht belastende Dokumente dabei.

Ein besonderes Problem war auch die Frage, ob politische Ehrenwörter in der Konspiration gehalten werden mußten oder nicht. Ich war der Ansicht, daß Ehrenwörter, an Ehrenmänner gegeben, zu respektieren seien, es sei denn, es ginge um das Schicksal unserer Aktion. Dohnanyi vertrat aber den Standpunkt, es ginge auch schon bei vielen Details um das Wohl und Wehe der Nation. Moral und andere Erwägungen hätten da zurückzutreten. Wir einigten uns schließlich darauf, unser Material zu sichten und nur das Nötigste an Aufzeichnungen zu behalten, die endgültige Vernichtung des großen Restes aber baldmöglichst durchzuführen. Das war ein fauler Kompromiß, denn diese Zusage wurde natürlich nie eingehalten.

Ich, damals ein junger Mann, stand mit meiner Ansicht allein und hatte durch mein ständiges Bohren und Warnen eigentlich nur Ärger. Deshalb besprach ich die Angelegenheit schließlich mit Kordt. Dieser sprach anschließend energisch mit Oster. Die einzige Konsequenz: Es kam erneut ein Schub von Dokumenten in die Preußenbank. Oster gestand mir zwar zu, ich dürfe in Zukunft nur mehr mündlich vortragen und Schriftliches »tunlichst« vermeiden. Auf die Dauer war das aber nicht möglich, weil der Admiral alles immer schriftlich haben wollte. Daraufhin einigten wir uns, daß fürs erste wohl schriftliche Berichte gemacht werden sollten, diese dann aber so früh wie möglich vernichtet werden müßten. Nur unverfängliche Gedächtnisstützen über Wesentliches sollten gestattet sein. Einige Zeit klappte das auch, doch bald riß das alte Übel wieder ein, und später mußte ich feststellen, daß praktisch nie Berichte vernichtet wurden, diese vielmehr brav in Dohnanyis Archiv schlummerten.

Ich möchte hier ausdrücklich klarstellen, daß ich Dohnanyi damals und auch später für einen anständigen Menschen gehalten habe, aber sein Haß, hervorgerufen durch die täglich sich mehrenden Nachrichten über neue Verbrechen im Osten, und seine Verbitterung über seine gnadenweise Arisierung ließen ihn unvorsichtig und blind werden. Oster beruhigte immer wieder. »Mein Guter«, meinte er, »machen Sie sich nicht so viel Sorgen, wir sind auch keine heurigen Hasen und wahrscheinlich sind wir bald am Ziel.«

Aber unserem Ziel näherten wir uns nicht im mindesten, obwohl die meisten Generale fürchterlich schimpften und als militärische Experten höchst pessimistisch in die Zukunft sahen. Aber keiner wollte vorausgehen. Brauchitsch ließ hören, man müsse einen noch günstigeren Moment abwarten, und Generalstabschef Halder sprach stets von seiner »Rückschlagstheorie«. All diese »günstigen Momente« kamen natürlich nie, beziehungsweise sie wurden nie am Schopf gepackt. Generaloberst Beck war oft der Verzweiflung nahe, und schrieb vergebens die aufrüttelndsten Berichte. Diese Aufzeichnungen wurden bei den höheren Wehrmachtsstellen mit besonderem Genuß geheimst gelesen, und man ahnte gewichtig, daß bald der Tag der Tage kommen werde!

Ja, Generaloberst Beck war wohl ein großer Clausewitzkenner, war Theoretiker und Moralist – doch leider nicht der revolutionäre Geist, um einen Putsch zu führen. Sein Nachfolger, Generaloberst Halder, ebenfalls ein Mann von ausgezeichneten Qualitäten und klarem Blick, spielte schon seit langem mit dem Gedanken an einen gewaltsamen Regierungswechsel. Doch auch Halder war kein Draufgänger und Revolutionär. Ich erinnere mich noch genau, wie eines Tages der witzige Dohnanyi von einer Besprechung mit Halder zurückkam, sich lachend und verzweifelt auf seinen Schreibtischstuhl warf und erklärte, mit diesem Halder könne man keinen Umsturz machen. Ein kleiner Vorfall habe ihm gerade alle diesbezüglichen Illusionen geraubt.

Dohnanyi hatte Halder routinemäßig zur Berichterstattung besucht und war von ihm freundlich aufgenommen worden. Der Generaloberst hatte sich bequem in einen Lehnstuhl gesetzt, hatte dann ein frisches Taschentuch hervorgeholt und dieses – zu Dohnanyis Entsetzen – als Schonunterlage über den rechten Oberschenkel gelegt, bevor er das linke Bein darüberschlug. »Mit einem Heerführer, der so pedantisch seine schöne Uniform pflegt, kann man keine Revolution machen!«, stöhnte Dohnanyi, und damit hatte er genau den Nagel auf den Kopf getroffen. Doch wir waren schon froh, daß Halder wenigstens mit revolutionären Gedanken spielte und unsere Nachrichten und Vorschläge ruhig anhörte.

Doch auch der »Bauchfisch«, wie von Brauchitsch despektierlich im OKW unter der Hand genannt wurde, konnte sich zu keinem Entschluß aufraffen und stand anscheinend sehr unter dem Einfluß seiner Frau. Wir wußten, daß Brauchitsch sein neues Eheglück Adolf Hitler zu verdanken hatte. Dieser hatte ihm nämlich die Scheidung von seiner ersten Frau durch eine überaus großzügige Schenkung aus seiner Privatschatulle finanziert. Also war auch Brauchitsch von Zweifeln und Überlegungen moralischer Art hin- und hergerissen und damit »entmannt«.

Zu Keitel hatten wir einen guten Faden. Es war der pensionierte Gesandte Kiep, der bei Bürkner arbeitete, und zu unserem inneren Kreis gehörte. Kiep war so etwas wie ein Schulkollege und dazu ein Duzfreund Keitels. Da nahm sich Kiep einmal ein Herz und versuchte, Keitel von der Sinnlosigkeit des Krieges zu überzeugen. Doch Keitel wurde ernst und verwies auf den genialen Führer mit den Worten: »Wenn du, mein Lieber, diesen Mann kennen würdest, dann würdest du nicht so reden.« Also war auch hier nicht viel zu erreichen.

Damit standen Oster, Dohnanyi, Kordt, Weizsäcker und ein paar andere praktisch ziemlich einsam auf weiter Flur und konnten lediglich mit dem Schutz des Admirals rechnen, der aber selber – schon aus Prinzip – nichts Genaues von unseren Unternehmungen wissen wollte.

Eines Tages sagte Canaris zu mir: »Ihr Lieben, was ihr da macht, wird euch wenig nützen. Man kann die Geschichte nicht um ihren Sinn betrügen. Es sind schon zu große Verbrechen geschehen, die nach Vergeltung schreien. Wenn ihr nun glaubt, das gerechte Schicksal durch einen rechtzeitigen Putsch austricksen zu können, so irrt ihr euch. Deutschland wird wohl erst tief ins Unglück stürzen und schwer sühnen müssen, bevor es wieder auferstehen kann. Aber macht nur weiter, an mir soll es nicht liegen. Nur glaube ich nicht an euren Erfolg.«

Oster aber und auch Dohnanyi waren dauernd in Fahrt. Besonders Oster ließ sich leicht für jede Hoffnung auf ein baldiges Gelingen unserer Friedenspläne begeistern. Er war durch und durch Optimist und glaubte, Hitler würde bald abgewirtschaftet haben. Daher zeichnete er manchmal an hohen Stellen ein viel zu düsteres Bild von der militärischen und kriegswirtschaftlichen Lage, doch wirkte das eher schädlich, weil die meisten seiner Prophezeiungen nicht eintrafen. Daran hatten oft auch seine militärischen Informanten schuld wie z. B. der Kriegswirtschaftler General Thomas, der schon im Herbst 1939 kühn behauptete, daß in drei Monaten die motorisierte Truppe aus Gummi- und Pneumatikmangel »auf Plattfüßen« rollen würde. Solche Übertreibungen und Voraussagen schadeten nicht nur bei Brauchitsch und Halder, sondern auch bei Witzleben, unserem verläßlichsten Partner. Auch Dohnanyi blieb meist skeptisch und fühlte sich als Intellektueller den Militärs ganz generell überlegen. Typisch – wir Zivilisten waren wilder als die milden Generale.

Auch Helldorf warnte oft vor falschem Optimismus. Ich erinnere mich noch genau daran, wie er 1939 erklärte, die Truppe stehe eisern zu Hitler und sei einfach nicht reif für einen Umsturz. Man müsse dies absolut einkalkulieren. Auch mit Diehls, der damals Regierungspräsident von Hannover war, nahm ich Verbindung auf. Er schimpfte fürchterlich auf die Regierung und erzählte interessante Geschichten und Details. Doch ihn zum Mittun aufzufordern, schien zu riskant.

Oft erschien im Büro der sogenannte »Ochsensepp«, Dr. Müller, der spätere bayerische Minister nach dem Kriege. Er war ein hochintelligenter, rustikal aussehender Rechtsanwalt aus München, der über ausgezeichnete Beziehungen zum Vatikan verfügte. Ihn sandte Oster im Abwehrauftrag nach Rom mit der Sonderaufgabe, die Verbindung mit dem Papst selbst herzustellen. Ich wurde über seine genauere Tätigkeit nicht informiert; dies störte mich in keiner Weise, weil ich als alter Putschist wußte, daß es für Verschworene am besten ist, so wenig wie möglich über des anderen Tätigkeit zu wissen, denn dann kann im Falle des Falles nicht viel geschwätzt werden.

Ebenso hatte ich keine Ahnung davon, was Oster mit dem holländischen Militärattaché Sas besprach, der ihn häufig besuchte. Im übrigen wurde ich immer weniger neugierig, da ich langsam den Glauben an die Entschlußfreudigkeit der so kritischen Generale verloren hatte, die nach einer stürmischen Unterredung zwischen Hitler und Brauchitsch Anfang Oktober völlig auf den Nullpunkt gesunken war. Brauchitsch hatte versucht, Hitler von einem Angriff im Westen abzubringen, indem er ihn davon überzeugen wollte, daß es mit der Schlagkraft der Truppe nicht zum besten stünde und sich die Disziplin in verschiedenen Fällen als mangelhaft erwiesen habe.

Hitler verlangte sofort Beweise, die er natürlich nicht bekam. Darauf stauchte er den alten General nach Strich und Faden zusammen und verließ ihn grußlos. Sofort informierte Brauchitsch aufgeregt General Halder von dieser katastrophalen Reaktion des Führers und befürchtete nun das Schlimmste, man sah sich schon völlig durchschaut. Halder blies stante pede alle Kontakte ab und ließ wissen, daß vorläufig nichts mehr unternommen werden dürfe. Halder weigerte sich sogar, noch irgend jemanden von unserer Gruppe zu empfangen.

Diese stets schwankende Grundhaltung der Militärs hatte Kordt seit längerem befürchtet, und deshalb entschloß er sich nun, im Alleingang den Diktator zu liquidieren. Ihm als Mitglied des Ministerbüros war es leicht möglich, zu Hitler, der ihn seit Jahren kannte, vorzudringen. So bat Kordt mich, Oster zu sagen, daß er ihn dringend sprechen müsse und daß er ihm so schnell wie möglich eine geeignete Bombe für ein Attentat beschaffen solle.

Oster hörte sich diesen Vorschlag mit dem skeptischen Lächeln eines Berufssoldaten über Heldentum bei Zivilisten, ja Diplomaten, an und hatte Bedenken. Dohnanyi hingegen war begeistert. So begann ein hilfloses Hin und Her. Zu guter Letzt stellte sich heraus, daß hohe Militärs wohl Truppen und Armeen in Marsch setzen lassen konnten, aber nicht dazu imstande waren, ein Bömbchen zu beschaffen ohne Aufsehen in der Wehrmachtsbürokratie zu erregen. Dohnanyi und ich lachten und konnten nur noch den Kopf schütteln. Zum Schluß wurde die ganze Sache abgeblasen, und Kordt war mehr als verstimmt. Verbittert sagte er zu mir: »Da kommt so ein Zivilist, ein Rheinländer wie ich, und will das riskieren, was die preußischen Militärs schon längst hätten tun sollen, und da sind nun diese Berufshelden mit ihren Vorschußlorbeeren nicht einmal in der Lage, einem entschlossenen Diplomaten einen kleinen Sprengkörper zu besorgen.«

Ich muß gestehen, ich war etwas erleichtert, als dieser Plan ins Wasser fiel, denn die ganze Unternehmung hätte mit hoher Wahrscheinlichkeit den ersten Verdacht auf Kordts Freundeskreis und somit besonders auf mich gelenkt, und ich hätte diese Memoiren aus dem Jenseits schreiben müssen. Doch war ich damals entschlossen, Kordt zu helfen, obwohl ich der Ansicht war, daß Gewalt Sache der Militärs sei und nicht die ziviler Amateure.

Jene Tage verliefen weiter in großer Spannung. Langsam gewöhnte ich mich daran, mit dem Kopf in der Schlinge herumzulaufen. Ich fand es logisch, daß ich solchen Beitrag zu leisten hatte, da ich mich an der Degeneration des Nationalsozialismus indirekt mitschuldig fühlte, und mein Leben immerhin bequemer war als das eines Soldaten.

Bald kamen erschütternde Nachrichten aus Polen und putschten uns immer wieder auf. Wir hörten von entsetzlichem Wüten gegen die polnische Intelligenz, gegen polnische Priester und die Judenschaft. Nachrichten, die uns Major Heinz überbrachte, waren kaum glaubbar, und es war wirklich unfaßlich, mit welchem Gleichmut sich Keitl diese Dinge, die ihm von Canaris so eindringlich vorgetragen wurden, anhörte und unter den Teppich seines Kadavergehorsams kehrte. So etwas war eben »zuständigkeitshalber« nicht seine Angelegenheit!

Während Greuel die Ehre der Front im Osten beschmutzten, lief im Westen ein friedlicher Sitzkrieg über die Bühne. Deutsche und französische Soldaten lagen einander gegenüber und »kämpften« unverdrossen mit Propagandalautsprechern. Im Hinterland aber knisterte es. Niemand hatte so recht Freude an diesem Krieg, und die Euphorie des Sieges über Polen war schnell verflogen! Das häßliche Herbstwetter, die Verdunkelung und die Rationierungen taten ein übriges. Alles schien bald Grau in Grau.

Eines Tages überraschte uns eine Nachricht, die besagte, daß in Schwaben ein Euthanasieunternehmen im Gange war. Anscheinend wurden »lebensunwerte« Volksgenossen wie Unheilbare, Erbkranke und Verrückte euthanasiert und anschließend eingeäschert. Danach erhielten die Angehörigen diese Asche mit der amtlichen Mitteilung zugestellt, der teure Verblichene sei an einer Lungenentzündung oder an einer Infektionskrankheit leider ganz plötzlich verstorben. Durch fehlerhafte Übermittlung solcher Kondolenzen und gelegentlich doppelte Zustellung von Urnen sei Unruhe unter der Bevölkerung und in der Geistlichkeit entstanden. Canaris war empört, und es gelang ihm, über die Generalität der Wehrmacht ein Abstoppen dieser Aktion durch Hitler selbst zu erreichen. Begründung: Solche Aktionen gefährden die Moral der Heimatfront.

Über die meisten Vorgänge in der Reichskanzlei war ich, wie gesagt, durch meinen alten Freund, Botschafter Walther Hewel einigermaßen unterrichtet, und auch später, als ich bereits in Spanien war, funktionierte unsere Verbindung noch weiter, denn ich besuchte ihn bei fast jeder meiner Berliner Reisen. Als Mann von Welt war Hewel im Grunde voller Bewunderung für das britische Imperium. Er litt unter dem Unsinn der ribbentropschen Nadelstich-Politik, und wir quälten uns mit Plänen, wie wir den Führer von »diesem« Ribbentrop befreien könnten. Doch Hewel war kein Mann der Tat. Der Krieg war ihm entsetzlich. Er empfand es als glatten Wahnsinn, daß das englische Reich in seinen Grundfesten erschüttert wurde und hierdurch die Position des weißen Mannes in der Welt endgültig zum Niedergang verurteilt war. Hewel war ja bis 1937 in Holländisch Indien Direktor großer Plantagen gewesen. Nach Deutschland zurückgekehrt, hatte er trotz aller Ansätze zur Kritik völlig unter dem Einfluß Hitlers gestanden, den er schwärmerisch verehrte. Sprach ich ihn einmal in Ruhe an und brachte ihn mit Ziffern zu den rauhen Realitäten zurück, und sah er schließlich ein, daß sich die Angelsachsen in ihrem Weltreich ferne, daher ungestört und verbissen für die alleinentscheidenden letzten Schlachten rüsten würden, dann fiel er von seiner hellen Adolf-Begeisterung wieder auf die harte Erde zurück und versank in dumpfes Brüten. Doch dieser Geisteszustand dauerte leider nur bis zum nächsten Kontakt mit dem Führer, und sein Weltblick ging wieder im Reichskanzleinebel unter.

Aus dem Auswärtigen Amt bekam ich aus vielen Quellen Neuigkeiten, denn ich hatte dort noch Freunde, die mich gerne unterrichteten. Natürlich gab ich mit der Zeit nur wesentliche Dinge an Oster und Canaris weiter, denn Dohnanyi zwang mich dann zu Aufzeichnungen, die er unvermeidlich und geradezu genüßlich in seinem fatalen Stahlschrank einordnete.

In der Gesellschaft Berlins hatten sich damals verschiedene Gruppen von Frondisten gebildet. Von einem Widerstand im eigentlichen Sinne konnte man aber kaum reden. Man traf einander gerne, um zu kritisieren und zu unken; man cocktailisierte, dinierte und verabschiedete sich dann zufrieden mit der Erleichterung, wieder einmal einem hoffentlich verschwiegenen Gleichgesinnten sein Herz ausgeschüttet zu haben. In jenen Tagen des »drôle de guerre« war es ja meine Aufgabe, Kontakt mit der »großen, weiten Welt« zu halten. Sie wurde im damaligen Berlin durch Diplomaten und die Schickeria dargestellt, welch letztere sich wieder aus hoffnungsvollen Produkten des Adels, der Finanz und der Industrie zusammensetzte. Es war ein wahres Wunder, daß bei der allgemeinen Meckerei in jenen Kreisen nicht mehr Leute zum Handkuß kamen. Der SD und die Gestapo waren im Grunde genommen miserabel informiert und hatten zu solchen Kreisen kaum Zutritt oder Kontakt. Natürlich gab es in der Schickeria auch einige, die für das Regime waren und dessen Standpunkt emsig vertraten, doch waren das nicht einmal zehn Prozent. Solche Typen behandelte man stets mit Vorsicht, obwohl sie durchaus anständige Leute waren, die schon auf Grund ihrer Erziehung jedes Denunziantentum ablehnten. So bot die Berliner Oberschicht im ersten Kriegshalbjahr das Bild einer frischfröhlich-defaitistischen Gesellschaft, die durch den Polensieg wenig beeindruckt schien und Düsteres für die Zukunft befürchtete. Damals kursierte der Ausspruch: »Kinder, genießt den Krieg, denn der Friede wird fürchterlich«, und unter vorgehaltener Hand wurde eine Menge von Witzen kolportiert, die erfahrungsgemäß immer dann am besten sprießen, wenn sie verboten und gefährlich sind. Ende Oktober 39 wurde die Stimmung dann ausgesprochen düster. Hitler hatte auf seine drohend-plumpen Friedensangebote, die er in seine pompöse Siegesrede über die polnische Niederlage eingeflochten hatte, prompt nur negative Antworten der Westmächte erhalten, und das konnte schon aus Selbstachtung gar nicht anders sein. So wurde man langsam besorgt, und es wurde viel kritisiert.

Ich, als alter Parteigenosse, konnte mir ja einiges leisten. Alte Kämpfer waren beim Meckern immer besser dran, denn sie genossen einen gewissen Vertrauensvorschuß. Dabei dachten sie damals auch nicht viel anders als der Normalverbraucher, nämlich zurückhaltend und kritisch. Die zweihundertprozentigen unentwegten »Heil-Schreier« waren fast ausschließlich neuere und deshalb besonders zackige Parteigenossen wie Ribbentrop. Solche Leute mußten dann durch tägliches Hinausposaunen ihrer Begeisterung immer wieder ihre Verläßlichkeit unter Beweis stellen. Wir alte Kämpfer hatten das nicht nötig, man stand zu den alten Bedingungen, unter denen man der Bewegung beigetreten war und lehnte es ab, andere europäische Völker ebenso miserabel zu behandeln, wie wir durch die Pariser Vorortverträge behandelt worden waren. Das war auch der Grund, weshalb so viele alte Parteigenossen zu den Frondekreisen stießen wie z. B. SA-Gruppenführer Graf Helldorf, der von der neuen Vabanquepolitik einfach die Nase voll hatte, wie er mir sagte.

Die Gruppe der Jasager und Unentwegten in den Ämtern und an den wichtigsten Stellen von Wirtschaft, Industrie und Staat setzte sich hauptsächlich aus den erwähnten Spätparteigenossen, Opportunisten und Karrieremachern zusammen, wenn man von der Jugend absieht, die schon im expansionistischen Sinne erzogen wurde. Ihnen konnte man ihren Glauben kaum nehmen. Es war daher eines der größten Probleme für uns, wenn wir das Regime stürzen sollten: Was würden die Jungen zu unserer Aktion sagen? Wie würde man ihnen einen Staatsstreich, der während eines Schicksalskrieges Führung und Staat gefährdet, verständlich machen können?

So wuchsen im Herbst 1939 in der Partei die besorgten Stimmen. Attaché Simon z. B., ein naher Verwandter des Gauleiters Simon, nahm sich kein Blatt mehr vor den Mund, Gauleiter Wagner von Schlesien war wegen seiner Weigerung, bei der »Polenausmerzung« mitzutun abgesetzt worden und konspirierte mit Herbert Göring, dem nazifeindlich gewordenen Vetter des Reichsmarschalls.

Auf die Dauer konnte es der SS nicht verborgen bleiben, daß ich bei der

Abwehr arbeitete. So sprach mich nach einem offiziellen Essen bei den Dörnbergs der SS-Obergruppenführer Wolff, Himmlers Adjutant, daraufhin an. Ich wich aus und sagte, jene Leute würden mich wohl brauchen, sonst hätten sie mich nicht einberufen, im übrigen sei ich Fachmann auf dem Gebiet der Auswertung von außenpolitischen Nachrichten, und das Amt Ausland-Abwehr hätte nun einmal mit dererlei Dingen zu tun. Außerdem hätten sich eben gewisse andere Herrschaften und Ämter kaum um mich gekümmert. Ich spielte also den Beleidigten. Während dieser Aussprache ließ ich unvorsichtig und zu deutlich ein paar abfällige Worte über die wahrscheinlich mindestens fünfjährige Dauer des Krieges fallen, woraufhin der Obergruppenführer amtlich wurde und drohend sagte: »Hören Sie mal, mein Lieber, ihre Geistesverfassung gefällt mir nicht. Ich habe schon davon gehört, Sie sind leider nicht mehr der Alte. An Ihrer Stelle würde ich schon etwas vorsichtiger werden!«

Nun, das war deutlich. Ich lehnte ab, weiter darauf einzugehen und schmollte: »Wenn man höheren Orts Berliner Tratsch ernst nimmt, kann ich das nicht ändern.«

Diese Unterhaltung mit Obergruppenführer Wolff meldete ich Oberst Oster und äußerte die Befürchtung, daß ich auf Dauer nicht um die Waffen-SS herumkommen würde. Hoffentlich wären wir bald am Ziel. Mein Treiben würde der SS mit der Zeit auf die Nerven gehen, und im übrigen könne keine Verschwörung jahrelang geheim bleiben. Darauf riet mir Oster zu größerer Vorsicht und meinte, ich sollte wieder einmal die Parteileute etwas streicheln. Das tat ich auch. Mein Freund Erwin Wolf half mir dabei. Er hatte gute Verbindung zu alten Kumpanen im SD. Einmal brachte er von dort sogar Aufzeichnungen einer Geheimrede des Reichsorganisationsleiters Dr. Robert Ley vor Parteigrößen mit, in welcher er sage und schreibe den Plan entwickelte, England in eine grüne »Kraft durch Freude-Insel« zu verwandeln. Dies war wohl eine kleine Vorahnung auf den Morgenthauplan. Das Schriftstück wurde in der Abwehr herumgereicht und sehr belacht. Zu meinem Leidwesen landete eine Photokopie davon pünktlich wieder in der geheimen dohnanyischen Dokumentensammlung für die »Zeit nach dem Kriege«!

Damals traten verschiedene Damen der Gesellschaft mit der Bitte an mich heran, sie in der Abwehr, womöglich im Ausland, zu verwenden. Darunter war auch die neue Gräfin Fürstenberg, die hochintelligente, reizende Gloria. Sie, eine mexikanische Bäckerstochter, hatte sich nach einem Yankee in zweiter Ehe den reichen, sympathischen und sehr wohlerzogenen Grafen geangelt. Sie war hinreißend, Diana auf ibero-aztekisch, groß, schlank, blendend angezogen, pechschwarze Haare, brauner Teint und ein intelligenzsprühendes, rassiges Gesicht. Leider brauchte sie viel Geld. So kam ihr Mann auf die glorreiche Idee, Gloria in der deutschen Abwehr etwas dazuverdienen zu lassen, nachdem er selber dort nur einen kleinen Trost-Posten ergattert hatte. Oster gab mir den Rat, mich in dieser Sache an Oberst Rohleder, den Chef der Gegenspionage, zu wenden. Gloria wurde nun zu ihm bestellt und siehe, roh und ledern war Rohleder nicht! Gloria wurde aus dem Berliner Dienst herausgehoben, bekam reichlich Geld und das gewünschte Auslandsvisum.

Wie sich später herausstellte, war Rohleder ihr nicht gewachsen und bat mich bald, bei der Leitung dieser Dame mitzuhelfen, denn es war ein Kreuz mit Gloria, die sich geheimnisvoll den Tarnnamen »La Lopez« zugelegt hatte. An Nachrichten brachte sie nur fürchterlichen Society-Tratsch und hatte natürlich nicht die geringste Absicht, ernstlich mitzuarbeiten. Ich muß gestehen, ich half ihr gerne, konnte einiges Unheil verhüten, überließ sie aber schließlich doch dem becircten Rohleder. Dieser, ein eifriger Fachmann, korrekter Offizier und Beamter, liebte zwar die Nazis nicht, doch tat er unerschütterlich seine Pflicht. Fleißig zog er mich zu Rat, denn meine Versiertheit in Fragen der Society gefiel ihm. Oster war darüber nicht sonderlich erbaut, aber es kam ihm gelegen, daß ich meine Stellung im Amt festigte. Rohleder hat Gloria im Ausland bieder weitergefüttert. Sie jedoch fand dort bald genügend Bewunderer, die ihr Budget noch etwas aufbesserten. Ich glaube, zuerst war es ein ägyptischer Prinz. Schließlich aber landete sie beim britischen Braumagnaten Guiness, der sie prompt heiratete. Sie wurde so Lady Guiness, und zu allem Glück vermählte sie noch ihre Tochter, wie ich hörte, mit dem jungen Guiness-Erben, dem Sohn des Lords aus erster Ehe. Ob sie sich noch an ihren Ritter und Retter Oberst Rohleder erinnerte?

Berlin war damals ein großes Tratschnest, und feindliche Journalisten in Schweden oder in der Schweiz bekamen über neutrale, alliiertenfreundliche Reporter aus Berlin jede Menge von Material geliefert. So hatte auch ich einigen Ärger mit einem Artikel, der in einer englischen Zeitung erschien, worin aus Berlin über Kopenhagen gemeldet wurde, daß ich im Restaurant Venezia gesehen worden war. »Der ehemalige Sekretär von Ribbentrop, Spitzy, ist ›gedropt‹ worden, just because he fell in love with an English girl.« Das war wenig angenehm für mich, hatte aber – gottlob – weiter keine bösen Folgen.

Natürlich korrespondierte ich mit Agnes, wenn es auch nur selten funktionierte. Hierbei halfen mir Prinz Constantin Liechtenstein, die holländische Botschafterin Nini de Witt und die Prinzessin von Hessen über das italienische Königshaus. So bekam ich wenigstens ein paar Lebenszeichen.

Agnes arbeitete in London anscheinend als Übersetzerin im Kriegsministerium oder in einem ähnlichen Amt. Als ich ihr schrieb, daß ich im deutschen Kriegsministerium arbeite, meinte sie im nächsten Brief: »Quite a soft job! You better should go to the front.« Dies war englische Haltung alter Art, die mir mächtig imponierte. Mit der Zeit verlor ich immer mehr den Glauben und die Hoffnung, Agnes je glücklich machen zu können, nach allem, was zwischen England und Deutschland vorgefallen war oder sich anbahnte und vor allem nach der moralischen Belastung durch Kriegsgreuel, die auf die Dauer niemals geheim bleiben konnten. Denn wenn wir auch von systematischen Massenliquidierungen – (die industriellen Vernichtungsanlagen entstanden ja erst später, nach 1942, als Hitler bereits gemerkt haben mußte, daß der Krieg wahrscheinlich verloren war) nichts wußten, so erfuhren wir doch von Erschießungen von Juden und Mitgliedern der polnischen Intelligenz. Damit aber war die letzte Distanz zu den brutalen Bolschewiken gefallen, und wir hatten die von uns früher so verachteten Tschekamethoden übernommen. Es war entsetzlich und zutiefst deprimierend.

Zurück zur Abwehr-Zentrale: Wir kamen und kamen nicht voran. Nach dem überraschenden Attentat gegen Hitler im Bürgerbräukeller von München am 9. November 1939 mußte natürlich eine längere Pause bei unseren Aktivitäten eingeschaltet werden. Wir hatten zunächst nicht die mindeste Ahnung, wer hinter jenem mißlungenen Anschlag stecken konnte. Oster vermutete sogar die SS. Nun waren die Sicherheitsmaßnahmen erheblich verschärft und behinderten uns immer mehr. Doch wir spannen immer neue Fäden zu allen möglichen und auch unmöglichen oppositionellen Kreisen, kurzum: Bei uns gab sich ein Sammelsurium von Regimegegnern und theoretischen Aufständlern verschiedenster Couleur und Qualitäten die Türklinke in die Hand. Das aber vermehrte die Gefahr des Entdecktwerdens enorm.

Heute noch ist mir unfaßlich, wieso SD und Gestapo nicht schon längst aufmerksam geworden waren und Alarm geschlagen hatten. Ich warnte, aber Oster und Dohnanyi beruhigten und sagten, es würde nicht mehr lange dauern. Dem »Emil«, so nannten sie Hitler, würde bald die Puste ausgehen. Jetzt dürfe man wegen überspitzter Vorsicht unsere Arbeit nicht hemmen. Worin bestand aber diese Arbeit? Es gab zahllose Unterhaltungen, man traf sich im Hause von Kiep, von Herbert Göring, man speiste im Gardekavallerieklub oder bei Horcher, man brachte einander Neuigkeiten, aber auch viel sinnlose Gerüchte dazu. Kurz, da war viel Bewegung, doch nichts ging weiter. Das Archiv von Dohnanyi wuchs und wuchs, füllte seinen Stahlschrank mit Papier und ihn selber mit großer Befriedigung.

Pünktlich erfuhr ich von Dohnanyi und Oster, mit denen ich oft zu Mittag aß, fast alle wesentlichen Informationen aus zweiter Hand, oft kamen sie aber auch direkt von Generalen, Wehrkreiskommandanten usw. Sie erklärten sich fast alle bereit, etwas zu riskieren, wenn nur der Befehl von »oben« kommen würde. Aber von oben kam der eben nicht, denn da saß Brauchitsch mit seiner »unentwegten« neuen Gattin, und Hitler würde selber wohl kaum den Befehl zum Putsch gegen Hitler geben. In den letzten zwei Monaten vor der Westoffensive bekamen die Verhandlungen mit den hohen Generalen zwar wieder etwas mehr Auftrieb, aber der entgegen militäramtlichen Voraussagen vieler Generale geglückte Sprung nach Norwegen, der den Engländern nur um 24 Stunden zuvorkam, warf alle unsere konspirativen Fortschritte mit den nun so erstaunten Fachleuten wieder über den Haufen. Die hohen Herren kratzten sich am Haupte und fragten sich: Sollte dieser Hitler militärisch doch etwas verstehen und am Ende gar schon wieder einmal recht haben?

So schrumpfte – wie immer nach einem geglückten Streich – die Zahl der besorgten und eventuell putschbereiten Generale. Als später dann im Mai die Westoffensive mit Sieg und Einzug in Paris endete, verstummten fast alle Regimekritiker, und die hohen Soldaten waren froh und glücklich, daß das Frankreich von Versailles nunmehr am Boden lag. Die Generale sonnten sich in Glanz und Gloria, erfrischten sich mit Erinnerungen aus dem Ersten Weltkrieg und mit einer Dusche von Orden, Beförderungen und Titeln. So mäßig die Begeisterung der Bevölkerung war, die genau fühlte, daß mit dem Einmarsch in Paris noch lange nicht alles gelaufen sein konnte, so begeistert schlug doch das Herz manches Armeekommandanten.

Für uns war praktisch niemand mehr so richtig sprechbereit, und nur wenige wollten vorher je etwas gesagt oder gar geplant haben. Man begrüßte unsere Boten mit säuerlichem Lächeln, bat inständig, nur ja recht vorsichtig zu sein und um Gottes willen niemanden etwas über die vorangegangenen Gespräche wissen zu lassen. Selbst Witzleben wollte Dohnanyi nicht mehr sehen und hatte in den ersten Monaten nach dem Sieg über Frankreich keine Zeit für eine Aussprache.

Eigentlich wurde es diesen Generalen nie recht klar, worum es im Grunde ging. Sie erkannten nicht, daß Hitlers Methoden und sein Imperialismus früher oder später die Nation ins Verderben führen mußten. Irgendwann einmal mußte sich doch diese gequälte Welt aufraffen, sich einigen und uns an die Gurgel springen. Und einen durch Erfolge blind gewordenen Hitler konnte man ebensowenig bremsen wie Napoleon. Um aber eine solche Katastrophe zu verhindern, hätten die noch sauberen Teile unserer Armee unbedingt eingreifen müssen, um rechtzeitig der Nemesis in den Arm zu fallen. Deutschlands Sieg oder

Deutschlands Niederlage schienen für das deutsche Volk im Endeffekt gleichermaßen tragisch. Die neuen Eroberungs- und Unterjochungspläne gegen andere Nationen hatten mit unserer Weltanschauung und auch mit den Ideen der alten NS-Kämpfer nichts mehr gemein. Die Uhr aber tickte und die Schrecken türmten sich.

Es war bestimmt nicht gleichgültig, daß die moralische Hypothek durch Exzesse im Osten täglich wuchs. Allein, nur wenige hohe Militärs sahen diese grundsätzliche Problematik. Der Kreis um Weizsäcker und Canaris stand damals allein auf verlorenem Posten. Gleichgesinnte gab es viele, doch Gleichbereite fand man kaum mehr. Wir waren gewissermaßen die erste, bereits abgestandene Generation von Oppositionellen. Unser großes Problem bestand darin, noch zur Zeit der Erfolge, also rechtzeitig, einen Umbruch vorzubereiten. Später, sobald die unabwendbaren Mißerfolge auch den primitivsten Zeitgenossen die Augen öffnen würden, dann, ja dann würde es sicherlich Überfluß an sogenannten Widerständlern geben. Überall, bei Militär und Zivil, fand man ohne sonderliche Mühe Leute, die aus Sorge um die Dinge, die da kommen würden, Trost und Zuspruch brauchten, die jedoch niemals bereit waren, etwas zu riskieren. Bis zum Jahre 1941 waren bessere Kaliber an der inneren Front absolute Mangelware. Freilich hatten wir vom Auswärtigen Amt oder von der Abwehr den immensen Vorteil der besseren Information, die in einer Diktatur dem normalen Staatsbürger versagt bleibt. Ihm wird ja die Meinung durch ständige Berieselung regierungsfreundlicher Propaganda vorgeformt. Es war aber beschämend, daß die meisten Generale damals nicht mehr waren als schlichte, wenn auch mitunter etwas besorgte Befehlsempfänger.

Mit Ausländern war es leichter, ernste Gespräche über die europäische Situation zu führen, und ich erinnere mich genau, daß mir der belgische Diplomat Legationsrat Colot anläßlich einer Aussprache sagte, man würde vorläufig gar nichts verhindern können, das ganz große Blutbad käme bestimmt. Ein neues Europa müsse wohl mit Schmerzen geboren werden, und eine Geburt sei eben immer hart und blutig, aber nur so könnte einmal ein vereintes Europa entstehen das auch Bestand habe. Die Staatsmänner auf der ganzen Welt seien ungeeignet für diese Problematik der neuen und kommenden Zeit, und auch Roosevelt, der eine entscheidende Vermittlerrolle hätte spielen können, wäre außenpolitisch ein primitiver Einfaltspinsel. Beachtlich für einen Belgier kurz vor unserem Einmarsch!

Damals erzählte mir Oskar Schlitter, der spätere Botschafter der Bundesrepublik in Athen, er sei Anfang der dreißiger Jahre als junger Attaché an das Generalkonsulat in New York versetzt worden, und sein Vater, der »alte Schlitter«, Direktor der Deutschen Bank, habe ihm aufge-

tragen, in New York gleich seinen alten Freund, den Finanzmann Otto-
kar Kahn zu besuchen. Dieser sei sehr freundlich zu ihm gewesen, habe
sich nach dem Wohlbefinden seines Vaters und alten Freundes erkun-
digt und ihm nach einem köstlichen Lunch erklärt:»Schlitter, mein lieber junger Freund, Sie sind jetzt im diplomatischen Dienst und werden,
wie ich hoffe, Karriere machen. Hierzu brauchen Sie gute Informationen. Ich möchte Ihnen gerne etwas helfen. Sagen Sie Ihrem Vater und
auch Ihrem Chef im Auswärtigen Amt, daß wir (gemeint war klar das
jüdische Establishment) beabsichtigen, einen tüchtigen jungen Mann
des Roosevelt-Clans, also aus bester Familie, verheiratet mit einer Cou-
sine gleichen Familiennamens, zum neuen Präsidenten der USA zu machen. Dieser Franklin Delano Roosevelt ist zwar durch eine Kinderläh-
mung körperlich behindert, aber durchaus talentiert und ungefähr das,
was man sich als Präsidenten wünscht.« Er, Oskar Schlitter, könne bestimmt damit rechnen, daß Franklin Delano Roosevelt Präsident der
Vereinigten Staaten werden würde, und man riskiere nichts, wenn man
ein solches Ereignis schon heute voraussage.
Und so kam es dann auch. Franklin Delano Roosevelt und das Establishment hinter ihm gewannen die Wahl.

Diese Geschichte bewies mir, wie sehr Roosevelt dem jüdischen Establishment in den Vereinigten Staaten verbunden war; daher wäre er für
eine Vermittlerrolle niemals in Frage gekommen. Denn die jüdischen
Kreise der USA verlangten verbittert die Vernichtung des rassistischen
Großdeutschlands. Niemand konnte ihnen das übelnehmen, doch das
bedeutete eben Krieg bis zum bitteren Ende. Nachdem nun Hitler unvorsichtigerweise die Kriegsfackel angezündet hatte, konnte man mit
Bestimmtheit damit rechnen, daß die Vereinigten Staaten nicht nur seine Gegner tatkräftig unterstützen und niemals eine vorzeitige Beendigung des Krieges zulassen würden, sondern auch nach Beendigung der
eigenen Aufrüstung unweigerlich in den Krieg eintreten wollten, um die
letzten Schlachten zu schlagen, zu entscheiden und mitzugewinnen.
Dies war uns allen klar und auch, daß es unter Hitler kein Zurück mehr
gab. Alle Versuche, einen Ausgleich mit dem Dritten Reich herbeizuführen, mußten letzten Endes an dem Veto der USA scheitern. Es
konnte also nur einen Frieden *ohne* Hitler geben. Wenn wir das Reich
retten wollten, mußten wir zusehen, mit der Wehrmacht und womöglich auch mit der Partei das größenwahnsinnig gewordene System für
das Ausland glaubhaft und endgültig, schnell und so schmerzlos wie
möglich in der Versenkung verschwinden zu lassen. Dies klingt heute
einfach, aber damals gab es nur ein kleines Häufchen wohlinformierter
Diplomaten, Wirtschaftsführer und Militärs, die informiert und hell-
sichtig genug für diese Erkenntnis waren.

Wie ich später, nach dem Krieg, erfuhr, hatte Oberst Oster, mein Chef, sich in voller Verzweiflung zu dem wahnsinnigen Schritt entschlossen, Hitlers geplante Offensiven »rechtzeitig« dem Feind mitzuteilen. Dies war ein unbeschreiblich tiefer Fall für einen preußischen Offizier, und es erfüllt mich noch heute mit Grauen, wenn ich daran denke, was dieser Mann innerlich durchgemacht haben muß, und wie weit seine und Dohnanyis Verblendung durch Haß gediehen war. Für uns »normale Verschwörer« wäre ein solcher Schritt niemals in Frage gekommen. Wenn wir geahnt hätten, zu welchen Taten Oster sich hinreißen ließ, es hätte ihn, von Canaris angefangen bis zu uns jungen Leuten in den Büros, wohl jeder augenblicklich aufgefordert mit einer Pistole die einzig mögliche Konsequenz zu ziehen. Wir waren zwar bereit, Hochverrat zu begehen, das Regime zu stürzen, um mit einer starken, intakten Armee einen brauchbaren Frieden aushandeln zu können. Niemals aber wäre uns auch nur der Gedanke gekommen, Landesverrat zu treiben und unsere Armee in das feindliche Feuer laufen zu lassen.

Vielleicht hatte Oster die Hoffnung, durch rechtzeitigen Verrat feindliche Gegenmaßnahmen zu provozieren und so Hitler von einem Angriff abzuschrecken. Aber dies waren Phantastereien, die zeigten, daß er die Absichten weder Hitlers noch unserer Gegner realistisch einzuschätzen wußte. Hitler war wildentschlossen und klug genug, um zu wissen, daß er mit den Feinden keinen Frieden mehr aushandeln konnte nach all dem, was im Osten geschehen oder geplant war. Andererseits aber waren die Alliierten und die Drahtzieher hinter ihnen auch ihrerseits für eine endgültige Lösung der deutschen Frage nach Art des späteren Morgenthau-Plans. Noch hielten sie es für völlig unglaubhaft, daß ein hoher deutscher Offizier, wenn auch tausendmal »Gesinnungstäter«, seine Armee verraten würde. Sie dachten vielmehr, hier handele es sich offenbar um eine neue deutsche Finte, und diese Meinung wurde noch verstärkt durch den sogenannten Venloo-Zwischenfall. Damals im November 1939 hatten einige als deutsche Offiziere und Widerständler getarnte Agenten der SS zwei Mitglieder des englischen Intelligence Service gemeinsam mit einem diesen eng verbundenen Offizier des holländischen Nachrichtendienstes an der Grenze zu Deutschland bei Venloo in eine Falle gelockt, überwältigt und entführt. Dies wurde dann ein Grund mehr für den Westen, in Zukunft zu mißtrauen.

Oster unterhielt seit längerer Zeit beste Beziehungen zum holländischen Militärattaché Oberst Sas. Dieser hatte häufig längere Unterredungen mit Oster in dessen Zimmer, oder beide gingen auch manchmal gemeinsam essen. Ich konnte natürlich nicht ahnen, worüber gesprochen wurde, denn gute Beziehungen zu ausländischen Militärattachés waren für hohe Offiziere der Abwehr durchaus normal und sinnvoll.

400

Wie wir heute wissen, hatte Oster bereits kurz vor dem Einfall in Dänemark und Norwegen erfolglos die Norweger von dem bevorstehenden Einmarsch gewarnt. Diese nahmen solche Mitteilungen nicht ernst und waren wohl auch überzeugt, daß die englischen Freunde sie früher als Hitler »besuchen« würden. Oster wiederholte später sein Spiel mit den Holländern und mit Sass. Der aber glaubte ihm. Hingegen wurde die Nachricht in Den Haag nicht geglaubt, denn man hielt es für ausgeschlossen, daß ein hoher deutscher Offizier, auf den Sas sich bezog, ohne den Namen zu nennen, sich so weit erniedrigen könnte, Landesverrat zu betreiben. Überhaupt waren die Holländer und Belgier durch ständige widersprüchliche Nachrichten über Angriffsabsichten Hitlers völlig durcheinandergebracht. Seit dem Polenkrieg jagte ja eine Information die andere, und in dem Wust von Informationen erkannten die Holländer nun nicht klar die zutreffenden Nachrichten, die aus drei Verratsquellen flossen: Oster, Ciano und Müller über den Vatikan. Mit der Zeit und mit den sich wiederholenden falschen Vorwarnungen glaubte man dann im Haag und Brüssel immer weniger an die Wahrscheinlichkeit eines deutschen Einmarsches. Hierbei war wohl auch der Wunsch der Vater des Gedankens.

Einen besonders verwirrenden Eindruck hatte dann noch die sogenannte Affaire von Mecheln, eine groteske Tragikomödie, hinterlassen. Ich fasse so kurz wie möglich zusammen, was ich damals hörte: Anfang 1940 bekam ein deutscher höherer Offizier den Auftrag, mit einer geheimen Kommandosache über Köln zu den militärischen Befehlszentren an der deutschen Westgrenze zu fahren. Unverständlicherweise sollte dieser Offizier allein fahren, was in Anbetracht des höchst geheimen Materials glatter Wahnsinn war. Es drehte sich nämlich um nichts geringeres als um Aufrufe, die an die Armeen und an die Bevölkerung von Holland, Belgien und Luxemburg im Augenblick des deutschen Einmarsches gerichtet werden sollten. Besagter Offizier besuchte mit seiner Aktenmappe geraume Zeit vor der Abfahrt des D-Zuges ein Lokal, um sich noch in Ruhe ein Abendessen zu genehmigen.

Ein fataler Zufall wollte es, daß er dort mit einem alten Freund zusammentraf, einem Fliegeroffizier, den er sehr lange nicht gesehen hatte. Groß war die Freude des Wiedersehens. Man speiste und trank und wurde guter Dinge. Als die Stunde der Abfahrt herannahte, meinte der befreundete Flieger, es habe doch gar keinen Sinn, mit einem Zug nach Köln zu bummeln, wo man heutzutage viel bequemer fliegen könne; dafür wäre doch am nächsten Morgen noch Zeit. Gesagt, getan. Auf diese Weise wurde der gemütliche Abend nicht unterbrochen, vielmehr fand er seine vergnügliche alkoholische Ausdehnung. Frühmorgens dann bestieg unser Freund und Kurier das vom hilfreichen Kameraden pilotierte Flugzeug, und in bester Laune flog man westwärts – aber leider flog man etwas zu weit, denn unser wackerer Pilot war aus begreiflichen Gründen mit seinem Orientierungssinn nicht mehr ganz auf dem Damm. So verflogen sich die beiden Tüchtigen bei schlechter Sicht, kamen über Belgien und landeten, sich noch immer über Deutschland wähnend, zwecks Bodeninformation und Neuorientierung in der Nähe von Mecheln. Als sie an der Uniform der herbeieilenden Soldaten erkannten, wo sie sich befanden, packte unsere Helden ein gewaltiger Schreck, und sie versuchten pflichtgemäß, Akten und Flugzeug mittels Feuer zu vernichten. Dergleichen gelang – wie immer, wenn es nötig ist – in der Eile leider nicht. Schon waren die wachsamen belgischen Krieger am Zeug und führten die unfreiwilligen deutschen Besucher zur nächsten Kommandodienststelle. Es war kalt, und ein gemütlicher Eisenofen bullerte in dieser Bude. Als nun das Verhör begann, und der Moment günstig schien, riß unser Geheimkurier die auf dem Tisch liegenden Papiere durch einen gelungenen Überraschungsangriff wieder an sich und stopfte sie flugs in den lodernden Ofen. Doch mutig wie Mutius Scaevola entriß jetzt wieder der belgische Offizier das heiße Geheimmaterial den Flammen und rettete damit die nur leicht angekohlten corpora delicti für die Weltgeschichte. Jetzt stand es 1 : 0 für Belgien. Schnell erkannte man dort die Brisanz dieser Dokumente und raste damit erst zum Armeekommandanten, dann zum Ministerpräsidenten und schließlich zum König selbst. Diese drei obersten Chefs beratschlagten nun hin und her, während die unglücklichen Deutschen aufs peinlichste weiter verhört wurden. Was sollte man nur tun, um das Dritte Reich nicht zu reizen? Schließlich entschied der König, diese Papiere, ob sie nun echt oder nur dunkler Nazi-List entsprungen waren, nach Deutschland zurückzusenden und die ganze Angelegenheit diskret zu übergehen, um auf solche Weise den guten Willen Belgiens zu dokumentieren. Soviel ich mich erinnere, wurden die beiden Akteure des Dramas umgehend nach Deutschland zurückgeschickt. Sie haben dort vor dem Kriegsgericht kein Erbarmen gefunden.

Diese Affaire ist dann aber doch nicht ganz geheim geblieben. Sie hat sehr bald auch in Holland und Luxemburg Nervosität hervorgerufen, obwohl man auch dort nicht die ganze Tragweite erfassen wollte. Natürlich gab es nach Mecheln auch ein gewaltiges Donnerwetter bei uns, und die Geheimhaltungsvorschriften und ähnliches wurden wieder einmal »schärfstens verschärft«.

Auf das Jahresende zu wurden unsere Beziehungen mit Italien, das sich bombastisch hinter eine »Nichtkriegführung« oder »Non-Belligerenza« zurückgezogen hatte, immer lauer, und die Russophilie Ribbentrops, der Ciano überflüssigerweise erzählt hatte, er habe sich bei den Herren im Kreml wie unter alten Parteigenossen gefühlt, tat bei den Faschisten alter Gattung ein übriges. Während der ganzen Zeit vor dem Angriff im Westen hatte ich immer wieder versucht, die Stellung Ribbentrops, der für jeden brauchbaren Frieden untragbar war, zu erschüttern. Ich zog Fäden, wo ich nur konnte, informierte Leute aus Militär und Wirtschaft über die Unfähigkeit dieses verhängnisvollen Jasagers und lieferte auch viele Beweise dazu, damit man ja nicht glauben sollte, es handle sich hier etwa um persönliche Racheakte eines ehemaligen Mitarbeiters, der eine verdächtige Angelsächsin heiraten wollte. Es war kein Kunststück, diese Männer zu überzeugen, doch brachte das so gut wie keinen Effekt. Nun einmal im Kriege, betrachtete Hitler seinen Außenminister bestenfalls als einen Sekretär und als williges primitiv gehorsames Werkzeug. Nach außen hin verteidigte er freilich den von allen Seiten angegriffenen Ribbentrop, den weder die alte Oberschicht noch die Generation der alten Kämpfer mochten. Bald mußte ich aber einsehen, daß Propaganda gegen Ribbentrop in der dritten und vierten Garnitur ganz ohne Erfolg blieb. Deshalb verlegte ich mich darauf, wo immer ich konnte, die zweite Garnitur zu informieren. Das waren also höchste SS-Führer, Gauleiter und Reichsstatthalter. Mit Seyss-Inquart zum Beispiel hatte ich ein langes Gespräch im Hotel Kaiserhof in Berlin. Ich war da wohl zu unvorsichtig, als ich erklärte, der Krieg werde noch Jahre dauern, wenn nicht sofort Entscheidendes geschehe, und auf lange Sicht könne er bei dem unabwendbaren Eingreifen der gesamten angelsächsischen Welt niemals gewonnen werden. Seyss hört sich diese Ausführungen ruhig an, protestierte auch nicht, als ich ihm sagte, daß ich ihn für den geeigneten Nachfolger Ribbentrops hielte, aber als ich am Schluß bemerkte, der ganze Krieg wäre von Anfang an ein verantwortungsloser Unsinn und in keiner Weise notwendig gewesen, entließ er mich mit kurzen, scharf warnenden Worten und sagte, es stünde mir nicht zu, den Führer zu kritisieren. In Anbetracht meiner alten Verdienste aber wolle er die Unterredung vergessen.

Durch dieses Erlebnis gewitzt, ging ich bei Baldur von Schirach etwas klüger vor und pirschte mich an dessen Adjutanten Wieshofer heran, den ich leicht dafür begeistern konnte, seinen Chef für Außenpolitik zu interessieren. Am besten aber gelang die Fühlungnahme mit dem steirischen Gauleiter Uiberreither, dessen engster Landsmann ich war. Uiberreither war ein intelligenter, korrekter, energischer und relativ junger Mann. Er ließ sich alles sagen, mit ihm konnte ich ohne weiters auch in Details gehen. Er teilte meine Ansicht, daß militärische Angelegenheiten bei den Norddeutschen stets gut aufgehoben seien, daß aber die Außenpolitik mehr dem Süden des Reiches vorbehalten bleiben sollte.

Allein, alle diese Aktionen waren sinnlos geworden, als Hitler Anfang Mai 1940 im Westen angriff und an Maas und Mosel seinen Rubicon überschritt. Jetzt gab es kein Zurück mehr. All die zahlreichen Friedensfühler, die immer wieder über Schweden, Holland, ja sogar über England, die Schweiz und Spanien ausgestreckt worden waren, waren nun samt und sonders Makulatur geworden. Jetzt ging es aufs Ganze, und das war kein »drôle de guerre« mehr, das war harter, moderner Blitz- und Bewegungskrieg. Eine ungeheure Massierung von Panzern knackte die französische Verteidigungslinie durch die angeblich unwegsamen Ardennenwälder. Diese Stelle hatten Hitler und Marschall Rundstedt ganz allein entgegen der allgemeinen Ansicht der Generale gewählt. Gleichzeitig schwenkte der rechte Flügel mit Wucht über Holland und Belgien in Richtung Calais. Die bei Sedan konzentrierten gewaltigen Panzermassen breiteten sich nach dem Durchbruch fächerförmig von Ost über Süd nach West aus und packten die französischen Befestigungen und das französisch-englische Heer im Rücken. Binnen weniger Wochen endete dieser Feldzug mit einem spektakulären Sieg Hitlers. Während die sich überschlagenden Nachrichten vom Westfeldzug bei uns eintrafen, benahm sich Oberst Oster eher verzweifelt. Zuerst hoffte er auf die Maginotlinie, dann auf die französische Artillerie mit ihren 7,5 cm Feldkanonen, und schließlich mußte dieser Wunschpessimist zum Vergnügen von Dohnanyi und mir kapitulieren. Dabei verlor er eine Wette, die ihn dazu verdonnerte, uns auf Austern und Sekt in den Gardekavallerieklub einzuladen und selbst zur gleichen Zeit nur ein einfaches Stammgericht mit Wasser einzunehmen. Dohnanyi und ich hatten ihm einen Erfolg Hitlers vorausgesagt. Doch Oster ertrug seine Niederlage nach außen mit Humor. Das allgemeine Geschehen muß ihn aber doch tief getroffen haben, denn wir wissen zwar erst heute, daß Oster über den holländischen Militärattaché Sas die Angriffspläne im Westen mit genauem Datum, Uhrzeit und Einzelheiten wiederholt verraten hatte! Er glaubte, seine Ehre für eine gute Sache opfern zu müssen und hatte schließlich nichts erreicht, als vermehrte, sinnlose Blutopfer. Da Sas, als man seine Mitteilungen im Haag wieder einmal nicht ernst nahm, in seiner Verzweiflung während der letzten Stunden seine Warnungen telefonisch schon fast im Klartext durchgegeben hatte, wußte man bereits am nächsten Tag in der Reichskanzlei von diesem ungeheuerlichen Verrat, und Hitler war mit Recht außer sich. Ein Ukas jagte nun den anderen, niemand dürfe in Zukunft von geheimen Kommandosachen mehr erfahren als unbedingt notwendig. Man habe mit niemandem außer mit seinem Vorgesetzten darüber zu sprechen usw. Die Abwehr aber glich in jenen Tagen einem aufgeregten Bienenhaus. Später erfuhren wir noch durch Akten und Telegramme, die im belgischen Außenministerium in Brüssel gefunden wurden, daß ein zweiter und dritter Verrat (Ciano, Müller) über den Vatikan stattgefunden hatte, so daß sich die Aufregung noch steigerte.

Ich erinnere mich noch genau an die Tage. Die Spannung in der Abwehr war ins fast Unerträgliche gestiegen. Am Tag vor dem Angriff gab mein Freund C. C. Pfuel einen kleinen Cocktail in seiner Bude, zu dem Etzdorf und ich geladen waren. Natürlich war auch Nini de Witt dabei, die strahlende, wunderschöne Gattin des holländischen Gesandten. Sie war an diesem Spätnachmittag außerordentlich gut aufgelegt und verwickelte Pfuel, Etzdorf und mich in eine angeregte Unterhaltung. Bei uns dreien aber wollte keine rechte Stimmung aufkommen, denn wir wußten genau: Ab vier Uhr früh am nächsten Morgen würden die fröhlichen Berliner Tage von Nini einen jähen, traurigen Abschluß finden. Obwohl die Gesandtin auch über Krieg und Politik sprach, ahnte sie nicht im geringsten, was bevorstand. Etzdorf und ich hörten bedrückt zu. Nini fand uns schließlich zu langweilig und suchte sich andere Gesprächspartner. An diesem Abend war der holländische Militärattaché Oberst Sas um neun Uhr telefonisch vor dem unmittelbar bevorstehenden Einmarsch gewarnt worden, wie wir bald wußten. Der Anruf erfolgte von einer Telefonzelle aus und war, wie heute feststeht, von Oberst Oster persönlich erfolgt. Damals ahnte niemand, wer Sas gewarnt hatte, wer also nach dem Angriff auf Norwegen *schon wieder* verraten hatte. Hitler, außer sich, befahl die allerschärfsten Maßnahmen. Es müsse augenblicklich alles darangesetzt werden, den Schurken zu ergreifen. Sämtliche Nachrichtendienststellen der Militärs, der SS und Partei sowie das Forschungsamt Görings arbeiteten sofort mit Hochdruck. Vor allem Oberst Rohleder entfaltete hektische Aktivitäten. Oster und Dohnanyi blieben gelassen und passiv. Der erste Verdacht Rohleders fiel auf einen Korvettenkapitän namens Schellert oder so ähnlich, denn dieser hatte eine holländische Frau. So schnell war man damals mit Verdächtigungen. – Diese Vermutung war natürlich Blödsinn, und Rohleder blamierte sich dabei, wie nicht anders zu erwarten. Die Sprache kam dann auch auf den Legationsrat im Auswärtigen Amt Scheliha, der am Abend vor dem Angriff mit dem belgischen Legationssekretär Colot von einem Dinner nach Hause gefahren war. Seine Frau war aus Wien und ich kannte sie. Ich bremste so gut es ging, denn wir konnten eine Untersuchung gegen alte Beamte des Auswärtigen Amtes auf keinen Fall brauchen. Wahrscheinlich hatte Scheliha dem Belgier Colot gegenüber wieder einmal am Telefon unvorsichtig geschwätzt, das mochte durchaus möglich sein, denn als wir früher einmal gemeinsam bei Trott zu Solz zum Essen eingeladen waren, hatte ich Scheliha schon gewarnt, er solle doch um Gottes Willen vorsichtiger sein, er wäre unangenehm aufgefallen, ich aber hätte die Sache abbiegen können. Scheliha war totenbleich geworden, und ich war über die fulminante Wirkung meiner Warnung erstaunt gewesen. Ich konnte damals doch nicht ahnen, daß Scheliha bereits seit Jahren für die Polen und später auch für die Russen arbeitete. So nahm ich sein Erschrecken als Ausdruck seiner bekannten Nervosität. Er sah auch immer geheimnisvoll aus wie Dr. Mabuse. Schließlich faßte er sich, dankte mir mit überschwenglichen Worten und war seit dieser Zeit die Freundlichkeit selbst.

Der Verräter der Offensive blieb also ein Geheimnis, das nur Sas kannte und das er erst nach dem Krieg aufklärte. Ich aber wurde damals das Gefühl nie los, daß irgendeiner unserer Gruppe da am Werke sein könnte, vielleicht irgend eine Randfigur. Der Gedanke, daß es Oster selbst sein könnte, kam mir nicht im entferntesten.

Die Greuelnachrichten, die jetzt ohne Unterlaß in unserem Büro einliefen – Massenfüsilierungen, Vergasung Verrückter, Abschlachtung von Polen und Juden, unglaubliche Fälle von Korruption in Staat und Partei, dazu die Nutzlosigkeit der eigenen Bemühungen und die stets wachsende Gefahr – dies alles hatte bei Oster, Dr. Müller, Gisevius und vor allem Dohnanyi einen geradezu alttestamentarischen Haß gegen alles Braune hervorgerufen. Man wollte in diesem Punkt keine Unterschiede mehr kennen und primitive Schwarz-Weiß-Malerei war das Ergebnis. Alles was immer Hitler schaden konnte, schien dieser Fraktion gut und richtig zu sein. Kordt, Weizsäcker, Kummerow, Canaris, Heinz Piekenbrock, Jenke und ich vertraten demgegenüber eine etwas nuanciertere Ansicht. Oft gab es darüber Auseinandersetzungen freundschaftlicher Natur. Ich vertrat dabei die Ansicht, daß man mit dem Feind keinesfalls zusammenarbeiten dürfe, solange die Truppe an der Front kämpfte. Zuerst müsse Hitler durch »Unfall« oder Attentat beseitigt werden, dann aber solle die Wehrmacht mit dem Schwert in der Hand einen würdigen Frieden aushandeln. Deshalb meinte ich, käme nur ein Putsch von oben in Frage. Das namenlose Elend einer Revolution von unten und eines Zusammenbruches dürfe auf keinen Fall riskiert werden.

Es gab damals unter den Widerständlern viele Ansichten und Gruppen mit endlosen theoretischen Diskussionen. In den kommenden Jahren 1941 und 1942 vertrat ich immer vehementer den Standpunkt, man müsse die Aktion auf eine breitere Basis stellen, denn die Generale allein würden kein Wagnis eingehen, und es gäbe auch in der Partei, SA und SS anständige, vernünftige Patrioten, die durchaus bereit seien, die Degeneration des Hitlerismus zu erkennen und harte Konsequenzen daraus zu ziehen. Ich verwies oft auf die jüngere Generation, auf meine idealistischen Altersgenossen, drang aber mit meiner Ansicht nie richtig durch – auch später nicht, als offenbar wurde, daß unsere eigene Basis immer schwächer wurde, weil die Gefahr des »Auffliegens« einerseits durch den Faktor Zeit und andererseits durch unglaubliche Unvorsichtigkeiten stetig im Wachsen war. Oster und vor allem Dohnanyi aber lehnten alle Nazis kategorisch ab. Mein Hinweis, daß auch ich ein alter Nazi sei, daß Gisevius NS-begeistert gewesen war, Helldorf und Nebe sogar hohe Gruppenführer seien, wurde mit der Bemerkung abgetan, hier handle es sich um einige ganz spezielle Ausnahmefälle. Jene Männer, die später energisch auftraten, z. B. Adam Trott zu Solz, waren mit ihren Erkenntnissen damals noch nicht ganz so weit. Trott etwa sagte mir eines Tages, er hoffe noch immer auf einen halben Sieg und halte es nicht für ausgeschlossen, daß die Amerikaner aus dem Krieg herausbleiben könnten. Seine Arbeit im Auswärtigen Amt bestand 1940 darin, den Isolationismus in den USA zu fördern, und er widmete sich dieser Aufgabe durchaus aufrichtig mit Optimismus und Energie. Daß der Krieg auf die Dauer und auf jeden Fall verloren sei, galt nur im Osterkreis und im Kreis um Weizsäcker und Kordt als unumstößliches Dogma. Wir waren nämlich davon überzeugt, daß auch der schönste Friede zu guter Letzt durch Hitler zu Grunde gerichtet werden würde. Im Jahre 1940, nach Frankreichs Debakel, schien eine deutsche Niederlage noch in weiter Ferne. Also blieb, um langes, sinnloses Blutvergießen zu verhindern, nur ein womöglich als Unfall getarntes Attentat mit anschließendem Militärputsch. Hitler muß beseitigt werden, dachte ich immer wieder. Das wäre für Armee, Nation und Reich das Beste! Dohnanyi aber war der Ansicht, daß dies nicht unbedingt notwendig sei. Durch seine Akten glaubte er nach einem Putsch der Marschälle dem Deutschen Volk beweisen zu können, daß der Sturz des ganzen »verbrecherischen« Regimes unumgänglich gewesen sei. Da hatten wir ihn wieder, den typischen deutschen Beamten! .

Doch noch einmal zurück zu den Tagen des Frankreichfeldzuges: Hewel erzählte mir damals, Hitler hätte die Armee bei Dünkirchen gestoppt, damit die englischen Truppen waffenlos und demoralisiert nach Hause gelangen könnten, um dort in unserem Sinne von deutscher Macht und Größe zu künden. Außerdem wollte er nicht, daß Deutsche und Engländer ein Blutbad trenne und eine spätere Zusammenarbeit schwierig, wenn nicht unmöglich mache. Die erst so vorsichtigen Generale waren da ganz anderer Ansicht. Selbst große Skeptiker und Nazifeinde unter der Generalität meinten nun rundweg, Krieg sei Krieg, und es wäre ein kapitaler Fehler, wenn man der eingeschlossenen britischen Armee in Dünkirchen nicht ein Cannae bereite. Ich für meine Person neigte ebenfalls zu dieser Ansicht. Eine gute Tracht Prügel konnten die Engländer gut vertragen und hätten sie auch sportlich kaum übelgenommen, denn schließlich: »war is war«, und sie hatten ihn ja auch selbst gewählt. Für einen Verhandlungsfrieden konnte es nur gut sein, wenn die Engländer etwas vom hohen Roß herunter müßten.

Doch der anglophile Romantiker Hitler ließ die Angriffe der Wehrmacht gegen den Kessel bei Dünkirchen stoppen, und das englische Expeditionsheer entwischte mit allen möglichen Booten und Schiffen, die Patriotismus, Improvisationsgeist und unbürokratisches Vorgehen der englischen Führung herbeigezaubert hatten. Zu unserem Pech aber gelang es der englischen Propaganda in der Folge, diese klare Niederlage sofort in ein Epos britischen Heldenmuts und britischer Zähigkeit umzufunktionieren.

Zur gleichen Zeit gingen in Paris, Amsterdam und Brüssel die Aktendurchsuchungen weiter und brachten einige merkwürdige Dinge zum Vorschein. So unter anderem auch das Protokoll eines Gesprächs, das Prinz Max Hohenlohe mit dem berühmten Schweizer Historiker und Staatsmann Carl Jakob Burckhardt unter Äußerung staatsgefährlicher Ansichten geführt hatte. Letzterer hatte die Ansichten Hohenlohes pünktlich an den Generalstabschef Gamelin in Paris weitergegeben. Schon seit London kannte ich Max Hohenlohe-Langenburg und traf ihn auch zuweilen in Berlin. Später wurde er mein bester, väterlicher Freund. Natürlich ging ich damals unverzüglich zu Canaris und bat ihn, das Schriftstück vernichten zu dürfen. Das genehmigte er, ohne zu zögern. Vorher bat ich noch den Prinzen zu mir und zeigte ihm das Stück, damit er in Zukunft etwas vorsichtiger sein möge.

Auch Illemi, die schöne Baronin Steengracht, die Gattin des späteren Staatssekretärs und engen Mitarbeiters Ribbentrops, zeichnete sich durch Unvorsichtigkeit aus und phantasierte eines Tages gegenüber dem amerikanischen Geschäftsträger Heath über die Möglichkeit eines Einmarsches in die Schweiz. Bald erfuhren wir das, und wir hätten gerne den ribbentrophörigen Steengracht stolpern lassen, doch aus Sympathie für die arme Dame und nach einigen sachlichen Überlegungen versprachen wir uns nichts davon als unnötigen Ärger mit dem Auswärtigen Amt.

Noch eine amüsante Geschichte im Zusammenhang mit dem stürmischen Vormarsch unserer Truppen nach Dünkirchen: Unsere Panzerspitzen überraschten in der Normandie die englischen Krieger manchmal beim Tee, beim Whisky, in Liegestühlen und auf Fußballplätzen. Sie waren nichtsahnend und wurden oft völlig überrumpelt. Ähnliches passierte auch dem bekannten humoristischen Schriftsteller P. G. Wodehouse, dem Schöpfer der Gestalt des unvergleichlichen Butlers Jeeves, »who was a gentleman's first gentleman«. Woodhouse befand sich damals auf Urlaub in der Normandie. Als er eines Tages den gewohnten Spaziergang mit seiner Gattin absolvierte, packte diese ihn plötzlich am Arm und sagte:»Darling, don't look there. I think the Germans are coming!« And really, the Germans were coming! Woodhouse wurde geschnappt, und nachdem man festgestellt hatte, wer er war, als eine in England besonders beliebte Person einer liebenswürdigen Sonderbehandlung zugeführt. Er bekam alles, was er wollte, und unser großartiger Übersetzer, Gesandter Paul Schmidt, bearbeitete und interviewte ihn sehr geschickt. Bald hatte er ihn überredet, im deutschen Rundfunk »einige kurze Grüße an seine englischen Leser« zu richten, nur »damit diese wüßten, daß er wohlauf sei«. Hier aber hatte sich Woodhouse verrechnet, und die englische Presse fiel gnadenlos über ihn her. Die TIMES schrieb damals z. B. einen Leitartikel mit der Überschrift:»Not very good, Mr. Jeeves«. So verliefen unsere Hoffnungen auf eine günstige Propaganda im Sande. England – an Niederlagen von alters her gewöhnt, stets im Vertrauen darauf, die letzte Schlacht sicher zu gewinnen – wollte von Hitler definitiv nichts mehr wissen. John Bull vertraute auf die wachsenden Rüstungen in seinem Weltreich und die gewaltige, absolut sichere Hilfe Amerikas. Das war zumindest die offizielle alliierte Version.

Doch wurden auch auf westlicher Seite einige Geister schwach. Der belgische Sozialistenführer Spaak und einflußreiche französische Kreise pirschten sich heran, um zu sehen, ob man mit dem siegreichen Deutschland reden könnte und am Ende gar ein Ausgleich möglich wäre. So ganz aussichtslos für uns schien nämlich damals die Situation nicht. Die Niederlage Frankreichs, der Zusammenbruch Hollands und Belgiens, die großartigen Erfolge in Dänemark und Norwegen hatten tiefen Eindruck hinterlassen, und so manche Königshäuser schienen bereit, Deutschland ihre guten Dienste zu einer Vermittlung anzubieten, wenn sie auch heutzutage noch so stramm tun. Doch bei uns gab man sich großspurig, und Ribbentrop schwatzte wie üblich seinen protzigen Unfug. Also war es den Hintermännern Churchills und Roosevelts ein leichtes, dem Volk ihre Durchhalteparolen zu verkaufen.

Des Empires Unglücksrabe Churchill wurde nun definitiv der große Mann.

Wieder einmal hatten wir versäumt, mit taktvollen kleinen diplomatischen Schritten über Vermittlung europäisch gesinnter Kreise Friedensfühler auszustrecken. Aber im großartigen »Blabla« pampiger Siegeskundgebungen war kein Platz für Fingerspitzengefühl und Vernunft. Gerade in Frankreich hätte man Chancen gehabt, und der einflußreiche Repräsentant der Marine, Admiral Darlan, stand nicht alleine mit seiner antibritischen Einstellung. Durchwegs war man in Gallien wieder einmal schlecht auf England zu sprechen, da der Einsatz der englischen

Luftwaffe nur kümmerlich, und der Abzug des englischen Expeditions-
heeres egoistisch und jämmerlich gewesen war. Dazu kommt noch, daß
die traditionsgemäß anglophobe französische Marine nach dem mörde-
rischen Angriff der britischen Flotte auf die französische Flotte bei Mers
el Kebir durchaus bereit gewesen wäre, mit Deutschland gegen England
in den Krieg zu ziehen. In Frankreich gab es damals kaum Haß gegen
Deutschland, da sich die deutschen Truppen wesentlich besser benommen hatten, als man infolge der eigenen Propaganda befürchtet hatte.
Die erstklassige und korrekte Haltung der deutschen Panzerspitzen hatte vielmehr einen hervorragenden Eindruck hinterlassen, und das Wort
vom bösen Boche war vergessen. Doch Hitler vergab auch diese Chance
und unterstützte sogar spanische und vor allem italienische Aspiratio-
nen in Europa und Afrika gegen Frankreich. Er hatte seinen Machiavelli leider nur schlecht studiert, der da sagt, daß man nach Einnahme einer
Burg sich am besten mit dem Besiegten verbünde, denn die eigenen
Bundesgenossen könne man praktisch nie zufriedenstellen, während
der Besiegte, der nur Schlechtes erwartet, für jede Hilfe empfänglich,
dankbar und dann auch einigermaßen verläßlich sei. Nun, die Geschichte gab auch hier dem genialen Florentiner recht. Italien und Spanien stellten unglaubliche Forderungen und leisteten letztlich nichts.
Die zurückgewiesenen Franzosen aber schwenkten beleidigt bald wieder auf die angelsächsische Linie ein, während Italien im Oktober seinen lächerlichen und erfolglosen Krieg gegen Griechenland begann und
Deutschland fatale Probleme aufhalste. Ein Bündnis des Reichs mit
Frankreich hätte Roosevelt absolut das Konzept verdorben. Doch bald
kamen von dort böse Nachrichten. Unseren Erzfeinden in USA gelang
es, ihn am 5. November 1940 zum dritten Male zum Wahlsieg zu führen.
Auch mit unseren Beziehungen zu Rußland stand es nicht mehr zum besten. Stalin, erschreckt durch die überraschenden Erfolge Deutschlands, zeigte nach Annektierung der drei baltischen Randstaaten Estland, Lettland und Litauen ein unangenehm erhöhtes Interesse für den
Balkan und Bulgarien und forderte sogar Beteiligung an einer Donau-
konferenz. Als Molotow dann Mitte November nach Berlin kam, traten
die russischen Interessen mit Stoßrichtung auf die Dardanellen und das
Mittelmeer peinlich klar zutage. Das deutsch-russische Verhältnis wurde nun kühl und ungut. Nach jenen Tagen entschloß sich Hitler endgültig, Rußland anzugreifen, da er an einen Erfolg einer deutschen Landung in England nie richtig geglaubt hatte und meinte, er müsse den
Endkampf mit den angelsächsischen Weltreichen, gestützt auf die Roh-
stoff- und Menschenreserven des Ostens, führen. Sicherlich eine logische Überlegung, die freilich von einer Fehleinschätzung der Schlagkraft der Roten Armee ausging.

Für die Gruppe um Canaris und Oster gab es im Jahre 1940 nicht viel Neues. Die Generale waren kaum ansprechbar. Vom Oberbefehlshaber des Heeres, Brauchitsch, konnten wir nichts erwarten und die anderen Generale standen noch stramm unter dem Eindruck des gewaltigen Sieges über Frankreich. Zu allem Überfluß wurden für die Zeit nach dem Endsieg Rittergüter und Titel vertraulich in Aussicht gestellt. Der Osterkreis saß jetzt absolut auf dem Trockenen. So machte man weiter mit der Dokumentensammlerei und mit den konspirativen Zusammenkünften, mal bei Herbert Göring, mal bei Horcher, mal beim Gesandten Kiep. Gisevius war stets dabei. Einmal kam sogar Schacht zu Herbert Göring. Ich unterhielt mich länger mit dem Finanzgenie, ja er brachte mich mit seinem Auto nach Hause und trank bei mir noch einige Schnäpse. Beim Abschied versprach er mir eine glänzende Zukunft unter seiner Leitung.

Solche Versprechungen waren mir ziemlich gleichgültig. Mich konnte man nicht ködern. Das einzige, was ich wollte, war Frieden, Frieden und nichts als Frieden für unser Europa. Alle meine Illusionen und Hoffnungen waren zerbrochen, das großdeutsche Reich in einen hoffnungslosen, nicht absehbaren Krieg verwickelt, meine Begeisterung für Hitler und sein Werk verflogen, auch mein Glaube an die Einsicht der Wehrmacht beim Teufel. Auch meine Hoffnungen auf den Kreis um Oster schwanden dahin. Canaris selbst hielt sich immer abseits und ließ Oster lediglich gewähren. An Osters Eignung aber zweifelte ich. Seine Unvorsichtigkeit und seine Blindwütigkeit gingen nicht nur mir auf die Nerven, sie schockten auch die Generale, während ich Dohnanyis riskante Sammlerwut und seinen blinden Haß auf alles, was mit Nazis zu tun hatte, übertrieben und unzweckmäßig fand.

Bei Zusammenkünften mit Beck, Herbert Göring, Kiep, Moltke, Trott und Yorck erzählte man sich stets die gleichen Geschichten. Man versicherte sich der gegenseitigen Wertschätzung und des gemeinsamen Entsetzens über die Dinge, die passierten. Doch kam bei solchen Unterhaltungen nichts heraus. Im Gegenteil. Jede der Zusammenkünfte bedeutete nur ein neues, erhöhtes Risiko. Mein Freund und Mentor Kordt war verbittert, seit man ihm die verlangte Bombe nicht besorgt hatte, weil »dieses Heer nicht einmal imstande war, ein paar lumpige Pfund Sprengstoff außer der Reihe und ohne Dienstweg herbeizuschaffen«!

Manchmal verfiel ich in tiefe Traurigkeit und Pessimismus, dann wieder stürzte ich mich in den Trubel und die vielen Vergnügungen des noch immer vorhandenen gesellschaftlichen Lebens. Wir waren eine junge, lebenshungrige Gruppe und versuchten, das Leben zu genießen so gut wir konnten, denn darüber, was die Zukunft bringen würde, waren wir uns durchaus einig. Von Regierungsseite her wurde ein normales, friedensmäßiges Leben in Berlin damals noch aus propagandistischen Gründen durchaus gewünscht und ermöglicht, um die »souveräne Siegesgewißheit einer Großmacht« zu zeigen. Goebbels und Göring, beide keine Kostverächter, lagen ganz auf dieser Linie fern vom totalen Krieg!

Bei Oster war damals kaum mehr los, als der tägliche Trott. Morgens kam zuerst die Auswertung der Chi-Nachrichten der ausländischen Sender, der dechiffrierten Telegramme und der »braunen Vögel« von Görings Forschungsamt mit ihren Abhörberichten usw. Da erschien eines Tages nach dem Sieg im Westen Oberst Rohleder mit mehreren »braunen Vögeln« bei mir und bat mich, ihm zu sagen, ob ich die darin vorkommenden Personen kenne. Es handle sich um Leute aus dem diplomatischen Dienst. Natürlich kannte ich die meisten Leute und konnte ihm gerne helfen, denn es stand nichts Wesentliches in dem Bericht. Langsam kam Rohleder heraus mit der Sprache und bat mich, ihm bei der Suche nach dem Schuldigen oder den Schuldigen an dem Verrat der Westoffensive zu helfen, er sei noch weiter auf der Fährte. Da ich für diese Tat überhaupt kein Verständnis hatte und sie abscheulich fand, war ich grundsätzlich bereit, erklärte aber, ich müsse erst meinen Chef Oberst Oster fragen, ob ich in seinem, Rohleders Ressort 3 F, mitarbeiten dürfe. Rohleder, der zu mir sehr freundlich war, verstand dies sofort.

Anschließend ging ich also zu Oberst Oster und bat ihn, mir diese Arbeit für Oberst Rohleder zu gestatten. Oster sah mich erst groß an und meinte dann, er hielte das für sinnlos. Ich solle Rohleder ruhig »alleine weitermachen lassen«. Als ich insistierte, meinte er: »Ja, was haben Sie denn davon?« Worauf ich entgegnete, daß wir ja im Juni gesehen hätten, wie der erste Verdacht auf einen armen Marineoffizier mit einer ausländischen Frau gefallen war, und ich mit meiner englischen Verlobten grundsätzlich gegen jede Verdächtigung ausländischer Frauen sehr allergisch sei. Oster erklärte nun, er verstehe dies gut, doch er glaube nicht, daß ich da viel verhindern könne. Der gute Rohleder möge nur ruhig weiter im dunkeln tappen. »Bitte, lassen Sie nur die Hände davon!«

Ich hierauf: »Ich sehe das nicht ein, Herr Oberst, denn ich fürchte, daß Rohleder, der anscheinend Täter unter der Berliner Gesellschaft vermutet, sehr, sehr viel Unheil anrichten könnte.«

Doch Oster bezweifelte dies und fragte mich wieder: »Sagen Sie mir, mein Lieber, was haben Sie eigentlich davon, wenn Sie sich in so eine Sache einmischen?«

Ich entgegnete, bei diesem Fall handle es sich nicht um Opposition, Kritik oder Hochverrat, sondern schlicht um gemeinen Landesverrat, und es wäre mir geradezu ein Anliegen, an der Verfolgung eines solchen Schurken teilzunehmen. Da sah mich Oster erstaunt und mit etwas traurigen Augen lange an und sagte schließlich, mich duzend: »Na, von mir aus, dann mach mal, mein Lieber.«

Nun ging ich wieder zu Rohleder und sichtete in den folgenden Wochen umfangreiches Material. Dabei kam nichts heraus als unwesentlicher Cocktailklatsch, und soweit ich damals erfuhr, verlief die ganze Untersuchung bald im Sande. Meine ehrliche Entrüstung über diesen Verrat mußte Oster, der mich gut leiden konnte, tief getroffen haben. Ich bin überzeugt, daß ihm seine Tat durchaus nicht leichtgefallen war, und er dabei als preußischer Offizier unendlich gelitten haben muß. Oster lebte den schaurigen Problemen gegenüber etwas über seine geistigen Verhältnisse und hatte einfach nicht das Format, Schicksal zu spielen.

Gott sei Dank stellte sich bald heraus, daß der arme Korvettenkapitän mit seiner holländischen Frau vollkommen unschuldig war. Rohleder aber pirschte sich, wie ich später erfuhr, systematisch immer näher an die wahren Schuldigen heran. Doch davon wurde mir vorerst nichts bekannt. Auch Canaris mußte etwas gemerkt haben, denn ich erinnere mich genau, daß er nicht nur einmal halb ernst, halb im Spaß sagte: »Kinder, ihr treibt mir doch keinen Landesverrat!«

Worauf wir natürlich antworteten: »Aber nein, Herr Admiral, niemals!«

Darauf er: »Na, dann ist es schon gut. Macht nur mal, es wird sowieso nichts nützen. Erst muß Deutschland sühnen, erst dann kann es wieder hochkommen. So läßt sich das Schicksal nicht durch kleine Tricks oder Putsche korrigieren.«

Dies war seine tiefchristliche Ansicht, die Altersweisheit eines Patrioten, der in seiner Jugend als Mitglied der ultranationalistischen Feme-Organisation »Konsul« Revolverattentaten, Putschen und Handstreichen durchaus nicht abgeneigt gewesen war.

Der Sieg über Frankreich hatte militärisch sicherlich eine neue Lage gebracht, doch außenpolitisch kamen wir keinen Schritt weiter. Die Italiener erwiesen sich in jeder Hinsicht als Belastung. Als Vermittler kamen sie nicht mehr in Frage, seit sie durch ihren feig verspäteten Kriegseintritt gegen das am Boden liegende Frankreich mit Recht den Abscheu der zivilisierten Welt hervorgerufen hatten. Die Jämmerlichkeit ihrer militärischen Aktion an den savoyischen Alpen hatte das Gelächter militärischer Fachkreise zur Folge. Unser »mächtiger faschistischer Freund« stand daher bald tief im Kurs, und sein Versagen ließ Böses ahnen.

Hitler hoffte noch immer auf eine Verständigung mit England. Doch alle seine verspätet frommen Wünsche nützten nichts, da Churchill, Halifax und Chamberlain ablehnten, mit ihm auch nur zu verhandeln. Doch vielleicht wäre damals das Britische Empire, das Deutsche Reich und das Leben von abermillionen Soldaten, Zivilisten und natürlich auch des Großteils der Juden noch zu retten gewesen.

Innenpolitisch war nach dem Frankreich-Feldzug die Stellung Hitlers natürlich wieder enorm gefestigt. Die Generale waren sprachlos! Widerständler erwiesen sich als absolute Mangelware, und unter den hohen Militärs grassierte das Verlangen nach Beförderung, Orden und Rittergütern. Noch im Herbst 1940 jagte ein gesellschaftliches Ereignis das andere. Sehr amüsant eine Einladung bei den Dörnbergs mit General Udet, dem weltberühmten Kunstflieger. Der Generalluftzeugmeister war sehr aufgekratzt, und auf die Frage der italienischen Botschafterin Elena Attolico, welcher Feind für Flieger wohl am gefährlichsten sei, erklärte er unter allgemeinem Gelächter, das Schlimmste für einen Kampfflieger wäre das ungezielte Bodenfeuer von einer Kompanie besoffener Feldköche. Überhaupt war Udet ein glänzender Unterhalter. Er zeigte uns lustig kolorierte Karikaturen von Fliegern in verschiedenen Situationen, die er selbst gezeichnet hatte. Leider erwies es sich, daß Udet die deutsche Luftrüstung schlecht geleitet hatte und als ernsthafter Organisator überfordert war. Nach der verlorenen Schlacht um England und der zunehmenden Kritik an ihm, verübte der General Ende 1941 Selbstmord. Nach dem Kriege wurde er Vorbild für Zuckmayers Theaterstück »Des Teufels General«.

Noch stand Deutschland international hoch im Kurs, und die Neutralen buhlten um seine Gunst. Aber weder außenpolitisch noch militärisch gab es Fortschritte, die ganze Welt rüstete, und unser Vorsprung wurde stetig kleiner. Natürlich wußte Hitler das. Nachdem Churchills Paukenschlag durch die blutige Vernichtung einer französischen Flotte bei Mers el Kebir den englischen Kampfeswillen selbst gegen den alten Verbündeten Frankreich demonstriert hatte, versuchte Hitler, das deutsch-russische Verhältnis zu klären. Entweder beschränkte sich Rußland mit seinen Expansionsgelüsten auf Mittelsüdasien und ließ Finnland, Bulgarien, die Dardanellen, die Türkei und das Mittelmeer in Ruhe, gestand außerdem Japan die Vorherrschaft im Fernen Osten zu, oder man müßte versuchen, womöglich gemeinsam mit Japan das Sowjetreich zu zerschmettern beziehungsweise in seine natürlichen Bestandteile zu zerlegen. Nach dem Gelingen eines solchen Planes könnten wir dann, den Rücken im Osten durch Land, Leute, Material, Raum und eine Landverbindung mit Japan gestärkt, die Angelsachsen in das ihnen zugedachte Herrschaftsgebiet der Ozeane zurückzwingen. Im November 1940 wurde Molotow nach Berlin gebeten und in diesem Sinne unterrichtet. Er bestand jedoch, wie zu erwarten, auf freier Hand in

414

Finnland und Bulgarien und neuerdings auch an den Dardanellen sowie auf Rückkauf der japanischen Konzessionen im russischen Nordteil von Sachalin. Hitler seinerseits verlangte den Beitritt Rußlands zum Dreimächtepakt. So war die Verhandlungsatmosphäre eisig. Molotow, der aussah und handelte wie ein russischer Mathematikprofessor, ließ sich von Ribbentrops Tiraden in keiner Weise beeindrucken, und Ende November lehnten die Russen in einer Note den Beitritt zum Dreimächtepakt definitiv ab. Wenn die Sowjets damals Zeit gewinnen wollten, bis sich die kapitalistischen Mächte gegenseitig zerfleischt hatten, so hatten sie zu hart gepokert. Die Verstärkung längs der deutsch-russischen Demarkationslinie durch zahlreiche Sowjetdivisionen zeugte auch nicht gerade von friedlichen Absichten. Also gab Hitler im folgenden Dezember die Weisung Nr. 21 für den Fall eines deutsches Angriffes gegen die Sowjetunion vor Beendigung des Krieges gegen England, mit dem Tarnnamen »Fall Barbarossa«. Der deutsch-russische Krieg war wohl nicht mehr aufzuhalten. Doch wer wußte davon? Wir im Canaris-Laden erfuhren davon jedenfalls erst im Spätwinter 1940/41.

Während des Molotow-Besuches passierten verschiedene recht typische Vorfälle und Geschichten. Der sowjetische Außenminister wurde durch Dörnberg mit dem deutschen Sonderzug an der Narew-Weichsel-San-Linie abgeholt. Die Russen wollten aber partout nicht im deutschen Speisewagen essen. Sie besorgten sich trotz der dadurch hervorgerufenen dreistündigen Verzögerung einen eigenen Normalspur-Speisewagen aus Estland. Überhaupt lehnten sie Speisen und Getränke deutscher Herkunft bis auf Selterswasser ab. Die Zugführer, Lokomotivführer und Kondukteure waren alle hohe Ministerialbeamte des KGB. Der angebliche Chef der siebzig Mann starken Geheimpolizeieskorte war ein nichtssagender Zeitgenosse. Der eigentliche Chef aber war als einfacher Begleitsoldat verkleidet.

Ein vorbereitetes Abendessen mit der deutschen Empfangsdelegation, darunter der deutsche Botschafter aus Moskau, Graf Schulenburg, wurde ebenfalls abgelehnt. Alles Deutsche schien den Sowjets unheimlich. Wahrscheinlich vermuteten sie Drogen. Sollten sie schon damals auf diesem Gebiet Erfahrungen gehabt haben?

Molotow selbst war ein kleinbürgerlicher, etwas mißtrauischer Typ, der schon am Anfang reserviert war und dann gegen Schluß immer mißmutiger wurde. Der deutsche Ablenkungsvorschlag, Rußland solle sich in Richtung Indien ausdehnen, wurde sofort vom Tisch gewischt und überhaupt nicht ernst genommen. Doch in Protokollfragen verließen sich die Russen gerne auf die Deutschen. So erbaten sie für das Essen in der Sowjetbotschaft eine deutsche Sitzordnung und forderten beim Protokoll sogar Bezugsscheine für sechs Zylinderhüte für ihre Beamten an.

Während des Dinners in der russischen Botschaft bombardierten dann die Engländer prompt und tüchtig Berlin. Hitler wurde sehr nervös und ließ dreimal in der russischen Botschaft anrufen, um sich zu vergewissern, daß auch wirklich jedermann in den Luftschutzkeller gegangen war. Überhaupt war Hitler in der Folge bei Besuchen ausländischer Staatsmänner immer sehr besorgt, daß ja keiner bei einem alliierten Bombenangriff zu Schaden komme.

Ganz besonders interessant war, daß die Russen erstaunlich wenig Ahnung vom deutschen Partei- und Staatsgefüge hatten – wahrscheinlich deshalb, weil sie damals die deutschen kommunistischen Emigranten bereits eingesperrt oder liquidiert hatten. Jedenfalls bestand Molotow auf einem Besuch bei Heß, dessen Einfluß und Stellung er absolut überschätzte. Deutscherseits war man erstaunt darüber, daß er für einen so unwichtigen Besuch neben Unterredungen mit Hitler, Göring und Ribbentrop überhaupt noch Zeit hatte. Anscheinend hielt er Heß für einen richtigen Stellvertreter des Führers und für den »obersten Parteisekretär« – eine nach Moskauer Sprachgebrauch überaus wichtige Persönlichkeit, was der gute Heß ganz bestimmt nicht war. Denn er war nur in reinen Parteiangelegenheiten ein Stellvertreter des Führers. Die Partei aber stand damals sowohl außen- als auch innenpolitisch völlig unter dem Diktat Hitlers und seiner allerengsten Mitarbeiter, sie hatte praktisch kein Eigenleben mehr, und Heß war de facto machtlos. Daher war auch die Unterhaltung zwischen Heß und Molotow eher komisch, und Heß erwies sich als kaum informiert. So redete man also aneinander vorbei.

Kurz zuvor hatte im Laufe des Oktobers Hitler mit Laval und Pétain und anschließend darauf mit Franco und Serrano Suñer recht einseitige Redeschlachten absolviert und unter tüchtiger Assistenz von Ribbentrop sowohl Fäden zerrissen als auch unnötig Porzellan zerschlagen. Mit Frankreich kam man nur deshalb nicht zu Rande, weil man ja auf italienische und spanische Expansionsgelüste in Afrika Rücksicht nehmen wollte. Mit Franco dagegen wurde Hitler nicht einig, weil der Caudillo den deutscherseits geplanten Sturm auf Gibraltar und die Schließung des Mittelmeeres wegen des damit verbundenen Risikos und der noch ungefestigten innenpolitischen Lage nicht mitmachen wollte. Franco konnte und durfte seinem Volk nicht einen neuen Krieg und ein neues Abenteuer zumuten. Er war überhaupt ein bauernschlauer, vorsichtiger Patriarch, der von phantastischen Träumen gar nichts hielt, also eher ein Sancho Pansa, als ein Don Quichotte. Hitler litt später noch lange unter dem Eindruck dieser ergebnislosen »Gummi-Unterredungen« mit den Spaniern.

Doch schon sorgten Mussolini und Ciano für Abwechslung und eine sehr peinliche Überraschung. Ohne Hitler rechtzeitig zu informieren, schlug der Duce, durch Ciano angestiftet, von Albanien aus gegen Griechenland los. Allein die italienischen Heldentaten hielten sich im üblichen Rahmen, denn zur allgemeinen Überraschung wehrten sich die Griechen tapfer und schlugen schließlich die Italiener in die Flucht.

In Berlin erzählte man sich damals, daß die verbitterten französischen Soldaten an der savoyisch-italienischen Demarkationslinie große Warntafeln aufgestellt hatten mit folgendem, witzigen Text: »Arrêtez-vous, Messieurs les Grecs, ici commence la France!« (Die Herren Griechen werden gebeten anzuhalten. Hier beginnt Frankreich.) Doch nicht lange, denn auf wütende italienische Proteste hin mußten diese Tafeln wieder entfernt werden.

Das Leben in Berlin lief noch immer fast so ab wie im tiefsten Frieden, abgesehen von den Luftangriffen, und eine Einladung folgte der anderen. Man betäubte sozusagen die unterschwelligen Sorgen über die Zukunft. Die Luftangriffe waren natürlich noch längst nicht so heftig wie in den späteren Jahren, aber viele Freunde verloren schon damals Wohnung und Habe. Ganz Berlin war in Dunkelheit getaucht, am Horizont sah man die Scheinwerfer schwenken, auf der Straße fuhren Autos mit Blaulicht und hasteten Fußgänger mit blauverhüllten, handbetriebenen, schnarrenden Dynamo-Taschenlampen. Wenn die Sirenen heulten, machte jeder, daß er schnell nach Hause, zu Freunden oder in den nächstbesten Luftschutzkeller kam. Dann bellte und knallte ein Teil unserer Flak, es klingelten schrill die ersten herunterfallenden Granatsplitter auf dem harten Asphalt. Dann kam das Brummen der Flugzeuge, das erregte Ballern aller Geschütze, das Abtasten des Himmels durch Scheinwerfer und die sogenannten »Christbäume«. Das waren von alliierten Flugzeugen abgeworfene riesige Magnesiumfackeln an Fallschirmen, um Zielräume abzustecken. Nach dem Inferno des Bombardements und dem Abflug der Bomber gab es endlich Entwarnung und damit Erleichterung. Nun waren erst die Schäden und Brände zu begutachten. Dann aber hasteten wir so schnell wie möglich ins Bett.

Mitunter passierten bei den Bombardements auch komische Dinge. Da hatte ein Freund von der spanischen Botschaft ein Schäferstündchen mit einer allumschwärmten Schönheit der Berliner Gesellschaft im Eden-Hotel, und das Erlebnis dieser Nacht muß so überwältigend gewesen sein, daß der gute Mann und seine Dulcinea die schweren Bombentreffer gegenüber im zoologischen Garten und in der anderen Hälfte des Eden-Hotels nicht einmal merkten. Als der greise Botschafter am nächsten Morgen aufgeregt herbeieilte, um seinen tüchtigen Mitarbeiter in den Trümmern zu suchen, fand er im heilen Trakt die Türe züchtig verschlossen. Zur großen Erleichterung seiner Exzellenz erschien der junge Diplomat verschlafen mit seiner charmanten Begleitung und zeigte sich sichtlich etwas verstört angesichts der Verwüstungen.

Der fatale Ausgang des Krieges erschien immer unabwendbarer, wenn auch die Kriegslage nicht ohne Lichtblicke war, obgleich sich immer noch subtile politische Möglichkeiten anboten, so schien doch die geistige Haltung der Führung plump und hoffnungslos, und so stand ein Ausgleich zwischen Hitler und den Angelsachsen bald völlig jenseits aller Möglichkeiten. Es kam weder zu einer Landung in England, also zu der Aktion »Seelöwe«, wie das so schön hieß, noch gelang es, die englische Luftwaffe in der gewaltigen Luftschlacht um England niederzukämpfen. Die schweren Bombardements schufen tiefen Haß, der durch das Wissen um die Polengreuel noch verstärkt wurde. Und die Bedrohung durch die immer schneller anlaufende Rüstung des britischen Weltreiches und Amerikas wurden täglich größer. In England hatten die »Appeasers« ihren Einfluß verloren. Chamberlain war gestorben, Halifax hatte nichts mehr zu sagen und der unbeugsame Churchill schickte sich an, das Empire zu Grunde zu siegen.

Leider war die Zeit für eine Aktion gegen unseren »größten Feldherrn aller Zeiten« noch immer nicht reif, und die hohen Militärs, noch von den Siegen berauscht, wiesen gerne darauf hin, daß weder die Truppe noch die Bevölkerung zur Zeit bei einer Aktion mitmachen würden. Man könne daher erst nach einem *Rückschlag* etwas unternehmen. Diese schon sattsam bekannte »Rückschlagtheorie« war in aller Munde und für die hohen Herren des Militärs eigentlich recht bequem. Doch nur sie hatten die Macht, »oben« etwas zu ändern, und so bemühten wir uns ständig weiter, sie mit Informationen sowohl über die Lage im Ausland als auch im Inland zu beliefern. Letzteres wohl ganz besonders, denn blind konnten sie natürlich weder planen noch handeln. Daher war die Nachrichtenbeschaffung die Voraussetzung für eine konspirative Aktion. Doch wie unverantwortlich war es, daß man nicht nur schriftliche Aufzeichnungen machte, sondern diese auch noch so formulierte, daß die Quelle der Nachrichten zu erkennen war, ja in den meisten Fällen sogar genannt wurde!

Kordt hatte, verbittert über die Unentschlossenheit der Generale, seiner Versetzung nach Tokio keinen Widerstand entgegengesetzt und bereitete emsig die Abreise vor. Er war durchaus entschlossen gewesen, sich zu opfern, und hatte ja durch mich vergeblich bei den Militärs eine Bombe angefordert, um sich selbst mit dem Führer in die Luft zu jagen. Nun aber packte er enttäuscht und in Eile seine Koffer, denn er mußte mit der transsibirischen Bahn fahren – ein Vorhaben, das er nicht mehr lange hinausschieben konnte, denn die deutsch-russischen Beziehungen wurden ja zunehmend kühler. Wir alle waren über seinen Weggang traurig. Er war ein geistreicher und verläßlicher Freund, selbst wenn wir nicht immer der gleichen Ansicht waren. Als er am 2. April 1941 schließlich abreiste, waren zu seiner Verabschiedung so ziemlich alle Widerständler und Kritikaster auf dem Bahnhof erschienen. Eine tüchtige Gestapo hätte nur Notizen und Photos machen müssen. Dazu waren sie aber anscheinend nicht fähig.

Auch die Engländer waren denkbar uneffizient. Eine herrliche Chance bot ihnen das Haus der Abwehr. Dies war ein altes Berliner Zinshaus, dessen Fußböden durch zahlreiche Panzer- und Stahlschränke bis zum Bersten belastet und gespannt waren. Ein gewöhnlicher Koffer mit einer Zeitbombe, beim Portier im Erdgeschoß »nur für ein paar Minuten abgestellt«, hätte das ganze Haus in einen sich selbst zerstampfenden Trümmerhaufen verwandeln können.

Als ich im Frühjahr 1941 in Rom zu tun hatte, erlebte ich wieder einmal Ciano und Anfuso, seinen sizilianischen Kabinettschef, persönlich. Bei dieser Gelegenheit ergab es sich, daß wir uns mit Otto von Bismarck zusammen in einem öffentlichen Kino den neuen Film »Jud Süß« ansahen. Ciano fand diesen Film primitiv und schimpfte vor sich hin. Überhaupt machte er aus seinem Herzen auch vor Bismarck und mir keine Mördergrube und kritisierte Ribbentrop, dessen »nichtssagende Fischaugen« er schrecklich fand und den er für »pericolosamente« dumm und eingebildet hielt. Zumindest die letztgenannte Unart teilte er freilich mit seinem deutschen Kollegen.

Zur gleichen Zeit kriselte es wieder einmal auf dem Balkan. Am 27. März hatte ein Militärputsch in Belgrad unsere Freunde aus dem Amt verjagt, und am 6. April gab es dann in der Folge einen neuen Krieg, diesmal in Jugoslawien und Griechenland, und in den deutsch-sowjetischen Beziehungen standen die Zeichen auf Sturm.

Der deutsche Militärattaché in Moskau, General Köstring, und unser Botschafter Schulenburg äußerten immer wieder in Memoranden schwerste Bedenken gegen einen Angriff auf Rußland. Auch Japan warnte auf asiatisch feine Weise, indem es am 13. April einen japanisch-sowjetischen Neutralitätspakt unterzeichnete. Canaris sandte mich damals zu Staatssekretär Weizsäcker, um ihn zu befragen, was er vom geplanten Angriff auf Rußland halte. Weizsäcker antwortete mir mit einer Gegenfrage, ob denn der Admiral einen solchen Angriff für aussichtsreich hielte. Ich bejahte auftragsgemäß. Canaris war nämlich der Ansicht, daß ein schnellgeführter, kräftiger Schlag die Sowjetmacht möglicherweise zum Einsturz bringen könnte. Er vertraute dabei auf die Hilfe der Ukrainer, zu denen er gute Fäden gesponnen hatte und auf die Unzufriedenheit anderer durch die Bolschewiken unterjochter Völkerschaften. Weizsäcker entgegnete mir, er teile diese Ansicht nicht und

erinnerte an das russische Sprichwort: »Wohin rollst du, Äpfelchen?«
Er hielt das Unternehmen vielmehr für sehr gewagt und bat, wie ich
mich genau erinnere, ich möge dem Admiral sagen, daß er Wetter und
Raum für entscheidende Faktoren halte, und ein solcher Krieg gegen
das riesige Sowjetreich letzten Endes durch »Tonnenkilometer« entschieden würde, d. h. die Nachschubprobleme den Feldzug zum Nachteil Deutschlands entscheiden könnten.

Bedrückt ging ich zum Admiral zurück, der nachdenklich seufzte, dem
aber ein Kampf gegen die Bolschewiken zehnmal sympathischer war,
als der verdammte Krieg gegen die Westmächte. Auch hoffte Canaris,
daß Hitler auf diese Weise mehr in die Abhängigkeit der Militärs kommen würde. So war jedenfalls mein Eindruck damals.

Auch Stalin gab sichtbare Zeichen. Als er Mitte April Matsuoka, den
japanischen Außenminister, nach Unterzeichnung des Paktes, persönlich auf dem Bahnhof verabschiedete, sah er dort auch den deutschen
Militärattaché General Köstring, lief stracks auf ihn zu, umarmte ihn
und sagte: »Köstring, Köstring, wir müssen doch immer Freunde bleiben.« Köstring war tief beeindruckt und berichtete sofort eindringlich
warnend nach Berlin.

Nachdem Kordt aus meiner Wohnung am Kurfürstendamm ausgezogen
war, vermietete ich diese Wohnung an den sehr sympathischen italienischen Marineattaché und dessen reizende Frau. Ich selbst blieb in der
Wohnung am Lützowufer. Als ich Anfang Mai nach einem Wochenende auf dem Wannsee am Montag früh total uninformiert ins Büro kam,
überfielen mich Oster und Dohnanyi mit der Bombennachricht, daß
Heß nach England geflogen war. Ich glaubte zuerst kein Wort und wollte mich nicht verulken lassen. Aber die Radioabhörberichte aus dem
Ausland belehrten mich eines besseren. Wir waren einfach platt! Oster
jubelte und erhoffte sich eine entscheidende Schwächung des Regimes.
Er sandte mich sofort auf Informationsbesuche zu Parteigrößen. Nach
ein paar Tagen sah ich auch Hewel, der mir von der Wirkung dieser
Nachricht auf dem Obersalzberg erzählte: Hitler habe etwas gelangweilt einen langen Brief geöffnet, den ihm gerade der Adjutant von Heß
gebracht hatte. Er las ihn mehrmals, steckte ihn wieder weg und starrte
vor sich hin. Plötzlich schrie er: »Aus! Alle Gauleiter und Reichsleiter
sollen sofort kommen. Wenn so was ein Unteroffizier macht, wird er
gnadenlos erschossen. Aber daß der Heß so etwas tut, das ist einfach
nicht zu fassen, das ist zum Wahnsinnigwerden!«

Erregt erklärte er seinen Mitarbeitern, darunter Hewel, was sich zugetragen hatte. Nun war guter Rat teuer. Heß, ein ehemaliger Militärflie-
ger, hatte sich trotz Hitlers Verbot, weiter Flugsport zu treiben, bei
Messerschmidt eine Jagdmaschine geborgt, hatte mit ihr geübt und war

dann, ohne irgendwen außer seinen engsten Mitarbeitern ins Vertrauen zu ziehen, nach England geflogen, um dort den Duke of Hamilton aufzusuchen, den er von Frontkämpfertreffen her kannte. Über diesen und das Establishment wollte Heß Verhandlungen mit den englischen Staatsmännern aufnehmen, wollte den Engländern ins Gewissen reden, den unglücklichen germanischen Bruderkrieg im Hinblick auf die wachsende bolschewistische Gefahr doch zu beenden. Das war ein durchaus nobler Gedanke, nur undurchführbar angesichts der Unversöhnlichkeit Churchills, der bereits völlig unter dem Einfluß Roosevelts und der amerikanischen Finanzkreise stand. Heß hatte schon seit langem unter dem Krieg gelitten und auch nicht mit Selbstvorwürfen gespart, daß ausgerechnet er gegen den zaudernden Hitler, den unglückseligen Kriegstreiber Ribbentrop als Außenminister durchgesetzt hatte, noch dazu mit dem Argument, es sei der Wunsch der gesamten »Parteibasis«. Auch hatte sich um Heß, der in Alexandria englische Schulen besucht hatte, ein anglophiler Kreis unter der Leitung von Professor Albrecht Haushofer, dem Sohn des berühmten Geopolitikers gebildet, dem auch Gauleiter Bohle nicht fern stand.

Im übrigen: Professor Haushofer war Mitglied der Dienststelle Ribbentrop und, nebenbei gesagt, »Halbarier«, ausgerüstet mit Hitlers wundertätigem »Persilschein« wie so manch andere auch.

Heß war immer ein bißchen ein idealistischer Phantast gewesen, aber ein Mann von untadeligem Ruf, der keine Orden akzeptierte und in einer normalen Wohnung wohnte, kurz: ein Beispiel an Korrektheit und Bescheidenheit. Ich erfuhr bald über Hewel, daß es sich um eine von Haushofer inspirierte Einzelaktion und gewissermaßen um eine »messianische Tat« handelte: Hitler sei falsch von Ribbentrop informiert, und da es ihm, Heß, nicht gelungen war, den Führer umzustimmen, müsse er daher fürs erste auf eigene Faust handeln und selbständig im Sinne Hitlers die deutsch-englische Versöhnung zustande bringen. Daher, so dachte Heß, müsse er seine eigene Person, Stellung und Zukunft zunächst einmal opfern und sich waffenlos, allein und selbstlos, aber dadurch um so überzeugender, in die Hand des Feindes begeben. So würden ihm dann sogar die hartgesottensten Zweifler Respekt und Glauben schenken müssen. Auch brachte er eine überwältigende Neuigkeit mit. Der Kreuzzug gegen die Bolschewiken sei in Bälde unvermeidlich! Da müßten doch alle Germanen zusammenhalten.

Doch Heß hatte Pech. Ein europäischer Messias war nicht mehr gefragt, weder auf dem Obersalzberg, noch in Downingstreet und schon gar nicht bei dem von Morgenthauern umgebenen Roosevelt.

Ribbentrop frohlockte! Er hatte Heß seit Jahren nicht mehr leiden können, »diesen Englandfreund und Friedensapostel«. Hitler war außer sich. Ribbentrop benützte diese Aufregung, um schnell seinen Günstling Luther zum Unterstaatssekretär zu machen, indem er diesen unbeliebten Aufsteiger nun als armes Opfer von Heß hinstellte. Auch Himmler gelangen bei dieser Gelegenheit ein paar Schritte vorwärts auf dem Wege zur Verbreiterung seiner Hausmacht, und Bormann, dieser Gewaltmensch, rückte als Chef der Parteikanzlei definitiv an die Spitze und wurde de facto Nachfolger von Heß.

Heute ist die ganze Angelegenheit den Engländern peinlich, aber dennoch geben sie nicht die Hand dazu, Heß durch eine Hintertür entwischen zu lassen. So könnte John Bull einem Mann späte Gerechtigkeit widerfahren lassen, an dessen persönlicher Redlichkeit nicht zu zweifeln ist. Doch nein, erst unlängst wurde die Sperrfrist für die Veröffentlichung seiner Akten bis zum Jahre 2017 verlängert! Da müssen wohl einige der ach so demokratisch liberalen und christlichen Mitglieder des Establishments ein schlechtes Gewissen haben.

Die Feldzüge gegen Jugoslawien und Griechenland – letztendlich große Erfolge der britischen Diplomatie – waren bald vorbei. Doch für uns hatten sie die fatale Folge, daß unser Angriff auf Rußland um genau einen Monat, vom 21. Mai auf den 21. Juni verschoben werden mußte. So blieben die deutschen Angriffsspitzen später vor Moskau in Schlamm, Eis und Schnee stecken, und die Chance des Davids Deutschland, den Goliath Rußland im ersten Ansturm zu werfen, war endgültig vertan. Die Folgen kennen wir.

In Berlin lichteten sich weiter die Reihen der Fronde, das heißt der zwar hitlerfeindlichen, aber durchaus reichstreuen Patrioten. Hubert Breisky war inzwischen in Portugal an der Gesandtschaft gelandet. Mein Freund Legationssekretär Dr. Erwin Wolf hatte Krach mit dem Unterstaatssekretär Luther bekommen und war nach Chile gegangen. Erich Kordt, mein Spiritus rector, war bereits in Japan installiert. Auch hatten der herannahende Rußlandfeldzug und die allgemeine Frontausweitung bald eine Flut von Gestellungsbefehlen zur Folge. Oster meinte eines Tages, daß es immer schwerer werde, mich im Büro zu halten, aber er wolle unbedingt durchsetzen, daß ich bleiben könne. Doch war ich nicht der gleichen Ansicht. Ich hatte zwar gar keine Lust gehabt, mich in einen unsinnigen Krieg gegen England und Frankreich treiben zu lassen, denn in England war mein Herz und in Frankreich mein Verstand engagiert. Aber mein ganzes Ich gehörte dem geeinten Reich der Deutschen. Ein Krieg gegen den latent aggressiven Bolschewismus schien mir dabei durchaus vertretbar, wenn ich auch unsere russischen Vettern und ihre Kultur bewunderte, ja liebte. Ich wollte mich auf keinen Fall mehr vom Dienst an der Front ausschließen. So sprach ich also mit Major Heinz, der mir anvertraut hatte, daß er an führender Stelle erste Aktionen gegen die Sowjets in der Nähe von Lemberg leiten werde. Ich bat ihn, bei ihm mitmachen zu dürfen, und sprach darüber mit Canaris. Der lachte nur und verbot dies augenblicklich. Er werde mich nicht verheizen lassen, ich könne doch »keine blinde Rotte über einen Rinnstein führen« usw. Bevor ich zu einem Fronteinsatz dürfe, müßte ich auf jeden Fall erst im Regiment Brandenburg eine gründliche Ausbildung erhalten. Ich bat also Oberst Oster, mich für das Regiment Brandenburg freizugeben. Er könne mich ja jederzeit zurückberufen, falls ich irgendwie gebraucht werden sollte.

Oster war erst sauer, weil ich ihn von meinen Unterhaltungen mit Heinz und Canaris nicht informiert hatte, stimmte aber schließlich zu. Ich bat ihn vorher, »meine Akten« zumindest entschärfen zu dürfen, denn ich wolle mit gutem Gewissen meinen Informanten gegenüber in den Krieg ziehen.

Die schreckliche Unvorsichtigkeit des Osterladens lag mir in der Tat schwer im Magen, und wie gesagt, hatten mich auch Kordt und Weizsäcker gebeten, alles uns und unsere Freunde belastende Material rechtzeitig verschwinden zu lassen, falls ich einmal an die Front ginge. So besprach ich also die Angelegenheit diesmal besonders ernst und nachdrücklich mit Oster und Dohnanyi, holte nach deren vager Zustimmung die entsprechenden Akten kurzentschlossen aus den Stahlschränken, um jene Sätze aus den Aufzeichnungen, die Rückschlüsse auf Urheber zuließen, herauszuschneiden. Diese legte ich beiseite, um sie anschließend zu verbrennen. Da kam Dohnanyi zufällig in mein Zimmer, machte einen riesigen Skandal und erklärte, ich vernichtete den eigentlichen Wert dieser Aufzeichnungen. Oster wurde als Schiedsrichter herbeigeholt, und es kam sehr gegen meinen Willen zu einem Kompromiß. Dohnanyi mußte mir sein Ehrenwort geben, die Aufzeichnungen unter Verwendung der herausgeschnittenen Schnitzel zu entschärfen, zu exzerpieren und kondensieren und das von mir Herausgeschnittene anschließend sofort zu vernichten. Feierlich gab mir Dohnanyi in Gegenwart Osters sein Ehrenwort, und ich machte gute Miene zum bösen Spiel.

Bald kam der Abschied. Oster und Dohnanyi gaben mir noch ein Abschiedsessen im Gardekavallerieclub mit meinem Nachfolger, Karl Ludwig Freiherr von Guttenberg. Oster versprach mir zum Schluß, mich kommen zu lassen, falls »echt etwas los sein sollte«.

Mit meinem alten Russischlehrer, Swerbeijew hatte ich ein seelenvolleres Abschiedsgespräch in meiner Wohnung am Lützowufer. Er war ein Altgläubiger, also ein Raskolnik, und auch sonst ein Original. Ende des vorigen Jahrhunderts war er Gouverneur von Tula gewesen und Adelsmarschall oder so etwas Ähnliches. Von der russischen Sprache habe ich bei ihm nicht viel gelernt, doch um so mehr von der russischen Seele. Die Unterrichtsstunden in meiner Parterrewohnung am Lützowufer waren feucht und russisch-romantisch. Ich besorgte hierfür pünktlich Medizinalspiritus, und Swerbeijew veredelte ihn sachkundig zu Wodka. Er schwärmte vom guten alten Rußland, verdammte Peter den Großen als ersten Bolschewiken, haßte den neuen, durch ihn eingeführten Kalender und das verruchte Abschneiden der Bärte. Großartig schilderte er das Landleben im heiligen Mütterchen Rußland, so patriarchalisch mit wohlerzogenen, edlen, lieblich-schönen Töchtern, guten, verläßlichen Freunden, Pferden und Hunden, herrlichen Jagden, köstlichen Fischen, Pilzgerichten und jeder Menge Walderdbeeren. In romantischem Schmerz träumten und tranken wir gemütlich dahin. Als dann die Abschiedsstunde schlug, ließ er mich niederknien, weinte, küßte mich auf die Stirne und segnete mich. Gott weiß, vielleicht war es sein Segen, der mich vor dem Tod in seinem geliebten Rußland bewahrte.

Am 30. Mai 1941 rückte ich als Gefreiter und Offiziersanwärter nach Vöslau zu einer Gebirgsjägerabteilung des Lehrregimentes Brandenburg Z. B. V. 500 ein. Der Dienst war scharf. Wieder einmal fing ich ganz unten an und war nun zum fünften Male Rekrut: das erstemal in der Fliegerschule Thalerhof, das zweitemal in der Heeresschule Enns, das drittemal in Ranis in Thüringen bei der Waffen-SS, das viertemal bei der Flak in der grünen Hölle von Heiligensee bei Berlin und nun das fünftemal in Vöslau. Allerdings wurde ich bald zum Unteroffizier befördert.

Unser Spieß war ein Original. Dauernd machte er Witze, doch wer dann lachte, mußte strafweise ein paar Runden um die Kaserne drehen. Wenn man aber nicht lachte, kam es noch schlimmer. Unser Hauptmann Pinkert war ein erstklassiger Mann: jung, kameradschaftlich und sehr intelligent. Die Truppe liebte ihn. Sechzig Prozent unserer Mannschaft waren Südtiroler, es gab unter uns nur wenige Reichsdeutsche. Die Kameradschaft untereinander war aufrichtig und gemütlich. Manchmal besuchte ich meine Eltern in Wien; einmal auch Harald Prinzhorn in Pitten und zwar genau am 21. Juni 1941. Da wir von der Jagdhütte unmöglich vor dem 22. morgens zurück sein konnten, erzählte ich ihm am Abend, daß wir um 4 Uhr früh in Rußland angreifen würden. Zuerst wollte er es einfach nicht glauben, allerdings als wir von der Hütte ins Tal kamen, dröhnten uns schon durch Lautsprecher die ersten siegreichen, doch so unheilschwangeren Sondermeldungen entgegen. Nun wurde unsere Ausbildung verschärft und beschleunigt. Mit Hauptmann Pinkert verstand ich mich gut. Er war ebenso skeptisch wie ich und erzählte mir, daß er zu seiner besonderen Belustigung gerne den

»Völkischen Beobachter« vom Vorjahr, sichtbar ausgebreitet, lese. Zum Beispiel habe er in diesen Tagen im Omnibus einen Rußland und Molotow hoch lobenden Artikel aus der Zeit des Molotowbesuches gelesen, und so den ganzen Wagen in Aufruhr gebracht, denn der alte »Völkische Beobachter« hatte elegisch von deutsch-russischer Verständigung, Frieden etc. geschwärmt. Hauptmann Pinkert aber habe auf Befragen kurz und militärisch erklärt, das hätte alles nichts zu sagen, er lese nur zufällig eine alte nationalsozialistische Zeitung.

Der Ostfeldzug stürmte also los. Später auch meine Kompanie – wenn auch einstweilen ohne mich. Ich hatte mir bei einer mehrtägigen Übung auf dem Artillerieschießplatz in Bruck a. d. Leitha eine schmerzhafte Unterleibsentzündung zugezogen und landete schließlich bewußtlos im Reservelazarett Grinzing. Langsam bekam man mich wieder auf die Beine, ich fiel aber zunächst für den Heeresdienst an der Front aus, wurde freigestellt und ging noch lange am Stock. Erst zu Hause in Berlin und dann in Untersteyer auf unserem kleinen Gut, wo ich mich bemühte, die Landwirtschaft wieder in Schwung zu bringen, erholte ich mich langsam.

Bei uns arbeiteten dort damals rund zwei Dutzend australische und neuseeländische Gefangene, die sympathisch waren, sich aber nicht überarbeiteten. Ich konnte ihnen dies natürlich kaum übelnehmen, und wir verstanden uns gut. Absichtlich vergaß ich oft im Garten englische Lektüre und Zeitschriften und spielte gerne auf dem Fensterbrett die englischen Platten, die ich noch besaß. Auch die slowenischen Knechte und die Dienerschaft waren vernünftig und damals durchaus zufrieden, wieder zu Österreich zu gehören.

Da kam eines Tages ein junger SS-Führer und wollte verschiedene Leute aus dem Ort wegen Unzuverlässigkeit und »rassischer Minderwertigkeit« aussiedeln. Diese Menschen kamen weinend zu mir, und da ich selbst zwei Ränge höher stand, brüllte ich den Untersturmführer dienstlich an und machte seine Maßnahmen wieder rückgängig. Seit 300 Jahren waren dort die Vorfahren meiner Großmutter erste Bürger gewesen, und es war für mich eine selbstverständliche Pflicht, die slowenischen Mitarbeiter zu retten, obwohl unser Besitz nach dem Ersten Weltkrieg durch Schikanen der Jugoslawen geschmälert und systematisch ruiniert worden war.

Man wird sich mit Recht fragen, warum ich so viel Arbeit auf Untersteyer verwendete und sogar Familieninventar hinunterschleppte. Erstens liebte ich diesen Besitz sehr und hatte zweitens immer noch einen Funken Hoffnung, daß es vielleicht irgendwie doch zu einer europäischen Lösung kommen werde. Zwischen einem Attentat bis zur kalten Abservierung Hitlers bestanden immerhin noch kleine Möglichkeiten. Die berufsmäßigen Schwarz-in-Schwarz-Seher wirkten genauso fatal wie die unentwegten hundertprozentigen Nationalsozialisten. Also werkte ich in Untersteyer weiter, denn wenn die Bolschewisten kommen sollten, so dachte ich mir, dann wäre sowieso alles aus.

In meiner Lazarettzeit in Grinzing hatte ich ein erschütterndes Erlebnis, das mich noch lang beschäftigte. Es dauerte nicht lange, da fluteten zahlreiche Verstümmelte und Verwundete herein. Ich bewunderte den Siegesglauben dieser tapferen Männer. Obwohl ich noch nicht Offizier war, immerhin aber schon Offiziersanwärter, lag ich in einem Zimmer mit einem Hauptmann, der den ganzen Tag Siegeszuversicht trompetete und dabei von früh bis spät das Radio laufen ließ. Durch unbedachte Äußerungen meinerseits kam ich in Schwierigkeiten. Es gelang mir aber, die Sache abzubiegen, da dieser Mann beeindruckt war, daß mich höhere Parteileute, u. a. einmal auch ein Adjutant des Gauleiters besuchte. Gegen Ende der Unterhaltung erzählte mir dieser, daß sein Vater unheilbar geisteskrank sei; er brülle, leide fürchterlich und läge meist gefesselt im Irrenhaus. Nun wolle er seinen Vater noch schnell besuchen, um von ihm Abschied zu nehmen. Der Arme solle am nächsten Tag euthanasiert werden.

Ich war entsetzt und meinte, es wäre doch schauerlich, daß man dem Sohn so etwas zumute. Doch mein Gesprächspartner erwiderte, als Nationalsozialist müsse er solches aufrecht ertragen können: Das Leben seines Vaters habe weder für ihn noch für seine Familie und auch für die Nation keinen Wert mehr. Es wäre im Gegenteil nur eine Belastung; sein geisteskranker Vater leide schrecklich und würde in der jetzigen Notzeit ohne Aussicht auf Besserung einem normalen und nützlichen Kranken den Platz wegnehmen. Ich stimmte nur teilweise zu und sagte, mit der Euthanasierung durchbreche man ein Tabu, eine sehr wichtige Barriere. Denn was man heute unheilbaren Geisteskranken antäte, könnte morgen schon womöglich mit Alten und übermorgen mit politisch Unliebsamen geschehen. Bei dieser Diskussion hatte ich einen schweren Stand, mußte aber die Selbstüberwindung meines Gesprächspartners ehrlich anerkennen. In diesem Zusammenhang muß ich festhalten, daß das Büro Canaris von der Euthanasierung unheilbar Kranker, sei es in Einzelfällen, sei es in Globalaktionen in Anstalten für Geisteskranke, wußte. Ebenfalls wußten wir von fürchterlichen Repressalien in Polen, von Massenerschießungen im Rahmen der Kampfhandlungen oder kurz nach denselben. Von systematischen, ja industriellen Massenvernichtungen von Juden jedoch hatten wir keine Ahnung. Die gab es damals wohl noch nicht, denn wir schrieben noch Herbst 1941. Später erzählte mir Hewel schaudernd, daß es beim Vormarsch in der Ukraine grausam zugehe, und er selbt eine Synagoge gesehen habe, in der eingeschlossene Juden von der Bevölkerung verbrannt worden seien.

Er war entsetzt, fand es grauenhaft, erklärte mir aber dezidiert – und er hatte sicher keinen Grund, mich zu belügen – daß die Unmenschen, die solches verbrochen hatten, der ukrainischen Bevölkerung angehört hätten, die nach dem Abzug der bolschewistischen Truppen Rache an der Judenschaft genommen hatten, welche sie für Ursprung und Stütze des kommunistischen Regimes hielten. Ein großer Teil der Kommissare seien wirklich Juden gewesen, die im kommunistischen Staat und in seiner Wirtschaft leitende Stellen innehatten und tyrannisch regierten. Es handelte sich also laut Hewel um spontane wütende Racheakte und Ausbrüche aufgestauten Hasses gleich nach dem Rückzug der kommunistischen Truppen und lange vor der Einsetzung einer verantwortlichen deutschen Militärverwaltung. Dies erschien plausibel, und heute wissen wir, daß antisemitische Bevölkerungteile in Polen und der Ukraine sich bereitwilligst am großen Holocaust beteiligten – meist in ungesteuerten Privataktionen, die wegen der dabei verübten Grausamkeiten in mehreren Fällen sogar mit Waffengewalt durch die Wehrmachts-Verwaltung unterdrückt werden mußten.

Solange ich engen Kontakt mit der Abwehr, mit Canaris oder mit Oster hatte, war uns jedenfalls von systematischer industrieller Judenvernichtung nichts bekannt. Hätten wir solche Untaten beweisen können, dann wäre es uns möglich gewesen, die hohe Generalität massiver unter moralischen Druck zu setzen, um endlich mit dem Regime Schluß zu machen. Zu meiner Zeit fehlten uns solche schrecklichen Argumente. Früher, als die Euthanasierung von Geisteskranken ruchbar geworden war, hatte die Wehrmacht sofort eingegriffen. Jedenfalls stellten damals Staat und Partei auf höhere Weisung die Euthanasiemaßnahmen zeitweilig ein, obwohl ich durch Hewel erfuhr, daß Hitler durchaus der Ansicht war, man müsse unglückliche, leidende, unheilbar Kranke euthanasieren und mit den eingesparten Geldern lieber arme, erbgesunde Bauernkinder erziehen und studieren lassen.

Von Wiener Parteifreunden erfuhr ich auch, daß die Engländer Flugblätter abwarfen, die dann durch Widerständler gerne bei alten Leuten in den Türschlitz gesteckt wurden. Der Text war ungefähr folgender: »Sie haben ein hohes Alter erreicht, können für Führer und Reich nichts Nützliches mehr tun, wir sind überzeugt, Sie sehen ein, daß Ihr Weiterleben eine Belastung für die großdeutsche Kriegsanstrengung bedeutet. Daher bitten wir Sie höflich und dringend, sich euthanasieren zu lassen. Zu solchem Zweck haben Sie sich auf dem Zentralfriedhof bei der zuständigen Dienststelle zu melden. Mitzubringen sind 5 Mark Gebühren und alte Kleider. Heil Hitler! Der Ortsgruppenleiter. e. h.«

Nach Gesundung und Erholung in Untersteyer fuhr ich wieder nach Berlin zurück und besuchte dort meine alte Dienststelle, obwohl ich ihr direkt nicht mehr unterstand. Es war ein Nachmittag gegen drei Uhr. Niemand war im Büro. Canaris war wieder einmal auf Reisen, Oster und Dohnanyi auswärts unterwegs. Nur im Vorzimmer befand sich die junge Frau von Knobbelsdorf. Sie begrüßte mich herzlich, und eine Zeit lang sprachen wir über belanglose Dinge. Da ich aber seit langem ein ungutes Gefühl bezüglich meiner Akten und der herausgeschnittenen gefährlichen Textstreifen nicht loswerden konnte, wollte ich nun endlich wissen, was damit tatsächlich geschehen war. So bat ich die Sekretärin unvermittelt und ruhig, mir meinen Akt zu bringen, obwohl ich keinerlei Berechtigung dazu hatte. Frau von Knobbelsdorf, gewöhnt, meinen Anordnungen Folge zu leisten, brachte mir die entsprechenden Aktendeckel samt Inhalt, und wie ich befürchtet hatte, waren nicht nur alle meine Berichte, säuberlich geordnet, vorhanden, sondern in einem angehefteten Kuvert befanden sich auch die herausgeschnittenen gefährlichen Streifen, deren unverzügliche Vernichtung mir Dohnanyi in Gegenwart Osters ehrenwörtlich versprochen hatte. Ich war empört! Schließlich erschienen endlich Oster und Dohnanyi im Büro. Nach freundlicher Begrüßung und allgemeinen Redensarten nahm ich das Aktenbündel und legte es gemeinsam mit den zahlreichen herausgeschnittenen Streifen auf den Tisch. Ich bat ebenso höflich wie bestimmt um eine Erklärung darüber, was ein Ehrenwort in unserem Kreise hier überhaupt noch wert sei. Dohnanyi erbleichte und meinte nach anfänglichen Gemeinplätzen über Vergessen, Versehen und Zeitmangel: Ehrenwort hin, Ehrenwort her, er habe dieses Material eben für seinen großen Bericht an die deutsche Nation, mit dem ein Putsch nachträglich gerechtfertigt werden müsse, gebraucht. Er könne da nicht viel Rücksichten auf Ehrenworte und private Geheimhaltungswünsche nehmen. Ich antwortete entsprechend scharf und erklärte, daß auch Kordt und Weizsäcker entsetzt über die Unvorsichtigkeit dieses Büros seien, und wenn nun innerhalb unseres Kreises das Vertrauen durch gebrochene Ehrenwörter und Mißachtung gemeinsamer Absprachen erschüttert werde, dann sei unser Haufen bald nichts mehr wert. Oster empfand die Situation eher peinlich. Er gab mir recht und versprach nach kurzer Durchsicht und einigen Notizen, persönlich innerhalb von 48 Stunden die besagten Papierstreifen zu vernichten. Ich gab mich damit zufrieden und glaube auch, daß er dieses Versprechen erfüllt hat. Zu ihm hatte ich wesentlich mehr Vertrauen als zu Dohnanyi, dem der Haß auf das Regime den Blick für das Risiko trübte. Natürlich hatte er in seiner früheren hohen Stellung beim Reichsjustizminister Gürtner und bei Oster von unendlich vielen Ungerechtigkeiten und

Grausamkeiten aktenmäßig belegt, erfahren. Ja, er sah genauso wie Oster und Canaris auf Grund deren Abwehrarbeit ausschließlich die Schattenseiten des Regimes. Daher auch seine Leidenschaft, Akten über die Sünden des Regimes zu sammeln, die er nur schubweise nach der preußischen Staatsbank und später nach Zossen zu den General-stabs-Safes verlagerte. Aber schon der kleine Rest genügte später für viele Tragödien. Denn aus den meisten Unterlagen waren ohne weite-res die Informanten festzustellen. Dohnanyi aber fühlte sich unter dem Schutz der Wehrmacht absolut sicher und dachte nicht daran, daß die Staatsführung hier einmal direkt eingreifen könnte – dazu war er zu sehr Jurist und gläubiger Beamter. Ich sagte ihm mehrmals, aber immer ver-gebens, er solle doch nicht vergessen, daß Hitler Staatschef und ober-ster Befehlshaber der Wehrmacht sei und daher seine Macht ohne Rücksicht auf bürokratische Grenzen ausüben könne.

Nach diesem Auftritt war natürlich an eine Rückkehr von mir zu Oster und Dohnanyi nicht mehr zu denken, um so mehr, als Guttenberg be-reits meinen Platz eingenommen hatte. Ich wurde also in die Komman-diertenkompanie des OKW versetzt und blieb Unteroffizier, denn ohne Frontbewährung konnte ich noch nicht Leutnant werden. Doch diese Kompanie suchte ich niemals auf. Es war eine rein bürokratische Ein-ordnung, und ich arbeitete für die Abteilung Z als freier Mitarbeiter für die Zeit meiner Frontdienstuntauglichkeit. Ich ging auch oft in mein al-tes Büro, ohne dort einen festen Schreibtisch zu haben.

Nicht selten traf man da interessante Leute und alte Mitarbeiter. An-dererseits ging ich ebenso häufig ins Auswärtige Amt, um mir Infor-mationen zu holen. Die Abende verbrachte ich oft bis tief hinein in die Nacht mit den verschiedensten Persönlichkeiten der Berliner Gesell-schaft und zahlreichen Diplomaten. Bei ihnen verfügte ich noch wegen meines Njet zu Ribbentrop über ein beachtliches Kapital an Sympa-thie. Offiziere, die ich teils im Büro teils gesellschaftlich traf, erzählten mir viel von den verschiedenen Fronten. Darunter war auch Major Heinz, der den Angriff gegen Rußland vom ersten Tage an mitgemacht hatte. Canaris war übrigens damals nicht gut auf diesen Heinz zu spre-chen, denn er hatte für seinen Dackel Waldi eine Gattin besorgt, die nur zweitklassige Nachkommenschaft hervorgebracht hatte, was den Admiral sehr verärgerte. Es war zum Totlachen! Ein so kluger Mensch wie Canaris war dermaßen »doggy«, wie die Engländer sagen, daß er Sympathien und Antipathien zum Maßstab seines Urteils über Men-schen machte. Sonst aber war der Admiral eher altersgütig und hilf-reich.

Doch zurück zu Major Heinz. Dieser erzählte uns üble Geschichten von der Front, so zum Beispiel, daß unter den gigantischen Mengen Kriegsgefangener der Roten Armee, die nach den ersten siegreichen Kessel-schlachten in die Hunderttausende gingen, der Kannibalismus wütete, da die Wehrmacht bei bestem Willen solche Menschenmengen nicht prompt versorgen konnte. Auch war es fast hoffnungslos, in diesen rie-sigen Lagern unter freiem Himmel für eine gerechte Verteilung der be-scheidenen Rationen sorgen zu wollen, denn angesichts der Auflösung jeglicher Disziplin fraßen sich die Stärkeren voll und schlugen die Schwächeren, Älteren und Kranken nieder. Ja, sie öffneten ihnen sogar mit Steinen oder anderen mehr oder weniger scharfen Gegenständen den Leib, um wie der Urmensch Innereien zu verschlingen, Als der Ad-miral einen gewissen sowjetischen General, von dem er wußte, daß er unter den Gefangenen sein mußte, sprechen wollte, kam die Meldung, er sei in einem riesigen Gefangenenlager von brutalen Genossen regel-recht gefressen worden.

Canaris litt enorm unter solchen Nachrichten, denn er war ein zutiefst christlicher, humaner Mensch. Er fürchtete, daß alle diese schreckli-chen Dinge dereinst wie ein Bumerang auf uns zurückfallen würden. Er achtete in der Tat alle seine Mitmenschen, selbst wenn sie seine persön-lichen Feinde waren. Entsprechend war seine Einstellung zu Heydrich, mit dem er dienstlich viel zu tun hatte, mit dem er aber auch privat man-chen Abend verbrachte, um gemeinsam erlesene Speisen zu kochen und um sich auch gleichzeitig gegenseitig gut auszuhören. Dabei wußte Canaris, daß Heydrich, ein ehemaliger Marinekamerad, sein unerbittli-cher und listenreicher Gegenspieler war. Trotzdem schätzte er ihn als Mensch. Dies zeigte sich mir am Tage nach Heydrichs Ermordung durch ein von England gesteuertes tschechisches Kommando. Zufällig traf ich damals den Admiral auf der Stiege im OKW. Er begrüßte mich freundlich wie immer und sagte dann: »Wissen Sie schon, daß Heydrich ermordet wurde?«

Ich darauf: »Na, Gott sei Dank ist dieses Schwein weg.«

Sofort wurde Canaris amtlich, bestellte mich zum Rapport auf sein Zim-mer, sah mich lange traurig an und sagte dann: »Ich verbitte mir solche Ausdrücke. Erstens handelt es sich hier um einen Menschen und um einen Toten und zweitens spricht man so nicht mit einem Admiral! Dan-ke!« Und entließ mich. Da er recht hatte, verließ ich das Zimmer wie ein begossener Pudel und hatte vor dem Menschen Canaris nun noch mehr Respekt als früher.

Gegen Ende 1941 hatte sich unser Verhältnis zu den USA beträchtlich verschlechtert. Es war klar, daß Roosevelt nur auf eine Gelegenheit wartete, um in den Krieg einzutreten. Das »lend-lease«-Abkommen mit den Engländern, die Besetzung von Grönland und Island, das Ein-frieren deutscher Guthaben, die Ausweisung deutscher Konsule, die

Atlantik-Charta und der Schießbefehl auf deutsche Schiffe zeigten unmißverständlich, wessen Partei er ergreifen würde. Auch das Verhältnis zwischen den USA und Japan wurde gespannter. So stand eine gigantische Ausweitung des Krieges unmittelbar bevor. Doch Roosevelt wollte keinen Krieg mit Japan. Ein Herzensanliegen war ihm dagegen der Feldzug gegen Deutschland, dessen Rassismus er zutiefst verabscheute. Doch vorerst hatte er kein Glück, denn aus psychologischen Erwägungen wollte er Deutschland in die Rolle des Angreifers manövrieren. Doch Hitler, der den Kriegseintritt der USA zwar erwartete, wegen des Rußlandfeldzuges aber so weit wie möglich hinausschieben wollte, tat ihm nicht den Gefallen.

Am 7. Dezember griffen die Japaner in Pearl Harbor an. Sie versenkten einen gewaltigen Teil der zu spät gewarnten amerikanischen Pazifikflotte. Seit langem hatte es in Japan Auseinandersetzungen zwischen der »Soya-Partei« und der »Reis-Partei« gegeben. Die »Soya-Partei«, bestehend aus dem Generalstab, der Armee, den Wirtschaftlern der Industrie und den militanten Intellektuellen, wollte einen Vormarsch auf dem Festland gegen Nordchina und eventuell Sibirien, also ins Gebiet der Soyapflanzen. Die Reispartei gedachte im Süden gegen die englischen und holländischen Imperien vorzustoßen, somit in das Gebiet der Reisplantagen. Ihre Anhänger waren die Chefs der japanischen Marine, der Hof, die Aristokratie und das Außenministerium. Die Reispartei gewann Anfang Juli 1941 schließlich die Oberhand, denn Japan wurde von den USA durch wirtschaftlichen Druck und unannehmbare politische Forderungen geradezu in den Krieg getrieben.

Roosevelt und seine Hintermänner frohlockten. Die öffentliche Meinung war für einen Krieg gegen Deutschland noch nicht reif gewesen. Also mußte der Umweg über den leichter zu bekommenden Krieg gegen Japan begangen werden.

Die nationale Empörung und Begeisterung gegen den »feigen Angriff« von Pearl Harbor schlug in den USA prompt hohe Wogen, und Roosevelt hatte seinen Krieg – wenn auch einstweilen anders als erhofft. Aber unfaßlicherweise kam Hitler seinem Intimfeind zu Hilfe und erklärte völlig unnötig den Amerikanern den Krieg, wozu er den Japanern gegenüber in keiner Weise vertraglich verpflichtet war. Anscheinend erhoffte er sich von dieser Demonstration seiner Nibelungentreue eine japanische Kriegserklärung gegen Rußland. Doch in Tokio stand eine solche seit fast einem halben Jahr nicht mehr ernstlich zur Debatte. Hitler bekam einen zumindest vorzeitigen Krieg mit den USA und hatte somit Roosevelts Angelhaken in törichter Weise geschluckt. Der Präsident konnte nun lauthals verkünden, der erste Kriegsschauplatz sei natürlich Europa, Japan werde später dann noch rechtzeitig drankommen.

Hitler war dabei offensichtlich auch ein Opfer systematischer Falschinformation über Amerikas Stärke, vor allem über die Fähigkeit der USA, rapide zu rüsten und mit voller Wucht binnen weniger Jahre auf dem europäischen Kriegsschauplatz zuzuschlagen. Ribbentrops Botschafter Thompson in Washington hatte in seinen Telegrammen nämlich immer nur das berichtet, was man auf dem Obersalzberg gerne hörte: mangelnde amerikanische Kriegsbereitschaft, schlecht anlaufende Rüstung, Isolationismus, große Widerstände im Lande, militärische Unzulänglichkeiten. Das gigantische amerikanische Kriegspotential spielte er in jeder Hinsicht herunter.

Hitler akzeptierte und genoß diese »tapfere« Berichterstattung. Er fand sie sogar beispielhaft, wie mir Hewel haareraufend erzählte. Ja, dieser Botschafter bekam für seinen »Schreibtischmut« sogar allen Ernstes das Ritterkreuz zum Kriegsverdienstkreuz verliehen, statt daß man ihn ins Narrenhaus gesperrt hätte! Ja, wen die Götter vernichten wollen, den schlagen sie mit Blindheit, denn jetzt war er glücklich da, der zweite große Weltkrieg, mit Fronten nach allen Seiten. Deutschland mußte nun alle Lasten allein tragen; seine Freunde und Verbündeten waren nicht gewillt, ihm entschlossen zur Seite zu stehen: Der bauernschlaue Franco dachte nicht daran, mehr zu tun als symbolische Gesten zu zeigen, Japan verfolgte seine eigenen Ziele, und von den Italienern brauchen wir weiter nicht zu reden. Diese Helden bekamen überall Prügel, und die italienische Admiralität, anglophil bis in die Knochen, betrieb sogar via Funk Verrat. Wieder einmal stand der deutsche Recke allein nach dem alten Grundsatz »viel Feind, viel Ehr« in einem Zweifrontenkrieg, den doch Hitler höchstselbst in seinem Buch »Mein Kampf« als unverzeihliche Dummheit abgetan hatte!

Vor allem Weizsäcker war zutiefst erschüttert über die völlig unnötige Kriegserklärung an die USA. Als weitgereister Asienkenner sagte er uns voraus, daß der von Ribbentrop so hochgelobte »Bushidogeist der Japaner« kaum mehr bringen würde, als pompöse Lippenbekenntnisse. Einen Angriff gegen Rußland konnten sich diese damals gar nicht leisten, weil sie mit ihren gewaltigen Vorstößen nach Süden und ihrem verfahrenen Chinakrieg mehr als genug zu tun hatten. Also war es schon allein strategisch ein Unsinn, Roosevelt den Gefallen einer Kriegserklärung zu machen, ohne dafür eine Gegenleistung einhandeln zu können. Hierfür trifft Hitler die volle Schuld.

Das servile Geschwätz Ribbentrops über Amerikas Schwäche und die Verläßlichkeit der japanischen Samurais einerseits, die hanebüchene Berichterstattung Thompsons andererseits, hätte er niemals ernstnehmen dürfen. Wenn wir im Auswärtigen Amt oder im OKW solchen Unsinn lasen, griffen wir uns an den Kopf und fragten uns, wie es möglich sei, daß dieser Mann weiter in Washington bleiben durfte. Doch seine Berichte hörte man in der Reichskanzlei so gerne. Hier unterschlug Ribbentrop kein Telegramm. Ja, da war es schon viel amüsanter zu erfahren, wie feuchtfröhlich in der Pariser japanischen Botschaft der Sieg von Pearl Harbor gefeiert wurde. Das Fest war anscheinend so, daß der japanische Botschaftsrat in seiner Begeisterung aus dem Fenster fiel und sich auf dem Gehsteig den Schädel einschlug – eine Tatsache, die natürlich der Öffentlichkeit amtlich vorenthalten bleiben mußte.

März 1942 zog ich wieder in meine Wohnung am Kurfürstendamm 171, da der italienische stellvertretende Marineattaché nach Rom zurückversetzt wurde. Im April gab es dann große Aufregung, da Nikolaus von Halem wegen Devisenvergehens verhaftet wurde und auch von Dohnanyi Geld für seine Spekulationen bekommen hatte. Doch gelang es Oster und Canaris diesmal noch, Dohnanyi aus der Patsche zu helfen. Halem war ein sehr amüsanter, intelligenter, junger Mann und der beste Hitler-Imitator, den ich je gehört hatte. Wir lachten Tränen, wenn Halem seine Führerreden hielt. Doch bald wurde er von der Gestapo zum Verstummen gebracht.

In Berlin lief das gesellschaftliche Leben auf Sparflamme weiter, doch gab es viel weniger junge Männer. Der Krieg holte sich einen nach dem anderen, und so viele kamen von der Front nie mehr zurück. Damals stieg Hitlers Machtfülle noch immer an, auch die Himmlers und der Parteibonzen. Die Wehrmacht konnte sich nach wie vor zu nichts entschließen. So blieb also nur das Ausspielen von SS, Partei und Hitler gegeneinander. Vielleicht fraßen die sich einmal gegenseitig auf. War nicht die Französische Revolution ein glänzendes Beispiel für solche Theorien? Man mußte also den Ehrgeiz der Paladine anstacheln und tüchtig ins Feuer blasen. Der Versuch, wenigstens die Außenpolitik auf vernünftigere Bahnen zu bringen und konstruktive Lösungen für Europa glaubhaft anzubieten, mußte unternommen werden. In Gebirgsjägeruniform und mit meiner makellosen nationalsozialistischen Vergangenheit konnte ich überall vorsprechen. Doch es half alles nichts. Selbst der erhoffte Teilerfolg blieb aus, nämlich ein Kampf zwischen Ribbentropleuten und Parteibürokraten; damit wäre wenigstens die vernünftig gebliebene Diplomatenschicht etwas gestärkt worden. Dazu kam noch, daß nach Kordt auch Etzdorf und Heyden-Rynsch, die altbewährten Verbindungsleute zwischen OKW und dem Auswärtigen Amt, versetzt worden waren. Diese offizielle Verbindung hatte nunmehr ein Herr Krammarz von der Dienststelle des Supernazis Luther übernommen. Daher wußte man jetzt in der Abwehr kaum mehr, was im Auswärtigen Amt wirklich geschah und was dort gekocht wurde.

Da erfuhr ich eines Tages durch meinen Vater, der als berühmter Orthopäde und Kinderarzt seit kurzem bei Frau von Ribbentrop hoch im Kurs stand, diese hätte darüber geklagt, daß ich nicht mehr bei ihrem Mann tätig sei. Meine privaten Probleme hätten sich doch durch den Krieg von selbst erledigt, und ich solle doch wieder ins Auswärtige Amt zurückkommen. Das erzählte ich Oster und Dohnanyi, und beide bedrängten mich, ich müsse diese Gelegenheit unbedingt wahrnehmen und wieder ins Auswärtige Amt einziehen, um auf diese Weise den Informationsfluß wiederherzustellen. Ich hatte dazu zwar wenig Lust, aber Oster und Dohanyi ließen nicht locker, und schließlich verfaßte ich sehr contre-cœur einen Brief an Frau von Ribbentrop, worin ich ihr für die Anregung, wieder im Auswärtigen Amt tätig zu werden, dankte und meine grundsätzliche Bereitschaft zu erkennen gab. Ein ähnliches Schreiben ging an Steengracht, worin ich mitteilte, daß ich infolge meiner Krankheit »g.v.H.«, das heißt nur garnisonsverwendungsfähig-Heimat, wäre, und man über mich verfügen könne etc. Ich ließ aber die Angelegenheit, sehr zur Enttäuschung von Hewel und Oster einschlafen. Inzwischen war ich der Form halber in den Bataillonsstab des Abwehrregiments Brandenburg eingebaut worden. Meine Anregungen, Oster und seine Freunde sollten doch aus Vorsicht vorübergehend jede konspirative Tätigkeit einstellen, bis die Lage günstiger wäre, fanden keinen Anklang. Man empfing weiter mit größter Offenheit und Seelenruhe alle möglichen und unmöglichen Unzufriedenen und baute die geheime Dokumentensammlung weiter aus. Ein Machtwort Hitlers, des obersten beschworenen Befehlshabers, und die ganze Abwehr wäre damals schon geplatzt und in »verläßliche« Hände übergegangen, und dies sicherlich ohne Widerstand und stante pede. Die wichtigsten Generale waren nun doch weit weg, saturiert und emsig mit dem Siegen beschäftigt. Andererseits hatten Himmler, die Gestapo und der Sicherheitsdienst das Hinterland fest in ihrer Hand, und der berühmte Rückschlag, den die Generale so oft herbeiunkten blieb vorläufig aus. In Rußland ging der Vormarsch zügig weiter, und Rommel siegte elegant fern in Afrika.

Auch Dohnanyi war skeptisch geworden. Mit ihm zusammen gewann ich wieder einmal eine Wette gegen Oster, der diesmal die baldige Einnahme von Alexandria durch Rommel prophezeite. Doch Dohnanyi, Kummerow und ich verneinten die Möglichkeit eines durchschlagenden Sieges in Nordafrika.

Schon 1941, als ich bei den Bismarcks in Rom war, hatte mich Attolico vor einer Überschätzung der Kräfte Italiens gewarnt, und ich traf damals auch alte Bekannte aus meiner Studienzeit, die mir dasselbe sagten. Ich schätzte das Ehepaar Attolico, das damals Italien beim Heiligen Stuhl vertrat, besonders. Sie luden mich in jenen Tagen zu einem köstlichen Lunch, dessen Glanzstücke vom Papst geschenkte Kapaune und Kirschen waren. Frau Attolico, schön wie immer, überhäufte mich mit Liebenswürdigkeiten. Mit ihrem Gatten unterhielt ich mich anschließend im herrlichen Garten der Botschaft. Da klagte er mir bewegt sein Leid. Er liebe doch Deutschland, aber dieser Krieg sei vollendeter Wahnsinn, und Italien, miserabel gerüstet, könne nicht kämpfen. Alles wäre reiner Bluff hierzulande, und das endgültige Debakel sei so sicher wie das Amen in der Kirche. Er wisse genau, man habe ihn in Berlin oft als Pazifisten beschimpft. Das stimme aber nicht. »Wenn der Krieg notwendig ist, dann bitte, dann eben Krieg! Ich pfeife auf den Frieden! Aber ein Krieg ohne Grund und ohne Vorbereitung?« Dieser Orlog ginge am Ende bestimmt schief, jedenfalls schlecht für Italien aus. Deshalb solle man um Gottes Willen Italien keine Vorwürfe machen, wenn es schließlich umfalle und alle Viere von sich strecke. Er habe all das in Berlin schon genau vorausgesagt, und deshalb wäre er nach Rom versetzt worden, um dort in der Versenkung zu verschwinden. Persönlich ginge es ihm ja famos, aber er mache sich schreckliche Sorgen um die Zukunft. Man werde bald schon an ihn denken!

Der Krieg weitete sich immer mehr aus, und wir ersiegten uns immer längere Fronten. Die vielen klugen Köpfe in Berlin sahen das wohl und konnten gut meckern, aber zu sagen hatten sie eben absolut nichts, denn nur Mars und Hitler regierten die Stunde in der ersten Hälfte jenes Wende-Jahres 1942.

Spanien

Anfang April 1942 begegnete ich in Berlin wieder einmal Prinz Max zu Hohenlohe. Ich kannte ihn seit Jahren, er war ein hochintelligenter, zäher und schlauer Grandseigneur von bestechendem Charme und er war ein überzeugter Patriot im Sinne des Großdeutschen Reiches alter und neuer Prägung. Seine Jugend verbrachte er auf dem Besitz Rothenhaus im Sudetenland. Anschließend studierte er in Prag und Wien und schloß als Doktor der Staatswissenschaften sein Studium ab. Seinen Militärdienst absolvierte er noch in der kaiserlichen Armee bei den noblen Sechserdragonern in der Umgebung von Wien. Nach tapferem Kriegsdienst wollte er nach dem Zerfall der Monarchie unter keinen Umständen in der tschechischen Armee dienen. Dies befreite ihn zwar nicht von der tschechischen Militärdienstpflicht, kostete ihn aber sofort seinen Offiziersrang. Er hatte nun von den ach so liberalen Tschechen genug und zog es vor, liechtensteinischer Staatsbürger zu werden – das regierende Fürstenhaus dieses Landes ist mit den Hohenlohes verwandt. Durch die tschechische Agrarreform wurde das väterliche Majorat beschnitten, und Max Hohenlohe hatte auch keinen direkten Anspruch auf diesen Besitz, da er der dritte Sohn war. Nach seiner Heirat mit der schönen, reichen Piedita Iturbe, Marquesa de Belvis, Tochter des ehemaligen mexikanischen Botschafters in Madrid, konnte Max seine Geschwister auszahlen. Er übernahm den prachtvollen Besitz Rothenhaus mit der dazugehörigen großen Landwirtschaft, den gewaltigen Wäldern und einem herrlichen fürstlichen Schloß. Das Vermögen der Iturbes war enorm, und Piedita, die alleinige Erbin ihrer wiederverheirateten Mutter, Trinidad Herzogin von Parsent, deren Einfluß in Spanien bei Hof und Regierung bedeutend war.

Das junge Ehepaar Max und Piedita scheute weder Kosten noch Mühen, um ihre großen Besitzungen – Rothenhaus in Böhmen und El Quexigal bei Madrid – auszubauen und einzurichten. Gestützt auf seine Stellung, verzweigte internationale Verbindungen und finanzielle Unabhängigkeit, beschäftigte sich Max Hohenlohe gerne mit der Außenpolitik, wie dies seit dem Mittelalter in seiner Familie Tradition war.

Für ihn war die Schaffung des tschechoslowakischen Vielvölkerstaates ein sträflicher Unsinn, und er hielt es für eine ausgemachte Sache, daß die Sudetendeutschen in Böhmen ihre Autonomie bekommen oder wieder mit dem deutschen Reich vereint werden mußten. Dort hatten sie seit vielen Jahrhunderten ihren angestammten Platz, und schließlich war der König von Böhmen der rangerste Kurfürst des Reiches gewesen. Erst seit dem Raub Schlesiens durch Friedrich II. von Preußen gab es im Königreich Böhmen eine tschechische Bevölkerungsmehrheit.

Seit dem Erstarken des Reiches durch Adolf Hitler hatte Max Hohenlohe Verbindungen zu den wichtigsten westlichen Politikern aufgenommen. Ich erlebte ihn schon in meiner Londoner Zeit, als er dort manchmal unsere Botschaft besuchte. Später traf ich ihn des öfteren gesellschaftlich in Berlin oder bei den Bismarcks in Friedrichsruh. So entstanden Sympathie und Vertrauen zwischen uns beiden. Dazu kam noch, daß wir gleichermaßen für die Ribbentropsche Außenpolitik und den sinnlosen Krieg kein Verständnis aufbrachten. Er machte mir nun das Angebot, mit ihm nach Spanien zu kommen und dort die »Inspektion West« der Skoda- und Brünner Waffenwerke aufzuziehen, unter deren Schutz man auch für eine *richtige* Lösung des heutigen internationalen Wirrwarrs im Sinne des Reiches wirken könne. Die Skodawerke, oder genauer gesagt, die SS, welche die Skodawerke überwachte, hätte ihm für seine Arbeit einen jungen »Sekretär« beigegeben, der sich hauptsächlich damit beschäftige, *ihn* zu überwachen und seine Briefe heimlich zu öffnen. Das wolle er sich auf die Dauer nicht gefallen lassen. Diesen Menschen müsse er loswerden. Da habe ihm Otto Bismarck gesagt, Spitzy hätte vernünftige Ansichten und wäre obendrein für Partei und SS als alter Kämpfer durchaus tragbar, daher der geeignete Mann. Wenn ich wolle, könne er alles arrangieren, und er würde gerne mit mir zusammenarbeiten. Die Skodawerke und die Brünner Waffen AG. waren in der sogenannten »Waffenunion« zusammengefaßt und stellten einen gewaltigen Industrieblock dar, der nicht nur Waffen, sondern auch ganze Industrieanlagen, Schlachthäuser, Brauereien und Spezialapparate bis zu schlichten Trichinoskopen für die Fleischbeschau exportiere. Max Hohenlohe meinte, man könne in Spanien gute Geschäfte machen und hätte gleichzeitig eine hervorragende, reale Tarnung für unsere Friedensarbeit nach dem Westen hin.

Das klang natürlich sehr verlockend, und es paßte mir außerdem ausgezeichnet, daß mein Freund Hubert Breisky schon »dort unten« an der Gesandtschaft in Lissabon wirkte. Nach Rücksprachen mit Oberst Oster und Canaris, der immer schon ein Faible für Spanien hatte, sagte ich Hohenlohe grundsätzlich zu. Oster meinte, diese Lösung wäre für alle Beteiligten durchaus wünschenswert, und ich möge ihm weiter berichten, falls es irgend etwas Besonderes gäbe. Er sorgte nun dafür, daß ich vom Regiment Brandenburg definitiv in die Kommandiertenkompanie des OKW überstellt wurde, um für Spanien als »Unabkömmlicher« u.k. gestellt zu werden.

Es gab aber noch eine schwerere Klippe zu umschiffen, denn die abwehrmäßige Betreuung lag in den Händen des Sicherheitsdienstes der SS. Ich mußte also auch die Einwilligung des SD haben. Aus diesem Grunde sprach ich also dort bei einem Sachbearbeiter vor. Dieser verwies mich an das Reichssicherheitshauptamt der SS, und dort landete ich dann bei einem Sachbearbeiter, der mir tausend Fragen stellte und schließlich erklärte, daß gegen mich neben hervorragenden auch negative Beurteilungen vorlägen. Ich müßte daher zum Chef gehen, und das war SS-Brigadeführer Schellenberg, der Leiter des »Amt VI Ausland« des Reichssicherheitshauptamtes. Ich hatte ihn noch nie gesehen, aber schon viel von ihm gehört. Schellenberg empfing mich freundlich und sachlich. Jung, gutaussehend und intelligent, machte er mir einen positiven Eindruck. Bald ging er auf das Kernproblem los und meinte, meine erste nationalsozialistische Vergangenheit als alter Kämpfer wäre natürlich »sehr in Ordnung«, aber dann hätte ich doch Krach mit »einigen von Oben« gehabt, wäre unter die Kritikaster und Meckerer gegangen und sei schließlich sogar in der Abwehr von Canaris gelandet, was doch sicher ein merkwürdiger Platz für einen SS-Führer wäre.

Ich ging sofort zum Angriff über und erklärte, die Leute von der Abwehr hätten mich eben zuerst geholt und militärisch einberufen. Meine lieben SS-Kameraden hätten sich wenig um mich gekümmert. Von Figuren wie Ribbentrop und dessen Mitarbeitern, die fast alle Neuparteigenossen waren, hätte ich die Nase voll. Dafür gäbe es auch vielfältige Gründe; er möge nur den Adjutanten des Reichsführers-SS, den Hauptsturmführer Hajo Freiherr von Hadeln fragen, der wisse über mich und meine Ansichten »so ziemlich Bescheid«.

Ich konnte damals so frech sein, denn ich wußte, daß Ribbentrop und Himmler wegen Protokollverstößen Luthers wieder einmal Krach hatten. So erklärte ich energisch, daß Kritik wohl erlaubt sei, solange sich Ribbentrop mit Leuten wie Luther umgebe. Im übrigen sei ich ganz offiziell mit einer Engländerin verlobt und gedächte, sie zu heiraten. Wenn dies alles meine Reise nach Spanien verhindere, »gut – dann eben nicht«.

Schellenberg hatte sich – sichtlich zufrieden – meine Ausführungen angehört, beruhigte mich, wurde besonders freundlich und meinte: »Ich darf doch wohl mal fragen!« Er habe aber absolut nichts gegen meine Reise und würde eventuelle »Zacken« schon glattbügeln. Doch das letzte Wort müsse der Reichsführer-SS höchstselbst sprechen. Bei einem Kaliber, wie ich es wohl sei, läge die letzte Entscheidung »nun mal dort oben.«

Wir begannen nun, uns etwas gemütlicher zu unterhalten. Ich zog gegen Ribbentrop vom Leder und natürlich ganz besonders gegen seine anglophobe Politik. Er hätte Hitler nicht nur falsch unterrichtet, sondern auch wichtige Berichte zurückgehalten, und der »Beste aller Hitler« könne bei falscher oder fehlender Information leider nicht immer richtig handeln, das wäre wohl etwas zu viel verlangt. Kurz, ich sagte Schellenberg dasselbe, was ich schon ein Jahr zuvor Hajo von Hadeln beim Horthy-Besuch mitgeteilt hatte. Dergleichen konnte »oben« nicht schaden, wie ich ja aus Erfahrung wußte.

Schellenberg zeigte sich sichtlich interessiert und begann zu meiner freudigen Überraschung, ebenfalls gegen Ribbentrop loszulegen und das in einer Art und Weise, die ich mir nie hätte träumen lassen. Er kannte mich und meinen Fall wohl hundertmal genauer als ich ihn, den Geheimnisvollen.

Nun erzählte ich auch von Hewels ähnlichen Ansichten. Sofort bat er mich, ihn mit diesem gelegentlich zusammenzubringen. Das versprach ich nur zu gerne, das Eis schien gebrochen, und zufrieden zog ich ab. Das Treffen zwischen Hewel und Schellenberg organisierte ich unverzüglich.

Nun folgten zwei bange Wochen, bis endlich Schellenberg Gelegenheit hatte, den Reichsführer-SS wegen meiner Person zu befragen. Himmler erinnerte sich wohlwollend an mich und soll gesagt haben, dieser Spitzy sei ein alter Kämpfer und in Ordnung. Wenn er nun heute kritisch und verbittert sei, so habe dies besondere Gründe, da er ja wegen seiner Verlobung mit einer Engländerin seine Karriere habe aufgeben müssen. Dies müsse man ihm zugute halten. Es wäre daher richtig, ihm in Spanien eine neue Chance zu geben.

Schellenberg war hoch zufrieden, nun den Segen Himmlers zu haben, und bat mich, sogleich in sein Amt VI als Auslandsmitarbeiter einzutreten, um später eventuell in Madrid die Stelle eines »Residenten« zu übernehmen. Ich lehnte natürlich höflich ab und verwies darauf, daß die Abwehr ungefähr dasselbe von mir verlangt habe, und ich auch dort hätte ablehnen müssen. Schellenberg stieß sofort nach und fragte, wie es bei der Abwehr »eigentlich so gewesen wäre«, als ich dort arbeitete. Das war eine unangenehme Gretchenfrage. Doch da ich bereits ein gutes Verhältnis zu Schellenberg gefunden hatte, und wir frei miteinander sprachen, erklärte ich ihm rundheraus: »Bitte, fragen Sie mich nicht über meine vergangene Arbeit im Canarisladen. Ich kann Ihnen anständigerweise nichts darüber berichten. Umgekehrt werde ich aber den Canarisleuten keine Einzelheiten über die Zusammenarbeit mit Ihnen verraten.« Im übrigen hielte ich prinzipiell nichts von Querträgereien! Wichtig sei doch nur, mit dem Wesentlichen weiterzukommen, nämlich zu maßvoller Politik und einer Vorleistung im Sinne einer europäischen Neuordnung zu gelangen.

Schellenberg schien dies alles recht zu sein, und er gab sofort Weisung an den Polizeiattaché SS-Hauptsturmführer Winzer in Madrid, Briefe von mir an ihn stets ungeöffnet und unverzüglich mit Kurier zu befördern und mir überhaupt in jeder Hinsicht hilfreich zur Seite zu stehen. Die Unterredung schloß dann mit treudeutschem Blick und kameradschaftlich festem Handschlag.

Tags darauf berichtete ich Oster und Dohnanyi in groben Zügen, aber kein Jota mehr, denn auch Schellenberg gegenüber mußte ich korrekt handeln und durfte nicht quertragen. Ich war sicherlich in eine schwierige Situation geraten, war aber entschlossen, alles zu riskieren, um die vernünftigen Elemente in Staat und Partei, ja auch die der SS, mit der Wehrmacht und der Fronde zusammenzubringen mit dem einzigen Ziel, einem Frieden näherzukommen. Als ich Oster und Dohnanyi von Schellenberg erzählte, wollten sie zunächst nicht glauben, daß dieser ein vernünftiger Mensch sei, meinten aber gönnerhaft, ich solle mich ruhig mal etwas an Schellenbergs Busen legen, das sei sicherlich interessant, und ich solle sie dann auf dem Laufenden halten.

Noch zweimal mußte ich in jenen Tagen zu Schellenberg. Die Gespräche wurden immer unmißverständlicher. Der SS-Brigadeführer und Chef des Amtes VI des SD erklärte mir schließlich, er säße in einem Laden von Nonvaleurs und Banditen. Er schimpfte auf seinen hohen Kollegen, den »Gestapo-Müller«, und auf andere, daß mir nur so die Ohren sausten. Sein Hauptfeind schien also die eigentliche Gestapo, bzw. das Amt IV zu sein. Dorthin gehörte auch Horst, Hohenlohes Aufpasser. Schellenberg versprach, diesen Mann so schnell wie möglich »abzuservieren«.

Immer wieder versuchte ich in den folgenden Tagen Oster zu bewegen, mit Schellenberg bessere Beziehungen aufzunehmen. Doch der Oberst lehnte dies stets strikt ab. Diese SS-ler seien alle Schweine. Ich verwies auf meine Person und den Obergruppenführer Nebe, der sein Intimus sei. Oster aber wischte solche Argumente unwirsch vom Tisch und erklärte, wir wären seltene Ausnahmefälle. Ich solle nur gut aufpassen, daß mich die SS nicht hineinlege. Man könne über das ganze Problem vielleicht später einmal reden.

So war ich also schließlich mit Scylla und Charybdis klargekommen, nahm Abschied und traf dann, über mein eigenes Glück staunend, Ende August 1942 im paradiesisch friedlichen Spanien ein. Während meiner ersten Etappe war ich Gast bei den Hohenlohes in Zarauz, in der Nähe von San Sebastian, wo jedes Jahr im Sommer die Führungsspitze des Außenministeriums eine offizielle Dependance aufmachte. Die köstliche Normalität des Lebens und das Lichtermeer am Abend waren überwältigend. Die spanische Oberschicht lebte wie in der sogenannten guten alten Zeit. Die Wunden des Bürgerkrieges schienen für »bessere Leute« bereits zu vernarben, und langsam ging es auch dem Normalbürger etwas besser, wenn dieser auch noch schlimme Sorgen mit der Rationierung hatte, da er sich nicht wie die Vermögenden auf dem teuren Schwarzmarkt versorgen konnte.

Anfang September fuhren Prinz Hohenlohe und ich nach Madrid, um unsere Arbeit zu organisieren und uns mit Don Emilio Kiechle, dem schwäbischen Skodavertreter, zu arrangieren. Don Emilio war klein von Statur, gutmütig, blickte aber mit seinen listigen Schweinsäuglein lauernd drein. Er spielte allen Leuten gegenüber den großen Freund und Gönner, gab wunderbare Essen, war überaus gefällig, ja servil, und so ganz nebenbei verdiente er Millionen mit Skoda und den Brünner Waffen-Werken. Don Emilio wollte alles monopolisieren.

Ich versuchte nun meinerseits, Don Emilio unter Kontrolle zu bekommen. Doch dies war kaum zu schaffen, denn er hatte sowohl in Madrid als auch bei den Skodaleuten in Prag seine Freunde und Nutznießer. Kiechle bekam bei Lieferungen bis zu 7 % sogenanntes »Öl«, also Bestechungsgelder. Diese steckte er zum großen Teil in die eigene Tasche. Nur ein Rest wurde dazu verwandt, die Skodabeamten in Prag zu erfreuen und Spanier zu beschenken. Er tat das alles in einer scheinbar noblen, für ihn aber sehr billigen Form durch lukullische Einladungen und opulente Geschenkkörbe. Dagegen pflegte er nur sehr selten pflichtgemäß die umfangreichen Gelder an entscheidend wichtige Herren zwecks captatio benevolentiae bar und direkt weiterzuleiten! Sein System der Geschenkkörbe, der lukullischen Freßeinladungen, der übernommenen Patenschaften und Gelegenheitsgefälligkeiten kamen ihn natürlich viel billiger. Zunehmend kritischer begann ich seine ganze Geschäftsgebarung zu betrachten und es gab bald Ärger mit ihm. Der arme Hohenlohe mußte immer wieder schlichten. Doch Ende 1943 gab ich es auf, mit Kiechle weiter herumzustreiten, da er es mit dauernden Geschenken geschafft hatte, auch die Prager Direktionsmitglieder auf seine Seite zu bekommen. Ich beschränkte mich schließlich auf das Geschäft mit der Friedensproduktion. De facto sollte eine neue spanische Importgesellschaft entstehen, die mit dem Handel von Kriegsgerät nichts mehr zu tun hatte. Diese Branche sollte Kiechle verbleiben. Ich war nun endlich in der Lage, mich interessanten und entscheidenden Dingen zuzuwenden, so der Aufnahme von Kontakten mit dem Westen, sinnvoller Berichterstattung über wichtige Persönlichkeiten, Geschehnisse, Absichten und voraussichtliche Entwicklungen. In erster Linie bediente ich Schellenberg, den Canarisladen immer weniger und last but not least besonders Hewel. Meine Strategie mußte eine doppelte sein. Einerseits galt es, Fäden nach dem Westen herzustellen – womöglich unter Umgehung der unentwegten probolschewikischen Kreuzzügler Roosevelt und Churchill – die zu den entscheidenden alliierten Stellen liefen. Andererseits mußte man versuchen, durch geeignete Berichterstattung an richtiger Stelle in Berlin mäßigend zu wirken. Und zwar bei Hitler via Hewel, bei Himmler über Schellenberg und bei Göring durch Max Hohenlohe, der sich mit dem Reichsmarschall sehr gut verstand.

Bis Ende 1942 hatte ich mich in Madrid gut eingelebt und pflegte Kontakt zu fast allen deutschen Diplomaten und Vertretern. Nur in meinem Büro bei Don Emilio gab es noch eine »undichte Stelle«: Es handelte sich um eine gereifte, wasserstoffblonde Sekretärin, die mein Vorgänger von der SS als seine persönliche Informantin dort eingeführt und hinterlassen hatte. Mit Hilfe Max Hohenlohes bewirkten wir bald über Conde Jordana, dem Außenminister, daß dieser Dame durch die Spanier, also ohne daß wir damit belästigt worden wären, die Aufenthaltsbewilligung entzogen wurde. So wurden wir diese gefährliche Aufpasserin der Gestapo los und konnten unbespitzelt unsere Tätigkeit für einen westlichen Ausgleich fortsetzen.

Im Herbst 1942 fuhr ich das erste Mal nach Prag, um mich dort beim Präsidenten der Waffenunion, Herrn Voss, vorzustellen und um »Schüsse« von meinem Vorgänger und Herrn Kiechle bei den SS-Stellen und der Prager Skoda-Direktion abzuwehren. Ich stellte mich auch dem tschechischen Generaldirektor Vamberski vor, wurde gut aufgenommen und konnte manche Intrige neutralisieren.

In Berlin besuchte ich auch die Abwehr. Dort gab es nichts Neues. Man beschäftigte sich weiter mit der gefährlichen Dokumentensammlerei, unzähligen Besprechungen und Zukunftsplanungen. Ich erzählte Canaris und Oster von Spanien und übergab eine kleine Aufzeichnung, doch den weit ausführlicheren Bericht für Schellenberg zeigte ich nicht. Diesen besuchte ich dann anschließend in seinem Amt in der Berkaer Straße. Er war außerordentlich freundlich, bat mich aber, die Aufzeichnungen weniger kritisch zu gestalten, »sonst kämen wir beide noch ins KZ«. Wir modelten also meinen Bericht »ad usum Delphini« etwas um, und Schellenberg bat noch, Post an ihn nur gut versiegelt zu schicken. Ich sollte mich vor dem Polizeiattaché Winzer und vor Horst sehr in acht nehmen, sie wären ja vom Amt IV und daher in keiner Weise verläßlich. Ich möge mich aber nicht beunruhigen, er würde schon achtgeben und den Prinzen und mich durch sein Amt VI des SD schützen. Dann dankte er noch sehr für meine erfolgreiche Empfehlung bei Hewel. Die Unterredung sei sehr gut verlaufen.

Abschließend teilte mir der Brigadeführer noch mit, er habe mich vom SS-Hauptamt, bei dem ich seit 1933 friedlich geführt wurde, zum

Reichssicherheitshauptamt ins Amt VI versetzt, und er bat mich, hierzu einige »Wische« zu unterschreiben. Es sei dies alles nur eine reine Formsache, um meine Arbeit gut abzudecken. Nun blieb mir nichts anderes übrig, als gute Miene zum bösen Spiel zu machen. Ich hatte ja ein ziemlich schlechtes Gewissen der SS gegenüber. Eine Einflußnahme von meiner Seite war ja nach dem Führerprinzip schon rein technisch ausgeschlossen, und Proteste hätten nach meinem »Canaris-Intermezzo« nur überflüssig Verdacht erregt.

Über die Weihnachtstage 1942 war ich bei den Breiskys in Lissabon. Der Chef der österreichischen Emigranten, Lobmayer, hatte angeregt, wir sollten doch einmal mit zwei Amerikanern sprechen, die er gut kenne, nämlich dem Marineattaché Kapitän zur See Demarest und dessen Gehilfen Rousseau. Beide seien »recht nette Leute«; vielleicht käme dabei etwas Vernünftiges heraus. Hubert und ich besprachen die Angelegenheit mit dem Gesandten Huene. Er war einverstanden und versprach, Ribbentrop davon nichts mitzuteilen. Ein Problem war aber der Polizeiattaché in Lissabon, Kriminalkommissar Schröder vom SD, der stets pünktlich und genau erfuhr, was bei den so unvorsichtigen Amis los war. Deshalb besorgte ich mir unverzüglich Rückendeckung bei Schellenberg, der aber erst nach einigem Zögern zustimmte.

So konnte dann also unser tüchtiger Schröder ruhig alles über die US-Papierkörbe erfahren, deren Inhalt er regelmäßig von einer portugiesischen Putzfrau erhielt. Was er nicht selbst entziffern konnte, ließ er sofort zur fachmännischen Auswertung per Kurier nach Berlin fliegen. Am tüchtigsten waren die Amerikaner, wenn sie den weniger bemittelten Engländern gegen doppelte Bezahlung Agenten abwerben konnten. Wie erfreut die englischen Alliierten darüber waren – auch das erfuhren wir über die brave Papierkorbfee, die sich dabei ein kleines Vermögen verdiente.

In den ersten Januartagen fand dann die Unterhaltung mit den Amerikanern in Breiskys Wohnung in Cascais statt. Wir hatten dabei doch etwas Angst, daß uns diese am Ende gar entführen würden. Unsere Gesprächspartner gestanden uns dann später, auch sie hätten Angst gehabt, daß wir sie in einer Kiste nach Berlin verfrachten würden. Nach einem etwas steifen Essen versuchten die beiden US-Marineoffiziere, uns als Österreicher für ihren Nachrichtendienst anzuwerben. Selbstverständlich wies ich diesen Vorschlag schärfstens zurück. So einfach ginge das nun doch nicht. Wir wären jedoch bereit, ganz allgemein mit ihnen zu untersuchen, ob sich nicht irgendwo Ansatzpunkte für eine Verständigung über eine Entschärfung bzw. einen schrittweisen Abbau des Krieges finden ließ. Doch diese Marineoffiziere hatten sichtlich wenig Einfluß, dafür etwas Angst vor ihrer eigenen Courage. Abschließend verabschiedeten wir uns herzlich, und Demarest meinte, wir hätten uns eben so verhalten, als ob wir von zwei feindlichen Kriegsschiffen aus während eines kurzen Waffenstillstandes von Bord zu Bord über humanitäre Abmachungen zu sprechen gehabt hätten. Zu guter Letzt wurde noch vereinbart, weiter miteinander in Fühlung zu bleiben und festzustellen, ob unsere jeweiligen Chefs weitere Gespräche wünschten bzw. zuließen.

Diese Unterhaltungen bewegten uns sehr, waren sie doch der erste direkte Kontakt mit dem Feind. Als Zeichen guten Willens warnten wir die Amerikaner vor Intrigen in ihrer eigenen Botschaft, wo die Marineattachés nach unseren Informationen erbitterte Feinde hatten. Demarest und Rousseau machten voller Bewunderung große Augen, weil wir über ihre Interna so genau Bescheid wußten und versuchten etwas gepeinigt, die Dinge herunterzuspielen. Unsere Quelle war natürlich auch diesmal wieder der tüchtige Papierkorb-Marder gewesen.

Während eines Portugal-Besuches im Oktober 1942 begegnete mir Hildegard Breiskys Schwester Maria Schmidtmann von Poser. Das erste Mal hatte ich sie vor drei Jahren bei Huberts Hochzeit im Grubhof gesehen. Sie war damals 16 Jahre alt gewesen, und hatte mir großen Eindruck gemacht. Dann vergaß ich sie wieder. Meine englische Verlobung war nach den drei Jahren, die wir einander bei Kriegsausbruch versprochen hatten, nicht mehr bindend, und Agnes heiratete einen Marineoffizier. Da erschien in jenen Herbsttagen 1942 Maria – schön, liebenswert und in jeder Hinsicht ideal. Nicht lange, und ich war in sie verliebt und bald mit ihr verlobt. Am 29. April 1943 fand die Hochzeit auf Grubhof bei Lofer, dem salzburgischen Familiensitz meiner Schwiegereltern, statt. Botschafter Hewel und mein Bruder Karl-Hermann, der hochdekoriert zu einem kurzen Urlaub von der russischen Front eintraf, waren die Trauzeugen. Hewel überbrachte im Namen des Führers einen großen Strauß Rosen.

Jener strahlende Frühlingstag war der Beginn einer mit fünf Kindern gesegneten, überaus glücklichen Ehe. Gemeinsam meisterten wir alle Unbilden und Schwierigkeiten der kommenden Jahre, die Zeit meines Untertauchens in Kirchen und Klöstern, die getrennte Flucht nach Argentinien und schließlich zehn abenteuerliche Jahre zwischen Gauchos und Banditen als Pflanzer im Sumpfland zwischen Paraná und Uruguay. Doch davon ein anderes Mal.

Vorläufig aber schrieben wir noch Februar 1943. Die deutsche Kriegslage hatte sich zusehends verschlechtert: In Stalingrad war eine ganze Armee vernichtet worden, die Alliierten waren bereits in Nordafrika gelandet, und Rommels Situation wurde immer kritischer. Die deutschen Fronten waren nun Tausende von Kilometern lang. Überall entstanden

Partisanen- und Widerstandsbewegungen. In den angelsächsischen Ländern aber stieg die Rüstungsproduktion ins gigantische. Das waren einfach Tatsachen, auch wenn Hitler sie nicht wahrhaben wollte. Die Neutralen, darunter auch Spanien und Portugal, näherten sich immer mehr den Angelsachsen, und viele Sympathisanten zogen sich leise und verschämt zurück; sie wollten immer weniger mit uns zu tun haben. Max Hohenlohe schrieb ein Memorandum nach dem anderen für Göring und Gott weiß noch für wen. Meine und auch seine Berichte an Schellenberg wurden immer eindringlicher. Bei diesem hatte ich seit Anfang November durch meine Voraussage der alliierten Landung in Nordafrika neuen Kredit gewonnen. Doch was nützte das alles, wenn die Dinge bei ihm liegenblieben, und er es nicht wagte, in Partei und Staat eine Fronde zu bilden. Andererseits hatte die Gruppe um Oster, Dohnanyi und Canaris immer weniger Kontakt mit den entscheidenden Generalen. Sie sammelte nur emsig weiter Material und wartete auf den berühmten Rückschlag, der sich nun gleich mehrfach ankündigte.

Während des Monats Januar 1943 startete Hohenlohe trotz der Beschlüsse von Casablanca eine neue Aktion: Er hatte in Madrid gute Beziehungen zu Mister Butterworth von der amerikanischen Botschaft, der ihn an Allen W. Dulles, OSS Residenten in Bern, und an Mr. Tyler verwies. Dulles leitete in der ehemalig belgischen Gesandtschaft den amerikanischen Geheimdienst für Europa und Mr. Tyler mit Sitz in Genf beschäftigte sich im Auftrag Roosevelts mit zukünftigen Finanzproblemen und der UNRRA. Max Hohenlohe hatte mit Mr. Tyler besonders verständnisvollen Kontakt. Beide waren Herren und fühlten sich von dem europäischen Unglück zutiefst betroffen. Besonders aber bedrückte sie die düstere Vision eines bolschewistischen Europas. Während der Unterhaltungen Hohenlohes mit Tyler und Dulles stellte sich immer mehr heraus, daß die Amerikaner keine Ahnung vom Nationalsozialismus und der Haltung des deutschen Durchschnittsbürgers hatten. Alle Nazis waren für sie Verbrecher, und sie verfielen in totale Schwarz-Weiß-Malerei. Allerdings waren sie höchst beeindruckt von der nationalsozialistischen Organisationskunst und den zahlreichen NS-Formationen. Besonders gefährlich erschien ihnen zum Beispiel das in Wirklichkeit völlig bedeutungslose NSKK, das »Nationalsozialistische Kraftfahrerkorps«, in dem zwar reiche, aber gut bürgerliche Autobesitzer versammelt waren.

Hohenlohe überzeugte Dulles und Tyler, daß sie sich besser informieren mußten, und schlug ihnen vor, sie mit einem jungen Deutschen österreichischer Abstammung bekanntzumachen, der ein gemäßigter Nationalsozialist und eine durchaus »decent person« sei. Mit diesem Vorschlag kam Hohenlohe erst zu mir und fuhr dann zu Schellenberg nach Berlin, um dessen Zustimmung und Schutz zu erreichen. Schellenberg stimmte grundsätzlich zu, wollte mich jedoch vorher noch persönlich sprechen. So wurde meine Berlinfahrt für Mitte Februar festgelegt, der Besuch bei Tyler und Dulles sollte anschließend stattfinden. Dieses Treffen fand unter spürbar schlechten Begleitumständen statt. Am 2. Februar war gerade Stalingrad gefallen und vorher, Ende Januar, hatten in Casablanca Churchill und Roosevelt ihrem Freund Stalin den unverhofften Gefallen getan, die bedingungslose Kapitulation Deutschlands zum gemeinsamen Kriegsziel zu erklären. Auf diese Weise ermöglichten sie es Hitler, den Krieg noch volle zwei Jahre nach Stalingrad bis zur Vernichtung des alten Europas und des deutschen Widerstandes fortzuführen. Millionen von Toten der kämpfenden Jugend aller Kriegführenden, der Frauen und Kinder in den zerbombten Städten und Hekatomben von Juden in den Vernichtungslagern waren die gräßliche Folge. Der deutsche Widerstand wurde seiner besten Chancen und Argumente beraubt, und das deutsche Volk zum Kampf bis zum bitteren Ende geprügelt. Die scheinheilige Moral der Forderung nach bedingungsloser Übergabe war einer der schwersten, ja dümmsten Fehler dieses Krieges.

Trotz allem hofften Hohenlohe, Schellenberg und ich, diesen Unglücksbeschluß am Ende vielleicht doch mit verständigen Leuten und Argumenten wenigstens durchlöchern zu können. Wir beschlossen also, nicht aufzugeben und weiterzumachen, wenn auch unsere Hoffnung auf Vernunft mehr als gering war. So fuhr ich also nach Berlin, konsultierte Schellenberg und bekam von ihm die Instruktion, bei den Amerikanern den zwar gemäßigten jungen Nationalsozialisten darzustellen, doch ja nicht nachgiebig zu sein. Ich fuhr darauf über Zürich nach Genf, wo ich zunächst Mr. Tyler besuchen sollte. Am 21. Februar 1943 trafen Tyler und ich uns zum Tee in der Wohnung seiner Sekretärin am Ufer des Genfer Sees. Die Unterredung dauerte dann ungefähr vier Stunden. In meinem damaligen Bericht gab ich Tyler den Decknamen Mr. Roberts.

Tyler war ein feiner, gebildeter älterer Herr mit profunder Europaerfahrung, der gut ein Angehöriger der mitteleuropäischen Oberschicht hätte sein können. Nach einleitender Konversation fragte er mich höflich nach meinen Erfahrungen und Ansichten. Ich schilderte ihm kurz Herkunft, Lebenslauf, Erfahrungen und die Entwicklung meiner Ansichten. Ich ließ ihn fühlen, daß ich diesen Krieg als ein Unglück betrachtete, und daß an seinem Ausbruch niemand der Verantwortlichen auf beiden Seiten schuldlos sei. Die wachsende sowjetische Macht erfülle alle Vernünftigen mit Sorge, und es müsse doch einen Weg geben, das gräßliche Blutbad zu beenden.

Sofort kam Tyler auf die Judenfrage zu sprechen und rief aus: »Boy, what have you done with the Jews?«

Ich entgegnete ihm, daß die Judenfrage bzw. der Antisemitismus ein altes mittel- und osteuropäisches Problem sei und nicht ein typisch deutsches, nationalsozialistisches. In Österreich hätten während des Ersten Weltkrieges die vor den Russen in Massen geflohenen galizischen Juden sich im größten Ausmaß der medialen, kulturellen und wirtschaftlichen Positionen bemächtigt und dadurch gewaltigen Haß auf sich gezogen, nicht zuletzt wegen der wenig schönen Methoden, derer sie sich dabei bedienten. So hätten durch sie viele Heimkehrer Stellung und Lebensunterhalt verloren. Die schreckliche Not der Bevölkerung, der Luxus der Schieber und meist jüdischen Neukapitalisten hätte ein übriges getan – trotz aller Beschwichtigungsversuche der übermächtigen philosemitischen Presse und der alteingesessenen jüdischen Oberschicht. Die Intelligenzberufe und die sozialistischen Führungspositionen wären zusehends in jüdische Hände geraten, und auf Hochschulen habe der Prozentsatz der jüdischen Studenten ein Vielfaches ihres Bevölkerungsanteils betragen. Mit diesen Mißverhältnissen wäre Schluß gemacht worden, und dabei könne es leider auch Härten, wie eben bei jeder Revolution, gegeben haben.

Hierauf erwiderte Tyler: „All that might be true and partly understandable – but killing! Do you think we like the Jews? But we have a different way to deal with such problems. For instance, if too many Jews want to invade a University, the President of that university calls the Chief-Rabbi and asks him to reduce the number of the new applying students to a normal and unprovoking quantity. And an intelligent Rabbi will probably understand and act. That is the way to deal with such a problem. But you, you made the Jews martyrs!« (All das mag wahr und zum Teil verständlich sein – aber ermorden? Glauben Sie, wir mögen die Juden? Aber wir lösen solche Probleme anders. Wenn etwa zu viele Juden eine bestimmte Universität besuchen wollen, bittet der Universitätspräsident den Oberrabbiner, die Zahl der Neuankömmlinge auf ein verträgliches Maß zu reduzieren. Und ein kluger Rabbi wird wahrscheinlich verstehen und entsprechend handeln. So lösen wir solche Probleme. Aber Sie, Sie machen aus den Juden Märtyrer!)

So ungefähr sprach Tyler und beeindruckte mich peinlich. Er wies vor allem auf Massenexekutionen in Polen und Rußland hin. Da erzählte ich ihm, daß ich von meinem Freund, Botschafter Hewel, mit Entsetzen gehört hätte, daß – bereits kurz vor dem Eintreffen der deutschen Truppen – die durch meist jüdische Kommissare seit Jahrzehnten gequälte polnische und vor allem ukrainische Bevölkerung schauerliche Pogrome veranstaltet habe. Er selbst habe mit Grauen eine niedergebrannte Synagoge gesehen, in der Tausende von Juden verbrannt worden waren. Solche Untaten wären durch die bolschewistische Tyrannei jüdischen Ursprungs und den alten russischen Antisemitismus, also nicht ganz ohne Schuld der Juden selbst, hervorgerufen worden. Die deutsche Wehrmacht hätte daran aber keinen Anteil; ihre penible Korrektheit wäre ja weltbekannt.Die Juden würden zur Zeit konfiniert, umgesiedelt, bzw. nach dem Osten rückgesiedelt. Auch Deutsche würden jetzt umgesiedelt und zwar in der anderen Richtung, heim ins Reich aus den östlichen Ländern, wie dem Baltikum, der Bukowina oder auch aus Südtirol. Von einer systematischen Massenvernichtung der Juden, erklärte ich ausdrücklich, wisse ich nichts (ich wußte damals wirklich nichts davon). Die Herumsiedelei aber wäre wohl eine Krankheit unserer Zeit und die Folge der verpatzten Neuordnung nach dem Ersten Weltkrieg. Schon damals hätte die britische Greuelpropaganda Hervorragendes gegen die deutschen Armeen der beiden Kaiserreiche geleistet, als die englische Presse verbreitete, die Deutschen würden Kinder martern und morden und aus Leichenfett Seife sieden.

Tyler nahm mir diese Entgegnungen nicht ab, gab aber zu, vom latenten Antisemitismus in Ländern mit großer jüdischer Bevölkerung, besonders in slawischen Staaten, wohl zu wissen. Dieses Kapitel abschließend erzählte er mir noch, daß in den USA in den obersten Rängen der Gesellschaft und in den besten Clubs nur ganz selten Juden akzeptiert würden und sogar die alteingesessenen jüdischen Familien von neureichen ostjüdischen Immigranten nichts wissen wollten.

Wir kamen sodann auf die Frage des Unconditional surrender zu sprechen, und ich gewann den Eindruck, daß Tyler mit diesem Statement wenig Freude hatte. Daher erklärte ich unverzüglich, daß ich so eine »Ware« in Berlin nie »verkaufen« könnte, auch bei Gegnern des Regimes nicht. So etwas käme für niemanden in Frage, würde den Krieg nur sinnlos verlängern, neuen Haß erzeugen und auf dem Schlachtfeld dann zusätzlich noch Hekatomben von jungen Amerikanern das Leben kosten. Ich wäre vielmehr der Ansicht, daß man endlich versuchen müsse, ernstlich ins Gespräch zu kommen, um fürs erste einmal den Krieg zu entschärfen und Schritt für Schritt durch Taten ein Vertrauensverhältnis wieder aufzubauen. Dies könne zum Beispiel dadurch geschehen, daß man neutrale Märkte de facto untereinander aufteile, statt sich ruinös Konkurrenz zu machen, daß man schwerverwundete Gegner heimschicke, Nebenkriegsschauplätze einschränke und fragwürdige, ja gefährliche Alliierte beiderseits nicht zu groß werden lasse.

Durch solch kleine und praktische Schritte, durch vernünftige Verhandlungen und ein immer häufigeres »do ut des« könne man sich langsam wieder näherkommen und dadurch in steigendem Maße jenen Kredit wiedergewinnen, den wir ja seit der Besetzung von Prag wenige Monate nach dem Münchner Abkommen total verspielt hätten, wie ich leider zugeben müsse. Daher seien wir nach Absprache durchaus zu Vorleistungen bereit, um unseren guten und ernsten Willen zu beweisen. Bildlich gesprochen stellte ich mir vor, daß erst ein Faden gesponnen werden müsse, dann eine Schnur, gefolgt von einem Seil, und schließlich sollte ein festes Kabel das neue Vertrauen und die neuen Verbindungen absichern. Dann endlich wäre der Moment nicht mehr fern, der abschließende, sinnvolle Verhandlungen erlaube. Nur Schritt für Schritt müsse man also vorgehen und sich hüten, dabei neues Porzellan zu zerschlagen. Nur durch behutsames Vorantasten gäbe es noch Aussicht, aus dem sinnlosen Morden unter den Kulturnationen herauszukommen. Man möge uns fürs erste eine Liste mit gewünschten Austauschpersonen übergeben, von denen wir als Zeichen des guten Willens eine Anzahl ins neutrale Spanien abschieben würden. Sollten dann die Alliierten unsere Gegenliste honorieren, könne man auf diesem Wege weitermachen. Würde man uns hineinlegen, dann wäre eben alles aus, und das würde mich und meine Hintermänner teuer zu stehen kommen. Doch die große Aufgabe erfordere auch ein ebenso großes Risiko.

Tyler hörte sich diese Ausführungen mit einigem Interesse an und erklärte mir, er wäre da nicht zuständig, und ich könne ja dieses Projekt Mr. Dulles genauer erklären, welcher uns beide am nächsten Tag zum Abendessen in der ehemaligen belgischen Gesandtschaft in Bern erwarte. Diese hatte Dulles mit Erlaubnis der belgischen Exilregierung und der Schweizer für sich und die Aktivitäten des OSS vereinnahmt. Abschließend wollte Tyler noch genauer wissen, wer denn hinter mir und Hohenlohe stünde, um die vorgeschlagene Aktion effektvoll durchzuziehen? Meine Entgegnung war, er möge es doch bei der ersten kleinen Aktion auf den Versuch ankommen lassen. Er riskiere dabei nichts und Tatsachen wären wohl besser als Versprechungen. Es sei ohnehin schon zu viel geredet worden.

Beim freundlichen Abschied bat mich Tyler noch, nach vorsichtiger Abhängung eventuell folgender Spitzel pünktlich um 20 Uhr an der hintersten Gartentüre der Gesandtschaft zu klopfen, man würde mir sofort öffnen. Lachend entgegnete ich ihm, ich würde niemals klopfen, denn dies klänge nach Mensch und sei daher verdächtig, sondern ich zöge es vor, zu kratzen wie ein Tier. Er lachte nun ebenfalls, und vielleicht zeigt diese kleine Schlußbegebenheit am besten, wie angenehm die Atmosphäre bei dieser Aussprache war. Am nächsten Tag hingegen kam es anders, weshalb ich Dulles in meinem Schlußbericht das Pseudonym »Bull« verlieh, was ihm nach dem Kriege bei den »Unconditional-surrender-Idioten« kaum geschadet haben dürfte. Am 22. Februar 1943 abends pünktlich um 8 Uhr kam ich bei der hinteren Gartentüre der ehemaligen belgischen Gesandtschaft an und wurde sofort eingelassen. Zu meinem Erstaunen nahm mir ein italienischer Diener den Mantel ab, und das veranlaßte mich, diesen sofort zurückzuverlangen, um aus der Tasche mein Namensetikett herauszureißen, da ich als Österreicher Italienern gegenüber ein gesundes Mißtrauen hatte. Die amerikanische Sorglosigkeit in bezug auf Geheimhaltung, Papiere und Personen kannte ich ja schon von Portugal her. Mein erster Eindruck war: Um Gottes Willen, die hier sind auch nicht viel gescheiter!

Dulles empfing mich etwas burschikos, schien sehr »busy« und hatte eine Menge zu telefonieren, während dessen ich mich dem weitaus kultivierteren Tyler, der schon vor mir gekommen war, unterhielt. Als Dulles dann wieder erschien und Zeit hatte, ging es gleich zu Tisch. Wir dinierten zu dritt, und der erwähnte Italiener bediente. Das Essen war köstlich – Canard à l'orange – und es gab reichlich Weingläser, die mir Dulles in aufdringlicher Weise mit weißem und rotem Wein vollschenkte, und mich zum Trinken animierte. Dies mißfiel mir, und ich nippte ostentativ nur ein wenig. Auch wollte ich vorsichtig sein. Als Dulles wieder einmal insistierte, wurde die Situation geradezu peinlich, auch für Tyler, der dann zu Dulles sagte: »Allan, he is not that type man you believe.« Dann hatte ich in dieser Hinsicht Ruhe.

Dulles war ein sportlicher, frischer unbekümmerter Typ mit einem blendenden Gebiß. (In meinem Originalbericht nannte ich ihn »eine Pepsodentreklame«). Nach anfänglich nichtssagender, stockender Konversation begann er, mich über meine Tätigkeit in Madrid auszufragen, und schien erstaunt, daß ich als Österreicher dem Großdeutschen Reich gegenüber loyal sei. Ich klärte ihn darüber auf, daß Österreich 600 Jahre hindurch von Wien aus das Reich regiert und noch vor 77 Jahren dem Deutschen Bund angehört habe. Seine Reichszugehörigkeit sei durchaus normal und entspräche der Tradition und der Geschichte. Im übrigen regiere jetzt wieder einmal ein Österreicher das Reich.

Er mokierte sich nun über Hitler und den brutalen Nationalsozialismus, worauf ich erwiderte, daß nicht wir es gewesen wären, die dummerweise das Habsburgerreich zerschlagen hätten, und daß, wenn die Amerikaner die heilig versprochenen 14 Punkte und die Selbstbestimmung honoriert hätten, für den Nationalsozialismus kein Nährboden vorhanden gewesen wäre. So aber hätten die Amerikaner nach dem Ersten Weltkrieg, der schließlich durch sie entschieden wurde, die Verantwortung gescheut, und das Feld einem vor Rache blinden Clemenceau überlassen, doch damit dem Frieden und der Gerechtigkeit einen Bärendienst erwiesen. Niemand könne es der österreichischen Jugend, der das alte Reich noch etwas bedeute, übelnehmen, wenn sie nun nach dem wirtschaftlichen Elend der ersten Minirepublik sich wieder dem alten Reichsgedanken zugewandt habe, um nicht noch länger von den tschechischen und italienischen Nachbarn, die rein österreichische Gebiete unterdrückten, gedemütigt zu werden.

Hier fiel Dulles keine gescheitere Antwort ein, als den Beginn der deutschen, englischsprachigen Propagandasendung »Germany calling, Germany calling« zu imitieren. Tyler aber griff öfters besänftigend und vermittelnd ein. Er war ein Gentleman alter Schule. Ich fühlte mich absolut im Recht. Nur als die Sprache auf die Kriegsschuld und die Judenverfolgungen kam, hatte ich einen schweren Stand, doch Tyler meinte später zu Hohenlohe, ich wäre »very dignified« gewesen. Ich erzählte wieder von dem überragenden und ihrer Zahl nicht entsprechenden Einfluß der zugewanderten Ostjuden. Das durch schwerste Schicksalsschläge und brutale Behandlung der Siegermächte verbitterte österreichische Volk habe diesen weiteren fremden Einfluß nicht ertragen können.Bezüglich des Kriegsausbruches müsse man die tieferen Ursachen in der Drachensaat von Versailles suchen. So zog ich mich einigermaßen aus der Affaire und verwies auch hier darauf, daß mir sowohl Canaris als auch Hewel von entsetzlichen Pogromen durch die ukrainische Bevölkerung unmittelbar nach dem Abzug der Sowjettruppen erzählt hätten und man dies alles der deutschen Wehrmacht nicht allein aufbürden dürfe. Sicherlich aber seien bedauerliche Übergriffe und Geiselerschießungen nicht auszuschließen, indes: »c'est la guerre.«

Aber, wie gesagt, diese beiden Punkte waren jedenfalls für mich das Schlimmste, und ich litt darunter. Wenn ich auch damals keine Ahnung von der systematischen Judenvernichtung hatte, so waren mir doch Nachrichten über brutale Unterdrückung der Juden bekannt. Dulles verhielt sich bei meinen Ausführungen zynisch rezeptiv. Nur als ich ausführte, daß Hitler in Versailles-St.-Germain geboren worden sei und sein Vater Clemenceau heiße, gaben mir Tyler und Dulles recht. Dulles meinte noch, daß wir mit unserem italienischen Verbündeten nicht viel Freude haben würden, worauf ich entgegnete, daß auch sie, die Alliierten, mit ihrem lateinischen Bundesgenossen Frankreich Sorgen hätten.

Dann sagte plötzlich Dulles: »There have been some talks in Portugal.« Er bezog sich hierbei offensichtlich auf die vorherigen Gespräche zwischen dem US-Marineattaché Demarest und seinem Gehilfen Rousseau mit Breisky und mir in Cascais. Ich ging auf diese Fragestellung nicht richtig ein und sprach von einer ersten Fühlungnahme, die ja jetzt, da ich bei »einem Dulles« sei, überholt wäre. Dulles kam nun auf unsere Sorgen an der russischen Front zu sprechen, und meinte, dort arbeite die Zeit ebenfalls gegen Deutschland, und ein Endsieg sei gar nicht mehr möglich. Die russischen Massen, das russische Material und der endlose Raum, gepaart mit immer kraftvollerer amerikanischer Hilfe, gäbe der Sowjetunion auf die Dauer ein Übergewicht. Ich drehte nun den Spieß um und meinte, dies alles wäre sicherlich ein großes Problem, aber nicht nur für uns, sondern auch für sie, die Angelsachsen. Mit einem Sieg der Sowjets falle auf die Dauer auch Europa und letzten Endes die angelsächsische Weltposition.

Aus diesen und vielen anderen Gründen wäre daher der antideutsche Vernichtungswille der Angelsachsen selbstmörderisch. Ich verwies auf die bolschewistische Gefahr und den Schwung der «alleinseligmachenden» kommunistischen Heilslehre. Dies sei doch Dynamit für die westlichen Demokratien, vor allem, wenn man Rußland an die Weltmeere heranlasse.

Dulles meinte, er habe gar nichts dagegen, es sei geradezu notwendig, Rußland Chancen zu geben, auch auf den Meeren und beim Welthandel. Einmal auf den Geschmack gekommen, würden die Russen friedlich und manierlich werden, ja, man müsse ihnen zeigen, daß sie als faire Konkurrenten willkommen seien. Er sei überzeugt, daß es ein schwerer Fehler seit Jahrzehnten gewesen sei, die Russen immer wieder zurückzustoßen und zu verdächtigen. Hierdurch habe man sie lediglich provoziert und verhärtet.

Ich machte große Augen und sagte erstaunt: »Ja, wollen Sie die Sowjets wirklich aus den Dardanellen und dem Kieler Kanal frei herausfahren lassen?

»Genau das wollen wir!« konterte Dulles, während Tyler ein eher saures Gesicht machte.

Ich lachte und wünschte »Viel Vergnügen« bei solchen An- und Aussichten. Wörtlich fügte ich noch hinzu: »Vergessen Sie ja nicht, daß bei den Sowjets russischer Patriotismus, Panslawismus und eine moderne internationale Heilslehre gekoppelt sind; eine Kraft, der die westlichen, saturierten Demokratien kaum dynamische Ideale und Opfersinn entgegenzusetzen haben. Und sollte das Unwahrscheinliche eintreten, und Deutschland den Krieg verlieren, dann möchte ich gerne hören, ob nach ungefähr drei Jahren die Amerikaner noch immer so sowjetophil sein werden und was sie zu den dann sicherlich rauhen Tatsachen zu sagen haben.«

Hier brauste Dulles auf und meinte brutal: »Seien Sie versichert, daß wir diesen Krieg gewinnen werden, und daß Sie dann ganz bestimmt nicht in der Lage sein werden, mit mir zu sprechen!«

Dies schien nun wenig freundlich und gab mir die Gelegenheit, doppelt höflich zu sein. So erwiderte ich süffisant: »Mister Dulles, darf ich Ihnen meinerseits versichern, daß der Sieg natürlich unser sein wird, ich Ihnen aber auf jeden Fall stets gerne – schon als Dank für diesen reizenden (delightful) Abend – zur Verfügung stehen werde!« Das saß! Tyler sprang auf und rief, so könne man nicht diskutieren und mahnte Dulles mehr oder weniger zur Ordnung. Dulles brummte ein obligates »sorry« und »after all we have a war«.

Doch dieses reinigende Gewitter war gut gewesen: Dulles schenkte dann im Salon Whisky ein und verteilte köstliche Havanna-Zigarren. Das Gespräch kam nun in ruhige Bahnen. Die Konferenz von Casablanca war natürlich wegen der unglückseligen Unconditional-surrender-Erklärung ein hochaktuelles Thema. Ich kritisierte, so scharf ich konnte und meinte, mit diesem Relikt aus dem amerikanischen Bürgerkrieg werde man wieder neues Unheil und Verbitterung anrichten. Dergleichen könnten in Berlin nicht einmal erklärte Regimegegner akzeptieren. Man würde das deutsche Volk auf diese Weise zusammenschweißen und die deutsche Außenpolitik letztlich den Russen in die Arme treiben. Ich spräche gar nicht von unseren armen Jungen, sondern von der dann unnütz hingeschlachteten Jugend der Gegner.

Auch Dulles und Tyler schienen sichtlich unglücklich über diese Forderung, schoben aber die Schuld an dieser Entwicklung Hitler zu. Da erinnerte ich sie erneut an ihren Sezessionskrieg mit seinen 600 000 Toten von denen mindestens 100 000 auf das Konto des arroganten Beharrens auf bedingungslose Übergabe gingen und an den darauf folgenden lange nicht versiegenden Haß.

Dulles führte dann des längeren aus, daß Amerika Europa helfen und neuordnen wolle und selber gar keine Absichten auf Gewinne oder Annektionen habe. Lediglich am kommenden Weltluftverkehr sei man eminent interessiert, sowohl was die Herstellung von Flugzeugen als auch was den Betrieb der künftigen internationalen Linien beträfe. Dieser Punkt war für mich völlig neu und sehr beeindruckend, was ich auch ohne weiteres zugab.

Nun schien mir der Zeitpunkt gekommen, mein eigentliches Anliegen detailliert dem kompetenten Dulles erneut vorzutragen: Freunden und mir wäre klar, daß Deutschland durch den Einmarsch in Prag, der als Bruch des Münchner Abkommens aufgefaßt werde, weltweit Kredit verloren hätte, da sein Wort kein Vertauen mehr fände.

Das Wichtigste wäre daher zunächst den Glauben an deutsche Vertragstreue wieder aufzubauen. Dies könne praktisch durch deutsche Vorleistungen geschehen, die von kleinen Abmachungen und Erfüllungen systematisch zu größeren schreiten könnten. Ich wiederholte nun auch gegenüber Dulles meinen bereits mit Tyler besprochenen Katalog von Vorschlägen vom Austausch gefangener Agenten bis hin zur Aufteilung heißumkämpfter Märkte, um mit einer Politik der kleinen Schritte den Krieg allmählich zu entschärfen und wies noch einmal eindringlich darauf hin, daß es nur der Sowjetunion nützen werde, wenn sich die kapitalistischen Länder demokratischer oder autoritärer Prägung gegenseitig zerfleischten.

Dulles und Tyler hörten sich diese Ausführungen mit wenig Interesse wieder an, meinten aber, für so eine Aktion wäre der Krieg schon zu weit fortgeschritten, und Amerika wäre diesmal fest entschlossen, in Europa endgültig aufzuräumen, damit Deutschland nicht alle 25 Jahre einen neuen Krieg anzetteln könne. Amerika habe es satt, immer wieder intervenieren zu müssen.

Ich hörte widerspruchslos zu und zeigte einiges Verständnis, ohne eine deutsche Alleinschuld zu akzeptieren, kam aber abschließend auf meine Vorschläge zurück und bezeichnete es als inhuman, nicht schon jetzt alles zu versuchen, den Krieg zu verkürzen und das Unheil, wo immer nur möglich, zu begrenzen. Schließlich habe auch das Rote Kreuz in dieser Richtung Erfolge gebracht. Jedes weitere Kriegsjahr würde sinnlose Opfer von unserer aller Jugend fordern. Wir müßten jeden Faden aufnehmen und verfolgen, wenn er auch noch so utopisch erscheine.

Dulles meinte schließlich, er könne ja einmal die Sache in Washington ventilieren, aber er glaube nicht an einen Erfolg. Bezüglich der von mir angebotenen Vorleistungen hegte er Zweifel und fragte rundheraus, wieso ich überhaupt so etwas anbieten könne, wer mich autorisiert habe und wer meine Hintermänner seien. Ich entgegnete, es seien einflußreichste Kreise des Staates und der Wehrmacht sowie entscheidende Personen der Partei. Namen könne ich natürlich nicht nennen. Doch wenn der erste Versuch zu einem konkreten Erfolg geführt hätte, so wäre damit ja der Beweis erbracht, daß hinter mir einflußreiche Leute stünden und man weitermachen könne. Es käme eben lediglich auf einen mutigen Versuch an.

Wir sprachen noch lange bis nach 3 Uhr morgens. Es kam dabei nichts Konkretes heraus, und viel Neues konnten wir uns nicht sagen. Gegenseitig warfen wir uns vor, festgefaßte Meinungen zu haben und Opfer unserer eigenen Propaganda zu sein. Öfters führte Dulles endlos lange Telefongespräche, anscheinend mit Washington, und in der Zwischenzeit unterhielt ich mich, wie schon gesagt, mit dem viel aufgeschlosseneren und gebildeteren Tyler. Größeren Einfluß hatte aber leider Dulles. Der Abschied war nett und höflich. Beide Herren meinten, sie würden den Kontakt mit Hohenlohe und über ihn mit mir aufrecht erhalten.

Um halb vier Uhr früh brachte mich dann Dulles persönlich an die hintere Gartentür, nachdem er sich vergewissert hatte, daß keine schweizerische Polizei in der Nähe war.

Noch am selben Tag fuhr ich weiter nach Spanien und suchte sofort Hohenlohe auf, um zu berichten. Tags darauf war der Bericht für Schellenberg fertig und ging über den Polizeiattaché versiegelt per Kurier nach Berlin. Mehrmals mußte ich diesen Bericht umdiktieren, da meine Ausführungen und Entgegnungen für Berlin nicht zackig genug erschienen, und Hohenlohe noch diese oder jene Bedenken äußerte. Wir standen ja noch am Beginn einer Aktion, von der wir viel erhofften, und wollten nichts unnötig riskieren. Das Endprodukt kam pünktlich in Berlin an und wurde, wie wir heute wissen, dort nochmals umgebaut und für Hitler und Himmler umgemodelt, wobei Dulles, Tyler und mir Dinge in den Mund gelegt wurden, die man sich selbst nicht zu sagen traute, von welchen man aber doch wollte, daß sie »oben« gehört werden.

Mein Gespräch mit Dulles wurde teilweise Prinz Hohenlohe zugeschrieben, um auch diese ältere und wichtigere Persönlichkeit besser ins Spiel zu bringen. Schellenbergs Nachrichtendienst wollte damit wohl auch den Eindruck größerer Weltläufigkeit erwecken. Schließlich ging die Berliner Endfassung an Himmler und Hitler. Letzterer las sie und gab sie Hewel für Ribbentrop. Hitler war damals nicht gewillt, direkte Gespräche mit dem Feind aufzunehmen, ohne sich auf entscheidende militärische Erfolge stützen zu können. Mein Freund Hewel und meine alten Kollegen im Ministerbüro des Auswärtigen Amtes sorgten um Ärger zu vermeiden, dafür, daß Ribbentrop im Gegensatz zu Himmler und Hitler nicht erfuhr, wer sich hinter den Decknamen »Bauer und Alfonso« verbarg. Ich verwendete in meinen Berichten oft abwechselnd meine drei Pseudonyme Bauer, Alfonso oder Gerber, die ich auch in ein und demselben Bericht gerne rotieren ließ, um mich besser zu tarnen.

Meine Austauschvorschläge kamen natürlich nicht in den Schlußbericht. Nur Schellenberg erfuhr davon, um sie zu einem günstigen Zeitpunkt eventuell nach »oben« weiterzugeben. Vorläufig mußte man die hohen Herren diesbezüglich noch aus dem Spiele lassen, damit sie uns nicht gleich am Anfang einen Strich durch die Rechnung machen konnten.

Natürlich wurden Canaris und Oster nicht informiert, und sie merkten auch nichts – sehr zu meinem Amusement. Es war nicht einfach in einem autoritären Staat, der von Eifersüchteleien der verschiedenen Ämter gebeutelt wurde, und oft hatte ich den Eindruck, daß mehr Energie im Konkurrenzkampf zwischen den Ministerien als im Krieg gegen den äußeren Feind verbraucht wurde.

Im März 1943 fuhr ich dann nach Berlin, um Schellenberg persönlich zu berichten und Hewel aufzusuchen. Auch Oster, inzwischen General, sah ich kurz und berichtete ihm von der Lage. Da ließ mich ganz unerwartet Canaris zu sich befehlen und erzählte mir ausführlich über Spanien. Sein militärischer Adjutant, Oberst Jenke, hatte mir vorher angedeutet, der Admiral habe wegen wiederholter Unvorsichtigkeiten seitens Osters und Dohnanyis etwas Angst bekommen. Deshalb habe er, Jenke, ihm gesagt, auch er müsse neuerlich warnen, denn es seien böse Gerüchte im Umlauf und er nahm Bezug auf ein Gespräch mit mir. Darauf habe Canaris ihm befohlen, ich möge mich bei meinem nächsten Besuch in Berlin bei ihm melden. Nun, während des Gespräches fragte mich der Admiral anscheinend ganz en passant, ob ich wirklich glaube, daß wegen Dohnanyi und Oster Gefahr bestünde. Ich bejahte dies, und schließlich meinte er, auf die Dauer könne man eben nicht konspirieren, ohne die Aufmerksamkeit des Gegners zu erregen. Es ginge leider schon jahrelang im gleichen Stil dahin. Schließlich entließ mich Canaris sehr herzlich, wenn auch mit kummervoller Miene und schenkte mir zum Abschied »Die Früchte des Zorns« von Steinbeck.

Jenke freute sich mächtig über die ungewöhnlich lange Aussprache und sagte, dies wäre endlich eine Hilfe. Ebenso freute sich auch Frau von Knobelsdorff, die gleichfalls beunruhigt war. Wir drei waren stets die Besorgten gewesen. Auch Karl Ludwig von Guttenberg war nicht mehr wohl zumute. Er erzählte mir noch, zur Zeit der Stalingrad-Katastrophe »wäre es wieder einmal so weit gewesen«. Aber dann sei – wie vorher jedesmal – am Ende doch nichts zustande gekommen. Anschließend fuhr ich kurz nach Prag zu Skoda und gleich wieder zurück nach Berlin. In jenen Tagen sah ich dort aus dienstlichen Gründen auch »Freund Horst«, Hohenlohes vormaligen Aufpasser vom Amt IV des SD, der sich nämlich auch mit Skoda zu beschäftigen hatte und auf mich nicht sonderlich gut zu sprechen war. Er empfing mich hämisch: Ob ich denn schon wüßte, daß gegen meinen ehemaligen »Osterladen« etwas im Gange sei? Vor allem Dohnanyi stünde unter schwerem Verdacht. Das wäre ja toll. Ob ich denn wirklich nichts von alledem gemerkt hätte – kaum zu glauben! Herr Schmitz vom Amt IV habe ihm vertraulich erzählt, dort säße »eine richtige Blase« beisammen, und abends fänden beim pensionierten Generaloberst Beck oft Besprechungen statt. Nun, bald würde man zuschlagen, usw. usw.

Obwohl mir heiß und kalt wurde, entgegnete ich, diese Erzählungen wären doch »olle Kamellen«, die Freundschaft zwischen Oster und Beck habe einen mächtigen Bart, und die Herren gingen schon seit eh und je und amtsbekannt zu Beck, um sich vom alten weisen Generalstabschef hochfachlich die militärische Lage erläutern zu lassen. Da fände ich gar nichts dabei.

Hierauf Horst: »Nein, nein, dort bei Oster und Canaris nistet ein richtiger Miesmacherclub. Man weiß das schon recht genau!«

Ich entgegnete, im Grunde stimme das durchaus, denn im OKW und besonders in der Abwehr würde viel gemeckert, doch das läge in der Natur der Sache. Die Abwehr hätte fast ausschließlich mit negativen Sachen zu tun, und davon gäbe es in Staat und Partei und natürlich auch in der Wehrmacht leider eine ganze Menge. Es wären die höheren Offiziere noch in der Monarchie erzogen worden, also vom alten Schlag, und verstünden eben die neue nationalsozialistische Zeit noch nicht. Im Grunde aber seien sie durchaus prächtige und verläßliche Soldaten, besonders Oster sei so ein richtiger polternder Husarenoberst, aber innerlich ein prima Kerl. Dohnanyi sei mehr von der »christlichen Fakultät«, empört über Euthanasierung von Geisteskranken usw. Na, dies wäre ja Ansichtssache. So versuchte ich, Horst zu beschwichtigen, doch ohne Erfolg.

Am nächsten Morgen ging ich zu Schellenberg, wie vorher mit ihm verabredet und war neugierig darauf, was er mir erzählen würde. Schellenberg empfing mich mit den Worten: »Na, was haben Sie denn gestern mit dem Horst geredet? Ich sagte schon, sie sollen vorsichtig mit dem Kerl sein. Er hat gleich nach Ihrer Unterhaltung mit ihm im Amt IV eine lange Aufzeichnung über das Gespräch weitergereicht.«

Ich faßte mich so schnell wie möglich und erklärte, das alles wäre mir nur recht, denn es gäbe absolut nichts zu verheimlichen, und ich erzählte ihm genau, was ich gesagt hatte. Schellenberg hörte sich meine Ausführungen ohne rechte Überzeugung an und meinte, da habe sich Horst wieder einmal wichtigmachen wollen. Aber ich sollte ihm schriftlich geben, was ich gesagt hatte. Ich weigerte mich erst, doch Schellenberg bestand darauf, weil mich sonst das Amt IV, also die eigentliche Gestapo zum Verhör bitten würde, und so etwas müsse unter allen Umständen verhindert werden. Er, Schellenberg, aber brauche so einen Wisch von mir, um sagen zu können, er habe mich schon selbst befragt. Dieses Papier wolle er natürlich nur im gegebenen Falle verwenden. Im übrigen sei wirklich etwas gegen Dohnanyi und Oster im Gange, und ich möchte mich ja von diesen Leuten fernhalten, denn demnächst würde eisern durchgegriffen werden. Ich könne ihm erzählen, was ich wolle, der Dohnanyi sei nun einmal »ein gefährlicher und schräger Vogel«. Auch Oster und dessen Freunde wären Gegner des Regimes und zögen verdächtige Zirkel magisch an.

Ich diktierte nun meine Version vom polternden, aber patriotischen Oster und dem christlich-moralisch entsetzten Dohnanyi und schrieb daher, daß beide im Grunde »ordentliche Leute« seien, und die Besuche bei dem pensionierten Beck schon seit Jahren zur Gepflogenheit geworden waren. Und Flucherei über den Dienst sei bei Offizieren nie Bedeutung beizumessen und gehöre besonders bei Abwehr-Soldaten zum täglichen Geschäft.

Als Schellenberg dann die Aufzeichnung las, grinste er etwas, gab sich aber zufrieden. Doch nochmals beschwor er mich, nie mehr in den »Abwehrladen« zu gehen, denn Dohnanyi stünde vor der Verhaftung, und das Amt IV beobachtete genauestens jeden, der am »Tirpitzufer« ein und aus gehe. »Also bitte, unterschreiben Sie jetzt Ihre Version; ich brauche das eventuell für den Reichsführer-SS, um Sie dort abzusichern, falls Ihr Gastspiel im Büro Canaris-Oster etwas peinlich zur Sprache kommen sollte.«

Reichlich verstört verabschiedete ich mich schließlich von Schellenberg und versprach hoch und heilig, noch am selben Abend den Zug nach Spanien zu nehmen. Kaum war ich wieder an der frischen Luft und nach dem Schreck einigermaßen gefaßt, überlegte ich verzweifelt, was nun zu tun sei. Als erstes schlug ich sicherheitshalber mehrere Haken mit U-Bahn, Tramway und Taxi, um eventuelle Verfolger abzuhängen. Sodann begab ich mich am späteren dunklen Nachmittag zum großen Stern und stieß von dort durch den Tiergarten in Richtung Bendlerstraße vor. Auf jeden Fall mußte ich doch die Freunde und alten Kollegen verständigen. An ein Telefonat war natürlich nicht zu denken. Aber glücklicherweise hatte mir Oster vor Jahren einmal, nachdem wir im Gardekavallerieklub in der Bendlerstraße gewesen waren, einen geheimen Zugang über die Dachböden der Häusergruppe, die zwischen Tirpitzufer und Bendlerstraße lag, gezeigt. Man konnte so von hinten her zur Abwehr gelangen. Alle diese Häusergruppen waren Teile des Reichskriegsministeriums geworden und von unzähligen Ämtern besetzt.

Ich hastete nun über Höfe, Stiegen, Korridore und vermuffte Dachböden dieses Labyrinthes. Natürlich wurde ich oft von Kontrollen angehalten, doch besaß ich noch meinen alten OKW-Ausweis, den ich wie so viele andere Legitimationen vorsorglich nie abgegeben hatte. Man konnte ja nie wissen! Und jetzt half dieser Ausweis ganz entscheidend.

Endlich gelangte ich ans Ziel. Es war so gegen sechs Uhr abends. Leider waren schon alle fort, nur der fleißige Guttenberg saß noch am Schreibtisch. Mit fliegendem Atem berichtete ich ihm in groben Zügen über die tödliche Gefahr, ohne in Details zu gehen oder Quellen preiszugeben. Ich erzählte ihm auch, wie ich versucht hatte, Anschuldigungen abzubiegen, und bat ihn, sollte er befragt werden, im gleichen Sinne zu antworten. Es bestehe aber kein Zweifel, daß man eine ganze Menge wisse. Eindringlichst beschwor ich ihn, Oster und Dohnanyi zu warnen und sie zu bitten, nie zu sagen, daß ich sie gewarnt hätte, und um Gottes Willen endlich und unverzüglich die unselige Dokumentensammlung verschwinden zu lassen.

Guttenberg hatte mit wachsendem Entsetzen zugehört, wurde bleich, und auch mir war nicht viel besser zumute. Ich riet ihm, sich an die »sichere« Front zu melden. Herzlich dankte er mir für alles, versprach Diskretion, und ich machte mich sodann wieder durch dasselbe Labyrinth auf den Rückweg und gelangte gerade noch rechtzeitig auf den Lehrter Bahnhof zu meinem Zug nach Spanien.

Und wirklich: Tags darauf wurde Dohnanyi im Büro Oster vom bekannt scharfen Oberstkriegsgerichtsrat der Luftwaffe Roeder und dem Gestapokommissar Sonderegger im Beisein des herbeigebetenen Canaris verhaftet. Roeder hatte einen diesbezüglichen obersten Befehl von Keitel vorzuweisen. Trotzdem ist es unbegreiflich, daß Canaris nicht versucht hat, durch Rückfragen bei Keitel Zeit zu gewinnen, als Roeder ihm nämlich kurz vor dieser Aktion im Beisein Sondereggers mitteilte, er habe vor, Dohnanyi wegen Devisenschiebung und Landesverratsverdacht zu verhaften und das Büro zu durchsuchen. Letzteres hätte dem Admiral zu denken geben müssen! Schließlich war er von Jenke, von mir und sicherlich auch von anderen oft gewarnt worden. Canaris konnte sich doch nicht darauf verlassen, daß ein geradezu pathologischer Dokumentensammler wie Dohnanyi auch wirklich alle seine Dokumente entweder sicher verlagert oder aber vernichtet hatte. Wie dem auch sei: Der Admiral ging mit den beiden Unglücksboten durch das Büro von General Oster und unter dessen Protest weiter in das Zimmer Dohnanyis. Es hatte ja keinen anderen Zugang als diesen und schien gerade dadurch in den Augen Dohnanyis »militärisch abgeschirmt«. Osters Proteste sollen zuerst, wie mir später der Chef der Abteilung III F Gegenspionage, Oberst Rohleder erzählte, vehement gewesen sein, doch Canaris wies ihn zurecht, und so nahm die Tragödie im »Archivzimmer« Dohnanyis ihren Lauf.

Dohnanyi rückte schließlich zögernd die Schlüssel zu den Stahlschränken heraus und versuchte, erst einige Mappen zu verschieben, was ihm aber nicht gelang. In seiner Verzweiflung veranlaßte er nun General Oster durch Zeichen, gewisse Zettel aus einer besonderen Mappe verschwinden zu lassen, was natürlich von Sonderegger und Roeder sofort bemerkt wurde. Nun war auch Oster straffällig! Canaris mußte ihn augenblicklich aus dem Dienst der Abwehr beurlauben und unter Hausarrest stellen. Dohnanyi wurde abgeführt und seine Gattin, ebenso deren Bruder, Pastor Bonhoeffer, verhaftet. Gleichzeitig nahm in München die Gestapo Dr. Müller, den »Ochsensepp« und dessen Ehefrau fest. Sie waren die Verbindungsleute Osters zum Vatikan und zum Papst gewesen. So war durch Dohnanyis Unvorsichtigkeit mit Dokumenten und Aufzeichnungen, die er trotz entsprechender dienstlicher Befehle Osters nicht vernichtet und nur teilweise beiseite geschafft hatte, das Büro Oster erledigt, die Säule des Widerstandes im OKW bzw. der Abwehr gestürzt. Langsam, aber unaufhaltsam wurde nun auch Canaris ins Verderben gezogen.

Anlaß zu dieser Aktion gegen Dohnanyi waren, wie heute erwiesen scheint, dessen nicht ganz uneigennützigen und seit Jahren streng verbotenen Devisengeschäfte mit jüdischen Emigranten in der Schweiz. Bei Beginn der Aufdeckung dieser Transaktionen kam nämlich ein V-Mann und Mitarbeiter des Osterkreises namens Konsul Schmidhuber zu Fall und deckte, alleingelassen und wutentbrannt, alles was er wußte, bei der vernehmenden Staatspolizei auf, um sich selbst zu retten. Von alledem hatte aber Dohnanyi noch rechtzeitig erfahren. Es ist daher um so unverständlicher, daß er nicht schon damals sein Büro von gefährlichen Aufzeichnungen gesäubert hatte. Nur einen Teil der fatalen Dokumente hatte Major Heinz noch rechtzeitig in die preußische Staatsbank verlagern können, wo sie einstweilen ziemlich sicher waren, dann aber unglücklicherweise nach Zossen verlagert wurden und dort nach dem 20. Juli von dem schon erwähnten Sonderegger in einem verschlossenen Panzerschrank gefunden wurden. Diese Dokumentensammlung wurde später Canaris und dem ganzen Osterkreis definitiv zum Verhängnis, denn solch ein Material konnte nicht mehr als Spielmaterial für den Feind verharmlost werden. Wahrscheinlich wäre ich schließlich auch zum Handkuß gekommen, wenn ich mich nicht rechtzeitig in Nordspanien in Santillana del Mar eingeigelt hätte, wovon noch zu berichten sein wird. Ich denke heute noch mit Entsetzen daran, daß das Unheil nur dadurch an mir vorbei ging, weil ich mich an die Front gemeldet hatte, sobald ich den Leichtsinn und die konspirative Unfähigkeit von Dohnanyi, Oster und deren Mitarbeitern erkannt hatte. Es muß für Dohnanyi in seinem Unglück besonders drückend gewesen sein, zu wissen, wie viele seiner Freunde er ins Verderben gestürzt hatte. Sein wiederholt geäußerter Hinweis auf eine Anordnung von Generaloberst Beck, die Unterlagen zu behalten, entschuldigt ihn in keiner Weise. Doch hat er trotz allem Anspruch auf unsere Sympathie, hat er doch für seine Fehler jahrelang entsetzlich leiden und schließlich am Galgen enden müssen.

Hätte Stauffenberg noch in einer intakten Abwehr mit einer aktiven *Abteilung Z* starken Rückhalt gefunden, so wäre vielleicht der Putsch vom 20. Juli früher erfolgt, dazu besser organisiert und abgesichert worden. Doch solche Spekulationen sind immer müßig.

Nachdem ich nun, wie geschildert, eben noch rechtzeitig auf den Lehrter Bahnhof kam, um nach Spanien abzureisen, traf ich zufällig dort zwei uniformierte Beamte des Auswärtigen Amtes, die mich sofort kollegial grüßten und mich baten, ihnen bei einer delikaten Aktion zu helfen. Sie erklärten mir in kurzen Sätzen, daß sie soeben den Sohn des amtierenden englischen Kolonialministers Amery und dessen Frau in den Zug nach Paris befördert hätten. Amery sei in Frankreich in deutsche Hände gefallen und habe sich entschlossen, im Hinblick auf die bolschewistische Gefahr mit Deutschland zusammenzuarbeiten, propagandistisch zu helfen und eventuell eine englische Legion gegen Sowjetrußland aufzustellen. Dieser Amery sei eine außergewöhnliche Persönlichkeit und propagandistisches Kleinod, das natürlich allerhöchsten Schutz genösse. Daher würde er scharf bewacht. Ich möge doch, da ich gut Englisch spräche, mich der Amerys annehmen und ihnen auf der Fahrt nach Paris die Zeit vertreiben. Es würde ganz bestimmt sehr interessant werden. Erfreut sagte ich zu und wurde Amery und seiner »de facto-Gattin« vorgestellt – einer südfranzösischen Halbzigeunerin, wie er mir später erzählte. So begann also eine amüsante und interessante Reise. Amery und seine rasante Frau entpuppten sich während dieser langen Fahrt als äußerst unterhaltende Reisegenossen. Er war ein schmächtiger, intelligenter und sehr typischer Engländer mit Bürstenbärtchen, der bereits standesgemäß verheiratet war, aber mit seiner Neuerwerbung in Frankreich lebte.

Madame war vollbusig, reichlich auffallend geschminkt, laut und witzig. Immer wieder bat ich sie das Lied »Sur le pont d'Avignon« zu singen. Sie trällerte dies mit unnachahmlicher Grazie und Leichtigkeit. Nun wurde reichlich getrunken, und das in jeder Hinsicht ungleiche Paar zog sich öfters diskret in sein Schlafwagenabteil zurück, um nach kurzer Pause – sie erfrischt und er zerknittert – wieder zu erscheinen. Natürlich wurde unsere Gruppe streng bewacht und ganz fabelhaft betreut.

Doch Amery hatte immer wieder Depressionen. Ich hatte ihm gleich erzählt, daß ich Österreicher sei, daß ich jahrelang und bis vor kurzem mit einer Engländerin verlobt gewesen war und daß er mir ganz vertrauen könne. Auch wollte ich gerne wissen, was er sich eigentlich so denke und was er beabsichtige. Bald waren wir fast Freunde, und Amery erzählte mir, daß er diese Dame in Südfrankreich, wo er seit der Trennung von seiner ersten Frau lebte, kennengelernt habe. Sie seien beide von den Deutschen sehr zuvorkommend behandelt worden, und schließlich habe man ihn für eine antibolschewistische Kollaboration gewonnen. Zwar liebe er die Deutschen nicht besonders, aber seitdem der Kreuzzug gegen die Sowjets begonnen habe, sei es für ihn klar, daß das britische Empire nur an Deutschlands Seite gerettet werden könne, und Churchill befände sich in einem fatalen Irrtum, wenn er ausgerechnet Deutschland bekämpfe. Nur mit siegreichen deutschen Kolonialsoldaten an der Seite könne das englische Weltreich überleben und weiter über die Meere herrschen. Dauere der Krieg noch lange, falle Deutschland und gewinne Rußland, dann bedeute dies auch das Ende für das englische Weltreich. Nur aus diesem Grunde unterstütze er den deutschen Kampf gegen die drohenden Sowjets – allein aus Verstandesgründen, doch nur mit halbem Herzen. Er habe verschiedene englische Offizierslager besucht, aber leider kein Verständnis für seine englische Freiwilligenlegion gefunden. Natürlich wäre es fast hoffnungslos, als Landesverräter stolze Briten für weitsichtige Perspektiven zu gewinnen. Er sähe die deutsche Kriegslage durchaus nicht rosig, sei aber entschlossen, schon aus Prinzip weiterzumachen.

Es gäbe für ihn auch kein Zurück mehr. Vielleicht dauere die ganze Sache nicht mehr lange, und es käme bald zu einem bitteren Ende. Mit seinem Gewissen sei er im reinen. Bis zu einem guten oder schlechten Ausgang des Krieges sei er eben gewillt, konsequent zu wirken und sein Leben so lange als möglich noch in vollen Zügen zu genießen. Und dabei helfe ihm dieses aufregende, noch etwas ungezähmte Geschöpf. Vor soviel Konsequenz mußte ich schließlich den Hut ziehen und mich korrigieren. Denn anfangs hatte ich Amery mein Erstaunen merken lassen, daß er als Engländer der führenden Schicht mit dem Feind zusammenarbeite. Er nahm mir dies nicht weiter übel und erklärte mir bald seine Lage so überzeugend, daß ich ihm vollen Respekt zollen mußte.

Bei solchen Gesprächen verging die Fahrt nach Paris wie im Fluge. Das aufmerksame Auswärtige Amt bzw. das Protokoll hatte reichlich für jede Menge Sandwiches und Champagner gesorgt. Schließlich ließen wir uns in Paris in sein Hotel bringen und tagten dort sogar noch etwas weiter.

Ein paar Wochen später, als ich mit Maria über Paris und Wien nach Grubhof zu unserer Hochzeit fuhr, machte ich sie höchst unvorsichtigerweise in Paris mit dem anglofranzösischen Paar bekannt, und wir gingen am Abend gemeinsam in die berühmte Bar »La Sheherazade« – natürlich nicht ohne entsprechenden Begleitschutz. Doch wenn ich heute daran zurückdenke, dann war dies zumindest von meiner Seite glatter Wahnsinn, denn wie leicht hätten der Intelligence Service oder die angeblich so flotte »Résistance« die Möglichkeit gehabt, unseren angeregten Abend gewaltsam zu beenden. Gott sei Dank waren diese beiden Organisationen ebenso müde und traurig, wie unsere eigene Abwehr und das plumpe Reichssicherheitshauptamt der SS. Ganz allgemein waren ja die Geheimdienste sowohl der Alliierten als auch der Achsenmächte den ihnen gestellten Aufgaben kaum gewachsen.

Anfang 1944 traf ich Amery in Berlin unter sehr traurigen Umständen wieder. Es war auf einem Abendempfang des Auslandspresseclubs. Er stand völlig unter Alkohol, und so konnte zwischen uns beiden kein vernünftiges Gespräch aufkommen. Ich fragte einen mir gut bekannten, zu seinem Schutz abgestellten Beamten des Auswärtigen Amtes, was denn eigentlich los sei, und wunderte mich über das Fehlen von Amerys Lebensgefährtin. Hierauf zog mich nach längerem Zögern sein Mentor beiseite und erzählte mir, nachdem ich ihm absolute Diskretion geschworen hatte, folgende Geschichte:

Amery und seine Freundin hätten sich mehr und mehr dem Alkohol ergeben. Er wurde in Anbetracht der sich stets verschlechternden Kriegslage von immer böseren Depressionen geplagt und sah wohl auch für sich keinen Ausweg mehr. Eines Abends hätten die beiden wieder einmal sehr gefeiert, und vor dem Zubettgehen gab der total betrunkene Amery seiner Gefährtin aus Versehen statt einer prophylaktischen Kopfwehpille eine jener Giftpillen, die er stets bei sich tragen mußte, um sich im Falle einer Entführung schnell und relativ schmerzlos zu töten. Als Amery am anderen Tag spätmorgens aufwachte und seine anscheinend tief schlafende Geliebte zärtlich wecken wollte, war diese bereits tot und erkaltet. Seit diesem Tage war Amery wie vernichtet und zu nichts mehr fähig. Er ergab sich völlig dem Alkohol. Die traurige Angelegenheit aber wurde als »Geheime Reichssache« behandelt.

Später, nach dem Krieg, erfuhr ich, daß Amery sich beim Zusammenbruch widerstandslos den englischen Truppen ergab und in London wegen Hoch- und Landesverrat vor Gericht gestellt wurde. Auf die Frage des Richters bekannte er sich sofort im vollen Umfange der Anklage für schuldig, um seiner Familie die Schande und den Schmerz eines langen Prozesses zu ersparen. Innerhalb weniger Minuten wurde er zum Tode durch den Strang verurteilt. In der Nacht vor seiner Hinrichtung spielte er noch mit seinen Wärtern und dem Scharfrichter Schach, zeigte sich vollkommen gelassen und schritt wie ein Gentleman in überlegener Ruhe zum Galgen. Seine Angehörigen hatten ihn kurz vorher besucht, und sein Vater, der Kolonialminister, begab sich anschließend in sein Büro im Colonial Office.

Vor soviel Anstand und Haltung kann man sich nur verbeugen. Ich aber hatte für Amerys Ansichten steigende Hochachtung. Er war ein aufrechter Patriot und bereit, einen unkonventionellen und risikoreichen Weg im Alleingang zu beschreiten indem er Churchills Tagespolitik mit wohlbegründeten Argumenten und absoluter Konsequenz ablehnte. Wenn auch Churchill später versuchte, sich vom »Unconditional surrender« zu distanzieren und die Schuld dafür auf Roosevelt zu schieben, so entlastet ihn diese verspätete Ausrede keineswegs. Daß der alternde und haßerfüllte Roosevelt diesen Unfug aus dem amerikanischen Bürgerkrieg kopierte, ist noch einigermaßen zu begreifen. Daß aber ein gebildeter Mann wie Churchill einem Roosevelt nachgab, obwohl selbst Stalin anfangs sachliche Bedenken gegen die Formel des »Unconditional surrender« geäußert haben soll, ist eine historische Schuld, dazu ein Fehler, der auf beiden Seiten so unendlich viel Blut gekostet hat und unvereinbar ist mit den Traditionen der in aller Regel maßvollen und weitsichtigen britischen Außenpolitik.

Hitler war diese Plumpheit natürlich hochwillkommen. Seine Position war dadurch wieder gestärkt und seine Durchhalteappelle schienen gerechtfertigt. Es drohte ja sonst bei Aufgabe weiteren Widerstandes die russische Besetzung, der Morgenthauplan, die Rache der Sieger, während er die Hoffnung nährte, vielleicht mit Geheimwaffen und unter Ausnutzung alliierter Querelen einen günstigen Frieden herbeizuführen.

Unter diesen Umständen hatten normale Zeitgenossen wie Max Hohenlohe, Schellenberg und ich es unendlich schwer, zwischen anscheinend Verrückten wie Hitler, Churchill und Roosevelt bei deren Vertretern mit praktischen Lösungsvorschlägen geradezu hausieren gehen zu müssen. Doch was blieb uns anderes übrig? Wir waren jedenfalls entschlossen, nicht aufzugeben.

Max Hohenlohe war in dieser Zeit nicht untätig geblieben und pflegte noch des öfteren Kontakt mit Dulles und Tyler sowie mit dem amerikanischen Botschafter in Madrid, Mr. Butterworth. Einmal reiste er auch nach Rom und hatte dort eine längere Unterhaltung mit dem Papst. Pius XII. zeigte sich wieder sehr deutschfreundlich, was aber nicht mit nazifreundlich zu verwechseln war. Er bedauerte weiterhin den Krieg der europäischen Mächte und Deutschlands ruppige Haltung der Kirche gegenüber. Max Hohenlohe erzählte mir, im Laufe des Gespräches hätte sich der Papst bitter darüber beklagt, daß deutsche Amtsstellen nie Kontakt zu ihm gesucht hätten. Ja, er hätte gerne »einen Kreuzzug gegen den gottlosen Bolschewismus gesegnet«, wenn Deutschland nur einigermaßen vernünftig geworden wäre und seine atheistische und kirchenfeindliche Haltung aufgegeben hätte.

Später – zu spät – suchte Berlin besseren Kontakt zur Kirche, und vor allem war es Herr von Weizsäcker, der neue Botschafter beim Heiligen Stuhl, der sich stets in diesem Sinne bemühte. Doch da half nichts mehr. Weizsäcker hatte ich am Abend nach meiner Hochzeit in der Halle des Hotels Österreichischer Hof in Salzburg getroffen und kurz unter vier Augen sprechen können. Ich bat ihn gehorsamst, als neuer Botschafter selbständig beim Vatikan für den Frieden zu wirken, da nun der Faden Oster-Dohnanyi-Müller ausgefallen war. Weizsäcker lächelte und meinte, das wäre der tiefere Sinn seiner Mission und seines Bemühens, aber er habe nicht mehr viel Hoffnung. Angesichts des Geisteszustandes in Berlin und in Washington würde alles Porzellan pünktlich zerschlagen werden. Und so kam es. Hitler spielte weiter Vabanque. Und unaufhaltsam lief die Sanduhr des Schicksals.

Heute kann man verstehen, daß Hitler mit dem Westen keinen Aus-
gleichsfrieden mehr suchte, da ein solcher mit den Hypotheken von
Auschwitz einfach nicht mehr möglich war. Aber spätestens nach Katyn, dem Höhepunkt des entsetzlichen sowjetischen Holocausts an polnischen Offizieren, konnte Hitler ohne moralische Unterlegenheit bei
seinem Lehrmeister Stalin Verständnis und Ausgleich suchen. Wer
wußte damals schon von Auschwitz und anderen industriell gesteuerten
Massenvernichtungen? Auch die Abwehr ahnte zu meiner Zeit nichts
davon, sonst hätte ich es bestimmt erfahren. Stalin war sicherlich besser
informiert, doch da der Völkermord auch zu seinem Repertoire zählte,
hatte er kaum Interesse, das Weltgewissen zu wecken. Hitler wußte um
Stalins Wege, die nun auch die seinen geworden waren. Hewel erzählte
mir, daß Stalin der einzige Staatsmann war, den Hitler restlos und aufrichtig bewunderte.

Es bleibt daher unverständlich, daß er den Osten nicht ins Kalkül zog,
wo doch dort und nur dort ein paar Millionen Massakrierte seiner Sa-
lonfähigkeit kaum geschadet hätten. Doch Hitler wies japanische Ver-
mittlungsversuche stets brüsk ab. Wen die Götter verderben wollen,
den schlagen sie mit Blindheit!

Ich selbst wäre letztlich notfalls für einen Ausgleich mit den Bolschewiken gewesen, obwohl dies für mein persönliches Schicksal wenig Gutes
bedeutet hätte. Aber das Reich, seine Zukunft und endlich wieder Friede, das war doch das einzige, was zählte.

In Madrid residierte damals Botschafter von Stohrer mit seiner rasanten
Frau. Er war sicher kein Spitzenvertreter der deutschen Diplomatie, und
die Botschafterin stieß mit ihrer burschikosen Art Spanier und Ausländer gern und oft vor den Kopf. Einmal schoß sie zum Beispiel mit einem
Kleinkalibergewehr beim englischen Botschafter Sir Samuel Hoare
über die Gartenmauer hinweg eine Lampe aus, deren Licht sie gestört
und um deren Entfernung sie über gemeinsame neutrale Freunde mehrmals vergeblich gebeten hatte. Ich fand dies nicht sehr komisch, und die
Spanier hatten wenig Verständnis für schnoddrige Nonchalance. Stohrer war brauchbar gewesen, solange wir siegten. Da konnte man mit
dem Holzhammer Diplomatie machen. Aber jetzt, im Jahre 1943, mußte schon Filigranarbeit geleistet werden, und es war ratsam, der spanischen Hinhaltetaktik mit Geduld und orientalischer Freundlichkeit zu
begegnen. Stohrer war dazu unfähig, und deshalb wurden seine Bemühungen von den Spaniern immer wieder unterlaufen. Protestierte einmal der deutsche Botschafter auf Berliner Befehl zu heftig und wollte
partout rasch zu Franco vordringen, dann ließ dieser sich justament entschuldigen und versprach einen schönen Termin in den nächsten Tagen.
Dann aber pflegte er zu verreisen. Einmal fuhr ihm der Botschafter

nach La Granja, seinem Jagdschloß nach, mußte dort aber wieder warten, da Franco sich zwecks Exerzitien in seiner Kapelle eingeschlossen hatte. Am nächsten Tag war Franco nach La Coruña ausgeflogen, und der zuständige Protokollchef bat den erzürnten Botschafter süffisant, doch die freundliche Einladung des Caudillo anzunehmen, ihm nach dem schönen Coruña zu folgen, um dort alles in Ruhe zu besprechen. Der Botschafter lehnte natürlich ab, und inzwischen hatte sich, wie so oft, die Angelegenheit von selbst erledigt. Oder: Stohrer intervenierte beim spanischen Außenminister in einer lang anhängigen Sache. Man versprach mit der größten Freundlichkeit, dem Problem sein besonderes Augenmerk zuzuwenden. Sobald der Botschafter dann nachstieß und wieder einmal daran erinnerte, wurde ihm erklärt, man würde jetzt die Anstrengungen verdoppeln, und binnen kurzem könne dann das Problem höchsten Stellen zur beschleunigten Bearbeitung weitergeleitet werden.

Dem englischen Botschafter ging es zwar nicht besser, doch reagierte dieser stoisch und mit Takt. Stohrer hingegen nahm solche Dinge sofort krumm und reagierte immer böse, wenn nichts erfolgte. Doch die echten Spanienkenner wie Stille oder Kempe wußten schon Bescheid über spanisch-arabische Taktik und die unverbindliche Höflichkeit. Gesandtschaftsrat Kempe war ein unterhaltender Junggeselle, mit dem ich viel politisierte. Er war glänzend orientiert, wie auch Legationsrat Hans Stille es war. Mit ihm und dessen rassiger und witziger Frau verstanden Maria und ich uns besonders gut. Große Bewunderung hegten wir für den geheimnisvoll-mächtigen Presseattaché »Bam« Lazar, eine beachtenswerte, zu uns sehr liebenswürdige Persönlichkeit der k.u.k. Levante. Seine großartige Frau Lenta war eine Gastgeberin und Köchin von ungewöhnlichem Format. Einladungen und Feste bei den Lazars waren, besonders was die Auswahl der Gäste, der Speisen und Getränke betraf, mehr als beeindruckend. Solch exklusive kleine Schlemmerdiners mit Journalisten der ersten Garnitur waren für die deutsche Sache eine gewaltige Stütze. Ja, noch kurz vor Kriegsende versammelte Lazar selbst Leute, die schon längst mit den Alliierten sympathisierten und nur mehr erschienen waren, weil sie den großartigen Gastgebern auch in letzter Stunde ihre Reverenz erweisen wollten.

Juanito Hoffmann, ein besonders intelligenter Spaniendeutscher, der heute als Generalkonsul in Malaga wirkt, gehörte auch zu unserem Freundeskreis. Er kannte alle und jeden im offiziellen Spanien, war stets hervorragend informiert und begleitete den Chef der freiwilligen »Blauen Division«, General Muñoz Grandes, als Dolmetscher und Adjutant sowohl an die Front nach Rußland als auch nach Deutschland auf allen Besuchen des Generals beim Führer. In unserer politischen Lagebeurteilung waren er und ich meist einer Meinung.

Eines Tages sandte Hitler an Franco einen gepanzerten Mercedes-Benz als Geschenk, den der Chef des Kraftfahrerwesens beim Führer, SS-Obersturmbannführer Kempka, ein alter Bekannter von mir, persönlich nach Spanien chauffiert hatte. Diesen traf ich nun zufällig auf der Straße, wo er allein, in Zivil, von Sach- und Sprachkenntnissen unbelastet und ziemlich unbeholfen einige Einkäufe machen wollte. Mir war sofort klar, daß dieser Mann das ideale Mikrophon für Mitteilungen an Adolf Hitler war. Ich begrüßte ihn begeistert, nahm ihn mit in unsere Wohnung und kümmerte mich um ihn. Kempka, der ein besonders netter Mensch war, ließ sich gerne betreuen und lauschte meinen gedämpft optimistischen Ausführungen über die Weltlage, die Besonnenheit und Nachdenklichkeit in Berlin hervorrufen sollten. Ich konnte mit Bestimmtheit annehmen, daß Kempka, Leibchauffeur seit der Kampfzeit, auf den Fahrten Hitlers diesem, der ja immer neben dem Fahrer saß, von seinen Reisen erzählen mußte. Hitler gab auf Ansichten einfacher Leute mehr als auf Fachberichte von Politikern und Diplomaten. So wurde also Kempka von mir präpariert und schließlich als Polittorpedo Richtung Obersalzberg entlassen. Botschafter Stohrer hingegen hatte es in der gleichen Zeit nicht für nötig befunden, sich um diesen wichtigen Trabanten des Sultans zu kümmern, aber das war sein Problem. Natürlich war Kempka empört, daß ihn die Botschaft nahezu ignoriert hatte, und er erzählte mir, daß Stohrer die Geschmacklosigkeit besessen hatte, mit einem amerikanischen Wagen zur offiziellen Übergabe des gepanzerten Mercedes an Franco zu fahren. Man stelle sich vor, ein englischer Botschafter würde im Krieg in einem Mercedes zur Übergabe eines staatlich geschenkten Rolls Royce an einen ausländischen Potentaten fahren. Undenkbar!

Stohrer wurde zum Glück bald abberufen. Als Nachfolger kam Botschafter v. Moltke, ein ausgezeichneter Mann, Träger eines großen Namens, christlich eingestellt, Vater einer sehr kinderreichen Familie, ruhig und gemessen, war er ein idealer Gesprächspartner für Franco, der ihn schätzte. Leider war Moltkes Wirken nur kurz, denn er starb bald an einer zu spät behandelten Blinddarmentzündung. Franco ordnete für ihn ein erstklassiges Staatsbegräbnis an, das rangmäßig einem Capitan General entsprach. So etwas verpflichtete zu nichts und sollte Deutschland besänftigen, weil Spanien doch immer »neutraler« wurde.

Der nächste Missionschef wurde ein Schwager Ribbentrops, Botschafter Dieckhoff. Schon seine Ernennung war eine Taktlosigkeit, da Franco sicher wußte, daß Dieckhoff 1936 als Leiter der Politischen Abteilung des Auswärtigen Amtes gegen die deutsche Spanienhilfe opponiert hatte. Nun mußte er nachdrücklich umfangreiche Lieferungen an Wolfram fordern, und er verdarb sich bald gründlich das Ambiente, als er zu bequem war, persönlich zum Leichenbegängnis des in der Gesellschaft sehr beliebten Ehepaares Oyarzabal zu erscheinen und seelenruhig vom Escorial aus, wo er sich gerade etwas erholte, telefonisch die Anweisung gab, der Botschaftsrat möge ihn vertreten. Das genüge, meinte er, da Oyarzabal nur Konsul in Berlin gewesen sei. Die Spanier hatten dieses unvorsichtige Gespräch todsicher abgehört und waren nun besonders empört, da das Ehepaar im deutschen Machtbereich einer Bombe der Résistance zum Opfer gefallen war. Ein Grund mehr für einen Botschafter, acte de présence zu machen. Dazu kam noch der tragische Umstand, daß die Oyarzabals nur deshalb sterben mußten, weil sie während der Fahrt durch Frankreich einem älteren deutschen Ehepaar ihr eigenes Schlafwagenabteil abgetreten hatten, und nur jener Waggon, in den sie übersiedelten, von der Bombe zerrissen wurde. Kurz, Dieckhoff war nicht gerade sehr beliebt.

Eines Tages meldete sich bei mir telefonisch der neue argentinische Militärattaché Oberst Velez und überbrachte Grüße von meinem alten Freund, Legationssekretär Erwin Wolf, mit dem er gemeinsam den Atlantik überquert hatte. Schnell freundeten wir uns an. Seine Frau Elena aus alter argentinischer Familie, verstand sich bald sehr gut mit Maria. Der Oberst erzählte mir oft und gerne über seine gewaltige Heimat, über die großen Möglichkeiten in seinem Lande, besonders für junge Leute. Velez war überzeugt, daß dieser Krieg für Deutschland nicht mehr zu gewinnen sei, respektierte aber, daß ich dies niemals zugeben konnte. Auf jeden Fall riet er mir, nach dem Krieg nach Argentinien zu gehen. Er könne mir gerne dabei helfen.

Ich ging natürlich auf solche Vorschläge nicht ein, wenn es auch schwerfiel, einem so klugen Mann gegenüber die These vom deutschen Endsieg vertreten zu müssen. Sein Hauptanliegen aber war – und deshalb hatte er mich kontaktiert – von Skoda Lehren für Waffen, also Herstellungsmethoden und Maße, sowie optische Geräte für militärische Zwecke zu kaufen. Die sollten gegen Zahlung einiger Millionen in Schweizer Franken via U-Boot nach Argentinien geschickt werden. Ein solches Geschäft wäre für uns günstig gewesen. Die Argentinier schwammen damals in Devisen und waren bereit, einen sehr hohen Preis zu bezahlen. Das Projekt durchlief anstandslos alle militärischen und wirtschaftlichen Dienststellen in Berlin, und auch das Auswärtige Amt war einverstanden. Doch Ribbentrop verzögerte alles, wie mir ein Sekretär verriet, und verweigerte schließlich seine Unterschrift mit der lapidaren Bemerkung: »Ich will nicht, daß der Spitzy zuviel verdient.« Eine wiederum geniale Begründung für die Ablehnung eines Geschäftes, bei welchem Deutschland für industrielle Herstellungsmethoden und ein paar Spezialgeräte reichlich Devisen bekommen hätte, mit denen es in Spanien und Portugal abgesehen von Lebensmitteln für Front und Volk auch dringend benötigtes Wolfram für die Rüstung hätte einkaufen können.

Im Sommer 1943 mußte ich wieder nach Prag fahren, und anschließend nach Berlin. Dort sah ich Walther Hewel, der mir begeistert vom Führer erzählte. Während der längeren Unterredung nahm ich die Gelegenheit wahr, ihm einmal richtig die Kehrseite der Medaille zu schildern. Ich wies darauf hin, daß noch viel wichtiger als alle militärischen Erfolge eine glaubhafte, überzeugend begonnene konstruktive Lösung für Europa sei, mit der man endlich ernst machen müsse. Man habe bereits sehr viel versäumt. Die Franzosen wären bereit gewesen, an unserer Seite in den Krieg einzutreten, ja, die französische Marine unter Darlan hätte begeistert mitgemacht, wenn man den französischen Besitzstand garantiert und für Elsaß-Lothringen eine kondominiale Lösung gefunden hätte. Die Kirche wäre leider kurzsichtig verprellt worden, und Roosevelt habe man völlig unnötig den Gefallen einer einseitigen deutschen Kriegserklärung gemacht. Es sei höchste Zeit, Ribbentrop zum Teufel zu jagen und, nach Clausewitz, das Primat der Politik wiederherzustellen. Man müsse Politik machen, um den Krieg zu gewinnen, aber nicht den Krieg gewinnen, um nachher Politik zu machen. Langsam liefen uns alle Sympathisanten davon. Ich sähe es in Spanien, wo selbst überzeugte Freunde wankend würden, weil wir heute aus eigener Schuld in einen Mehrfrontenkrieg verwickelt seien und täglich neue Feinde dazugewännen.

Hewel wurde, wie so oft, sehr nachdenklich und sagte: »Wenn ich das, was du mir mitteilst, dem Führer weitersage, übergibt er mich dem Chef seines Begleitkommandos, dem Rattenhuber, zur Exekution. Eine Salve, ein Gnadenschuß im Hof der Reichskanzlei, und alles ist aus. Und wer weiß, welches Schwein oder welcher Depp dann mein Nachfolger wird?«

Als ich am nächsten Tag dann Hewel wieder sah, sagte er, typisch für ihn. »Ach, wenn du gestern abend bei Tisch den Führer gehört hättest, du würdest ganz anders reden. Er war wieder fabelhaft!«

Erneut und verzweifelnd mußte ich dann wieder versuchen, Hewel auf den Boden der Realitäten zurückzuholen. Das gelang ja oft auf Grund von Tatsachen, hielt aber sicher nicht lange vor. Hitlers Vernebelungs- und Überredungskünste waren einfach großartig.

Nicht einverstanden war Hewel mit dem steigenden Einfluß Bormanns. Er hielt ihn für fatal und stellte fest, daß Bormann konsequent alle alten und vernünftigen Parteileute von Hitler fernhielt. In der negativen Beurteilung dieses Ehrgeizlings waren wir uns einig. Auch den dubiosen Dr. Morell mit seinen Pillen und Belebungsspritzen lehnte Hewel instinktiv ab und hielt, gemeinsam mit dem ehemaligen Leibarzt des Führers, SS-Oberführer Dr. Brand, die von Morell geförderte Pillen- und Spritzenmanie Hitlers für verheerend. Aber gegen Morell war nichts zu machen. Hitler hielt ihn für unentbehrlich als »Wiederaufputscher« und für ein medizinisches Genie. Er machte ihn zum Professor und verjagte seine Widersacher aus seiner Umgebung. Da hielt sich auch Hewel zurück und gestattete, zwar contre cœur, daß Morell ihm auf Anordnung des Führers einmal, als er schlapp war, direkt durch die Hose eine Belebungsspritze in den Oberschenkel verpaßte.

Trotz unserer verschlechterten Kriegslage floß der Strom spanischer Informationen unvermindert weiter. Ja, wir hatten das Gefühl, daß die Spanier den in Not geratenen Deutschen nun lieber halfen, als zuvor dem pampigen, deutschen Allerweltsieger. Natürlich war nur ein Teil aller Nachrichten brauchbar. Einmal fielen wir ganz und gar auf einen genialen englischen Trick herein, der uns kurz vor der britischen Landung in Nordafrika irreführen sollte. Die Briten hatten eine Leiche als U-Bootoffizier verkleidet, mit falschen Papieren, und ebensolchen Dokumenten über spätere zukünftige Landungen ausgestattet und durch die Brandung in Andalusien an Land spülen lassen. Sofort erfuhr Franco davon, und die Weitergabe der Nachricht wurde augenblicklich streng verboten. Das aber hatte nur den Erfolg, daß wir noch schneller davon hörten. Auch ich ließ aufgeregt diese Nachricht an Schellenberg nach Berlin funken.

Am besten informiert war höchstwahrscheinlich unser Presseattaché Lazar. Er beeinflußte, soweit dies noch möglich war, die spanische Presse mit maestraler Hand und mit Freigebigkeit aus einem Sonderfonds, sowie durch Küche und Keller seines Hauses. Lazar hatte sogar spanische Kirchenblätter durch Annoncen deutscher Firmen fest in der Hand. Ja, er hatte Pfarrgazetten in unbedeutenden Pfarren selbst gegründet und vollständig finanziert. Er ließ diese Blätter anfangs nicht mit deutscher Propaganda berieseln, sondern wartete ruhig zu und verwendete sie nur, wenn eine Notwendigkeit gegeben war, dann aber massiv. Fäden dieses sensiblen Netzes zu Kirche, Staat und Partei, Finanz- und Wirtschaftskreisen, zur Aristokratie und zu bürgerlichen Sympathisanten hielt Lazar allein und souverän in der Hand. Mehrfach wurde versucht, ihn als Reaktionär und Antinazi zu verdächtigen. In Berlin wurde er heftig beschossen, ja sogar Hitler selbst soll sich gegen ihn ausgesprochen und seine Abberufung gewünscht haben. Doch Lazar war stärker. Nur er kannte die Zusammenhänge seines Apparates, und je schwieriger die Frontlage wurde, desto weniger konnte man auf

einen solchen Akrobaten verzichten. Da mußte sogar der Führer nachgeben. Und privat und persönlich war »Bam« ein reizender Mensch und
guter Freund.

Auf der Botschaft gab es zwei Botschaftsräte, von denen Herr von Heyden-Rynsch im Rang an zweiter Stelle stand. Ich kannte ihn von Berlin
her, war er doch der offizielle Verbindungsmann zwischen dem Auswärtigen Amt und dem OKW gewesen. Heyden-Rynsch war nicht besonders unterhaltend. Er tat viel zu wenig, um einflußreiche Spanier
heranzuziehen, was eigentlich seine Aufgabe gewesen wäre. Ich bedauerte, daß hohe Beamte ihre runden Bezüge und hohen Repräsentat-
tionszulagen nicht großzügiger ausgaben, um spanische Freunde bei der
deutschen Stange zu halten. Viele dieser Herren sparten und schnorrten
jedoch, daß Gott erbarm, um sich für die schlimme Nachkriegszeit etwas Kapital und Besitz zu sichern. Auf diesem Gebiet war der Botschaftsrat Häberlein erster Sieger. Obwohl von Haus aus reich, legte er
in Spanien Devisenpfennig auf Devisenpfennig und kaufte sich schließlich – mitten im Krieg – ein Gut bei Toledo.

Er befreundete sich in kluger Voraussicht mit dem anglophilen spanischen Außenminister Graf Jordana und verzog sich mit dessen Zustimmung, als er 1943 turnusmäßig nach Berlin zurückversetzt werden sollte, auf sein neues Tusculum. Dies machte natürlich einen miserablen
Eindruck und erfreute die Alliierten, denn obwohl die Sache offiziell
vertuscht wurde, wußte bald ganz Madrid davon. Um diese böse Scharte wieder auszuwetzen, kam der Polizeiattaché Winzer in Zusammenarbeit mit dem Luftattaché General Kramer auf die ruhmreiche Idee, Häberlein zu entführen und nach Berlin zu verfrachten. Die Sache kam
auf, und unser Botschafter, der hier nicht eingeschaltet war, tobte. Was
war passiert?

In Zusammenarbeit mit entschlossenen Freunden aus der spanischen
Polizei beobachtete man zuerst einmal die Lebensgewohnheiten des
Ehepaares Häberlein auf dessen neuem Besitz. Dann erschienen eines
Morgens um vier Uhr früh energisch und entschlossen ein deutscher
und ein spanischer Polizist mit falschen Verhaftungspapieren und nahmen den entlaufenen Botschaftsrat »nach Brechung seines Widerstandes« fest, um ihn fürs erste in den Keller eines Nebengebäudes der Botschaft zu sperren. Frau Häberlein wurde nach Madrid komplimentiert
mit dem Rat, ja nichts zu unternehmen, sonst würde es ihrem Mann
schlecht ergehen. Gegen Mittag desselben Tages transportierte man
dann den gut präparierten Exbotschaftsrat zur Siestazeit auf den müde
kontrollierten Flugplatz, um ihn sofort mit der Dienstmaschine des Luft-
attachés nach Berlin zu fliegen. Frau Häberlein fuhr zur gleichen Zeit
»scharf begleitet« per Zug zurück nach Deutschland, um dann dort

ihren Gatten im Konzentrationslager wiederzusehen. Erstaunlicherweise wurde das Leben der beiden Deserteure aber auf Grund des energischen Einspruches der spanischen Diplomatie geschont, und die Häberleins machten nach dem Kriege, wieder in Spanien, eine Dankeswallfahrt zu Fuß nach Santiago de Compostela.

Natürlich fuhr ich gelegentlich wieder nach Berlin und Prag und führte lange Gespräche mit Schellenberg. Ich verwies, so gut ich konnte, auf die Tatsache, daß nur über eine Vorleistung im Sinne einer konstruktiven Lösung ein erträglicher Friede zu erreichen wäre. Meine Kritik an Ribbentrop wurde immer schärfer, ich fragte, wann der Reichsführer-SS endlich solche Versager erledigen würde. Auf Grund der Vertrauensbasis mit Schellenberg erklärte ich klipp und klar, daß mit Hitler niemand Frieden schließen würde und dieser freiwillig oder unfreiwillig aus dem Verkehr gezogen werden müsse. Dann seufzte Schellenberg gewöhnlich und sagte, es wäre noch zu früh. Einmal meinte er sogar, wenn das alles stimmte, was ich berichte, dann müßte man Hitler umbringen. Worauf ich mich in Schweigen hüllte, nickte und vielsagend lächelte. Schellenberg war zutiefst verzweifelt über Himmlers Unentschlossenheit, verlangte etwas mehr Geduld und kündigte Prinz Hohenlohe und mir zum x-ten Mal bevorstehende Kabinettsumbildungen an, die natürlich niemals zustandekamen. Er habe es nicht leicht, sagte er, er werde dauernd von Kaltenbrunner und dem Gestapo-Müller angeschossen. Beim Reichsführer-SS würden die merkwürdigsten Gestalten herumsteigen, er höre sich alles an, entschlösse sich dann zu nichts und vertröste stets auf später. Ich solle nur ruhig weitermachen, einmal käme schon der große Moment, an dem Himmler handeln werde. Doch dies blieb ein frommer Wunsch, denn auch Himmler war nur ein typischer Materialsammler, der seine schöne Munition bis zum Schluß des Krieges nicht zu verschießen wagte. Einesteils hinderte ihn sein Treueverhältnis zu Hitler, andererseits hatte er wohl nicht ganz zu Unrecht das Gefühl, daß man ihn nach seinen Greueltaten nur kurze Zeit verwenden würde, um ihn dann kalt ans Messer zu liefern. Sicherlich sah Himmler damals schon das böse Ende kommen. Nur mochte er noch hoffen, den Nornen vielleicht doch entwischen zu können.

Von der Affäre Dohnanyi-Oster hörte ich nicht viel, doch hatte mir Schellenberg eingeschärft, unter keinen Umständen die Abwehr zu besuchen. Durch meine Kontakte mit Dulles und Tyler war ich für Schellenberg ein wertvoller Verbindungsmann geworden und wurde von ihm gegen Angriffe verteidigt und abgeschirmt. Auch ich war ihm gegenüber durchaus loyal, denn nach dem totalen Mißerfolg der Oster-Fronde und der erwiesenen Unentschlossenheit der Generale auf der einen

Seite, und der primitiven Politik des Unconditional surrender auf der anderen, blieb als letzte Hoffnung nur eine Erneuerung der inneren Lage in Deutschland und Europa durch positive Elemente unter dem sicherlich nur vorübergehenden, aber zur Zeit noch zweckmäßigen Schutz der SS, als einzig intakter Ordnungsmacht. Das war nicht weit von reiner Phantasterei, doch wenn man ertrinkt, klammert man sich an jeden Strohhalm, und gar so abwegig war diese Konstruktion auch wieder nicht. Denn in der SS gab es auch vernünftige und anständige Leute, die bereit waren, ohne Rücksicht auf ihre persönliche Zukunft der guten Sache ihre Kraft und ihren Einfluß zu leihen. Ich könnte hier außer den hohen SS-Führern Schellenberg, Wolff, Nebe, Lorenz, Best, Stukkart, Graf Schulenburg, Fürst Pückler und Erbprinz Waldeck, noch viele andere erwähnen. Rund ein Sechstel der höheren SS-Führer war im übrigen eher konservativ.

Schellenberg war das Regime genauso zuwider wie uns allen, nur schätzte er Hitler und Himmlers Macht besser ein und wollte wohl erst einmal die Nummer eins durch die Nummer zwei erledigen, um dann der Nummer zwei die Macht zu entziehen und einer vernünftigen Entwicklung Raum zu geben. Immer wieder sagte er uns Kabinettswechsel voraus, bei dem Hitler von Ribbentrop, Bormann, Morell und anderen fatalen Gestalten getrennt werden sollte, aber keine dieser Prophezeiungen traf jemals ein.

Bis zum Sommer 1944 bombardierten Hohenlohe und ich Schellenberg mit unseren Ideen, und ihm war klar, daß ein Endsieg nicht mehr in Frage kam. Dreimal sah ich ihn noch, einmal im Spätherbst 1943, einmal im Winter und ein letztes Mal im April 1944. Damals war er schon auf Grund der immer düstereren Lage überzeugt, daß außer Hitler gleich auch Himmler beseitigt werden müsse, denn dieser unentschlossene »Reichsheini« ging ihm bereits gewaltig auf die Nerven. Nur war Schellenberg für einen Alleingang von seiner Position her nicht stark genug, denn von allen Seiten wurde er als Dunkelmann und Miesmacher angegriffen. Kaltenbrunner und Gestapo-Müller waren die Gefährlichsten dieser Clique. Nur mit Mühe und fachlichen Leistungen konnte Schellenberg sich halten. Als Anfang 1945 auch einem Himmler schwante, daß ein Sieg nicht mehr in Frage kam, gab er Schellenberg mehr freie Hand und so blieb diesem Mann, der seit Jahren für eine vernünftige Revolution eintrat, am Ende nur die traurige Aufgabe, zu helfen, das Dritte Reich zu liquidieren und mit Hilfe von Graf Bernadotte in Richtung unconditional surrender zu führen. Die Alliierten anerkannten die Bemühungen Schellenbergs durchaus, beließen ihm nach der Kapitulation seinen Generalsrang, behielten ihn in Ehren konfiniert in Rom, wo er dann wenige Jahre nach Kriegsende an Magenkrebs starb.

Die aus Kerneuropa eintreffenden Nachrichten wurden im Laufe des Jahres 1944 immer tragischer. In seiner norditalienischen Republik versuchte Mussolini durchzugreifen und ließ unter anderen Marschall de Bono und seinen Schwiegersohn Ciano als Verräter erschießen, nachdem dessen Frau Edda verzweifelt bei Hitler interveniert und sich ihrem Vater um ihrer Familie willen flehend zu Füßen geworfen hatte. Mussolini aber antwortete wie ein alter Römer:»Hier gibt es keinen Großvater und keinen Schwiegervater, sondern *nur* den Duce von Italien.« Und ließ der Gerechtigkeit ihren Lauf.

Die Spanier schränkten die durch ihre Hilfe im Bürgerkrieg erworbenen Vorrechte der Deutschen radikal ein, da die Angelsachsen immer heftiger protestierten und kein Öl und Getreide mehr liefern wollten, so daß das spanische Verteilersystem und der Verkehr erheblich unter Teibstoffmangel litten. Einige Außenstellen der Abwehr fuhrwerkten aber unbekümmert weiter wie in alten Zeiten, etwa mit kleinen Bomben- und Sabotageakten gegen spanische Lieferungen an die Alliierten, was zu scharfen spanischen Reaktionen führte. Dies erschütterte die Abwehr in ihren Grundfesten. Am 11. Februar 1944 schließlich stürzte Canaris. Genaueres erfuhr ich über Hasso von Etzdorf, der uns in Madrid besuchte.

Im März wurde von Franco die Blaue Division aus der russischen Front nach Hause zurückbeordert. Horthy stürzte in Ungarn, und der deutschfreundliche ungarische Gesandte Stojay, den ich aus meiner Berliner Zeit gut kannte, wurde ungarischer Ministerpräsident. Die Finnen verhandelten bald mit den Russen, und der Balkan wurde noch unruhiger, als er es in den letzten Jahren schon gewesen war. Es knisterte und krachte also an allen Ecken und Enden. Nur oben wollte man das nicht wahrhaben, während wir mit unserer besseren Übersicht im neutralen Ausland mit Unkenrufen Kopf und Kragen riskierten.

Im April raffte ich mich noch einmal auf und fuhr nach Berlin. Im Zug traf ich den mir seit Jahren bekannten bulgarischen Gesandten in Spanien, Draganoff. Ich reiste mit ihm bis Paris. Dort trennten sich unsere Wege – für immer, wie er mir vorhersagte. Draganoff war ein überaus intelligenter und herzensguter Mensch. Ich kannte ihn schon als bulgarischen Militärattaché und späteren Gesandten in Berlin. Mit seiner Frau und Tochter verband Maria und mich später eine aufrichtige Freundschaft. Draganoff war ein treuer Vasall seines Königs, und man munkelte, er sei mit ihm morganatisch verwandt. Während der langen gemeinsamen Fahrt schütteten wir uns die Herzen über die hoffnungslos verfahrene Lage aus. Draganoff sah alles Schwarz in Schwarz. Ich fragte ihn, warum er dann zurück nach Bulgarien fahre, worauf er mir antwortete, er müsse fahren, denn er habe dem König sein Wort gegeben, zu kommen, wenn dieser ihn rufe. Und nun habe der König ihn angesichts der verheerenden Lage nach Sofia befohlen, um das Außenministerium zu übernehmen und zu retten, was noch zu retten sei. Er sähe allerdings kaum noch Chancen. Bulgarien habe zwar niemals den Russen den Krieg erklärt, da angesichts der engen geschichtlichen und emotionellen Bindungen zwischen dem russischen und dem bulgarischen Volk ein Krieg selbst mit Bolschewiken nicht in Frage käme. Doch würde Bulgarien letzten Endes diese Neutralität nichts nützen, wenn die Kommunisten bald den Südosten Europas überfluteten. Er würde bis zuletzt auf seinem Posten bleiben, doch diese Entwicklung nicht überleben, und habe sich von seiner Familie für immer verabschiedet. So fahre er wohl dem unausweichlichen Ende entgegen. Deutschland habe sich durch seinen unfähigen Ribbentrop alle Chancen verdorben, Vabanque gespielt, verloren, und seine treuesten und ältesten Verbündeten mit ins Verderben gezogen.

Ich war zutiefst erschüttert. Leider konnte ich Draganoff nicht trösten, da sich unsere Ansichten deckten. Ich verabschiedete mich, in Paris angekommen, von ihm mit dem Gefühl tiefsten Respektes. Wie Draganoff vorausgeahnt hatte, überrollte die Rote Armee das neutrale Bulgarien, Draganoff wurde abgesetzt, verhaftet, angeklagt und hingerichtet. Diese meine letzte Reise nach Prag und Berlin trat ich wie ein zum Tode Verurteilter an. Ich nahm Abschied von Maria, als ob es für immer wäre, denn ich konnte dem Ehrenwort Dohnanyis erfahrungsgemäß nicht trauen. Wahrscheinlich hatte er mit allerhand Geheimberichten auch meine Papierschnitzel nicht vernichtet oder nur schlecht versteckt. Hewel konnte ich diesmal in Berlin nicht antreffen. Ich hatte aber mit Datum vom 1. Februar einen Brief von ihm aus dem Führerhauptquartier erhalten und daraus entstand in der Folge ein intensiver Briefwechsel. Ich nutzte immer wieder die Gelegenheit, um vorsichtig beschwörend zu aktiver, konstruktiver Außenpolitik zu raten und nicht erst auf militärische Erfolge zu warten (siehe Anhang).

Berlin brachte nichts Neues, außer, daß ich bei Schellenberg durchsetzen konnte, Amaury, den Freund meiner Pariser Studienjahre, der sich in einem ostpreußischen Gefangenenlager befand, zu befreien und nach Hause zu schicken. Schon auf der Hinfahrt hatte ich in Paris seine Mutter und seinen jüngsten Bruder gesehen. Dieser bat mich inständig, Amaury freizubekommen. Schellenberg meinte, an ihm solle es nicht liegen, aber ohne die Zustimmung der zuständigen Pariser Stellen der SS könne auch er nichts machen. Ich solle also auf der Rückfahrt nach Spanien den Beauftragten der SS für Wirtschaftsfragen in Frankreich, Sturmbannführer Maulatz, aufsuchen und überzeugen, daß eine Rückführung Amaurys wirtschaftlich vorteilhaft wäre. Wenn mir das gelänge, dann stünde einer Entlassung in die Heimat nichts im Wege. Gesagt, getan. Ich besuchte auf der Rückreise Maulatz in Paris im SD-Zentrum an der Avenue Hoche, damals im Volksmund »Avenue Boche« genannt. Das Gespräch war hochinteressant. Maulatz stammte ebenso wie ich aus Graz in der Steiermark und war alter Kämpfer. Wir verstanden uns und sprachen recht offen. Maulatz erzählte mir, wie er in Paris die letzten wertvollen Gummi-, Spezialmetall- und Rohstoffquellen absahnt und erschöpft hatte, indem er den schwarzen Markt, statt ihn zu bekämpfen, selbst organisierte und mit Besatzungsfrancs fröhlich jeden Preis zahlte. Vorher hatten die Deutschen den Schwarzmarkt stur bekämpft und versucht, via Beschlagnahme und offiziellem Aufkauf an gehortete Bestände heranzukommen. So hatte das natürlich nicht funktioniert. Doch hintenherum, über den schwarzen Markt, sei es ihm dann gelungen, auf die österreichische sanfte Tour, die letzten französischen Reserven zu knacken. Bezüglich der allgemeinen Lage war Maulatz nicht sehr optimistisch, und er erwartete eine baldige Invasion der Alliierten. Die Atlantikfestung wäre zwar stark, aber die besten Truppen seien nach dem Osten abkommandiert worden. Im Inneren Frankreichs gäbe es fast keinen deutschen Soldaten mehr, außer einigen uralten Jahrgängen mit museumsreifen Waffen. Wenn es eine wirkliche Résistance gäbe, wüßte er nicht, was man dann z.B. im Massive Central machen sollte. Aber zum Glück sei die französische Résistance kaum existent und störe in der Praxis wenig. Daran änderte auch das Geprahle im Londoner Rundfunk nichts. Die Franzosen seien in ihrer überwiegenden Mehrheit für Abwarten. Pétain würde respektiert. Am Anfang des Krieges hätten sie den Schädel hinhalten müssen, während die Engländer verdufteten. Nun aber sollten einmal die Angelsachsen ihre Pflicht tun und von ihnen keine Heldentaten erwarten. Da das Gespräch gut gelaufen war, machte Maulatz in meiner Angelegenheit keine Schwierigkeiten, und binnen weniger Wochen war Amaury wieder in Paris. Maulatz aber schrieb mir zu meinem maßlosen Erstaunen nach dem Krieg nach Argentinien, daß er gerne mit meiner Hilfe Schweizer Uhren dorthin exportieren würde, denn er sei als Schweizer Staatsbürger in der Exportabteilung einer Schweizer Uhrenfirma tätig. Da einer seiner Vorfahren im Mannesstamm vor über hundert Jahren von der Schweiz nach der Steiermark ausgewandert war, mußten ihn – nachdem er sich die entsprechenden Dokumente rechtzeitig und vorsorglich beschafft hatte – die Schweizer nach Kriegsende – sicherlich zähneknirschend – als Schweizer Bürger anerkennen und aufnehmen. Natürlich hatte ich damals in Argentinien andere Sorgen, als einen Uhrenhandel mit dem ehemaligen Wirtschaftsbeauftragten des SD in Paris aufzuziehen und ich lehnte – bewundernd und dankend – ab.

Die Alliierten wurden in Spanien immer unangenehmer. Das deutsche Generalkonsulat in Tanger wurde geschlossen, viele der Abwehraußenstellen auf spanischen Druck hin zurückgezogen. Lazar mußte seine Propaganda einschränken, und unser Büro der Skoda- und Brünner Waffenfabriken arbeitete praktisch im Leerlauf. Aus Berlin hatte ich noch immer keine Nachricht, ob der Verkauf der Herstellungspläne für das handtransportable 15 mm Flakgeschütz ZB 60 an Argentinien endlich genehmigt sei. Doch nichts ging da weiter, die Sache lag bei Ribbentrop in der Wiedervorlagemappe, und Hewel war wegen seines Flugunfalles im Lazarett.

Diese müde, erfolglose Zeit war schnell vorüber, als Anfang Juni wie ein Donnerschlag die alliierte Landung in Frankreich erfolgte. Sobald sich herausstellte, daß die Alliierten endgültig Fuß gefaßt hatten und vorstießen, sanken Deutschlands Aktien in Madrid auf den Nullpunkt. Die Staatsangehörigen der Achsenmächte in Spanien begannen, sich intensiv mit den eigenen, privaten Überlebensmöglichkeiten zu beschäftigen, wenn sie dies auch offiziell nicht zugaben und weiter Freund und Feind gegenüber lauthals ihre Siegeszuversicht beteuerten. Einen kleinen Aufschwung zu unseren Gunsten gab es allerdings noch einmal, als die V-Waffen England beschossen. Doch bald verpuffte auch dieser Effekt, und die Lage war wieder Grau in Grau.

Ich mußte mich jetzt langsam um unsere Zukunft kümmern, denn mein dienstliches Verbleiben in Madrid war nicht mehr sehr sinnvoll, da Lieferungen aus Böhmen auf dem Landweg unmöglich geworden waren. Außerdem hatte Max Hohenlohe zusehends Schwierigkeiten mit den Alliierten wegen meiner Person, und er bat mich, Madrid so bald als möglich zu verlassen, offiziell den Sommerurlaub anzutreten und erst nach Besserung der Weltlage – wenn auch verspätet – aus den Ferien zurückzukehren. Es konnte sich nur um den St. Nimmerleinstag handeln. Dieser Aufforderung nachzukommen, empfahl sich um so mehr, nachdem bekannt wurde, daß Hitler das Attentat Stauffenbergs überlebt hatte. Zusätzlich zu allen Sorgen mußte ich auch endlich vernünftige Pläne machen, denn Ende des Jahres erwartete Maria unser erstes Kind. Max Hohenlohe schlug uns vor, nach Santillana del Mar zu übersiedeln, wo seine Frau einen kleinen, leerstehenden Palacio besaß.

So rüsteten wir ab – offiziell, um Ferien zu machen – gaben uns aber keinen Illusionen über eine Rückkehr nach Madrid hin. Was sollten wir auch dort? Praktisch war alles vorbei, sinn- und nutzlos geworden. Schellenberg konnte mich, wenn er wollte, auch auf dem Lande erreichen. Es war sicher in seinem Sinn, Schildkröte zu spielen, nicht aufzufallen und abzuwarten. Das konnte am besten weitab von Madrid geschehen. An eine Rückkehr nach Deutschland konnte ich auf keinen

Fall denken, weil ich ja damit rechnen mußte, daß Dohnanyi am Ende doch nicht alle Akten vernichtet hatte und Kameraden aus der Abwehr, die von der Gestapo brutal gequält wurden, auch über mich aussagen könnten. Wie sich später herausstellte, waren tatsächlich alle Akten Osters und Dohnanyis von der Gestapo gefunden worden. Mit der alten Zeit hatte ich gebrochen und fühlte auch keine Verpflichtung mehr dem Dritten Reich gegenüber. Die besten Jahre meiner Jugend hatte ich Hitler geschenkt, hatte an seine Versprechungen von Frieden, Freiheit, Brot und an das Reich aller Deutschen – aber nur der Deutschen – geglaubt. Fremden Völkern dasselbe Unrecht anzutun, das uns in Versailles und St.-Germain geschehen war hatte uns damals jungen Nationalsozialisten ferngelegen. Kapitalismus und Imperialismus hatten wir verabscheut. Diesen Krieg hatte ich kommen sehen. Ich hatte dagegen gekämpft, meine Karriere weggeworfen und alles riskiert. Als der Krieg dann ausbrach, war ich bereit, gegen mein altes Idol Adolf Hitler zu kämpfen und zu konspirieren. Erst versuchte ich es mit der Wehrmacht, dann mit der SS. Nach dem 20. Juli, nach den grausamen Verfolgungen und der Verleugnung unserer alten, hohen Ideale, kurz vor dem Zusammenbruch des alten Bismarckreiches, das wir nicht vervollständigt, sondern zerstört hatten, fühlte ich nur noch blanken Haß. Der Hitler der Wolfsschanze war nicht mehr derselbe, der Österreich und das Sudetenland befreit hatte, sondern ein blutiger Tyrann, oder, wie Hewel sagte: »Ein Sultan, an dessen Hof kein Mensch mehr wagt, ein Wort zu sagen«.

Am 12. November 1944 kam unser Sohn Wolfgang zur Welt. Alle Dorfbewohner und ganz besonders Don Eduardo Rodriguez, Abad de Santillana, der später unser allerbester Freund und Helfer wurde, nahmen sehr sympathisch Anteil an dem freudigen Ereignis. Nun war endgültig der Moment gekommen, für die Familie zu sorgen, eine gewinnbringende Tätigkeit zu suchen und eine Bleibe für uns zu finden, denn auf die Dauer konnten wir nicht im Haus der Hohenlohes wohnen, da der Prinz in Madrid schon ziemlich unter dem Druck der Alliierten und des Außenministers stand – vor allem wegen seiner Freundschaft zu uns. Er wurde öfters mit der Frage geplagt, was ich mache und wo ich sei. Er antwortete stereotyp, ich wäre auf dem Lande, meine Frau hätte ein Kind bekommen und er hätte mich gebeten, absolut stillzuhalten und mich nicht mehr politisch zu betätigen. Hierin hatte er völlig recht. Auch ich hielt jede weitere Betätigung für sinnlos, da die siegenden Alliierten nicht daran dachten, Deutschland irgendwie entgegenzukommen und vom »Unconditional surrender« abzugehen. Es gab nichts Sinnvolles mehr zu tun, denn nachdem die Ardennenoffensive gescheitert war und dann in Jalta Anfang Februar das Los über Hitlerdeutschland geworfen wurde, war das Schicksal des Reiches endgültig besiegelt.

Da passierte es, daß ich eines Tages im Februar 1945 am frühen Nachmittag von einem längeren Fußmarsch zurückkam und vor unserem Haus eine schwarze Limousine stehen sah, in der sich ein Chauffeur und eine in einen dunklen Ledermantel gehüllte, kräftige Person befand. Ich ging ins Haus, stieg unter bösen Vorahnungen die Treppen hinauf und betrat den großen, mittelalterlichen Saal. In einer Ecke sah ich bleich Maria sitzen, ihr gegenüber ein stiernackiger, kurzgeschorener Volksgenosse. Maria blickte mich vielsagend an. Der Besucher erhob sich, verbeugte sich zackig und stellte sich als SS-Obersturmführer Bormann vor, der aus Berlin den Auftrag hätte, mich unverzüglich dorthin zu begleiten.

Na, das war eine schöne Überraschung. Ich hörte mir die Ausführungen wortlos an, faßte mich, so gut ich konnte, und erklärte, ich verstünde nicht ganz, was er meine und wer er sei. Er möge sich bitte legitimieren. Er könne ja auch ein Agent-Provocateur sein. Ich hätte von meiner Dienststelle sehr klare Weisungen und Aufgaben bekommen und es wäre ja noch schöner, wenn alle Vereinbarungen plötzlich umgeworfen werden würden. Bormann aber hatte angenehmerweise außer seinem Reisepaß keine Ausweispapiere bei sich. Nun bekam ich langsam Oberwasser und entgegnete, solche Pässe könne der Intelligence Service zu Hunderten herstellen. Es liefen heute in diesen schweren Zeiten die gefährlichsten Typen herum, und ich könnte mich auf keinen Fall mit ihm weiter unterhalten, bevor er sich nicht ordentlich ausweise und vor allem das Losungswort sage. So ein Losungswort gab es natürlich nicht, und so konnte es Bormann auch nicht wissen. Ich hatte mich wieder gefaßt und sprach nunmehr in belehrendem, väterlichen Ton mit dem Unglücklichen, ließ einfließen, daß ich Hitler persönlich kenne und warf mit Namen höchster Parteigenossen nur so um mich. Sodann verwies ich geheimnisvoll auf eventuell noch entscheidende Aufgaben, für die ich mich hier unauffällig bereithalten müsse. Schließlich bat ich ihn energisch, wieder zurück nach Madrid zu fahren, und seine Dienststelle darüber aufzuklären, daß ich ohne klare Befehle meiner Vorgesetzten und ohne das Losungswort meinen Posten nicht verlassen dürfe. Bormann war sichtlich beeindruckt. Maria kredenzte erleichtert etwas guten Wein und ließ dem allmählich aufweichenden »steinernen Gast« besten Aufschnitt aus der Küche bringen. Plötzlich entfuhr es Bormann: »Wissen Sie, wirklich schön haben Sie es hier.«
Ich stimmte zu und verwies auf harte, sicher noch zu lösende Aufgaben in diesen entscheidenden Tagen. So schieden wir schließlich in fast freundschaftlicher Stimmung.

Mir war klar, das war ein Geschoß Kaltenbrunners oder des Gestapo-Müller vom Amt IV gewesen. Beide konnten mich nicht leiden, und Schellenberg wäre ganz anders an mich herangetreten. Ich konnte mir gut vorstellen, daß nun in der Endphase der Kampf aller gegen alle auch in den Ämtern der SS, begonnen hatte, und Schellenberg war als »Schwächling« bei den unentwegten Amtskollegen verhaßt. Daher hieß es jetzt aufpassen und auf der Hut sein vor den Jakobinern der Gestapo. Aber in Berlin hatte man andere Sorgen, und es gab in Deutschland genügend echte oder vermeintliche Regimegegner, denen man im allgemeinen Wahnsinn des Zusammenbruchs noch schnell den Garaus machen konnte – unter ihnen Canaris.

Im Laufe des April bekam ich noch eine verstümmelte Nachricht, anscheinend von Schellenberg. Ich solle in Madrid die englische Botschaft aufsuchen und eine Teilkapitulation der deutschen Streitkräfte im Westen anbieten. Dafür war es nun bei Gott zu spät! Ich wartete vergebens auf Instruktionen und Vollmacht, aber es kam nichts mehr, und mit leeren Händen konnte ich mich nur mehr lächerlich machen.

In den letzten Tagen des Krieges erschien auch der deutsche Geschäftsträger von Bibra bei Max Hohenlohe im Quexigal und wollte dort Botschaftsgold vergraben. Dieser lehnte dankend ab und erklärte ihm, Spanien wäre groß, er könne es ja irgendwo in den Bergen tun. Die Fonds wurden dann größtenteils den Alliierten übergeben, und Akten wurden kaum verbrannt, da nach den ersten hundert Bündeln die Öfen in der Botschaft glühten und streikten. So fielen in Madrid praktisch alle Geheimakten, aber leider auch alle Listen unserer bezahlten und unbezahlten spanischen Freunde in Feindeshand und schädigten auf diese Weise unsere besten Helfer. Diese hatten in der Folge größten Ärger und Unannehmlichkeiten, und wütend schworen viele, nie mehr für Deutschland einen Finger zu rühren.

Der Zusammenbruch war also nicht nur in Deutschland, sondern auch an der Madrider Botschaft total. Nichts war für diesen Fall vorbereitet. Bis zuletzt hatte man sich gegenseitig vom Endsieg vorgefaselt.

Aus Berlin sickerten allmählich wieder Nachrichten zu uns durch. Unser treuer Freund Hewel, der bis zum letzten Tag bei seinem Führer in der Reichskanzlei ausgeharrt hatte, war bei einem letzten Ausbruchsversuch mit vielen Kameraden in dem zerschossenen Gebäude einer Berliner Brauerei gelandet. Als aber die Russen dort eindrangen, hat er leider mit Gift und Kugel Selbstmord verübt. Wie wir später erfuhren, hatte er kurz davor erklärt, er habe dem Führer versprochen, ihn in den Tod zu begleiten; er wolle nicht gezwungen werden, schädliche Aussagen zu machen. Ein Jammer um diesen Mann! Nach einigen schweren Jahren wäre ihm am Ende doch wohl nicht viel passiert – denn es gab ja

Männer genug, die bezeugen konnten, daß Hewel, als einer der vernünftigsten Menschen am Hofe des Führers bis zum Schluß stets zur Mäßigung geraten hatte (vgl. Anhang).

Ein anderer Märtyrer dieser Zeit war Ernst Freiherrr von Weizsäcker. Als Botschafter am Heiligen Stuhl bemühte er sich von neuem für eine friedliche Lösung des blutigen Konflikts. Er genoß in hohem Maße das Ansehen Papst Pius XII. und durfte bis 1949 im Vatikan bleiben. Dann besorgte ihm der Papst von den Alliierten die Zusage freien Geleites nach Nürnberg, um dort aussagen zu können. Prompt wurde dieses feierliche Versprechen gebrochen, Weizsäcker verhaftet, angeklagt und zu sieben Jahren Zuchthaus verurteilt. Doch bald mußte der völlig Unschuldige (vgl. Anhang) – hauptsächlich auf Betreiben von François-Poncet – entlassen werden. Er starb, viel zu früh, schon 1951.

Der dritte Kämpfer gegen den Kriegsausbruch 1939, der sich und seinen Ruf riskiert hat, war der englische Botschafter in Berlin, Sir Nevile Henderson. Er war davon überzeugt, daß das britische Empire einen Zweiten Weltkrieg nicht überleben würde und nur Stalin der große Gewinner sein könnte. Als aufrechter Patriot widersetzte er sich der Kriegstreiberei der Cliquen um Churchill und Eden, die nicht nur Polen in den Krieg trieben, sondern es dann auch schändlich Stalin auslieferten. Zum Dank wurde Sir Nevile seit Kriegsbeginn in seiner Heimat verspottet und lächerlich gemacht. Er antwortete darauf mit seinem hervorragenden und dramatischen Buch »The failure of a mission« (vgl. Anhang). Schon Ende 1942 starb er einsam und verbittert an Krebs.

Henderson war ein hervorragender Kenner der Lage und ein aufrichtiger Freund Deutschlands. Mr. Eden schreibt über ihn in seinen Memoiren »Facing the Dictators 1923-1939« (Boston 1962):

»Es war ein internationales Unglück, daß wir in dieser Zeit in Berlin durch einen Mann vertreten waren, der, weit entfernt, die Nazis zu warnen, dauernd sie entschuldigte und oft gemeinsame Sache mit ihnen machte... Er steigerte sich in die Meinung, daß er dazu bestimmt sei, Frieden mit den Nazis zu machen.«

Und diesen Mann hatten die Ribbentrops verfolgt, verleumdet und behindert! Der Krieg war leichtsinnig herbeigeführt und nun verloren. Alles lag in Scherben, und Abermillionen hatten sinnlos ihr Leben lassen müssen.

Der große Lyriker und Meister der deutschen Sprache, der Wiener Josef Weinheber, wollte die Zerschlagung des Reiches nicht überleben; er wählte am 8. April 1945 den Freitod. Hier sein Schwanengesang:

Der Traum den wir geträumt ist aus.
Dämonenmacht zerschlug das Haus...
Weh uns, die große Nacht beginnt.
Weh uns, vergeblich war das Leid,
weh uns im Blut ertrinkt die Zeit,
weh uns, den Abel mordet Kain –
Deutschland, o Traum, wann wirst du sein?

Mit diesen Worten sprach er so vielen und auch mir aus der Seele.

EPILOG

Ich habe versucht, Denkwürdiges aus meinem politischen Leben im Geiste jener Zeit zu beschreiben und der Versuchung zu widerstehen mich des Applauses wegen in Sack und Asche zu profilieren.

In jeder Hinsicht Kind meiner Zeit, geriet ich im Sturm und Drang durch merkwürdige Umstände in das Zentrum eines historischen Geschehens und hatte jahrelang Einblick in das außenpolitische Geheimmaterial des Dritten Reiches. Da ich gegenüber der breiten Bevölkerung, aber auch den meisten Persönlichkeiten des öffentlichen Lebens den Vorteil der besseren Informationen genoß, entwickelte ich schon bald eine wachsende Abneigung gegen erkennbar verhängnisvolle Absichten des Regimes und fühlte mich zu einer entschiedenen Reaktion verpflichtet.

Als Idealist wehrte ich mich – trotz der damaligen Kerker und Galgen, durch meine Beteiligung an Verschwörungen gegen Diktatoren, die das ersehnte Reich aller Deutschen zu gefährden schienen: erst gegen den separatistischen, Mussolini-hörigen Dollfuß, dann gegen den zunehmend maß- und skrupellosen Hitler mit seiner fatalen Politik des »Alles oder Nichts«. So wurde ich zweimal zum Illegalen in jener renaissanceartigen Zeit zwischen beiden Kriegen und mußte schließlich contre cœur, doch um des Reiches willen, mir die Ideen eines Brutus zu eigen machen, dem die Freiheit der Republik über alles, auch über Caesar ging.

Freilich scheint es mir falsch, Hitler die Alleinschuld für alle Schrecken aufzubürden, die über die Welt hereinbrachen, ihn quasi als Übel sui generis zu beurteilen. Er war vielmehr eine Folgeerscheinung der Zustände im so leichtsinnig zerstörten Kerneuropa, und wäre nicht e r gekommen, so hätte auf Grund der verzweifelten Lage ein anderer selbsternannter »Übermensch« auftreten können, vielleicht gar ein Spießgeselle des unerbittlich rüstenden Stalin. Dann aber wären die ungerüsteten, bequemen Demokratien sogleich erpreßbar und Europa verloren gewesen.

Ohne Verdienst und ungewollt hat Hitler den Westen aufgeweckt, schrittweise mobilisiert und in Harnisch gebracht und Stalin, der systematisch auf die Weltrevolution hin plante, durch seine Angriffspolitik gründlich das Konzept verdorben. Atomgerüstet, überlegen in der Luft und zur See, hätten die westlichen Demokratien im Schicksalsjahr 1945 unverzüglich nach dem Rechten sehen und Europa mit Entschlossenheit neu ordnen können. Statt dessen verschwenden sie seit vierzig Jahren – dem autoritären Kreml zur Freude – Zeit und Worte auf die Verurteilung längst verblichener Faschismen aller Arten, wobei sie über den Balken im Auge früherer Kriegsgegner nur allzugern die vielen Splitter in den eigenen Augen übersehen.

Kein ernst zu nehmender Mensch kann heute noch den Traum vom Reich und einem glorreichen Herrscher aller Deutschen träumen. Europa ist klein geworden auf diesem einsamen blauen Planeten, dessen Zentrum sich nach dem Pazifik verlagert. Unsere Zukunft liegt wohl in einem europäischen Staatenbund, in einer Art Groß-Schweiz, die für die Welt dann d a s sein könnte, was die Eidgenossenschaft für das alte Europa so beispielhaft bedeutete. Dann würden auch Minderheitenprobleme bald entschärft sein und die so ungerecht gezogenen Grenzen endlich gegenstandslos werden.

Anhang

QUELLEN

Brief des früheren österreichischen Bundeskanzlers Kurt Schuschnigg an den Autor

Dr. Kurt — Schuschnigg

A-6162 MUTTERS,
TELEFON 272539

5. 12. 67.

Verehrter Herr Spitz!

Besonderen Dank für Ihren frdl. Brief und die Beilage aus der N.Z.Z. - Ich bin mit der Reportage sehr zufrieden u. sie folgt reasonably close dem Gesagten. - Auch die Spiegel-Lektüre ist sehr interessant. Danke sehr für Vermittlung!

Auch im übrigen bin ich derjenige, der zu danken hat; vor allem für die Mühe, die Sie sich machten, mich in meinem Retiro zu besuchen! Ich habe unsere Begegnung sehr genossen und, was mich betrifft, hätte der Tag noch sehr viel länger sein können! Wenn man auch einmal auf verschiedenen Seiten des Grabens gestanden ist ("bei" würde Herr v. Papen sagen!); war komischer Weise der Herzschlag doch der gleiche, auch wenn man es damals nicht wußte. Der Baum von gemeinsamen, oder doch ähnlichen Wurzeln. Erst wenn sie fehlen, wird jeder aufständische Kämpfer zum Landsknecht.

Im übrigen wäre ich froh, wenn der "30. Jahrestag" im März 68, auf den man sich allenthalben munter rüstet, ohne weiteres Porzellan-zerschlagen vorüberginge. Wichtiger wäre es, der 50 Jahre seit 1918 zu gedenken; doch aber, fürchte ich, sind unsere Blutstimmen zu wider. Obwohl ich sonst gegen eine nichts einzuwenden habe. Wie sehr man sie vermissen kann, lernt man in der Landschaft der U.S.A. —

Ihr "Terminus", dem Photo nach, muß ideal sein! Bei mir hier ist es viel bescheidener nach Lage u. Aussicht. Trotzdem ein

487

herzliches Gedeihen! — Heute wird übrigens ringsum in voller
Laubstärke geböllert (Morgen: Nikolaus, Dorfpatrozinium!)
Leider in meinem Kopf die Prunkkanone, wie um 5 a.m. losgeht.
Also, wie ich sind je, — und doch gottlob anders! — — —
Meine Tochter hört sich sehr für die liebe Erinnerung.
Bitte die Gnädige Frau unbekannter Weise meines Handkuß zu
bestellen, und hoffentlich auf Wiedersehen! Viele Empfehlungen
u. herzl. Gruß von Ihrem aufrichtigen Kurt Leumüller

Wie oft und wie lange Ribbentrop als deutscher Botschafter London verlassen hatte
demonstriert das Itinerar über das Jahr 1937 und Anfang 1938:
(PA/Dienststelle Ribbentrop – 92/2 – Ribbentrop persönlich)

Rückreise Ribbentrops nach London	2.2.37
Rede des Botschafters in Leipzig	1.3.37
Ribbentrops Besuch der Staatsoper in München mit dem Führer	5.3.37
Rückkehr Ribbentrops nach London	10.3.37
Ribbentrop besucht d. Schulschiff »Schlesien« in Torquay	16.4.37
Flottenschau in Spithead anläßlich der Krönungsfeierlichkeiten	19.5.37
Ribbentrop in Berlin	5.6.37
Rückkehr nach London	8.6.37
Ribbentrop in Berlin	24.6.37
Ribbentrop in Dresden (Eröffnung der Autobahnstrecke Dresden-Meerane)	25.6.37
Ribbentrops Rückkehr nach London	28.6.37
Ribbentrop nimmt einen längeren Urlaub in England	3.8.37
Ribbentrop in Deutschland (Urlaub)	14.8.37
Ribbentrop bei der Trauerfeier von Konteradmiral Wassner in Kiel	28.8.37
Ribbentrop in Stuttgart (2. Reichstagung der Auslandsdeutschen)	29.8.37
Ribbentrop beim Reichsparteitag	8.-13.9.37
Tee-Empfang Chichibu, Berlin	14.9.37
Empfang des Duce in München	25.9.37
Ribbentrop bei der Wehrmacht anläßlich des Duce-Besuchs	26.9.37
Ribbentrop beim Empfang der it. Gäste durch Dr. Goebbels	28.9.37
Ribbentrop in London	30.9.37
Ribbentrop in Berlin	4.10.37
Ribbentrop in London	15.10.37
Ribbentrop in Berlin	17.10.37
Ribbentrop in München	19.10.37
Ribbentrop in Berlin	20.10.37
Ribbentrop in München	21.10.37
Ribbentrop in Rom	22.10.37
Ribbentrop besucht Mussolini und Ciano	22.10.37

Nach dem Anschluß Österreichs gaben Kardinal Innitzer und eine Reihe anderer österreichischer Bischöfe folgende Loyalitätserklärung ab:

FEIERLICHE ERKLÄRUNG

Aus innerster Überzeugung und mit freiem Willen erklären wir unterzeichneten Bischöfe der österreichischen Kirchenprovinz anläßlich der großen geschichtlichen Geschehnisse in Deutsch-Österreich:

Wir erkennen freudig an, daß die nationalsozialistische Bewegung auf dem Gebiet des völkischen und wirtschaftlichen Aufbaues sowie der Sozial-Politik für das Deutsche Reich und Volk und namentlich für die ärmsten Schichten des Volkes Hervorragendes geleistet hat und leistet. Wir sind auch der Überzeugung, daß durch das Wirken der nationalsozialistischen Bewegung die Gefahr des alles zerstörenden gottlosen Bolschewismus abgewehrt wurde.

Die Bischöfe begleiten dieses Wirken für die Zukunft mit ihren besten Segenswünschen und werden auch die Gläubigen in diesem Sinne ermahnen.

Am Tage der Volksabstimmung ist es für uns Bischöfe selbstverständlich nationale Pflicht, uns als Deutsche zum Deutschen Reich zu bekennen, und wir erwarten auch von allen gläubigen Christen, daß sie wissen, was sie ihrem Volke schuldig sind.

Wien, am 18. März 1938

Die folgenden Briefe geben einen Eindruck von meinen Versuchen, von Spanien
aus über meinen Freund Botschafter Walther Hewel mäßigend auf Adolf Hitler ein-
zuwirken. Die Briefe Hewels waren übrigens in »Führertype« getippt, einer beson-
ders großen Maschinenschrift, die Hitler ohne Brille lesen konnte. Ablichtung im
Verlagsarchiv.

WALTHER HEWEL　　　　　　　Führerhauptquartier, den 1. Februar 1944

Lieber Reinhard!
Verschiedene Briefe an Dich wurden begonnen – aber nie zu Ende geführt. Du
kannst Dir denken, daß unser Leben zur Zeit äußerlich und innerlich reichlich bewegt ist. So verschiebt man die Korrespondenz mit den wenigen wirklich guten
Feunden immer bis auf einen besonderen Ruhetag – und der kommt dann nicht.
Daß Du in Berlin warst und Dich nicht wenigstens durch meine Sekretärin telefo-
nisch mit mir verbinden ließt, werde ich Dir nicht vergessen; ich hätte gerne einmal wieder Deine Stimme gehört, und auch telefonisch hätten wir uns einiges erzählen können.
Ganz besonders habe ich mich darüber gefreut, daß Du und Deine liebe Frau zu
Weihnachten an mich gedacht haben. Mit dem Päckchen hast Du mir eine riesige
Freude gemacht, und indem ich schuldvoll an meine Brust klopfe, – danke ich Dir
– reichlich verspätet für die schöne freundschaftliche Gabe.
Gerade an dem Tag, an dem Du in Berlin warst, hatte ich ziemlich eingehend mit
dem Führer über Dich gesprochen. Du weißt, wie gerne er Dich mag, und ich
mußte ihm ausführlich über Dich und Deine Frau und Euren jetzigen Lebens-
wandel, so gut ich konnte, erzählen. Du siehst, hier gibt es immer einen Weg zurück. Ich sagte dem Führer auch, daß meiner Auffassung nach Du in Deiner jetzigen Tätigkeit sicher viel für Deutschland leisten könntest, daß ich aber überzeugt sei, daß Du irgendwann – wenn einmal eine geeignete Konstellation einträ-
te – sicher auch wieder in den alten Rahmen eingeschaltet werden müßtest.
Der Führer erkundigte sich dann auch über Deine Beobachtungen in Spanien,
und ich konnte ihm nur oberflächlich darüber berichten.
Was Deine damalige Anregung anbetrifft, so weißt Du, daß es für mich nicht
möglich ist, außer über den Chef irgendwelche Leute hierher zu bringen. Andererseits aber würde ich mich immer sehr freuen, gerade in der jetzigen Zeit einen
ausführlichen Brief von Dir über Deine Beobachtungen und Ansichten zu bekommen; sie würden entsprechend verwendet, abgesehen davon, daß ich selbst
sehr daran interessiert bin zu wissen, wie Du die augenblicklichen Verhältnisse in
Spanien siehst.
Ich bin in den letzten Monaten näher als bisher an den Führer herangekommen
und öfter mit ihm allein. Gerade in dieser großen Zeit ist das für mich eine sehr
große Freude, und das einzige, was einen hierbei bedrücken könnte, ist, daß man
diesem Manne gegenüber ein so kleines Würstchen ist. Es geht ihm gut, und er ist
hervorragend in Form. Ich möchte beinahe sagen, daß der Führer in den schwersten Krisentagen erst so richtig in seinem Element ist. Zeiten des Abwartens und
des Planens lassen ihn nach außen viel unruhiger erscheinen als in diesen Tagen,

in denen das Schicksal wirklich mit allen verfügbaren Holzhammern auf uns eindrischt. Eine unvorstellbare Ruhe und Kraft geht von ihm aus und strahlt weit über seine mehr oder weniger geniale Umgebung hinaus bis zur letzten Frau im Luftschutzbunker, zum letzten Landser im Schützengraben, – hoffentlich auch zu jedem, der sich politischer Tätigkeit hingibt.

Du hast mir verschiedentlich geschrieben, und ich habe es auch von manch anderem gehört, daß ihr im Caudillo einen großen Mann seht, der es meisterhaft verstanden hat, sich und sein Land durch die schweren letzten Jahre hindurchzulavieren. Die Frage, die man dabei stellen muß, ist, wohin er sich laviert hat. Es ist anzuerkennen, daß er unter schwersten Bedingungen bis jetzt seinem Land den Frieden erhalten und seiner Wirtschaft eine gewisse Konsolidierung gebracht hat. Er hat dies mit vielen kleinen Zugeständnissen wirtschaftlicher, vor allem aber politischer Art den Alliierten gegenüber, erreicht. Umgekehrt ist aber nicht abzuleugnen, daß er sich hierdurch auch immer mehr in ihre Hände hineingespielt hat. Er hat meines Erachtens nach dem bürgerlichen Motto gehandelt »Um Schlimmeres zu vermeiden« und treibt, ebenfalls auf bürgerliche Art, auf diese Weise seinem Verderben zu, wenn er nicht im letzten Augenblick noch die Kraft findet, das Steuer herumzureißen. Dies bezweifle ich aber, da Franco aus eben besagten Konzessionsgründen sich mit Männern umgeben hat, die den anderen genehm sind und mit denen er sicher nicht den kraftvollen Kurs plötzlich aufnehmen kann. Tatsache ist, daß er sich durch seine schwankende Haltung und sein meisterhaftes Lavieren in keiner Weise das Wohlwollen und die Sympathie der Gegner erworben hat; das Gegenteil ist der Fall. Sie betrachten ihn heute als ein Objekt, vor dem man noch nicht mal mehr die nötigste Tarnung zu wahren braucht. Als ich vor etwa einem Monat einen Brief an Dich begann, habe ich dies alles auch schon geschrieben, aber viel vorsichtiger angedeutet; heute ist es schon erwiesen, daß es so ist. Franco kann unmöglich glauben, daß er unter dem Druck der Verhältnisse und zugunsten seines Landes eine Schwenkung zu den Alliierten bewerkstelligen kann. Sie würden ihn nur benutzen, um ihn dann zu stürzen und sein ganzes Lebenswerk, welches soviel spanisches Blut gekostet hat, zu zerstören und zunichte zu machen. Die rotspanischen Divisionen stehen nicht in Nordafrika, um den nationalspanischen Staat und die Position Francos zu stützen. Wenn die Spanier schwach werden, wird das ganze Land im Chaos versinken; der Bolschewismus wird wieder der Herr sein und sich blutig rächen an allen denen, die seine Gegner sind. Daß die Angelsachsen niemals in der Lage sein werden, diese Entwicklung aufzuhalten, haben sie bereits in Nordafrika, in Süditalien und auch in gewissem Maße auf dem Balkan bewiesen. Ich werde nie vergessen, welchen Eindruck es auf mich machte, als der Führer im Spätherbst 1943, als Franco unter Vorgabe von nur fadenscheinigen Gründen die vorbereitete Aktion ablehnte. Damals sagte der Führer: »Der Mann hat den historischen Augenblick, den ihm das Schicksal dargereicht hat, verpaßt. Dies wird er nie mehr gut machen können.« Diese Worte haben damals einen unerhört tiefen Eindruck auf mich gemacht, und ich werde sie nie vergessen, obwohl ich sie damals in der ganzen Tiefe ihres Sinnes noch nicht begriffen hatte.

Sehr bedenklich stimmte mich die Gegenüberstellung von Zahlen, die ich vor wenigen Tagen für den Führer zusammenstellte. Es sind dies die geradezu übertriebenen Minimalforderungen, die Spanien damals an uns stellte, um angeblich überhaupt leben zu können, und die tatsächlichen Lieferungen, die Spanien später von den Alliierten bekommen hat, mit denen es gelebt und sogar seine Wirtschaft aufgebaut hat.

Allein auf dem Gebiete des Mineralöls verlangte Spanien damals von uns monatlich 103 000 to, während es im Jahre 1942 von den Alliierten monatlich 15 000 to und im Jahre 1943 monatlich 23 000 to bekommen hat. Es verlangte von uns, seinen Freunden, gleichsam eine fünffache Bezahlung für seine Freundschaft als es sie von den Alliierten angenommen hat. Dies beweist, daß Spanien damals gar nicht handeln wollte, obwohl es hätte handeln können. Ich bin zwar überzeugt, daß Franco heute gerne handeln möchte, bezweifle aber, daß er handeln kann und zwar nicht nur, weil er rüstungsmäßig und wirtschaftlich die Situation nicht durchstehen zu können glaubt, sondern weil er eine zu große Opposition im Lande hat, was wiederum größtenteils eine Folge davon ist, daß er in seiner Personalpolitik zu sehr auf die Wünsche unserer Gegner eingegangen ist. Man kann einer Gefahr nicht ausweichen. Man kann sie wohl auslavieren und damit Zeit gewinnen, aber eines schönen Tages muß man sich ihr stellen, und dann ist es meistens zu spät und führt zur Katastrophe. Was wäre aus uns allen geworden, wenn der Führer damals der von ihm erkannten Gefahr, die uns vom Osten drohte, ausgewichen wäre! Europa bestünde heute nicht mehr. Der Entschluß aber, Rußland anzugreifen, war für den Führer, der ihn ganz allein treffen mußte, ein unvorstellbar schwerer. Er hat Monate damit gerungen und ihn dann gefaßt, sicherlich gegen alle seine Wünsche und Hoffnungen, weil er die Gefahr erkannt hatte und einsah, daß man eine Gefahr, der man ausweicht, damit nur noch vergrößert. Franco hat sicher alle Jahre hindurch bei scharfer Analyse der Situation die Gefahr gesehen, die auf ihn zukam, aber er hat sich dieser Erkenntnis verschlossen, und heute steht sie riesengroß vor ihm, so groß, daß er ihr nicht mehr ausweichen kann und vor ihr erzittern wird. Welche Konsequenzen er daraus ziehen wird, weiß ich nicht, denn ich fürchte, daß es bei seinen jetzigen Entscheidungen nicht mehr auf seine eigene Erkenntnis ankommt, sondern daß er mit dem rechnen muß, was um ihn steht und das sicher nicht das härteste Eisen ist, das er in seinem an sich so stolzen und tapferen Volke hätte auftreiben können.

Aus Deinem an sich friedlichen Leben im schönen Madrid bist Du jetzt so ziemlich in den Brennpunkt großer Ereignisse gerückt, und gerade deshalb würde ich mich freuen, einmal von Dir zu hören, wie Du über die Lage heute denkst und ob Du immer noch der Meinung bist, daß der Caudillo seine Lage so vorbildlich gemeistert hat. Man muß einen großen Unterschied machen zwischen der technischen Beherrschung eines Berufes – in diesem Falle des politischen Berufes – und der tiefen politischen Einsicht, die nur dem politischen Genie gegeben ist. Diese Erkenntnis ist der Grund, warum der Führer z.B. Churchill für dumm hält. Er streitet nicht ab, daß er ein Bulle ist, daß er meisterhaft die Psyche des englischen Volkes beherrscht, daß er ein hervorragender Redner, ein fanatischer Kämpfer und Organisator ist. Dies alles setzt der Führer, welcher die gleichen Eigenarten in hervorragendem Maße besitzt, als selbstverständlich voraus, während es uns normalen Bürgern natürlich imponiert. Der Führer beurteilt aber die Menschen nach ihrer tiefen politischen Einsicht, und die besitzt Winston Churchill nicht, denn – was auch immer kommen mag – er führt das britische Empire dem Ruin entgegen. Das ist der Grund, weshalb der Führer ihn als dumm, wenn nicht verbrecherisch bezeichnet. Aus diesem Grunde darf man die Fähigkeit eines Menschen, sich durch politische Schwierigkeiten hindurchzulavieren, nicht verwechseln mit der Fähigkeit, große politische Entwicklungen vorauszusehen und Gefahren entgegenzutreten in dem Augenblick, wo man erkennt, daß sie auf die Dauer nicht zu umgehen sind.

Ich habe Dir und Deiner lieben Frau noch nicht zum neuen Jahr geschrieben. Ich habe mich so sehr gefreut, daß Eure Ehe so glücklich ist und habe für Euch nur den einen Wunsch, daß es immer so bleiben möge, wozu ja wohl auch alle Voraussetzungen gegeben sind. Darüber hinaus wünsche ich Euch und uns allen, daß uns das Jahr 1944 dem Siege näher bringen wird und daß es dem deutschen Volke endlich den Lohn gibt für die großen Opfer, für die heldenhafte Einsatzbereitschaft, für seine Anständigkeit und seinen Glauben. Das Jahr 1943 wird einmal als das Jahr der Pechsträhne in die deutsche Geschichte eingehen. Wir haben aber allen Grund zu glauben, daß uns im Jahre 1944 das Schicksal einmal wieder seine Sonnenseite zukehren wird. Wir haben einige Bonbons auf Lager, und es müßte mit dem Teufel zugehen, wenn nicht einige davon zum Tragen kämen.

Nochmals die herzlichsten Grüße und Wünsche Dir und Maria
in alter Freundschaft

Heil Hitler!
Dein Walther

Reinhard S P I T Z Y   Madrid, den 23. Februar 1944

Lieber Walther,
endlich kommt nun an Dich der angekündigte Brief. Ob er sehr interessant für Dich ist, weiß ich nicht. Ich hoffe, Du nimmst ihn als das was er ist: ein Versuch, Dir eine Schilderung des deutsch-spanischen Verhältnisses, von *hier aus gesehen*, zu geben.

Ich habe gerade über die Gespräche von Hendaye oft nachgedacht und mich bemüht, mir ein Bild über die Ursachen zu machen, die damals einer engeren Zusammenarbeit im Wege standen. Man mag sich mit einem Achselzucken begnügen und sagen, daß der Zeitpunkt noch nicht dazu reif war. Es bleibt aber eine Reihe von Problemen, die damals wie heute aktuell sind.

Sicherlich war ein Hindernis die kaum zu überbrückenden persönlichen Spannungen zwischen den beiden Außenministern. Die Zusammenkunft scheint, nach allem was ich nachträglich noch erfuhr, technisch und politisch nicht ausreichend vorbereitet gewesen zu sein. *Vor allem aber* war Spanien zu einem Kriegseintritt an unserer Stelle damals auch geistig noch nicht gerüstet. Der Krieg mit Rußland war nicht begonnen; der Krieg gegen Westen erschien den Spaniern nicht als Schicksalskampf, der die eigene Existenz bestimmte und war daher nicht populär. Hier lag der Unterschied zwischen dem europäischen Westen und unserem im Herbst 1940 im Osten aufgebauten Bündnissystem. *Dort* stand inzwischen die Sowjetgefahr drohend vor der Tür und die Bündnisse, die wir dort eingingen, haben sich deshalb, trotz mancher Belastung, als dauerhaft erwiesen. Diese Situation kann wohl im Westen noch entstehen, wenn die rote Gefahr im Mittelmeerraum *bedrohlicher* wird. Vorläufig gibt es nämlich in Algier zwar Kommunisten, es gibt auch Sowjetrussen und Agitation und Propaganda. Aber eine rote Armee und rotspanische Divisionen gibt es eben, allen übereilten Meldungen entgegen, dort noch nicht. Die französischen Divisionen, die in Nordafrika stehen und uns vielleicht bei einer Invasion entgegentreten, kämpfen *vorläufig* noch unter Trikolore und Lothringenkreuz, aber nicht unter Sichel und Hammer. Das wissen die Spanier und deshalb verfolgen sie die Entwicklung zwar mit gespanntester Aufmerksamkeit, ohne aber darin eine akute Gefahr zu sehen.

Ich verstehe daß Dich manche Anzeichen beunruhigen und Du Dich fragst, ob Spanien nicht auf einem Wege bergab sei, auf dem es schwer wird bremsen können. Trotzdem gibt es Anhaltspunkte, die Grund zu der Hoffnung geben, daß es nicht bergab gehen muß. Dies wird nämlich von unserem Beitrag und unserer Unterstützung an Spanien wesentlich mitbestimmt werden!

Deine Beweisführung auf dem wirtschaftlichen Sektor interessiert mich natürlich besonders. Ich gebe zu, daß die vergleichenden Zahlen über den damals von Spanien geschätzten Mindestbedarf an Benzin und den Quanten, mit denen es in den folgenden Jahren wirklich auskam, einen stutzig machen. Aber beweisen sie wirklich die betrügerische Absicht? Spanien konnte in den Jahren 1940-1944 wirklich mit erheblich weniger Benzin auskommen, als es im Fall einer Umstellung auf Kriegsbetrieb hätte haben müssen. Denn der *friedliche* Wiederaufbau der Wirtschaft brachte ihm Entlastungen auf dem Gebiet der Energiequellen, die es in Kriegsverhältnissen nie hätte erzielen können. In dieser Zeit stieg die Kohleförderung von 7 Mill. t auf 11 Mill. t jährlich. Der Bestand an Holzgasfahrzeugen schnellte von Null auf 70-80 000. 1000 km neue oder wieder instandgesetzte Eisenbahnlinien entlasteten den Straßentransport. Die Küstenschiffahrt entlang den Flanken der Halbinsel – eine ganz entscheidende Entlastung aller Transportbedürfnisse, und in Kriegsbedingungen, besonders gegen eine überlegene Flottenmacht praktisch lahmgelegt – konnte ihre Transportflotte um 50 % vermehren und den Mengenumschlag noch mehr steigern. Denn Spanien hat wirklich in jenen Jahren nicht etwa nur mit importierten Waren aus Übersee friedensmässig gut gelebt, sondern es hat recht beachtliche Ansätze gemacht, um die rein *innerspanische* Produktionskraft wieder zu stärken. Gewiß, es hätte wahrscheinlich mehr geleistet werden können, aber man muß mit den gegebenen Faktoren rechnen.

Du sprichst dann von wirtschaftlichen Konzessionen, die Spanien den Alliierten gemacht hätte; gerade auf diesem Gebiet war Spanien bemüht seine wirtschaftliche Unabhängigkeit zu bewahren. Eine Bilanz darüber würde noch immer zu unseren Gunsten ausfallen. Wir sind während der ganzen letzten Jahre der größte Abnehmer kriegswichtiger Rohstoffe gewesen, eine Vorzugsstellung, die Spanien uns trotz starken Druckes der Alliierten bisher gewährt hat. Der großzügige und politisch weitblickende Entschluss des Führers vor einem Jahr, Spanien mit Kriegsgerät zu versehen, hätte das deutsch-spanische Verhältnis in einer Weise festgelegt, die uns heute viele Momente der Sorge ersparen würde. Leider wurde später durch die unverantwortliche Ansetzung eines Wucherpreises für die Waffen dieser Entschluß politisch und moralisch entwertet*.

Was nun aber die oft vorgeworfenen *politischen* Konzessionen an die Gegenseite betrifft, (Rückruf der Blauen Division, italienische Schiffe, Abschiebung nach Spanien geflüchteter Franzosen zu den Alliierten und die Internierung einiger havarierter U-Boote usw.), so wollen wir, ohne sie zu bagatellisieren, uns doch einmal grundsätzlich klar sein: Sie bedeuteten niemals den Bruch vertraglicher Bindungen an uns und noch weniger ein Untreuwerden an der bisherigen Linie. So sehr ich verstehe, daß man sich jeweils über ein Nachgeben Spaniens in dieser oder jener Frage ärgert, so haben wir dennoch bisher kein Anzeichen dafür, daß Franco heimlich oder offen den Versuch vorbereitet, sich auf die andere Seite zu schlagen. Wo er feindlichem Druck nachgegeben hat, tat er es in der Überzeugung, daß ein Festbleiben zum Krieg führen könnte. Und einen Krieg kann er seinem Land mit Erfolg nur dann zumuten, wenn das spanische Volk eine Gefahr für die nationale Existenz erkennt und es nicht wegen völkerrechtliche Einzelfragen marschieren muß.

Selbstverständlich suchen auch wir hier nach Anzeichen, ob nicht Spanien doch versucht sich von uns abzuwenden, oder gar in die Front der Alliierten einschwenkt. Vom deutschen Standpunkt aus haben wir recht, wenn wir der Überzeugung sind, daß ein solcher Versuch Francos Lebenswerk vernichten und Spanien ins Unglück stürzen werde. Das ändert aber nichts daran, daß Franco – wenn er will – täglich von bedeutenden Männern des Landes, die als politisch klug gelten und nicht volksfrontverdächtig sind, das Gegenteil hören kann. Er hat solche Männer bisher *nicht* zu seinen persönlichen Beratern gemacht, sondern der Kreis seiner Mitarbeiter setzt sich heute im wesentlichen aus Leuten zusammen, die den Angelsachsen *nicht* genehm sind, also auch für keine angelsächsisch bestimmte Regierungsbildung in Frage kämen. Franco ist heute größtenteils noch von seinen Kameraden und Mitarbeitern aus dem Bürgerkrieg umgeben, mit denen er einen neuen Sturm überstehen könnte. Wenn er die Möglichkeit, Anschluß bei den Alliierten zu finden, nicht sucht, dann weniger aus kluger politischer Einsicht, als auf Grund seiner Beurteilung der Kriegslage, aus der er als erstes die Notwendigkeit erkennt, Zeit zu gewinnen. Zu Hilfe kommt ihm dabei die ihm eigene »Beharrlichkeit«. Er mag wohl kein großer Staatsmann sein und si-

---

* Den Spaniern wurde mitgeteilt (!), daß die zu liefernden Waffen den Grundpreis von 216 Mill. Reichsmark haben. Da sie – die Spanier – nun aber ihre Preise in den letzten Jahren heraufgesetzt hätten, seien wir gezwungen, das Vierfache zu verlangen! Die Verhandlungen brachen unter empörten Protest der Spanier zusammen und wir mussten uns dann, politisch und wirtschaftlich blamiert, wohl oder übel mit dem Grundpreis von 216 Mill. Reichsmark im Sommer des vergangenen Jahres zufrieden geben. Auf Grund meiner Erfahrungen im Waffengeschäft, das ich unabhängig von den staatlichen Verhandlungen führe, wäre es möglich gewesen, mehr als das Doppelte zu bekommen, wenn man den Grundpreis *nicht genannt*, sondern gesagt hätte, die Waffen kosten einfach 500 Mill. Reichsmark. Erfahrungsgemäß wäre dann ein Abschluß mit 400-450 Mill. RM. zustande gekommen. Durch diese Methode ist eine Verärgerung ausgeschlossen und ein praktisch erreichbarer Devisengewinn zu erzielen. Meine Firmen haben auf diese Weise den Faktor 2 1/2 erreicht und, ohne daß die Spanier es merkten, auch durchgestanden. Die staatliche Kommission hat den Faktor 4 verlangt und Faktor 1 bekommen (216 Mill. RM).

cherlich auch kein politisches Genie, hat aber sein Land bisher besser durch Schwierigkeiten gebracht, als alle spanischen Könige der letzten hundert Jahre; übrigens hat gerade seine »Beharrlichkeit« eine zumindest verfrühte Restauration in Spanien verhindert und so das Land vor unheilvollen Folgen bewahrt.

Du magst mir einwenden, daß dies zu wenig ist in einer Zeit, wo um Spanien herum die Welt in Flammen steht. Das ist richtig; aber vergiß nicht, wie allein Spanien in diesen Jahren gestanden hat. Wir haben es unserer Freundschaft versichert, k o n k r e t geboten haben wir weder wirtschaftlich noch militärisch etwas. Die Landung in Casablanca brachte noch einmal Gelegenheit, Spanien zu einem sehr großen Entschluß zu veranlassen. Wir wurden ja ernst nach Rat gefragt und gaben spät zur Antwort: Spanien solle wachsam bleiben und den Versprechungen der anderen mißtrauen. Beides hat es, mit geringen Schwankungen, bis heute getan.

Ich bin überzeugt, daß wir in diesen Wochen vor einer neuen vielleicht entscheidenden Phase stehen. Der bisherige Nervenkrieg der Angelsachsen gegen Spanien verwandelt sich in einen Sanktionskrieg. Die Benzinsperre ist der Anfang. Die Art der Auseinandersetzung und die erfreuliche Reaktion der spanischen Öffentlichkeit zeigen einen Ansatz zu einer *selbständigen spanischen* Politik, die eine politische Linie sucht, selbst wenn es Opfer und Entbehrungen bedeutet. Eindrücke aus dem ganzen Land stimmen dahingehend überein, daß gerade dieser Entschluß bis in die Reihen der spanischen Opposition links und rechts Beifall gefunden, und das beweist heute, daß Franco die Opposition kaum zu fürchten hat, *wenn er wirklich spanische Politik macht.* Ob diese spanische Politik zu einem Eintritt in den Krieg auf unserer Seite führen wird oder nach Francos Absicht führen soll, kann heute niemand sagen. Der Weg zu einem solchen Entschluß steht ihm auch *innerpolitisch* noch offen. Für ein neues deutsch-spanisches Gespräch scheint mir in der Situation dieser Wochen eine solidere Basis gegeben, als wir sie früher hatten. Voraussetzung dafür wäre der entschlossene Versuch unsererseits, eventl. vorhandene beiderseitige Resentiments zu überbrücken und die freiwillige Räumung der letzten Position der sogenannten »Dankesschuld« aus dem Bürgerkrieg. Was ich in dieser Beziehung seit meinem Eintreffen hier beobachten mußte, hat mich oft gewundert. Wie viele Landsleute, Firmen und Dienststellen eine Vorzugsbehandlung durch die Spanier als Selbstverständlichkeit für sich in Anspruch nehmen, ist erstaunlich! Denn, abgesehen davon, daß es mehr schadet als nützt, einen Freund jahrelang immer wieder auf erwiesene Hilfe hinzuweisen, sind politische Beziehungen dann am solidesten, wenn sie für beide Teile nutzbringend sind.

Als erster Schritt würde mir Erfolg versprechen die Wiederaufnahme der früher geführten Korrespondenz zwischen dem Führer und Franco mit einigen anerkennenden Worten für die von den Spaniern gezeigte Haltung gegenüber den Drohungen unserer Feinde. Franco wäre sicher dafür empfänglich und es würde ihn in dem Festhalten an seiner Linie bestärken können.

Selbstverständlich würde eine wesentliche Besserung der militärischen Lage die bestehenden Möglichkeiten vervielfältigen. In jedem Fall müssen die Spanier die Überzeugung erhalten, daß sie von uns nicht im Stich gelassen werden, wenn ihr Widerstand gegen angelsächsische Forderungen den Krieg zur Folge hat.

Lieber Walther, ich habe Dir nun, Deinem Wunsch entsprechend, frei geantwortet so gut ich es konnte und hoffe, daß Du mit diesen Zeilen etwas anfangen kannst und wirst. Die Hauptsache ist, dem in Formfragen sehr empfindlichen Spanier psychologisch richtig und real zu helfen und vor allem *Mut zu machen*. Bitte vergiß nicht, daß gerade in diesen Tagen schicksalsentscheidende Verhandlungen mit den Angelsachsen im Gange sind. Wenn daher von uns etwas erfolgen kann Spanien zu stärken, wird *jede Hilfe* und *auch jede Geste* von schwerwiegendem Einfluß sein.

Sollte dieser Brief so aussehen wie eine Verteidigung des spanischen Standpunktes, so stimmt dies nicht, denn er soll eine Erklärung dessen sein, was als realer Faktor nun einmal in Rechnung zu stellen ist; praktisch uninteressant bleibt ja, ob die spanische Ansicht richtig oder falsch ist.

Noch tausend Dank für Deine lieben Grüße, auch von Maria.

Madrid, den 9.6.44

Lieber Walther!

Heute ergibt sich von neuem die Möglichkeit Dir zu schreiben. Ich habe Dir am 27.5. bereits geschrieben und hoffe, daß Du den Brief richtig erhalten hast, man weiß ja nie, ob die Sachen auch gut ankommen. Ich schrieb Dir in diesem letzten Brief meinen Dank für Deine Bemühungen betr. meines Bruders, bat Dich um die Maße Eurer Eheringe, teilte Dir die gewünschte Übersendung der Sonnenbrille und der Taschentücher mit, schlug Dir vor, mir statt Devisen für weitere Kosten einen Photoapparat zu verschaffen und bat Dich schließlich und endlich darum, mein Anliegen das seit Dezember anhängig ist, und trotz meiner letzten Interventionen in Berlin unbegreiflicherweise noch mit keiner Stellungnahme des Auswärtigen Amtes beglückt ist, obwohl ich mehrfach telegraphisch nachfragte und mein Verhandlungspartner bereits schwer verärgert ist. Wenn ich nicht schwarz auf weiß hätte, daß das Auswärtige Amt seit 1/2 Jahr trotz mehrfachen Nachstoßens noch zu keinem Entschluß gekommen ist, möchte ich glauben, ich selber bin verrückt. Wir sind wirklich Meister in Taktlosigkeiten und in der Kunst, Freundschaften loszuwerden.

Wir verfolgen hier mit größter Spannung nun schon seit vier Tagen den Verlauf der Invasion und verschlingen jede Nachricht von den Heldentaten am Westwall. Alle Leute sind im Banne dieser Geschehnisse und sollte es uns gelingen, den feindlichen Plan zu vereiteln, ist uns ein großer internationaler, auch psychologischer Erfolg gewiß. Dies aber wäre dann der Zeitpunkt, endlich wieder politisch aktiv zu werden, um auf diese einzige Weise die Alliance der Gegner zu sprengen. Ein militärischer Erfolg allein genügt nicht und ein unvorbereitetes und verspätetes Manöver auf diplomatisch und politischem Gebiet kann keinen Erfolg bringen. Das Opfer der Soldaten hat nur dann einen Sinn, wenn es eine restlose und geschickte diplomatische Auswertung erfährt. Um aber ein politisches Spiel zu treiben, muß der Kredit unseres Wortes und unserer Absichten wieder gehoben werden. Dies kann nur durch freiwillige und souveräne Vorleistungen europä-

497

isch-konstruktiver Art geschehen. Versprechungen allein genügen nicht mehr, um die Länder der übrigen Welt zum Aufhorchen oder zu einer für uns günstigen Stellungnahme, bzw. Uneinigkeit, zu bringen. Erst die bewiesene Tat auf diesem Gebiet kann nach einem militärischen Erfolg internationale Umgruppierungen und Auflockerungen hervorrufen, ohne welche für ein diplomatisches Spiel die Voraussetzung fehlt.

Der Personenfrage werden bei einer solchen Aufgabe besondere Aufmerksamkeiten zu schenken sein, ebenso wie der diskreten Art des Vorgehens. Durch geeignete Maßnahmen müßte man es augenscheinlicher werden lassen, daß Deutschland ein Ordnungs- und Rechtsstaat ist, in dem auch das Individuum seinen gesicherten Platz und eine wünschenswerte Zukunft hat. Zu beweisen wäre ferner, daß im nationalsozialistischen Rechtsstaat die Religion Privatsache bleibt und daß der Nationalsozialismus für positives Christentum nach wie vor zu haben wäre.

Es ist mir klar, daß das Genie des Führers letzten Endes eine großzügige Lösung für alle schwebenden Fragen treffen wird. Einstweilen aber müssen wir auf die Empfindlichkeiten und die Tradition der Menschheit durch die Tat Rücksicht nehmen, um in der diplomatischen Arena wieder mit Erfolg auftreten zu können. (Siehe Stalin). Und nur so werden wir dem schwerkämpfenden Landser Entlastung bringen, die guten Kräfte der Mitwelt auf unsere Seite ziehen und unter den Feinden Uneinigkeit säen. Es ist dies heute mehr denn je eine Frage des Taktes und der Taktik, wobei man nicht vergessen soll, daß die Mehrheit der Menschen leicht beeinflußbar, leicht zu täuschen und recht beschränkt ist.

Auch der alte Fritz hat während seiner Kriege auf ein diplomatisches Spiel nicht verzichtet und auf religiösem Gebiet die Leute ostentativ in Ruhe gelassen. Hubertusburg bekam er nur dadurch, daß seine Feinde uneins wurden und er hat auch mit allen Mitteln versucht, dazu beizutragen.

Wenn ich Dir jetzt schon in den ersten Tagen der Invasion davon schreibe, so deshalb, weil man frühzeitig anfangen muß, damit bei den anderen rechtzeitig der Groschen fällt. Das hervorragendste Ziel eines Staatsmannes bleibt aber immer, im Kriege wie im Frieden Koalitionen unter Zuhilfenahme aller Mittel und Manöver zu sprengen und nicht zuletzt der Führer hat uns in den Jahren bis 1940 mehrfach bewiesen, wie man dies tut. Wenn er sich nun gänzlich auf die Kriegsführung konzentriert und der Außenpolitik nicht sein Genie in vollem Umfange weiht, so sieht dies von hier aus betrachtet nicht glücklich aus. Hierzu kommt noch, daß von allen deutschen Staatsmännern einzig und allein der Name Adolf Hitlers im Auslande freundliche oder feindliche Achtung geniesst. Überflüssig zu sagen, daß das deutsche Volk zu einer übermenschlichen Kraftanspannung nur durch das Vertrauen in diesen dann befähigt wird.

Ich predige hier nicht ein Aushandeln oder »fishing for compliments«. Alle Neuregelungen, die die Welt aufhorchen machen sollen, müssen souverän und aus freien Stücken gerade in diesem Moment der größten Kraftanspannung geschehen, damit es glaubhaft wird, daß dies aus einem tiefen Bedürfnis kommt und ernst gemeint sei. Gerade daß wir jetzt Zeit *dafür* haben, muß einen Eindruck der Stärke machen. Militärischer Erfolg und großzügige konstruktive europäische Neuordnung müßen zeitlich zusammenfallen. Den vier Freiheiten der anderen

müssen wir die Freiheit der Leistung, des Opfers und der Disziplin entgegenset-
zen, dem goldenen Zukunftsbild der anderen, Recht und Würde und auch praktisch verlockende Zukunftsaussichten – gemünzt auf die menschliche Schwäche –
entgegenstellen.

Wir haben ja bis jetzt noch keinen Ton davon gesagt, was wir eigentlich wirklich
wollen, außer einem deutschen Sieg. Die ganze Welt glaubt heute, daß wir nur
aus Selbsterhaltungstrieb verbissen mit dem Rücken an der Wand weiterkämp-
fen. Dem weltumfassenden Sinn unseres Kampfes haben nur die wenigsten begriffen, die meisten aber nie etwas davon gehört. Und wäre es selbst nicht wahr,
so müßten wir etwas erfinden.

Sollen aber solche vorgeschlagenen Maßnahmen ordnender und politischer Art
Glauben finden, so müßten sie abgesehen von den angeführten Punkten einer gewissen Originalität nicht entbehren und die liegt vor allem darin, daß sie nicht angekündigt, sondern einfach dekretiert oder besser gleich durchgeführt werden.
Von Konferenzen, Versprechungen und langatmigen Reden oder Ausführungen
hat die Welt genug. Wie in der Kampfzeit ist auch heute wieder der Aktivist im
Vorteil. Kurz gesagt, ein neuer Wind muß wehen und das kann nur sein, wenn
sich der Führer selbst wieder mehr dieser Probleme annimmt.

Ich könnte Dir noch stundenlang weiterschreiben, aber dies ist ja unnötig, denn
Du weißt doch genau, was ich meine. Sinn dieses Briefes ist lediglich, Dich von
neuem auf die Dringlichkeit dieser Probleme aufmerksam zu machen und darauf
auch, daß militärischer Erfolg und diplomatisch-propagandistische Hochaktion
zusammenfallen müssen, und man mit altem Leim keine neuen Fliegen fängt.
Härte im Kampfwillen und Geschmeidigkeit in der Außenpolitik.

Hier laufen uns täglich Tausende Anhänger davon, nicht etwa weil sie an
Deutschlands Stärke zweifeln oder an der Gerechtigkeit seines Kampfes, sondern
weil sie überzeugt sind, daß wir gegen die angelsächsisch-russische Koalition auf
die Dauer nicht ankommen und es uns der politischen Geschmeidigkeit und an
dem Talent fehlt, die Gegner zu entfremden oder anderes einen rechtzeitigen Abschluß herbeizuführen. Mögen diese Leute auch unrecht haben, so bleibt doch
das eine, daß sich auf Grund dieser Ansicht immer mehr Länder und Persönlichkeiten von Deutschland distanzieren, was von unangenehmen Folgen für unsere
machtpolitische Lage begleitet sein *muß*. Wenn wir aber den Kampf kompromißlos bis zum siegreichen Ende durchführen wollen, so steht eines fest, daß wir auch
auf diesem Wege durch außenpolitische Wendigkeit schneller zum Ziele kommen.

Dies sind alte Ansichten von mir, wie Du weißt, und ich habe sie in diesen Tagen
neuempfunden.

Bitte tue das Deine, wenn Du der Ansicht sein solltest, daß ich recht habe.

Und nun nochmals alles Gute und baldige Besserung, meinen gehorsamen Handkuß an die Deinige, von Maria auch alles Gute.

Es grüßt Dich herzlichst

Aus Hewels letztem Brief vom 16. Juni 1944

.......Was Du schreibst, entspricht ja weitgehend auch meiner Auffassung – das weißt Du. Mein oberster Chef hat aber seine eigenen ganz klaren Erkenntnisse über dieses Thema – von denen er garnicht abgeht und die gehen hauptsächlich darauf hinaus, daß man erst militärische Erfolge haben muß, bevor man überhaupt wieder solche Gedanken in Erwägung ziehen kann........

Eidesstattliche Erklärung des persönlichen Adjutanten Adolf Hitlers, Richard Schulze-Kossens, im Weizsäcker-Prozeß vor dem amerikanischen Militärgericht in Nürnberg

Exh. Nr......
Weizsäcker Dok. Nr. 180
VDB 16

Eidesstattliche Erklärung
Ich, Richard S c h u l z e, geb. 2. Oktober 1914 in Spandau, wohnhaft Nürnberg, Muggenhoferstraße 2, bin darauf aufmerksam gemacht worden, daß ich mich strafbar mache, wenn ich eine falsche eidesstattliche Erklärung abgebe. Ich erkläre hiermit, daß die nachstehenden Angaben nach bestem Wissen und Gewissen der Wahrheit entsprechen und gemacht wurden, um dem amerikanischen Militärgericht in Nürnberg als Beweismaterial vorgelegt zu werden.
1.) Ich gehörte dem Auswärtigen Amt seit April 1939 als Angehöriger des diplomatischen Nachwuchses an und wurde im Rahmen meiner Ausbildung auch in die Adjutantur Ribbentrops versetzt. Ich versah Dienst als Adjutant und war mit einer kleinen Unterbrechung durch Teilnahme am Westfeldzug bis Anfang Februar 1941 ständig in seiner unmittelbaren Umgebung. Ich ging im Februar 1941 erneut zur Front und wurde nach mehrmaliger Verwundung im Oktober 1941 als Ordonnanzoffizier Hitlers in das Führerhauptquartier berufen. Im Oktober 1942 wurde ich zum Persönlichen Adjutant Hitlers ernannt. Ich gehörte mit Unterbrechung durch Krankheit an den Folgen meiner Verwundungen bis zum 6. Dezember 1944 dem Führerhauptquartier an.
Ich kenne Herrn von W e i z s ä c k e r seit dem Zeitpunkt meines Eintritts in das Auswärtige Amt. Es setzte mich schon damals in Erstaunen, wie wenig Kontakt der Reichsaußenminister mit seinem Staatssekretär hatte und weitgehende Entscheidungen traf, ohne ihn zu konsultieren, sich mit ihm auszusprechen oder seine Stellungnahme zu hören. Es vergingen oft Wochen, ohne daß Herr von Weizsäcker auch nur einmal zum Vortrag bestellt wurde. Dagegen wurde insbesondere nach Abschluß der deutsch-sowjetischen Vorträge (Seite 1 des Orig.Dok.) das Verhältnis Ribbentrops zum späteren Unterstaatssekretär G a u s immer enger, der nach unser aller Ansicht der eigentliche Vertraute und Berater Ribbentrops war. Über Herrn von Weizsäcker dagegen sagte Ribbentrop bei einer Gelegenheit ungefähr wörtlich, daß Weizsäcker die nationalsozialistischen Gedankengänge nicht verstehe und daß Weizsäckers Bestreben ständig darauf gerichtet sei, eine konflikverhütende, ausgleichende Außenpolitik zu vertreten, was Ribbentrop bei mehreren Anlässen mißbilligend wiederholte.

Das Verhältnis Ribbentrop – von Weizsäcker verschärfte sich zunehmend Ende August 1939. Ich begleitete Ribbentrop in diesen Tagen oft in die Reichskanzlei, wo er stundenlang verblieb und wohin ihm aus diesem Grunde alle wichtigen Telegramme durch Herren des Ministerbüros überbracht wurden. Ich entsinne mich eines Telegramms, das Ribbentrop im zufälliger Gegenwart Herrn von Weizsäkkers in der Reichskanzlei las und in dem von einem möglichen Kriegseintritt Englands und Frankreichs die Rede war, wenn Deutschland Polen angreifen würde. Herr von Weizsäcker bestätigte diese Auffassung und warnte eindringlich davor, einen Krieg zu beginnen. Ribbentrop wurde daraufhin kreidebleich und schrie seinen Staatssekretär in völlig unbeherrschter Form an, daß er sich sein defaitistisches Gerede verbäte, auch als Staatssekretär hätte er nur zu gehorchen und Befehle auszuführen, denn nur er (Ribbentrop) trüge die Verantwortung mit Hitler zusammen! Er ersuchte sodann Herrn von Weizsäcker, ihm in ein Nebenzimmer zu folgen, wo diese Szene fortgesetzt wurde, ich konnte hören, daß Ribbentrop sich in eine immer größere Wut steigerte, da ihm durch Herrn von Weizsäcker sehr bestimmt entgegengetreten wurde. Ich erinnere mich, daß Ribbentrop während der Nachhausefahrt sagte, er habe das Rücktrittsgesuch abgelehnt!

(Seite 2 des Orig. Dok.)

In den darauffolgenden Tagen betonte Ribbentrop – auch in späteren Monaten immer wieder –, daß das Auswärtige Amt jeden Schwung und jede nationalsozialistische Haltung vermissen lasse. Dies würde ihn jedoch nicht wundern, da an der Spitze ein solcher Defaitist wie Weizsäcker stünde, auch Hitler hätte das schon festgestellt.

In der späteren Zeit habe ich immer wieder feststellen können, daß der spätere Unterstaatssekretär L u t h e r und insbesondere Herr G a u s Ribbentrops Meinung beeinflußten und bei der Ausarbeitung von Weisungen bzw. Noten maßgeblich beteiligt waren, ohne daß Weizsäcker gefragt oder gehört worden wäre. Luther äußerte einmal in meiner Gegenwart zu einem Dritten, er überspiele in seiner Arbeit den Staatssekretär mit Erfolg unter Hinweis darauf, daß seine – Luthers – Aufträge ihm von Ribbentrop persönlich übertragen worden wären und daß sie infolgedessen keinen anderen etwas angingen.

2.) Während meiner Zeit im Führerhauptquartier hörte ich des öfteren Äußerungen Hitlers, daß er den Staatssekretär von Weizsäcker ablehne und überhaupt mit den Berufsdiplomaten nichts anfangen könne. Hitlers abfällige Äußerungen wiederholten sich fast in jeder Lagebesprechung, in der außenpolitische Fragen zu diskutieren waren. Ich bin mehrfach anwesend gewesen, wenn der Verbindungsmann Ribbentrops im Führerhauptquartier, der Botschafter H e w e l wichtige Telegramme Hitler vorlegte. Ich entsinne mich genau eines Gesprächs im Dezember 1941 nach dem Kriegseintritt Japans, als Hitler plötzlich auf das Auswärtige Amt zu sprechen kam. Hitler sagte, Weizsäcker sei ein typischer Vertreter der alten Diplomaten, der auch heute noch den Sinn des nationalsozialistischen Kampfes nicht begriffen hätte. Weizsäckers Vorstellungen von Moral und Anstand im Umgang mit dem Auslande seien veraltet und heute, wo es auf diesen ausgefahrenen alten Geleisen nicht mehr weiterginge, sondern neue Wege gefunden werden müßten, lächerlich. Er, Hitler, habe bisher Weizsäckers Rücktrittsgesuche abgelehnt, aber jetzt sei es genug und er suche nach einem eleganten

Weg für die Ablösung Weizsäckers. Er brauche »Steher« wie Ribbentrop.
Im Laufe des Sommers 1942 – das genaue Datum weiß ich nicht mehr – sprach Hitler im Anschluß an eine Besprechung mit Ribbentrop im Führerhauptquartier bei Winizza wiederum über das Auswärtige Amt und kam dabei auch auf Herrn von Weizsäcker zu sprechen, den er einen Defaitisten nannte, der keine Ahnung vom Ausland habe. Herr von Weizsäcker hätte schon vor der Münchner Konferenz eine völlig falsche Beurteilung der Lage der Außenpolitik gegeben und einen Krieg kommen sehen. Aber man hätte ja sehen können, wie er – Hitler – wieder Recht behalten hätte. Auch später habe Herr von Weizsäcker und das Auswärtige Amt die Lage ständig falsch und zu schwarz beurteilt. Mit solchen Leuten sei nicht zu arbeiten, er würde die Außenpolitik allein machen.

gez. Richard S c h u l z e

Nürnberg, den 27. Februar 1948
Die vorstehende Unterschrift des Herrn Richard Schulze ist heute vor mir, Rechtsanwalt Hellmut B e c k e r, Verteidiger vor dem amerikanischen Militärgericht Nürnberg, eigenhändig geleistet worden, was ich hiermit unter Zeugen bestätige.

Nürnberg, den 27.Februar 1948   gez. Hellmut Becker

Ansichten über Ribbentrop

28. Oktober 1938
…er hat sich die Idee des Krieges in den Kopf gesetzt, er will den Krieg, seinen Krieg. Er weiß nicht oder sagt nicht, welche seine genaue Marschrichtung ist. Er stellt weder die Feinde fest, noch bezeichnet er die Ziele. Aber er will den Krieg in den nächsten drei oder vier Jahren.
Galeazzo Ciano (italienischer Außenminister), Tagebücher 1937-1938. Hamburg 1949, S. 265

»Hitler verfällt in Monologe, wenn die Leidenschaft ihn hinreißt, Herr von Ribbentrop aber monologisiert eiskalt. Es ist vergeblich, ihm seine Auffassung auseinanderzusetzen, er hört ebensowenig hin, wie seine kalten leeren Mondaugen einen sehen. Immer von oben herab, immer in Pose, versetzt er mit schneidender Stimme seinem Gegenüber die wohlvorbereitete Ansprache; das Weitere interessiert ihn nicht mehr; man hat sich nur noch zurückzuziehen. An diesem, übrigens gut aussehenden Germanen ist nichts Menschliches außer den niedrigen Instinkten...«
Robert Coulondre (französischer Botschafter), Von Moskau nach Berlin. Bonn 1950, S. 313

Menschliche Wärme und persönlicher Charme fehlten; beides konnte der neue Botschafter nicht geben, weil er sie nicht besaß.

502

Was seine rein beruflichen Qualitäten anlangt, so glaube ich, genug Gelegenheit gehabt zu haben, ihn in einjähriger gemeinsamer Arbeit kennenzulernen. Ausnahmsweise selbstgeschriebene Berichte *waren stümperhafte Stilübungen*. Er hat bestimmt nicht angenommen, daß Botschafter an einem Brennpunkt außenpolitischen Geschehens wie London zu sein ein ungewöhnliches Maß an persönlicher Bildung, an beruflicher Erfahrung und an zäher Detailarbeit verlangte. In diesem einen Jahr meiner Zusammenarbeit mit ihm hat er sich nicht einmal auch nur eine halbe Stunde lang über die Wehrpolitik des Empire und seine derzeitige weltpolitische Lage Vortrag halten lassen. Dabei ist die Wehrpolitik eine der wesentlichsten Grundlagen der schwierigen englischen Politik. Göring war beruflich unvorstellbar faul, Ribbentrop war es eigentlich nicht. Aber seine Arbeit war in höchstem Maße unsystematisch, seine Bürogepflogenheiten unregelmäßig und unberechenbar. Er war eben weder Botschafter noch Außenminister, sondern ganz einfach das Sprachrohr Hitlers oder, härter gesagt, sein Echo.
Leo Geyr von Schweppenburg (deutscher Militärattaché), Erinnerungen eines Militärattachés. London 1933-1937, Stuttgart 1949, S. 124 f.

30. November 1943
Ribbentrop ist zu unelastisch, als daß er in dieser schwierigen Kriegslage Fäden spinnen könnte. Aber ich glaube nicht, daß der Führer dazu bereitgefunden werden kann, sich von seinem Außenminister zu trennen. Andererseits aber wäre Ribbentrop im Eventualfall weder in der Lage, mit London, noch mit Moskau zu verhandeln. Auf beiden Seiten ist er zu stark belastet.
Joseph Goebbels in: Tagebücher 1942-43, herausgegeben von Louis P. Lochner, Zürich 1948, S. 503

...no one had done more than he did to precipitate the war. For that there is no hell in Dantes inferno bad enough for Ribbentrop. *Nevile Henderson (britischer Botschafter), The Failure of a Mission, Berlin 1937-1939, London 1939, S. 110*

Wir waren riesig zufrieden, als wir durch sein Geschwätz verstanden, wie dumm der Reichsminister war.
Molotow über den Pakt-Partner Ribbentrop, zit. nach Der Spiegel, Nr. 47/1986

Am nächsten Tage traf *Herr von Neurath* in Bayreuth ein. Ich orientierte ihn über meine Unterhaltung mit Hitler. Beschwörend, beide Hände zur Abwehr erhebend, rief er: »Nein, nein! Da muß Ribbentrop hin. Es ist die einzige Möglichkeit, wie wir ihn und sein Büro loswerden!« »Ich verstehe sehr gut, Neurath, daß Sie diese unkontrollierbare Institution loswerden möchten, aber was wird Ribbentrop aus diesem wichtigen Posten machen?« Ein breites Lächeln zog über Neuraths joviales Gesicht. »In spätestens drei Monaten hat er in London völlig abgewirtschaftet – man kann ihn dort nicht riechen – und dann ist's ein für allemal mit ihm zu Ende.«
Ich warf noch ein, man habe mir erzählt, Ribbentrop selbst sträube sich, nach London zu gehen, weil er fürchte, den engen Kontakt zu Hitler zu verlieren. »Das

ist leicht möglich«, meinte Neurath, »aber so eine Gelegenheit, ihn sich blamieren zu lassen, kommt nie wieder.«
Franz von Papen (ehem. Reichskanzler, Botschafter), Der Wahrheit eine Gasse. München 1952, S. 423

»Mit Mussolini, der *nach dem Attentat (Stauffenbergs)* mit einer Delegation zu einem Besuch eingetroffen war, sah Göring sich die verwüstete Lagebaracke an. Dann tranken sie im größeren Kreis Tee, wobei Göring den Außenminister v. Ribbentrop wütend dafür verantwortlich machte, daß er 1939 den Deutschen den Krieg »auf den Hals geladen habe«, den er selbst mit Hilfe von Dahlerus vermeiden wollte. Unbeherrscht nannte Göring den Außenminister: »Sie Sektvertreter« und »Ribbentrop«, worauf dieser erwiderte, er heiße »von Ribbentrop«.
Wolfgang Paul, Wer war Hermann Göring. Esslingen o.J. S. 310

Er litt förmlich unter einer Art »Spionitis« bezüglich Englands. Jeder Engländer, der sich im Ausland aufhalte, behauptete er, sei mit Aufträgen des Secret Service versehen. Aus allem sprach dabei sein abgrundtiefer England-Haß.
Walther Schellenberg, Aufzeichnungen des letzten Geheimdienstchefs unter Hitler. München 1979, S. 127

Außerdem war er auf alle Engländer im allgemeinen schlecht zu sprechen, da er während seiner Botschafterzeit in London mit seinem arroganten Auftreten bei ihnen auf schärfste Ablehnung gestoßen war. Diesen Zorn ließ er in Berlin an (Botschafter) Henderson aus, der als vornehmer Engländer alter Schule durch den rüden Ton des neuen deutschen Außenministers oft etwas aus dem Konzept gebracht wurde; er besaß als Diplomat nicht das Zeug, auf einen groben Klotz einen groben Keil zu setzen.
Paul Schmidt (Gesandter), Statist auf diplomatischer Bühne. Bonn 1949, S. 389

Ribbentrop ging der behende Geist eines Goebbels ab. Bei Gesprächen, in denen er mit ermüdender Gleichförmigkeit einen nicht sehr tiefen Gedanken in Ausdrucksvariationen oder auch im gleichen Wortlaut zu wiederholen liebte, Einwendungen nicht verstand oder jedenfalls nicht auf sie einging, machte er den Eindruck eines Menschen, den die Natur mit Geistesgaben nur stiefmütterlich ausgestattet hatte.
Lutz Graf Schwerin von Krosigk (Reichsfinanzminister), Es geschah in Deutschland. Tübingen 1951, S. 235

Joachim von Ribbentrop, ehemals Außenminister, galt in Diplomatenkreisen als komische Figur. Entweder kroch er vor Hitler, oder er gebärdete sich als Kraft-

meier. Vor Gericht troff er von Selbstmitleid; er behauptete, von Hitlers Außenpolitik nichts gewußt zu haben, was zwar keine große Übertreibung war, ihn in
den Augen des Gerichts aber nicht sonderlich glaubhaft machte.
Bradley F. Smith, Der Jahrhundertprozeß. Frankfurt 1977, S. 20

Ursprünglich hatte ich diesen Mann für einen politischen Schwarmkopf gehalten,
den man vielleicht belehren könne. Später habe ich ihn wegen seiner Kriegsgelü-
ste für gefährlich angesehen und aufrichtig gehaßt. Als ich Berlin verließ, war ich
so weit, Ribbentrop zu bedauern. Denn, wie ich zu sagen pflegte: man öffne eine
Nervenheilanstalt und man werde manche dieses Schlages finden. Der Fehler lag
bei dem System, in welchem eine derartige Erscheinung Minister der auswärtigen
Angelegenheiten eines Siebzigmillionenvolkes werden und sieben Jahre bleiben
konnte.
*Ernst von Weizsäcker (Staatssekretär im Auswärtigen Amt), Erinnerungen. Mün-
chen 1950, S. 354*

Ribbentrops Fehler war sein maßloser Ehrgeiz und seine lakaienhafte Abhängigkeit von Hitler. Was der Führer sagte war ihm Evangelium und er versuchte ihn in
jeder Hinsicht noch zu übertreffen.
*Fritz Wiedemann (Adjutant Hitlers), Der Mann, der Feldherr werden wollte. Vel-
bert und Kettwig 1964, S. 144*

Stimmen zu Dr. Hans von Dohnanyi

Oster überbrachte mir deshalb den Auftrag Becks, über den Vatikan die Engländer zu bitten, alle eventuellen Aufzeichnungen über die römischen Gespräche sofort zu vernichten. Ich fragte bei dieser Gelegenheit: »Und wir selbst? Haben wir
selbst auch vernichtet?«
Die Frage richtete sich vor allem an den dabeisitzenden Hans von Dohnanyi, der
jedoch auf eine Anweisung von Generaloberst Beck verwies, wonach diese Dokumente für spätere Verhandlungen aufbewahrt werden müßten. Ich versuchte
Dohnanyi klarzumachen, in welcher Situation ich mich gegenüber meinen römischen Freunden und vor allem dem Papst gegenüber befinde. Ich verlangte von
ihm das Ehrenwort, daß er die Papiere vernichte. Oster setzte noch hinzu: »Und
ich gebe Ihnen den dienstlichen Befehl.«
Daraufhin war ich fürs erste beruhigt. Als Dohnanyi und ich bereits in Untersu-
chungshaft saßen, habe ich mich einmal während eines Fliegeralarms in Dohnanyis Zelle mit einschließen lassen, weil ich wegen des X-Berichtes plötzlich ein
ungutes Gefühl bekommen hatte. Ich erinnerte mich dunkel, daß ich seinerzeit
von Dohnanyi zwar das Ehrenwort verlangte, daß er es aber mir nie gegeben hatte. Deshalb fragte ich erneut: »Dohnanyi, ich fürchte, die wissen von uns mehr als
wir glauben. Sind die Unterlagen vernichtet?«
Er berief sich wiederum auf Generaloberst Beck und auf die Möglichkeit neuer

Friedensverhandlungen, für die diese Papiere benötigt würden. Ich erwiderte, dies habe doch längst keinen Sinn mehr, das Tresckow-Attentat sei wahrscheinlich die letzte Möglichkeit gewesen, Hitler zu beseitigen und mit den Westmächten ins Gespräch zu kommen. Dohnanyi versuchte, mich zu beruhigen: Die Papiere seien so sicher untergebracht, daß es dem SD nie gelingen würde, sie zu finden. Leider hat er damit nicht recht behalten.
Josef Müller, Bis zur letzten Konsequenz. München 1967, S. 216

Reichsgerichtsrat Dr. Hans von Dohnanyi

Oster gab den Liquidierungsbefehl an Dohnanyi weiter, doch der sträubte sich, ihn auszuführen. Stundenlang rangen Oster und sein Referent miteinander, keiner wollte dem anderen nachgeben; erst ein »dienstlicher Befehl« Osters beendete die Debatte: Papiere vernichten. Doch Dohnanyi dachte nicht daran, dem Befehl seines Abteilungschefs nachzukommen. »Ich habe die Dokumente«, interpretierte später der aktenfreudige Jurist seine Verweigerung, »deshalb nicht vernichtet, um einmal nachweisen zu können, daß wir Zivilisten auch etwas getan hatten. Wenn die Sache geklappt hätte, dann hätten sicher die Generale alles gemacht und wir Zivilisten gar nichts. Das wollte ich vermeiden.«
Heinz Höhne, Canaris, Patriot im Zwielicht. München 1976, S. 402

Hinsichtlich der Judenpolitik nahmen die Beamten des Auswärtigen Amtes eine Position ein, die im Gegensatz zur Haltung der Partei und des Reichsministeriums stand:

Dagegen *bemühten sich die jungen Mitarbeiter Weizsäckers, die Maßnahmen gegen die jüdische Bevölkerung zu verhindern.*
Das Zusammenwirken gegen die Judenpolitik des Regimes zwischen den Beamten des Ministerbüros und dem Büro des Staatssekretärs läßt sich an einem Dokument vom 11. November 1938 ablesen.
Das Schriftstück bezieht sich auf die Abschiebung von Juden über die polnische Grenze. Man versuchte, sie aufzuhalten. *Spitzy*, ein Mitarbeiter Erich Kordts, der die Verbindung zwischen dem Ministerbüro und der Abwehr aufrechterhielt, beklagte sich am 11. November 1938 über die Form, mit der von den Abschiebungsmaßnahmen abgeraten wurde. Eine rein juristische Argumentation sei keineswegs ausreichend. Es bedürfte einer Aufzählung der »nackten Tatsachen« polnischer Gegenmaßnahmen. Auf die Betonung dieser Tatsachen wäre es ihm deshalb besonders angekommen, um von vornherein den Eindruck zu vermeiden, als wäre die Einstellung der Aktionen ausschließlich auf die Haltung des Auswärtigen Amtes zurückzuführen gewesen. Offenbar reichte die Argumentation nicht aus, um die Juden vor weiteren Abschiebungen zu schützen, so daß, nachdem Erich Kordt Spitzy die polnischen Gegenmaßnahmen geschildert habe, dieser nach Rücksprache mit Rippentrop eine Aufzeichnung anzufertigen hatte, die der Reichsaußenminister zum Vortrag bei Hitler verwenden könnte. Man be-

mühte sich, Argumente zu finden, *die den jüdischen Mitbürgern die Ausweisung nach Polen ersparen sollten.* Das Zusammenspiel des Büros Ernst von Weizsäkkers und des Ministerbüros zur Rettung jüdischer Landsleute vor einer Ausweisung *ist das einzige Dokument,* das Aktionen des *Auswärtigen Amtes zugunsten der Juden* aufweist. Die Brüder Kordt haben darüber hinaus während des Winters 1938/39 mehrfach ihre Verbindungen zu Sir Robert Vansittart dahingehend genutzt, jüdischen Freunden Zwischenvisa zu vermitteln, um ihnen bei der Ausreise aus Deutschland behilflich zu sein.

Marion Thielenhaus, Zwischen Anpassung und Widerstand: Deutsche Diplomaten 1938-1941. Paderborn 1984, S. 88

Register